Atlas carreteras

España y Portugal 2006

geoPlaneta

Atlas de carreteras
de España y Portugal
Road Atlas. Spain & Portugal

Sumario / *Contents*

Mapa-llave / *Key-map* 2

Mapas de carreteras de España, Portugal y Andorra / *Road maps of Spain, Portugal and Andorra* 4

Planos de las principales ciudades / *Principal urban areas plans* 200

  Madrid 200

  Madrid y alrededores 202

  Barcelona y alrededores 203

  Barcelona..................................... 204

  Sevilla....................................... 206

  Valencia/València............................. 207

  Albacete, Alacant/Alicante 208

  Almería, Ávila 209

  Badajoz, Bilbao/Bilbo........................... 210

  Burgos, Cáceres................................ 211

  Cádiz, Castellón de la Plana/ Castelló de la Plana........................ 212

  Ceuta, Ciudad Real 213

  Córdoba, A Coruña/La Coruña 214

  Cuenca, Donostia-San Sebastián...................... 215

  Gijón, Girona/Gerona 216

  Granada, Guadalajara 217

  Huelva, Huesca 218

  Jaén, León.................................... 219

  Lleida/Lérida, Logroño........................ 220

  Lugo, Málaga 221

  Melilla, Mérida 222

  Murcia, Ourense/Orense 223

  Oviedo, Palencia.............................. 224

  Palma de Mallorca, Las Palmas de Gran Canaria................ 225

  Pamplona/Iruña, Pontevedra................ 226

  Salamanca, Santa Cruz de Tenerife...... 227

  Santander, Santiago de Compostela..... 228

  Segovia, Soria 229

  Tarragona, Teruel 230

  Toledo, Valladolid............................ 231

  Vigo, Vitoria-Gasteiz......................... 232

  Zamora, Zaragoza............................. 233

  Lisboa 234

  Coimbra, Porto 235

Rutómetros de autopistas / *Route finders* 236

  España / *Spain* 236

  Portugal / *Portugal* 247

Información de utilidad para el conductor / *Driver information* 252

España / *Spain*................................. 252

  Información general / *General information* 252

  Jefaturas provinciales de tráfico / *Provincial traffic headquarters* 252

  Servicios de urgencia / *Emergency services* 252

  Talleres oficiales (averías) / *Official garages (breakdowns)* 252

  Asistencia en carretera / *Road side assistance* 253

  Centros de ITV / *MOT centres* 253

  Centros de ITV móviles/ *Mobile MOT centres* 255

  Aeropuertos / *Airports*........................... 255

  Ferrocarriles / *Railways* 255

  Alquiler de coches (oficina central) / *Car hire (head office)* 256

  Información meteorológica / *Weather information* 256

  Parques Nacionales / *National Parks* 256

  Patrimonio de la Humanidad /*World Heritage Sites* 256

  Principales centros de información turística / *Main tourist information centres* . 257

  Paradores de Turismo / *Paradors* 258

Andorra / *Andorra* 259

  Información general / *General information* 259

  Ayuda y asistencia en carretera / *Road side assistance* 259

  Deportes / *Sports* 259

  Fiestas locales de interés / *Local fiestas* 259

  Patrimonio de la Humanidad / *World Heritage Site* 259

  Principales oficinas de turismo / *Main tourist information centres* 259

Portugal / *Portugal* 260

  Información general / *General information* 260

  Ayuda y asistencia en carretera / *Road side assistance* 260

  Ferrocarriles / *Railways* 260

  Patrimonio de la Humanidad / *World Heritage Sites* 260

  Emergencias / *Emergencies*.................... 260

  Parques Nacionales / *National Parks* 260

  Deportes / *Sports* 260

  Fiestas locales de interés / *Local fiestas* 261

  Principales oficinas de turismo / *Main tourist information centres* 261

  Paradores (Pousadas) / *Paradors* 262

Consejos y normas de seguridad vial (España) / *Road safety advice and regulations (Spain)* 263

Nuevas normas de tráfico / *New traffic regulations* 265

Nomenclatura y catálogo de autopistas y autovías de la Red del Estado / *State motorway and two-lane road nomenclature* 267

Índice de topónimos (cartografía 1:300.000) / *Place index (scale 1:300.000)* 269

Signos convencionales / *Standard road signs* Contraportada anterior / *Inside front cover*

Distancias kilométricas y abreviaturas / *Table of distances and abbrevations* Contraportada posterior / *Inside back cover*

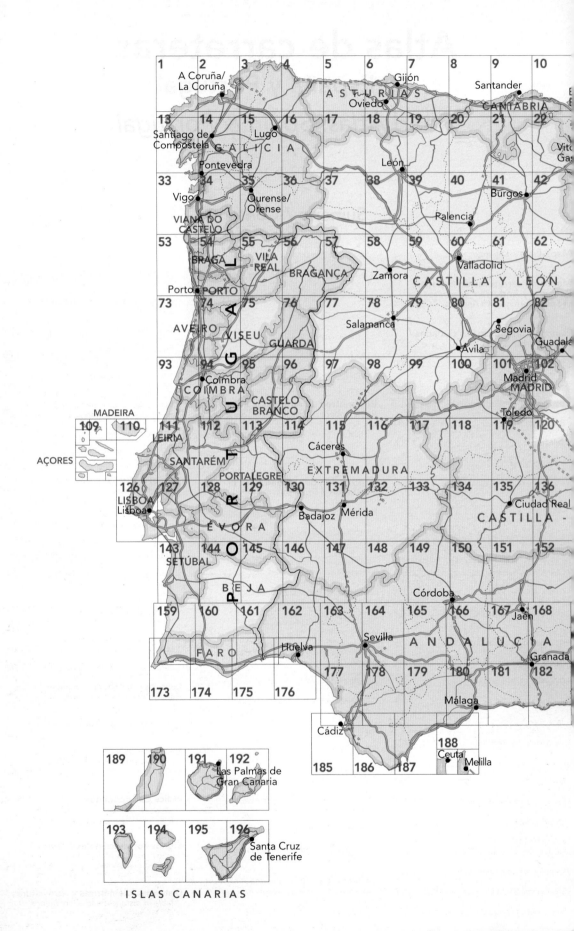

Donostia-
San Sebastián

NAVARRA

ona/
uña

FRANCIA

ANDORRA

25 26 27 28 29 30 31 32

45 46 47 48 49 50 51 52

CATALUÑA

Huesca

Girona/
Gerona

65 66 67 68 69 70 71 72

Zaragoza

Lleida/
Lérida

ARAGÓN

Tarragona

Barcelona

85 86 87 88 89 90

91 92

ISLAS BALEARES

Palma de
Mallorca

04 105 106 107 108

Teruel

Cuenca

Castellón de la Plana/
Castelló de la Plana

22 123 124 125

COMUNIDAD

Valencia

VALENCIANA

38 139 140 141 142

cete

ANCHA

54 155 156

Alacant/
Alicante

MURCIA

Murcia

157 158

0 171 172

4

ría

FRANCIA

ANDORRA

PORTUGAL

ESPAÑA

I. Baleares
(Esp.)

Ceuta

Melilla

Islas Açores
(Port.)

OCÉANO

Islas Madeira
(Port.)

ATLÁNTICO

MARRUECOS

Islas Canarias
(Esp.)

ARGELIA

Sáhara
Occidental

MAURITANIA

OCÉANO ATL

ILLAS SISARGAS

Cabo de San Adrián

Punta de Nariga

Punta do Morro

Enseada da Barda

Barizo

Punta Roncudo   Corme

Mens

Niñóns

Nemeño

Cores

Corme-Porto   Corme-Aldea   AC-424

Costiñdo

Ría de Corme e Laxe   AC-422   Tella   Tallo   Xor

Ponteceso   Trabe

Cabo de Laxe

Laxe   AC-431   Anllóns   Corcoesto

Cabo Tosto   Cabo Veo   Soesto   Canduas   Bosque   Esto

Enseada de Trou   Praia de   (Cabana)

Brañas   Traba   Boaño   AC-433   Dombate   Cuntíns   Valencia

Verdes   Mato   Borneiro   AC-423

Camelle   Trabado   Dolmen   Piñeiro   Riobó   Castr

Cabo Vilán   de Dombate   Anós   Nantón

Fornelos

Xaviña   Baio   Pedra   Aqualada

Ponte   Cerexo   Pasarela   Senoráns   Pazos   Bormoio

Camariñas   do Porto   AC-432   Calo   AC-552   Sisto

Ría de Camariñas   Carantoña   Bamiro   AC-433   Baio Grande   Lamas   Carreira   Cuns   Bre

Punta da Barca   Tufiones   Lama   C-545   Contalde   Pico de Meda

Muxía   Carnés   Casais   Picotos

Cabo da Voutra   Ozón   Salto   Vilar   567

Vimianzo   Tines   Treós   Quintáns   Zas

Cabo Touriñán   Moraime   Quintáns   Ogas   Cambeda   Loroño   Romelle   Cícere

Muíños   Suxo   Castrelo   Serram   Busto

AC-440   Senande   Means   476   Travesas

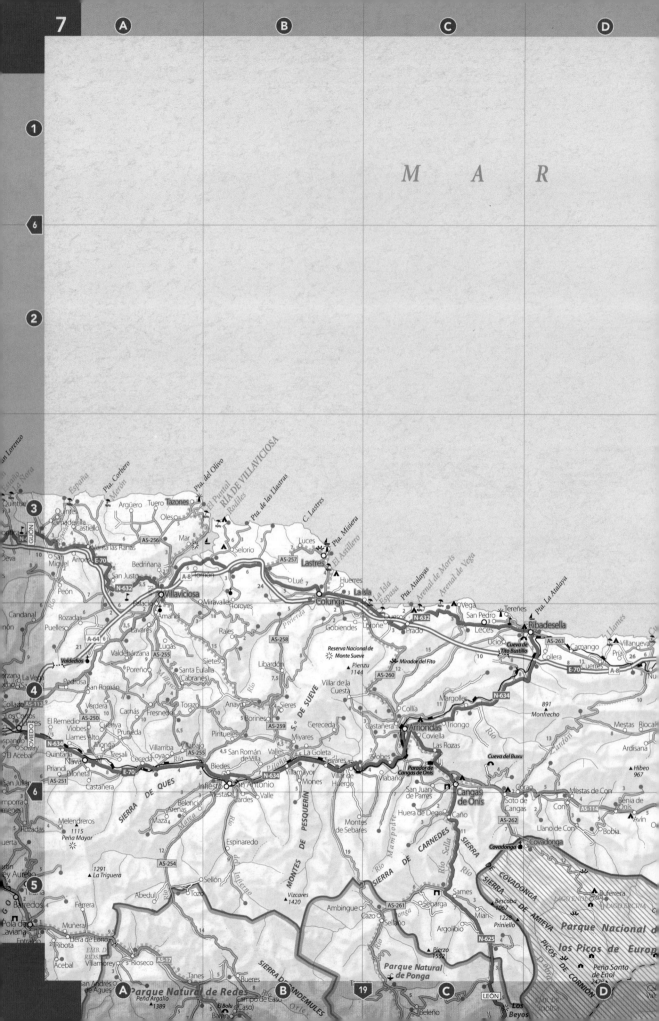

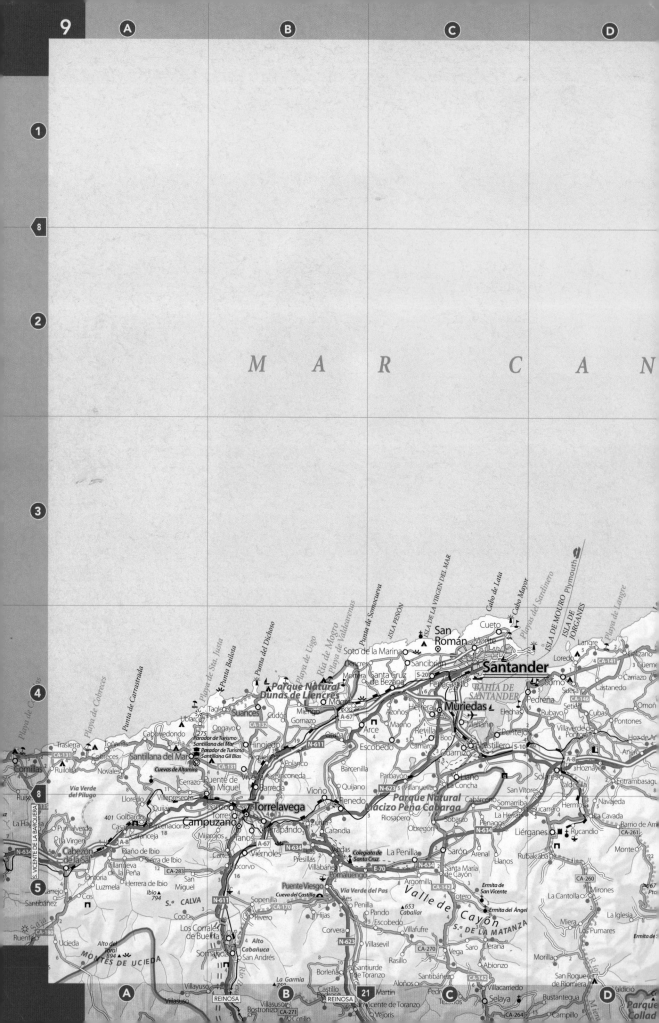

A B C D

1

8

2

M A R   C A N

3

8

4

5

M A R   C A N T

Comillas
Ruiloba
Novales
Santillana del Mar
Cuevas de Altamira
Cerrazo
Trasierra
Cobreces
Oreña
Ubiarco
Caborredondo
Tagle
Suances
Cudón
Gornazo
Ongayo
Hinojedo
Requejada
Polanco
Barcenilla
Quijano
CA-131
Parador de Turismo
Santillana del Mar
Parador de Turismo
Santillana Gil Blas
Puente de
San Miguel
Barreda
Vioño
Renedo
Viérnoles
Parque Natural
Dunas de Liencres
Liencres
Mortera
Soto de la Marina
Santa Cruz
de Bezana
Sancibrián
Peñacastillo
Monte
Cueto
San
Román
Santander
BAHÍA DE
SANTANDER
Somo
Pedreña
Loredo
Langre
Galizano
Güemes
Carriazo
Castanedo
Omoño
Cubas
Pontones
Villaverde de
Pontones
Hoz de Ar
Ancero
Solares
Entrambasagu
Hermosa
Navajeda
La Cavada
Barrio de Arri
CA-261
Rucandio
Liérganes
Rubalcaba
La Herrán
Somarriba
Bucarrero
Penagos
Obregón
Sobarzo
CA-634
CA-260
Mirones
La Cantolla
Ermita de
San Vicente
Ermita del Ángel
Valle de
Cayón
Santa María
de Cayón
Argomilla
Sarón
Arenal
Llanos
Totero
Vega
Saro
Llerana
Abionzo
Miera
La Iglesia
Los Pumares
Ermita de
Morilla
San Roque
de Riomiera
Bustantegua
Campillo
Selaya
Villacarriedo
CA-264
Parque
Collad
Valdició

Torrelavega
Campuzano
Tanos
Sierrapando
Cartes
Corcovo
Puente Viesgo
Sopenilla
Rivero
Los Corrales
de Buelna
Somahoz
San Andrés
Villasuso
Bostronizo
Cotillo
CA-271
REINOSA
Villayuso
La Garmia
Castillo
Borleña
Santiurde
de Toranzo
Alonsos
Santibáñez
Pedro
Villasevil
Vejoris
San Vicente de Toranzo
Rasillo
Escobedo
Villafufre
Pomaluengo
Villabáñez
Presillas
Vargas
Colegiata de
Santa Cruz
La Penilla
N-634
Penilla
Pando
Corvera
Caballar
Hijas
Aes
N-611
CA-170
Cueva del Castillo
Vía Verde del Pas
E-70
N-623
Carandia
Riosapero
Parque Natural
Macizo Peña Cabarga
Villanueva
La Concha
San Vítores
Liaño
Penagos
Cabárceno
Solares
A-8
Hoznayo
Pontejos
S-10
El Astillero
Guarnizo
Camargo
Boo
Revilla
Maliaño
Muriedas
Herrera
Azoños
Oruña
Arce
Maoño
Escobedo
Parbayón
Quijano
Barcenilla
A-67
Mogro
Playa de Valdearenas
Punta de Somocueva
ISLA PEÑÓN
ISLA DE LA VIRGEN DEL MAR
Punta de la Virgen del Mar
Cabo de Lata
Cabo Mayor
Playas del Sardinero
ISLA DE MOURO
ISLA DE
ORCANES
Plymouth

Playa de Sta. Justa
Punta del Dichoso
Playa de Usgo
Ría de Mogro
Playa de Cobreces
Punta Bailota
Punta de Carrastrada
Punta de Cobreces
Playa de Oyambre

Vía Verde
del Pilugo
Lloredo
Villapresente
Quijas
Golbardo
Barcenaciones
401
Caranceja
Mijarojos
Llanos
Casar
Cabezón
de la Sal
Carrejo
Santibáñez
Ontoria
Luzmela
Cos
Coo
Ibio
794
S.ª CALVA
Riaño de Ibio
Sierra de Ibio
Herrera de Ibio
Villanueva
de la Peña
San
Miguel
CA-283
N-611
Ucieda
Ruente
Alto del
Toral
894
MONTES DE UCIEDA
Alto
Cabañuca
Villasuso
REINOSA
21
Martin
S.ª DE LA MATANZA
653

La Hayuela
Pumalverde
La Virgen
Ruiloba
Ruiloba
N-634
CA-131
N-63
CA-180
S. VICENTE DE LA BARQUERA

CA-146
CA-141
CA-142
CA-270
E-70
CA-132
CA-170
CA-260
CA-261
CA-264
CA-131

A B C D

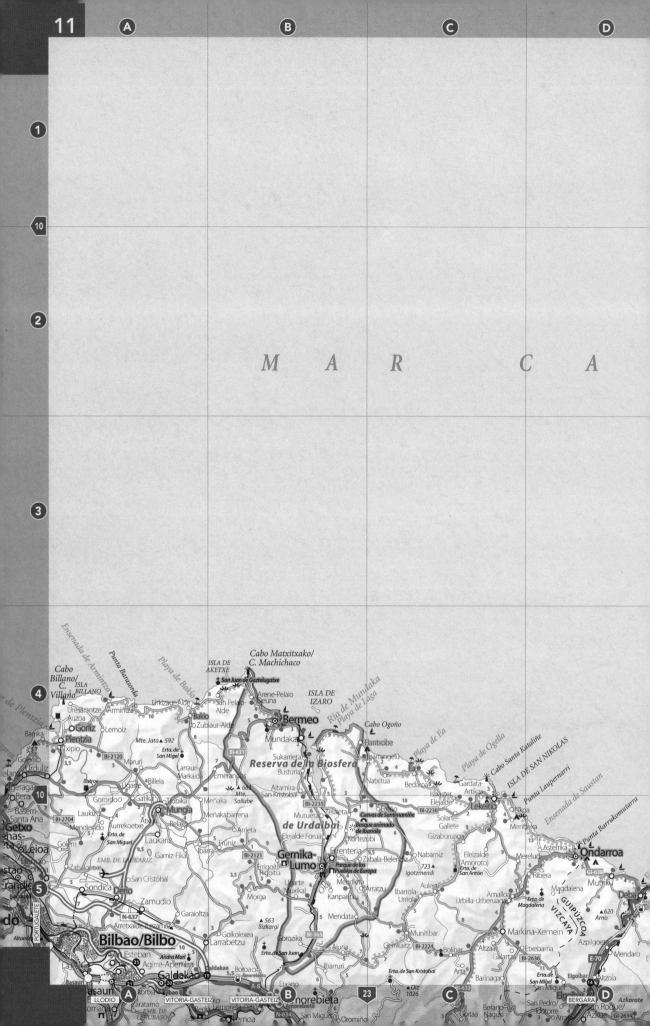

MAR CA

A B **ILLA DE SÁLVORA** 13 C D

O Grove
Meloxo
Quintán Barrantes
O Corre iro Barrantes
Reboredo O Couto
Balea de Abaixo Armenteira
Punta Abelleira Salgueiro As Covas (Meaño)
Beyolta Coirón Valboa
Aeródromo Embalme
da Lanzada Vilalonga Gondar Nantes Lores
Nosa Sra. da Lanzada Noalla Padriñán Samieira
Cachadó Adina Barrosa Dorrón
Punta Faxilda Alos Barrosa Sanxenxo Raxó
Portonovo
Parque Nacional
RÍA DE PONTEVEDRA
ILLA DE ONS
Illas Atlánticas Montecelo
Punta de Elmo Punta Arbosa
de Galicia Beluso Bueu PO-551 Sabariño
Puntal da Porta Bon Cela
PO-315
ILLA DE ONCETA Portela
Broullón
Menduíña Ribeira
Punta de Osas PENÍNSULA DO
Vilanova Aldán
Pintén s Vilariño Coiro Moaña
Donón Hío Darbo San Pedro
Faro de las Islas Cíes Nerga Cangas Vilela
Punta Caballo Espírito Santo
RÍA DE VIGO
Punta Subrido **Vigo**
ILLAS CÍES Alcabre
Cabo do Mar Gándara Castrelos
Navia
Pazos de Castrelos Matamá
Coruxo Comesaña
Cabo Bicos Rochas PO-552 Babio
Estériz Pragoselo
RÍA Freixo Valad
Outeiro Garrida
Ferro Navás AG
Vilameán (Nigrán) Salgueiro Vincios
Panxón PO-332 Campos 17
Nigrán
Ría de Baiona VAL Parada Vincios
MINOR Baiona
Monterreal Nigrán Vilaza Vilas
Cabo Silleiro Parador de Turismo Gondomar
de Baiona Ramallosa
Bareda Baíña Donas
Sabarís
Belesar San Cibrán Reitieiro
Punta Centinela Couso
Granxa l PO-340
PO-552 **Parque Natu**
Monte Alo
Mougás Malvas
Viladesuso Tebra
Lousado
Punta Orelluda 613 Peseguei ro
Torroña Vilameán Tebra
Pedornes Cristelo
PO-351
Oia Barrantes
Arrabal (Oia) Vilachán
San Sebastián Loureza Taborda
Vilachán (Tomiño)
Tomiño
Sta. Comba
Sanxián Estáso
S.Martiño Figueiró Reboreda
Viso dos Eidos Goián
Fornelos
Punta Bazar Calvario Amorín Lovelhe
PO-552 **Pousada de** Vila Nova
Pancenteo A Eira **Dom Dinis** de Cerveira
Gándara Tabagón Loivo Bagoada
A Guarda/ Salcidos Gondarém 302
La Guardia Lanhelas Gavea
Paso xe Sopo
Seixas Vilar de Valinho
Castro de Sta. Tegra Mouros
Camposáncos Covas
Punta dos Picos Argela
Caminha
Praia de Moledo Cristelo 301
Moledo Venade Arga de
São João
Azevedo Chão do Porto Arga de Baix
Vilarinho Vila Praia Vila Verde
de Âncora A28-IC1 Gondar S DE
Praia de Âncora Vile Ri bade
Âncora 305 Âncora
O C É A N O   A T L Á N T I C O

A B 53 C **PORTO** D
13

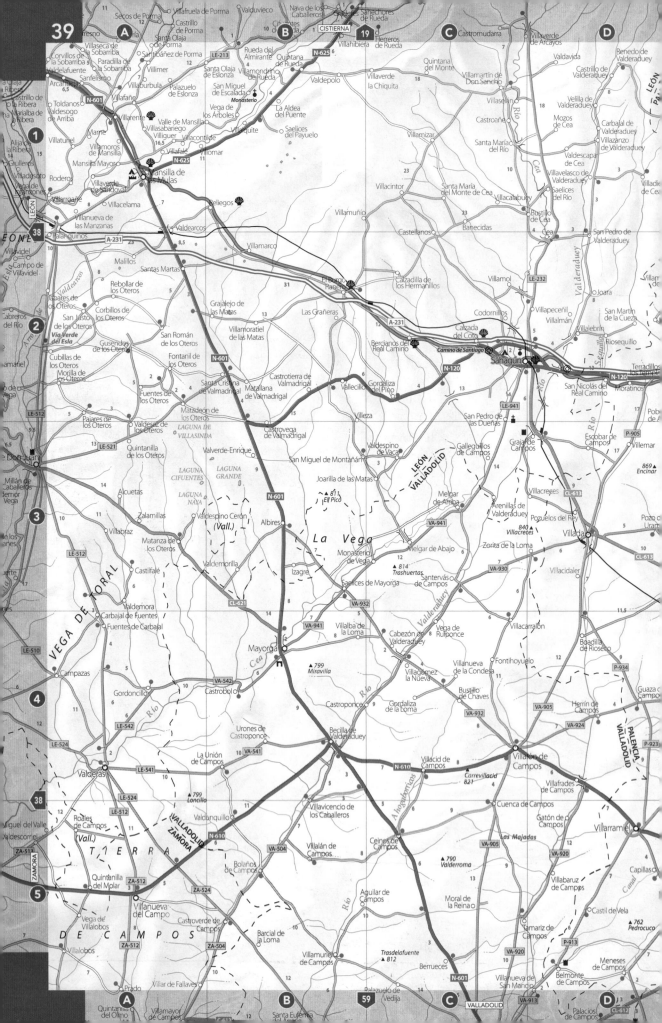

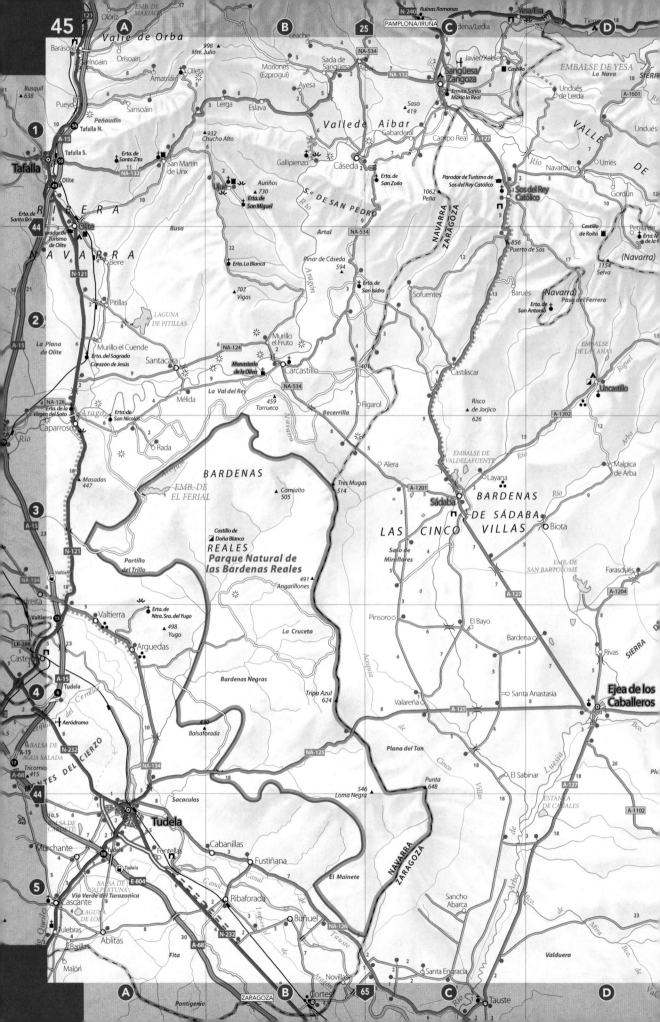

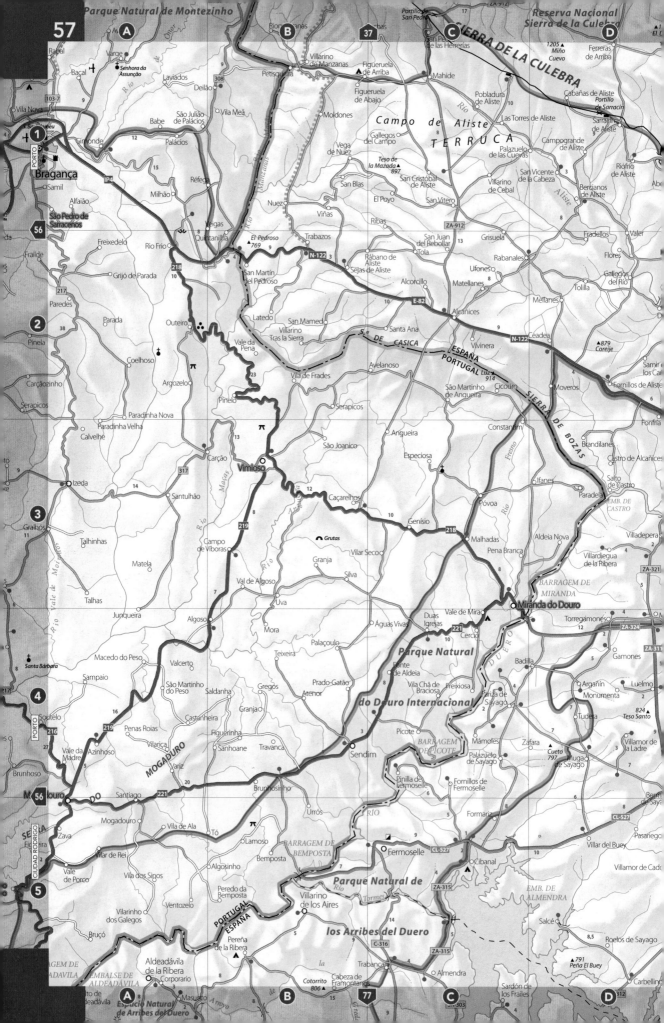

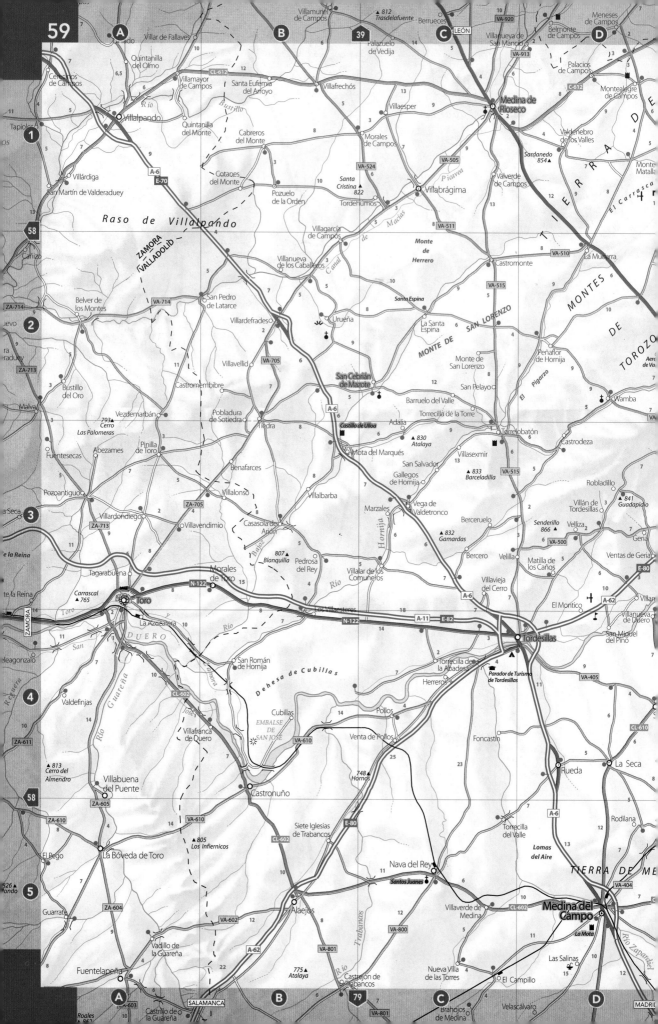

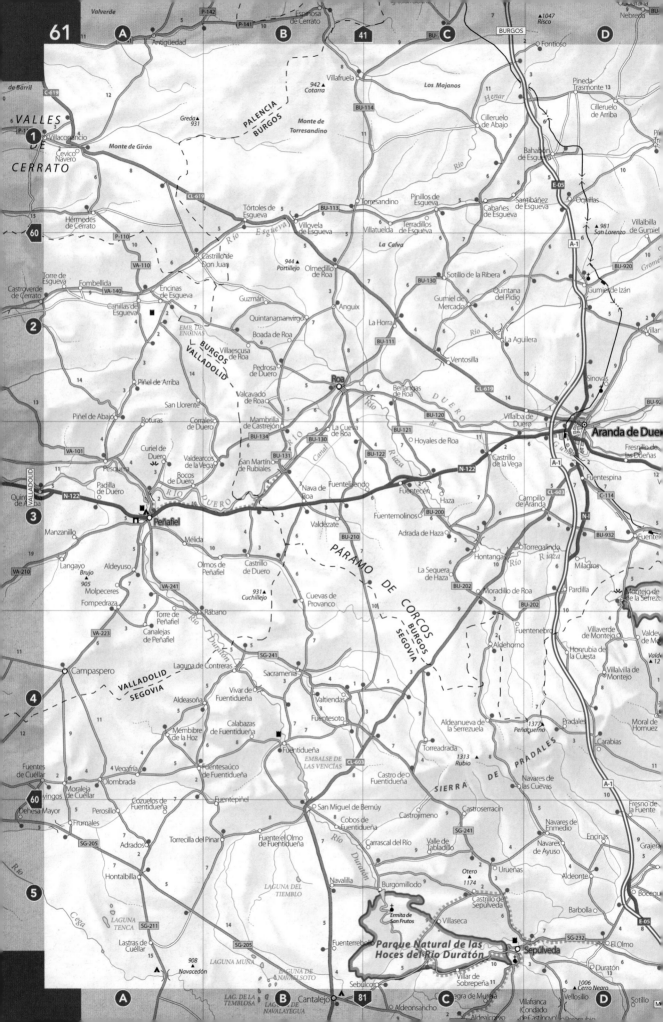

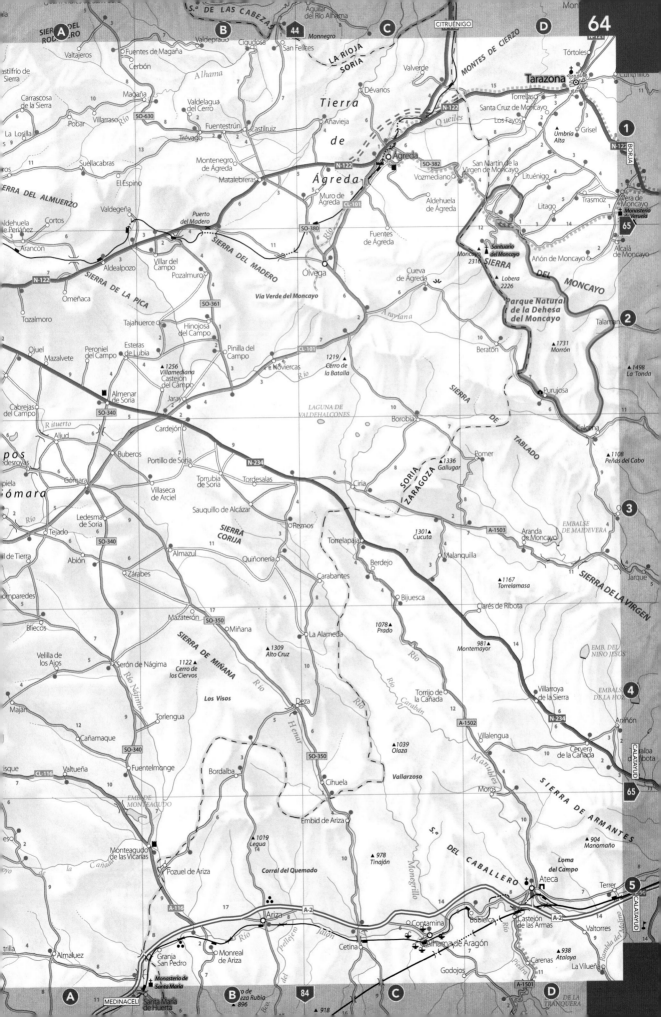

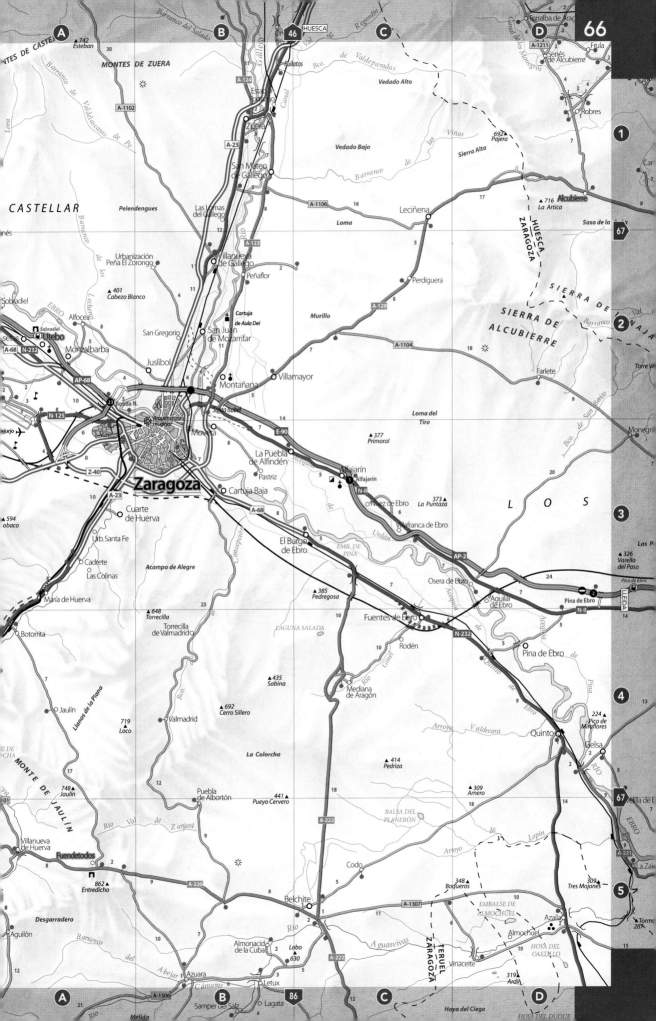

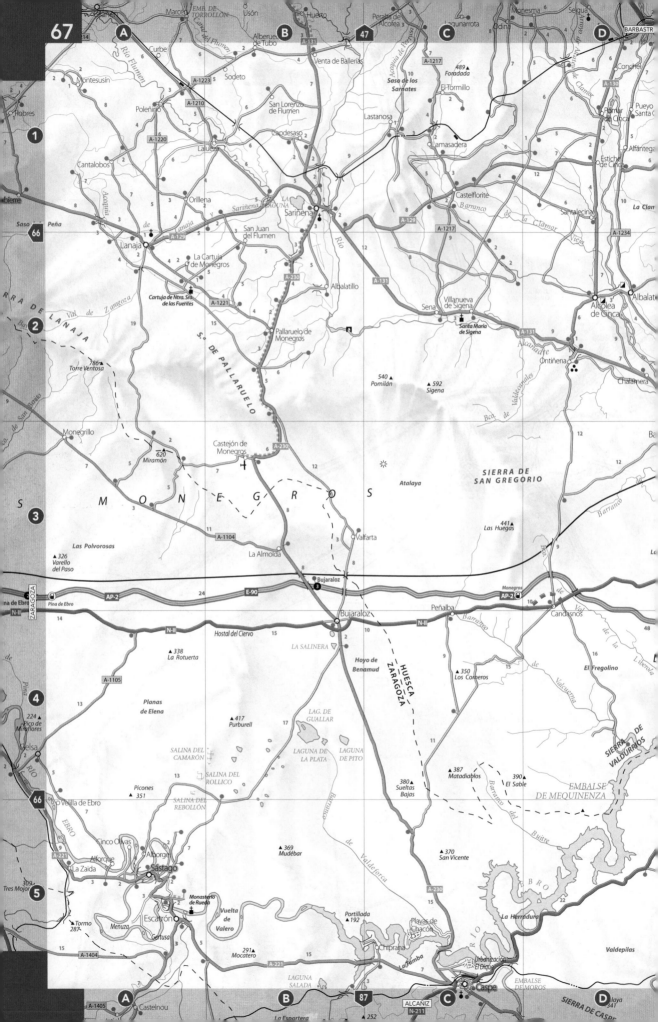

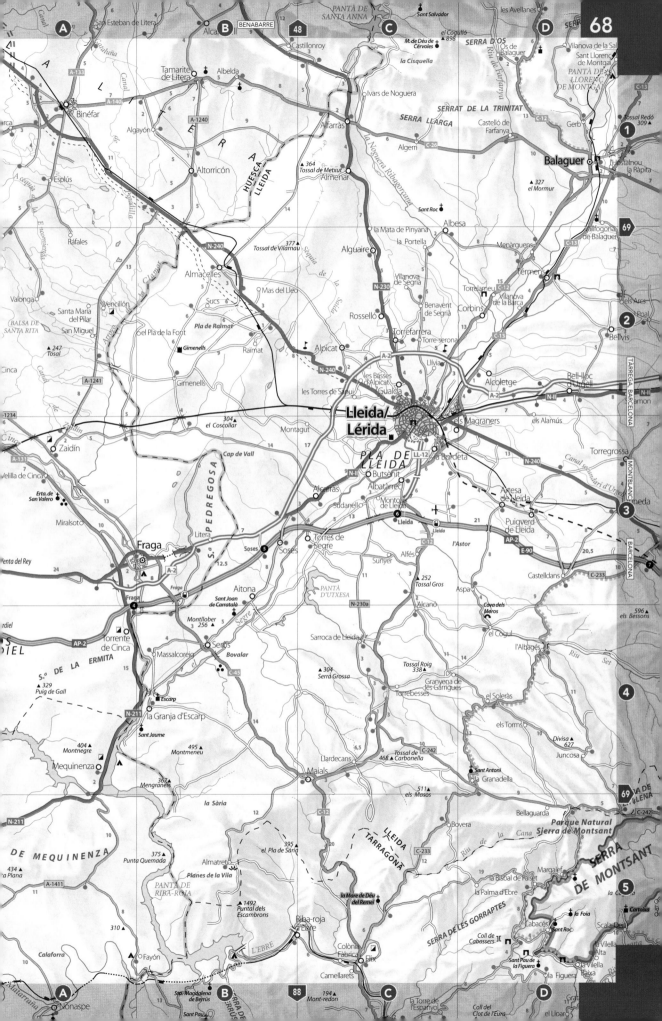

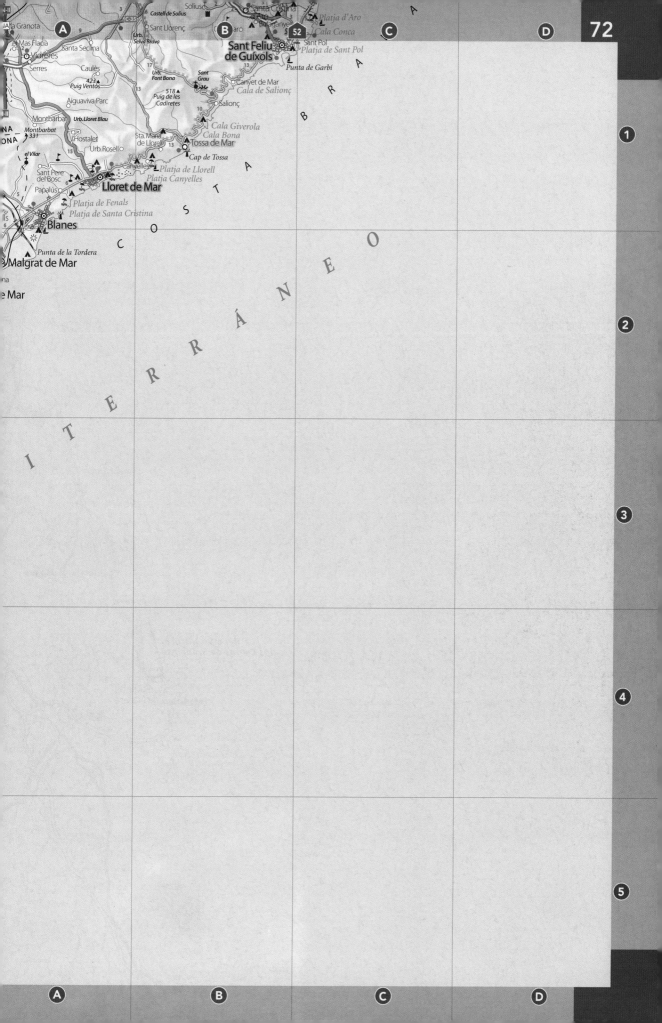

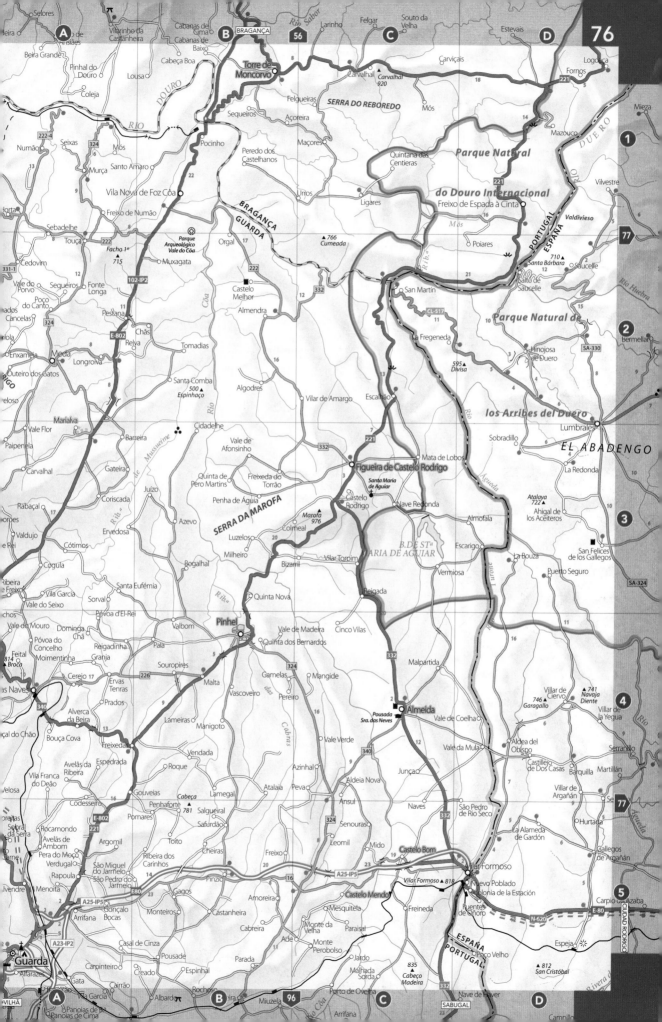

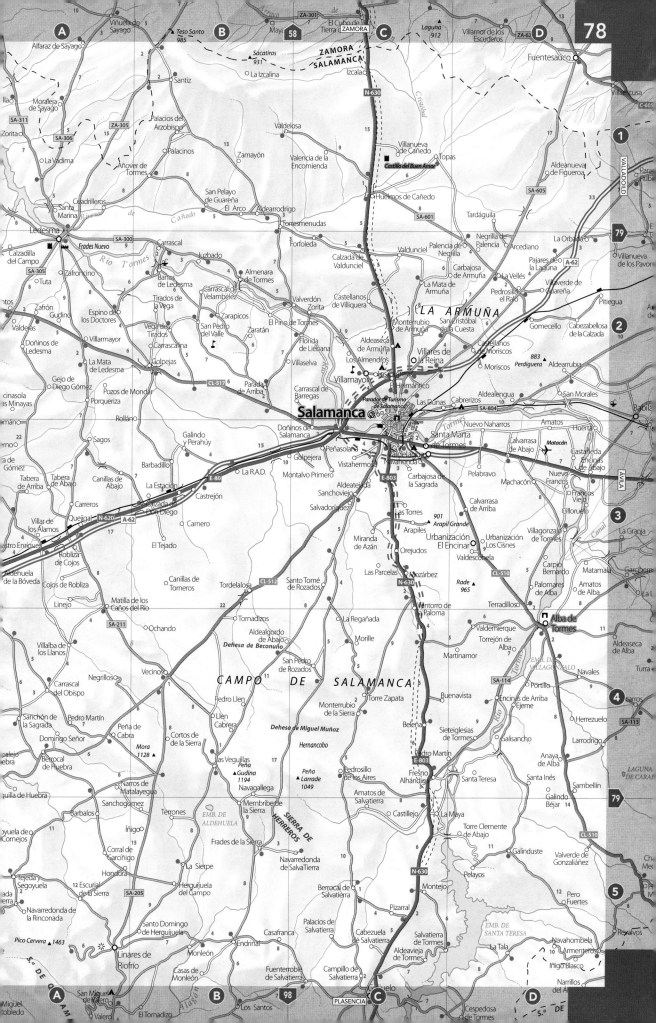

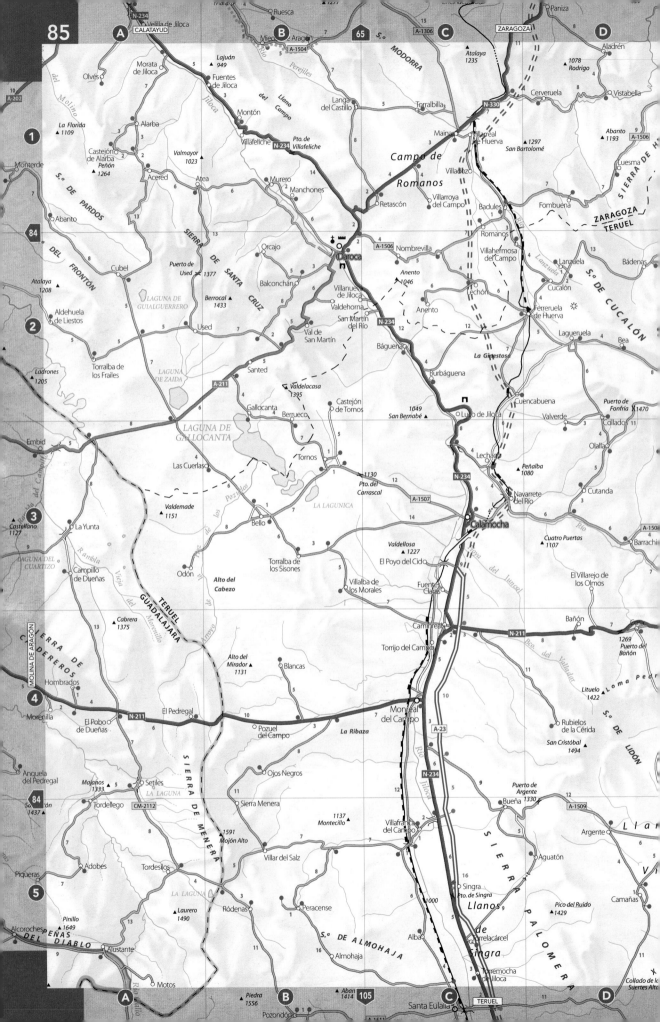

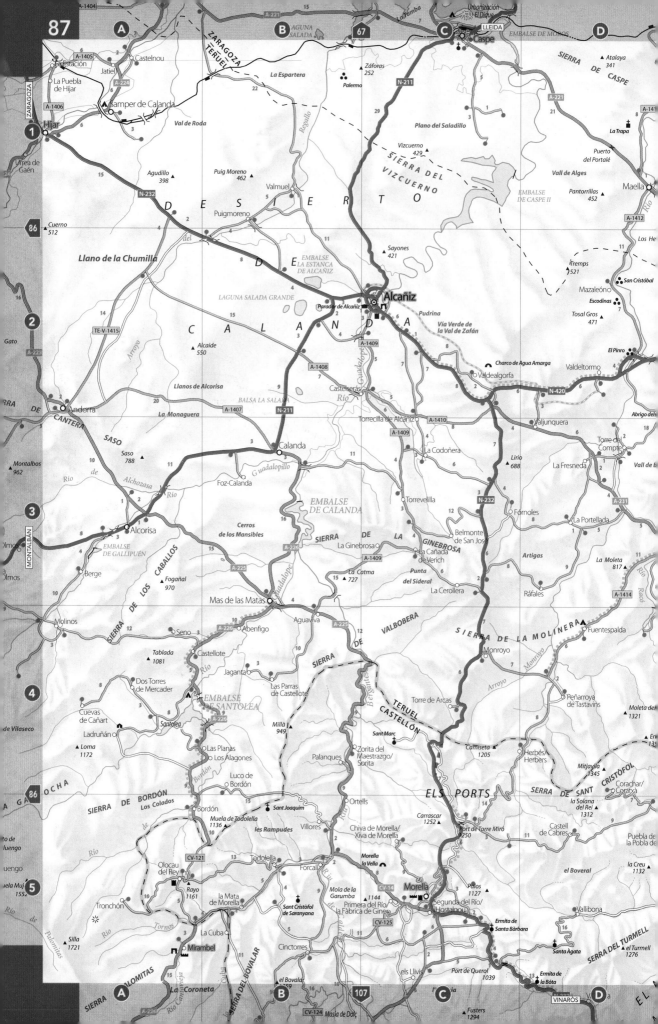

A   B   C   D

1

2

3

4

5

MAR MEDITERRÁNEO

Es Musc
Es Raco

Racó de sa Figuer

Es Morro de sa Vaca
Es Morro de sa Corda

Es Morro de Cala Rotja

Cala des Codolar
Cala des Capellans
Sa Calobra

Cala Tuent

Sa Teleca

1002
Puig Roig

Oratori de
Sant Pere

Escorca

Mor
de

1348

PANTA DEL GORC E

Puig Major
▲1445

C-710

Port de Sóller

Cap Gros

El Port

Santuari de
Sta. Mª. de l'Olivar

Fornalutx

PANTA DE CÜBER

Punta de Deià

Punta de sa Foradada

Biniaraix
▲1090
L'Ofre

Sóller

Mancor de la

Binia

Ma-11

Cala de Deià

Deya/Deià

Es Teix
1064 ▲

Orient

Castell
d'Alaró

Mare de Déu
del Refugi

Llose

Cala de Valldemossa

C-710

Es Port

Ermita de
la Trinitat

Valldemossa

Túnel
de Sóller

PM-210

Alaró

PM-211

Sa Platja de son Bunyola

Cartuja de
Valldemossa

Bunyola

▲666
Puig de na Marit

Binissalem

S'Arenal

Es Racó de s'Algar

PM-111

Palmanyola

Consell

C-713

Sa Punta de Son Serralta

Banyalbufar

Esporles

Santa Maria del Camí

Binia

Cala d'Estellencs

Mirador de
Ses Ànimes

Erta. de
Mavistela

PM-104

PM-204

PM-202

Ma-11

Santa Eugènia

Punta de s'Encletxa

Estellencs

Puig de Galatzó
1026

C-710

Puigpunyent

Establiments

Son Sardina

Sa Indioteta

Marratxí

Erta. de
la Pau

Pòrtol

Ma-13

C-713

Cala de ses Ortigues

Galatzó

Galilea

Es Secar de la Real
Son Roca
Son Ximelis

SERRA

Punta Fabioler

Parc Nat.
Sa Dragonera

SA DRAGONERA

Cala d'en Basset

Sant Telm

Andratx

S'Arracó

Sa Grua
▲482

Puig de sa Font

Es Capdellà

ES PARIATGE

Calvià

Sa Vileta

Palma de
Mallorca

Son Ferriol

Es Pla de Na Tesa

Aeroport
de San Bonet

Sa Creu Vermella

Sa Casa Blanca

Sant Jordi

S'Aranjassa

MASSIS D

Ma-15

Ma-20

Ma-19

PM-30

Ma-15

S'Arracó

Ma-01

Peguera

Génova

Castell
de Bellver

Sant Agustí

Coll d'en Rabassa

Aeroport de
Son Sant Joan

Es Pil·lari

C-717

Es Port

Costa
d'en Blanes

Portals
Nous

Sa Caleta

Cala Gamba

Can Pastilla

"Las Maravillas"

des Cadenes

Cala d'en Tió

Cala d'Egos

Port d'Andratx

Es Cap de Sa Mola

Cala Llamp

Es Cap Andrinxol

Santa Ponça

Son Ferrer

El Toro

Magalluf

Palma
Nova

Ma-1

Capella de sa
Sagrada Pedra

Punta de Sa Porrassa

Badia de Palma

Cala Vinyes

Cala Falcó

BADIA
DE PALMA

Cap Enderrocat

S'Arenal

Platja de S'Arenal

Cala Mosques

Bellavista

Cala Blava

Les Palmeres

Ma-19

SA MAI

Es Cap Andrinxol

Cala Portals Vells

Eivissa

Cala Vella
La Fossa

Badia Blava

Cala Penyes Rojes

Cala Figuera

Cap de Cala Figuera

Badia Gran

Sa Torre

Cala Rafeubetx

Barcelona, Tarragona, Valencia, Génova

Cap de Regana

Sa Cova des Lladres

Cap Blanc

Es Carril

Punta de Cala Bèltro

Parque Nacional Archipiélago de Cabrera

ILLA DES CONILLS
O CONILLERA

Cap de Llebeig

Cap Ventós

CABRERA

Cala Co. Roig
Punta de n' Ensiola

A

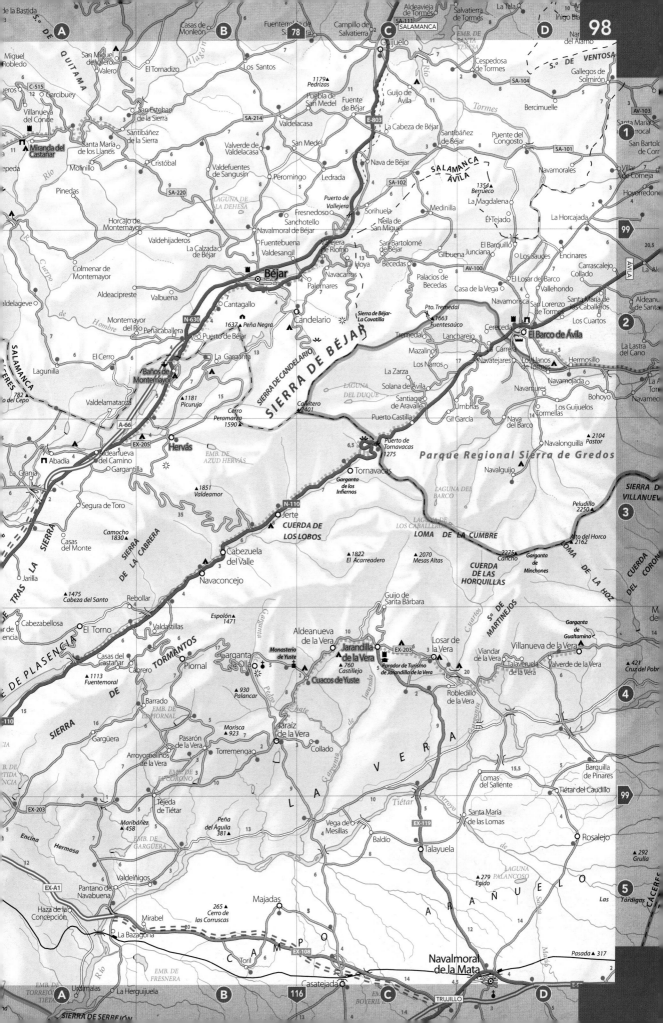

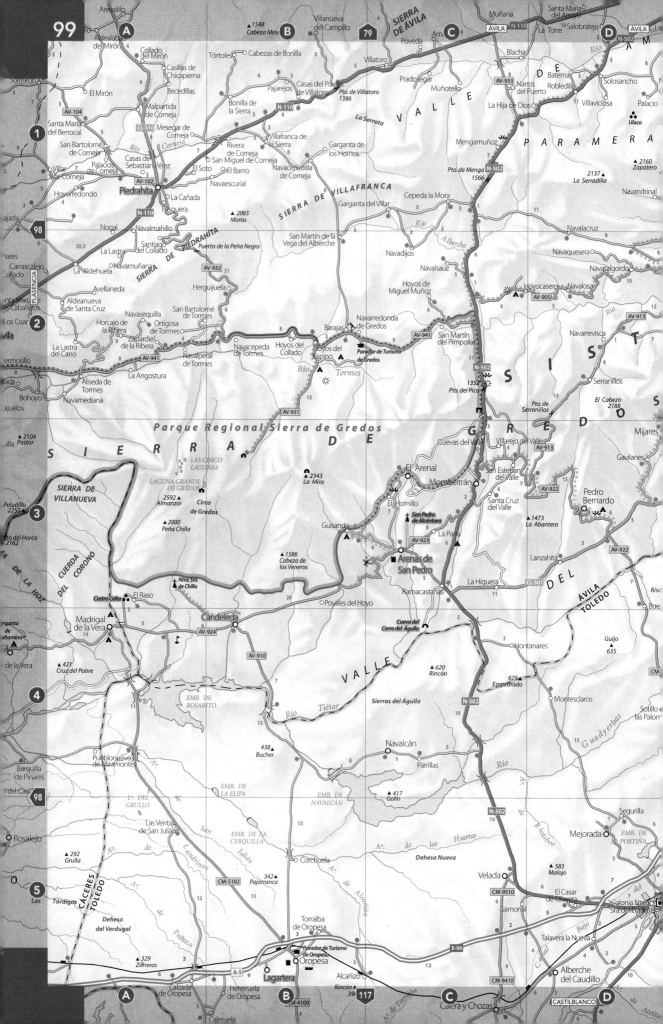

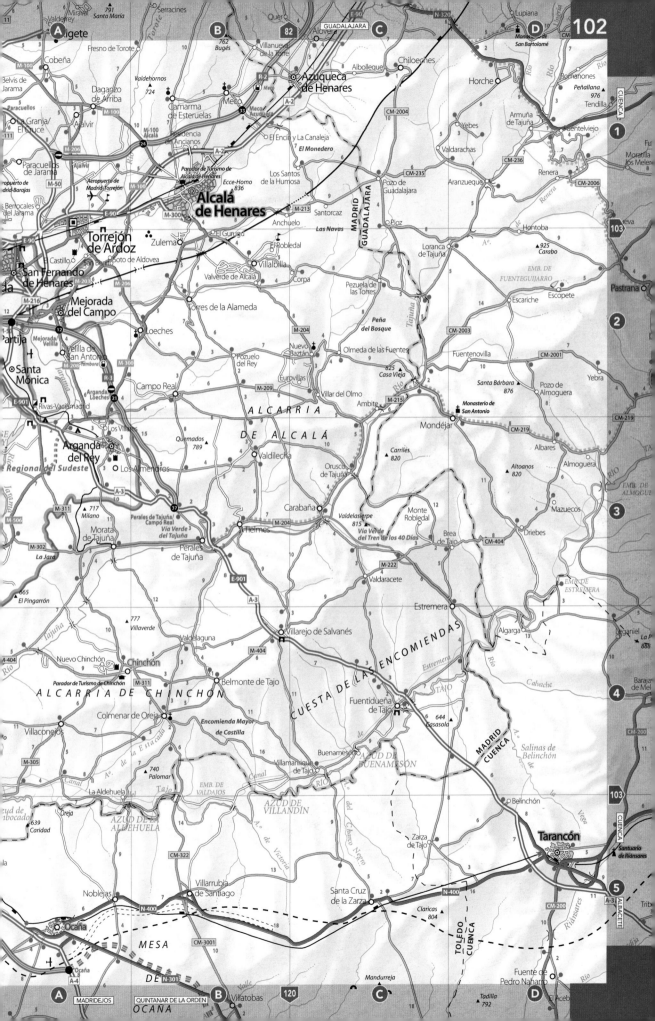

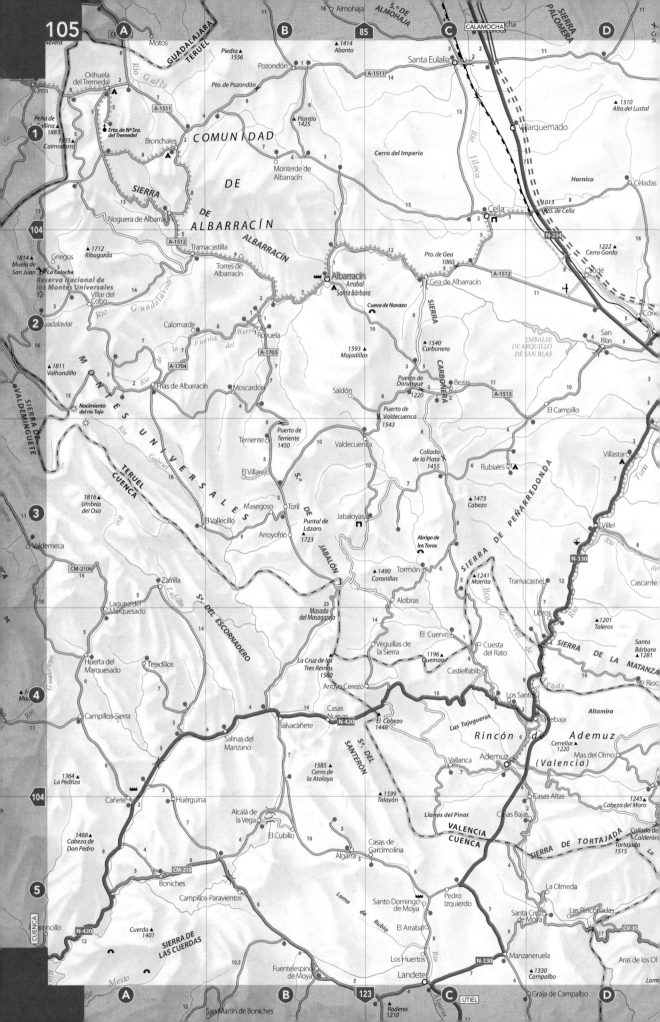

A   B   C   D

Costa de Fora

Cane... digo
Serra del Sola
▲806
...ert
Sant Pere
Traiguera
Rambla de la Barbiguera
Vinarós
AMPOSTA
88
AMPOSTA
el Remei d'Alcanar
les Cases
..anar

CV-211

PLA DE VINAROS
PLANA DE VINARÒZ

la Jana
San Jorge/
Sant Jordi del Maestrat
CV-136
E-15
N-232
Vista Bella
N-238
Platja del Campaner

N-340

Poblat ibèric
Vinaròs
Platja del Riu

▲514
Perdiguera
CV-135
Calig
19
Roca Plana

Mare de Déu
dels Àngels
Montesa
Mare de Déu
dels Socors
Benicarló

Cervera de Maestre/
Cervera del Maestrat
PLANA DE BENICARLÓ
Benicarló
AP-7
Sant Gregori
Parador de Turismo
de Benicarló

la Salzadella
43
Peñiscola

LA VALL D'ANGEL
▲482
Mola
SALINES

Peñíscola/Peníscola

Santa Magdalena de Pulpis
Santa Magdalena de Polpis
▲422
Bóta
Polpis
Parc Natural

▲520
el Cavall
Coll de
la Palma
524
Serra d'Irta

Alcalá de Chivert/
Alcalà de Xivert
N-340
Xivert
25,5

Coves
Erta. de
Sant Miquel
Erta. de
Sant Benet
Cala Argelaga
Cala Mundina
Las Fuentes/les Fonts

Alcocéber/Alcossebre
Platja del Moro

▲213
Raspall
Torreblanca
44
Torreblanca
Punta de Capicorb
Capicorb

Boca del Pantà
AP-7
Parc Natural
PANTÀ DEL PRAT
Prat de Cabanes-Torreblanca

M A R

Venta de San Antonio-Estación
Platja de la Ribera
El Empalme
Platja del Molló
Platja de les Amplàries

M E D I T E R R Á N E O

..pesa del Mar/
..pesa
Playa/
Platja

Xivero

1

2

3

4

5

Reserva Natural de
las Islas Columbretes

A   B   C   D

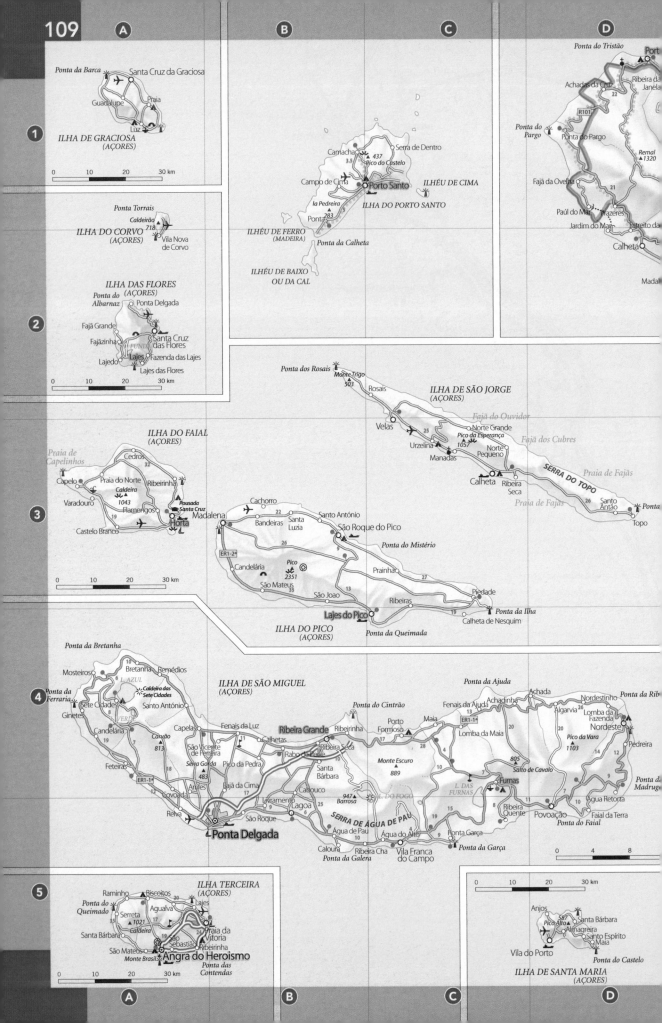

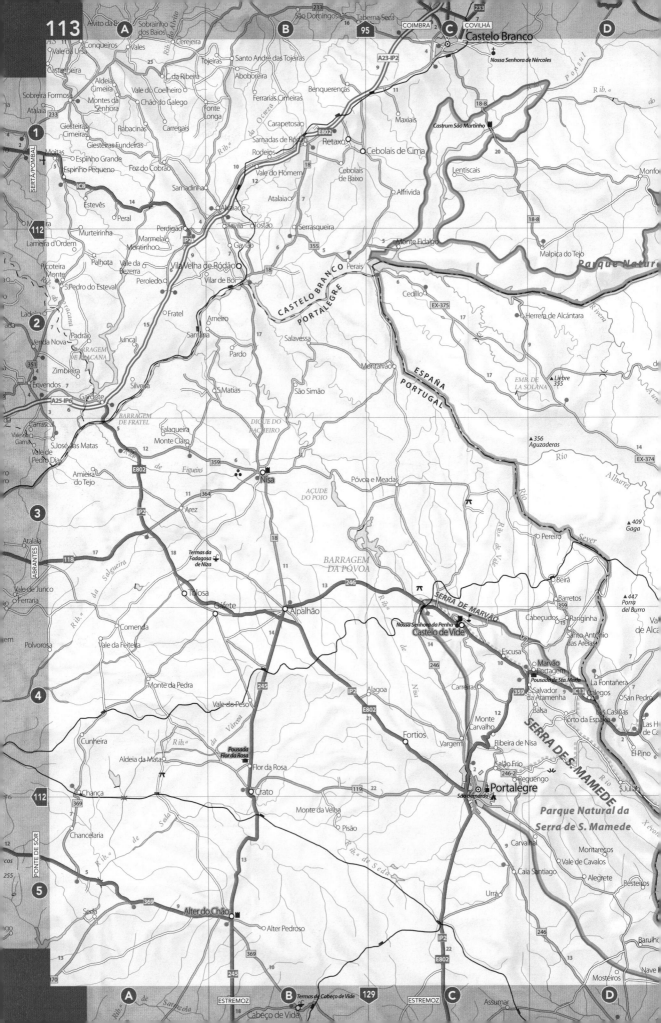

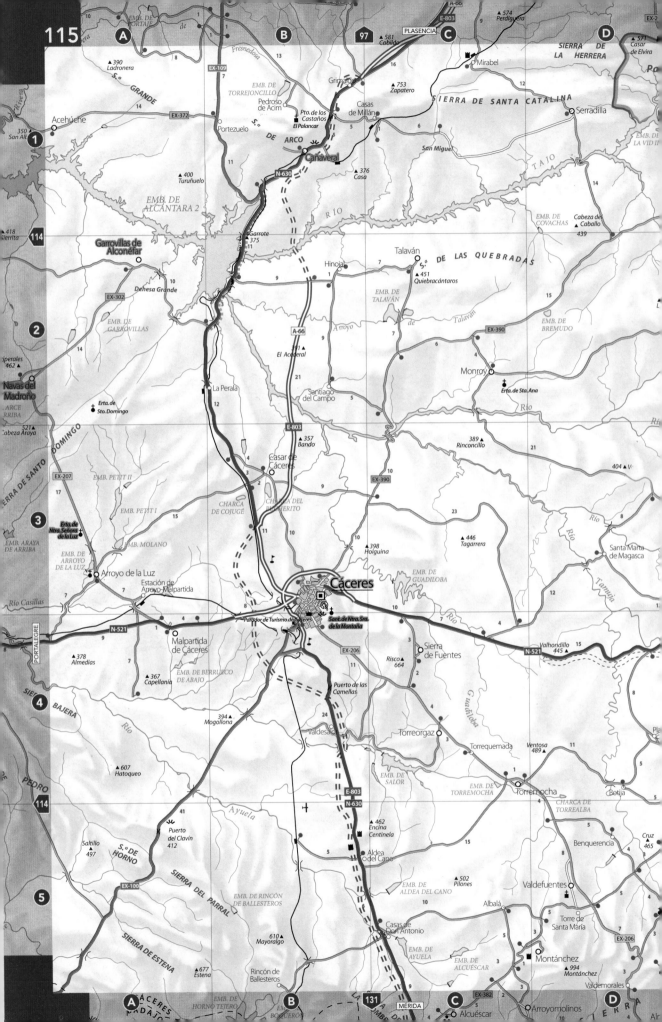

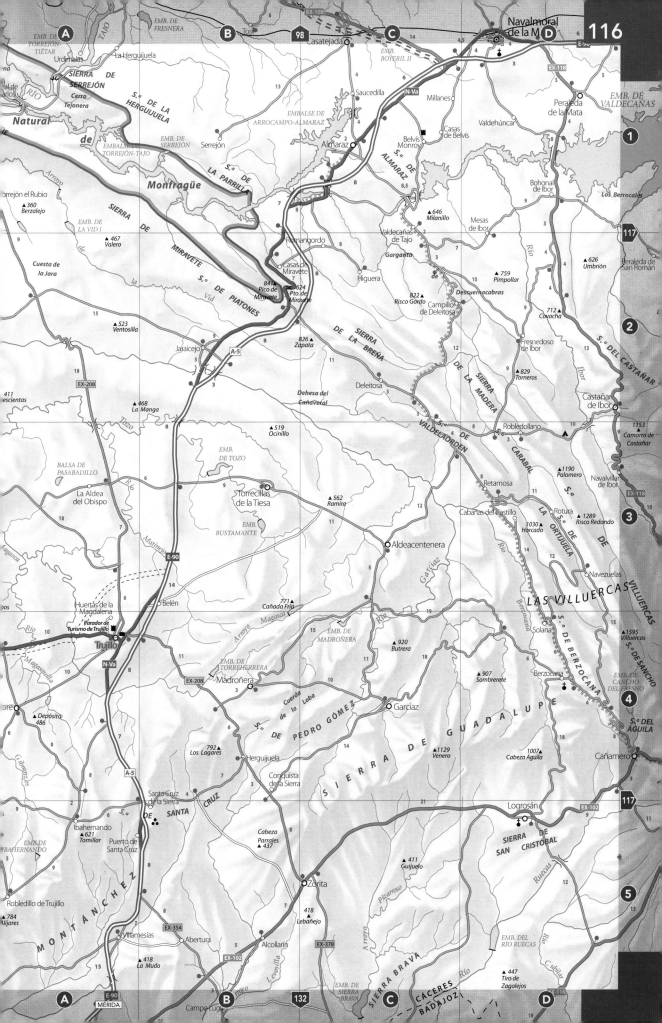

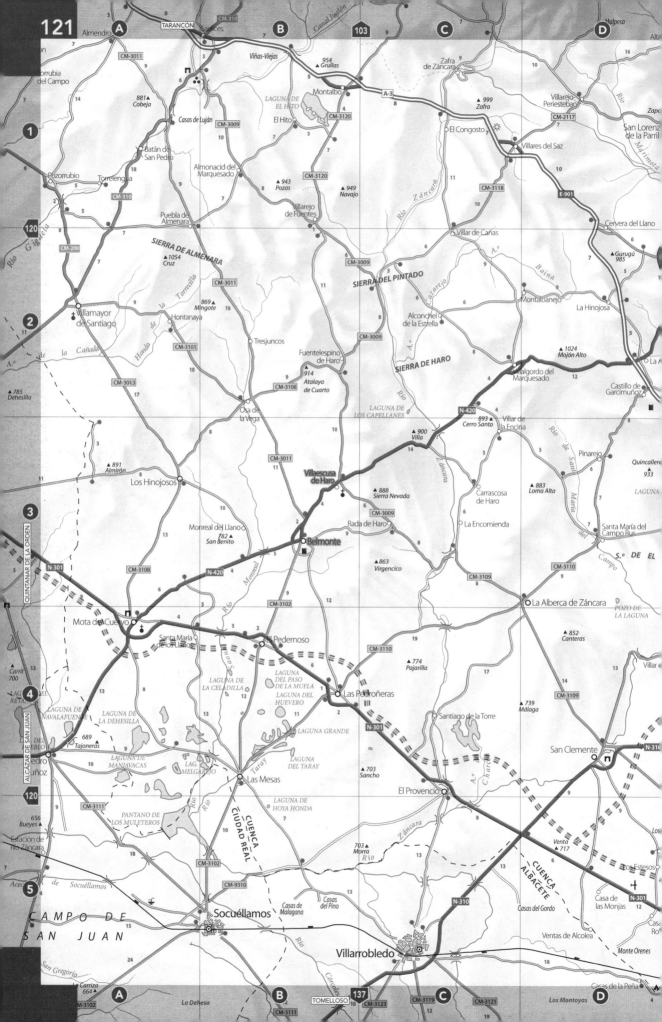

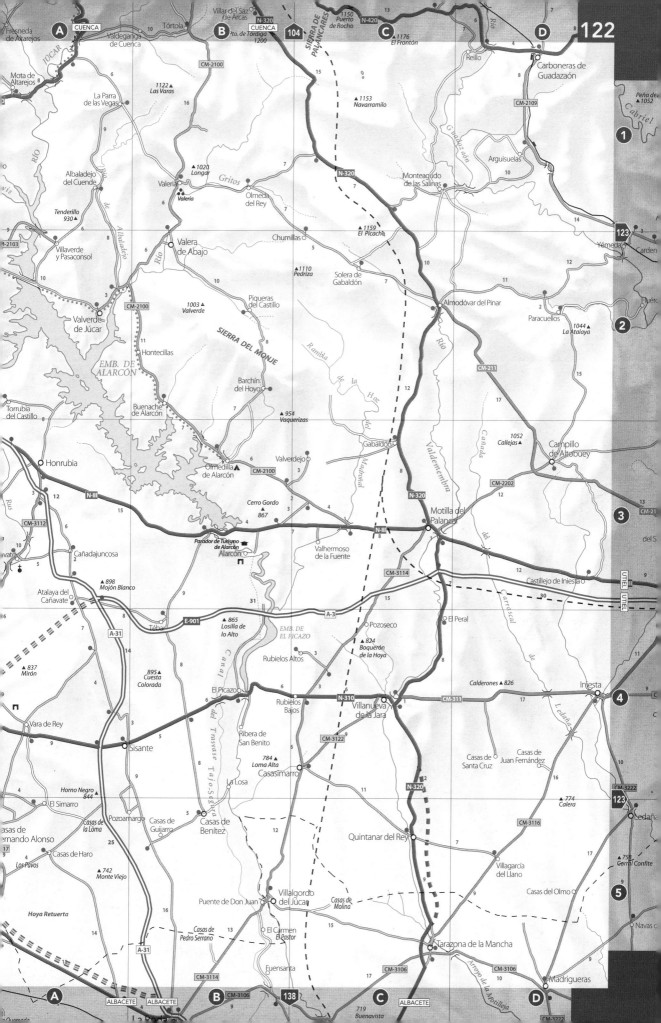

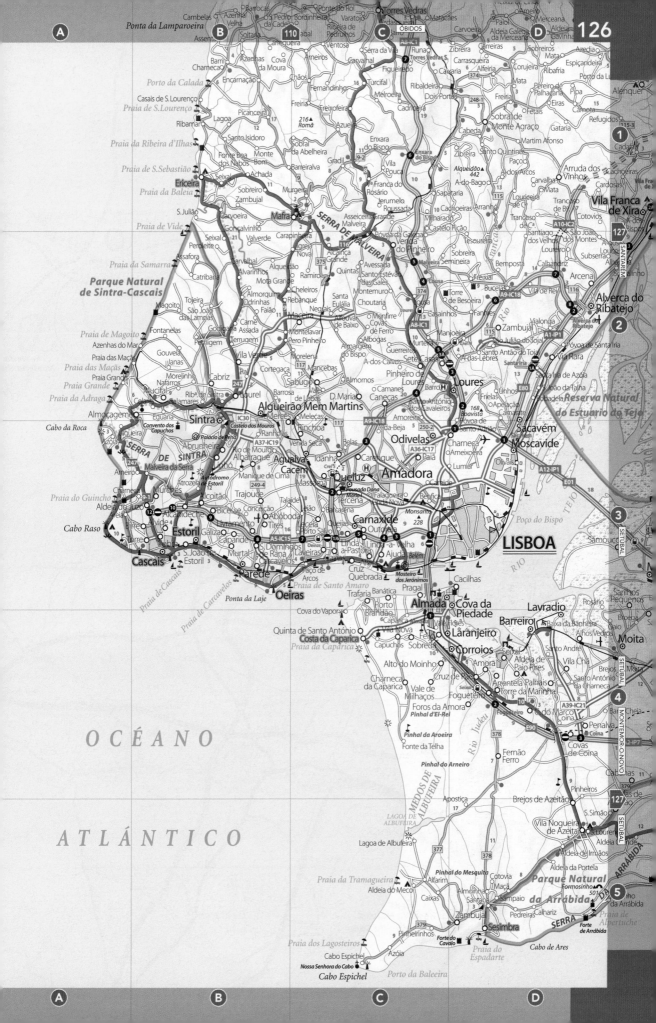

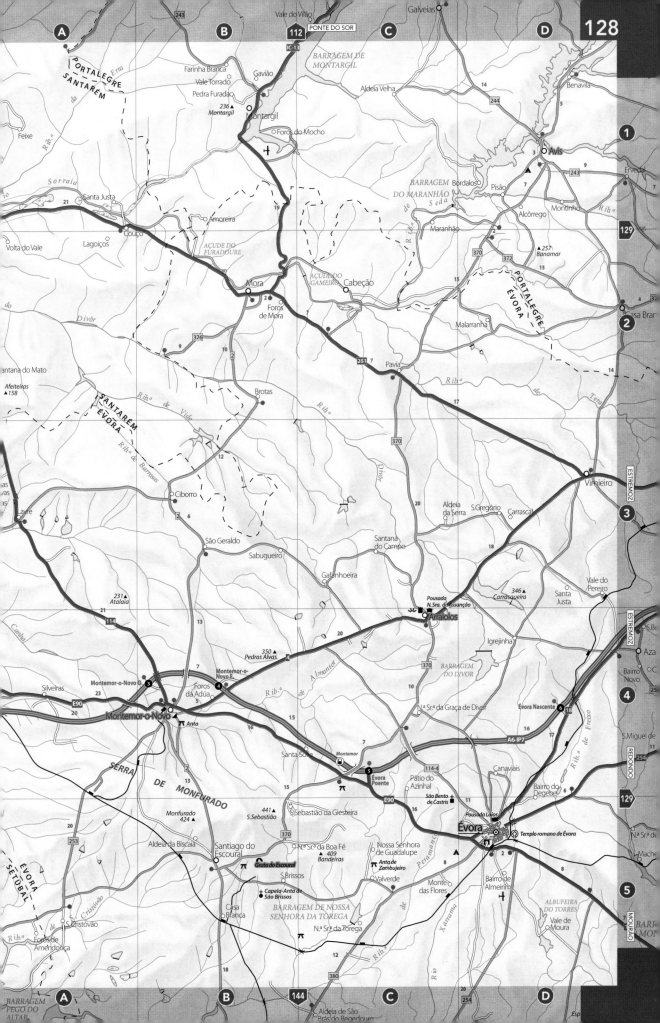

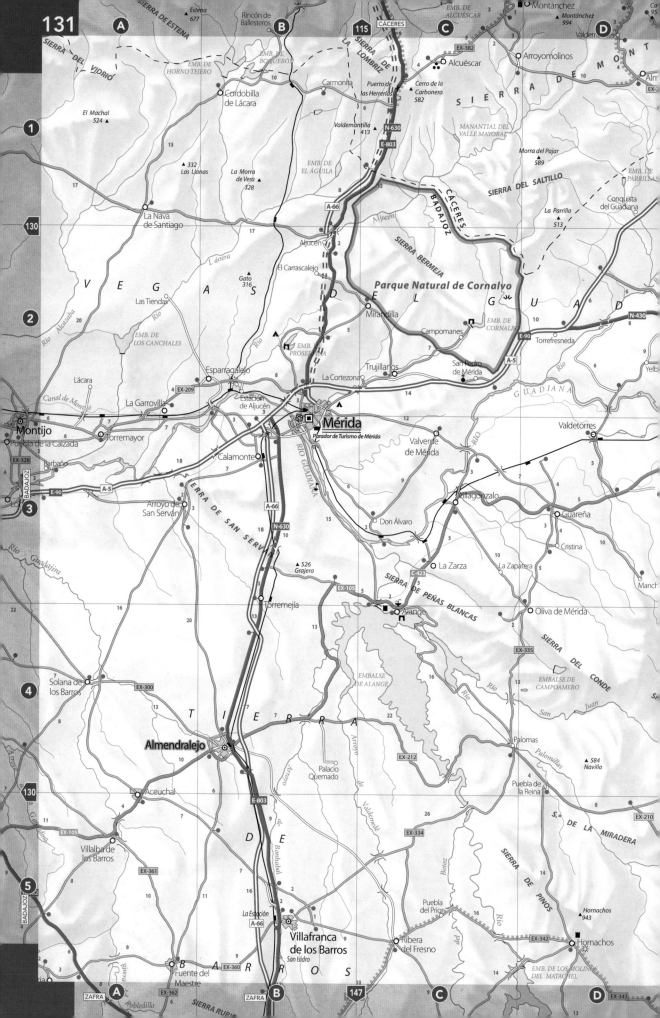

A   B   117 TALAVERA DE LA REINA   C   D

Valdecaballeros
552 ▲ Atalaya   S.ª DE LA ZARZA   Risco 709
S.ª DE LOS PASTILLOS   EMBALSE DE GARCÍA DE SOLA
Reserva Nacional de Cijara
636 ▲ Valle de la Fuente   Peloche   SIERRA DE LA CHIMENEA   Cantos Negros ▲ 862
SIERRA DE LOS GOLONDRINOS   SIERRA DE LOS CASTREJONES
N-430   Herrera del Duque   Puerto de los Navas 701   10   Fuenlabrada de los Montes
MÉRIDA   RÍO GUADIANA   N-430   3   748   N-430
132   6   Casas de Don Pedro   Santa Catalina 773   Puerto de los Carneros   10   EXT
11   431 ▲ Calera   N-430   SIERRA DE SANTANA
12   El Calderero ▲ 494   EX-103   15   BADAJOZ CIUDAD REAL
2   2   Garbayuela
Talarrubias   483 ▲ Villar   11   10   Tamurejo   N-502
S.ª DE LA ZARZUELA   Gualemar   Río   Agudo
14   Siruela   5   Baterno
Rachado 697 ▲   Puebla de Alcocer   3   2   Valdemanco del Esteras
EX-103   10   Esparragosa de Lares   Siruela   Erta. de Ntra. Sra. de Altagracia   11
Galizuela   940 ▲ Motilla
EMB. DEL ZÚJAR   Sancti-Spíritus   Río   Esteras
14   Risco   9   830 ▲ Pilón del Lobo
3   EMB. DE LA SERENA   Garlitos   EMB. DEHESA DE LA NAVA   35
6   Minerva 656   8   N-502
484 ▲ Ibáñez   EX-322   13   Águila ▲ 407   Chillón   3   2
502 ▲ Naranjo   12   Peñalsordo   Capilla   21   CM-4200   Virgen del Castillo 737   Almadé
Zarza-Capilla   7   Río   Guadalmez   S.ª DE LAS HOVUELAS
S.ª DEL TOROZO   4   EMB. DE CASTILSERAS
4   Guadalmez   Río
Cabeza del Buey   1   CM-4202
Tiros 961 ▲   EX-104   4   S.ª DE LA OSA   16   14   S.ª DE LA BARCA
La Nava   Almorchón   17   S.ª DE SANTA EUFEMIA
132   2   Helechal   S.ª DEL ALISO   498 ▲ Solana   22   26
12   BADAJOZ CÓRDOBA   Santa Eufemia
5   Benquerencia   Malagón   Belalcázar   Atalaya 564 ▲
25   Santa Clara   Espejuelos 541
16   9

A   B   149   C   ISPIEL   D
A-420

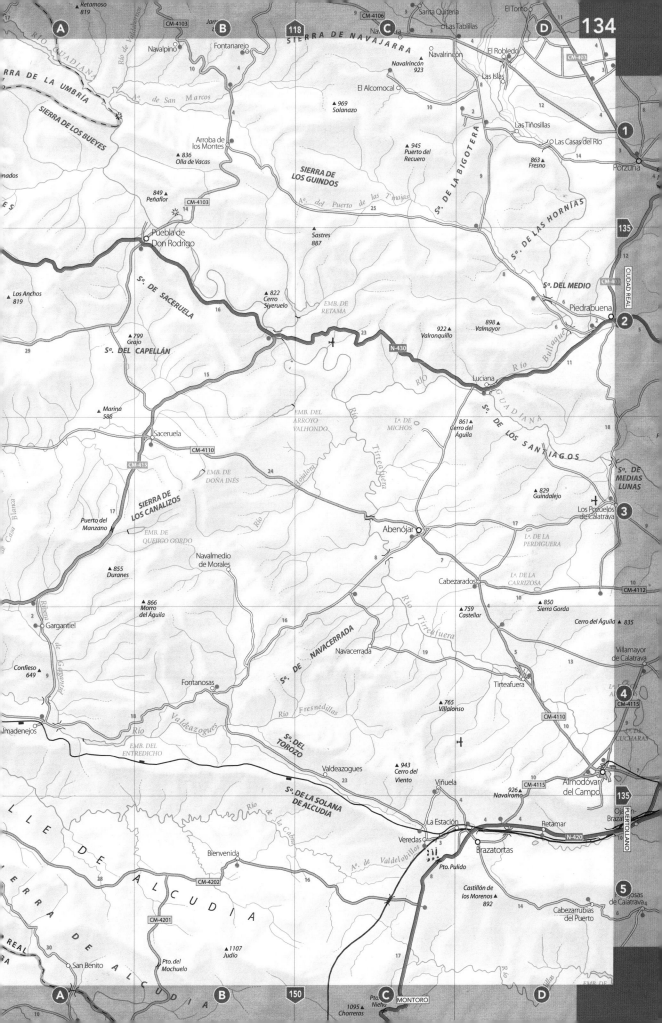

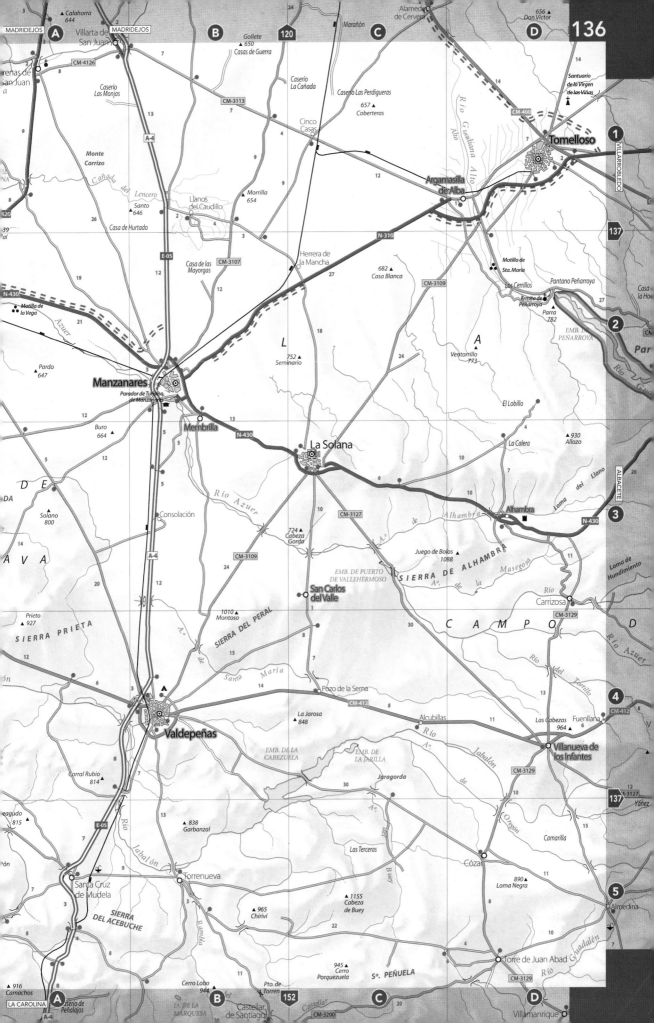

MEDITERRÁNEO

MAR MEDITERRÁNEO

olins
es Marines

Dénia

que Natural
l Montgó
753
el Montgó
CV-736
Xara
Aduanas/
la Duana
Cap de Sant Antoni
C. de San Antonio

Jávea/
Xàbia
Parador de Turismo
de Jávea

Gata de
Gorgos
CV-734
Cala Blanca
Cap de Sant Martí

Gorgos
185
Costa Nova

Benitachell/
el Poblenou
de Benitatxell
Cap de la Nau
C. de la Nao

Teulada

Platja de
la Granadella

Cala els Tests

Fanadix
Bort
Cala dels Pins

Bda.Moraira
Punta de Moraira

Cap Blanc
Cala de la Fustera
La Caleta

arque Natural del
Peñón de Ifach
Peñón de Ifach/Penyal d'Ifac

Eivissa (Ibiza), Palma de Mallorca

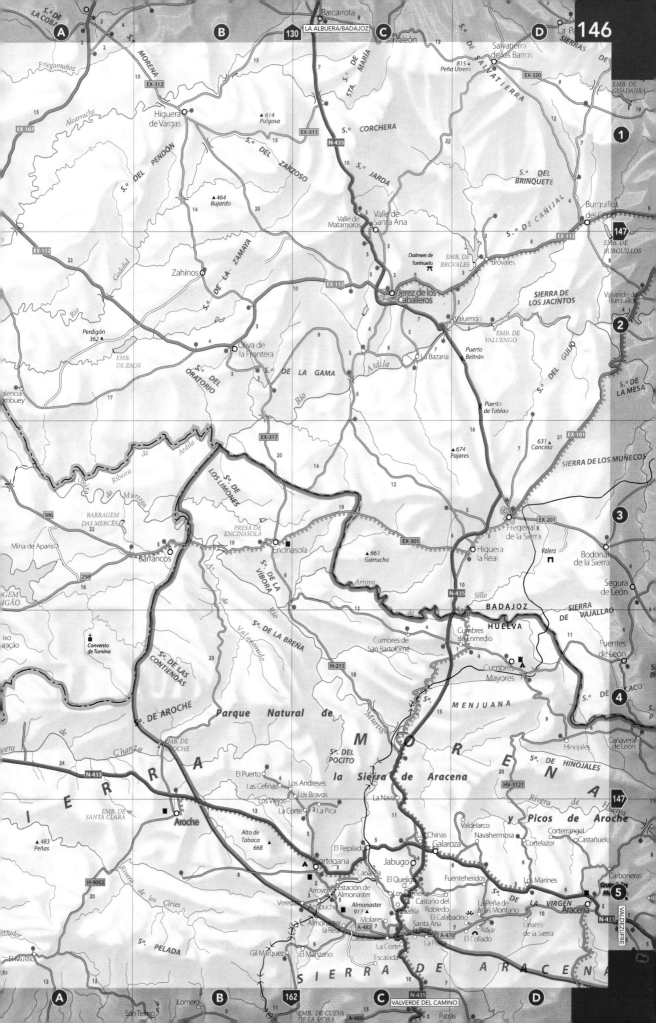

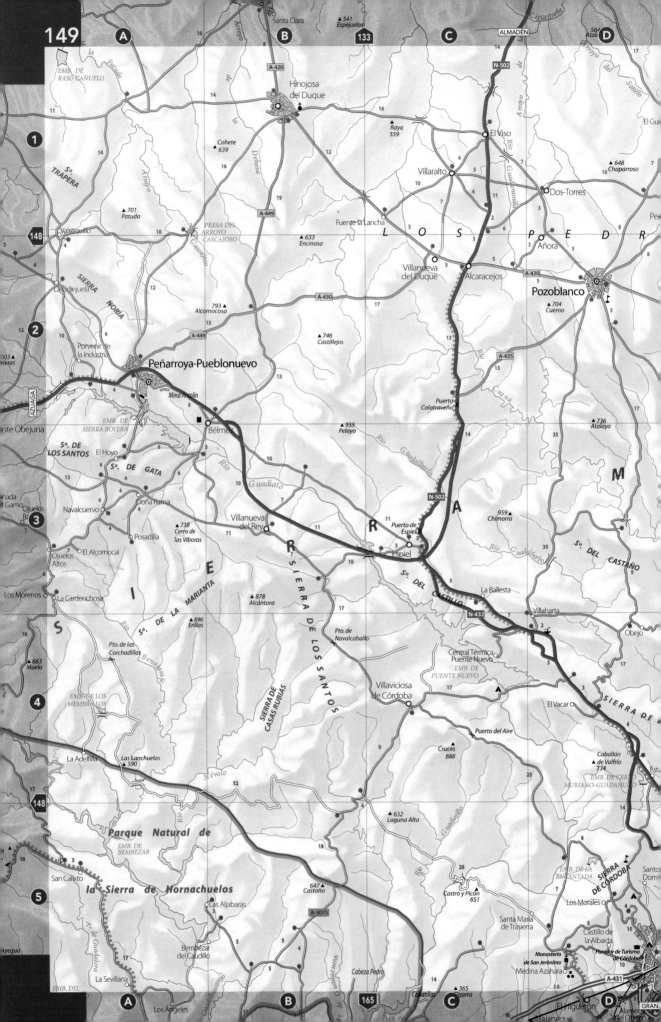

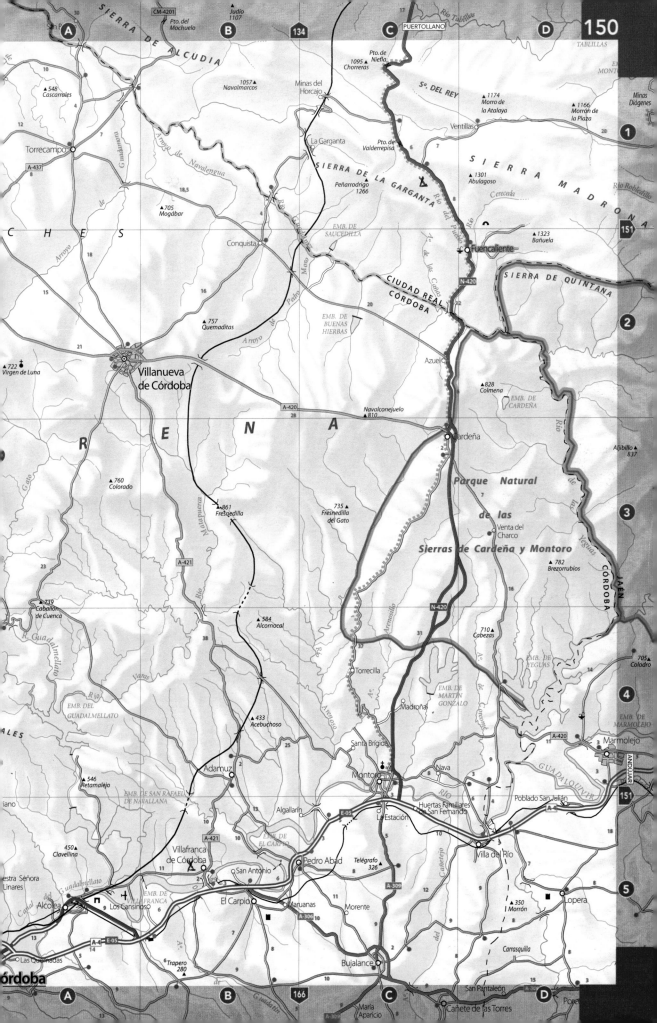

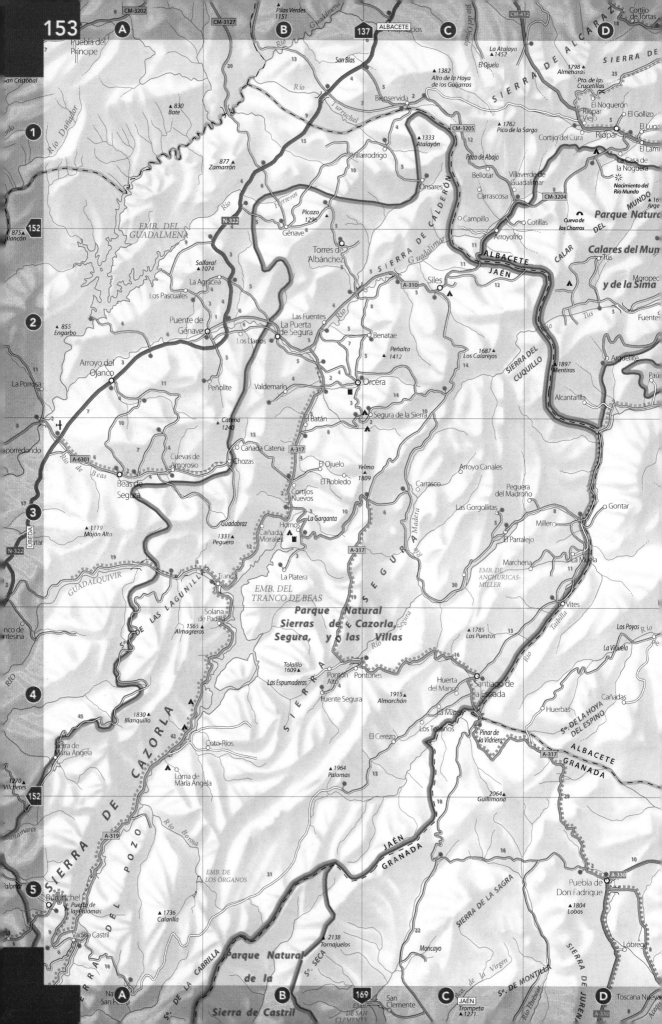

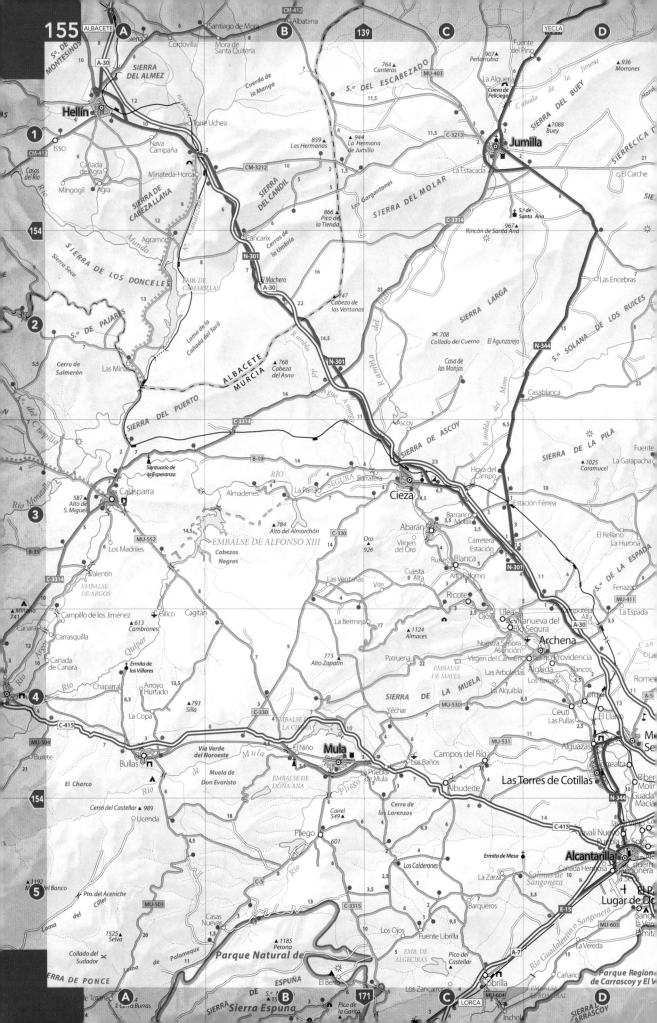

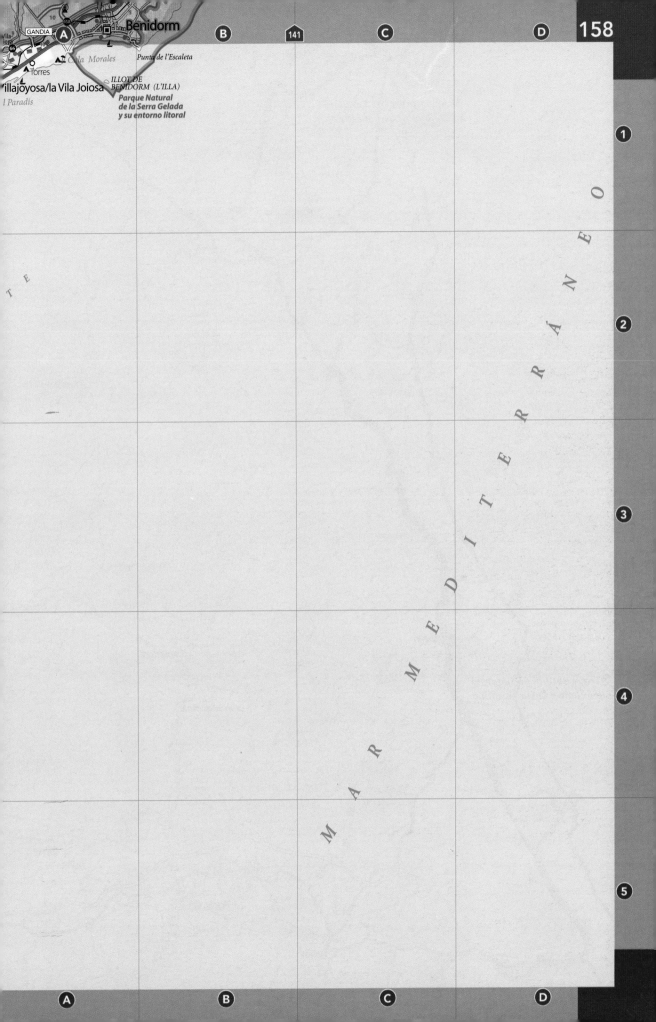

Villajoyosa/la Vila Joiosa

Benidorm

GANDIA

Torres

l Paradís

Cala Morales

Punta de l'Escaleta

ILLOT DE
BENIDORM (L'ILLA)

Parque Natural
de la Serra Gelada
y su entorno litoral

MAR MEDITERRÁNEO

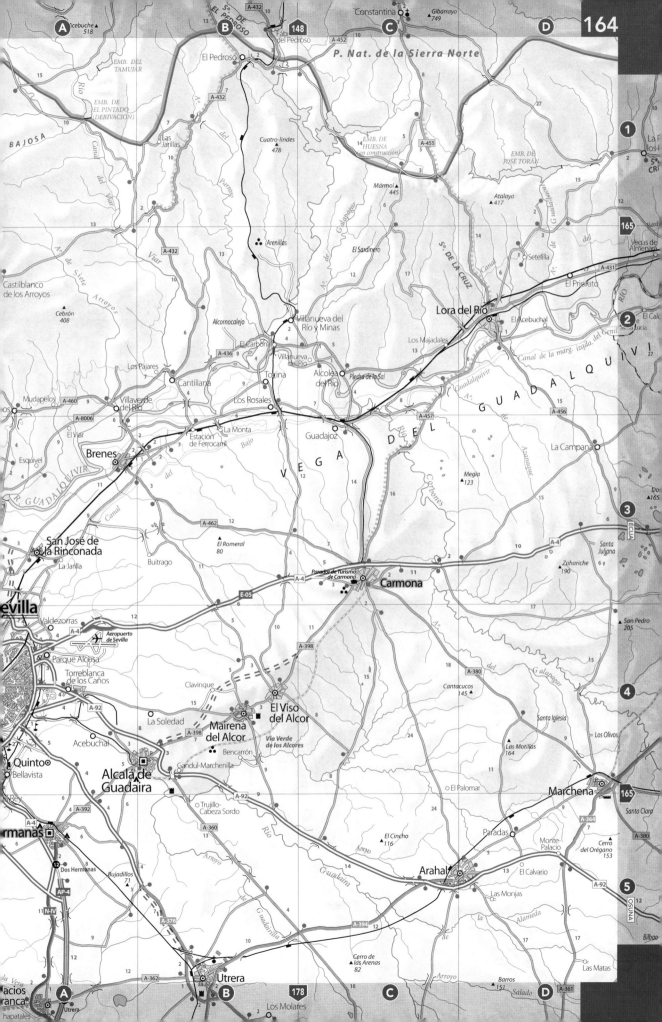

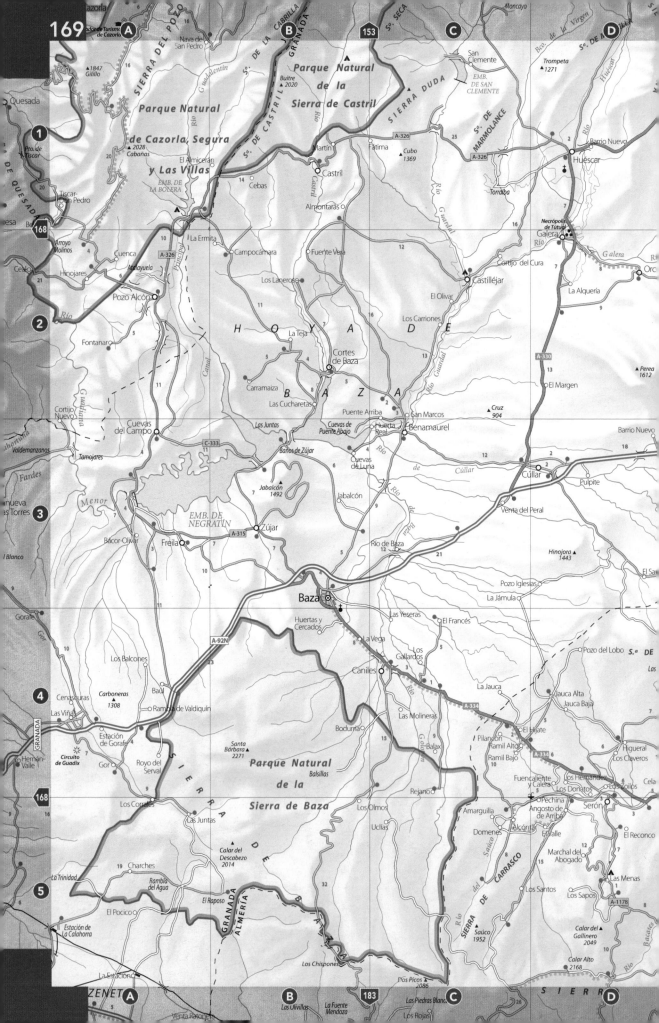

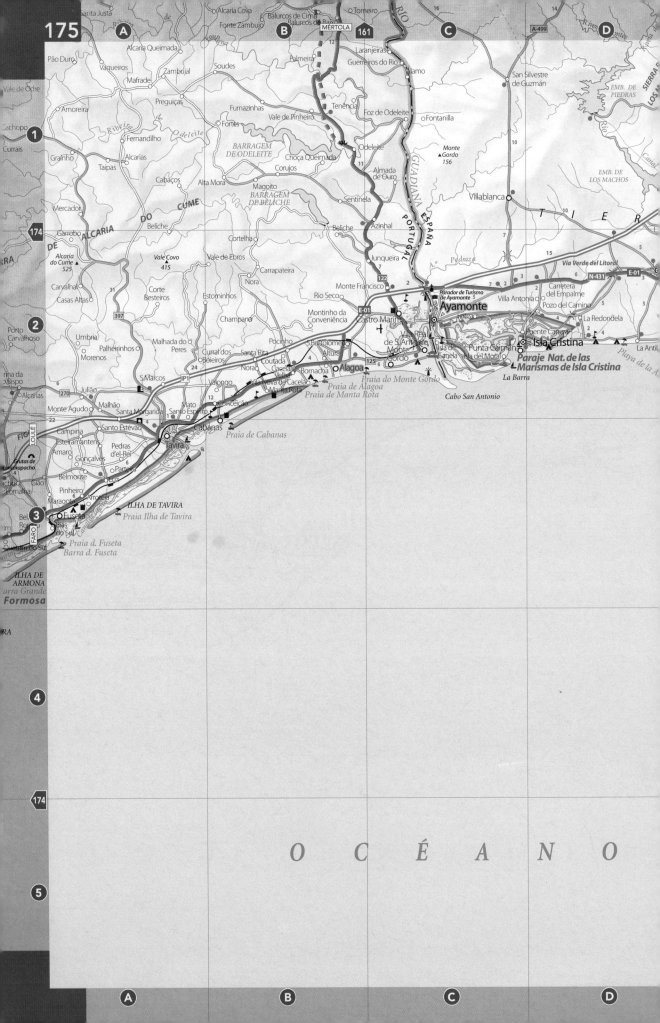

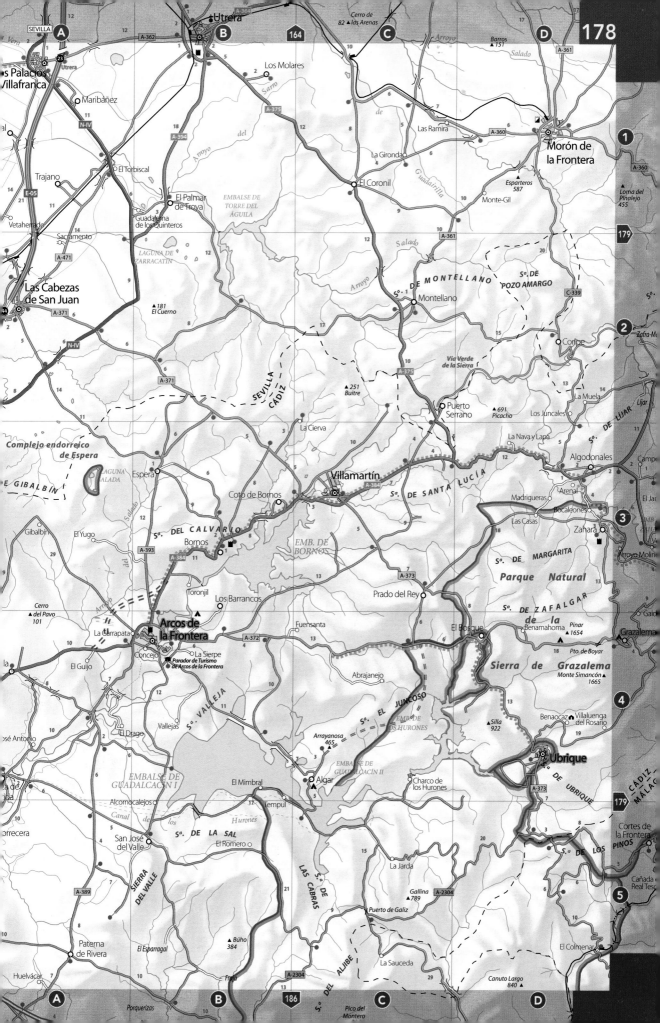

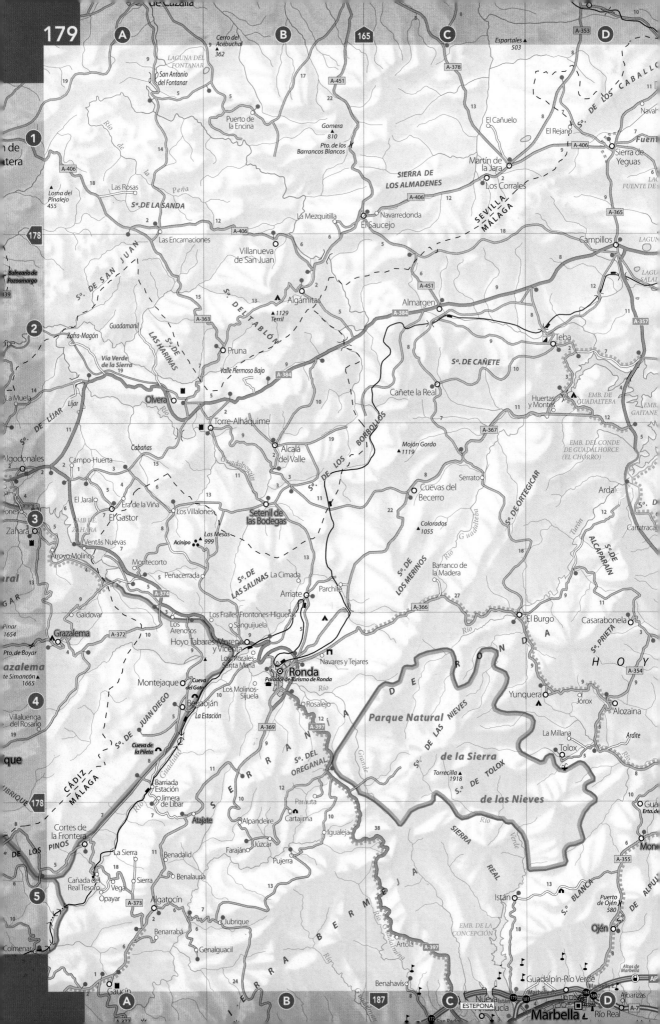

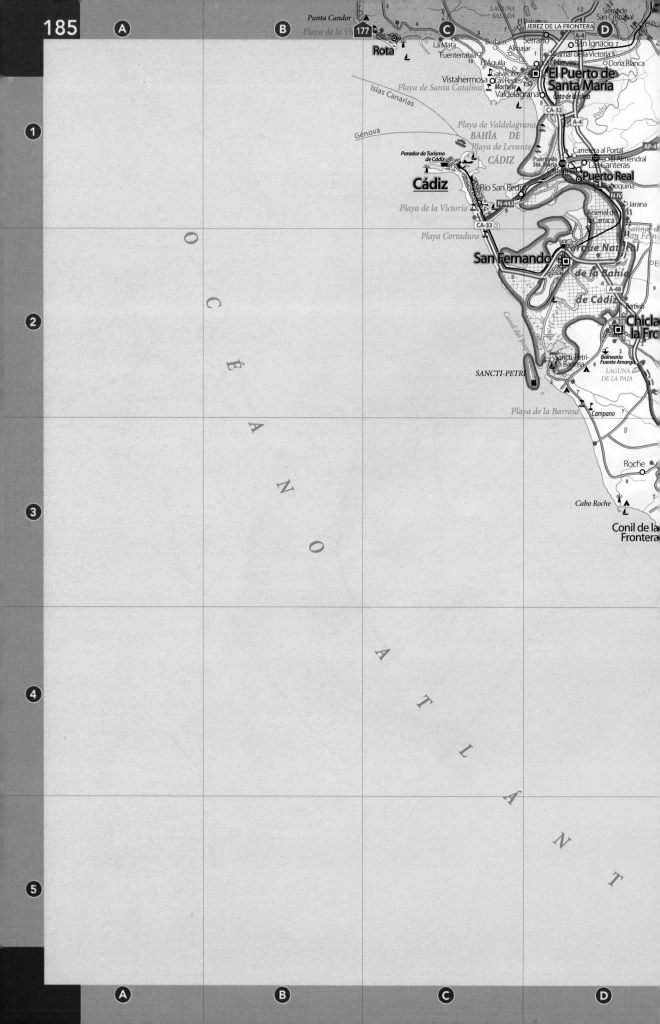

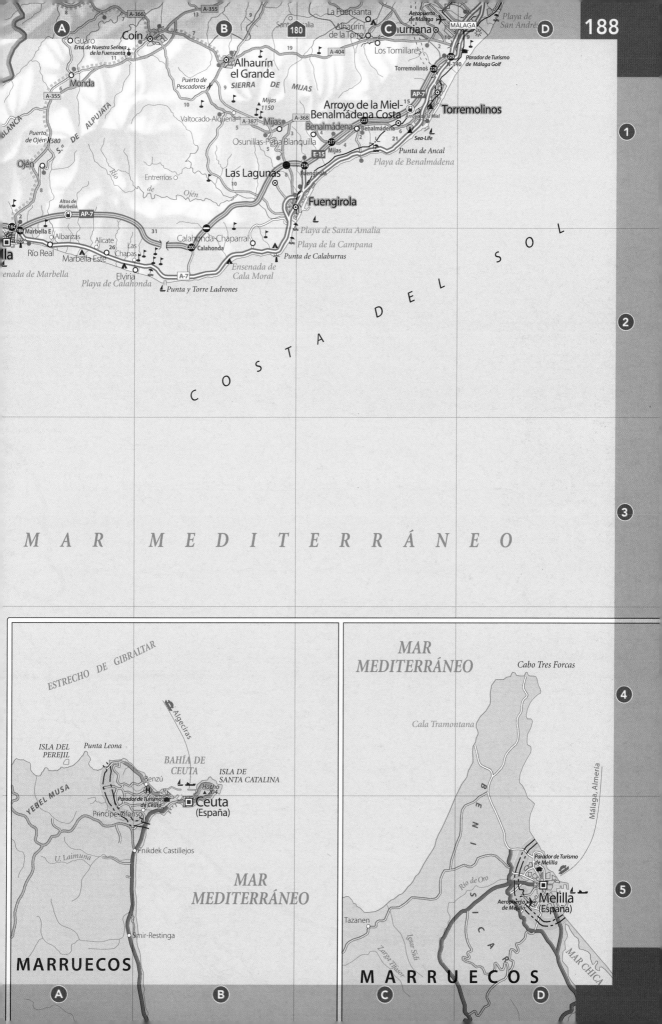

A B C D

Guaro
Coín
Erta de Nuestra Señora
de la Fuensanta
La Fuensanta
Aeropuerto
de Málaga
MÁLAGA
Playa de
San Andrés
A-366
A-355
A-355
180
Alhaurín
de la Torre
Churriana
A-340
A-404
Parador de Turismo
de Málaga Golf
Monda
Santa
Eulalia
Los Tomillares
Alhaurín
el Grande
Torremolinos
329
Puerto de
Pescadores
SIERRA DE MIJAS
19
Torremolinos
228
Arroyo de la Miel-
Benalmádena Costa
A-355
Mijas
1150
AP-7
Valtocado-Alquería
Mijas
A-387
Benalmádena
A-368
Torremolinos
Puerto de Ojén K580
Osunillas-Peña Blanquilla
Benalmádena
Sea-Life
Arroyo de la Miel
Punta de Ancal
1
Ojén
S.⁰ DE ALPUJATA
Mijas
217
E-15
Playa de Benalmádena
Entrerríos
Las Lagunas
214
Fuengirola
Río de Ojén
Fuengirola
Altos de
Marbella
AP-7
Fuengirola
Playa de Santa Amalia
31
Calahonda-Chaparral
Playa de la Campana
Marbella E
Alicate
200
Calahonda
Punta de Calaburras
Albarizas
Las
Chapas
26
Río Real
Marbella Este
Ensenada de
Cala Moral
Marbella
Elviria
A-7
Ensenada de Marbella
Playa de Calahonda
Punta y Torre Ladrones

C O S T A D E L S O L

2

M A R   M E D I T E R R Á N E O

3

ESTRECHO DE GIBRALTAR

MAR
MEDITERRÁNEO
Cabo Tres Forcas

4
Cala Tramontana

ISLA DEL
PEREJIL
Punta Leona
Algeciras
BAHÍA DE
CEUTA
ISLA DE
SANTA CATALINA
B
E
N
I
S
I
C
A
Málaga, Almería
YEBEL MUSA
Benzú
Hacho
204
Ceuta
(España)
Parador de Turismo
de Ceuta
Parador de Turismo
de Melilla
Príncipe Alfonso
U. Laimuna
Fnikdek Castillejos
Río de Oro
Aeropuerto
de Melilla
Melilla
(España)
5
MAR
MEDITERRÁNEO
Tazanen
Zarza Tikar
Ysar Sidi
MAR
CHICA
Smir-Restinga

MARRUECOS
M A R R U E C O S

A B C D

O C É A N O

A T L Á N T I C O

Bahía de

Pie

Playa e

Caleta de

Punta del Junquillo

Ensenada de la Herradura
Punta del Tarajalito
Caleta de la Peña Vieja

F U E R T E V E N T U R A

Parc
Be

Ajuy

Playa de los Muertos

Caleta de la Cruz

Mézquez
414 ▲

Punta de la Canal

Playa de Garcey

Risco Blanco

Filo
de T

Cueva de Lobos

Punta Amanay

Melindraga
619 ▲

26

Cardó

Playas Negras

Cardón
691 ▲

Playa de Ugán

Laja Blanca

6

Playa del Viejo Rey
Los Boquetes
Agua Liques

La Lajita

Agua Tres Piedras

Istmo de la Pared

4

Playa de
Matas Blancas

Playa de Barlovento de Jandía

Costa Calma

Playa de Tara

FV-2

Punta de Barlovento

El Jable

Punta Pesebre

Playa de Cofete

Parque Natural
Jandía

6

Playa de Ojos

807 ▲
Jandia

Las Talahijas
127 ▲

P E N Í N S U L A   D E   J A N D Í A

Malnombre

Playa de Sotavento de Jandía

Punta Jandía

FV-2

Punta de Jandía

Playa de las Pila

Morro del Jable
Playa del
Matorral

ARRECIFE
DEL GRIEGO

Gran Canaria
Tenerife

Punta del Matorral
o del Morro Jable

Caleta del Barco
Punta de la Tiñosa
Punta Martiño
127 Lobos
LOBOS

A
B
C
D

Bajo de los Picachos
Majanicho
Corralejo

Caleta del Marrajo
la Ballena o de Tostón

LOS ISLOTITOS

Bayuyo
P. Nat.
Corralejo
FV-101
Playa Bajo Negro
Playa Larga

El Cotillo
Castillo o
Puerto de Tostón
Lajares
Atalaya
de Huñamen
Playa Alzada
FV-1

Playa del Castillo
Playa del Águila
de los Caletones
de Paso Chico

Montaña Alta
La Majada
de la Lengua
Villaverde
529
Montaña de
Escanfraga
Roja 20

Caletón de
las Palomas
La
Pesquería

aya de Tebeto
Jarubio
aje

La Oliva
Montaña
Tindaya
397
FV-10
Tindaya
8
Muda
689
La Matilla
Vallebrón
11
Morros de la Atalaya
14

14
6
Tefía
Ermita de
San Agustín
14
Tetir
Los Estancos
FV-10
214
Gamón
Puerto Lajas
La Juanita

Salinas
332
illo del Cabo
EMBALSE DE
LOS MOLINOS
13
4
Montaña de Tesjuates
Casillas del Ángel
FV-20
Tesjuates
13
La Asomada
Punta del Gaviota
Puerto
del Rosario

3
3
Morro
5
Playa Blanca

de Santa Inés
Llanos de
la Concepción
La Ampuyenta
8
Rosa del Taro
593
Aeropuerto
de Fuerteventura
Punta del
Viento

Morrete de
Cerdeña
673
ncuria
5
Triquivijate
Cuchillo de Palmares
El Matorral
Playa del
Matorral

FV-30
Lara
Antigua
Degollada
Bermeja
246
El Castillo
10

Valles de Ortega
Gran Montaña
708
Agua de Bueyes
Casillas de
Morales
8
Cuchillete de Buenavista
Punta del Bajo
FV-2
Caletilla del Espino

12
Tiscamanita
La Atalaya de
Agudo
494
Puerto de la Torre
Caleta Blanca

11
Malpaís Chico
9
Tuineje
2
9
Punta del Viento

11
Malpaís Grande
FV-20
FV-2
Atalaya de
439 Pozo Negro
Caldera
de Jacomar

Teguitar
Punta de las Borriquillas

FV-2
6
462
Vigán
Ensenada de Gran Valle

Las Playitas
La Entallada
185
Punta de la Entallada
Playa del Pajarito

Gran Tarajal
Punta de Piedras Caídas
o Morro de Gran Tarajal

Playa de Agando

1
2
3
4
5

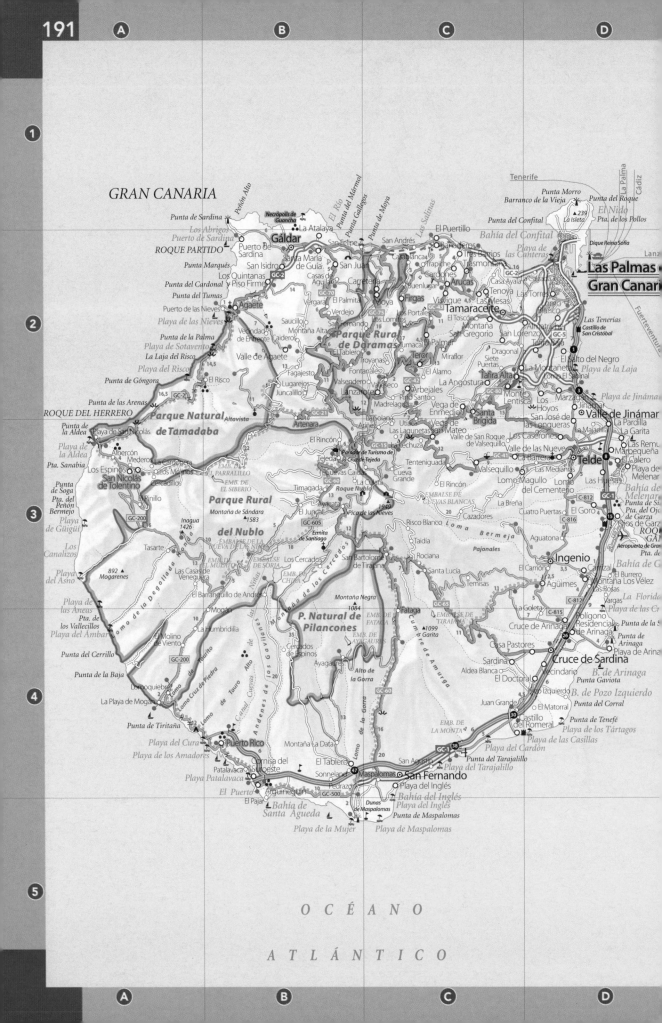

GRAN CANARIA

A   B   C   D

1

Punta Mosegos

ALEGRANZA

La Caldera
▲ 52

Punta Delgada

Punta de la Mareta

Parque Natural del

Archipiélago Chinijo

ROQUE DEL OESTE
O DEL INFIERNO

MONTAÑA CLARA

Punta Gorda

Playa Lambra

Playa de las Conchas

Los Acantilados

GRACIOSA

Punta de Pedro Barba
o de la Sonda

Pedro Barba
266

Bajo del Corral

Caleta
del Sebo

Punta Fariones

2

Punta del Pobre

Salinas
del Río

Punta de los Riscos

Orzola

Mirador del Río

La Bahía

Monte Corona
▲ 609

Los Lomillos

Máguez

Cueva de
los Verdes

Punta Mujeres

LAS BAJAS

Haría

Caleta de Campo

Bahía
de Penedo

Arrieta

Playa de la Garita

L A N Z A R O T E

Caleta de Famara

LA ISLETA
Los Risquetes

La Santa

Sóo

Vega de Sóo

Ermita de
las Nieves

Los Valles
El Valle

LZ-10

Mala

PRESA
DE MALA

3

Los Lajares

El Jable

Risco Negro

Puerto Moro

Punta Gaviota

Montaña Bermeja

El Cuchillo

Muñique

San José

Guatiza

Los Cocoteros

Playa de Chó Gregorio

Teneza
368

Tinajo

Valle del Peñón

Tiagua

Teguise

Teseguite

324
La Caldera

LZ-1

Punta del Paletón

La Vegueta

Tao

Nazaret

Ensenada de los
Barranquillos

Mancha Blanca

LZ-30

Los
Ancones

Pta. de Tierra Negra

Los Dolores

Tinguatón

LZ-67

Mozaga

Tahíche

Caldera Roja
427

Pico Partido
▲ 517

El Islote

Salinas de El Charco

Fuego
510

San Bartolomé

Costa Teguise

Parque Nacional
de Timanfaya

Montañas del Fuego
de Timanfaya

LZ-56

Masdache

Maneje

Punta de Tope
La Baja de las Caletitas

Playa del Paso

Argana Alta

LZ-20

4

Parque Natural
de los Volcanes

Ermita de
la Magdalena

Montaña Blanca

Argana Baja

El Cable

Arrecife

de Montaña Bermeja

Güime

Punta de la Lagarta

Yaiza

Uga

La Geria

La Asomada

Conil

Tías

LZ-2

Playa Honda

Cádiz

Salinas de Janubio

Mácher

Aeropuerto
de Lanzarote

Punta del Volcán

LAGUNA DE JANUBIO

Valle de Femés

Punta Montañosa
Hoyas Hondas

LZ-40

Las Hoyas de
Chó Colorado

Las Breñas

Femés

La Puntilla

Bahía de Ávila

O C É A N O

LZ-2

Hacha Grande
560

Salinas del
Berrugo

Punta Gorda
El Paso de Andrés

Las
Palmas de G.C.
Fuerteventura

5

Playa Blanca

El Paso de Andrés

Punta Pechiguera

Las Coloradas

Puerto Muela de Abajo

Punta del Papagayo

A T L Á N T I C O

Playa de Montaña Roja

Fuerteventura

Playa del Papagayo

A   B   C   D

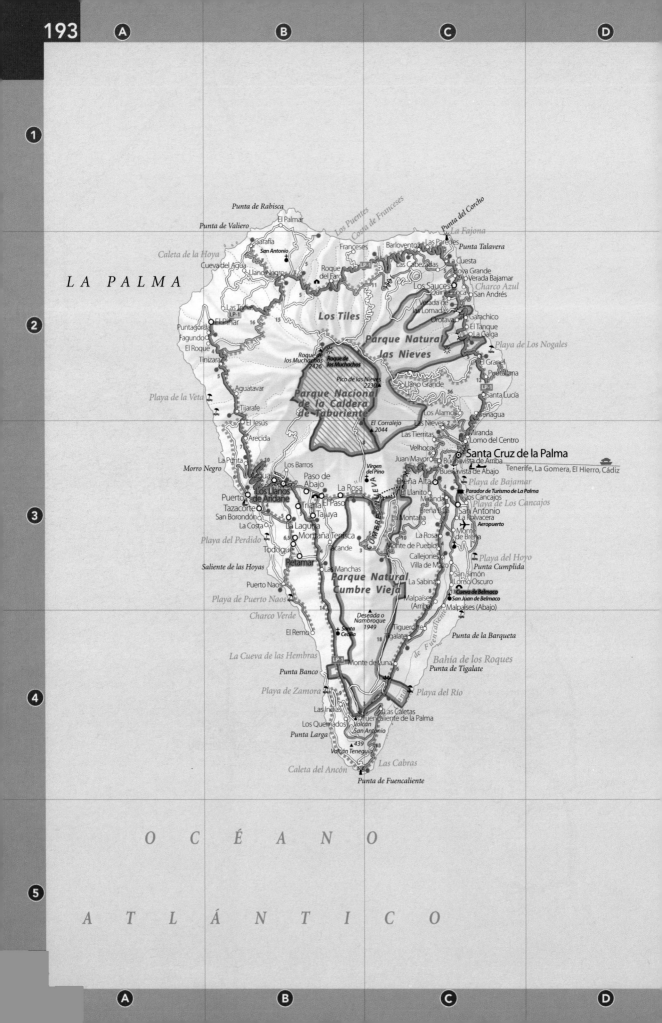

A B C D

LA PALMA

Punta de Rabisca
Punta de Valiero
El Palmar
Los Puentes
Costa de Franceses
Punta del Corcho
La Fajona
Garafía
San Antonio
Franceses
Barlovento
Las Paredes
Punta Talavera
Caleta de la Hoya
Cueva del Agua
Las Cabezadas
La Cuesta
Llano Negro
Roque
del Faro
Los Sauces
Hoya Grande
Verada Bajamar
Charco Azul
Las Tricias
El Piñar
Los Tiles
Quinta Roca
San Andrés
Puntagorda
Verada de
las Lomadas
Fagundo
Orotava
Garachico
El Roque
Parque Natural
El Tanque
La Galga
Tinizara
Roque de
los Muchachos
2426
Roque de
los Muchachos
las Nieves
El Granel
Playa de Los Nogales
Aguatavar
Pico de las Nieves
2230
Agatallana
Playa de la Veta
Tijarafe
Parque Nacional
de la Caldera
de Taburiente
Llano Grande
Santa Lucía
El Jesús
Los Álamos
Arecida
El Corralejo
2044
Las Nieves
Tenagua
La Punta
Las Tierritas
Miranda
Morro Negro
Velhoco
Lomo del Centro
Los Barros
Virgen
del Pino
Juan Mayoror
Buenavista de Arriba
Santa Cruz de la Palma
Aguja
Paso de
Abajo
La Rosa
Buenavista de Abajo
Tenerife, La Gomera, El Hierro, Cádiz
Puerto de Aridane
Los Llanos
Breña Alta
Playa de Bajamar
El Llanito
Parador de Turismo de La Palma
Tazacorte
Triana
El Paso
Miranda
Los Cancajos
Playa de Los Cancajos
San Borondón
Tajuya
Breña Baja
San Antonio
La Costa
La Montaña
Polvacera
Aeropuerto
La Laguna
La Rosa
Monte
de Breña
Playa del Perdido
Montaña Tenisca
Monte de Pueblo
Playa del Hoyo
Todoque
Jacande
Callejones
Punta Cumplida
Retamar
Villa de Mazo
San Simón
Saliente de las Hoyas
Las Manchas
La Sabina
Lomo Oscuro
Puerto Naos
Parque Natural
Cumbre Vieja
Malpaíses
(Arriba)
Cueva de Belmaco
San Juan de Belmaco
Playa de Puerto Naos
Malpaíses (Abajo)
Charco Verde
Deseada o
Nambroque
1949
Tiguerorte
Punta de la Barqueta
El Remo
Santa
Cecilia
Tigalate
La Cueva de las Hembras
Monte de Luna
Bahía de los Roques
Punta Banco
Punta de Tigalate
Playa de Zamora
Playa del Río
Las Indias
Las Caletas
Los Quemados
Fuencaliente de la Palma
Volcán
San Antonio
Punta Larga
439
Volcán Teneguía
Caleta del Ancón
Las Cabras
Punta de Fuencaliente

OCÉANO

ATLÁNTICO

A B C D

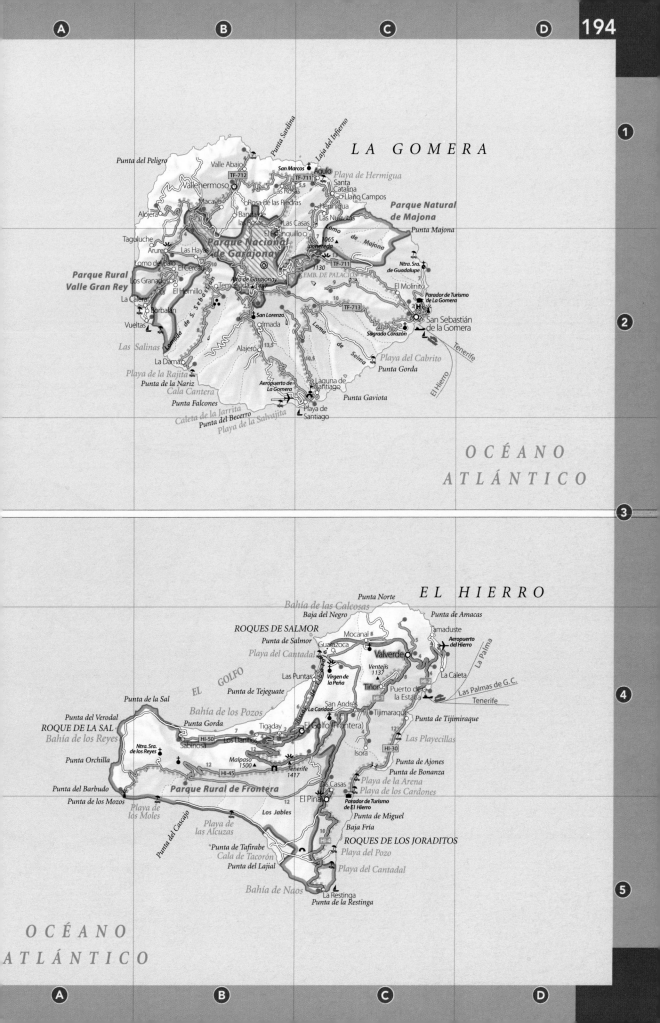

A B C D

OCÉANO

ATLÁNTICO

1

2

Puerto de

Punta de Buenavista

Punta de Buenavista

Punta de las Colaradas

Punta de Juan Centellas

Punta de la Fajana

Playa de los Terres

Punta Br
Las Deh
Longuera-Toscal

Playa de las Aguas

Playa de los Terres

Santa
Catalina

Las
Aguas

TF-362

Punta del Fraile

Buenavista
del Norte

San José

La Caleta

Santo Domingo

San Marcos

San Felipe

Buen Paso

San Juan
de la Rambla

San José

La Carrera
La Vera Icod
el Alto

TF-362

Lo

San Bernardo

Los Silos

TF-42

Tanque

Garachico

San Juan
del Reparo

Icod de los Vinos

La Mancha

Santa Bárbara

La Guancha

Cruz Sar

Las Canteras

El Palmar

La Tierra
del Trigo

La
Vega

La Cruz
del Tronco

Palo Blanco
Llabadas

El Palmar

3

Punta de Teno
o de la Aguja

Teno

Parque Rural

Baracán
1003

de Teno

Enjos del Tanque

Ruigómez

El Amparo

Cueva del Viento

Fuente La Vega

Punta Vizcaíno

Playa de Juan López

Masca

TF-436

San José
de los Llanos

La Montañeta

Las Montañetas

La Florida

TF-82

Santiago del Teide

El Molledo

Las Manchas

Llanos
del Hospital

LADERAS DEL TEIDE

Tei
Reso

Punta de los Machos

Tamaimo

Arguayo

28

Pico del Teide
3718

Montaña
Blanca

LAS CA

Acantilado de
los Gigantes

Chío

Los Hoyos

Pico Viejo
3134

Parque Nacional

del Teide

Puerto de Santiago

Punta de Barbero

Chiguergue

Lomo de la Fogalera

TF-38

Parador de Turismo de
Las Cañadas del Teide

Los Nieves

Llano de Ucanca

LAS CA

Chirche

2534

2715
Guajara

La Madre
del Agua

Guía de Isora

TF-21

Los Retamares

El Cabezo de Alcalá

Alcalá

TF-463

TF-47

Tejina

TF-82

Vera de Erque

Playa de San Juan

Playa de San Juan

4

Tijoco Bajo

Ricasa

Parque Natural
de Corona Forestal

Vilaflor

Las Cuevas

Punta del Cangrejo

Iboybó

La Quinta Taucho

Los Menores

6,5

TF-21

12

Cruz de Tea

La Car

Callao Salvaje

Arménime

Los Olivos-La Postura

Granadilla
de Abona

El Becerro

Adeje

La Escalona

El Frontón

Charc

La Caleta

Fañabé

El Monte
Guargachoo

TF-51

9,5

El Roque

San Miguel

TF

6,5

30

Arona

La Sabinita

Tamaide

Olas Zocas
San Is

TF-481

La Camella

Valle de
San Lorenzo

Buzanada

Aldea Blanca

San

Playa del Bobo

29

Urb. Chayofa

10

Playa de las Américas

28

Cabo Blanco

Urb. Playa de las Américas

27

El Guincho

Los Cristianos

26

TF-1

25

6,5

23

24

Playa de los Cristianos

Cho

El Guincho

Los Abrig

Guaza

Urb. Palm-Mar

La Arenita

TF-66

Urb. Costa
del Silencio

Playa Colmenares

El Hierro, La Gomera

Punta de la Rasca

Rasca

Las Galletas

Punta El Callao

Punta Salema

5

A B C D

A B C D

ROQUES DE ANAGA

Pta. de Tamadите
Playa de Benijo
Roque Bermejo

Punta del Hidalgo
Ntra. Sra.
de Begoña
Almáciga
Playa de Anosma

Playa del Arenal
Punta del
Hidalgo
Punta Gotera
Bajamar
Taborno
Taganana
MONTE DE LAS MERCEDES
Chinobre
910
Punta de Anaga

Punta del Fraile
Afur
DE
Punta de la Barranquera
Tejina
Cruz del Carmen
Roque Negro
Las Casas
de la Cumbre
MACIZO
ANAGA
Valle de
El Socorro
TF-13
Tegueste
Pedro
Alvarez
Igueste de
San Andrés
El Roquete

Juan Fernández
TF-13
Guerra
Vega de
las Mercedes
Parque Rural
de Anaga
TF-12
San Andrés
Puerto de la Madera
Tagoro
La Caridad
El Portezuelo
Campitos
Playa de las Teresitas
Guayonge
Dña. Luz
Los
Valle
Tahodio
Lanzarote
Cádiz

Tacoronte
TF-152
Guamasa
La Laguna
Los
Valles
María Jiménez
Punta del Puertito
TF-5
Las Casas Altas
Los Naranjeros
Finca España
TF-11
Santa Cruz
Agua García
El Ortigal
Los Rodeos
La Cuesta
de Tenerife
Caleta
de la Negra
Ravelo
Barranco
de las Lajas
Geneto
Las Chumberas
Gran Canaria
Fuerteventura
Barranco Hondo
La Matanza
de Acentejo
TF-217
El Rosario
Los Andenes
Tincen
Taco
Puerto Caballo

Bajos y Tagoro
La Victoria de Acentejo
Llano del Moro
Los Altos-Arroyos
El Sobradillo
TF-2
Anaza
Las Rosas
Barranco Grande
San Isidro
La Gomera
El Hierro

Sta. Ursula
La Vera-Carril
El Tablero
Sta. María del Mar
Los Alisios
La Corujera
Cuesta de la Villa
Barranco
Hondo
Radazul
La Dehesa Baja
Tabaiba
Playa de la Nea

La Orotava
Igueste
TF-24
Las Caletillas

Antonio
Araya
Playa de las Arenas

Chasna
Aguamansa
Las Cuevecitas
Candelaria
Malpaís
Playa de los Samarines

TF-21
Arafo
La Hidalga
El Socorro

Pino Alto
TF-413
El Carretón
Playa de la Entrada

Izaña
2367
Güímar
Punta de Güímar

Lomo de los Pinos
Puertito de Güímar
Mirador de Don Martín
TENERIFE

Intermedio
La Medida
Pájara
Playa de Arriba
Lomo
de Mena
TF-28
Punta Agache
TF-1
El Escobonal
Playa de la Margallera

La Zarza
Fasnia
Laja Amarilla
Sabina Alta
La Sombrera
Cruz del Roque

La Degollada
Icor
Las Eras
Punta de Honduras
Arico Viejo
Playa de las Ceras
La Sabinita
TF-625

Los Gavilanes
Arico
Porís de Abona
Punta de Abona

El Río
Salto del Roque
Punta de Cueva Negra

Playa de la Jaca
Ensenada Piedra de la Sal

San Miguel de Tajao

Ensenada del Cobón
Punta del Camello
Playa del Medio
Punta del Tanque del Vidrio

édano

Madrid

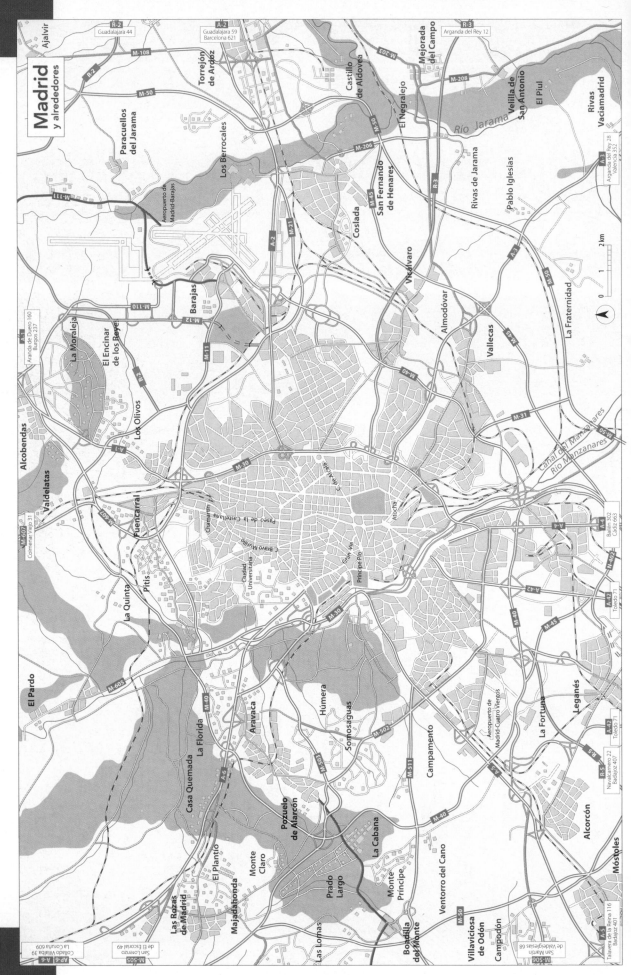

Madrid
y alrededores

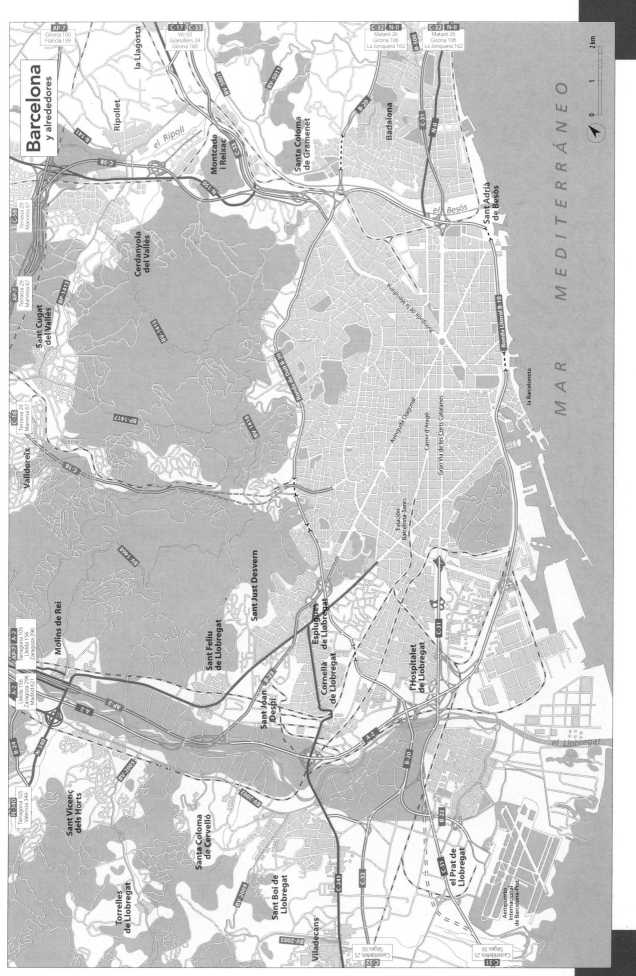

Barcelona
y alrededores

MAR MEDITERRÁNEO

Ripollet

la Llagosta

el Ripoll

Montcada i Reixac

Cerdanyola del Vallès

Santa Coloma de Gramenet

Badalona

Sant Adrià de Besòs

el Besòs

Sant Cugat del Vallès

Valldoreix

Avinguda de la Meridiana

Avinguda Diagonal

Carrer d'Aragó

Gran Via de les Corts Catalanes

Ronda Litoral B-10

la Barceloneta

Estación Barcelona-Sants

Molins de Rei

Sant Feliu de Llobregat

Sant Just Desvern

Esplugues de Llobregat

Cornellà de Llobregat

Sant Joan Despí

l'Hospitalet de Llobregat

Sant Vicenç dels Horts

Santa Coloma de Cervelló

Torrelles de Llobregat

Sant Boi de Llobregat

el Llobregat

el Prat de Llobregat

Viladecans

Aeropuerto Internacional de Barcelona-Prat

MAR MEDITERRÁNEO

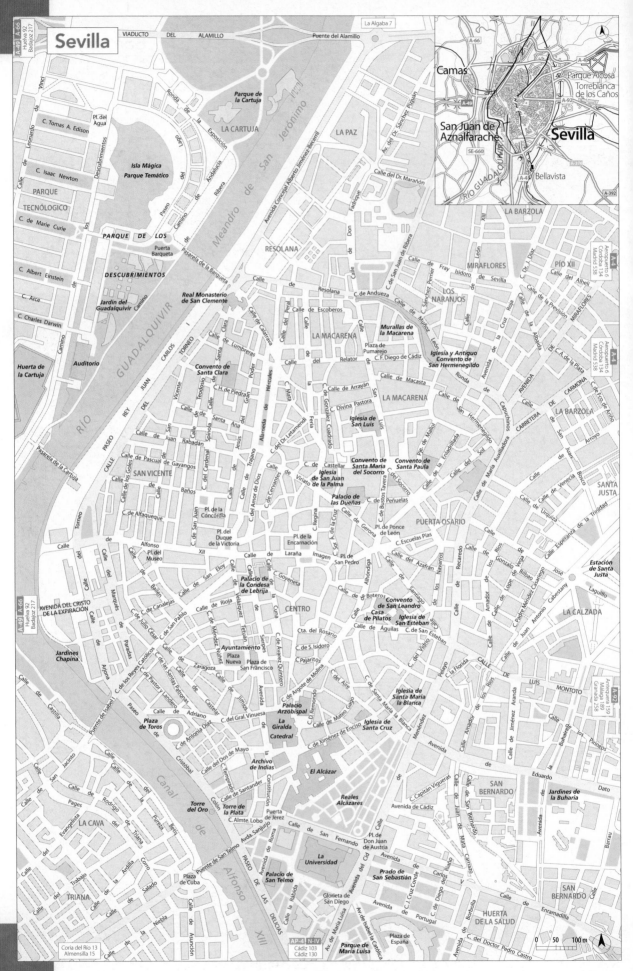

Sevilla

A-49 A-56 Huelva 92 Badajoz 217

VIADUCTO DEL ALAMILLO

La Algaba 7

Puente del Alamillo

Camas

San Juan de Aznalfarache

Sevilla

Parque Alcosa
Torreblanca
de los Caños

Bellavista

LA CARTUJA

Parque de la Cartuja

LA PAZ

Isla Mágica
Parque Temático

PARQUE TECNÓLOGICO

Pl. del Agua
C. Tomas A. Edison
C. Isaac Newton

C. de Marie Curie
C. Albert Einstein
C. Arce
C. Charles Darwin

PARQUE DE LOS

DESCUBRIMIENTOS

Puerta Barqueta

Jardin del Guadalquivir

Huerta de la Cartuja

Auditorio

Real Monasterio de San Clemente

RESOLANA

LA MACARENA

Murallas de la Macarena

Plaza de Pumarejo

MIRAFLORES

LOS NARANJOS

PÍO XII

LA BARZOLA

Iglesia y Antiguo Convento de San Hermenegildo

Convento de Santa Clara

Convento de Santa María del Socorro

Convento de Santa Paula

LA MACARENA

LA BARZOLA

SANTA JUSTA

Iglesia de San Luis

Iglesia de San Juan de la Palma

Palacio de las Dueñas

PUERTA OSARIO

Estación de Santa Justa

SAN VICENTE

Pl. de la Concórdia

Pl. del Duque de la Victoria

Pl. del Museo

Pl. de la Encarnación

Pl. de Ponce de León

Pl. Escuelas Pias

LA CALZADA

CENTRO

Palacio de la Condesa de Lebrija

Convento de San Leandro

Casa de Pilatos

Iglesia de San Esteban

Jardines Chapina

Ayuntamiento
Plaza Nueva
Plaza de San Francisco

Iglesia de Santa María la Blanca

SAN BERNARDO

Jardines de la Buharia

Plaza de Toros

Palacio Arzobispal

La Giralda

Catedral

Iglesia de Santa Cruz

Archivo de Indias

El Alcázar

Reales Alcázares

Torre del Oro
Torre de la Plata

LA CAVA

TRIANA

Plaza de Cuba

Plaza de Toros

La Universidad

Palacio de San Telmo

Prado de San Sebastián

Glorieta de San Diego

SAN BERNARDO

HUERTA DE LA SALUD

Pl. de Don Juan de Austria

Parque de María Luisa

Plaza de España

A-49 A-66 Huelva 92 Badajoz 217

Coria del Río 13 Almensilla 15

AP-4 N-IV Cádiz 103 Cádiz 130

0 50 100 m

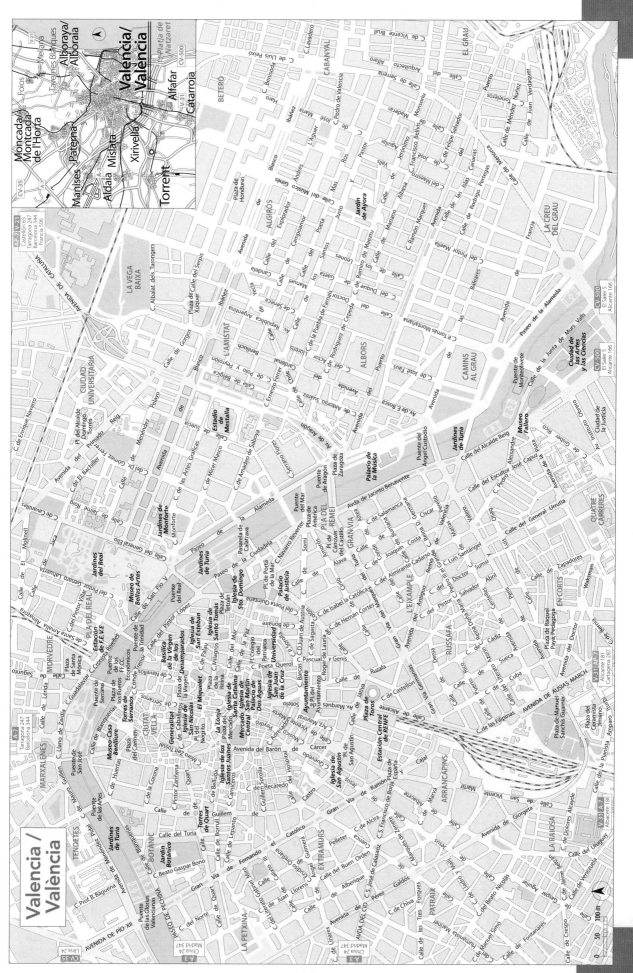

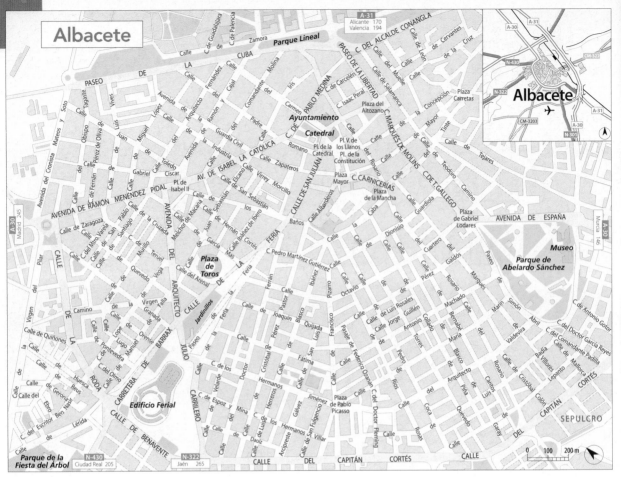

Albacete

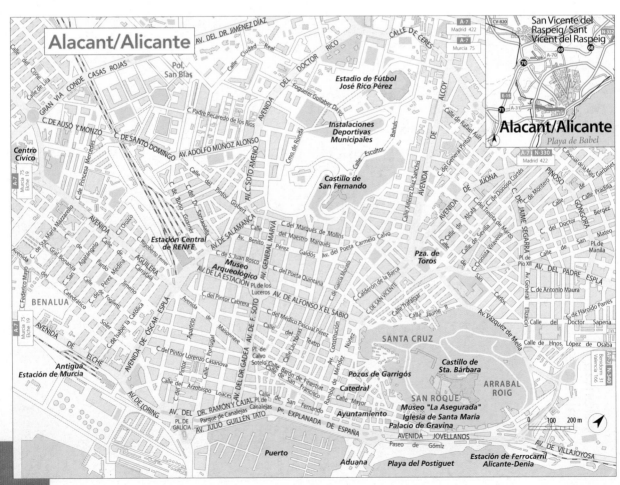

Alacant/Alicante

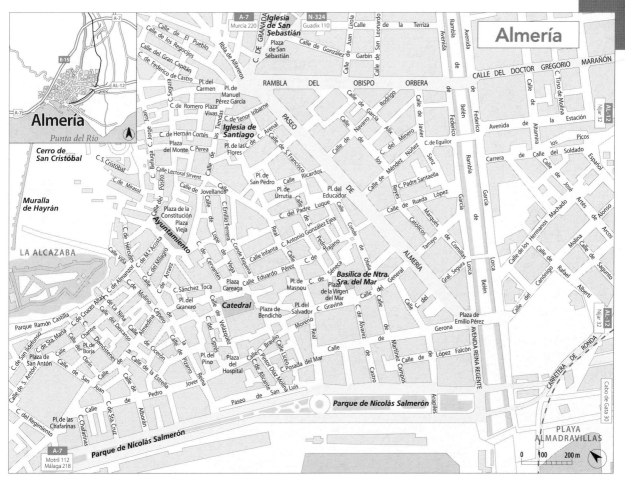

Almería

A-7 Murcia 220
N-324 Guadix 110

Iglesia de San Sebastián
Plaza de San Sebastián

Calle de El Pueblo
Calle de los Regocijos
Calle del Gran Capitán
C. de Federico de Castro

CALLE DEL DOCTOR GREGORIO MARAÑÓN

Calle de Juan Lirola
Calle de San Leonardo
de la Terriza
Rambla
Avenida
Avenida

Calle de González
Garbín
Calle de San

Pl. del Carmen
Pl. de Manuel Pérez García
C. de Romero Plaza Vivas
C. de Tenor Iribarne

RAMBLA DEL OBISPO ORBERA

Calle de García
Rodrigo
Calle de Javier
Calle
Calle
de Federico
Avenida
de
Altamira
la
Estación

C. Segura
Iglesia de Santiago
Pl. del Monte
C. Perea
Pl. de las Flores
C. de las
Calle del Arenal
Calle de S. Francisco
Pl. de San Pedro
Calle Ricardos

Calle
Navarro
Alix
C. del Minero
Calle de los
Méndez Núñez
C. Padre Santaella
Calle de Rueda López

Carrera
Calle
del Soldado
Picos
Español
Calle
de los
José

Calle Lectoral Sirvent
Calle de Jovellanos
C.Emilio Ferrer Conde Xiquena
Pl. de Urrutia
Pl. del Educador
C. del Padre
Luque
Marqués
Católicos
de Comillas

Calle de los Hermanos Machado
Calle de
Calle de
Rafael
Alberti

Plaza de la Constitución Plaza Vieja
Ayuntamiento
Calle de Hércules
Calle de Mª Acosta
Calle del Milagro
Calle de Lope de Vega
Calle Infanta
C. Antonio González Ejea
Pedro Jover
C. de Séneca
de Oñate
ALMERÍA
General
Tamayo
Lorca
García
Gral. Segura
Belén

Calle de
Cantorio

LA ALCAZABA
Calle Vieja
C. de Almanzor
C. de Molina
C. de Arráez
Plaza Careaga
Calle Eduardo Pérez
Pl. de Masnou
Basílica de Ntra. Sra. del Mar
Plaza de la Virgen del Mar
C. Gravina

C. de Cruces Altas
C. de la Niña
Pl. del Granero
Catedral
Plaza de Velázquez
Plaza de Bendicho
Pl. del Salvador
Moreno
C. de Álvarez
Real
de
Plaza de Emilio Pérez
Gerona

Parque Ramón Castilla
C. de Sta. María
Chantre
Almedina Cebero
de Cicerón
Plaza del Hospital
C. del Cíd
Calle
Calle
C. de Velázquez
Braulio
Calle Lacen
C. Posada del Mar
Martínez Campos
Calle de
López Falcón

C. de San Isidoro
Plaza de San Antón
C. de S. Antón
Pl. de Borja
Demóstenes
Calle del Chirín
Calle de San
Calle de Pizarro
C. de Alicante
C. de Sta. Cruz
Jover
Reina
Plaza del Pino
Paseo
de San Luis
Calle
de
Castro

C. del Regimiento
Pl. de las Chafarinas
C. Chafarinas
Calle
Juan
Pedro
Alborán
Paseo de San Luis
Parque de Nicolás Salmerón
PLAYA ALMADRAVILLAS

A-7
Motril 112
Málaga 218

Parque de Nicolás Salmerón

0 100 200 m

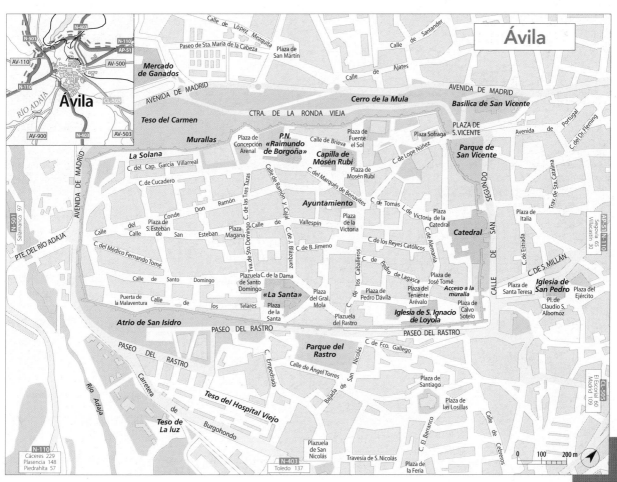

Ávila

Calle de López Mezquita
Calle de Santander
Paseo de Sta. María de la Cabeza
Plaza de San Martín
Calle de Ajates

Mercado de Ganados

AVENIDA DE MADRID
Cerro de la Mula
AVENIDA DE MADRID
Basílica de San Vicente

Teso del Carmen
CTRA. DE LA RONDA VIEJA
PLAZA DE S. VICENTE
Parque de San Vicente

Murallas
Plaza de Concepción Arenal
P.N. «Raimundo de Borgoña»
Calle de Brieva
Plaza de Fuente el Sol
Plaza Sofraga
C. del Dr. Fleming

La Solana
C. del Cap. García Villarreal
Capilla de Mosén Rubí
C. de Lope Núñez
Avenida
de
Portugal

C. de Cucadero
Calle de Ramón y Cajal
C. del Marqués de Benavites
Plaza de Mosén Rubí

N-501 Salamanca 97
AVENIDA DE MADRID
Conde Don Ramón
Calle de las Tres Tazas
Ayuntamiento
C. de Tomás L. de Victoria
Plaza de la Catedral
Plaza de Italia
Segovia 65
Villacastín 30

PTE. DEL RÍO ADAJA
Plaza de S. Esteban
de San Esteban
Plaza Magaña
Vallespín
Plaza de la Victoria
Plaza de José Tomé
Catedral
C. de Estrada
C. DE S. MILLÁN

C. del Médico Fernando Tomé
Calle
Calle
C. de J. Blázquez
C. de B. Jimeno
C. de los Reyes Católicos
C. de Alemania
Plaza de Santa Teresa
Iglesia de San Pedro
Plaza del Ejército

Calle de Santo Domingo
Plazuela C. de la Dama de Santo Domingo
C. de los Caballeros
C. de Pedro de Lagasca
Acceso a la muralla
Pl. de Claudio S. Albornoz

Puerta de la Malaventura
«La Santa»
Plaza de la Santa
Plaza del Gral. Mola
Plaza de Pedro Dávila
Plaza del Teniente Arévalo
Plaza de Calvo Sotelo

Atrio de San Isidro
PASEO DEL RASTRO
Plazuela del Rastro
Iglesia de S. Ignacio de Loyola
PASEO DEL RASTRO

PASEO DEL RASTRO
Parque del Rastro
C. de Fco. Gallego

Calle de Ángel Torres
Calle de San Nicolás
Plaza de Santiago

Teso del Hospital Viejo
Calle de Empedrada
Bajada de S. Nicolás
Plaza de las Losillas

Teso de La luz
Burgohondo
Plazuela de San Nicolás
El Barranco
Calle
de
Cebreros

N-110
Cáceres 229
Plasencia 148
Piedrahita 57

N-403 Toledo 137
Travesía de S. Nicolás
Plaza de la Feria

0 100 200 m

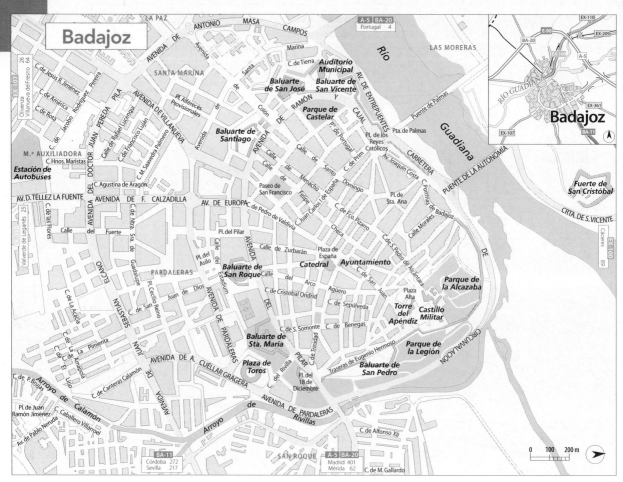

Badajoz

AVENIDA DE
SANTA MARINA
C. de Jesús R. Jiménez, Pereira
C. de América
C. de Rota
C. de Jacobo Rodríguez
Olivenza, Villanueva del Fresno
AVENIDA DE VILLANUEVA
Pl. Alféreces Provisionales
Marina
C. de Tierra
Auditorio Municipal
Santa
RAMÓN
Colón
DE
Baluarte de San José
Baluarte de San Vicente
Parque de Castelar
Pl. de Palmas
Pta. de Palmas
RÍO
Guadiana
CAJAL
AV. DE ENTREPUENTES
Puente de Palmas
CARRETERA
PUENTE DE LA AUTONOMÍA
Fuerte de San Cristóbal
CRTA. DE S. VICENTE
Cáceres 89
EX-100
M.ª AUXILIADORA
C. Hnos. Maristas
Estación de Autobuses
C. de Rafael Lucenqui
C. de Francisco Luján
C. M. Saavedra Palmero
Baluarte de Santiago
AVENIDA
Calle
Calle
de
de
Menacho
Santo
Domingo
C. de Prim
C. de Fco. Pizarro
Pl. de los Reyes Católicos
Av. Joaquín Costa
C. Portillos de Badajoz
C. de S. Pedro de Alcántara
C. Agustina de Aragón
AV. D. TÉLLEZ LA FUENTE
AVENIDA DE F. CALZADILLA
AV. DE EUROPA
de Pedro de Valdivia
Pl. del Pilar
C. de Zurbarán
C. Juan Carlos I
C. de Sta. Ana
Calle Morales
Pl. de Sta. Ana
Valverde de Leganés 25
C. de las Flores
Calle del Fuerte
C. de Ntra. Sra. de Guadalupe
Calle de Asilo
AVENIDA
Calle del Estadium
PLAZA DE ESPAÑA
Checa
DE
PARDALERAS
Pl. Cecilio Reino
Juan de Dios
C. de San Roque
Baluarte de San Roque
Catedral
Ayuntamiento
C. de San Juan
Parque de la Alcazaba
ELCANO
SEBASTIÁN
C. de La Aceña
AVENIDA DE PARDALERAS
del
Arco
Agüero
Plaza Alta
Torre del Apéndiz
Castillo Militar
C. de La Amapola
JUAN
C. de San José
C. de Cristóbal Oudrid
C. de Sepúlveda
C. de S. Somonte
C. de Benegas
CIRCUNVALACIÓN
DE
C. de La Pimienta
Baluarte de Sta. María
C. de Trinidad
Parque de la Legión
Arroyo de Calamón
AVENIDA DE A. CUÉLLAR GRAGERA
Plaza de Toros
PILAR
del Rivilla
Traseras de Eugenio Hermoso
Baluarte de San Pedro
Av. de Pablo Neruda
C. de P. Bruja
C. Caballero Villarroel
C. de Canteras Calamón
AVENIDA
de
AVENIDA DE PARDALERAS
Rivillas
C. de Alfonso XII
Pl. de Juan Ramón Jiménez
Arroyo
Pl. del 18 de Diciembre
BA-11
Córdoba 272
Sevilla 217
SAN ROQUE
A-5 BA-20
Madrid 401
Mérida 62
C. de M. Gallardo
0 100 200 m

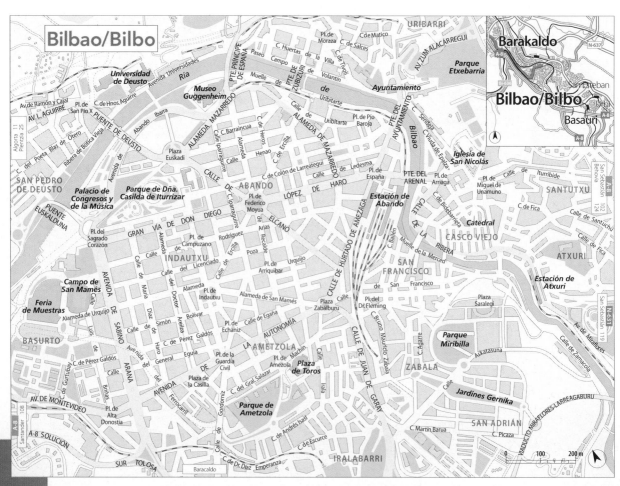

Bilbao/Bilbo

Universidad de Deusto
Avenida Universidades
Ría
Museo Guggenheim
Pl. de Moraza
C. de Salces
C. Huertas de la Villa
Paseo
Campo
PTE. PRÍNCIPE DE ESPAÑA
Muelle
de
Volantín
Tívoli
Parque Etxebarria
Av. de Ramón y Cajal
AV. L. AGUIRRE
Pl. de San Pío X
C. de Hnos. Aguirre
PUENTE DE DEUSTO
Abando Ibarra
ALAMEDA MAZARREDO
Uribitarte
ALAMEDA DE MAZARREDO
Pl. de Pío Baroja
Ayuntamiento
PTE. DEL AYUNTAMIENTO
Bilbao
C. Viuda de Epalza
Iglesia de San Nicolás
Algorta 11
Pientzia 25
C. del Poeta Blas de Otero
Ribera de Botica Vieja
Plaza Euskadi
C. Barraincua
Alameda
C. de Heros
Henao
Uribitarte
Pl. de España
Estación de Abando
PTE. DEL ARENAL
Pl. de Arriaga
Pl. de Miguel de Unamuno
C. de Bidebarrieta
Catedral
SANTUTXU
C. de Fica
SAN PEDRO DE DEUSTO
C. del Poeta
Palacio de Congresos y de la Música
Parque de Dña. Casilda de Iturrizar
CALLE DE C. Iparaguirre
ABANDO
C. de Colón de Larreategui
LÓPEZ
DE
HARO
Pl. de Federico Moyúa
ELCANO
Arias
CALLE DE HURTADO DE AMÉZAGA
Ballén
Muelle de la Merced
CASCO VIEJO
Calle de Santuchu
Calle de Fica
ATXURI
PUENTE EUSKALDUNA
Pl. del Sagrado Corazón
GRAN VÍA DE DON DIEGO
Pl. de Campuzano
Rodríguez
Recalde
Pl. de Arriquibar
Poza
Pl. de Urquijo
SAN FRANCISCO
de San Francisco
Estación de Atxuri
INDAUTXU
del Licenciado
Calle de Ercilla
Pl. del Dr. Fleming
Plaza Saralegi
San Sebastián 119
N-631
Campo de San Mamés
AVENIDA DE SABINO ARANA
Calle de María
Calle del Doctor
Areilza
Alameda
Alameda de San Mamés
Calle
Plaza Zabálburu
ZABALA
Parque Miribilla
Askatasuna
Calle de Zamácola
Feria de Muestras
Alameda de Urquijo
Díaz de Simón Bolívar
LA AMETZOLA
CALLE DE JUAN DE GARAY
Calle
Jardines Gernika
VIADUCTO MIRAFLORES-LARREAGABURU
BASURTO
C. de Gurtubay
C. de Pérez Galdós
Avenida del General Eguía
C. de Pérez Galdós
Pl. de la Guardia Civil
Pl. de Machín
Amézola
Plaza de Toros
Irala
Calle
C. Agarre
C. Bruno Mauricio Zabala
Av. de Miraflores
AV. DE MONTEVIDEO
Pl. de Alta Donostia
Plaza de la Casilla
C. del Gral. Salazar
Ferrocarril
Gordoniz
SAN ADRIÁN
Santander 108
A-8
A-8 SOLUCIÓN
SUR TOLOSA
Baracaldo
C. de Dr. Díaz
Emperanza
Parque de Ametzola
C. de Andrés Isasi
C. de Escurce
IRALABARRI
C. Martín Barua
C. Picaza
0 100 200 m

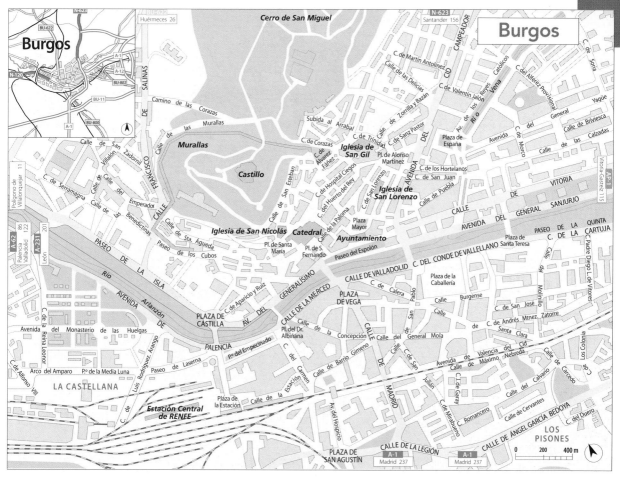

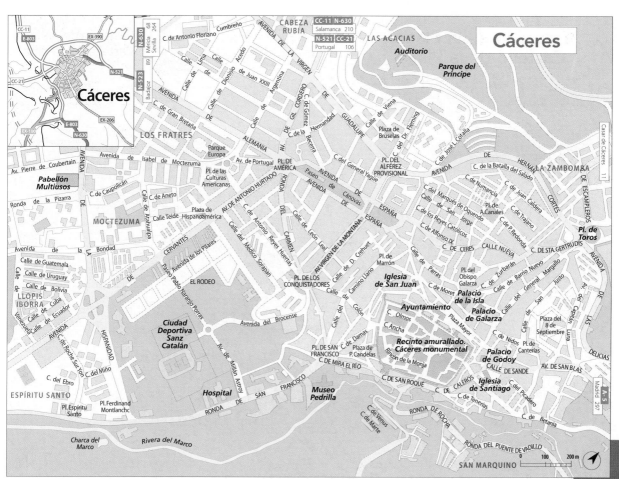

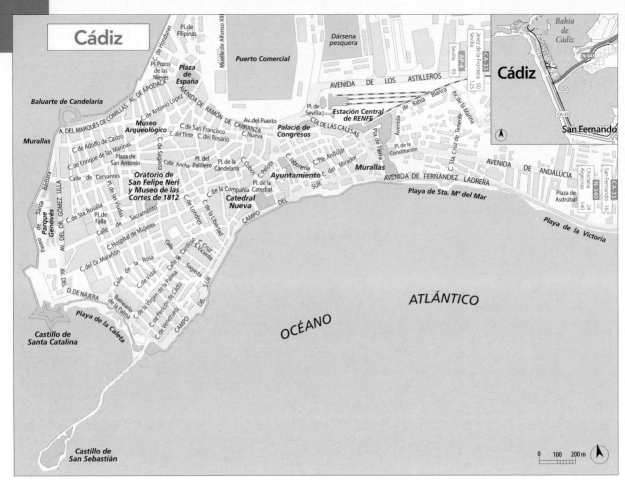

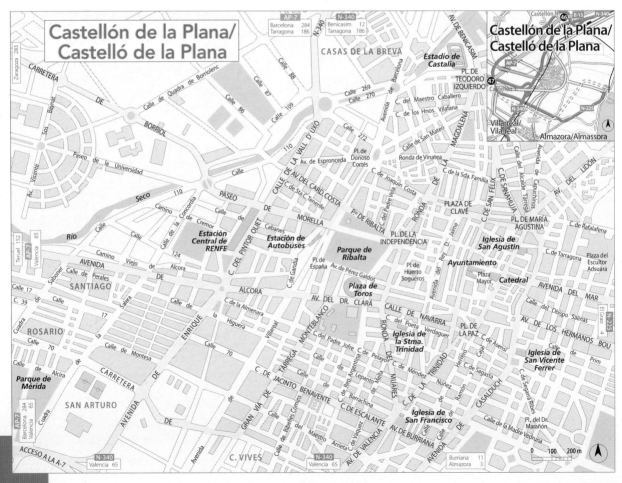

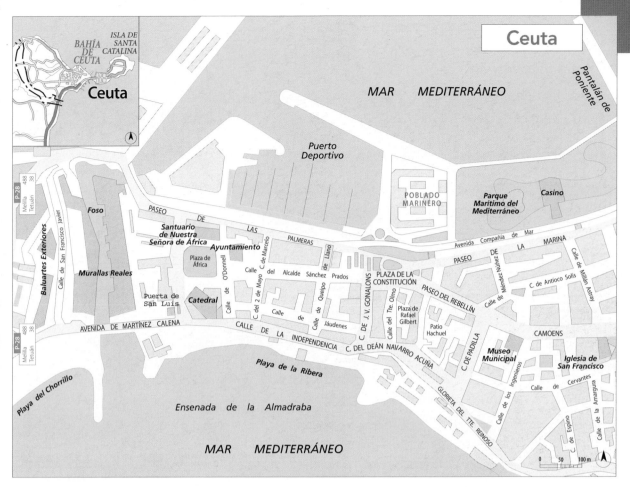

Ceuta

BAHÍA DE CEUTA

ISLA DE SANTA CATALINA

Ceuta

MAR MEDITERRÁNEO

Pantalán de Poniente

Puerto Deportivo

POBLADO MARINERO

Parque Marítimo del Mediterráneo

Casino

P-28 | Melilla 488 | Tetuán 38

Foso

Baluartes Exteriores

Calle de San Francisco Javier

PASEO DE LAS PALMERAS

Santuario de Nuestra Señora de África

Ayuntamiento

Plaza de África

Murallas Reales

Puerta de San Luis

Catedral

Avenida Compañía de Mar

PASEO DE LA MARINA

Calle de Méndez Núñez

Calle de Millán Astray

C. de Antioco Solís

Calle de O'Donnell

Calle de 2 de Mayo

C. de Marcelo

Calle del Alcalde Sánchez Prados

Calle del Llano

PLAZA DE LA CONSTITUCIÓN

PASEO DEL REBELLÍN

Calle de Quevedo

Calle de Jáudenes

C. de J. V. GONALONS

Calle del Tte. Olmo

Plaza de Rafael Gilbert

Patio Hachuel

C. DE PADILLA

Museo Municipal

CAMOENS

Iglesia de San Francisco

Calle de los Ingenieros

Calle de Cervantes

P-28 | Melilla 488 | Tetuán 38

AVENIDA DE MARTÍNEZ CALENA

CALLE DE LA INDEPENDENCIA

C. DEL DEÁN NAVARRO ACUÑA

GLORIETA DEL TTE. REINOSO

C. de Espino

Calle de la Amargura

Playa del Chorrillo

Playa de la Ribera

Ensenada de la Almadraba

MAR MEDITERRÁNEO

0 50 100 m

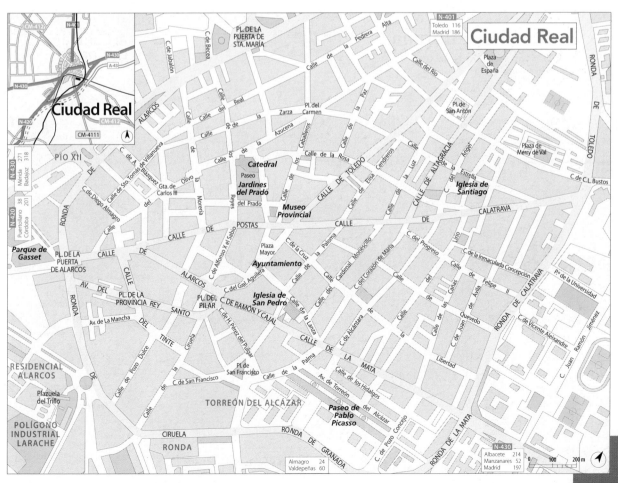

Ciudad Real

CM-412 · N-401 · N-430 · A-43 · N-430 · N-420 · CM-412 · CM-4111

Ciudad Real

N-401 | Toledo 116 | Madrid 186

RONDA DE TOLEDO

PL. DE LA PUERTA DE STA. MARÍA

C. de Jabalón

C. de Becea

Calle del Río

Plaza de España

Calle de la Pedrera

Alta

ALARCOS

Calle del Real

Pl. del Carmen

Zarza

Calle de la Paz

Pl. de San Antón

Plaza de Merry de Val

TOLEDO

PÍO XII

N-430 | Mérida 271 | Badajoz 318

Calle de Sto. Tomás Blázquez

C. de A. de Villanueva

Olivo

Gta. de Carlos III

Azucena

Calle de los Caballeros

Calle de la Rosa

Cenidreos

CALLE DE ALTAGRACIA

Ángel

Estrella

C. de C.L. Bustos

Catedral

Paseo

Jardines del Prado

Museo Provincial

del Prado

la Morería

Reyes

Iglesia de Santiago

CALATRAVA

N-420 | Puertollano 38 | Córdoba 201

RONDA

C. de Diego Almagro

Calle

CALLE DE POSTAS

C. de Alfonso X el Sabio

Plaza Mayor

CALLE DE TOLEDO

C. de la Cruz

Paloma

C. del Progreso

C. de la Inmaculada Concepción

Lirio

Pº de la Universidad

Parque de Gasset

PL. DE LA PUERTA DE ALARCOS

CALLE DE

Ayuntamiento

Cardenal Monescillo

C. del Corazón de María

Felipe II

RONDA DE CALATRAVA

AV. DEL

PL. DE LA PROVINCIA REY

SANTO

ALARCOS

C. del Gral. Agüilera

Iglesia de San Pedro

Calle de la Lanza

Calle de las Cañas

de Ávila

Quevedo

C. de Vicente Alexandre

C. Juan Ramón Jiménez

RESIDENCIAL ALARCOS

RONDA

DEL

Av. de La Mancha

PL. DEL PILAR

C. DE RAMÓN Y CAJAL

C. del H. Pérez del Pulgar

Calle de Alcántara

C. de Juan de Ávila

Libertad

Plazuela del Triflo

TINTE

Ciruela

Pl. de San Francisco

CALLE DE LA MATA

Av. de Torreón

Calle de los Hidalgos

POLÍGONO INDUSTRIAL LARACHE

Calle de Pozo Dulce

C. de San Francisco

Calle de la Palma

TORREÓN DEL ALCÁZAR

Paseo de Pablo Picasso

del Alcázar

C. de Pozo Concejo

RONDA DE GRANADA

RONDA DE LA MATA

N-430

CIRUELA

RONDA

Almagro 24 | Valdepeñas 60

Albacete 214 | Manzanares 52 | Madrid 197

0 100 200 m

213

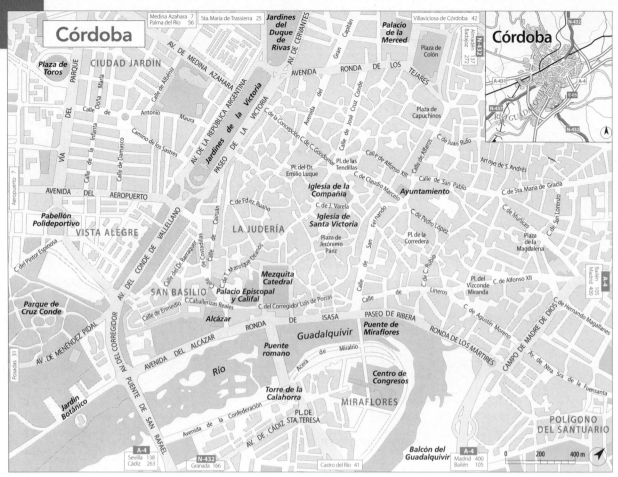

Córdoba

Medina Azahara 7
Palma del Río 56
Sta. María de Trassierra 25

Jardines del Duque de Rivas
Palacio de la Merced
Villaviciosa de Córdoba 42

Plaza de Toros
CIUDAD JARDÍN
AV. DE LA REPÚBLICA ARGENTINA
AV. DE CERVANTES
Gran Capitán
Palacio de Colón

Plaza de Colón
AV. DE MEDINA AZAHARA
RONDA DE LOS TEJARES

Plaza de Capuchinos

Calle de Albéniz
Antonio
Maura
Calle Doña María
Calle de los Sastres
Camino de los Sastres

Calle de la Infanta
Calle de Damasco
VÍA
AVENIDA DEL AEROPUERTO
Aeropuerto 7

PASEO DE LA VICTORIA
Jardines de la Victoria
AV. DE LA REPÚBLICA ARGENTINA
C. de la Concepción
C. de C. Gondomar
Pl. del Dr. Emilio Luque
Pl. de las Tendillas
Avenida
del
Calle de José Cruz Conde
C. de Alfonso XIII
C. de Claudio Marcelo
C. de Juan Rufo
Calle de San Pablo
C. de Sta. María de Gracia

Arroyo de S. Andrés

Pabellón Polideportivo
VISTA ALEGRE
Iglesia de la Compañía
C. de Fdez. Ruano
C. de J. Varela
Iglesia de Santa Victoria
Ayuntamiento
C. de Pedro López
Ayuntamiento
C. de Muñices
Plaza de la Magdalena
C. de San Lorenzo

Parque de Cruz Conde
C. del Pintor Espinosa
AV. DEL CONDE DE VALLELLANO
SAN BASILIO
Calle del Dr. Barraquer
Calle de Costadillas
LA JUDERÍA
C. de T. Manrique Olvares
Plaza de Jerónimo Páez
Mezquita Catedral
San
Fernando
Pl. de la Corredera
Pl. del Vizconde Miranda
C. de C. Rubio
C. de Alfonso XII
Lineros

Palacio Episcopal y Califal
C.Caballerizas Reales
Calle de Enmedio
C. del Corregidor Luis de Porras
Calle
de
C. de Agustín Moreno
C. de Madre de Dios
C. de Hernando Magallanes
Bailén 105
Madrid 400

Parque de Cruz Conde
AV. DE MENÉNDEZ PIDAL
AV. DEL CORREGIDOR
Alcázar
RONDA DE ISASA
PASEO DE RIBERA
Puente de Miraflores
RONDA DE LOS MÁRTIRES

Posadas 31
PUENTE DE SAN RAFAEL
AVENIDA DEL ALCÁZAR
Puente romano
Guadalquivir
Acera de Miraflores
Av. de Ntra. Sra. de la Fuensanta

Río
Jardín Botánico
Avenida de la Confederación
Torre de la Calahorra
MIRAFLORES
Centro de Congresos
POLÍGONO DEL SANTUARIO

A-4
Sevilla 138
Cádiz 263
N-432
Granada 166
AV. DE CÁDIZ
Pl. DE STA. TERESA
Castro del Río 41
Balcón del Guadalquivir
A-4
Madrid 400
Bailén 105

0   200   400 m

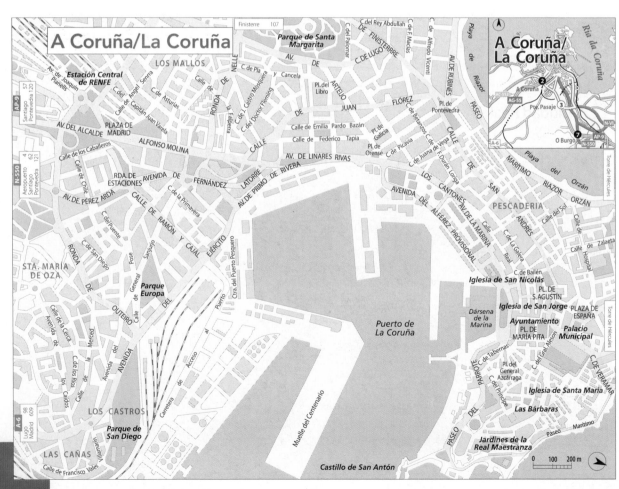

A Coruña/La Coruña

Finisterre 107
Parque de Santa Margarita
C. del Rey Abdullah
DE FINISTERRE
C. de F. Macías
Playa de Riazor

LOS MALLOS
C. del Palomar
C.DE LUGO
C. de Alfredo Vicenti
AV. DE RUBINES

Estación Central de RENFE
Av. de Joaquín Planells
NELLE
C. de Pla
y Cancela
AV. DE
Pl.del Libro
Pl. de Pontevedra
C. de Betanzos
PASEO

AP-9
Santiago 57
Pontevedra 120
C. del Ángel Senra
RONDA de la Galera
Pl.del Libro
JUAN
FLÓREZ
Pl. de Galicia
MARÍTIMO

PLAZA DE MADRID
C. de Asturias
C. del Doctor Fleming
Calle de Emilia Pardo Bazán
Pl. de Pontevedra
Playa del Orzán

AV. DEL ALCALDE DE MADRID
ALFONSO MOLINA
CALLE
Calle de Federico Tapia
Pl. de Orense
C. de Picavia
SAN ANDRÉS
RIAZOR ORZÁN

N-550
Aeropuerto 4
Santiago 62
Pontevedra 121
Calle de los Caballeros
AV. DE LINARES RIVAS
C. de Juana de Vega
C. de la Galera
Calle del Sol

RDA. DE ESTACIONES
AVENIDA DE FERNÁNDEZ
LATORRE
LOS
PESCADERÍA
Calle de Zalaeta

AV. DE PÉREZ ARDA
CALLE DE RAMÓN Y CAJAL
AV. DE PRIMO DE RIVERA
CANTONES
AV. DE LA MARINA
Calle de Hospital

STA. MARÍA DE OZA
RONDA DE OUTEIRO
C. de la Primavera
 EJÉRCITO
AV. DEL ALFÉREZ PROVISIONAL
AVENIDA DE LA MARINA
C. de Bailén
Iglesia de San Nicolás
PL. DE S. AGUSTÍN

Parque Europa
C. del Puente
C. de San Diego
Cra. del Puerto Pesquero
Puerto de La Coruña
Dársena de la Marina
Iglesia de San Jorge
PLAZA DE ESPAÑA

Calle de la Cerca
AVENIDA DEL PUERTO
Ayuntamiento
PL. DE MARÍA PITA
Palacio Municipal

LOS CASTROS
Parque de San Diego
Muelle del Centenario
C. de Tabernas
Pl. del General Azcárraga
C. del Gral Alesón
C. DE VERAMAR

A-6
Lugo 98
Madrid 609
Calle de Francisco Vales
Castillo de San Antón
Iglesia de Santa María
Las Bárbaras
Jardines de la Real Maestranza
Paseo Marítimo

LAS CAÑAS
LOS CASTROS

0   100   200 m

214

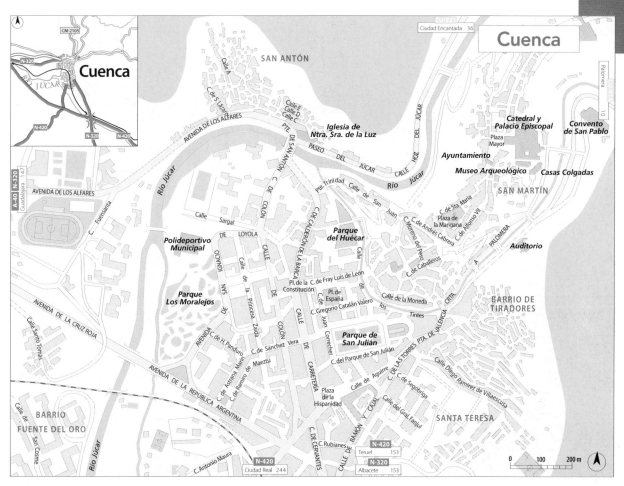

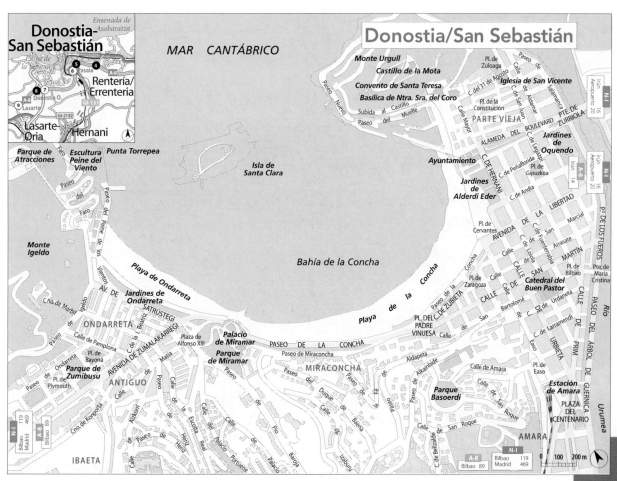

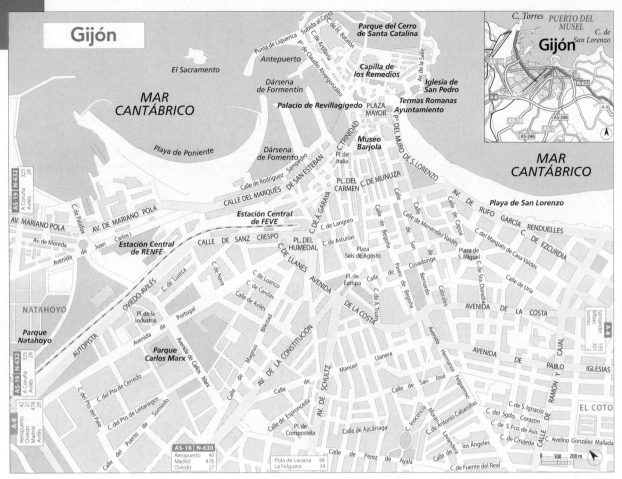

Gijón

MAR CANTÁBRICO

El Sacramento

Playa de Poniente

Parque del Cerro de Santa Catalina

Antepuerto

Punta de Liquerica

Subida al Cerro

C. de H. Batalón

Pº de Artillería

Pº de Claudio Alvargonzález

Dársena de Formentín

Capilla de los Remedios

Av. de la Salle

Iglesia de San Pedro

Palacio de Revillagigedo

PLAZA MAYOR

Termas Romanas

Ayuntamiento

Dársena de Fomento

C. TRINIDAD

Museo Barjola

Pl. de Italia

Pº DEL MURO DE S. LORENZO

MAR CANTÁBRICO

Playa de San Lorenzo

Calle de Rodríguez

Sampedro

CALLE DEL MARQUÉS

DE SAN ESTEBAN

PL. DEL CARMEN

C. DE A. GARAYA

C. DE MUNUZA

AV. DE RUFO GARCIA RENDUELLES

C. DE EZCURDIA

Estación Central de FEVE

Calle de Langreo

Calle de Begoña

Calle de Menéndez Valdés

C. del Marqués de Casa Valdés

Plaza de S. Miguel

Calle de Uría

AV. MARIANO POLA

AV. DE MARIANO POLA

C. de Palatón

Juan Carlos I

Avenida

Av. de Moreda

Estación Central de RENFE

CALLE DE SANZ CRESPO

PL. DEL HUMEDAL

C. de Asturias

Plaza Seis de Agosto

Paseo de Begoña

Plaza de Covadonga

Bernardo

C. de Sta. Doradilla

AVENIDA DE LA COSTA

NATAHOYO

Pl. de la Industria

Portugal

de

AUTOPISTA

Avenida de Carlos Marx

C. de Luarca

C. de Nava

C. de Luanco

C. de Candás

Calle de Avilés

Bilkstad

AV. DE LA CONSTITUCIÓN

Pl. de Europa

Calle

C. de A. Truán

DE LA COSTA

Llanera

Manuel

Hermanos

Felgueroso

AVENIDA

DE

PABLO

IGLESIAS

Parque Natahoyo

Parque Carlos Marx

Calle de Magnus

Calle

Calle

AV. DE SCHULTZ

Calle de San José

Manuel Morán

Lavandera

RAMON Y CAJAL

EL COTO

C. del Pto de Cerredo

C. del Pto. del Palo

C. del Pto. de Letariegos

C. del Pto. de Somiedo

Calle del Puerto de Cerredo

Calle

Calle de Espronceda

Pl. de Compostela

Calle de Azcárraga

C. Inocencia

C. de Antonio Cabanillas

los Ángeles

C. de S. Ignacio

C. del Sgdo. Corazón

C. de S.Fco. de Asís

C. de Cirujeda

C. Avelino González Mallada

AS-18 | N-630
Aeropuerto 40
Madrid 478
Oviedo 27

Pola de Laviana 48
La Felguera 34

Calle de Pérez de Ayala

C. de Fuente del Real

0   100   200 m

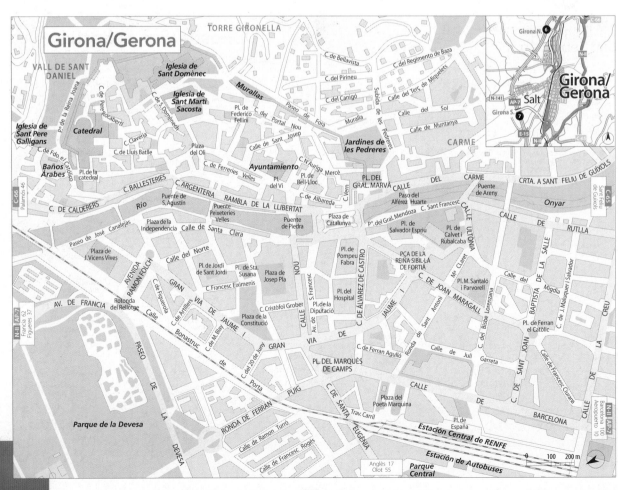

Girona/Gerona

TORRE GIRONELLA

VALL DE SANT DANIEL

Iglesia de Sant Domènec

Iglesia de Sant Martí Sacosta

Murallas

C. de Bellavista

C. del Regimiento de Baza

C. del Pirineu

C. del Canigó

Subida de les Pedreres

Calle del Terç de Miquelets

Girona N. 6

N-II

Girona/Gerona

Salt

Girona S. 7

Pl. de Federico Fellini

C. del Portal Nou

Paseo de Fora

Muralla

Calle del Sol

Calle de Muntanya

CARME

Iglesia de Sant Pere Galligans

Pº de la Reina Joana

C. de Pere Rocabertí

C. de S. Domènech

Catedral

C. Clavería

C. de Lluís Batlle

Calle de Sant Josep

Plaza del Oli

C.N. Auriga

Mercè

Jardines de les Pedreres

Baños Àrabes

C. de Fdo. el Católico

Pl. de la catedral

C. Ferreries Velles

Ayuntamiento

Pl. del Vi

Pl. de Bell-Lloc

PL. DEL GRAL. MARVÀ

CALLE

DEL

CARME

CRTA. A SANT FELIU DE GUIXOLS

Puente de Areny

Sant Feliu de Guixols

C. DE CALDERERS

C. BALLESTERIES

C. ARGENTERIA

RAMBLA DE LA LLIBERTAT

C. Vern

C. de Albareda

Paso del Alférez Huarte

Onyar

Río

Puente de S. Agustín

Puente Peixeteries Velles

Puente de Piedra

Plaza de Catalunya

Pº del Gral. Mendoza

S. Francesc

CALLE

ULTONIA

CALLE

DE

RUTLLA

Paseo de José Canalejas

Plaza de la Independencia

Calle de Santa Clara

Pl. de Salvador Espriu

Pl. de Calvet i Rubalcaba

Plaza de J.Vicens Vives

Calle del Norte

Pl. de Jordi de Sant Jordi

Pl. de Sta. Susana

Plaza de Josep Pla

Pl. de Pompeu Fabra

PÇA DE LA REINA SIBIL·LA DE FORTIÀ

Pl. M. Santaló i Parvorell

BAPTISTA DE LA SALLE

Migdia

C. de J. Malaquer i Salvador

AVENIDA RAMON FOLCH

C. de Figuerola

C. d'Artillers

VIA DE JAUME I

GRAN

NOU

Calle Francesc Eiximenis

S. Francesc

Pl. de la Diputació

Plaza de la Constitució

C. de Cristòfol Grober

PL. DEL MARQUÈS DE CAMPS

C. DE ALVAREZ DE CASTRO

C. DE JOAN MARAGALL

Pl. de Ferran el Catòlic

C. de Ferran Agulló

Ronda de Sant Antoni

Calle de Juli

Garreta

Calle de Francesc Ciurana

AV. DE FRANCIA

Rotonda del Rellotge

C. de Bonastruc

PASEO DE LA DEVESA

C. de M. Blay

GRAN

VIA

DE

C. de 20 de Juny

Porta

C. DE SANTA EUGENIA

RONDA DE FERRAN

Calle de Ramon Turró

Calle de Francesc Rogés

JAUME I

C. de Ferran Agulló

BARCELONA

CALLE

LA CREU

Plaza del Poeta Marquina

Pl. de España

Estación Central de RENFE

Estación de Autobuses

Parque de la Devesa

Parque Central

Trav. Carril

Anglès 17
Olot 55

0   100   200 m

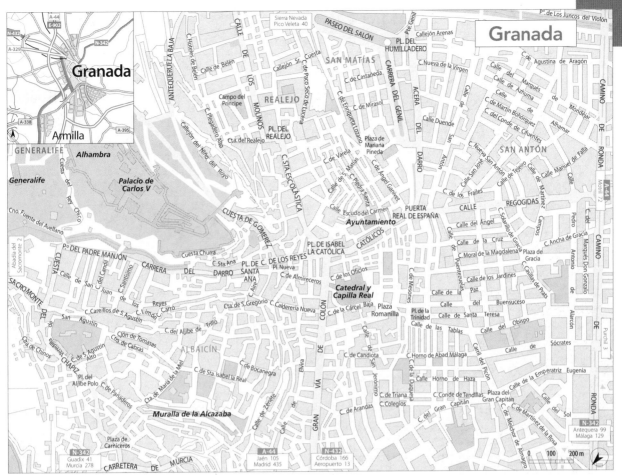

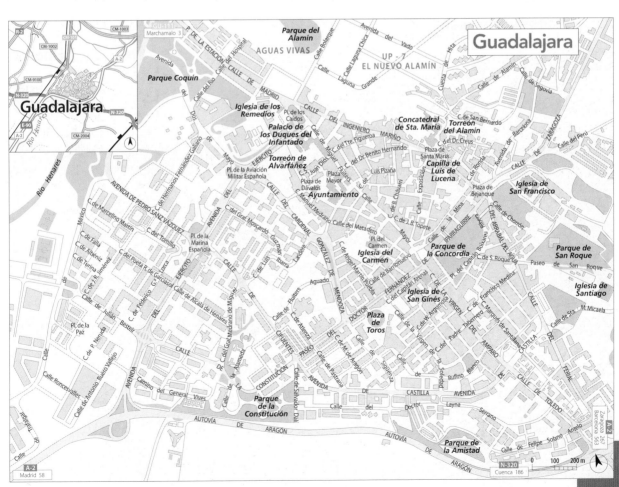

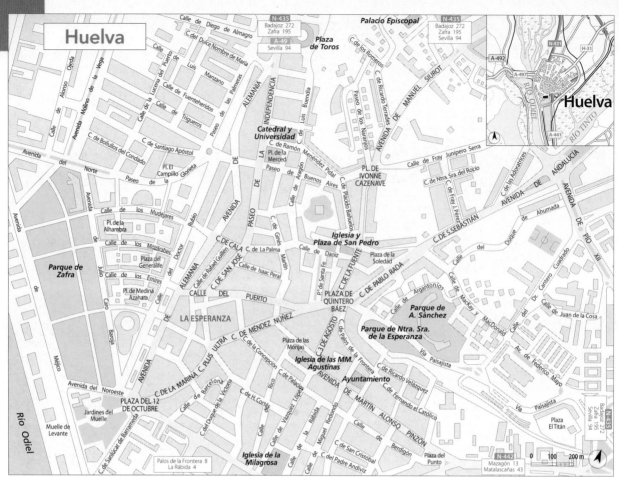

Huelva

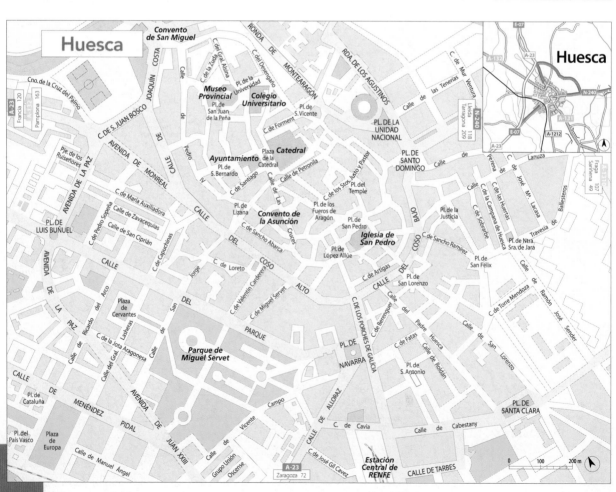

Huesca

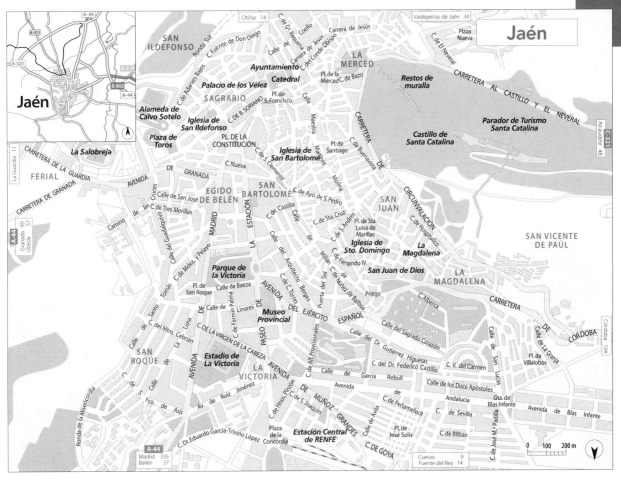

Jaén

SAN ILDEFONSO

Otiñar 14

Valdepeñas de Jaén 34

Plaza Nueva

C. de G. Requena
Carrera de Jesús
C. de El Neveral
CARRETERA AL CASTILLO Y EL NEVERAL

Ronda Sur
C. Fuente de Don Diego
Calle de Jesús
Carrera de Jesús
C. del Conde Obispo

Ayuntamiento
Pl. de la Merced
C. de Bazo

LA MERCED

Restos de muralla

Palacio de los Vélez
Catedral

SAGRARIO
C. de B. Soriano
Pl. de S. Francisco

Alameda de Calvo Sotelo
Iglesia de San Ildefonso

Castillo de Santa Catalina

Parador de Turismo Santa Catalina

Plaza de Toros
PL. DE LA CONSTITUCIÓN

Calle
Maestra

C. de Santiago

La Salobreja

C. Nueva
C. de S. Clemente
Iglesia de San Bartolomé

Pl. de Santiago

FERIAL

AVENIDA DE GRANADA

CARRETERA DE LA GUARDIA

La Guardia 11

CARRETERA DE GRANADA

AVENIDA

SAN BARTOLOMÉ

C. de Ayo. de S. Pedro

SAN JUAN

SAN VICENTE DE PAÚL

Camino
Calle del Guadalquivir
Calle de San José
C. de Tres Morillas

EGIDO DE BELÉN
C. de Castilla
C. de Sta. Cruz
C. de S. Andrés

CIRCUNVALACIÓN

Granada 99
Úbeda 57

A-44

MADRID

ESTACIÓN

Pl. de Sta. Luisa de Marillac
Iglesia de Sto. Domingo

La Magdalena

San Juan de Dios

C. de Hospitalico

Calle de las Cruces
Calle de Méez. y Pelayo

Parque de la Victoria

C. del Arquitecto Berges

Puerta del Sol
Millán
C. de Fernando IV
C. de Muñoz de Balboa

Priego

C. Alberca

LA MAGDALENA

CARRETERA

Pl. de San Roque
Calle de Baeza
Calle de Fermín Linares

AVENIDA DEL EJÉRCITO ESPAÑOL

Calle del Sagrado Corazón

Calle de San Lucas

Pl. de Villalobos

Córdoba 104

DE CÓRDOBA

Calle de La Granja

C. de Santo
Tomás
Luna
C. de del Mtro. Cebrián
C. DE LA VIRGEN DE LA CABEZA

Museo Provincial

PASEO

Calle del Dr. Gutiérrez Higueras
C. del Dr. Federico Castillo

C. V. del Carmen

Calle de los Doce Apóstoles

Gta. de Blas Infante

SAN ROQUE

Estadio de La Victoria

AVENIDA

LA VICTORIA

AVENIDA

Calle de García Rebull

Andalucía

C. de Sevilla

Avenida de Blas Infante

C. de S. Fco. de Asís

Av. de Ruiz Jiménez
C. de Hnos. Pinzón
C. de S. Joaquín

DE MUÑOZ GRANDES

Avenida
de

C. de Peñamefecit

C. de Ávila

Avenida de Blas Infante

Ronda de la Misericordia

C. Dr. Eduardo García-Triviño López

Plaza de la Concordia

Estación Central de RENFE

C. DE GOYA

Pl. de José Solís

C. de Bilbao

C. de José M.ª Padilla

A-44
Madrid 335
Bailén 37

Cuevas 9
Fuente del Rey 14

0   100   200 m

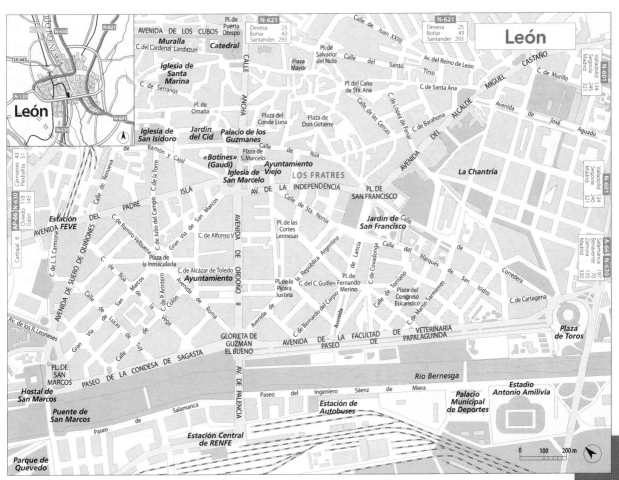

León

RÍO BERNESGA

N-621

Pl. de Puerta Obispo

N-621

Devesa 25
Boñar 43
Santander 293

Calle de Juan XXIII

Devesa 25
Boñar 43
Santander 293

C. de Cardenal Landázuri
Muralla
Catedral

CALLE

Plaza Mayor

Pl. de Salvador del Nido

Calle del Santo
Tirso

Av. del Reino de León

CASTAÑO

Valladolid 134
Segovia 245
Madrid 321

N-601

C. de Murillo

Iglesia de Santa Marina
C. de Serranos

ANCHA

Pl. del Caño de Sta. Ana

C. de Santa Ana

MIGUEL

C-623
N-630

N-621

Pl. de Omaña

Plaza del Conde Luna

Calle de las Cercas

ALCALDE

Avenida
de
José
Aguado

N-120

Iglesia de San Isidoro

Jardín del Cid

Palacio de los Guzmanes

Plaza de Don Gutierre

C. de López de Fenar
C. de Barahona

DEL

León

N-630

N-601

Ramón y Cajal

Calle de
S. Marcelo

Rúa

AVENIDA

La Chantría

Valladolid 134
Segovia 245
Madrid 321

N-601

Cármenes 43
Piedrafita 51

«Botines» (Gaudí)

Iglesia de San Marcelo

Ayuntamiento Viejo

LOS FRATRES

AV. DE LA INDEPENDENCIA

Calle de Renueva
C. de la Torre

ISLA

Calle de Sta. Nonia

PL. DE SAN FRANCISCO

AP-66
N-630

AVENIDA
FEVE

Estación FEVE

PADRE

C. de Ramiro Valbuena

C. de Julio del Campo

AVENIDA DE ORDOÑO II

Pl. de las Cortes Leonesas

Jardín de San Francisco

Calle

del
Marqués
de
San
Isidro

Salamanca 197
Benavente 70
Zamora 135
Madrid 330

A-66
N-630

Carbajal 6
Oviedo 118
Gijón 145

AVENIDA DE SUERO DE QUIÑONES

DEL

Gran Vía de S. Marcos
C. de Alfonso V

Avenida

República Argentina

Calle

Lancia

Corredera

Estación Autobuses

C. de L. S. Carmona

Plaza de la Inmaculada

C. de Alcázar de Toledo

C. de Arintero
Colón

Ayuntamiento

Pl. de la Pícara Justina

C. del C. Guillén Fernando Merino

Plaza del Congreso Eucarístico

C. de Torriano

C. de Martín Sarmiento

C. de Cartagena

Av. de los R. Leoneses

Calle de Roa

San
Marcos
de
Lucas
de
Tuy

Avenida de Roma

GLORIETA DE GUZMÁN EL BUENO

AVENIDA DE LA FACULTAD DE VETERINARIA

PASEO

PAPALAGUINDA

Plaza de Toros

PL. DE SAN MARCOS

PASEO DE LA CONDESA DE SAGASTA

AV. DE PALENCIA

Río Bernesga

Paseo
del
Ingeniero
Sáenz
de
Miera

Palacio Municipal de Deportes

Estadio Antonio Amilivia

Hostal de San Marcos

Puente de San Marcos

Salamanca

Estación de Autobuses

Paseo

Estación Central de RENFE

Parque de Quevedo

0   100   200 m

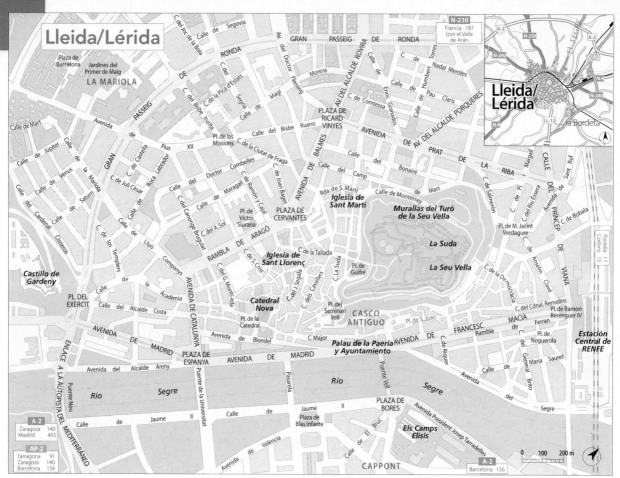

Lleida/Lérida

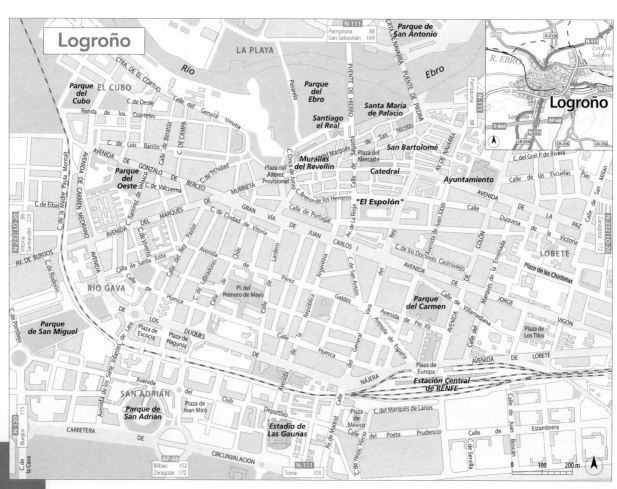

Logroño

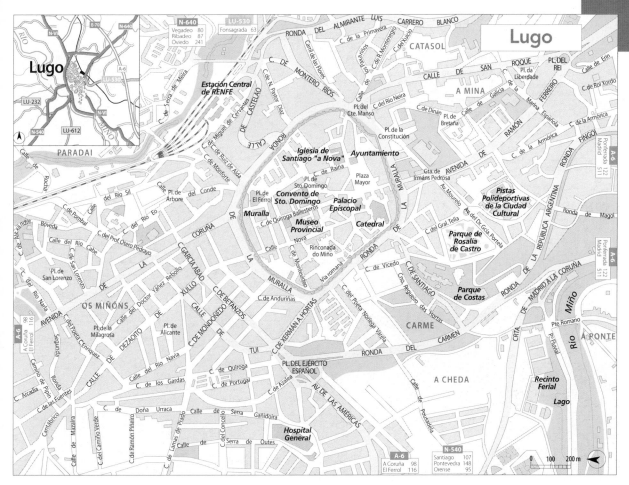

Lugo

N-640
Vegadeo 80
Ribadeo 87
Oviedo 241

LU-530
Fonsagrada 63

RONDA DEL ALMIRANTE LUIS CARRERO BLANCO

CATASOL

C. de la Primavera

CALLE DE SAN ROQUE
Pl. da Liberdade

PL. DEL REI

Calle de Erin

C. de Roi Xordo

A MINA

C. de la Marina Española

C. de la Armónica

Estación Central de RENFE

C. DE MONTERO RÍOS

Carril de las Flores

C. de N. Pastor Díaz

Pl. del Cte. Manso

C. del Río Neira

C. de Dinán

Pl. de Bretaña

RAMÓN

FINGOI

Ponferrada 122
Madrid 511

A-6

C. de la Armónica

Pl. de la Constitución

Iglesia de Santiago "a Nova"

Ayuntamiento

AVENIDA

Gta. de Irmáns Pedrosa

Av. Moureló

Av. del Dr. Gca. Portela

Pistas Polideportivas de la Ciudad Cultural

Ronda de Magot

Ponferrada 122
Madrid 511

A-6

C. de Miguel de Cervantes

C. del Conde

Pl. de Sto. Domingo

Pl. de Arbore

Pl. de El Ferrol

Convento de Sto. Domingo

Palacio Episcopal

Plaza Mayor

Pl. da Raíña

Muralla

C. de Quiroga Ballesteros

Museo Provincial

Catedral

C. del Gral. Tella

Parque de Rosalía de Castro

C. GARCÍA ABAD

Rinconada do Miño

Nova

Calle

C. de Vicedo

Parque de Costas

RONDA

Pl. de San Lorenzo

OS MIÑÓNS

C. DE BETANZOS

C. DE MONDOÑEDO

C. DE XERMÁN A. HORTAS

Vía romana

C. de Anduriñas

C. del Poeta Noriega Varela

Cmo. Regueiro das Hortas

CARME

C. DE SANTIAGO

MIÑO

Á PONTE

Pl. de la Milagrosa

Pl. de Alicante

TUI

C. de Quiroga

C. de Portugal

RONDA

DEL

CARMEN

A CHEDA

Pte. Romano

Pr. Fluvial

RÍO

PL. DEL EJÉRCITO ESPAÑOL

Recinto Ferial

Lago

Hospital General

AV. DE LAS AMÉRICAS

Calle de Pousadela

0 100 200 m

A-6
A Coruña 98
El Ferrol 116

N-540
Santiago 107
Pontevedra 148
Orense 95

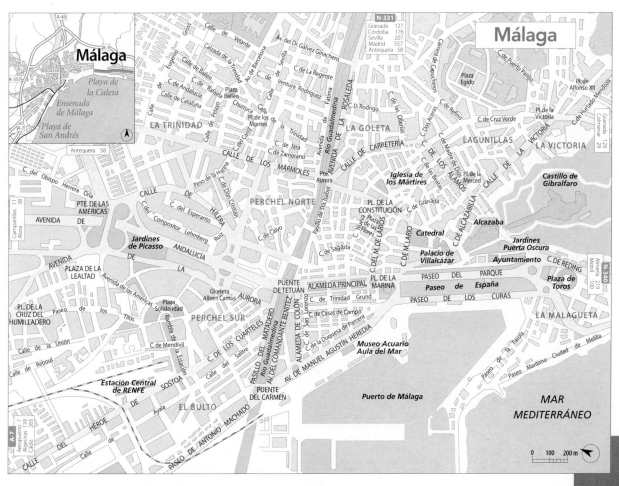

Málaga

N-331
Granada 127
Córdoba 176
Sevilla 207
Madrid 557
Antequera 58

Playa de la Caleta

Ensenada de Málaga

Playa de San Andrés

Antequera 58

LA TRINIDAD

PERCHEL NORTE

Jardines de Picasso

ANDALUCÍA

PLAZA DE LA LEALTAD

PL. DE LA CRUZ DEL HUMILLADERO

PERCHEL SUR

Estación Central de RENFE

EL BULTO

Plaza Egido

Iglesia de los Mártires

LA GOLETA

LAGUNILLAS

LA VICTORIA

Castillo de Gibralfaro

PL. DE LA CONSTITUCIÓN

Catedral

Alcazaba

Jardines Puerta Oscura

Palacio de Villalcázar

Ayuntamiento

PASEO DEL PARQUE

Paseo de España

Plaza de Toros

LA MALAGUETA

PUENTE DE TETUÁN

ALAMEDA PRINCIPAL

PL. DE LA MARINA

PASEO DE LOS CURAS

PUENTE DEL CARMEN

Museo Acuario Aula del Mar

Puerto de Málaga

MAR MEDITERRÁNEO

0 100 200 m

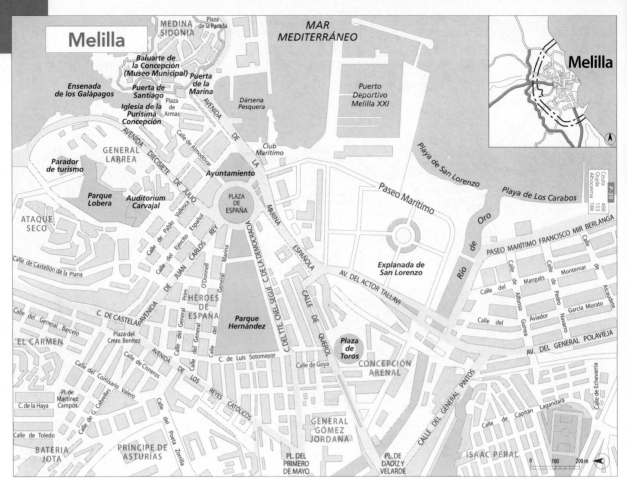

Melilla

MEDINA SIDONIA
Plaza de la Parada

MAR MEDITERRÁNEO

Baluarte de la Concepción (Museo Municipal)
Puerta de la Marina

Ensenada de los Galápagos
Puerta de Santiago
Iglesia de la Purísima Concepción
Plaza de Armas

Dársena Pesquera

Puerto Deportivo Melilla XXI

Club Marítimo

Parador de turismo

GENERAL LARREA

Ayuntamiento

Playa de San Lorenzo
Playa de Los Carabos

Paseo Marítimo

Parque Lobera
Auditorium Carvajal

PLAZA DE ESPAÑA

P.39 Ceuta 488 / Oujda 153 / Alhucemas 188

ATAQUE SECO

Paseo Marítimo Francisco Mir Berlanga

Explanada de San Lorenzo

Av. del Actor Tallavi

Calle del Marqués de Montemar
Calle del Alfonso
Calle del Aviador Navarro
Calle de Pedro García Morato
Calle Alcudete

Calle de Castellón de la Plana

EL CARMEN

C. DE CASTELAR

Plaza del Cmte. Benítez

HÉROES DE ESPAÑA

Parque Hernández

Plaza de Toros

Av. del General Polavieja

Calle del General Barceló

Calle de Cisneros

C. de Luis Sotomayor

Calle de Goya

CONCEPCIÓN ARENAL

Calle de echevarría

Pl. de Martínez Campos
C. de la Haya

Calle del Comisario Valero

Calle del Poeta Zorrilla

Calle del Capitán Lagandara

GENERAL GÓMEZ JORDANA

Calle de Toledo

BATERÍA JOTA
PRÍNCIPE DE ASTURIAS

PL. DEL PRIMERO DE MAYO

PL. DE DAOÍZ Y VELARDE

ISAAC PERAL

0 100 200 m

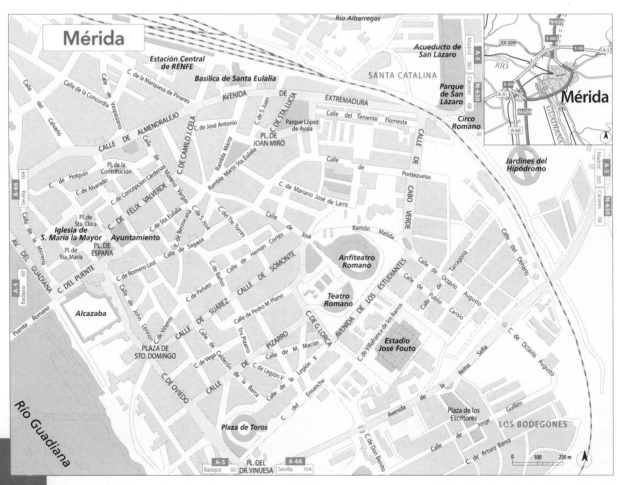

Mérida

Río Albarregas

Estación Central de RENFE

Basílica de Santa Eulalia

Acueducto de San Lázaro

SANTA CATALINA

Parque de San Lázaro

Circo Romano

Madrid 365 / Cáceres 68

Calle de la Concordia
Calle de la Marquesa de Pinares
AVENIDA DE STA. LUCÍA
EXTREMADURA

CALLE DE ALMENDRALEJO
Parque López de Ayala
Calle del Teniente Flomesta

Jardines del Hipódromo

Madrid 365 / Cáceres 68

Pl. de la Constitución

C. de Mariano José de Larra

C. de Holguín
C. de Alvarado

C. DE FÉLIX VALVERDE

Pl. de Sta. Clara
Iglesia de S. María la Mayor
Ayuntamiento
Pl. de Sta. María
PL. DE ESPAÑA

Ramón Melida

Anfiteatro Romano

C. de Romero Leal

CALLE DE SOMONTE

Teatro Romano

Alcazaba

CALLE DE SUÁREZ

Estadio José Fouto

Puente Romano

PLAZA DE STO. DOMINGO

PIZARRO

AVENIDA DE LOS ESTUDIANTES

C. DE OVIEDO

Río Guadiana

Plaza de Toros

A-5 Badajoz 60 / PL. DEL DR. VINUESA / A-66 Sevilla 164

Plaza de los Escritores

LOS BODEGONES

C. de Arturo Barea

0 100 200 m

222

Murcia

SAN ANDRÉS

Jardín El Salitre

Jardín de San Esteban

POLÍGONO DE LA MAGDALENA

PL. DE PEDRO POU

Plaza de García Alix

Plaza de San Agustín

Plaza de las Agustinas

Plaza del Rocío

PLAZA CIRCULAR

Jardín de la Fama

LA FAMA

Parque Atalaya

PL. DE JUAN XXIII

Plaza de Santoña

POLÍGONO DE LA FAMA

PL. DE LA FUENSANTA

Jardín de la Constitución

Estadio de la Condomina

Plaza Mayor

Plaza de Julián Romea

Plaza de Santa Isabel

Plaza de S. Bartolomé

Plaza de Toros

Convento e Iglesia de San Antonio

Catedral

Palacio Almundí

PLAZA DE MARTÍNEZ TORNEL

Ayuntamiento

Palacio Episcopal

Iglesia de S. Juan de Dios

Jardín Botánico

PLAZA DE LA CRUZ ROJA

SAN JUAN

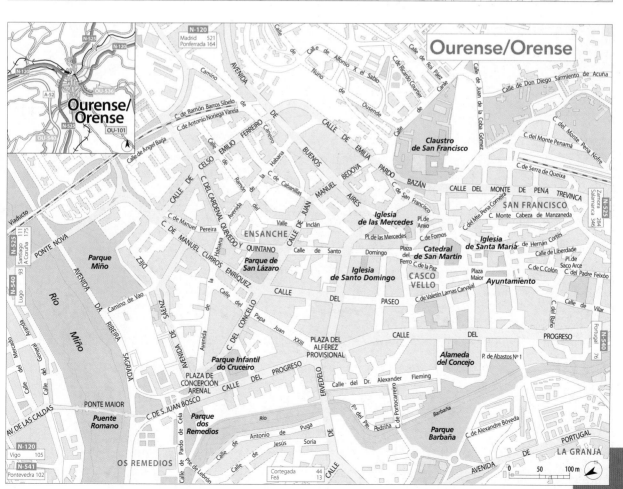

Ourense/Orense

Parque Miño

Río Miño

PONTE NOVA

ENSANCHE

Parque de San Lázaro

Claustro de San Francisco

SAN FRANCISCO

Iglesia de las Mercedes

Iglesia de Santa María

Catedral de San Martín

Iglesia de Santo Domingo

CASCO VELLO

Ayuntamiento

PLAZA DEL ALFÉREZ PROVISIONAL

Parque Infantil do Cruceiro

PLAZA DE CONCEPCIÓN ARENAL

Alameda del Concejo

PONTE MAIOR

Puente Romano

Parque dos Remedios

Parque Barbaña

OS REMEDIOS

LA GRANJA

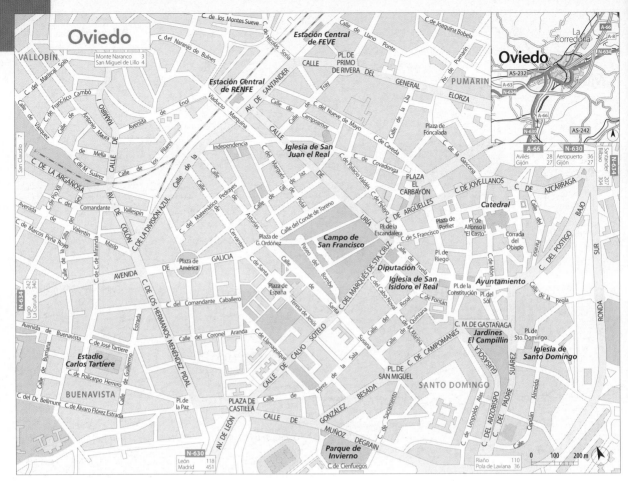

Oviedo

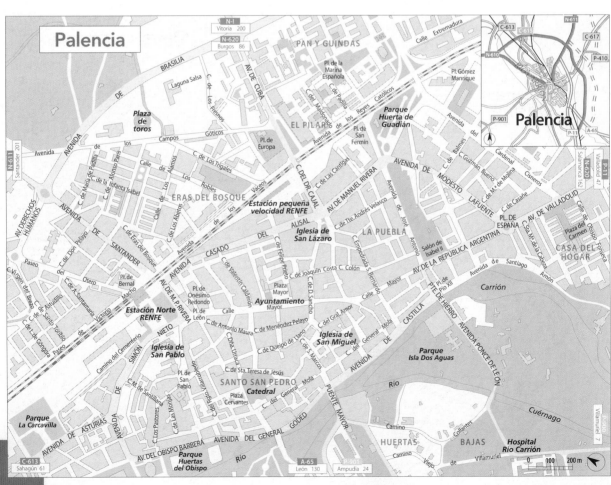

Palencia

Palma de Mallorca

Palma de Mallorca

C-711
PM-27
PM-26
C-713
PM-1
C-715
PM-30
PM-19

BAHÍA DE PALMA
Cala Gamba
Sa Caleta

C-711 Valldemossa 18 Sóller 33

CAMP REDÓ
SON OLIVA
VIA DE CINTURA
Plaza de Toros
ARAGÓN
SON GOTLEU

SALVADOR DALÍ
BONS AIRES
Estadio Luis Sitjar
SON ESPANYOLET
SANTA CATALINA
ES JONQUET
Estación
Ferrocarril de Sóller
Estación Ferrocarriles de Mallorca
BALMES

BELLVER
Castillo de Bellver
EL TERRENO

Iglesia de San Jaime
Puerta de Santa Catalina
La Feixina
Plaza Mayor

CALLE DE MANACOR
CALLE DE MANACOR
FONERS

Palacio de la Almudaina
Catedral
CASCO ANTIGUO
Ayuntamiento
Convento de San Francisco

Puerto de Palma
Parque de la Mar

Muelles Comerciales

AUTOPISTA DE LEVANTE

Bahía de Palma

EL MOLINAR

Muelle de Poniente

Es Portitxol

MAR MEDITERRÁNEO

Estación Marítima

Muelle de Paraires

0 200 400 m

PM-1 Peguera 22 Andratx 30

C-715 Manacor 50 Cala Rajada 80

Las Palmas de Gran Canaria

Punta del Confital
Bahía del Confital
Playa de las Canteras

GC-2
GC-23
GC-21
GC-5
GC-1

Las Palmas de Gran Canaria

GC-2 Arucas 18

C-180 Guía 29 Gáldar 32

Les Torres 3

Playa de las Canteras

SCHAMANN
BARRIO DE LA PAZ
ALTAVISTA

ESCALERITAS

CIUDAD JARDÍN

Monumento a F. León y Castillo

Parque Dorama
Pueblo Canario y Museo Néstor
Jardines Alonso de Quesada

LUGO

SAN ANTONIO

ARENALES

Cabildo Insular

Estadio Insular
ALCARAVANERAS

Túneles Julio Luengo

CASTILLO

STA. CATALINA

PL. DE ESPAÑA

PL. DE SAN JUAN BAUTISTA

Ayuntamiento

Playa de Alcaravaneras

Arsenal

Muelle Deportivo

AV. MARITIMA DEL NORTE

OCÉANO ATLÁNTICO

Muelle de León y Castillo

GC-110 Tejeda 44

GC-1 Telde 14 Aeropuerto 20

0 200 400 m

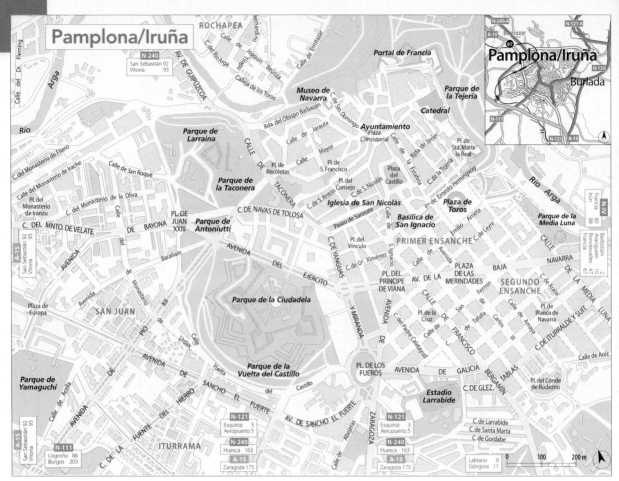

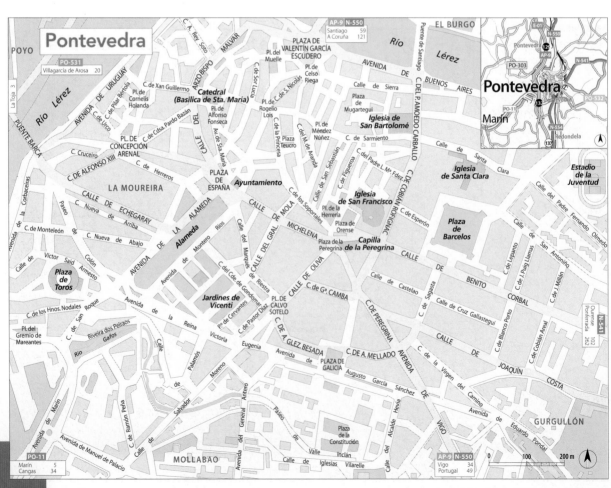

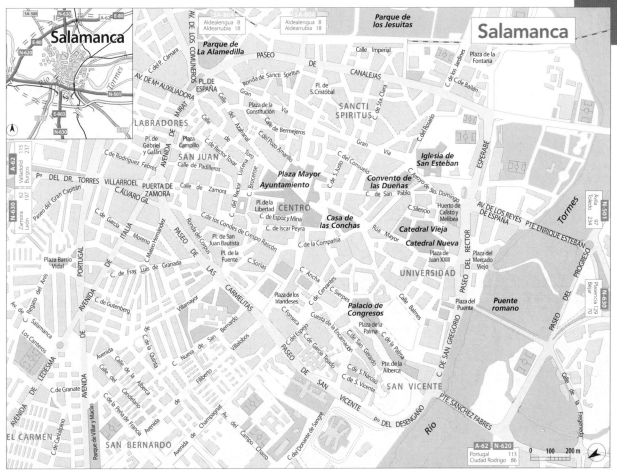

Salamanca

Parque de
los Jesuitas

Plaza de la
Fontana

Aldealengua 8
Aldearrubia 18

Aldealengua 8
Aldearrubia 18

Calle Imperial

Parque de
La Alamedilla

PASEO

DE

CANALEJAS

C. de Sta. Clara

C. de Bailén

C. del P. Cámara

PL. de
ESPAÑA

Ronda de Sancti Spíritus

Gran

Vía

Pl. de
S. Cristóbal

Plaza de la
Constitución

SANCTI
SPIRITUS

C. de Sto. Domingo

C. de San Pablo

Iglesia de
San Esteban

Convento de
las Dueñas

Huerto de
Calisto y
Melibea

AV. DE LOS REYES

PTE. ENRIQUE ESTEBAN

Tormes

Catedral Vieja

Catedral Nueva

Plaza de
Juan XXIII

Plaza del
Mercado
Viejo

Puente
romano

Puente romano

UNIVERSIDAD

SAN VICENTE

Río

A-62   N-620

Portugal   113
Ciudad Rodrigo   86

0   100   200 m

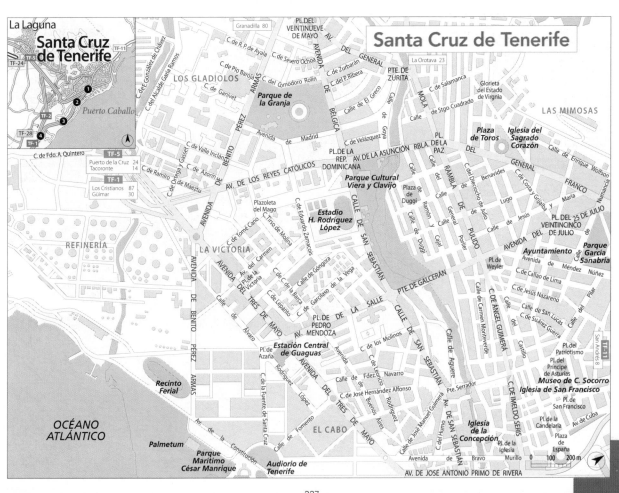

Santa Cruz de Tenerife

La Laguna

OCÉANO
ATLÁNTICO

0   100   200 m

AV. DE JOSÉ ANTONIO PRIMO DE RIVERA

Santander

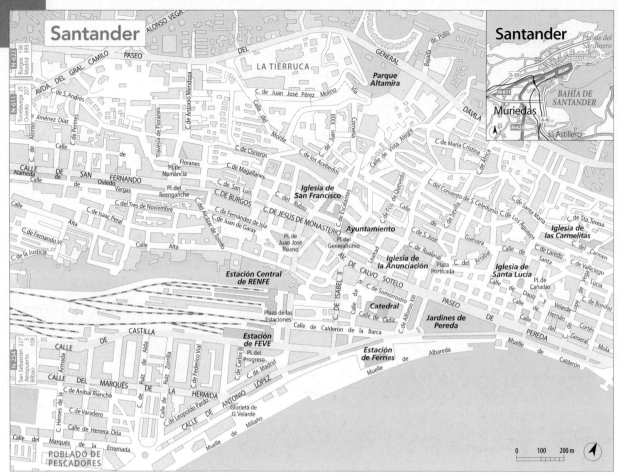

La Tierruca
Parque Altamira

N-623 Burgos 156 Madrid 393

N-611 Torrelavega 25 Oviedo 207

PASEO ALONSO VEGA
AVDA. DEL GRAL. CAMILO
C. de S. Andrés
Jiménez Díaz
C. de Peñes
Calle
Alonso
DEL
C. de Juan José Pérez Molino
C. de Antonio Mendoza
Calle de Juan XXIII
Monte
Bajada de Polio
Vía
GENERAL
DÁVILA

CALLE Alameda
DE SAN FERNANDO
Oviedo
Vargas
Calle del Tres de Noviembre
C. del Alcázar de Toledo
C. de Fernández de Isla
C. de Juan de Garay
C. de Isaac Peral
Floranes
Pl. de Numancia
Pl. del Reenganche
C. de Magallanes
C. de San Luis
C. del Rubio
C. DE BURGOS
C. DE JESÚS DE MONASTERIO
C. de Escalantes
Iglesia de San Francisco
C. del Convento de S. Celedonio
C. de Fco. de Quevedo
Calle
C. de Sevilla
C. de Santa María
C. de Los Aguayor
C. de Sta. Teresa
Iglesia de las Carmelitas

C. de Fernando VI
C. de la Justicia
Calle
Alta
Pl. de Juan José Ruano
Ayuntamiento
Pl. del Generalísimo
C. de S. José
C. de Rualasal
Lealtad
AV. DE CALVO SOTELO
Iglesia de la Anunciación
Plaza Porticada
C. del Arrabal
Guevara
C. de Laredo
C. de Santa
Iglesia de Santa Lucía
Pl. de Cañadío
C. de Vallaciego
Lope
C. de Bonifaz
Velarde
C. de Hernán
Cortés
General
Mola

Estación Central de RENFE
C. DE ISABEL II
C. de Sotorrostro
Plaza de las Estaciones
Calle de Cádiz
Catedral
C. de Alfonso XIII
Jardines de Pereda
PASEO DE PEREDA
Muelle de Calderón

CALLE DEL MARQUÉS
CASTILLA
CALLE DE
Pl. del Progreso
Estación de FEVE
Pl. de Carlos I
C. de Madrid
C. de Calderón de la Barca
Estación de Ferries
Muelle
Albareda
Muelle
Calderón

San Sebastián 227 Aeropuerto 3 Bilbao 108
N-634

CALLE DEL MARQUÉS
C. de Aníbal Riancho
C. de Ruiz Zorrilla
C. de Federico Vial
DE LA HERMIDA
CALLE DE ANTONIO LÓPEZ
C. Héroes de la
C. de Varadero
Calle de Herrera Oria
Calle del Marqués de la Ensenada
Muelle de la Ensenada
Glorieta de G. Velarde
C. de Leopoldo Pardo
C. de Millaño

POBLADO DE PESCADORES

0   100   200 m

Santiago de Compostela

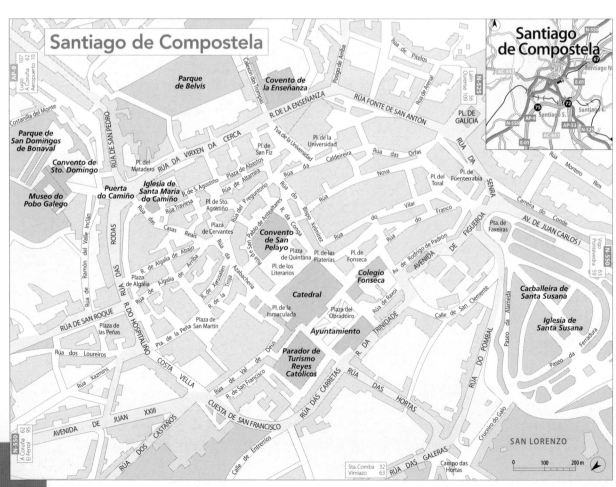

AP-9 Lugo 107 A Coruña 62 Aeropuerto 10

Parque de Belvís
Covento de la Enseñanza
Rúa de Pitelos
Pousgo de Arriba
Colexio das Trompas
R. DE LA ENSEÑANZA
RÚA FONTE DE SAN ANTÓN
PL. DE GALICIA
Rúa de Arreal
N-525
Lalín 56 Ourense 109

Costanilla del Monte
Parque de San Domingos de Bonaval
Convento de Sto. Domingo
Museo do Pobo Galego
RÚA DE SAN PEDRO
Pl. del Matadero
RÚA DA VIRXEN DA CERCA
Pl. de San Fiz
Tva. de la Universidad
Pl. de la Universidad
Caldeireira
Rúa das Orfas
Pl. del Toral
Pl. de Fuenterrabía
RÚA DA SENRA
Rúa
Montero Ríos

Puerta do Camiño
Iglesia de Santa María do Camiño
Pl. de S. Agostiño
Rúa de Altamira
Plaza de Abastos
Rúa das Casas Reais
Rúa Travesa
Pl. de Sto. Agostiño
Rúa del Preguntorio
Rúa das
Nova
Rúa
Rúa do
Vilar
Franco
Carreira do Conde
AV. DE JUAN CARLOS I
Pta. de Faxeiras

RÚA DAS RODAS
Ramón del Valle Inclán
R. de Algalia de Abajo
R. de Algalia de Arriba
Plaza de Algalia
Rúa de Xerusalén
Azabachería
Convento de San Pelayo
R. de San Pelayo
Plaza de Cervantes
Pl. de Anteallares
Rúa da Conga
Bispo Xelmírez
Pl. de Quintana
Pl. de las Platerías
Pl. de Fonseca
Colegio Fonseca
Av. de Rodrigo de Padrón
AVENIDA DE FIGUEROA
Calle de San Clemente
Carballeira de Santa Susana
Vigo 63 Pontevedra 59
N-550

R. DO HOSPITALIÑO
RÚA DE SAN ROQUE
R. de la Troya
Catedral
Pl. de la Inmaculada
Pl. de los Literarios
Plaza del Obradoiro
Rúa de Raxoi
Ayuntamiento
Iglesia de Santa Susana

Rúa dos Loureiros
COSTA VELLA
Plaza de las Peñas
Pta. de la Peña
Plaza de San Martín
Rúa de Val de Deus
Parador de Turismo Reyes Católicos
R. DA TRINIDADE
Paseo da Alameda

Rúa Xazmíns
CUESTA DE SAN FRANCISCO
Rúa de Val
Rúa de San Francisco
RÚA DAS CARRETAS
RÚA DAS HORTAS
Paseo da Ferradura

A Coruña 62 El Ferrol 95
N-550
AVENIDA DE JUAN XXIII
RÚA DOS CASTAÑOS
Calle de Entrerríos
Sta. Comba 32 Vimiazo 63
RÚA DAS GALERAS
Campo das Hortas
SAN LORENZO
Cruceiro do Galo

0   100   200 m

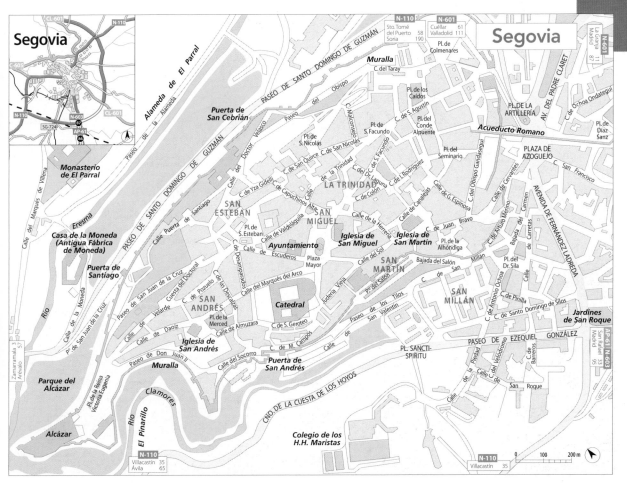

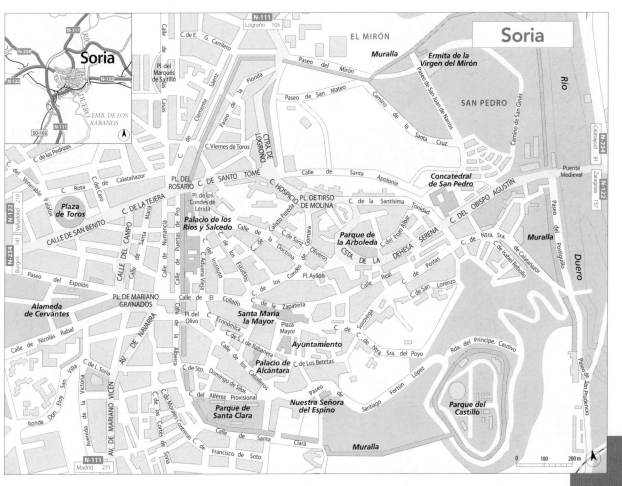

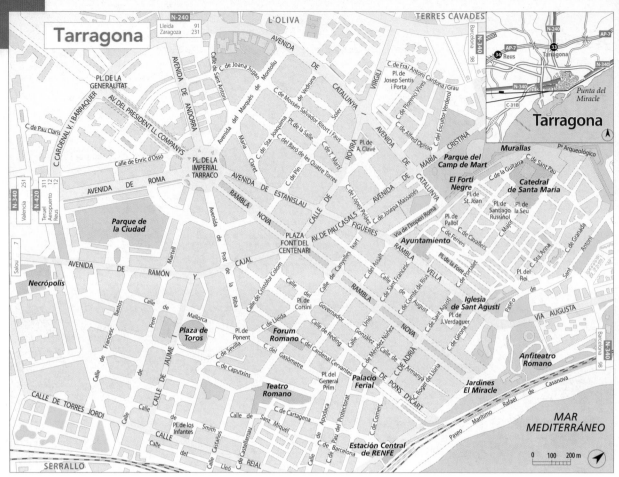

Tarragona

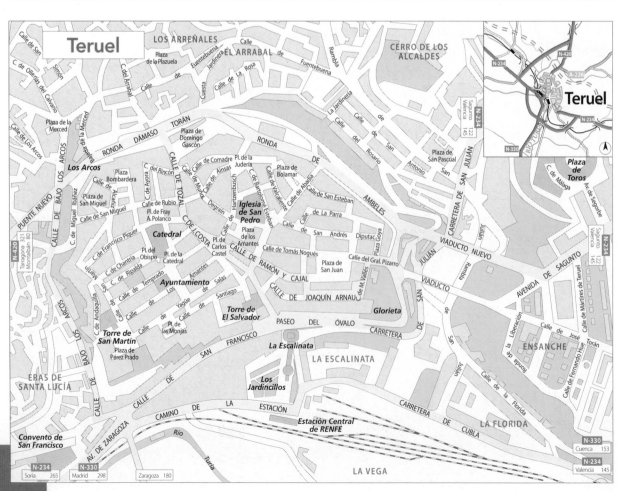

Teruel

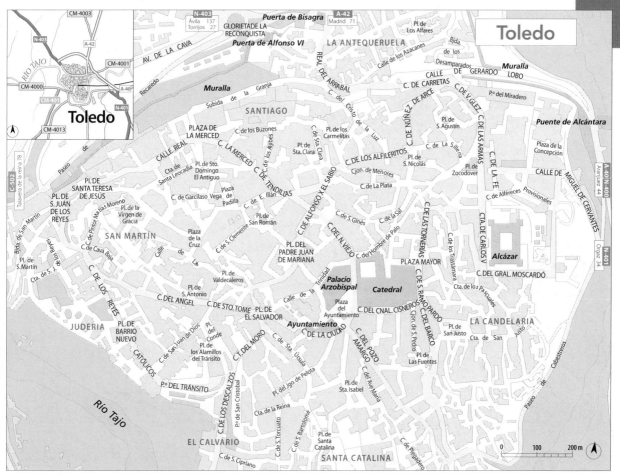

Toledo

N-403 · Ávila 137 · Torrijos 27
A-42 · Madrid 71

Puerta de Bisagra
Puerta de Alfonso VI
GLORIETE DE LA RECONQUISTA
LA ANTEQUERUELA
Pl. de Los Alfares
Bjda. de los
Desamparados
Muralla · LOBO
AV. DE LA CAVA
CALLE DE GERARDO
C. DE CARRETAS
P.º del Miradero
REAL DEL ARRABAL
Recaredo
Muralla
C. del Cristo de la Luz
SANTIAGO
Subida de la Granja
C. de los Buzones
PLAZA DE LA MERCED
CALLE REAL
C. LA MERCED
C. de los Ajijes
Pl. de Sta. Clara
C. de Sta. Clara
Pl. de los Carmelitas
C. DE LOS ALFILERITOS
Pl. de S. Nicolás
Cjon. de Menores
Pl. de S. Agustín
C. DE V. GLEZ
C. DE LAS ARMAS
Puente de Alcántara
Plaza de la Concepción
C. de La Silleria
Pl. de Zocodover
CALLE DE MIGUEL DE CERVANTES
C. DE TENDILLAS
Cta. de Sto. Domingo El Antiguo
C. de Garcilaso Vega de Padilla
Plaza de Padilla
C. de E. Illán
Pl. de Sto. Domingo
Pl. DE SANTA TERESA DE JESÚS
PL. DE S. JUAN DE LOS REYES
Paseo
Talavera de la reina 78
C-502
Bjda. de San Martín
C. de Pintor Matías Moreno
Pl. de la Virgen de Gracia
SAN MARTÍN
C. de Cava Baja
Pl. de S. Martín
C. DE LOS REYES
Plaza de la Cruz
C. de S. Clemente
Pl. de S. Román
C. DE ALFONSO X EL SABIO
C. DEL N. VIEJO
Pl. DEL PADRE JUAN DE MARIANA
C. del Hombre de Palo
PLAZA MAYOR
C. de S. Ginés
C. de la Sal
C. DE NÚÑEZ DE ARCE
C. DE LA FE
CTA. DE CARLOS V
Alcázar
C. de los Trastámara
C. DE LAS TORNERÍAS
Cta. de los Pascuales
LA CANDELARIA
JUDERÍA
CATÓLICOS
Pl. DE BARRIO NUEVO
C. de San Juan de Dios
C. de los Alamillos del Tránsito
Pl. del Conde
C. DEL ÁNGEL
C. DE STO. TOMÉ
PL. DE EL SALVADOR
Palacio Arzobispal
Plaza del Ayuntamiento
Catedral
C. DEL CNAL. CISNEROS
C. DE S. RAMÓN PARDO
C. DEL GRAL. MOSCARDÓ
Pl. de S. Justo
Cjon. de S. Pedro
Pl. de San Justo
Cta. de San Justo
Ayuntamiento
C. DE LA CIUDAD
C. DEL MORO
C. de Sta. Úrsula
C. DEL POZO AMARGO
C. DEL BARCO
Pl. de Las Fuentes
Pl. de Valdecaleros
Pl. de S. Antonio
C. T. DEL MORO
P.º DEL TRÁNSITO
P.º de San Cristóbal
Pl. del Jgo. de Pelota
Pl. de Sta. María
Pl. de Sta. Isabel
Río Tajo
Cta. de la Reina
Cta. de S. Torcuato
Pl. de S. Bartolomé
EL CALVARIO
Pl. de Santa Catalina
C. de Prepedano
SANTA CATALINA
C. de S. Cipriano

0   100   200 m

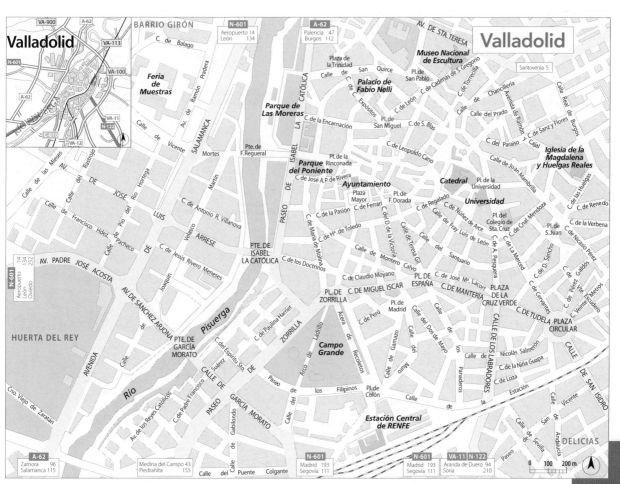

Valladolid

VA-900 · A-62 · VA-113
N-601 · Aeropuerto 14 · León 134
A-62 · Palencia 47 · Burgos 112
AV. DE STA. TERESA

BARRIO GIRÓN
C. de Balago
Museo Nacional de Escultura
Santovenia 5
Feria de Muestras
AV. de Ramón Pradera
Plaza de la Trinidad
Calle de San Quirce
Palacio de Fabio Nelli
Pl. de San Pablo
Pl. de Cadenas de S. Gregorio
C. de Torrecilla
Avenida de Ramón y Cajal
Calle Real de Burgos
Parque de Las Moreras
C. de C. Expósitos
C. de León
C. del Prado
C. de Chancillería
Parque del Poniente
C. de la Encarnación
Pl. de San Miguel
C. de S. Blas
C. del Paraíso
C. de Sanz y Forés
Iglesia de la Magdalena y Huelgas Reales
Calle de Juan Mambrilla
Pl. de la Rinconada
C. de Leopoldo Cano
Catedral
Pl. de la Universidad
C. de las Huelgas
Pte. de F. Regueral
SALAMANCA
Calle de Vicente
Mortes
PASEO DE ISABEL LA CATÓLICA
Ayuntamiento
C. de José A.P. de Rivera
Plaza Mayor
Pl. de F. Dorada
Universidad
C. de Regalado
Pl. del Colegio de Sta. Cruz
Pl. de S. Juan
C. de Renedo
C. de la Verbena
C. de D. Sancho
AV. de Río Hortega
C. de Antonio R. Villanova
C. de la Pasión
C. de Ferrari
C. del D. Cano
C. de Núñez de Arce
Pl. de Fray Luis de León
C. de Cnal. Mendoza
C. de Nicasio Pérez
C. de Montero Calvo
C. de Teresa Gil
Calle del Santuario
C. A. Pesquera
C. de la Merced
C. de D. Sancho
JOSÉ
LUIS
ARRESE
Velasco
C. de Jesús Rivero Meneses
Martín
PTE. DE ISABEL LA CATÓLICA
C. de María de Hª. de Toledo
Calle de la Victoria
Calle de Teresa Gil
C. de Pérez Galdós
C. de Cervantes
C. de Pte. Escudero
C. Veinte Metros
AV. PADRE JOSÉ ACOSTA
Joaquín
C. de los Doctrinos
C. de los Molina
C. de Claudio Moyano
PL. DE ESPAÑA
C. de José Mª. Lacort
C. DE MANTERÍA
PLAZA DE LA CRUZ VERDE
CALLE DE LOS LABRADORES
C. DE TUDELA
PLAZA CIRCULAR
N-601 · Aeropuerto 14 · León 134 · Oviedo 252
HUERTA DEL REY
AV. DE SÁNCHEZ ARJONA
PTE. DE GARCÍA MORATO
Pisuerga
C. del Espíritu Sto.
C. de Paulina Harriet
PL. DE ZORRILLA
C. DE MIGUEL ISCAR
Pl. de Madrid
C. de Perú
C. del Dos de Mayo
Nicolás Salmerón
C. de la Niña Guapa
C. de Loza
Cno. Viejo de Zaratán
AV. de los Reyes Católicos
C. de Padre Francisco
Suárez
PASEO GARCÍA MORATO
Gabilondo
Río
Campo Grande
Arco de Ladrillo
Paseo de Recoletos
C. de Gamazo
Muro
Pl. de Colón
Pl. de Filipinos
Calle de los
Panaderos
Estación
Calle
CALLE DE SAN ISIDRO
DELICIAS
Estación Central de RENFE
San Vicente
Andalucía
C. de Sevilla

A-62 · Zamora 96 · Salamanca 115
Medina del Campo 43 · Piedrahita 155
N-601 · Madrid 193 · Segovia 111
N-601 · Madrid 193 · Segovia 111
VA-11 N-122 · Aranda de Duero 94 · Soria 210

0   100   200 m

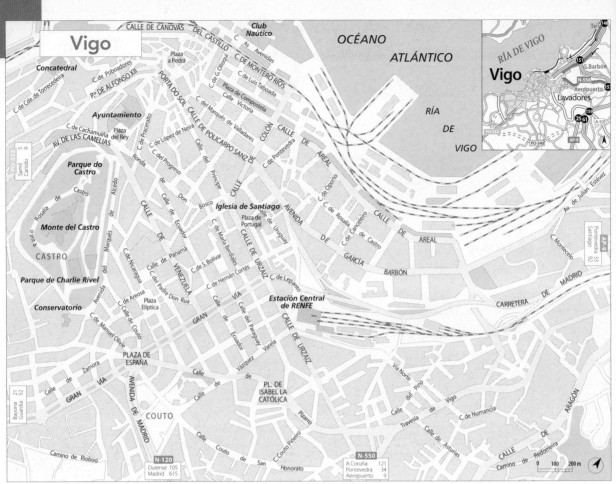

Vigo

Concatedral
C. de Poboadores
C. de Cde. de Torrecedeira
Pº DE ALFONSO XII
PORTA DO SOL
CALLE DE POLICARPO SANZ DE
CALLE DE CÁNOVAS DEL CASTILLO
C. As Avenidas
Plaza a Pedra
C. de G. Olloqui
C. DE MONTERO RÍOS
Club Naútico
OCÉANO
ATLÁNTICO

Ayuntamiento
C. de Cachamuiña
Plaza del Rey
C. de Praterato
AV. DE LAS CAMELIAS
Samil Canido
PO-552
5 9

Parque do Castro
Ronda
C. de López de Neira
C. del Progreso
Calle del Príncipe
Bosco
Iglesia de Santiago
Plaza de Portugal

Monte del Castro
CASTRO
Rosalía de Castro
Pº de Marqués
Alcedo

Parque de Charlie Rivel
C. de Nicaragua
CALLE DE VENEZUELA
Calle de Panamá
C. del Padre Don Rua
Plaza Elíptica
C. de S. Bolívar
C. de Hernán Cortés
C. de Lepanto

Conservatorio
C. de Areosa
Calle de Couto
C. de Manuel Olivie
GRAN VÍA
Calle del Paraguay
Estación Central de RENFE

PLAZA DE ESPAÑA
Calle de Zamora
AVENIDA DE MADRID
GRAN VÍA
Bayona Guardia
21 52

COUTO
Camino de Rioboo
N-120
Ourense 105
Madrid 615

PL. DE ISABEL LA CATÓLICA
Pizarro
C. Couto Piñeiro
Calle de San Honorato
Vía Norte
Calle del Pino
Travesía
Calle de Asturias
C. de Numancia

N-550
A Coruña 121
Pontevedra 34
Aeropuerto 9

COLÓN
Calle de Compostela
Calle Victoria
C. del Marqués de Valladares
CALLE DE PONTEVEDRA
AVENIDA DE GARCÍA BARBÓN
C. de Oporto
C. de Rosalía de Castro
C. de Canteiro
CALLE DE AREAL
AREAL
CARRETERA DE MADRID
RÍA DE VIGO

RÍA DE VIGO
Vigo
G. Barbón
N-556
Aeropuerto
Lavadores
PO-552
PO-340
AP-9

0   100   200 m

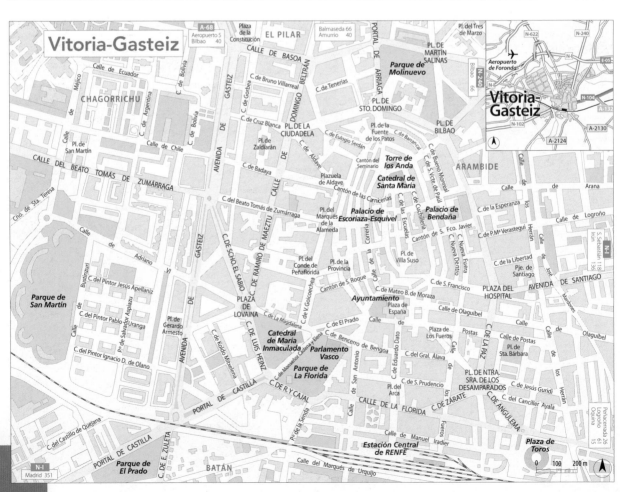

Vitoria-Gasteiz

A-68
Aeropuerto 5
Bilbao 40
Plaza de la Constitución
EL PILAR
CALLE DE BASOA
Balmaseda 66
Amurrio 40
PORTAL DE ARRIAGA
Pl. del Tres de Marzo
PL. DE MARTÍN SALINAS

Calle de Ecuador
CHAGORRICHU
Méjico
C. de Bolivia
GASTEIZ
C. de Gorbea
C. de Bruno Villarreal
C. de Tenerías
Parque de Molinuevo

Pl. de San Martín
CALLE DEL BEATO TOMÁS DE ZUMÁRRAGA
C. de Argentina
Calle de Chile
C. de Cruz Blanca
PL. DE LA CIUDADELA
C. de Eulogio Serdán
PL. DE STO. DOMINGO
Pl. de la Fuente de los Patos
PL. DE BILBAO

Pl. de Zaldiarán
C. de Aldave
C. de Badaya
Cantón del Seminario
Torre de los Anda
Catedral de Santa María
ARAMBIDE

CALLE DE SCHO. EL SABIO
C. del Beato Tomás de Zumárraga
Plazuela de Aldave
Cantón de las Carnicerías
Palacio de Escoriaza-Esquivel
Palacio de Bendaña
C. de la Esperanza
Calle de Logroño

Calle de Adriano
AVENIDA GASTEIZ VI
C. DE RAMIRO DE MAEZTU
Pl. del Marqués de la Alameda
Correría
Cantón de las Escuelas
Cantón de S. Fco. Javier
C. Nueva Fuera
C. Nueva Dentro

Parque de San Martín
Bustinzuri
C. del Pintor Jesús Apellániz
Pl. de Gerardo Armesto
PLAZA DE LOVAINA
C. de La Magdalena
Pl. del Conde de Peñaflorida
Pl. de la Provincia
Pl. de Villa Suso
C. de S. Francisco
PLAZA DEL HOSPITAL
AVENIDA DE SANTIAGO

C. del Pintor Pablo Uranga
Pº de Salvador Uranga
C. del Pintor Ignacio D. de Olano
Pl. de Monseñor Cámara Elena
Catedral de María Inmaculada
C. de Bencerro de Bengoa
Cantón de S. Roque
C. de V. Goicoechea
Ayuntamiento
Plaza de España
Calle de Olaguibel

AVENIDA DE CASTILLA
C. DE LUIS HEINZ
Parlamento Vasco
Parque de La Florida
C. de S. Prudencio
Plaza de Los Fueros
Postas
Calle de Postas
Pl. de Sta. Bárbara
Calle de

PORTAL DE CASTILLA
C. DE R. Y CAJAL
C. DE ZÁRATE
CALLE DE LA FLORIDA
Pl. del Arca
PL. DE NTRA. SRA. DE LOS DESAMPARADOS
C. de Jesús Guridi

N-I
Madrid 351
Parque de El Prado
BATÁN
PORTAL DE CASTILLA
C. DE E. ZULETA
C. del Castillo de Quejana
Pº de la Senda
Calle del Marqués de Urquijo
Estación Central de RENFE
Calle de Manuel Iradier
Plaza de Toros

Aeropuerto de Foronda
Vitoria-Gasteiz
N-622
N-240
N-104
A-132
A-2130
A-2124
N-102

S. Sebastián 118
Irún 136
N-I
Peñacerrada 26
Logroño 61
Oquina 15

0   100   200 m

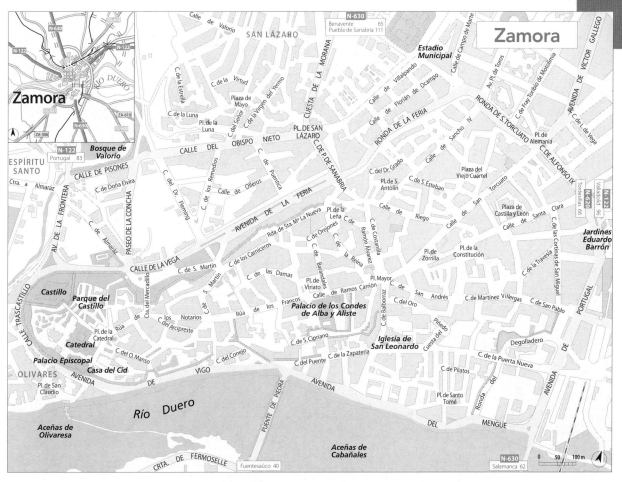

Zamora

N-630
Benavente 65
Puebla de Sanabria 111

Estadio Municipal

SAN LÁZARO

N-122
Portugal 83

Bosque de Valorio

ESPÍRITU SANTO

Ctra. a Almaráz

CALLE DE PISONES

PL. DE SAN LÁZARO

RONDA DE LA FERIA

RONDA DE S. TORCUATO

Pl. de Alemaniá

N-122
Valladolid 96

Tordesillas 66

N-620

Jardines Eduardo Barrón

Plaza del Viejo Cuartel

Plaza de Castilla y León

Pl. de Zorrilla

Pl. de la Constitución

AVENIDA DE LA FERIA

CALLE DE LA VEGA

Castillo

Parque del Castillo

Pl. de la Catedral

Catedral

Palacio Episcopal

Casa del Cid

OLIVARES

Pl. de San Claudio

AVENIDA

DE

VIGO

Río Duero

Aceñas de Olivaresa

CRTA. DE FERMOSELLE

Fuentesaúco 40

Palacio de los Condes de Alba y Aliste

Iglesia de San Leonardo

AVENIDA

DEL MENGUE

Pl. de Santo Tomé

N-630
Salamanca 62

0 50 100 m

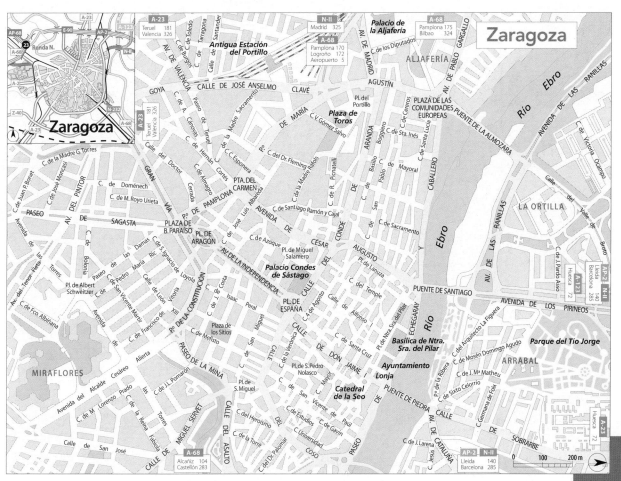

Zaragoza

A-23
Teruel 181
Valencia 326

N-II
Madrid 325

Palacio de la Aljafería

A-68
Pamplona 175
Bilbao 324

Antigua Estación del Portillo

A-68
Pamplona 170
Logroño 172
Aeropuerto 5

ALJAFERÍA

Ronda N.

A-23

Teruel 181
Valencia 326

CALLE DE JOSÉ ANSELMO CLAVÉ

GOYA

Pl. del Portillo

PLAZA DE LAS COMUNIDADES EUROPEAS

PUENTE DE LA ALMOZARA

Río Ebro

Plaza de Toros

GRAN VÍA

PTA. DEL CARMEN

PLAZA DE B. PARAÍSO

PL. DE ARAGÓN

AV. DE LA INDEPENDENCIA

Palacio Condes de Sástago

Pl. de Miguel Salamero

Pl. de Lanuza

LA ORTILLA

AP-2 N-II
Lleida 140
Barcelona 285

A-123
Huesca 72

PUENTE DE SANTIAGO

AVENIDA DE LOS PIRINEOS

MIRAFLORES

Pl. de Albert Schweitzer

Plaza de los Sitios

PL. DE ESPAÑA

Río Ebro

Basílica de Ntra. Sra. del Pilar

Parque del Tío Jorge

ARRABAL

Ayuntamiento Lonja

Catedral de la Seo

PUENTE DE PIEDRA

A-23
Huesca 72

A-68
Alcañiz 104
Castellón 283

AP-2 N-II
Lleida 140
Barcelona 285

0 100 200 m

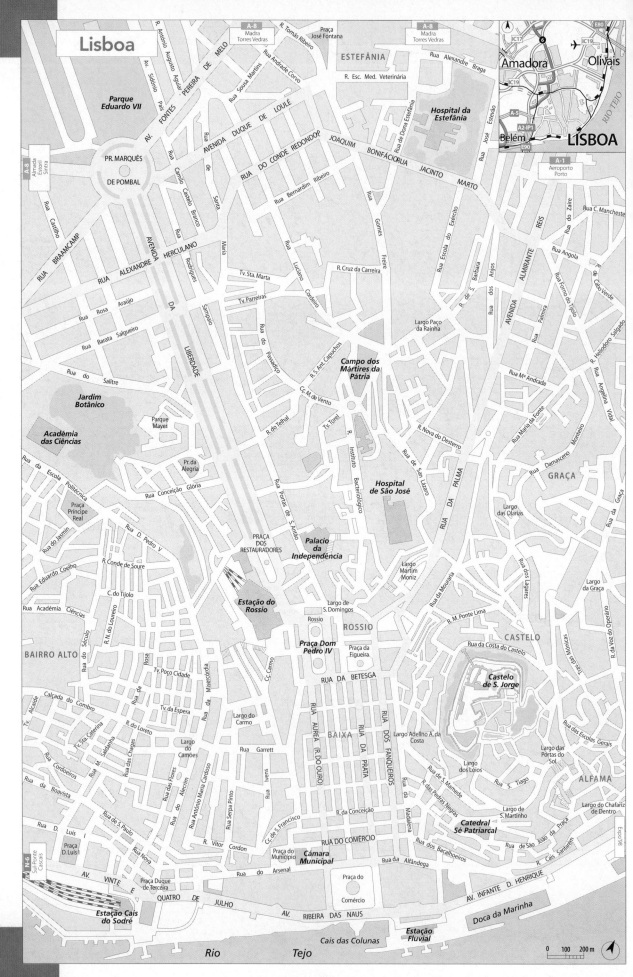

Lisboa

ESTEFÂNIA

Amadora
Olivais
LISBOA
Belém
RIO TEJO

A-8 Madra Torres Vedras
A-8 Madra Torres Vedras

R. António Augusto Aguiar
R. Sidónio Pais
R. Tomás Ribeiro
Praça José Fontana
Rua Alexandre Braga
R. Esc. Med. Veterinária

Parque Eduardo VII

AV. FONTES PEREIRA DE MELO

Rua Sousa Martins

Rua Andrade Corvo

Rua de Dona Estefânia

Hospital da Estefânia

Rua José Estêvão

A-8 Almada Estoril Sintra

PR. MARQUÊS DE POMBAL

AVENIDA DUQUE DE LOULÉ

RUA DO CONDE REDONDO

JOAQUIM BONIFÁCIO

RUA JACINTO MARTO

Rua Escola do Exército

Rua do Zaire
Rua C. Mancheste

A-1 Aeroporto Porto

RUA BRAAMCAMP

RUA ALEXANDRE HERCULANO

AVENIDA DA LIBERDADE

Camilo Castelo Branco
Rua Rodrigues Sampaio
Rua de Santa Maria

Rua Bernardim Ribeiro
Rua Gomes Freire

R. de S. Barbara
Rua dos Anjos
AVENIDA ALMIRANTE REIS
Rua Forno do Tijolo
Rua Palma
Rua Angola
R. de Cabo Verde

RUA CASTILHO

Rua Rosa Araújo
Rua Barata Salgueiro
Rua do Salitre

Tv. Sta. Marta
Tv. Parreiras

Rua Luciano Cordeiro
R. Cruz da Carreira

R. S. Ant. Capuchos

Campo dos Mártires da Pátria

Largo Paço da Rainha

Rua Mª Andrade
Rua Heliodoro Salgado
Rua Angelina Vidal
Rua Damasceno Monteiro
GRAÇA

Jardim Botânico

Academia das Ciências

Parque Mayer

Rua do Passadiço
R. do Telhal

Cç. M. de Vento
Tv. Torel
Instituto Bacteriológico

R. Nova do Desterro
Rua de San Lázaro
RUA DA PALMA
RUA DA MOURARIA

Rua Maria da Fonte
Largo das Olarias
Largo da Graça
Rua da Graça

Rua da Escola Politécnica
Pr. da Alegria

Rua Conceição Glória

Praça Príncipe Real

Hospital de São José

Largo Martim Moniz

Largo dos Lagares
Largo da Graça

PRAÇA DOS RESTAURADORES

Palacio da Independência

Rua do Jasmin
Rua D. Pedro V
R. Conde de Soure
Rua Eduardo Coelho
C. do Tijolo
Rua Académia Ciências

Estação do Rossio

Largo de S. Domingos

Rossio

PRAÇA DOM PEDRO IV
Praça da Figueira

R. M. Ponte Lima

CASTELO

Rua da Costa do Castelo

Castelo de S. Jorge

BAIRRO ALTO

Rua do Século
Rua N. do Loureiro
Tv. Poço Cidade
Cç. Carmo

RUA DA BETESGA

Largo do Carmo

Cç. Calçada do Combro
Tv. da Espera
R. do Loreto
Rua da Misericórdia
Tv. da Espera

Largo do Camões
Rua Garrett

BAIXA

RUA AUREA (R. DO OURO)
RUA DA PRATA
RUA DOS FANQUEIROS

Largo Adelino A. da Costa

Largo dos Lóios

Rua das Escolas Gerais

Tv. Alcaide
Tv. Sta. Catarina
Rua M. Saldanha
Rua das Flores
Rua do Alecrim
Rua Ivens
Rua Serpa Pinto
Rua António Maria Cardoso

Cç. de S. Francisco
R. da Conceição

Rua de S. Mamede
R. das Pedras Negras
Rua da Madalena

Largo de S. Martinho
ALFAMA
Largo das Portas do Sol
Largo do Chafariz de Dentro

Rua D. Luís
Praça D. Luís I

Rua Cordeiros
Rua da Boavista
Rua de S. Paulo
Rua Nova

R. Vitor Cordon

Praça do Município
Câmara Municipal

RUA DO COMÉRCIO
Rua dos Bacalhoeiros
Catedral Sé Patriarcal
Rua de São João da Praça
R. Cais Santarém

Expo'98

N-6 Sul-Ponte Cascais

AV. VINTE E QUATRO DE JULHO

Praça Duque de Terceira

Praça do Comércio

Rua da Alfândega
AV. INFANTE D. HENRIQUE

Doca da Marinha

Estação Cais do Sodré

AV. RIBEIRA DAS NAUS

Cais das Colunas

Estação Fluvial

Rio Tejo

0 100 200 m

234

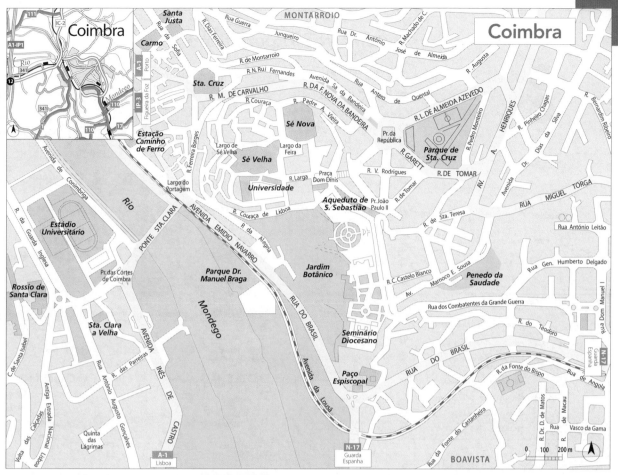

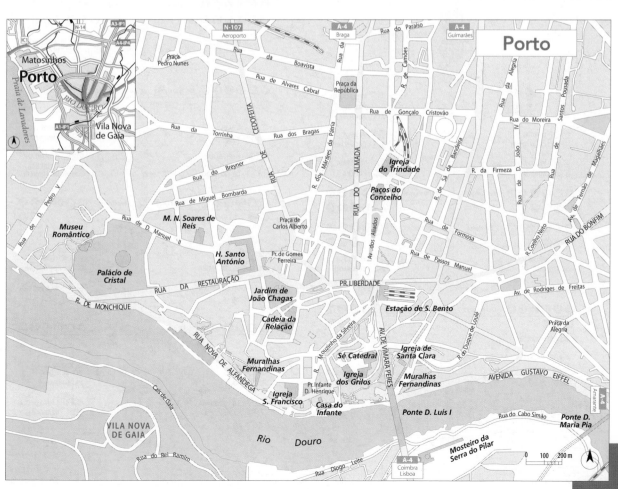

Rutómetros / *Route finders*

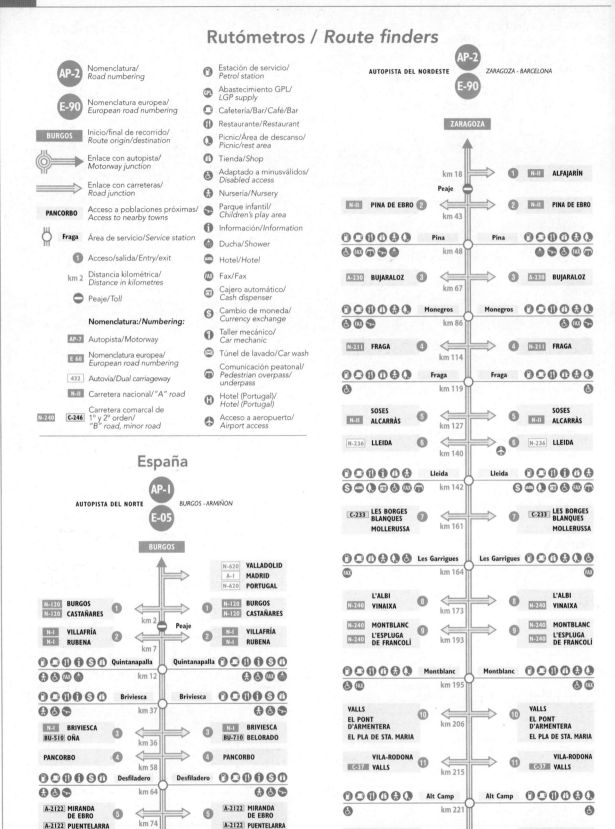

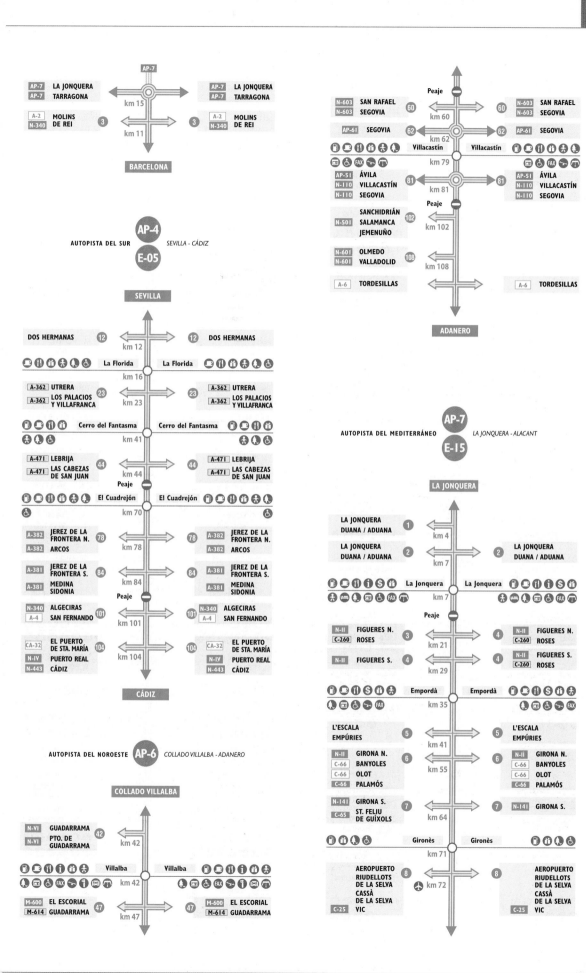

AP-7

AP-7 LA JONQUERA
AP-7 TARRAGONA
km 15

A-2 MOLINS
N-340 DE REI 3
km 11

BARCELONA

AP-7 LA JONQUERA
AP-7 TARRAGONA

3 A-2 MOLINS
N-340 DE REI

AP-4
AUTOPISTA DEL SUR SEVILLA - CÁDIZ
E-05

SEVILLA

DOS HERMANAS 12
km 12

La Florida
km 16

A-362 UTRERA
A-362 LOS PALACIOS 23
Y VILLAFRANCA
km 23

Cerro del Fantasma
km 41

A-471 LEBRIJA
A-471 LAS CABEZAS 44
DE SAN JUAN
km 44
Peaje

El Cuadrejón
km 70

A-382 JEREZ DE LA 78
FRONTERA N.
A-382 ARCOS
km 78

A-381 JEREZ DE LA 84
FRONTERA S.
A-381 MEDINA
SIDONIA
km 84
Peaje

N-340 ALGECIRAS 101
A-4 SAN FERNANDO
km 101

CA-32 EL PUERTO 104
DE STA. MARÍA
N-IV PUERTO REAL
N-443 CÁDIZ
km 104

CÁDIZ

12 DOS HERMANAS

La Florida

23 A-362 UTRERA
A-362 LOS PALACIOS
Y VILLAFRANCA

Cerro del Fantasma

44 A-471 LEBRIJA
A-471 LAS CABEZAS
DE SAN JUAN

El Cuadrejón

78 A-382 JEREZ DE LA
FRONTERA N.
A-382 ARCOS

84 A-381 JEREZ DE LA
FRONTERA S.
A-381 MEDINA
SIDONIA

101 N-340 ALGECIRAS
A-4 SAN FERNANDO

104 CA-32 EL PUERTO
DE STA. MARÍA
N-IV PUERTO REAL
N-443 CÁDIZ

AUTOPISTA DEL NOROESTE **AP-6** COLLADO VILLALBA - ADANERO

COLLADO VILLALBA

N-VI GUADARRAMA 42
N-VI PTO. DE
GUADARRAMA
km 42

Villalba
km 42

M-600 EL ESCORIAL 47
M-614 GUADARRAMA
km 47

42 N-VI GUADARRAMA
N-VI PTO. DE
GUADARRAMA

Villalba

47 M-600 EL ESCORIAL
M-614 GUADARRAMA

N-603 SAN RAFAEL 60
N-603 SEGOVIA
km 60

AP-61 SEGOVIA 62
km 62
Villacastín

km 79

AP-51 ÁVILA 81
N-110 VILLACASTÍN
N-110 SEGOVIA
km 81
Peaje

N-501 SANCHIDRIÁN 102
SALAMANCA
JEMENUÑO
km 102

N-601 OLMEDO 108
N-601 VALLADOLID
km 108

A-6 TORDESILLAS

ADANERO

60 N-603 SAN RAFAEL
N-603 SEGOVIA

62 AP-61 SEGOVIA

Villacastín

81 AP-51 ÁVILA
N-110 VILLACASTÍN
N-110 SEGOVIA

A-6 TORDESILLAS

AUTOPISTA DEL MEDITERRÁNEO **AP-7** LA JONQUERA - ALACANT
E-15

LA JONQUERA

LA JONQUERA 1
DUANA / ADUANA
km 4

LA JONQUERA 2
DUANA / ADUANA
km 7

La Jonquera
km 7
Peaje

N-II FIGUERES N. 3
C-260 ROSES
km 21

N-II FIGUERES S. 4
km 29

Empordà
km 35

L'ESCALA 5
EMPÚRIES
km 41

N-II GIRONA N. 6
C-66 BANYOLES
C-66 OLOT
C-66 PALAMÓS
km 55

N-141 GIRONA S. 7
C-65 ST. FELIU
DE GUÍXOLS
km 64

Gironès
km 71

AEROPUERTO 8
RIUDELLOTS
DE LA SELVA
CASSÀ
DE LA SELVA
C-25 VIC
km 72

2 LA JONQUERA
DUANA / ADUANA

La Jonquera

4 N-II FIGUERES N.
C-260 ROSES

4 N-II FIGUERES S.
C-260 ROSES

Empordà

5 L'ESCALA
EMPÚRIES

6 N-II GIRONA N.
C-66 BANYOLES
C-66 OLOT
C-66 PALAMÓS

7 N-141 GIRONA S.

Gironès

8 AEROPUERTO
RIUDELLOTS
DE LA SELVA
CASSÀ
DE LA SELVA
C-25 VIC

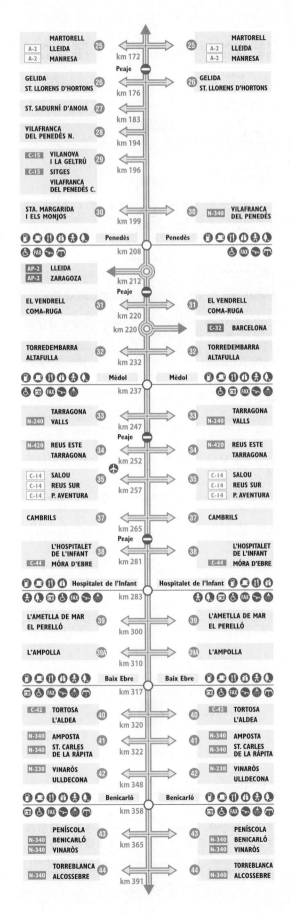

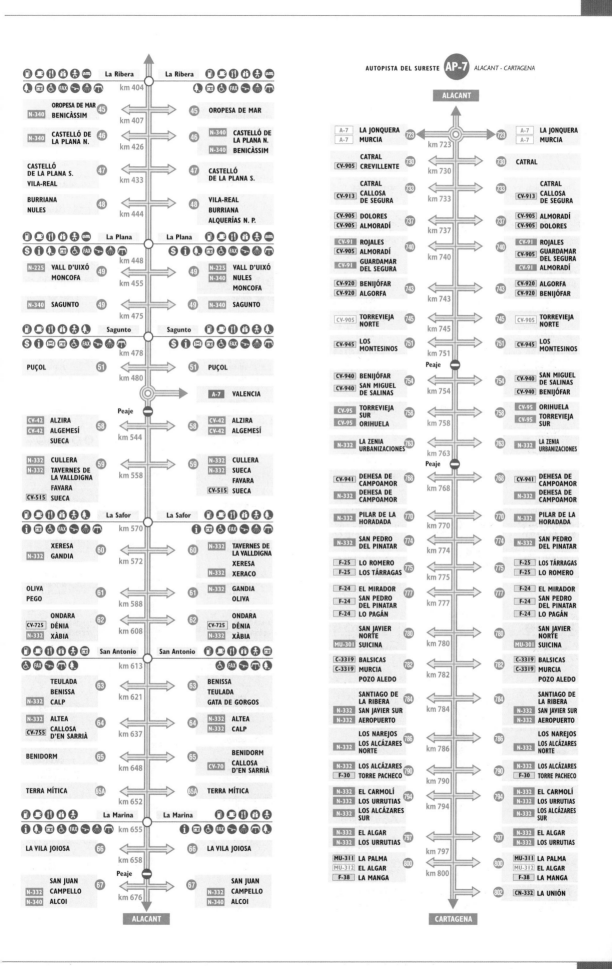

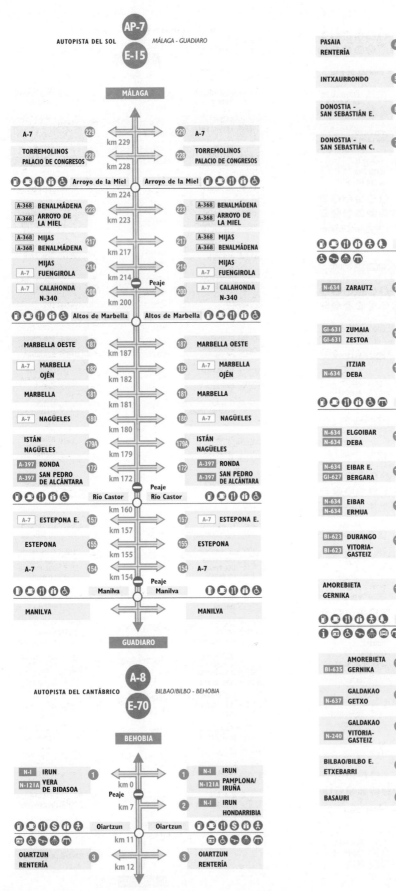
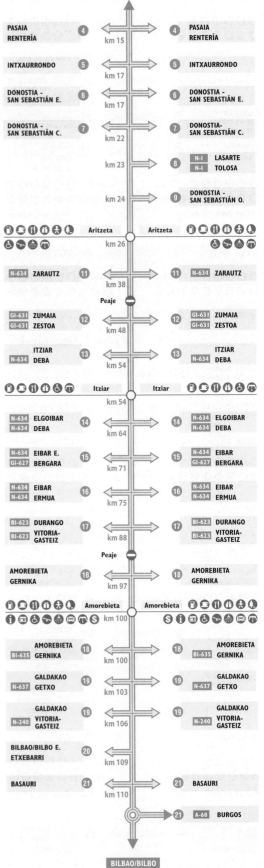

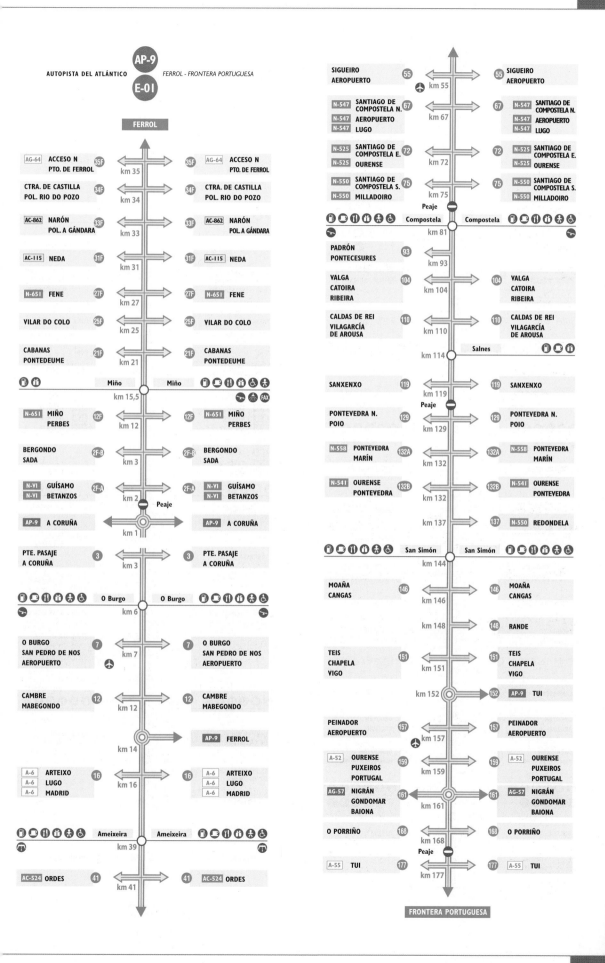

AUTOPISTA DEL ATLÁNTICO

AP-9 / E-01 — FERROL - FRONTERA PORTUGUESA

FERROL

AG-64 ACCESO N PTO. DE FERROL	35F	km 35
CTRA. DE CASTILLA POL. RIO DO POZO	34F	km 34
AC-862 NARÓN POL. A GÁNDARA	33F	km 33
AC-115 NEDA	31F	km 31
N-651 FENE	27F	km 27
VILAR DO COLO	25F	km 25
CABANAS PONTEDEUME	21F	km 21
Miño		km 15,5
N-651 MIÑO PERBES	12F	km 12
BERGONDO SADA	2F-B	km 3
N-VI GUÍSAMO N-VI BETANZOS	2F-A	km 2 — Peaje
AP-9 A CORUÑA		km 1
PTE. PASAJE A CORUÑA	3	km 3
O Burgo		km 6
O BURGO SAN PEDRO DE NOS AEROPUERTO	7	km 7
CAMBRE MABEGONDO	12	km 12
AP-9 FERROL		km 14
A-6 ARTEIXO A-6 LUGO A-6 MADRID	16	km 16
Ameixeira		km 39
AC-524 ORDES	41	km 41

SIGUEIRO AEROPUERTO	55	km 55
N-547 SANTIAGO DE COMPOSTELA N. / N-547 AEROPUERTO / N-547 LUGO	67	km 67
N-525 SANTIAGO DE COMPOSTELA E. / N-525 OURENSE	72	km 72
N-550 SANTIAGO DE COMPOSTELA S. / N-550 MILLADOIRO	75	km 75 — Peaje
Compostela		km 81
PADRÓN PONTECESURES	93	km 93
VALGA CATOIRA RIBEIRA	104	km 104
CALDAS DE REI VILAGARCÍA DE AROUSA	110	km 110
Salnes		km 114
SANXENXO	119	km 119 — Peaje
PONTEVEDRA N. POIO	129	km 129
N-558 PONTEVEDRA MARÍN	132A	km 132
N-541 OURENSE PONTEVEDRA	132B	km 132
N-550 REDONDELA	137	km 137
San Simón		km 144
MOAÑA CANGAS	146	km 146
RANDE	148	km 148
TEIS CHAPELA VIGO	151	km 151
AP-9 TUI	152	km 152
PEINADOR AEROPUERTO	157	km 157
A-52 OURENSE PUXEIROS PORTUGAL	159	km 159
AG-57 NIGRÁN GONDOMAR BAIONA	161	km 161
O PORRIÑO	168	km 168 — Peaje
A-55 TUI	177	km 177

FRONTERA PORTUGUESA

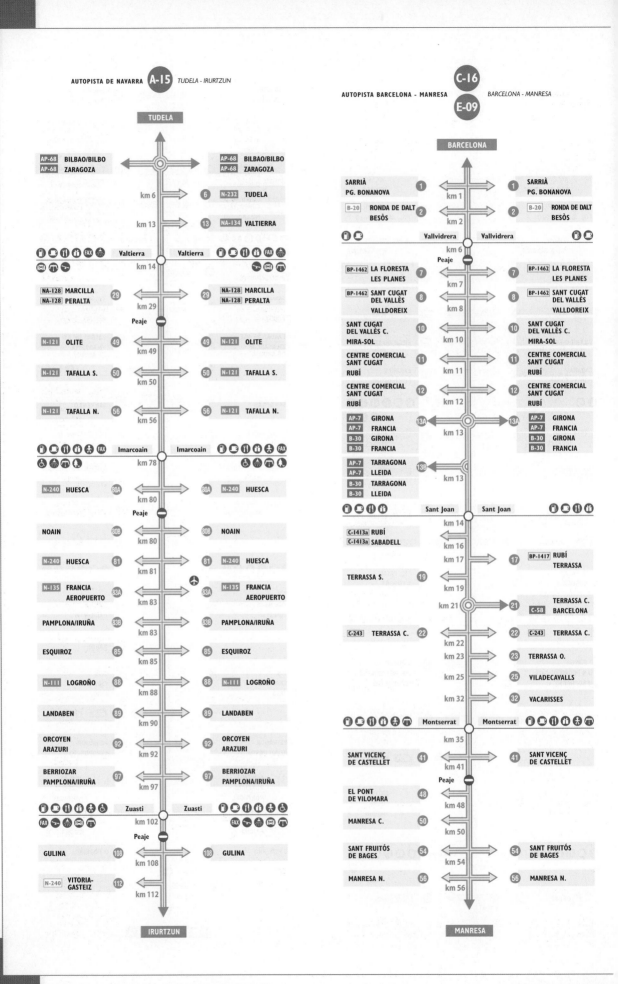

AUTOPISTA DE NAVARRA **A-15** *TUDELA - IRURTZUN*

C-16
AUTOPISTA BARCELONA - MANRESA **E-09** *BARCELONA - MANRESA*

A-15 TUDELA — IRURTZUN

TUDELA

AP-68 BILBAO/BILBO		AP-68 BILBAO/BILBO
AP-68 ZARAGOZA		AP-68 ZARAGOZA
km 6	6 N-232 TUDELA	
km 13	13 NA-134 VALTIERRA	
Valtierra	km 14	Valtierra
NA-128 MARCILLA	29	29 NA-128 MARCILLA
NA-128 PERALTA	km 29	NA-128 PERALTA
	Peaje	
N-121 OLITE	49	49 N-121 OLITE
	km 49	
N-121 TAFALLA S.	50	50 N-121 TAFALLA S.
	km 50	
N-121 TAFALLA N.	56	56 N-121 TAFALLA N.
	km 56	
Imarcoain	km 78	Imarcoain
N-240 HUESCA	80A	80A N-240 HUESCA
	km 80 Peaje	
NOAIN	80B	80B NOAIN
	km 80	
N-240 HUESCA	81	81 N-240 HUESCA
	km 81	
N-135 FRANCIA AEROPUERTO	83A	83A N-135 FRANCIA AEROPUERTO
	km 83	
PAMPLONA/IRUÑA	83B	83B PAMPLONA/IRUÑA
	km 83	
ESQUIROZ	85	85 ESQUIROZ
	km 85	
N-111 LOGROÑO	88	88 N-111 LOGROÑO
	km 88	
LANDABEN	89	89 LANDABEN
	km 90	
ORCOYEN ARAZURI	92	92 ORCOYEN ARAZURI
	km 92	
BERRIOZAR PAMPLONA/IRUÑA	97	97 BERRIOZAR PAMPLONA/IRUÑA
	km 97	
Zuasti	km 102	Zuasti
	Peaje	
GULINA	108	108 GULINA
	km 108	
N-240 VITORIA-GASTEIZ	112	
	km 112	

IRURTZUN

C-16 / E-09 BARCELONA — MANRESA

BARCELONA

SARRIÀ PG. BONANOVA	1	1 SARRIÀ PG. BONANOVA
	km 1	
B-20 RONDA DE DALT BESÒS	2	2 B-20 RONDA DE DALT BESÒS
	km 2	
Vallvidrera		Vallvidrera
	km 6 Peaje	
BP-1462 LA FLORESTA LES PLANES	7	7 BP-1462 LA FLORESTA LES PLANES
	km 7	
BP-1462 SANT CUGAT DEL VALLÈS VALLDOREIX	8	8 BP-1462 SANT CUGAT DEL VALLÈS VALLDOREIX
	km 8	
SANT CUGAT DEL VALLÈS C. MIRA-SOL	10	10 SANT CUGAT DEL VALLÈS C. MIRA-SOL
	km 10	
CENTRE COMERCIAL SANT CUGAT RUBÍ	11	11 CENTRE COMERCIAL SANT CUGAT RUBÍ
	km 11	
CENTRE COMERCIAL SANT CUGAT RUBÍ	12	12 CENTRE COMERCIAL SANT CUGAT RUBÍ
	km 12	
AP-7 GIRONA / AP-7 FRANCIA / B-30 GIRONA / B-30 FRANCIA	13A	13A AP-7 GIRONA / AP-7 FRANCIA / B-30 GIRONA / B-30 FRANCIA
	km 13	
AP-7 TARRAGONA / AP-7 LLEIDA / B-30 TARRAGONA / B-30 LLEIDA	13B	
	km 13	
Sant Joan	km 14	Sant Joan
C-1413a RUBÍ / C-1413a SABADELL		
	km 16	
	km 17	17 BP-1417 RUBÍ TERRASSA
TERRASSA S.	19	
	km 19	
	km 21	21 C-58 TERRASSA C. BARCELONA
C-243 TERRASSA C.	22	22 C-243 TERRASSA C.
	km 22	
	km 23	23 TERRASSA O.
	km 25	25 VILADECAVALLS
	km 32	32 VACARISSES
Montserrat		Montserrat
	km 35	
SANT VICENÇ DE CASTELLET	41	41 SANT VICENÇ DE CASTELLET
	km 41 Peaje	
EL PONT DE VILOMARA	48	
	km 48	
MANRESA C.	50	
	km 50	
SANT FRUITÓS DE BAGES	54	54 SANT FRUITÓS DE BAGES
	km 54	
MANRESA N.	56	56 MANRESA N.
	km 56	

MANRESA

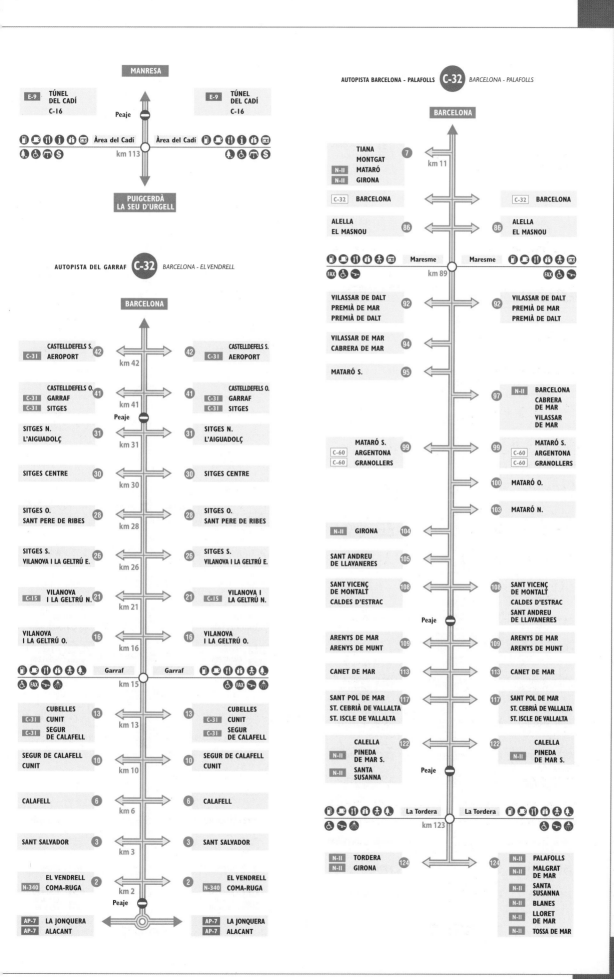

MANRESA

| E-9 | TÚNEL DEL CADÍ C-16 |
| E-9 | TÚNEL DEL CADÍ C-16 |

Peaje

Àrea del Cadí — Àrea del Cadí

km 113

PUIGCERDÀ LA SEU D'URGELL

AUTOPISTA DEL GARRAF **C-32** *BARCELONA - EL VENDRELL*

BARCELONA

| 42 | C-31 | CASTELLDEFELS S. AEROPORT |
km 42
| 41 | C-31 GARRAF C-31 SITGES | CASTELLDEFELS O. |
km 41
Peaje
| 31 | SITGES N. L'AIGUADOLÇ |
km 31
| 30 | SITGES CENTRE |
km 30
| 28 | SITGES O. SANT PERE DE RIBES |
km 28
| 26 | SITGES S. VILANOVA I LA GELTRÚ E. |
km 26
| 21 | C-15 VILANOVA I LA GELTRÚ N. |
km 21
| 16 | VILANOVA I LA GELTRÚ O. |
km 16

Garraf — Garraf
km 15

| 13 | C-31 CUBELLES CUNIT C-31 SEGUR DE CALAFELL |
km 13
| 10 | SEGUR DE CALAFELL CUNIT |
km 10
| 6 | CALAFELL |
km 6
| 3 | SANT SALVADOR |
km 3
| 2 | N-340 EL VENDRELL COMA-RUGA |
km 2
Peaje
| AP-7 LA JONQUERA AP-7 ALACANT |

AUTOPISTA BARCELONA - PALAFOLLS **C-32** *BARCELONA - PALAFOLLS*

BARCELONA

| 7 | TIANA MONTGAT N-II MATARÓ N-II GIRONA |
km 11
| C-32 BARCELONA | C-32 BARCELONA |
| 86 | ALELLA EL MASNOU | 86 ALELLA EL MASNOU |

Maresme — Maresme
km 89

92	VILASSAR DE DALT PREMIÀ DE MAR PREMIÀ DE DALT	92 VILASSAR DE DALT PREMIÀ DE MAR PREMIÀ DE DALT
94	VILASSAR DE MAR CABRERA DE MAR
95	MATARÓ S.
97	N-II BARCELONA CABRERA DE MAR VILASSAR DE MAR
99	MATARÓ S. C-60 ARGENTONA C-60 GRANOLLERS	99 MATARÓ S. C-60 ARGENTONA C-60 GRANOLLERS
100	MATARÓ O.
103	MATARÓ N.
104	N-II GIRONA
105	SANT ANDREU DE LLAVANERES
108	SANT VICENÇ DE MONTALT CALDES D'ESTRAC	108 SANT VICENÇ DE MONTALT CALDES D'ESTRAC SANT ANDREU DE LLAVANERES
Peaje
109	ARENYS DE MAR ARENYS DE MUNT	109 ARENYS DE MAR ARENYS DE MUNT
113	CANET DE MAR	113 CANET DE MAR
117	SANT POL DE MAR ST. CEBRIÀ DE VALLALTA ST. ISCLE DE VALLALTA	117 SANT POL DE MAR ST. CEBRIÀ DE VALLALTA ST. ISCLE DE VALLALTA
122	N-II CALELLA PINEDA DE MAR S. N-II SANTA SUSANNA	122 CALELLA N-II PINEDA DE MAR S.
Peaje

La Tordera — La Tordera
km 123

| 124 | N-II TORDERA N-II GIRONA | 124 N-II PALAFOLLS N-II MALGRAT DE MAR N-II SANTA SUSANNA N-II BLANES N-II LLORET DE MAR N-II TOSSA DE MAR |

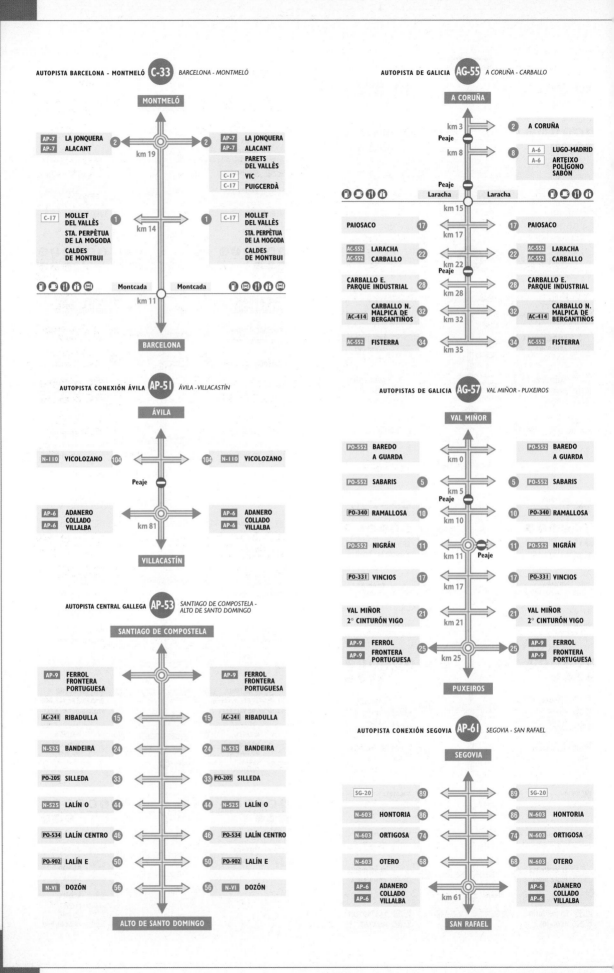

AUTOPISTA BARCELONA - MONTMELÓ **C-33** *BARCELONA - MONTMELÓ*

MONTMELÓ

| AP-7 | LA JONQUERA | 2 | | 2 | AP-7 | LA JONQUERA |
| AP-7 | ALACANT | | | | AP-7 | ALACANT |

km 19

				PARETS DEL VALLÈS
			C-17	VIC
			C-17	PUIGCERDÀ

C-17	MOLLET DEL VALLÈS	1		1	C-17	MOLLET DEL VALLÈS
	STA. PERPÈTUA DE LA MOGODA					STA. PERPÈTUA DE LA MOGODA
	CALDES DE MONTBUI					CALDES DE MONTBUI

km 14

Montcada   Montcada

km 11

BARCELONA

AUTOPISTA CONEXIÓN ÁVILA **AP-51** *ÁVILA - VILLACASTÍN*

ÁVILA

| N-110 | VICOLOZANO | 104 | | 104 | N-110 | VICOLOZANO |

Peaje

| AP-6 | ADANERO COLLADO VILLALBA | | | | AP-6 | ADANERO COLLADO VILLALBA |

km 81

VILLACASTÍN

AUTOPISTA CENTRAL GALLEGA **AP-53** *SANTIAGO DE COMPOSTELA - ALTO DE SANTO DOMINGO*

SANTIAGO DE COMPOSTELA

AP-9	FERROL FRONTERA PORTUGUESA				AP-9	FERROL FRONTERA PORTUGUESA
AC-241	RIBADULLA	15		15	AC-241	RIBADULLA
N-525	BANDEIRA	24		24	N-525	BANDEIRA
PO-205	SILLEDA	33		33	PO-205	SILLEDA
N-525	LALÍN O	44		44	N-525	LALÍN O
PO-534	LALÍN CENTRO	46		46	PO-534	LALÍN CENTRO
PO-902	LALÍN E	50		50	PO-902	LALÍN E
N-VI	DOZÓN	56		56	N-VI	DOZÓN

ALTO DE SANTO DOMINGO

AUTOPISTA DE GALICIA **AG-55** *A CORUÑA - CARBALLO*

A CORUÑA

km 3 — Peaje — | 2 | A CORUÑA |

km 8 — | 8 | A-6 | LUGO-MADRID |
| | A-6 | ARTEIXO POLÍGONO SABÓN |

Peaje — Laracha   Laracha

km 15

| PAIOSACO | 17 | | 17 | PAIOSACO |

km 17

| AC-552 | LARACHA | 22 | | 22 | AC-552 | LARACHA |
| AC-552 | CARBALLO | | | | AC-552 | CARBALLO |

km 22 — Peaje

| CARBALLO E. PARQUE INDUSTRIAL | 28 | | 28 | CARBALLO E. PARQUE INDUSTRIAL |

km 28

| AC-414 | CARBALLO N. MALPICA DE BERGANTIÑOS | 32 | | 32 | AC-414 | CARBALLO N. MALPICA DE BERGANTIÑOS |

km 32

| AC-552 | FISTERRA | 34 | | 34 | AC-552 | FISTERRA |

km 35

AUTOPISTAS DE GALICIA **AG-57** *VAL MIÑOR - PUXEIROS*

VAL MIÑOR

| PO-552 | BAREDO A GUARDA | | | | PO-552 | BAREDO A GUARDA |

km 0

| PO-552 | SABARIS | 5 | | 5 | PO-552 | SABARIS |

km 5 — Peaje

| PO-340 | RAMALLOSA | 10 | | 10 | PO-340 | RAMALLOSA |

km 10

| PO-552 | NIGRÁN | 11 | | 11 | PO-552 | NIGRÁN |

km 11 — Peaje

| PO-331 | VINCIOS | 17 | | 17 | PO-331 | VINCIOS |

km 17

| | VAL MIÑOR 2° CINTURÓN VIGO | 21 | | 21 | | VAL MIÑOR 2° CINTURÓN VIGO |

km 21

| AP-9 | FERROL FRONTERA PORTUGUESA | 25 | | 25 | AP-9 | FERROL FRONTERA PORTUGUESA |

km 25

PUXEIROS

AUTOPISTA CONEXIÓN SEGOVIA **AP-61** *SEGOVIA - SAN RAFAEL*

SEGOVIA

SG-20		89		89	SG-20	
N-603	HONTORIA	86		86	N-603	HONTORIA
N-603	ORTIGOSA	74		74	N-603	ORTIGOSA
N-603	OTERO	68		68	N-603	OTERO
AP-6	ADANERO COLLADO VILLALBA				AP-6	ADANERO COLLADO VILLALBA

km 61

SAN RAFAEL

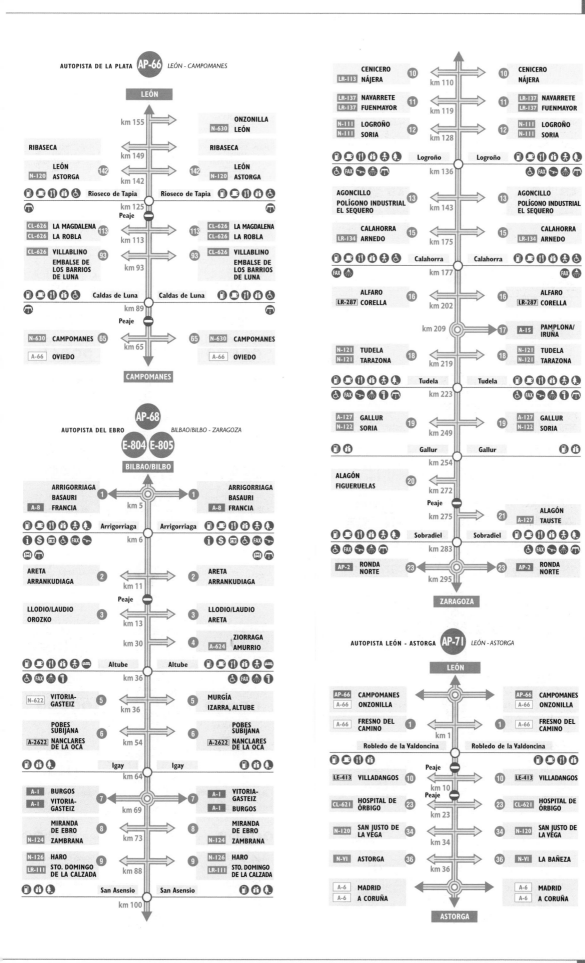

AUTOPISTA DE LA PLATA AP-66 *LEÓN - CAMPOMANES*

LEÓN

km 155 · ONZONILLA / N-630 LEÓN

RIBASECA · RIBASECA

km 149

LEÓN / N-120 ASTORGA [142] · [142] LEÓN / N-120 ASTORGA

km 142

Rioseco de Tapia · Rioseco de Tapia

km 125 · Peaje

CL-626 LA MAGDALENA / CL-626 LA ROBLA [113] · [113] CL-626 LA MAGDALENA / CL-626 LA ROBLA

km 113

CL-626 VILLABLINO EMBALSE DE LOS BARRIOS DE LUNA [93] · [93] CL-626 VILLABLINO EMBALSE DE LOS BARRIOS DE LUNA

km 93

Caldas de Luna · Caldas de Luna

km 89 · Peaje

N-630 CAMPOMANES [65] · [65] N-630 CAMPOMANES

A-66 OVIEDO · A-66 OVIEDO

km 65

CAMPOMANES

AP-68

E-804 E-805

AUTOPISTA DEL EBRO *BILBAO/BILBO - ZARAGOZA*

BILBAO/BILBO

ARRIGORRIAGA BASAURI / A-8 FRANCIA [1] · [1] ARRIGORRIAGA BASAURI / A-8 FRANCIA

km 5

Arrigorriaga · Arrigorriaga

km 6

ARETA ARRANKUDIAGA [2] · [2] ARETA ARRANKUDIAGA

km 11 · Peaje

LLODIO/LAUDIO OROZKO [3] · [3] LLODIO/LAUDIO ARETA

km 13

km 30 · [4] A-624 ZIORRAGA AMURRIO

Altube · Altube

km 36

N-622 VITORIA-GASTEIZ [5] · [5] MURGÍA IZARRA, ALTUBE

km 36

POBES SUBIJANA / A-2622 NANCLARES DE LA OCA [6] · [6] POBES SUBIJANA / A-2622 NANCLARES DE LA OCA

km 54

Igay · Igay

km 64

A-1 BURGOS / A-1 VITORIA-GASTEIZ [7] · [7] A-1 VITORIA-GASTEIZ / A-1 BURGOS

km 69

MIRANDA DE EBRO / N-124 ZAMBRANA [8] · [8] MIRANDA DE EBRO / N-124 ZAMBRANA

km 73

N-126 HARO / LR-111 STO. DOMINGO DE LA CALZADA [9] · [9] N-126 HARO / LR-111 STO. DOMINGO DE LA CALZADA

km 88

San Asensio · San Asensio

km 100

CENICERO NÁJERA [10] / LR-113 · [10] CENICERO NÁJERA

km 110

LR-137 NAVARRETE / LR-137 FUENMAYOR [11] · [11] LR-137 NAVARRETE / LR-137 FUENMAYOR

km 119

N-111 LOGROÑO / N-111 SORIA [12] · [12] N-111 LOGROÑO / N-111 SORIA

km 128

Logroño · Logroño

km 136

AGONCILLO POLÍGONO INDUSTRIAL EL SEQUERO [13] · [13] AGONCILLO POLÍGONO INDUSTRIAL EL SEQUERO

km 143

CALAHORRA / LR-134 ARNEDO [15] · [15] CALAHORRA / LR-134 ARNEDO

km 175

Calahorra · Calahorra

km 177

ALFARO / LR-287 CORELLA [16] · [16] ALFARO / LR-287 CORELLA

km 202

km 209 · [17] A-15 PAMPLONA/IRUÑA

N-121 TUDELA / N-121 TARAZONA [18] · [18] N-121 TUDELA / N-121 TARAZONA

km 219

Tudela · Tudela

km 223

A-127 GALLUR / N-122 SORIA [19] · [19] A-127 GALLUR / N-122 SORIA

km 249

Gallur · Gallur

km 254

ALAGÓN FIGUERUELAS [20]

km 272 · Peaje

km 275 · [21] ALAGÓN / A-127 TAUSTE

Sobradiel · Sobradiel

km 283

AP-2 RONDA NORTE [23] · [23] AP-2 RONDA NORTE

km 295

ZARAGOZA

AUTOPISTA LEÓN - ASTORGA AP-71 *LEÓN - ASTORGA*

LEÓN

AP-66 CAMPOMANES / A-66 ONZONILLA · AP-66 CAMPOMANES / A-66 ONZONILLA

A-66 FRESNO DEL CAMINO [1] · [1] A-66 FRESNO DEL CAMINO

km 1

Robledo de la Valdoncina · Robledo de la Valdoncina

Peaje

LE-413 VILLADANGOS [10] · [10] LE-413 VILLADANGOS

km 10 · Peaje

CL-621 HOSPITAL DE ÓRBIGO [23] · [23] CL-621 HOSPITAL DE ÓRBIGO

km 23

N-120 SAN JUSTO DE LA VEGA [34] · [34] N-120 SAN JUSTO DE LA VEGA

km 34

N-VI ASTORGA [36] · [36] N-VI LA BAÑEZA

km 36

A-6 MADRID / A-6 A CORUÑA · A-6 MADRID / A-6 A CORUÑA

ASTORGA

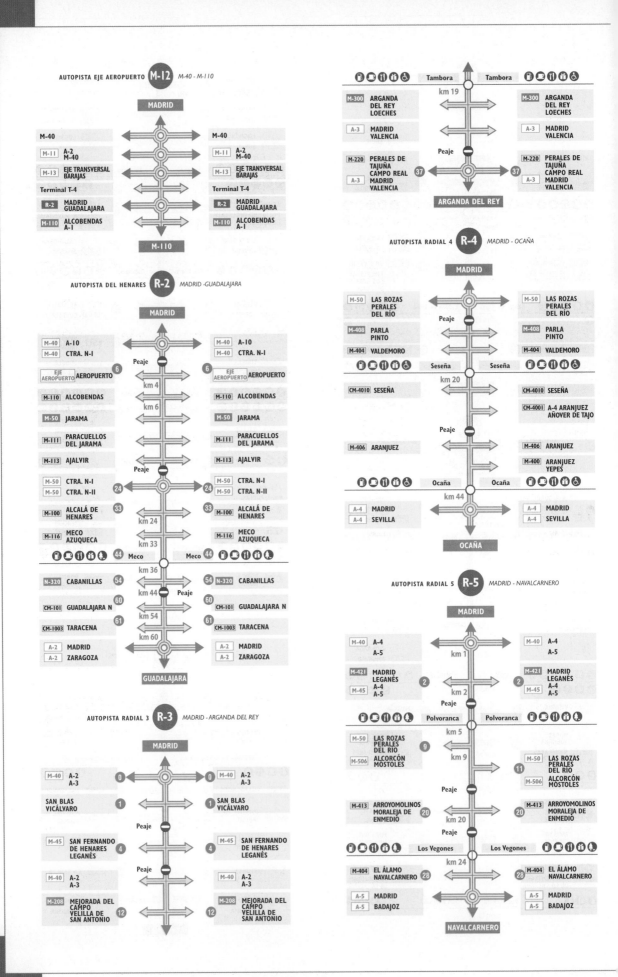

AUTOPISTA EJE AEROPUERTO **M-12** *M-40 - M-110*

MADRID

M-40 — M-40

M-11 A-2 M-40 — M-11 A-2 M-40

M-13 EJE TRANSVERSAL BARAJAS — M-13 EJE TRANSVERSAL BARAJAS

Terminal T-4 — Terminal T-4

R-2 MADRID GUADALAJARA — R-2 MADRID GUADALAJARA

M-110 ALCOBENDAS A-1 — M-110 ALCOBENDAS A-1

M-110

AUTOPISTA DEL HENARES **R-2** *MADRID - GUADALAJARA*

MADRID

M-40 A-10 / M-40 CTRA. N-I — M-40 A-10 / M-40 CTRA. N-I

6 EJE AEROPUERTO AEROPUERTO — 6 EJE AEROPUERTO AEROPUERTO

Peaje

km 4

M-110 ALCOBENDAS — M-110 ALCOBENDAS

km 6

M-50 JARAMA — M-50 JARAMA

M-111 PARACUELLOS DEL JARAMA — M-111 PARACUELLOS DEL JARAMA

M-113 AJALVIR — M-113 AJALVIR

Peaje

M-50 CTRA. N-I / M-50 CTRA. N-II 24 — 24 M-50 CTRA. N-I / M-50 CTRA. N-II

M-100 ALCALÁ DE HENARES 33 — 33 M-100 ALCALÁ DE HENARES

km 24

M-116 MECO AZUQUECA — M-116 MECO AZUQUECA

km 33

44 Meco — Meco 44

km 36

N-320 CABANILLAS 54 — 54 N-320 CABANILLAS

km 44 Peaje

CM-101 GUADALAJARA N 60 — 60 CM-101 GUADALAJARA N

km 54

CM-1003 TARACENA 61 — 61 CM-1003 TARACENA

km 60

A-2 MADRID / A-2 ZARAGOZA — A-2 MADRID / A-2 ZARAGOZA

GUADALAJARA

AUTOPISTA RADIAL 3 **R-3** *MADRID - ARGANDA DEL REY*

MADRID

M-40 A-2 A-3 0 — 0 M-40 A-2 A-3

SAN BLAS VICÁLVARO 1 — 1 SAN BLAS VICÁLVARO

Peaje

M-45 SAN FERNANDO DE HENARES LEGANÉS 4 — 4 M-45 SAN FERNANDO DE HENARES LEGANÉS

Peaje

M-40 A-2 A-3 — M-40 A-2 A-3

M-208 MEJORADA DEL CAMPO VELILLA DE SAN ANTONIO 12 — 12 M-208 MEJORADA DEL CAMPO VELILLA DE SAN ANTONIO

Tambora — Tambora

km 19

M-300 ARGANDA DEL REY LOECHES — M-300 ARGANDA DEL REY LOECHES

A-3 MADRID VALENCIA — A-3 MADRID VALENCIA

Peaje

M-220 PERALES DE TAJUÑA CAMPO REAL 37 / A-3 MADRID VALENCIA — 37 M-220 PERALES DE TAJUÑA CAMPO REAL / A-3 MADRID VALENCIA

ARGANDA DEL REY

AUTOPISTA RADIAL 4 **R-4** *MADRID - OCAÑA*

MADRID

M-50 LAS ROZAS PERALES DEL RÍO — M-50 LAS ROZAS PERALES DEL RÍO

Peaje

M-408 PARLA PINTO — M-408 PARLA PINTO

M-404 VALDEMORO — M-404 VALDEMORO

Seseña — Seseña

km 20

CM-4010 SESEÑA — CM-4010 SESEÑA

CM-4001 A-4 ARANJUEZ AÑOVER DE TAJO

Peaje

M-406 ARANJUEZ — M-406 ARANJUEZ

M-400 ARANJUEZ YEPES

Ocaña — Ocaña

km 44

A-4 MADRID / A-4 SEVILLA — A-4 MADRID / A-4 SEVILLA

OCAÑA

AUTOPISTA RADIAL 5 **R-5** *MADRID - NAVALCARNERO*

MADRID

M-40 A-4 A-5 — M-40 A-4 A-5

km 1

M-421 MADRID LEGANÉS 2 / M-45 A-4 A-5 — 2 M-421 MADRID LEGANÉS / M-45 A-4 A-5

km 2

Peaje

Polvoranca — Polvoranca

km 5

M-50 LAS ROZAS PERALES DEL RÍO ALCORCÓN MÓSTOLES 9 / M-506 — 11 M-50 LAS ROZAS PERALES DEL RÍO ALCORCÓN MÓSTOLES / M-506

km 9

Peaje

M-413 ARROYOMOLINOS MORALEJA DE ENMEDIO 20 — 20 M-413 ARROYOMOLINOS MORALEJA DE ENMEDIO

km 20

Peaje

Los Vegones — Los Vegones

km 24

M-404 EL ÁLAMO NAVALCARNERO 28 — 28 M-404 EL ÁLAMO NAVALCARNERO

A-5 MADRID / A-5 BADAJOZ — A-5 MADRID / A-5 BADAJOZ

NAVALCARNERO

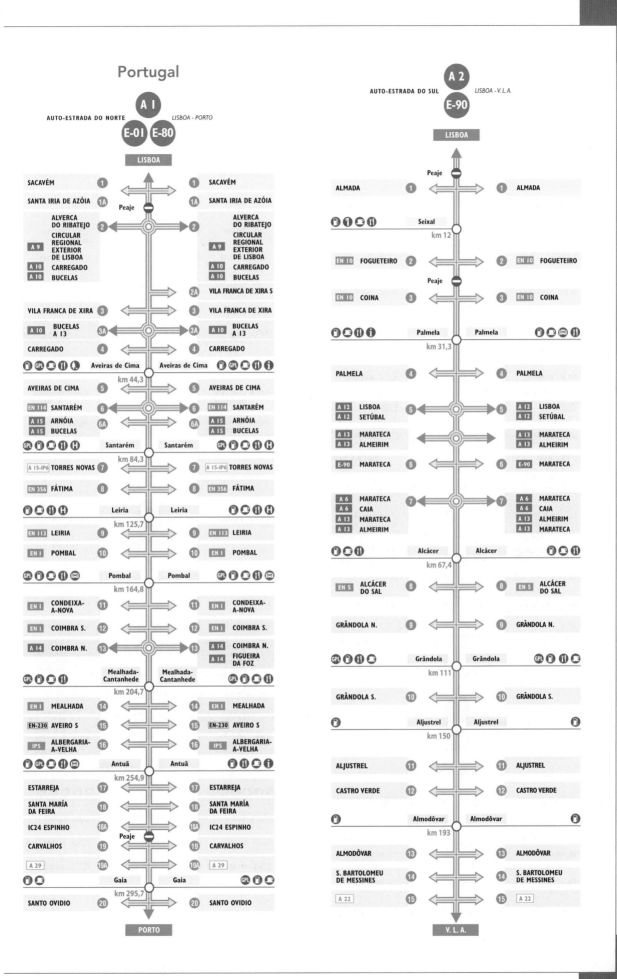

Portugal

AUTO-ESTRADA DO NORTE — *LISBOA - PORTO*

A I
E-01 **E-80**

LISBOA

SACAVÉM	1		1	SACAVÉM
SANTA IRIA DE AZÓIA	1A	Peaje	1A	SANTA IRIA DE AZÓIA
ALVERCA DO RIBATEJO	2		2	ALVERCA DO RIBATEJO
A 9 CIRCULAR REGIONAL EXTERIOR DE LISBOA				A 9 CIRCULAR REGIONAL EXTERIOR DE LISBOA
A 10 CARREGADO				A 10 CARREGADO
A 10 BUCELAS				A 10 BUCELAS
			2A	VILA FRANCA DE XIRA S
VILA FRANCA DE XIRA	3		3	VILA FRANCA DE XIRA
A 10 BUCELAS A 13	3A		3A	A 10 BUCELAS A 13
CARREGADO	4		4	CARREGADO

Aveiras de Cima — Aveiras de Cima

km 44,3

AVEIRAS DE CIMA	5		5	AVEIRAS DE CIMA
EN 114 SANTARÉM	6		6	EN 114 SANTARÉM
A 15 ARNÓIA A 15 BUCELAS	6A		6A	A 15 ARNÓIA A 15 BUCELAS

Santarém — Santarém

km 84,3

A 15-IP6 TORRES NOVAS	7		7	A 15-IP6 TORRES NOVAS
EN 356 FÁTIMA	8		8	EN 356 FÁTIMA

Leiria — Leiria

km 125,7

EN 113 LEIRIA	9		9	EN 113 LEIRIA
EN 1 POMBAL	10		10	EN 1 POMBAL

Pombal — Pombal

km 164,8

EN 1 CONDEIXA-A-NOVA	11		11	EN 1 CONDEIXA-A-NOVA
EN 1 COIMBRA S.	12		12	EN 1 COIMBRA S.
A 14 COIMBRA N.	13		13	A 14 COIMBRA N.
				A 14 FIGUEIRA DA FOZ

Mealhada-Cantanhede — Mealhada-Cantanhede

km 204,7

EN 1 MEALHADA	14		14	EN 1 MEALHADA
EN-230 AVEIRO S	15		15	EN-230 AVEIRO S
IP5 ALBERGARIA-A-VELHA	16		16	IP5 ALBERGARIA-A-VELHA

Antuã — Antuã

km 254,9

ESTARREJA	17		17	ESTARREJA
SANTA MARÍA DA FEIRA	18		18	SANTA MARÍA DA FEIRA
IC24 ESPINHO	18A		18A	IC24 ESPINHO
CARVALHOS	19	Peaje	19	CARVALHOS
A 29	19A		19A	A 29

Gaia — Gaia

km 295,7

SANTO OVIDIO	20		20	SANTO OVIDIO

PORTO

AUTO-ESTRADA DO SUL — *LISBOA - V. L. A.*

A 2
E-90

LISBOA

Peaje

ALMADA	1		1	ALMADA

Seixal — km 12

EN 10 FOGUETEIRO	2		2	EN 10 FOGUETEIRO

Peaje

EN 10 COINA	3		3	EN 10 COINA

Palmela — Palmela — km 31,3

PALMELA	4		4	PALMELA
A 12 LISBOA A 12 SETÚBAL	5		5	A 12 LISBOA A 12 SETÚBAL
A 13 MARATECA A 13 ALMEIRIM				A 13 MARATECA A 13 ALMEIRIM
E-90 MARATECA	6		6	E-90 MARATECA
A 6 MARATECA A 6 CAIA A 13 MARATECA A 13 ALMEIRIM	7		7	A 6 MARATECA A 6 CAIA A 13 ALMEIRIM A 13 MARATECA

Alcácer — Alcácer — km 67,4

EN 5 ALCÁCER DO SAL	8		8	EN 5 ALCÁCER DO SAL
GRÂNDOLA N.	9		9	GRÂNDOLA N.

Grândola — Grândola — km 111

GRÂNDOLA S.	10		10	GRÂNDOLA S.

Aljustrel — Aljustrel — km 150

ALJUSTREL	11		11	ALJUSTREL
CASTRO VERDE	12		12	CASTRO VERDE

Almodôvar — Almodôvar — km 193

ALMODÔVAR	13		13	ALMODÔVAR
S. BARTOLOMEU DE MESSINES	14		14	S. BARTOLOMEU DE MESSINES
A 22	15		15	A 22

V. L. A.

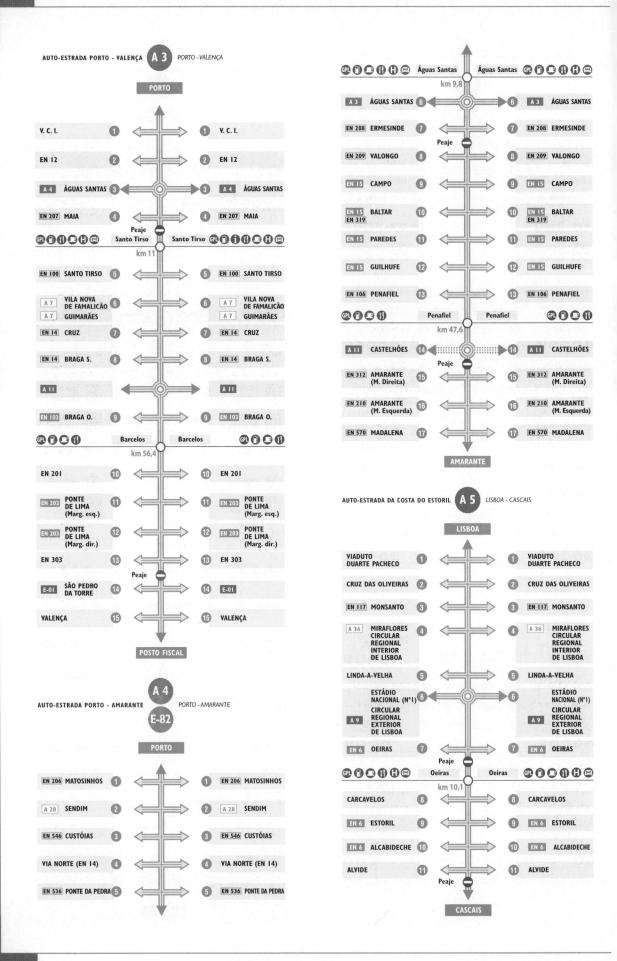

AUTO-ESTRADA PORTO - VALENÇA A 3 *PORTO - VALENÇA*

PORTO

V. C. I.	①	① V. C. I.
EN 12	②	② EN 12
A 4 ÁGUAS SANTAS	③	③ A 4 ÁGUAS SANTAS
EN 207 MAIA	④	④ EN 207 MAIA

Peaje
Santo Tirso — Santo Tirso
km 11

EN 100 SANTO TIRSO	⑤	⑤ EN 100 SANTO TIRSO
A 7 VILA NOVA DE FAMALICÃO / A 7 GUIMARÃES	⑥	⑥ A 7 VILA NOVA DE FAMALICÃO / A 7 GUIMARÃES
EN 14 CRUZ	⑦	⑦ EN 14 CRUZ
EN 14 BRAGA S.	⑧	⑧ EN 14 BRAGA S.
A 11		A 11
EN 103 BRAGA O.	⑨	⑨ EN 103 BRAGA O.

Barcelos — Barcelos
km 56,4

EN 201	⑩	⑩ EN 201
EN 203 PONTE DE LIMA (Marg. esq.)	⑪	⑪ EN 203 PONTE DE LIMA (Marg. esq.)
EN 203 PONTE DE LIMA (Marg. dir.)	⑫	⑫ EN 203 PONTE DE LIMA (Marg. dir.)
EN 303	⑬	⑬ EN 303
E-01 SÃO PEDRO DA TORRE	⑭	⑭ E-01
VALENÇA	⑮	⑮ VALENÇA

Peaje

POSTO FISCAL

AUTO-ESTRADA PORTO - AMARANTE A 4 E-82 *PORTO - AMARANTE*

PORTO

EN 206 MATOSINHOS	①	① EN 206 MATOSINHOS
A 28 SENDIM	②	② A 28 SENDIM
EN 546 CUSTÓIAS	③	③ EN 546 CUSTÓIAS
VIA NORTE (EN 14)	④	④ VIA NORTE (EN 14)
EN 536 PONTE DA PEDRA	⑤	⑤ EN 536 PONTE DA PEDRA

Águas Santas — Águas Santas
km 9,8

A 3 ÁGUAS SANTAS	⑥	⑥ A 3 ÁGUAS SANTAS
EN 208 ERMESINDE	⑦	⑦ EN 208 ERMESINDE

Peaje

EN 209 VALONGO	⑧	⑧ EN 209 VALONGO
EN 15 CAMPO	⑨	⑨ EN 15 CAMPO
EN 15 / EN 319 BALTAR	⑩	⑩ EN 15 / EN 319 BALTAR
EN 15 PAREDES	⑪	⑪ EN 15 PAREDES
EN 15 GUILHUFE	⑫	⑫ EN 15 GUILHUFE
EN 106 PENAFIEL	⑬	⑬ EN 106 PENAFIEL

Penafiel — Penafiel
km 47,6

A 11 CASTELHÕES	⑭	⑭ A 11 CASTELHÕES

Peaje

EN 312 AMARANTE (M. Direita)	⑮	⑮ EN 312 AMARANTE (M. Direita)
EN 210 AMARANTE (M. Esquerda)	⑯	⑯ EN 210 AMARANTE (M. Esquerda)
EN 570 MADALENA	⑰	⑰ EN 570 MADALENA

AMARANTE

AUTO-ESTRADA DA COSTA DO ESTORIL A 5 *LISBOA - CASCAIS*

LISBOA

VIADUTO DUARTE PACHECO	①	① VIADUTO DUARTE PACHECO
CRUZ DAS OLIVEIRAS	②	② CRUZ DAS OLIVEIRAS
EN 117 MONSANTO	③	③ EN 117 MONSANTO
A 36 MIRAFLORES CIRCULAR REGIONAL INTERIOR DE LISBOA	④	④ A 36 MIRAFLORES CIRCULAR REGIONAL INTERIOR DE LISBOA
LINDA-A-VELHA	⑤	⑤ LINDA-A-VELHA
ESTÁDIO NACIONAL (N°1) CIRCULAR A 9 REGIONAL EXTERIOR DE LISBOA	⑥	⑥ ESTÁDIO NACIONAL (N°1) CIRCULAR A 9 REGIONAL EXTERIOR DE LISBOA
EN 6 OEIRAS	⑦	⑦ EN 6 OEIRAS

Peaje
Oeiras — Oeiras
km 10,1

CARCAVELOS	⑧	⑧ CARCAVELOS
EN 6 ESTORIL	⑨	⑨ EN 6 ESTORIL
EN 6 ALCABIDECHE	⑩	⑩ EN 6 ALCABIDECHE
ALVIDE	⑪	⑪ ALVIDE

Peaje

CASCAIS

AUTO-ESTRADA MARATECA - CAIA **A 6** *MARATECA - POSTO FISCAL DO CAIA*

MARATECA

A 2 LISBOA / A 2 V.L.A. / A 13	①	km 0	①	A 2 LISBOA / A 2 V.L.A. / A 13
Vendas Novas		km 6,5		Vendas Novas
EN 114 VENDAS NOVAS	②	km 19	②	EN 114 VENDAS NOVAS
EN 114 MONTEMOR-O-NOVO O.	③	km 38	③	EN 114 MONTEMOR-O-NOVO O.
EN 4 MONTEMOR-O-NOVO E.	④	km 43	④	EN 4 MONTEMOR-O-NOVO E.
Montemor-o-Novo		km 55,4		Montemor-o-Novo
E-90 ÉVORA (Poente)	⑤	km 59	⑤	E-90 ÉVORA (Poente)
EN 18 ÉVORA (Nascente)	⑥	km 75	⑥	EN 18 ÉVORA (Nascente)
Estremoz		km 102,3		Estremoz
EN 381 ESTREMOZ	⑦	km 105	⑦	EN 381 ESTREMOZ
EN 4 BORBA	⑧	km 117 Peaje	⑧	EN 4 BORBA
EN 372 ELVAS OESTE	⑨	km 140	⑨	EN 372 ELVAS OESTE
EN 246 STA. EULÁLIA	⑩	km 145	⑩	EN 246 STA. EULÁLIA
EN 373 CAMPO MAIOR	⑪	km 148	⑪	EN 373 CAMPO MAIOR
E-90 ELVAS ESTE	⑫	km 152	⑫	E-90 ELVAS ESTE
CAIA	⑬	km 157	⑬	CAIA

POSTO FISCAL DO CAIA

AUTO-ESTRADA **A 7** *PÓVOA DE VARZIM - VILA POUÇA DE AGUIAR*

PÓVOA DE VARZIM

A 28-ICI PORTO / A 28-ICI VIANA DO CASTELO	①	①	A 28-ICI PORTO / A 28-ICI VIANA DO CASTELO
EN 206 TOUGUINHA	②	②	EN 206 TOUGUINHA
EN 206 RIO MAU	③	③	EN 206 RIO MAU
EN 206 VILA NOVA DE FAMALIÇÃO	④ Peaje	④	EN 206 VILA NOVA DE FAMALIÇÃO
A 3 FAMALIÇÃO / A 3 VALENÇA-PORTO	⑤	⑤	A 3 FAMALIÇÃO / A 3 VALENÇA-PORTO
Ceide			Ceide
EN 310 CEIDE	⑥	⑥	EN 310 CEIDE
EN 310 AVE	⑦	⑦	EN 310 AVE
A 11 SELHO BRAGA	⑧	⑧	A 11 SELHO BRAGA
EN 206 GUIMARÃES SUL	⑨	⑨	EN 206 GUIMARÃES SUL
EN 207 FAFE	⑪	⑪	EN 207 FAFE
EN 210 BASTO	⑫	⑫	EN 210 BASTO
EN 310 RIBEIRA DE PENA	⑬	⑬	EN 310 RIBEIRA DE PENA
A24-IP3 CHAVES VILA REAL	⑭	⑭	A24-IP3 CHAVES VILA REAL

VILA POUÇA DE AGUIAR

CRIL (LISBOA) - LEIRIA **A 8** *CRIL (LISBOA) - LEIRIA*

LISBOA

CRIL (LISBOA)	①	km 1,9	①	CRIL (LISBOA)
C-250 P. FRIELAS	②		②	C-250 P. FRIELAS
LOURES	③	km 7,4	③	LOURES
A 9 CIRCULAR REGIONAL EXTERIOR DE LISBOA	③A	km 7,8	③A	A 9 CIRCULAR REGIONAL EXTERIOR DE LISBOA
Loures		km 13,9		Loures
EN 374 LOUSA	④	km 16,7	④	EN 374 LOUSA
EN 116 MALVEIRA	⑤	km 19,1	⑤	EN 116 MALVEIRA
EN 9-2 ENXARA	⑥	km 26,9	⑥	EN 9-2 ENXARA
EN 8 TORRES VEDRAS SUL	⑦	km 36,4	⑦	EN 8 TORRES VEDRAS SUL
TORRES VEDRAS NORTE (Centro)	⑧	km 42,3	⑧	TORRES VEDRAS NORTE (Centro)
EN 8 RAMALHAL	⑨	km 44,5	⑨	EN 8 RAMALHAL
Torres Vedras		km 48,5		Torres Vedras
EN 361-I CAMPELOS	⑩	km 54	⑩	EN 361-I CAMPELOS
EN 361 BOMBARRAL	⑪	km 62	⑪	EN 361 BOMBARRAL
DELGADA	⑫	km 65,5	⑫	DELGADA
SÃO MAMEDE	⑬	km 71,2	⑬	SÃO MAMEDE
A-DA-GORDA	⑭	km 74,2	⑭	A-DA-GORDA
EN 114 ÓBIDOS	⑮		⑮	EN 114 ÓBIDOS
A 15 ARNÓIA SANTARÉM	⑯	km 76,3	⑯	A 15 ARNÓIA SANTARÉM
GAEIRAS	⑰	km 77,7	⑰	GAEIRAS
Óbidos		km 78,5		Óbidos
EN 360 CALDAS DA RAINHA	⑱	km 81,4	⑱	EN 360 CALDAS DA RAINHA
CALDAS DA RAINHA (Zona Industrial)	⑲	km 82,8	⑲	CALDAS DA RAINHA (Zona Industrial)
TORNADA	⑳	km 86,3	⑳	TORNADA
EN 242 ALFEIZERÃO	㉑	km 93,9	㉑	EN 242 ALFEIZERÃO
EN 8-5 VALADO DOS FRADES	㉒	km 106	㉒	EN 8-5 VALADO DOS FRADES
Nazaré		km 110		Nazaré
EN 242 PATAIAS	㉓	km 113	㉓	EN 242 PATAIAS
EN 242 MARINHA GRANDE S.	㉔	km 122,6	㉔	EN 242 MARINHA GRANDE S.
EN 242-2 MARINHA GRANDE E.	㉕	km 127,7	㉕	EN 242-2 MARINHA GRANDE E.

LEIRIA

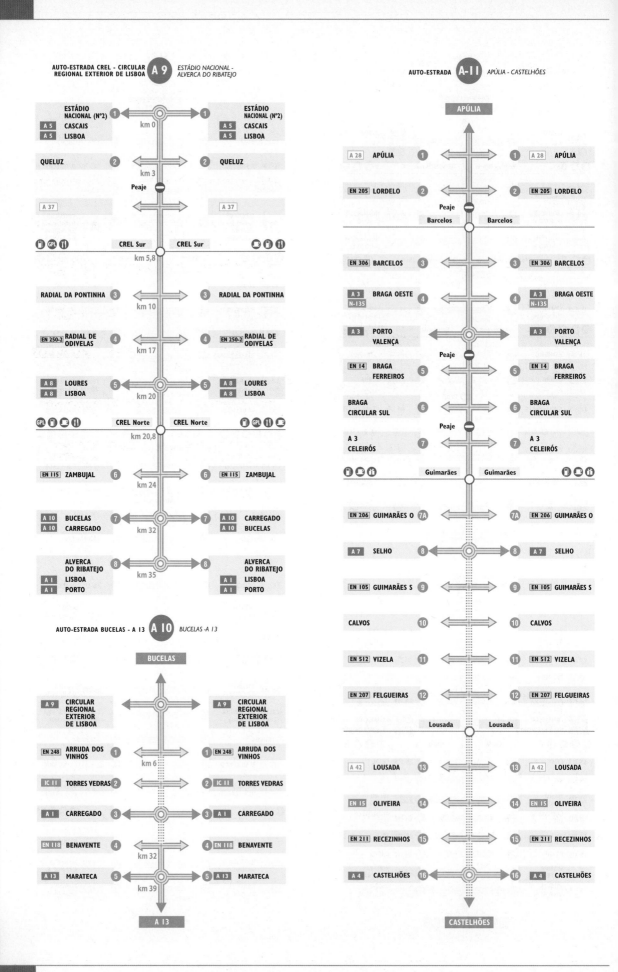

AUTO-ESTRADA CREL - CIRCULAR REGIONAL EXTERIOR DE LISBOA **A 9** *ESTÁDIO NACIONAL - ALVERCA DO RIBATEJO*

AUTO-ESTRADA **A-11** *APÚLIA - CASTELHÕES*

A 9

ESTÁDIO NACIONAL (N°2) — 1 — km 0 — 1 — ESTÁDIO NACIONAL (N°2)
A 5 CASCAIS — A 5 CASCAIS
A 5 LISBOA — A 5 LISBOA

QUELUZ — 2 — km 3 — 2 — QUELUZ
Peaje
A 37 — A 37
GPL — CREL Sur — km 5,8 — CREL Sur

RADIAL DA PONTINHA — 3 — km 10 — 3 — RADIAL DA PONTINHA
EN 250-2 RADIAL DE ODIVELAS — 4 — km 17 — 4 — EN 250-2 RADIAL DE ODIVELAS
A 8 LOURES — 5 — km 20 — 5 — A 8 LOURES
A 8 LISBOA — A 8 LISBOA
GPL — CREL Norte — km 20,8 — CREL Norte

EN 115 ZAMBUJAL — 6 — km 24 — 6 — EN 115 ZAMBUJAL
A 10 BUCELAS — 7 — km 32 — 7 — A 10 CARREGADO
A 10 CARREGADO — A 10 BUCELAS
ALVERCA DO RIBATEJO — 8 — km 35 — 8 — ALVERCA DO RIBATEJO
A 1 LISBOA — A 1 LISBOA
A 1 PORTO — A 1 PORTO

AUTO-ESTRADA BUCELAS - A 13 **A 10** *BUCELAS -A 13*

BUCELAS

A 9 CIRCULAR REGIONAL EXTERIOR DE LISBOA — A 9 CIRCULAR REGIONAL EXTERIOR DE LISBOA
EN 248 ARRUDA DOS VINHOS — 1 — km 6 — 1 — EN 248 ARRUDA DOS VINHOS
IC 11 TORRES VEDRAS — 2 — 2 — IC 11 TORRES VEDRAS
A 1 CARREGADO — 3 — 3 — A 1 CARREGADO
EN 118 BENAVENTE — 4 — km 32 — 4 — EN 118 BENAVENTE
A 13 MARATECA — 5 — km 39 — 5 — A 13 MARATECA

A 13

APÚLIA

A 28 APÚLIA — 1 — 1 — A 28 APÚLIA
EN 205 LORDELO — 2 — 2 — EN 205 LORDELO
Peaje
Barcelos — Barcelos
EN 306 BARCELOS — 3 — 3 — EN 306 BARCELOS
A 3 BRAGA OESTE — 4 — 4 — A 3 BRAGA OESTE
N-135 — N-135
A 3 PORTO VALENÇA — A 3 PORTO VALENÇA
Peaje
EN 14 BRAGA FERREIROS — 5 — 5 — EN 14 BRAGA FERREIROS
BRAGA CIRCULAR SUL — 6 — 6 — BRAGA CIRCULAR SUL
Peaje
A 3 CELEIRÓS — 7 — 7 — A 3 CELEIRÓS
Guimarães — Guimarães
EN 206 GUIMARÃES O — 7A — 7A — EN 206 GUIMARÃES O
A 7 SELHO — 8 — 8 — A 7 SELHO
EN 105 GUIMARÃES S — 9 — 9 — EN 105 GUIMARÃES S
CALVOS — 10 — 10 — CALVOS
EN 512 VIZELA — 11 — 11 — EN 512 VIZELA
EN 207 FELGUEIRAS — 12 — 12 — EN 207 FELGUEIRAS
Lousada — Lousada
A 42 LOUSADA — 13 — 13 — A 42 LOUSADA
EN 15 OLIVEIRA — 14 — 14 — EN 15 OLIVEIRA
EN 211 RECEZINHOS — 15 — 15 — EN 211 RECEZINHOS
A 4 CASTELHÕES — 16 — 16 — A 4 CASTELHÕES

CASTELHÕES

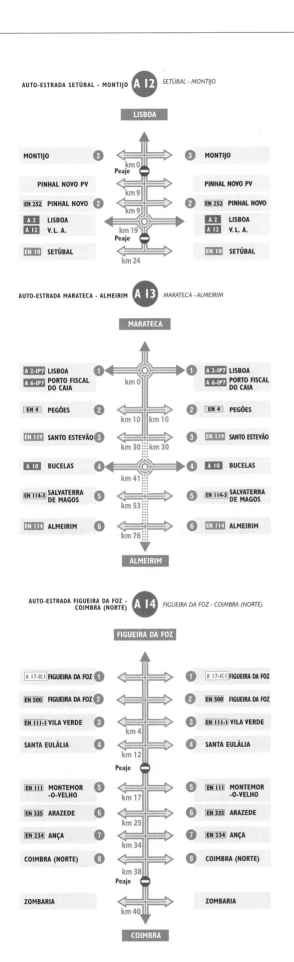

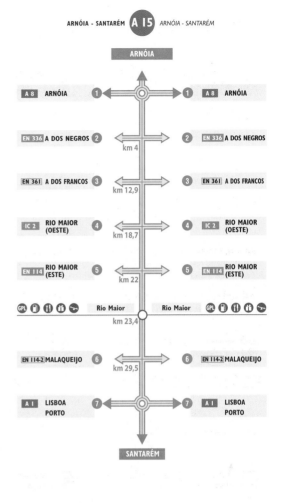

AUTO-ESTRADA SETÚBAL - MONTIJO `A 12` *SETÚBAL - MONTIJO*

LISBOA

MONTIJO ③	km 0 / Peaje	③ MONTIJO
PINHAL NOVO PV	km 9	PINHAL NOVO PV
`EN 252` PINHAL NOVO ②	km 9	② `EN 252` PINHAL NOVO
`A 2` LISBOA / `A 12` V. L. A.	km 19 / Peaje	`A 2` LISBOA / `A 12` V. L. A.
`EN 10` SETÚBAL	km 24	`EN 10` SETÚBAL

AUTO-ESTRADA MARATECA - ALMEIRIM `A 13` *MARATECA - ALMEIRIM*

MARATECA

`A 2-IP7` LISBOA / `A 6-IP7` PORTO FISCAL DO CAIA ①	km 0	① `A 2-IP7` LISBOA / `A 6-IP7` PORTO FISCAL DO CAIA
`EN 4` PEGÕES ②	km 10 / km 10	② `EN 4` PEGÕES
`EN 119` SANTO ESTEVÃO ③	km 30 / km 30	③ `EN 119` SANTO ESTEVÃO
`A 10` BUCELAS ④	km 41	④ `A 10` BUCELAS
`EN 114-3` SALVATERRA DE MAGOS ⑤	km 53	⑤ `EN 114-3` SALVATERRA DE MAGOS
`EN 114` ALMEIRIM ⑥	km 76	⑥ `EN 114` ALMEIRIM

ALMEIRIM

AUTO-ESTRADA FIGUEIRA DA FOZ - COIMBRA (NORTE) `A 14` *FIGUEIRA DA FOZ - COIMBRA (NORTE)*

FIGUEIRA DA FOZ

`A 17-IC1` FIGUEIRA DA FOZ ①		① `A 17-IC1` FIGUEIRA DA FOZ
`EN 500` FIGUEIRA DA FOZ ②		② `EN 500` FIGUEIRA DA FOZ
`EN 111-1` VILA VERDE ③	km 4	③ `EN 111-1` VILA VERDE
SANTA EULÁLIA ④	km 12 / Peaje	④ SANTA EULÁLIA
`EN 111` MONTEMOR -O-VELHO ⑤	km 17	⑤ `EN 111` MONTEMOR -O-VELHO
`EN 335` ARAZEDE ⑥	km 25	⑥ `EN 335` ARAZEDE
`EN 234` ANÇA ⑦	km 34	⑦ `EN 234` ANÇA
COIMBRA (NORTE) ⑧	km 38 / Peaje	⑧ COIMBRA (NORTE)
ZOMBARIA	km 40	ZOMBARIA

COIMBRA

ARNÓIA - SANTARÉM `A 15` *ARNÓIA - SANTARÉM*

ARNÓIA

`A 8` ARNÓIA ①		① `A 8` ARNÓIA
`EN 336` A DOS NEGROS ②	km 4	② `EN 336` A DOS NEGROS
`EN 361` A DOS FRANCOS ③	km 12,9	③ `EN 361` A DOS FRANCOS
`IC 2` RIO MAIOR (OESTE) ④	km 18,7	④ `IC 2` RIO MAIOR (OESTE)
`EN 114` RIO MAIOR (ESTE) ⑤	km 22	⑤ `EN 114` RIO MAIOR (ESTE)
`GPL` 🅿 🍴 🛏 ✈ Rio Maior	km 23,4	Rio Maior `GPL` 🅿 🍴 🛏 ✈
`EN 114-2` MALAQUEIJO ⑥	km 29,5	⑥ `EN 114-2` MALAQUEIJO
`A 1` LISBOA PORTO ⑦		⑦ `A 1` LISBOA PORTO

SANTARÉM

Información de utilidad para el conductor / *Driver information*

Información general
General information

Código telefónico de España /
Spanish telephone prefix   + 34

Policía Nacional / *National Police*	091
Guardia Civil / *Civil Guard*	062
Ertzaintza (País Vasco) /	
Basque Police Force	112 / 943 290 211
Mossos d'Esquadra (Cataluña) / *Catalan Police Force*	
Barcelona	088 / 933 009 191
Tarragona	088 / 977 235 828
Lleida	088 / 973 222 013
Girona	088
Policía Foral de Navarra /	
Navarre Police Force	948 221 802
Cruz Roja Nacional / *National Red Cross*	915 222 222
Dirección General de Tráfico (DGT) /	
Central Highways Authority	900 123 505
Ayuda en Carretera / *Road Side Assistance*	917 421 213
Servicio de Información Meteorológica /	
Weather Information Service	906 365 365
Información Toxicológica (24 horas) /	
Toxicological Information Service	915 620 420
Salvamento y Seguridad Marítima /	
Maritime Rescue and Safety	900 202 202
Unión de Consumidores de España (UCE) /	
Spanish Consumers Union	915 484 045

Jefaturas provinciales de tráfico
Provincial traffic headquarters

Álava	945 222 058	León	987 254 055
Albacete	967 210 811	Lleida	973 269 700
Alicante/Alacant	965 125 466	Lugo	982 223 027
Almería	950 242 222	Madrid	913 018 500
Asturias	985 297 700	Málaga	952 040 770
Ávila	920 213 848	Melilla	952 683 508
Badajoz	924 230 366	Murcia	968 256 211
Illes Balears	971 465 262	Navarra	948 254 304
Barcelona	932 986 543	Ourense	988 234 311
Burgos	947 272 827	Palencia	979 700 505
Cáceres	927 225 249	Las Palmas	928 381 818
Cádiz	956 273 847	Pontevedra	986 851 597
Cantabria	942 236 465	La Rioja	941 261 616
Castellón de la Plana / Castelló de la Plana	964 210 822	Salamanca	923 267 908
Ceuta	956 513 201	Sta. Cruz de Tenerife	922 227 840
Ciudad Real	926 226 115	Segovia	921 463 636
Córdoba	957 203 033	Sevilla	954 245 300
A Coruña	981 288 377	Soria	975 225 900
Cuenca	969 222 156	Tarragona	977 221 196
Girona	972 202 950	Teruel	978 604 605
Granada	958 156 911	Toledo	925 224 334
Guadalajara	949 230 011	Valencia / València	963 172 000
Guipúzcoa	943 452 000	Valladolid	983 302 555
Huelva	959 253 900	Vizcaya	944 421 300
Huesca	974 221 700	Zamora	980 521 562
Jaén	953 252 747	Zaragoza	976 358 900

Servicios de urgencia / *Emergency services*

Cruz Roja / *Red Cross*		**Cruz Roja /** *Red Cross*		**Cruz Roja /** *Red Cross*	
Álava	945 132 630	Cuenca	969 222 200	Pontevedra	986 852 077
Albacete	967 222 222	Girona	972 222 222	La Rioja	941 222 222
Alicante / Alacant	965 254 141	Granada	958 222 222	Salamanca	923 222 222
Almería	950 257 166	Guadalajara	949 222 222	Sta. Cruz de Tenerife	922 281 800
Asturias	985 208 215	Guipúzcoa	943 222 222	Segovia	921 440 202
Ávila	920 224 848	Huelva	959 222 222	Sevilla	954 376 613
Badajoz	924 240 200	Huesca	974 222 222	Soria	975 222 222
Illes Balears	971 295 000	Jaén	953 251 540	Tarragona	977 222 222
Barcelona	934 222 222	León	987 222 222	Teruel	978 602 222
Burgos	947 232 222	Lleida	973 222 222	Toledo	925 222 222
Cáceres	927 247 858	Lugo	982 231 613	Valencia /	
Cádiz	956 277 670	Madrid	915 222 222	València	963 606 211
Cantabria	942 310 836	Málaga	952 217 631	Valladolid	983 222 222
Castellón de la Plana /		Melilla	952 674 434	Vizcaya	944 222 222
Castelló de la Plana	964 222 222	Murcia	968 222 222	Zamora	980 523 300
Ceuta	956 502 222	Navarra	948 206 570	Zaragoza	976 222 222
Ciudad Real	926 229 799	Ourense	988 242 222		
Córdoba	957 292 222	Palencia	979 722 222		
A Coruña	981 222 222	Las Palmas	928 222 222		

Teléfono de urgencias /
Emergency telephone number: **112**

Talleres oficiales (averías) / *Official garages (breakdowns)*

	Asistencia 24 h *24 hour assistance*	Atención al cliente *Customer service*		Asistencia a 24 h *24 hour assistance*	Atención al cliente *Customer service*
ALFA ROMEO	900 211 017	918 853 747	CHEVROLET		915 551 420
ASTON MARTIN		914 581 473	CHRYSLER	900 136 524	918 435 082
AUDI	900 132 132	902 454 575	DAEWOO	900 101 006	900 303 900
BMW	900 100 482	913 350 553	FIAT	900 211 018	918 853 747
CADILLAC		915 551 420	FORD	900 145 145	902 442 442
CITROËN	900 515 253	902 445 566	HONDA	900 210 968	900 308 080

Talleres oficiales (averías) / Official garages (breakdowns)

	Asistencia 24 h 24 hour assistance	Atención al cliente Customer service
HYUNDAI	900 210 313	902 246 902
KIA	900 101 952	902 283 285
LADA	900 111 808	900 121 127
LANCIA	900 211 019	918 853 746
LAND ROVER	900 116 116	902 100 195
MAZDA	902 323 626	902 345 456
MERCEDES	900 268 888	914 846 120
MITSUBISHI	913 255 555	902 201 030
NISSAN	900 200 094	902 118 085
OPEL	900 142 142	902 250 025
PEUGEOT-TALBOT	900 442 424	902 366 247
PORSCHE		915 941 107
RENAULT	900 365 000	900 100 500
ROLLS-ROYCE		913 255 555
ROVER	900 116 116	915 949 384
SAAB	900 212 223	913 828 730
SEAT	900 600 400	902 402 602
SKODA	900 250 250	902 456 575
SMART		901 116 607
SUZUKI	900 225 522	916 949 161
TATA	915 942 927	915 715 570
TOYOTA	900 101 575	902 342 902
VOLKSWAGEN	900 100 238	902 151 161
VOLVO	900 115 115	915 666 139

Asistencia en carretera / Road side assistance

	Asistencia 24 h 24 hour assistance	Atención al cliente Customer service
ADA (Ayuda del Automovilista)	902 232 423	914 131 044
AHSA (Asociación Hispania de Servicios al Automovilista)	913 594 605	913 093 201
Ayuda General del Automóvil	902 116 210	913 643 838
DYA	914 303 436	
Europe Assistance	915 972 125	915 972 125
Mondial Assistance	900 126 061	913 255 440
RACC (Reial Automòbil Club de Catalunya)	902 106 106	902 307 307
RACE (Real Automóvil Club de España)	902 300 505	915 947 400

Centros de ITV / MOT centres

ÁLAVA-JUNDIZ (945 290 510): Pol. ind. de Jundiz, C/ Lermandavide

ALBACETE-ALBACETE (967 215 973): Ctra. Mahora, km 3,7
ALBACETE-ALBACETE (967 210 974): Pol. ind. Campollano, C/ F, parcela 3
ALBACETE-ALMANSA (967 311 386): Pol. ind. Mugrón 2.ª fase, zona III, parc. 3
ALBACETE-HELLÍN (967 305 410): Pol. ind. de Hellín, parc. 45
ALBACETE-VILLARROBLEDO (967 145 362): Ctra. N-310, km 135

ALICANTE-ALCOY (965 545 455): Ctra. Font Rocha, s/n.
ALICANTE-ALICANTE (965 107 977): Pol. ind. Pla La Vallonga, C/ 5
ALICANTE-BENIDORM (966 831 102): Avda. Comunidad Valenciana, s/n
ALICANTE-DENIA (966 435 443): Aseguramiento Tecnico de Calidad S.A.
ALICANTE-ELCHE (966 665 686): Ctra. de Aspe, s/n.
ALICANTE-ORIHUELA-SAN BARTOLOMÉ (965 367 182): Ctra. Orihuela-Almoradí, km 8,300
ALICANTE-REDOVÁN (966 754 497): Ctra. N-340, km 29,400
ALICANTE-TORREVIEJA (966 707 474): Ctra. Crevillente-Torrevieja, Urb. Torreta, 2
ALICANTE-VILLENA (965 979 323): Ctra. N-330, Colonia de Santa Eulalia, Paraje Huesa Tacaña

ALMERÍA-ALBOX (950 120 902): Pol. ind. de Albox (Área de Servicio)
ALMERÍA-BERJA (950 406 300): Ctra. N-340 (Cruce de Balanegra)
ALMERÍA-HUÉRCAL DE ALMERÍA (950 140 229): Paraje de la Cepa, s/n.
ALMERÍA-HUÉRCAL DE ALMERÍA (950 300 240): Paraje Zamarula, s/n. Ctra. N-340, km 121
ALMERÍA-VERA (950 528 852): Autovía del Mediterráneo (acceso Sur)

ASTURIAS-AVILÉS (985 520 228): Avda. de la Industria, 53. Pol. de las Arobias
ASTURIAS-CANGAS DE NARCEA (985 810 605): C/ Alejandro Casona, s/n. El Reguerón
ASTURIAS-EL ENTREGO (985 661 100): Pol. ind. de La Central, s/n.
ASTURIAS-GIJÓN (985 300 103): C/ Camino del Melón, s/n. (Tremañes)
ASTURIAS-JARRIO (985 473 838): Pol. ind. Río Pinto
ASTURIAS-LLANERA (985 263 317): Ctra. N-630, s/n.
ASTURIAS-LLOVIO-RIBADESELLA (985 928 045): Pol. de Guadamia
ASTURIAS-MIERES (985 451 815): Pol. ind. Fábrica de Mieres

ÁVILA-AREVALO (920 303 358): Pol. ind. Tierras de Arévalo, parc. J.1
ÁVILA-ÁVILA (920 221 112): Ctra. Ávila-Burgohondo, km 2,4

BADAJOZ-BADAJOZ (924 271 102): Pol. ind. El Nevero
BADAJOZ-MÉRIDA (924 372 073): Pol. ind. El Prado de Mérida
BADAJOZ-VILLANUEVA DE LA SERENA (924 843 350): Pol. ind. La Barca, s/n.
BADAJOZ-ZAFRA (924 554 441): Pol. ind. Los Caños

ILLES BALEARS-CIUTADELLA (MENORCA) (971 480 044): Ctra. ME-1, km 42,5
ILLES BALEARS-INCA (MALLORCA) (971 502 404): Avda. Jaime II, s/n.
ILLES BALEARS-MANACOR (MALLORCA) (971 555 457): Pol. ind. Manacor, C/ Olivaristas, s/n.
ILLES BALEARS-MAÓ (MENORCA) (971 354 502): Pol. ind. de Mahón, C/ Bajoli Poima
ILLES BALEARS-PALMA DE MALLORCA (971 297 906): Camí dels Reis, s/n. Pol. ind. Son Castelló
ILLES BALEARS-PALMA DE MALLORCA (971 265 950): Camí Son Fangos, s/n.
ILLES BALEARS-SANTA GERTRUDIS (EIVISSA) (971 315 976): Ctra. San Miguel, km 2

BARCELONA-ARGENTONA (902 127 600): Pol. ind. El Cros
BARCELONA-BADALONA (902 127 600): C/ Indústria, 427
BARCELONA-BARCELONA (902 127 600): C/ Ávila, 126-138
BARCELONA-BARCELONA (902 127 600): C/ Còrsega, 392
BARCELONA-BARCELONA (902 127 600): C/ Diputació, 158-160
BARCELONA-BARCELONA (902 127 600): C/ Motors, 136
BARCELONA-BARCELONA (902 127 600): Pje. Puigmadrona, 9-15
BARCELONA-BERGA (902 127 600): Pol. ind. Valldan, parc. 1.ª, n° 1
BARCELONA-CIM (STA. PERPÈTUA MOGODA) (902 127 600): C/ N.º 5, s/n., parc. 13, zona A. Pol. ind. Les Minetes
BARCELONA-CORNELLÀ (902 127 600): Pol. ind. Famades. Pº. Campsa, 64
BARCELONA-GRANOLLERS (902 127 600): Pol. ind. Congost. Avda. S. Julià, 253-255
BARCELONA-IGUALADA (902 127 600): Pol. ind. C/ Països Baixos, 18
BARCELONA-MANRESA (902 127 600): Pol. ind. Bufalvent, parc. 121
BARCELONA-OLÉRDOLA (902 127 600): Pol. ind. Sant Pere Molanta
BARCELONA-SANT JOAN DESPÍ (902 127 600): C/ Major, 3
BARCELONA-SANT JUST DESVERN (902 127 600): Avda. Riera, 19-21. Pol. ind. N° 1
BARCELONA-TERRASSA (902 127 600): C/ Pisuerga, 8. Pol. Ind. Santa Margarida
BARCELONA-VIC (938 861 033): Pol. ind. de Vic
BARCELONA-VILADECAVALLS (902 127 600): Ctra. Terrassa a Olesa, km 1,8 (Pol. ind. Can Trias)
BARCELONA-VILANOVA I LA GELTRÚ (902 127 600): Ronda Europa, s/n. Pol. ind. N° 2 de Roquetes

BURGOS-ARANDA DE DUERO (947 507 399): Ctra. N-I, km 161
BURGOS-BURGOS (947 481 680): Pol. ind. Taglosa, naves 55-56
BURGOS-BURGOS (947 298 280): Pol. ind. de Villalonquéjar
BURGOS-MIRANDA DE EBRO (947 325 952): Pol. ind. de Bayas, parc. 33
BURGOS-VILLASANTE MONTIJA (947 140 239): Ctra. Burgos-Santoña, Km 38,5

CÁCERES-CÁCERES (927 232 577): Ctra. N-630, km 558
CÁCERES-CORIA MORALEJA (927 193 058): Ctra. Coria-Navalmoral, km 1,5
CÁCERES-NAVALMORAL DE LA MATA (927 535 353): Ctra. N-V, km 180. Goche
CÁCERES-PLASENCIA (927 411 870): Pol. Ind. de Plasencia, s/n.
CÁCERES-TRUJILLO (927 321 835): Pol. ind. Las Dehesillas

CÁDIZ-ALGECIRAS (956 572 817): Pol. ind. Cortijo Real. C/ Deseos, 2
CÁDIZ-CÁDIZ (956 252 590): Alcalá Gazules, 23. Pol. ind. Levante
CÁDIZ-JEREZ DE LA FRONTERA (956 144 141): Avda. Alcalde Manuel Cantos Ropero
CÁDIZ-PUERTO REAL (956 590 612): Pol. ind. Tres Caminos, parc. 10-15 (2.ª fase)
CÁDIZ-SAN FERNANDO (956 883 520): C/ Santo Entierro, s/n.
CÁDIZ-VILLAMARTÍN (956 231 282): Pol. ind. El Chaparral. Ctra N-342

CANTABRIA-CORRALES DEL BUELNA (942 831 280): Pol. ind. Barros, parc. 19
CANTABRIA-MALIAÑO (942 369 044): Pol. ind. de Raos, parc. 10
CANTABRIA-OJÁIZ (942 339 506): Ojáiz-Peña Castillo

CASTELLÓN-CASTELLÓN DE LA PLANA (964 251 536): Avda. Valencia, 168
CASTELLÓN-VILLARREAL DE LOS INFANTES (964 535 400): N-340 km 55. C/ Azagador, s/n.
CASTELLÓN-VINAROZ (964 401 320): Calle en proyecto (perpendicular a la Avda. Gil de Atrocillo)

CEUTA-EL TARAJAL (956 507 374): Pol. ind. Alborán, Arroyo de Las Bombas

CIUDAD REAL-ALCÁZAR DE SAN JUAN (926 546 650): Pol. ind. Alcer. Avda. Institutos, s/n.
CIUDAD REAL-CIUDAD REAL (926 212 800): Ctra. de Piedrabuena, km 2
CIUDAD REAL-MANZANARES (926 612 393): Pol. ind. Manzares, 2.ª fase, parc. 111
CIUDAD REAL-PUERTOLLANO (926 411 205): Pol. ind. Puertollano, parc. 601

CÓRDOBA-CÓRDOBA (957 291 150): C/ Ingeniero Torres Quevedo, s/n. (Pol. ind. La Torrecilla)
CÓRDOBA-CÓRDOBA (957 202 577): C/ Ingeniero Torroja y Miret, s/n. (Pol. ind. La Torrecilla)
CÓRDOBA-BAENA (957 671 250): Pol. ind. Los Llanos, Área de Tte. y Servicio
CÓRDOBA-LUCENA (957 502 772): Ctra. N-331, km 69,5
CÓRDOBA-POZOBLANCO (957 130 517): Pol. ind. Dehesa Boyal, parc. 57

A CORUÑA-ARTEIXO (981 602 720): Pol. ind. de Sabón, parc. 69
A CORUÑA-ARTES-RIVEIRA (981 872 400): Ctra. C-500, km 43,6
A CORUÑA-CACHEIRAS-TEO (981 806 009): Ctra. Santiago-Estrada, km 5,5
A CORUÑA-ESPÍRITU SANTO-SADA (981 611 661): Espiritu Santo, N-VI, km 582
A CORUÑA-NARÓN (981 315 051): Pol. ind. La Gándara, parc. 106
A CORUÑA-SANTIAGO (981 571 100): Pol. ind. Tambre. Vía La Cierva, parc. 2

CUENCA-CUENCA (969 213 553): Pol. ind. Los Palancares, parc. 4
CUENCA-MOTILLA DEL PALANCAR (969 333 399): Ctra. N-320, km 71

GIRONA-BLANES (972 353 133): Ctra. de L'Estació, s/n.
GIRONA-CELRÀ (972 492 888): Pol. ind. Celrà
GIRONA-OLOT (972 269 576): Pol. ind. Pla de Baix
GIRONA-PALAMÓS (972 600 555): Pol. ind. Pla de Sant Joan
GIRONA-PUIGCERDÀ (972 140 600): Pol. ind. de L'Estació. C/ Zona ind., 2
GIRONA-RIPOLLÉS (972 714 045): Pla d´Ordina, s/n.
GIRONA-VILAMALLA (972 525 126): Pol. ind. Empordà Internacional

GRANADA-BAZA (958 342 098): Autovia A-92, Antigua N-342, km 194 (Cruce de «El Baúl»)
GRANADA-GRANADA (958 272 621): Avda. de Andalucía, s/n
GRANADA-LOJA (958 323 135): Pol. Ind. El Manzanil II, s/n
GRANADA-MOTRIL (958 600 116): Ctra. N-340 Motril-Almería km 1,3
GRANADA-PELIGROS (958 468 492): Pol. ind. Juncaril, parc. 317-318

GUADALAJARA-ALCOLEA DEL PINAR (949 300 380): Ctra. C-114, km 0,4
GUADALAJARA-GUADALAJARA (949 202 986): Pol. ind. El Balconcillo de Guadalajara, parc. 62

GUIPÚZCOA-BERGARA (943 760 490): C/ Amillaga, 4
GUIPÚZCOA-IRÚN (943 626 300): Centro de Transporte Zaiza
GUIPÚZCOA-URNIETA (943 550 000): Ctra. Andoain-Hernani. C/ Idiazábal, s/n.

HUELVA-HUELVA (959 245 186): Avda. Montenegro, 11
HUELVA-LA PALMA DEL CONDADO (959 400 957): Centro de Servicio y Equipamiento Comarcal
HUELVA-MINAS DE THARSIS (959 397 918): Pol. ind. Santa Bárbara, s/n.
HUELVA-SAN JUAN DEL PUERTO (959 367 070): Pol. ind. La Duquesa, parc. 1
HUELVA-ZALAMEA LA REAL (959 562 106): Pol. ind. El Tejerero (CN-435)

HUESCA-BARBASTRO (974 314 154): Pol. ind. Valle del Cinca, 51
HUESCA-FRAGA (974 472 258): Ctra. N-II, km 442
HUESCA-HUESCA (974 211 476): Ctra. N-123, km 68,3
HUESCA-MONZÓN (974 403 006): Pol. ind. Paules, parc. 52
HUESCA-SABIÑÁNIGO (974 481 919): Camino Aurín, s/n.
HUESCA-SARIÑENA (974 572 457): Avda. de Fraga, s/n.

JAÉN-BEAS DE SEGURA (953 458 275): Pol. ind. Cornicabral, parc. 104
JAÉN-GUARROMÁN (953 672 198): Pol. ind. Guadiel, parc. 103-104
JAÉN-JAÉN (953 281 700): Pol. ind. Los Olivares. C/ Espeluy, 17
JAÉN-ÚBEDA (953 758 070): Ctra. N-321 (Úbeda-Baeza), km 1,4

LEÓN-CEMBRANOS (987 303 860): Ctra. de Zamora, km 11
LEÓN-ONZONILLA (987 254 099): Pol. ind. Onzonilla, P-G-20
LEÓN-PONFERRADA (987 455 651): Ctra. N-VI, km 394

LLEIDA-ARTESA DE SEGRE (902 127 600): Ctra. comarcal 1412, km 0,8
LLEIDA-GRANYANELLA (902 127 600): Ctra. N-II, km 512,7
LLEIDA-LLEIDA (902 127 600): Pol. ind. El Segre. C/ Enginyer Mias, parc. 508
LLEIDA-MONTARDIT DE BAIX (902 127 600): Crta. N-620, km 284,200
LLEIDA-MONTFERRER (902 127 600): Ctra. N-260 Puigcerdà-Sabiñánigo, km 230,5
LLEIDA-SOLSONA (902 127 600): Pol. ind. Els Ametllers, parc. 7
LLEIDA-TREMP (902 127 600): Ctra. comarcal 1412, km 54
LLEIDA-VIELHA-MIJARAN (902 127 600): Pol. ind. N-230, km 164,4

LUGO-FOZ (982 135 507): Ctra. C-642, km 412,5
LUGO-LUGO (982 209 037): Pol. ind. El Ceao, parc. 35
LUGO-MONFORTE DE LEMOS (982 410 412): Ribasaltas
LUGO-VIVERO (982 550 483): La Junquera, s/n.

MADRID-ALCALÁ DE HENARES (918 818 063): Pol. ind. Camporros, Ctra. M-100 Alcalá-Daganzo, km 4
MADRID-ALCORCÓN (916 435 618): Pol. ind. Urtinsa, C/ Las Fábricas, 17
MADRID-ARANJUEZ (918 011 256): Pol. ind. Gonzalo Chacón, parc. 6
MADRID-ARGANDA DEL REY (918 714 114): Ctra. N-III, km 25,2
MADRID-COLMENAR VIEJO (918 031 193): Pol. ind. de Tres Cantos, Sector A, parc. 6
MADRID-COSLADA (916 728 048): Ctra. N-II, km 15,400 (Pol. ind. de Coslada)
MADRID-GETAFE (916 958 658 y 902 154 000): Ctra. N-IV, km 15,4
MADRID-LEGANÉS (916 885 046): Pol. ind. Sra. Butarque. C/ Esteban Terradas, s/n.
MADRID-LOZOYUELA (918 694 212): Ctra. Madrid-Irún (N-I), km 67
MADRID-NAVALCARNERO (918 115 155): Pol. ind. Alparrache, C/ Dehesa de Mari Martín, s/n.
MADRID-NAVAS DEL REY (918 650 591): Ctra. Alcorcón-Plasencia, km 41
MADRID-PARLA (916 982 612): Ctra. Parla-Pinto, km 1
MADRID-ROZAS, LAS (916 377 161): Ctra. N-VI, km 20,4
MADRID-SAN SEBASTIÁN DE LOS REYES (916 527 177): Ctra. N-I, km 23,500 (Desvío Algete)
MADRID-VALLECAS (C.T.M.) (917 859 112): Ctra. Villaverde a Vallecas, km 3,5
MADRID-VILLALBA (918 511 687): Ctra. N-VI, km 37,6
MADRID-VILLAREJO DE SALVANÉS (918 745 363): Ctra. N-III, km 48,3

MÁLAGA-ALGARROBO (952 550 862): Ctra. Algarrobo, comarcal Ma-103, km 109
MÁLAGA-ANTEQUERA (952 031 463): Autovia a Málaga, salida Antequera
MÁLAGA-ESTEPONA (952 803 550): Pol. ind. de Estepona. C/ Graham Bell, 15
MÁLAGA-MÁLAGA (952 171 547): Pol. ind. de Guadalhorce. C/ Diderot, 1
MÁLAGA-EL PALO (952 207 003): C/ Escritor Fuentes y Cerdá, 2
MÁLAGA-RONDA (952 870 536): Pol. ind. El Fuerte. C/ Guadalquivir, 2

MELILLA-CIAMSA (952 673 827): Ctra. General Astillero, km 2,6

MURCIA-ALCANTARILLA (968 890 039): Ctra. de Mula, km 1,8
MURCIA-CARAVACA DE LA CRUZ (968 725 502): Pol. ind. Cavila. Ctra. Granada, s/n.
MURCIA-CARTAGENA (968 528 319): La Asomada. Vere de San Félix
MURCIA-ESPINARDO (968 307 444): Pol. ind. Avda. Juan Carlos I, s/n.
MURCIA-JUMILLA (968 782 518): Ctra. a Yecla. C-3314, km 42
MURCIA-LORCA (968 460 761): Pol. ind. de la Torrecilla
MURCIA-MOLINA DE SEGURA (968 645 491): Pol. ind. La Serreta. C/ Buenos Aires, 62
MURCIA-SAN PEDRO DEL PINATAR (968 188 083): Pol. ind. Las Beates

NAVARRA-NOAIN (948 312 759): Pol. ind. Talluntxe II
NAVARRA-PAMPLONA (948 303 586): Mercairuña. C/ Soto Aizoain, s/n.
NAVARRA-PERALTA (948 750 554): C/ Daban, 56
NAVARRA-TUDELA (948 847 000): Pol. ind. Las Labradas, parc. 5.3 y 5.4

OURENSE-O BARCO (988 325 155): Avda. do Síl, 35
OURENSE-SAN CIPRIÁN DAS VIÑAS (988 249 712): Pol. ind. San Ciprián, parc. 16
OURENSE-VERÍN (988 411 539): Pol. ind. de Verín

PALENCIA-CERVERA DE PISUERGA (979 870 777): Ctra. Cervera-Aguilar, km 1
PALENCIA-PALENCIA (979 727 508): Pol. ind. Villalobón, parc. 54

LAS PALMAS-AGÜIMES (928 182 020): Pol. ind. de Arinaga, parc. 193
LAS PALMAS-ANTIGUA (FUERTEVENTURA) (928 878 145): Ctra. Gran Canaria 810, km 21,800
LAS PALMAS-ARRECIFE (LANZAROTE) (928 811 473): Ctra. Arrecife-San Bartolomé, km 1,5
LAS PALMAS-LAS PALMAS (928 480 751): Pol. ind. Lomo Blanco
LAS PALMAS-LAS PALMAS (928 480 639): Urb. Las Torres, zona ind. Lomo Blanco
LAS PALMAS-SANTA MARÍA DE GUÍA (928 550 153): Ctra. C-810, km 24,200
LAS PALMAS-TELDE (928 710 203): Ctra. Jinamar-Telde, km 10

PONTEVEDRA-LALÍN (986 794 103): Ctra. 640, km 163,1
PONTEVEDRA-PONTEBORA (986 865 020): Puente Bora. Ctra. N-541, km 88,7
PONTEVEDRA-PORRIÑO (986 333 992): Pol. ind. Las Gándaras, parc. 1-1 A
PONTEVEDRA-SEQUEIROS-CURRO-BARRO (986 713 354): Ctra. Pontevedra, km 75
PONTEVEDRA-VIGO-PEINADOR (986 486 936): Avda. del Aeropuerto, 770

LA RIOJA-CALAHORRA (941 146 814): Pol. ind. Las Tejerías, parc. E 7
LA RIOJA-LOGROÑO (941 291 158): Ctra. Pamplona-Cuesta de Pavia
LA RIOJA-LOGROÑO (941 208 295): Pol. ind. San Lázaro. C/ Prado Viejo, 28
LA RIOJA-SANTO DOMINGO DE LA CALZADA (941 342 710): Ctra. Burgos, km 46

SALAMANCA- CIUDAD RODRIGO (923 463 015): C/ Uno, Parc. 77, Pol. Ind. de las Viñas
SALAMANCA-BÉJAR (923 411 500): Ctra. N-630, km 410, 5 de Peña Caballera
SALAMANCA-CARBAJOSA SAGRADA (923 190 274): Pol. ind. Montalvo, C/ C, parc. 22
SALAMANCA-CASTELLANO DE MORISCOS (923 361 435): Pol. ind. C/ 1, parc. 108-109

STA. CRUZ DE TENERIFE-ARAFO (922 501 700): Pol. ind. Valle de Güimar, manzana VII, parc. 15
STA. CRUZ DE TENERIFE-HIERRO, EL (EL HIERRO) (922 551 451): Iglesia de San Andrés, 2
STA. CRUZ DE TENERIFE-EL PASO (LA PALMA) (922 485 952): Pº de Ronda, s/n.
STA. CRUZ DE TENERIFE-REALEJOS, LOS (922 345 359): C/ San Benito, 8
STA. CRUZ DE TENERIFE-ROSARIO, EL (922 619 322): Pol. ind. La Campana, Chorrillo, km 7
STA. CRUZ DE TENERIFE-SAN MIGUEL DE ABONA (922 735 476): Pol. ind. Las Chafiras, s/n
STA. CRUZ DE TENERIFE-S.S. DE LA GOMERA (LA GOMERA) (922 870 138): Pol. ind. Barranco de Chejelipes

SEGOVIA-CUÉLLAR (921 142 429): Ctra. 601, km 45,800
SEGOVIA-VALVERDE MAJANO (921 490 023): Pol. ind. Nicomedes García, parc. 5 A

SEVILLA-ALCALÁ DE GUADAIRA (955 679 135): Ctra. Alcalá-Dos Hermanas, km 4,5
SEVILLA-CARMONA (954 191 300): Pol. ind. El Pilero
SEVILLA-CAZALLA DE LA SIERRA (954 884 677): Pol. ind. El Lagar
SEVILLA-GELVES (955 762 929): Autovía Coria del Río, km 4,4
SEVILLA-OSUNA (955 820 783): Área de Servicio Autovía A-92
SEVILLA-RINCONADA, LA (955 797 161): Ctra. Sevilla-Cazalla, km 9
SEVILLA-UTRERA (955 863 232): Pol. ind. El Torno

SORIA-BURGO DE OSMA (975 360 217): C/ Universidad, 112
SORIA-SORIA (975 227 140): Ctra. de las Casas, s/n.

TARRAGONA-MONTBLANC (902 127 600): Ctra. Montblanc a Rojals, Partida de Viñols, s/n.
TARRAGONA-MORA LA NOVA (902 127 600): Pol. ind. Partida Aubals, C/ D
TARRAGONA-REUS (902 127 600): Ctra. N-340, km 1154
TARRAGONA-TARRAGONA (902 127 600): Camí de la Budellera, s/n.
TARRAGONA-TORTOSA (902 127 600): Pol. ind. Baix Ebre, parc. 81-84

TERUEL-ALCAÑIZ (978 831 855): Pol. ind. Las Horcas, s/n.
TERUEL-TERUEL (978 602 964): Pol. ind. La Paz, N-Sagunto-Burgos, km 123

TOLEDO-OCAÑA (925 131 077): Ctra. N-IV, km 57,400
TOLEDO-TALAVERA DEL LA REINA (925 801 990): Ctra. N-V, km 113
TOLEDO-TOLEDO (925 230 063): Pol. ind. Ntra. Sra. Benquerencia, s/n.
TOLEDO-YÉBENES, LOS (925 321 002): Ctra. Toledo a Ciudad Real

VALENCIA-ALZIRA (962 418 273): Autovía C-3320, Pol. 44
VALENCIA-CATARROJA (961 267 602): Pol. ind. El Bony. C/ Nº 34
VALENCIA-GANDÍA (962 862 233): Pol. ind. Alcodar
VALENCIA-MASALFASAR (961 400 661): C/ Azagador de Liria, s/n.
VALENCIA-ONTENIENTE (962 910 720): Avda. Ramón y Cajal, s/n.
VALENCIA-RIBARROJA DEL TURIA (961 668 181): Pol. ind. El Oliveral
VALENCIA-UTIEL (962 171 562): Pol. ind. El Melero, parc. 88 y 89
VALENCIA-VALENCIA (963 136 000): C/ Dels Gremis, 15, Polígono Vara de Quart
VALENCIA-VALENCIA (963 407 114): Manuel de Falla, 10

VALLADOLID-TORDESILLAS (983 771 151): Pol. ind. de la Vega, parc. 10
VALLADOLID-VALLADOLID (983 472 354): Pol. ind. Argales. C/ Vázquez Menchaca.
VALLADOLID-VALLADOLID (983 292 911): Pol. ind. San Cristóbal, parc. 16

VIZCAYA-AMOREBIETA (946 308 957): Pol. ind. Biarritz, s/n.
VIZCAYA-ARRIGORRIAGA (946 711 713): Autopista Bilbao-Zaragoza (Área de Servicio)
VIZCAYA-VALLE DE TRAPAGA (944 781 214): Barrio El Juncal, s/n.
VIZCAYA-ZAMUDIO (944 521 113): Pol. ind. Ugaldeguren 11, parc. 9-1

ZAMORA-BENAVENTE (980 636 799): Ctra. N-VI, km 261
ZAMORA-MORALES DEL VINO (980 570 025): Ctra. Salamanca, s/n.

ZARAGOZA-CALATAYUD (976 885 372): Pol. ind. La Charluca, P-M 24
ZARAGOZA-CASPE (976 631 640): Ctra. de acceso Pol. El Castillo, s/n.
ZARAGOZA-EJEA DE LOS CABALLEROS (976 664 451): Pol. ind. Valdeferrín, P-43
ZARAGOZA-TARAZONA (976 644 050): Pol. ind. de Tarazona
ZARAGOZA-UTEBO (976 785 474): Ctra. de Logroño, km 12,600
ZARAGOZA-ZARAGOZA (976 570 818): Pol. ind. de Malpica, parc. 24

Centros de ITV móviles / Mobile MOT centres

Empresa *Company*	Teléfono *Telephone*	Ámbito de actuación *Field of activity*
Aragonesa de Servicios	687 344 686	**Teruel:** Alcorisa y Mas de las Matas
Aragonesa de Servicios ITV, S. A.	607 263 506	**Teruel:** Muniesa, Andorra, Utrillas, Montalbán, Monreal del Campo y Calamocha **Zaragoza:** Cariñena, Belchite, Lecera, Daroca y Ariza
Iteuve Alicante, S. A.	902 196 196	**Alicante:** Calpe, Aspe, Santa Pola y Crevillente
Alicante ITV	966 767 273	**Alicante:** Pilar de la Horadada
ITV Vega Baja	620 998 108	**Alicante:** Novelda, Monóvar, Elda, Pinoso
RVSA	938 861 033	Comarcas cubiertas por estaciones de RVSA
Valencia ITV UTE	658 936 305	**Valencia:** Lliria, Buñol, Villar, Chelva, Ademuz, Tuéjar
Valenciana de Revisiones UTE	964 251 536	**Castellón:** Viver, Segorbe, Alcalà de Chivert, Coves de Vinromà, Sant Mateu, Morella, Villafranca del Cid, Benasal, Albocácer, Adzaneta del Maestrazgo, Lucena del Cid, Alcora, Borriol, Vall d'Uxó, Jérica, Torreblanca

Aeropuertos / Airports

Aeropuerto *Airport*	km* *km*	Dirección *Address*	Teléfono *Telephone*	Fax *Fax*
Albacete Los Llanos	5 N	Ctra. de las Peñas, km 3,800 0271-Albacete	967 555 700	967 557 716
Alicante El Altet	9 NE	03071-Alicante	966 919 000	966 919 354
Almería	9 W	Ctra. de Níjar, km 9 04071-Almería	950 213 700	950 213 858
Asturias Ranón	13 E	Municipio de Castillón Aptdo. 14433401-Avilés (Asturias)	985 127 500	985 127 516
Badajoz Talavera la Real	13 E	Ctra. Badajoz-Balboa, s/n. 06195-Badajoz	924 210 400	924 210 410
Barcelona El Prat	10 NE	08820-El Prat de Llobregat Barcelona	932 983 838	932 983 737
Bilbao Sondika	9 S	Ctra. Asúa-Erletxer, s/n. 48150-Sondika (Bilbao)	944 869 300	944 896 313
Córdoba	6 NE	14071-Córdoba	957 214 100	957 214 143
A Coruña Alvedro	8 N	Apdo. 80. Rutis-Vilaboa 15180-A Coruña	981 187 200	981 187 239
Donostia-San Sebastián Fuenterrabia	22 SW	Ctra. Playahundi, s/n. 20280-Hondarribia (Guipúzcoa)	943 668 504	943 668 514
Eivissa San José	7 NE	07800-Eivissa (Illes Balears)	971 809 000	971 809 287
Fuerteventura Puerto del Rosario	5 NE	Matorral, s/n 35610-Puerto del Rosario Fuerteventura	928 860 600	928 860 530
Girona Costa Brava	12,5 NE	17185-Vilobí d'Onyar (Girona)	972 186 600	972 474 334
La Gomera Alajeró	34 NE	Ctra. Playa de Santiago, s/n 38812-Alajeró	922 873 000	
Gran Canaria Gando	19 N	Ctra. Gral. del Sur de Gando / Telde 35080-Las Palmas de Gran Canaria	928 579 000	928 579 117
Granada Chauchina	17 E	Ctra. Málaga, s/n. 18329-Granada	958 245 200	958 245 247
Hierro Santa Mª de Valverde	9 SW	38910-Valverde (El Hierro)	922 553 700	922 553 731
Huesca Monflorite-Alcalá	10 NO	Ctra. Huesca-Alcalá del Obispo, km 11 22111-Monflorite	974 280 211	974 280 172
Jerez La Parra	8 SW	Ctra. N-IV, km 7 11401-Jerez de la Frontera (Cádiz)	956 150 000	956 150 061
Lanzarote	5 NE	Apdo. 86 35500-Arrecife (Lanzarote)	928 846 000	928 846 004
La Palma	8 N	Apdo. 195. Sta. Cruz de la Palma 38700-Tenerife	922 426 100	922 461 420
León	6 NE	C/ La Ermita, s/n. 24071-Virgen del Camino (León)	987 877 700	987 877 704
Logroño Agoncillo	11 W	Ctra. Nacional, km 232 26010-Agoncillo	941 277 400	941 277 410
Madrid Barajas	13 SW	Ctra. A-2, pto. km 12 28042-Madrid	913 936 000	913 936 221
Madrid Cuatro Vientos	8,5 NE	Ctra. de la Fortuna, s/n. 28044-Madrid	913 211 700	913 210 949
Málaga	8 NE	Avda. García Morato, s/n. 29004-Málaga	952 048 484	952 048 777
Melilla	4 NE	Ctra. Yasinem, s/n. 52005-Melilla	952 698 622	952 698 608
Menorca Mahón	45 NE	07712-Mahón Menorca	971 157 000	971 157 070
Murcia San Javier	45 NW	Ctra. del Aeropuerto 30720-San Javier (Murcia)	968 172 000	968 172 030
Palma de Mallorca Son Sant Joan	8 W	07000-Palma de Mallorca	971 789 000	971 600 594
Pamplona Noáin	6 N	Ctra. Pamplona-Zaragoza, km 6,5 Pamplona-Navarra	948 168 700	948 168 707
Reus	3 NW	Autovía Tarragona-Reus, s/n. 43200-Reus (Tarragona)	977 779 800	977 779 812
Sabadell	2 N	Ctra. de Bellatera, s/n. 08305-Sabadell (Barcelona)	937 282 100	937 282 105
Salamanca	15 W	Ctra. de Madrid, km 14 37071-Salamanca	923 329 600	923 329 619
Santander Maliaño (Parayas)	4 N	Aptdo. 097 39002-Santander	942 202 100	942 202 152
Santiago Lavacolla	10 SW	Apdo. 2094 15700-Santiago de Compostela (A Coruña)	981 547 500	981 547 507
Sevilla San Pablo	10 SE	Autopista de San Pablo, s/n. 41020-Sevilla	954 449 111	954 449 025
Tenerife-Norte Los Rodeos	13 E	Ctra. San Lázaro, s/n. 38297-La Laguna (Tenerife)	922 635 800	922 631 328
Tenerife-Sur Reina Sofía	60 NE	Granadilla de Abona 38610-Tenerife	922 759 000	922 759 247
Valencia Manises	8 E	Ctra. del Aeropuerto, s/n. 46940-Manises (Valencia)	961 598 500	961 598 510
Valladolid Villanubla	10 SE	Ctra. Adanero-Gijón, km 204 47071-Villanubla (Valladolid)	983 415 400	983 415 413
Vigo Peinador	8 W	Apdo. 1553 36200-Vigo (Pontevedra)	986 268 200	986 268 211
Vitoria Foronda	8 SE	01071-Foronda Vitoria/Álava	945 163 500	945 163 551
Zaragoza	10 SE	Ctra. Aeropuerto, s/n. 50011-Zaragoza	976 712 300	976 710 970

* Distancia y dirección a la ciudad / *Distance and direction to town*

Ferrocarriles / Railways

RENFE / *(Spanish State Railway Company)*	Información / *Information*
Internacional / *International*	902 243 402
Información y reservas / *Information and reservations*	902 240 202
Información venta Internet / *Selling Internet Information*	902 157 507
AVE Departamento de Ventas / *AVE Selling Department*	915 066 088

Alquiler de coches (oficina central) / Car hire (head office)

Nombre Name	Dirección Address	Teléfono Telephone	Reservas Reservations
ATESA	Pº de la Castellana, 130, 7.ª planta. Madrid	902 100 101	(a nivel nacional) (national)
		902 100 616	(a nivel internacional) (international)
AVIS	C/ Agustín de Foxá, 27. Madrid	902 135 531	(a nivel nacional e internacional) (national/international)
EUROPCAR	Avda. Partenón, 16-18, Campo de las Naciones. Madrid	902 105 030	(a nivel nacional e internacional) (national/international)
HERTZ	C/ Proción, I. Madrid	902 402 405	(central reservas) (central reservations)
	Edificio Oficor. Madrid	915 097 300	(oficina central) (head office)

Parques Nacionales / National Parks

Organismo Autónomo de Parques Nacionales
Gran Vía de S. Francisco, 4. 28005 Madrid - Tel. 915 975 588 / Fax 915 975 567

• Parque Nacional d'Aigüestortes i Estany de Sant Maurici, 40 852 ha
Casa del Parc Nacional, les Graieres, 2. 25528 Boí (Alta Ribargorça), Lleida
Tel. 973 696 189 / Fax 973 696 154
Casa del Parc Nacional, Prat de la Guarda, 4. 25597 Espot (Pallars Sobirà), Lleida
Tel./Fax 973 624 036

• Parque Nacional Marítimo-Terrestre Archipiélago de Cabrera, 10 025 ha
Plaza de España, 8, 1º. 07002 Palma de Mallorca - Tel. 971 725 010 / Fax 971 725 585

• Parque Nacional de Cabañeros, 39 310 ha
Pueblonuevo de Bullaque. 13194 Ciudad Real - Tel. 926 783 297 / Fax 926 783 484

• Parque Nacional de la Caldera de Taburiente, 4 690 ha
Ctra. de Padrón, 47. 38750 El Paso - Tel. 922 497 277 / Fax 922 497 081

• Parque Nacional de Garajonay, 3 974 ha
Ctra. Gral. del Sur, 6. Apdo. de Correos 92. San Sebastián de la Gomera
38800 Santa Cruz de Tenerife - Tel. 922 870 105 / Fax 922 870 362

• Parque Nacional de Doñana, 50 720 ha
Matalascañas-El Acebuche-Almonte. 21760 Matalascañas (Huelva)
Tel. 959 448 711 / Fax 959 448 576

• Parque Nacional de Ordesa y Monte Perdido, 15 608 ha
Pje. Baleares, 3. 22071 Huesca - Tel. 974 243 361 / Fax 974 242 725

• Parque Nacional de Picos de Europa, 64 660 ha
C/ Arquitecto Reguera, 13. 33004 Oviedo - Tel. 985 241 412 / Fax 985 273 945

• Parque Nacional de Las Tablas de Daimiel, 1 928 ha
Paseo del Carmen s/n 13250 Daimiel-Ciudad Real - Tel. 926 851 097 / Fax 926 851 176

• Parque Nacional del Teide, 18 990 ha
C/ Emilio Calzadilla, 5, 4º piso. 38002 Santa Cruz de Tenerife
Tel. 922 290 129 / Fax 922 244 788

• Parque Nacional de Timanfaya, 5 107 ha
C/ La Mareta, 9. Tinajo, Lanzarote. 35560 Las Palmas - Tel. 928 840 238 / Fax 928 840 251

• Parque Nacional de Sierra Nevada, 86 208 ha
Ctra. Antigua de Sierra Nevada, km 7, 18071 Pinos Genil-Granada
Tel. 958 026 300 / Fax 958 026 310

• Parque Nacional das Illas Atlánticas de Galicia
Pintor Laxeiro, 45. Bloque I del grupo Camelias, local nº 9. 36004 Pontevedra
Tel. 986 858 593 / Fax 986 858 863

Información meteorológica / Weather information

Capitales Regional capital	Altitud Height (m)	Mes más frío Coldest month (°C)	Mes más cálido Warmest month (°C)	Precipitación Annual rainfall (mm)
Albacete	686	enero/january 4,8	julio/july 24,0	357
Alicante / Alacant	3	enero/january 11,6	agosto/august 25,0	340
Almería	16	enero/january 12,5	agosto/august 26,0	230
Ávila	1 128	enero/january 3,2	julio/july 19,9	364
Badajoz	186	enero/january 8,6	julio/july 25,3	477
Barcelona	18	enero/january 8,8	agosto/august 23,1	601
Bilbao	19	enero/january 8,8	agosto/august 19,9	1 249
Burgos	860	enero/january 2,6	julio/july 18,4	689
Cáceres	439	enero/january- diciembre/december 8,2	julio/july agosto/august 25,5	514
Cádiz	4	enero/january 12,7	agosto/august 24,5	573
Castellón de la Plana / Castelló de la Plana	30	enero/january 10,1	agosto/august 24,1	487
Ceuta	2	enero/january 11,4	agosto/august 22,1	
Ciudad Real	635	enero/january 5,7	julio/july 25,0	400
Córdoba	123	enero/january 9,5	julio/july 26,9	674
A Coruña	5	enero/january 10,2	agosto/august 18,8	971
Cuenca	590	enero/january 4,2	julio/july 22,4	572
Donostia-San Sebastián	5	enero/january 7,8	agosto/august 18,7	1 529
Girona	75	diciembre/december 2,7	julio/july 22,6	812
Granada	685	enero/january 7,0	julio/july 25,1	402
Guadalajara	679	enero/january 5,7	julio/july 23,5	472
Huelva	56	enero/january 12,2	agosto/august 25,6	462
Huesca	488	enero/january 4,7	julio/july 23,3	485
Jaén	574	enero/january 8,9	julio/july 27,6	
León	838	enero/january 3,1	julio/july 19,6	532
Lleida	155	enero/january 5,6	julio/july 24,6	414
Logroño	384	enero/january 5,8	julio/july 22,2	442
Lugo	454	enero/january 5,8	agosto/august 17,5	1 136
Madrid	655	enero/january 6,1	julio/july 24,4	461
Málaga	8	enero/january 12,1	agosto/august 25,3	469
Melilla	2	enero/january 13,2	agosto/august 26,9	
Murcia	42	enero/january 10,6	agosto 24,6	288
Ourense	139	enero/january 7,1	julio/july 22,1	792
Oviedo	232	enero/january 7,8	agosto/august 18,5	964
Palencia	740	enero/january 4,1	julio/july 20,5	458
Palma de Mallorca	33	enero/january 3,4	agosto/august 17,7	449
Las Palmas de Gran Canaria	13	enero/january 17,5	agosto/august 24,1	139
Pamplona / Iruña	449	enero/january 4,6	julio/july 20,4	863
Pontevedra	27	enero/january 10,0	julio/july 20,7	1 053
Salamanca	800	enero/january 3,7	julio/july 21,0	413
Sta. Cruz de Tenerife	4	enero/january 17,9	agosto/august 25,1	
Santander	15	enero/january 9,7	agosto/august 19,6	1 198
Segovia	1 001	enero/january 4,0	julio/july 21,8	981
Sevilla	7	enero/january 10,7	agosto/august 26,9	
Soria	1 063	enero/january 2,9	julio/july 19,9	574
Tarragona	51	enero/january 9,8	agosto/august 23,5	445
Teruel	915	enero/january 3,8	julio/july 21,5	381
Toledo	529	diciembre/december 6,4	julio/july 25,5	378
Valencia / València	16	enero/january 11,4	agosto/august 25,0	423
Valladolid	691	enero/january 3,2	julio/july 20,0	374
Vitoria-Gasteiz	525	enero/january 4,6	agosto/august 18,5	847
Zamora	900	enero/january 4,3	julio/july 21,8	359
Zaragoza	200	enero/january 6,2	julio/july 24,3	338

Patrimonio de la Humanidad / World Heritage Sites

Fecha de declaración / Date of declaration

1984	Parque y Palacio Güell y Casa Milà, Barcelona
1984	Monasterio y Real Sitio del Escorial, Madrid
1984	Catedral de Burgos
1984	Alhambra, Generalife y Albaicín, Granada
1984	Centro histórico de Córdoba
1985	Monumentos de Oviedo y del reino de Asturias
1985	Cuevas de Altamira, Cantabria
1985	Ciudad vieja de Segovia y su Acueducto
1985	Ciudad vieja de Santiago de Compostela, A Coruña
1985	Ciudad vieja de Ávila e iglesias extramuros
1986	Arquitectura mudéjar de Teruel
1986	Parque Nacional de Garajonay, Santa Cruz de Tenerife
1986	Ciudad vieja de Cáceres
1986	Ciudad histórica de Toledo
1987	Catedral, Alcázar y Archivo de Indias de Sevilla
1988	Ciudad vieja de Salamanca
1991	Monasterio de Poblet, Tarragona
1993	Conjunto Arqueológico de Mérida, Badajoz
1993	Monasterio Real de Santa María de Guadalupe, Badajoz
1993	Camino de Santiago de Compostela, A Coruña

1994	Parque Nacional de Doñana, Huelva, Sevilla y Cádiz
1996	Ciudad histórica fortificada de Cuenca
1996	La Lonja de la Seda de Valencia
1997	Palau de la Música Catalana y Hospital de Sant Pau, Barcelona
1997	Las Médulas, León
1997	Monasterios de San Millán de Yuso y de Suso, La Rioja
1998	Arte rupestre del Arco Mediterráneo de la Península Ibérica
1998	Universidad y Recinto Histórico de Alcalá de Henares
1999	Ibiza, biodiversidad y cultura
1999	San Cristóbal de la Laguna, Santa Cruz de Tenerife
2000	Sitio Arqueológico de Atapuerca, Burgos
2000	Palmeral de Elche, Valencia
2000	Iglesias románicas catalanas de la Vall de Boí, Lleida
2000	Muralla romana de Lugo
2000	Conjunto arqueológico de Tarragona
2001	Paisaje Cultural de Aranjuez, Madrid
2001	Arquitectura Mudéjar de Aragón
2003	Conjuntos monumentales y renacentistas de Úbeda y Baeza
2005	Casa Vicens, Casa Batlló y Cripta de la Sagrada Família, Barcelona

Secretaría General de Turismo. C/ José Lázaro Galdiano, 6. 28036 Madrid. Tel. 913 433 500

Provincia *Place*	Dirección *Address*	Código postal *Post code*	Teléfono *Telephone*	Institución *Organization*
Albacete	C/ del Tinte, 2	02071 Albacete	967 580 522	C. Industria, Comercio y Trabajo Posada del Rosario
Alicante/Alacant	Rambla de Méndez Núñez, 23	03002 Alicante	965 200 000	Generalitat Valenciana
Almería	Parque Nicolás Salmerón, s/n. (esquina Martínez Campos)	04002 Almería	950 274 355	Turismo Andaluz. S. A. (Junta de Andalucía)
Ávila	Pl. de la Catedral, 4	05001 Ávila	920 211 387	Junta de Castilla y León
Badajoz	Pl. de la Libertad, 3	06005 Badajoz	924 222 763	Junta de Extremadura
Badajoz	Pje. de San Juan, s/n.	06001 Badajoz	924 224 981	Ayuntamiento
Barcelona	Pl. Catalunya, 17	08002 Barcelona	933 043 135	Consorci de Turisme de l'Ajuntament i Cambra de Comerç
Barcelona	Pl. Països Catalans, s/n.	08015 Barcelona	934 914 431	Ajuntament i Cambra de Comerç
Barcelona	Pg. de Gràcia, 107	08008 Barcelona	932 384 000	Generalitat - Palau Robert
Barcelona	Aeropuerto del Prat - Terminal A Terminal B	08820 Barcelona	934 784 704 934 780 565	Generalitat de Catalunya
Bilbao	Plaza de Arriaga, Bajo	48005 Bilbao	944 160 022	Ayuntamiento - Bilbao Iniciativas Turísticas (Organismo Autónomo Paramunicipal)
Burgos	Pl. Alonso Martínez, 7, bajo	09003 Burgos	947 203 125	Junta de Castilla y León
Cáceres	Pl. Mayor, 33	10003 Cáceres	927 246 347	Junta de Extremadura
Cádiz	Av. Ramón de Carranza, s/n	11006 Cádiz	956 258 646	Junta de Andalucía
Castellón de la Plana / Castelló de la Plana	Pl. M.ª Agustina, 5 bajos	12003 Castellón de la Plana	964 358 688	Conselleria de Turisme
Ceuta	C/ Padilla	51001 Ceuta	956 518 247	Gobierno Autonómico
Ciudad Real	Avda. Alarcos, 21, bajos	13080 Ciudad Real	926 200 037	Junta Castilla-La Mancha
Córdoba	C/ Torrijos, 10 (Palacio Congresos y Exposiciones)	14003 Córdoba	957 471 235	Turismo Andaluz. S. A. (Junta de Andalucía)
Córdoba	Pl. Judá Leví, s/n.	14003 Córdoba	957 200 522	Ayuntamiento
A Coruña	C/ Dársena de la Marina, s/n.	15001 A Coruña	981 221 822	Xunta de Galicia
Cuenca	Glorieta González Palencia, 2	16002 Cuenca	969 178 800	C. de Industria, Comercio y Turismo
Cuenca	Pl. Mayor, 1	16071 Cuenca	969 178 841	Ayuntamiento
Donostia-San Sebastián	C/ Fueros, 1	20005 San Sebastián	943 426 282	Gobierno Vasco
Donostia-San Sebastián	C/ Reina Regente, s/n.	20003 San Sebastián	943 481 166	Ayuntamiento - Centro de Atracción y Turismo
Eivissa	Vara del Rey, 13, bajo	07800 Eivissa	971 301 900	Conselleria Turisme
Gijón	C/ Marqués de San Esteban, 1 - I.ª planta	33206 Gijón	985 346 046	C. de Industria, Comercio y Trabajo
Girona	Rambla de la Llibertat, 1	17004 Girona	972 226 575	Ajuntament y Generalitat
Girona	Estació Renfe	17007 Girona	972 216 296	Ajuntament, Assoc. Guíes Turístiques i Assoc. d'Hosteleria
Granada	Pl. Mariana Pineda, 12, bajos	18009 Granada	958 226 668	Diputación
Granada	Corral del Carbón, s/n.	18009 Granada	958 221 022	Junta de Andalucía
Granada	Avda. Generalife, s/n.	18009 Granada	958 229 575	Junta de Andalucía
Guadalajara	Pl. de los Caídos, 6	19001 Guadalajara	949 211 626	Junta de Castilla La Mancha, Ayuntamiento
Huelva	Avda. de Alemania, 12	21001 Huelva	959 257 403	Turismo Andaluz. S. A. (Junta de Andalucía)
Huesca	Pl. de la Catedral 1	22001 Huesca	974 292 170	Ayuntamiento
Jaén	C/ Arquitecto Berges, 1	23007 Jaén	953 222 737	Diputación - Palacio Municipal de Cultura
Jaén	C/ Maestra, 13	23002 Jaén	953 242 624	Junta de Andalucía
León	Pl. de la Regla, 4	24003 León	987 237 082	Junta de Castilla y León
Lleida	Avda. de Madrid, 36	25002 Lleida	973 270 997	Generalitat
Logroño	Paseo del Espolón, 1	26071 Logroño	941 260 665	Gobierno de la Rioja
Lugo	Pr. Maior, 27-29 (Galerías)	27001 Lugo	982 231 361	Xunta de Galicia
Madrid	C/ Duque de Medinaceli, 2	28014 Madrid	915 290 021	Comunidad de Madrid
Madrid	Pl. Mayor, 3	28012 Madrid	913 665 477	Ayuntamiento
Madrid	C/ Floridablanca, 10 (El Escorial)	28200 Madrid	918 901 554	Comunidad de Madrid
Madrid	Vestíbulo puerta 14 - Estación de Chamartín C/ Agustín de Foxá, s/n.	28036 Madrid	913 159 976	Comunidad de Madrid
Madrid	Mercado Puerta de Toledo - locales 34-35 Pl. Puerta de Toledo, s/n.	28005 Madrid	913 641 876	Comunidad de Madrid
Madrid	Aeropuerto de Madrid-Barajas Localización: Llegadas, terminal n.º 1	28042 Madrid	913 058 656	Comunidad de Madrid
Madrid	C/ Mayor, 69	28013 Madrid	915 290 021	Ayuntamiento
Mahón	Sa Revolleda de Dalt, 24	07703 Mahón	971 363 790	Consell Insular de Mahó
Málaga	Pasaje de Chinitas, 4	29015 Málaga	952 213 445	Junta de Andalucía
Málaga	Aeropuerto Internacional de Málaga	29006 Málaga	952 248 484	Junta de Andalucía
Málaga	Alameda Principal, 23	29012 Málaga	952 216 061 952 227 907	Ayuntamiento
Melilla	General Aizpuru, 20	52001 Melilla	952 674 013	Gobierno Autonómico
Mérida	C/ Sáenz de Buruaga, s/n.	06800 Mérida	924 315 353	Ayuntamiento
Murcia	Plano de San Francisco, s/n. Palacio Almudí. Bóveda, 5	30001 Murcia	968 366 130	Dirección General de Turismo
Murcia	C/ San Cristóbal, 6	30004 Murcia	968 219 801	Ayuntamiento
Ourense	C/ Curros Enríquez, 1, bajos (Edificio Torre)	32003 Ourense	988 372 020	Xunta de Galicia
Oviedo	Pl. de Alfonso II el Casto, 6 (Pl. de la Catedral)	33003 Oviedo	985 213 385	C. de Industria, Comercio y Turismo
Oviedo	C/ Marqués de Santa Cruz, 1	33007 Oviedo	985 227 586	Ayuntamiento - Oficina Municipal de Turismo
Palencia	C/ Mayor, 105	34071 Palencia	979 740 068	Junta Castilla y León
Palma de Mallorca	Pl. d'Espanya, s/n.	07002 Palma de Mallorca	971 754 329	Ajuntament
Palma de Mallorca	Aeropuerto de Son Sant Joan	07000 Palma de Mallorca	971 789 556	Consell Insular de Mallorca
Palma de Mallorca	Pl. de la Reina, 2	07072 Palma de Mallorca	971 712 216	Consell Insular de Mallorca
Palma de Mallorca	Santo Domingo, 11	07001 Palma de Mallorca	971 724 090	Ayuntamiento
Las Palmas de Gran Canaria	Casa Turismo - Parque de Santa Catalina	35007 Las Palmas de Gran Canaria	928 264 623	Cabildo Insular
Pamplona/Iruña	C/ Eslava, 1	31001 Pamplona/Iruña	948 206 540	Gobierno de Navarra
Pontevedra	C/ General Mola, 1, bajo	36001 Pontevedra	986 850 814	Xunta de Galicia
Salamanca	Rúa Mayor, s/n. C/ Compañía, 2	37002 Salamanca	923 268 571	Junta de Castilla y León
Salamanca	Estación de Autobuses. C/ Filiberto Villalobos, 71	37007 Salamanca		Ayuntamiento
Salamanca	Estación de Renfe. Pº de la Estación, s/n.	37004 Salamanca		Ayuntamiento
Salamanca	Pl. Mayor, 14	37002 Salamanca	923 218 342	Ayuntamiento
Santa Cruz de Tenerife	Pl. de España, 1- Palacio Insular	38003 Santa Cruz de Tenerife	922 239 592	Cabildo Insular de Tenerife
Santander	Pl. Porticada, 5	39001 Santander	942 310 708	Consejería de Turismo
Santiago de Compostela	Rúa del Villar, 43	15706 Santiago de Compostela	981 584 081	Ayuntamiento
Segovia	Pl. Mayor, 10	40001 Segovia	921 460 334	Ayuntamiento
Segovia	Pl. del Azoguejo, 1	40001 Segovia	921 462 906	Patronato (mixto)
Sevilla	Aeropuerto. Autopista de San Pablo, s/n.	41007 Sevilla	954 449 128	Junta de Andalucía
Sevilla	Estación de Santa Justa. Avda. de Kansas City, s/n.	41007 Sevilla	954 537 626	Junta de Andalucía
Sevilla	Avda. de la Constitución, 21 B	41004 Sevilla	954 221 404	Junta de Andalucía
Sevilla	Paseo de las Delicias, 9 - Edificio Costurero de la Reina	41012 Sevilla	954 234 465	Ayuntamiento
Sevilla	Centro de Información de Sevilla C/ Arjona, 28 (Naves del Barranco)	41001 Sevilla	954 505 600	Ayuntamiento
Soria	Pl. Ramón y Cajal, s/n.	42003 Soria	975 212 052	Junta Castilla y León
Tarragona	C/ Major, 39 - Edificio Antiguo Ayuntamiento	43003 Tarragona	977 245 064	Ajuntament
Tarragona	C/ Fortuny, 4	43003 Tarragona	977 233 415	Generalitat
Teruel	C/ Tomás Nogués, 1	44001 Teruel	978 602 279	Diputación General de Aragón
Toledo	C/ Puerta de Bisagra, s/n.	45003 Toledo	925 220 843	Junta de Castilla La Mancha
Valencia	C/ Paz, 48	46003 Valencia	963 986 422	Generalitat
Valencia	Pl. del Ayuntamiento	46002 Valencia	963 510 417	Ayuntamiento
Valencia	C/ Poeta Querol, s/n. Edif . Teatro Principal	46002 Valencia	963 514 907	Ayuntamiento
Valencia	Xátiva, 24	46007 Valencia	963 528 573	Ayuntamiento
Valladolid	C/ Santiago, 19	47001 Valladolid	983 344 013	Junta Castilla y León
Vitoria-Gasteiz	Parque de la Florida, s/n.	01008 Vitoria-Gasteiz	945 131 321	Gobierno Vasco
Vitoria-Gasteiz	Avda. Gasteiz, esquina c/ Chile	01009 Vitoria-Gasteiz	945 161 598	Ayuntamiento
Zamora	C/ Santa Clara, 20	49014 Zamora	980 531 845	Junta de Castilla y León
Zaragoza	Pl. de Sas, 7 (SIPA)	50003 Zaragoza	976 298 438	Asociación de Entidad Pública
Zaragoza	Pl. del Pilar, s/n.	50003 Zaragoza	902 201 212	Ayuntamiento
Zaragoza	Glorieta Pío XII, s/n. Torreón de la Zuda	50003 Zaragoza	976 201 200	Ayuntamiento
Zaragoza	Avda. Rioja, 30-33. Estación de Delicias	50003 Zaragoza	976 324 468	Ayuntamiento

Localidad *Place*	Nombre *Name*	Dirección - Código postal *Address - Post code*	Teléfono *Telephone*	Fax *Fax*	E-mail *E-mail*
Begur	Parador d' Aiguablava ****	C/ Playa de Aiguablava, s/n. - 17255	972 622 162	972 622 166	aiguablava@parador.es
Alarcón	Parador de Alarcón ****	Avda. Amigos de los Castillos, 3 - 16213	969 330 315	969 330 303	alarcon@parador.es
Albacete	Parador de Albacete ***	Ctra. N-301, km 251 - 02000	967 245 321	967 243 271	albacete@parador.es
Alcalá de Henares	Hostelería de Alcalá de Henares ***	C/ Colegios, 3 - 28801	918 880 330	918 880 527	alcala@parador.es
Alcañiz	Parador de Alcañiz ***	C/ Castillo de los Calatravos, s/n. - 44600	978 830 400	978 830 366	alcaniz@parador.es
Almagro	Parador de Almagro ***	Ronda de San Francisco, 31 - 13270	926 860 100	926 860 150	almagro@parador.es
Antequera	Parador de Antequera ***	P.º García del Olmo, s/n. - 29200	952 840 261	952 841 312	antequera@parador.es
Arcos de la Frontera	Parador de Arcos de la Frontera ***	Pl. del Cabildo, s/n. - 11630	965 700 500	956 701 116	arcos@parador.es
Argomániz	Parador de Argomániz ***	Ctra. N-I, km 363 - 01192	945 293 200	945 293 287	argomaniz@parador.es
Artíes	Parador de Artíes ****	Ctra. Baqueira-Beret - 25599	973 640 801	973 641 001	arties@parador.es
Ávila	Parador de Ávila ****	C/ Marqués de Chozas, 2 - 05001	920 211 340	920.226 166	avila@parador.es
Ayamonte	Parador de Ayamonte ****	El Castillito, s/n. - 21400	959 320 700	959 320 700	ayamonte@parador.es
Baiona	Parador de Baiona ****	C/ Monterreal, s/n. - 36300	986 355 000	986 355 076	baiona@parador.es
Benavente	Parador de Benavente ****	Paseo Ramón y Cajal, s/n. - 49600	980 630 304	980.630 303	benavente@parador.es
Benicarló	Parador de Benicarló ***	Avda. Papa Luna, 5 - 12580	964 470 100	964 470 934	benicarlo@parador.es
Bielsa	Parador de Bielsa ***	Valle de la Pineta, s/n. - 22350	974 501 011	974 501 188	bielsa@parador.es
Breña Baja	Parador de la Palma ****	Ctra. El Zumacal, s/n. - 38720	922 435 828	922 435 999	lapalma@parador.es
Cáceres	Parador de Cáceres ****	C/ Ancha, 6 - 10003	927 211 759	927.211 729	caceres@parador.es
Cádiz	Parador de Cádiz ****	Avda. Duque de Nájera, 9 - 11002	956 226 905	956 214 582	cadiz@parador.es
Calahorra	Parador de Calahorra ***	P.º Mercadal - 26500	941 130 358	941 135 139	calahorra@parador.es
Cambados	Parador de Cambados ***	Paseo de la Calzada, s/n. - 36630	986 542 250	986 542 068	cambados@parador.es
Cangas de Onís	Parador de Cangas de Onís *****	C/ Villanueva, s/n. - 33550	985 849 402	958 849 520	cangas@parador.es
Cardona	Cardona ****	Castell de Cardona - 08261	938 691 275	938 691 636	cardona@parador.es
Carmona	Parador de Carmona ****	Alcázar, s/n. - 41410	954 141 010	954 141 712	carmona@parador.es
Cazorla	Parador de Cazorla ***	Sierra de Cazorla, s/n.. - 23470	953 727 075	953 727 077	cazorla@parador.es
Cervera de Pisuerga	Parador de Cervera de Pisuerga ***	Ctra. de Resoba, km 2,5 - 34840	979 870 075	979 870 105	cervera@parador.es
Ceuta	Parador de Ceuta ***	Pl. Ntra. Sra. de África, 15 - 51001	956 514 940	956 514 947	ceuta@parador.es
Ciudad Rodrigo	Parador de Ciudad Rodrigo ****	Pl. Castillo, 1 - 37500	923 460 150	923 460 404	ciudadrodrigo@parador.es
Córdoba	Parador de Córdoba ****	Avda. de la Arruzafa, s/n. - 14012	957 275 900	957 280 409	cordoba@parador.es
Cuenca	Parador de Cuenca ****	Paseo Hoz del Huécar, s/n. - 16001	969 232 320	969 232 534	cuenca@parador.es
Chinchón	Parador de Chinchón ****	Avenida Generalísimo, 1 - 28370	918 940 836	918 940 908	chinchon@parador.es
El Saler	Parador de El Saler ****	Avda. de los Pinares, 151 - 46012	961 611 186	961 627 016	saler@parador.es
Ferrol	Parador de Ferrol ***	C/ Almirante Fernández Martín, s/n. - 15401	981 356 720	981 356 721	ferrol@parador.es
Fuente Dé	Parador de Fuente Dé ***	Ctra. de Fuente Dé, s/n. - 39588	942 736 651	942 736 654	fuentede@parador.es
Gijón	Parador de Gijón ****	Parque Isabel la Católica, s/n. - 33203	985 370 511	985 370 233	gijon@parador.es
Granada	Parador de Granada ****	C/ Real de la Alhambra, s/n. - 18009	958 221 440	958 222 264	granada@parador.es
Guadalupe	Parador de Guadalupe ****	C/ Marqués de la Romana, 12 - 10140	927 367 075	927 367 076	guadalupe@parador.es
El Hierro	Parador de El Hierro ****	C/ Las Playas, s/n. - 38900	922 558 036	922 558 086	hierro@parador.es
Hondarribia	Parador de Hondarribia ***	Pl. de Armas, 14 - 20280	943 645 500	943 642 153	hondarribia@parador.es
Jaén	Parador de Jaén ****	Castillo de Santa Catalina - 23001	953 230 000	953 230 930	jaen@parador.es
Jarandilla de la Vera	Parador de Jarandilla de la Vera ****	Avda. García Prieto, 1 - 10450	927 560 117	927 560 088	jarandilla@parador.es
Jávea / Xàbia	Parador de Jávea ****	Avda. Mediterráneo, 7 - 03730	965 790 200	965 790 308	javea@parador.es
la Seu d'Urgell	Parador de la Seu d'Urgell ***	C/ Sant Domènec, 6 - 25700	973 352 000	973 352 309	seo@parador.es
Lerma	Parador de Lerma ****	Pl. Mayor, 1 - 09340	947 177 110	947 170 685	lerma@parador.es
Limpias	Parador de Limpias ****	Fuente del Amor, s/n. - 39820	942 628 900	942 634 333	limpias@parador.es
León	Parador de León *****	Pl. de San Marcos, 7 - 24001	987 237 300	987 233 458	leon@parador.es
Málaga	Parador de Málaga Golf ****	Aptdo. Correos 324 - 29080	952 381 255	952 388 963	gibralfaro@parador.es
Málaga	Parador Málaga-Gibralfaro ****	C/ Castillo de Gibralfaro, s/n. - 29016	952 221 902	952 221 904	malaga@parador.es
Manzanares	Parador de Manzanares ***	Autovía de Andalucía, km 174 - 13200	926 610 400	926 610 935	manzanares@parador.es
Mazagón	Parador de Mazagón ***	Playa de Mazagón - 21130	959 536 300	959 536 228	mazagon@parador.es
Melilla	Parador de Melilla ***	Avda. de Cándido Lobera, s/n. - 29801	952 684 940	952 683 486	melilla@parador.es
Mérida	Parador de Mérida ****	Pl. de la Constitución, 3 - 06800	924 313 800	924 319 208	merida@parador.es
Mojácar	Parador de Mojácar ****	C/ Playa de Mojácar, s/n.. - 04638	950 478 250	950 478 183	mojacar@parador.es
Monforte de Lemos	Parador de Monforte de Lemos ****	Pl. Luis de Góngora y Argote s/n - 27400	982 418 484	982 418 495	monforte@parador.es
Navarredonda de Gredos	Parador de Gredos ***	Ctra. Barraco-Béjar, km 43 - 05635	920 348 048	920 348 205	gredos@parador.es
Nerja	Parador de Nerja ****	C/ Almuñécar, 8 - 29780	952 520 050	952 521 997	nerja@parador.es
Nogueira de Ramuín	Parador de Santo Estevo ****	Monasterio de Santo Estevo - 32162	988 010 110	988 010 111	sto.estevo@parador.es
Olite	Parador de Olite ***	Pl. de los Teobaldos, 2 - 31390	948 740 000	948 740 201	olite@parador.es
Oropesa	Parador de Oropesa ****	Pl. del Palacio, 1 - 45560	925 430 000	925 430 777	oropesa@parador.es
La Orotava	Parador de Cañadas del Teide - Pte. Calificación	Las Cañadas del Teide - 38300	922 374 841	922 382 352	canadas@parador.es
Plasencia	Parador de Plasencia ****	Pl. San Vicente Ferrer, s/n. - 10600	927 425 870	927 425 872	plasencia@parador.es
Pontevedra	Parador de Pontevedra ***	C/ Barón, 19 - 36002	986 855 800	986 852 195	pontevedra@parador.es
Puebla de Sanabria	Parador de Puebla de Sanabria ***	Avda. Lago de Sanabria, 8 - 49300	980 620 001	980 620 351	puebla@parador.es
Puerto Lumbreras	Parador de Puerto Lumbreras ***	Avda. Juan Carlos I, 77 - 30890	968 402 025	968 402 836	pto.lumbreras@parador.es
Ribadeo	Parador de Ribadeo ****	C/ Amador Fernández, 7 - 27700	982 128 825	982 128 346	ribadeo@parador.es
Ronda	Parador de Ronda ****	Pl. de España, s/n. - 29400	952 877 500	952 878 188	ronda@parador.es
Salamanca	Parador de Salamanca ****	C/ Teso de la Feria, 2 - 37008	923 192 082	923 192 087	salamanca@parador.es
San Sebastián de la Gomera	Parador de la Gomera ****	C/ Cerro la Horca, s/n. - 38800	922 871 100	922 871 116	gomera@parador.es
Santiago de Compostela	Parador de Santiago *****	Pl. do Obradoiro, 1 - 15705	981 582 200	981 563 094	santiago@parador.es
Santillana del Mar	Parador de Santillana Gil Blas ****	Pl. de Ramón Pelayo, 11 - 39330	942 028 028	942 818 391	santillanagb@parador.es
Santillana del Mar	Parador de Santillana ***	Pl. de Ramón Pelayo, s/n. - 39330	942 818 000	942 818 391	santillana@parador.es
Sto. Domingo de la Calzada	Parador Sto. Domingo de la Calzada ****	Pl. El Santo, 3 - 26250	941 340 300	941 340 325	sto.domingo@parador.es
Sto. Domingo de la Calzada	Parador Sto. Domingo Bernardo de Fresneda ***	Pl. San Francisco, 1 - 26250	941 341 150	941 340 696	bernardodefresneda@parador.es

Localidad *Place*	Nombre *Name*	Dirección - Código postal *Address - Post code*	Teléfono *Telephone*	Fax *Fax*	E-mail *E-mail*
Segovia	Parador de Segovia ****	Ctra. Valladolid, s/n. - 40003	921 443 737	921 437 362	segovia@parador.es
Sigüenza	Parador de Sigüenza ****	Pl. del Castillo, s/n. - 19250	949 390 100	949 391 364	siguenza@parador.es
Soria	Parador de Soria ***	Parque del Castillo, s/n. - 42005	975 240 800	975 240 803	soria@parador.es
Sos del Rey Católico	Parador de Sos del Rey Católico ***	C/ Arq. Sainz de Vicuña, 1 - 50680	948 888 011	948 888 100	sos@parador.es
Teruel	Parador de Teruel ***	Ctra. Sagunto-Burgos, N-234 - 44080	978 601 800	978 608 612	teruel@parador.es
Toledo	Parador de Toledo ****	Cerro del Emperador, s/n. - 45002	925 221 850	925 225 166	toledo@parador.es
Tordesillas	Parador de Tordesillas ***	Ctra. de Salamanca, 5 - 47100	983 770 051	983 771 013	tordesillas@parador.es
Tortosa	Parador de Tortosa ****	C/ Castell de la Suda, s/n. - 43500	977 444 450	977 444 458	tortosa@parador.es
Trujillo	Parador de Trujillo ****	C/ Santa Beatriz de Silva, 1 - 10200	927 321 350	927 321 366	trujillo@parador.es
Tui	Parador de Tui ***	Avda. de Portugal, s/n. - 36700	986 600 300	986 602 163	tui@parador.es
Úbeda	Parador de Úbeda ****	Pl. de Vázquez Molina, s/n. - 23400	953 750 345	953 751 259	ubeda@parador.es
Verín	Parador de Verín ***	C/ Subida al Castillo, s/n. - 32600	988 410 075	988 412 017	verin@parador.es
Vic	Parador de Vic-Sau ***	Paratge Bac de Sau, s/n. - 08500	938 122 323	938 122 368	vic@parador.es
Vielha	Parador de Vielha ***	Ctra. del Túnel, s/n. - 25530	973 640 100	973 641 100	viella@parador.es
Vilalba	Parador de Vilalba ****	C/ Valeriano Valdesuso, s/n. - 27800	982 510 011	982 510 090	vilalba@parador.es
Villafranca del Bierzo	Parador de Villafranca del Bierzo ***	Avda. Calvo Sotelo, s/n. - 24500	987 540 175	987 540 010	villafranca@parador.es
Zafra	Parador de Zafra ****	Pl. Corazón de Maria, 7 - 06300	924 554 540	924 551 018	zafra@parador.es
Zamora	Parador de Zamora ****	Pl. de Viriato, 5 - 49001	980 514 497	980 530 063	zamora@parador.es

ANDORRA / *ANDORRA*

Información general / *General information*

Código telefónico de Andorra /
Andorra telephone prefix + 376

Policía / *Police*	oficina / *office*		872 000
	urgencias / *emergencies*		110
Cruz Roja / *Red Cross*			825 225
Bomberos / *Fire Brigade*	oficina / *office*		800 020
	urgencias / *emergencies*		118
SUM (Servicio de Urgencias Médicas) / *Medical Emergencies Service*			116
Socorro de Montaña / *Mountain Rescue*			112
Asociación de Agencias de Viaje de Andorra			869 867
Ski Andorra			864 389
Unión Hotelera			820 625
Información de carreteras / *Road information*			848 884
Información horaria / *Time information*			157
Info. meteorológica / *Weather information*			848 851
Información nacional / *National information*			111

Ayuda y asistencia en carretera / *Road side assistance*

Automòbil Club d'Andorra
c/ Babot Camp, 13. Andorra la Vella. Tel. 803 400

Deportes / *Sports*

• Alpinismo / *Mountain climbing*
Federació Andorrana de Muntanyisme
C/ Terravella, 2. Andorra la Vella. Tel. 867 444

• Atletismo / *Athletics*
Federació Andorrana d'Atletisme
Avda. Tarragona, 99B 2.º Andorra la Vella. Tel. 328 700

• Esquí / *Ski*
Federació Andorrana d'Esquí
Edif. El Pasturé, bloc, 2, 1er.
Andorra la Vella. Tels. 823 689 - 863 192

• Gimnasia / *Gymnastics*
Federació Andorrana de Gimnàstica
Poliesp. d'Andorra M.I. Govern. C/ Baixada del Molí, 31-35
Andorra la Vella. Tel. 868 181

• Golf / *Golf*
Club de Golf del Principat
C/ Sant Antoni, 5, entresol D. Andorra la Vella. Tel. 866 366

• Hípica / *Horse riding*
Federació Andorrana d'Hípica
B.P. 43 Poste Française. Andorra la Vella. Tel. 861 116

• Natación / *Swimming*
Federació Andorrana de Natació
Plaça Guillemó, 6, 3è 2.ª Andorra la Vella. Tel. 860 500

• Patinaje / *Skating*
Federació Andorrana de Patinatge - Polisportiu d'Andorra
C/ Baixada del Molí, 31-35. Andorra la Vella. Tel. 860 480

Fiestas locales de interés / *Local fiestas*

Parroquia / *Parish*	Fecha / *Date*	Descripción / *Description*
Andorra la Vella, Escaldes-Engordany i Encamp	17 enero	Escudella de Sant Antoni
Todas las parroquias	4 febrero	Carnaval
Escaldes-Engordany	4 febrero	Subhasta de Sant Antoni
Todas las parroquias	23 abril	Diada de Sant Jordi - Festa del Llibre i de la Rosa
La Massana	Mayo	Andoflora (Fira de la Planta i la Flor)
Sant Julià de Lòria	Último sábado de mayo	Diada de Canòlic
Escaldes-Engordany	16 junio	Festa de la Parròquia
Todas las parroquias	23 junio	Verbena de Sant Joan
Ordino	30 junio a 2 julio	Festa del Roser
Escaldes-Engordany	Julio	Festival Internacional de Jazz
La Massana	7 y 8 julio	Roser de La Massana
Escaldes-Encamp	24 a 27 julio	Festa Major
Sant Julià de Lòria	27 a 31 julio	Festa Major
Canillo	30 julio	Concurs de Gossos d'Atura
Ordino	Agosto	Trobada de Buners
Andorra la Vella	4 a 7 agosto	Mercat Medieval - Festa Major
Encamp	14 a 17 agosto	Festa Major d'Encamp
La Massana	15 i 16 agosto	Festa Major de La Massana
Todas las parroquias	8 setiembre	Diada de Nostra Senyora de Meritxell - Festa Nacional
Ordino	16 setiembre	Festa Major
Ordino	Último sábado setiembre	Mostra de Gastronomia
Ordino	Setiembre - octubre	Festival Internacional Narciso Yepes
Sant Julià de Lòria	Primer domingo de octubre	Fira del Roser
Canillo	14 octubre	Fira del Bestiar i de l'Artesania
Andorra la Vella	27 octubre	Fira del Bestiar d'Andorra - Fira d'Andorra
Encamp i La Massana	31 octubre	Castanyada Popular
Andorra la Vella	Noviembre	Diada del Bacallà
Escaldes-Engordany	1 a 14 diciembre	Calendari d'Advent
Sant Julià de Lòria	Diciembre	Fira de Santa Llúcia
Andorra la Vella	Diciembre	Mercat de Santa Llúcia

Patrimonio de la Humanidad / *World Heritage Site*

2004   La Vall del Madriu-Perafita-Claror

Principales oficinas de turismo / *Main tourist information centres*

Oficina - Entidad *Office - Organization*	Dirección *Address*	Teléfono *Telephone*	Fax *Fax*
Oficina d'Informació i Turisme de Santa Coloma	Parc d'Enclar	863 680	869 807
Oficina d'Informació i Turisme d'Andorra la Vella	Avda. Meritxell, 33	827 790	869 807
Oficina d'Informació i Turisme d'Andorra la Vella	Plaça de la Rotonda	827 117	869 807
Sindicat d'Iniciativa - Oficina de Turisme d'Andorra la Vella	Carrer Dr. Vilanova, s/n.	820 214	825 823
Oficina de Turisme Valls de Canillo	Ctra. General	701 590	851 139
Departament de Promoció i Turisme d'Encamp	Plaça del Consell General	731 000	831 878
Departament de Promoció i Turisme del Pas de la Casa	Pl. de l'Església	855 292	856 547
Unió Pro-Turisme d'Escaldes-Engordany	Plaça Coprínceps	820 963	866 697
Unió Pro-Turisme de La Massana	Pl. del Quart	835 693	838 693
Iniciatives Turístiques d'Ordino	Nou Vial, s/n.	737 080	839 225
Oficina d'Informació i Turisme de Sant Julià de Lòria	Pl. Francesc Cairat	841 352	844 678

Información general / *General information*

Código telefónico de Portugal

Portugal telephone prefix	+ 351
Urgencias / Emergencies	112
Policía de Seguridad Pública / Public Security Police	217 654 242
(teclado alfanumérico) / (alphanumeric keyboard)	21 POLICIA
Guarda Nacional Republicana / Republican Nacional Guard	213 217 000

Ayuda y asistencia en carretera / *Road side assistance*

Asistencia ACP (Automóvel Club de Portugal)

• Pronto-Socorro: servicio permanente (24 horas)
219 429 103 (sur de Coimbra)

• *Pronto-Socorro: 24 hour service 219 429 103 (south of Coimbra)*

• Pronto-Socorro: servicio permanente (24 horas)
220 56732 (al norte de Coimbra)

• *Pronto-Socorro: 24 hour service 220 56732 (north of Coimbra)*

Ferrocarriles / *Railways*

Comboios de Portugal CP Portuguese State Railway Company		Teléfono Telephone
Información		808 208 208
Central		213 215 700
Aveiro		234 379 841
Coimbra	A	239 834 980
	B	239 834 984
Entroncamento		249 719 914
Faro		289 826 472
Lisboa (Sta. Apolónia)		218 816 242
Lisboa (Gare de Oriente)		218 920 370
Lisboa (Rosssio)		213 433 747
Porto (Campanhã)		225 191 374
Porto (S. Bento)		222 002 722

Transporte de automóviles / *Car transport*

Faro	289 826 472 / 808 208 208
Guarda	271 044 573
Lisboa (Sta. Apolónia)	211 021 221
Porto (Campanhã)	221 052 628

Patrimonio de la Humanidad / *World Heritage Sites*

Fecha de la declaración
Date of declaration

1983	Centro Histórico de Angra do Heroísmo nos Açores
1983	Mosteiro dos Jerónimos e Torre de Belém em Lisboa
1983	Mosteiro de Batalha
1983	Convento de Cristo em Tomar
1988	Centro Histórico de Évora
1989	Mosteiro de Alcobaça
1995	Paisagem Cultural de Sintra
1996	Centro Histórico de Porto
1998	Sitios Arqueológicos no Vale do Rio Côa
1999	Floresta Laurissilva na Madeira
2001	Región Vinícola do Alto Douro
2001	Centro Histórico de Guimarães
2004	Paisagem da Cultura da Vinha da Illa do Pico

Emergencias / *Emergencies: 112*

Policía / *Police*

ABRANTES	241 377 070
AVEIRO	234 422 022
BARCELOS	253 802 570
BEJA	284 313 150
BRAGA	253 200 420
BRAGANÇA	273 303 400
CALDAS DA RAINHA	262 832 022
CARREGAL DO SAL	232 968 134
CASTELO BRANCO	272 340 622
COIMBRA	239 822 022
ELVAS	268 639 470
ESPINHO	227 340 038
ÉVORA	266 702 022
FARO	289 899 899
FIGUEIRA DA FOZ	233 422 022
GUARDA	271 208 340
GUIMARÃES	253 513 34/5
HORTA (Açores)	292 208 510
LAGOS	282 762 930
LEIRIA	244 812 447

Policía / *Police*

LISBOA	217 654 242
FUNCHAL (Madeira)	291 208 200
PONTA DELGADA (Açores)	296 115 000
PORTALEGRE	245 300 600
PORTIMÃO	282 417 717
PORTO	222 006 821
PORTO SANTO (Madeira)	291 982 423
PÓVOA DE VARZIM	252 298 190
SANTARÉM	243 322 022
SETÚBAL	265 522 022
TAVIRA	281 322 022
TOMAR	249 313 444
VIANA DO CASTELO	258 809 880
VILA REAL	259 330 240
VISEU	232 480 380

Bomberos / *Fire brigade*

LISBOA	213 422 222
PORTO	223 322 787

Parques Nacionales / *National Parks*

Instituto da Conservação da Natureza (ICN) / *Nature Conservation Institute*

• Direcção de Serviços de Apoio às Áreas Protegidas
Department of Support Services for Protected Areas

Rua Ferreira Lapa, 29. 1169-138 LISBOA. Tel. 213 523 317
Tel. 213 938 900 - www.icn.pt
Tel. 213 974 044 (linea azul/*blue line*) icn@icn.pt

• Direcção de Serviços da Conservação da Natureza
Department of Nature Conservation Services

Rua Ferreira Lapa, 38. 1150 LISBOA. Tel. 213 160 520

Parque Nacional Peneda-Gerês. 72 000 ha

Avda. António Macedo
4704-538 BRAGA. Tel. 253 203 480

Deportes / *Sports*

Deporte Sports	Institución Organization	Dirección Address	Teléfono Telephone	Fax Fax
• Atletismo / Athletics	Federação Portuguesa de Atletismo	Largo da Lagoa, 15 B 2795-116 LINDA-A-VELHA	214 146 020	214 146 021
• Caza y pesca / Hunting and fishing	Federação Portuguesa de Pesca Desportiva	Rua Sociedade Farmacêutica, 56, 2ª 1050-341 LISBOA	213 521 370	213 563 147
	Federação Portuguesa de Tiro com Armas de Caça	Alameda António Sérgio, 22, 8° C 1495-132 ALGÉS	214 126 160	214 126 162
• Ciclismo / Cycling	Federação Portuguesa de Ciclismo	Rua Camões, 57 2500-174 CALDAS DA RAINHA	268 840 960	262 834 434
• Esquí / Ski	Federação Portuguesa de Esqui	Edifício Central de Camionagem Apartado 514. São Lázaro 6200 COVILHÃ	275 313 461	275 314 245
• Golf / Golf	Federação Portuguesa de Golfe	Av. das Túlipas, n.° 6 edifício Miraflores, 17°. Miraflores 1495-161 ALGÉS	214 123 785	214 107 972
• Vela / Sailing	Federação Portuguesa de Vela	Doca de Belém 1400-038 LISBOA	213 647 324	213 620 215

Localidad / Local	Fecha / Date	Fiesta / Fiesta
Santa Maria da Feira	Desde el siglo XVI se celebra el día 20 de enero	Festa das Fogaceiras ou das Fogaças en honor de S. Sebastião
Loulé	Carnaval	Carnavales, batalla de flores,
Mealhada	Carnaval	Grandes Corsos e Desfiles
Ovar	Carnaval	Carnavales: desfiles de máscaras y carrozas
Torres Vedras	Carnaval	Carnavales, batallas de flores
Loulé	Domingo de Pascua	Romería de Ntra. Sra. de la Piedad
Ponta Delgada	Pascua	Festa do Senhor Santo Cristo dos Milagres
Barcelos	3 de mayo	Fiesta de las Cruces Feria de alfarería, bailes
Sesimbra	3-5 de mayo	Fiesta del Senhor das Chagas, que data del s. XVI. Procesión
Monsanto	Domingo siguiente al 3 de mayo	Fiesta del Castillo
Fátima	12-13 de mayo	1.ª peregrinación anual
Vila Franca do Lima	2.º domingo de mayo	Fiesta de las Rosas. Desfile de las Mordomas
Caldas da Rainha	15 de mayo	Festas da Cidade
Coimbra	Finales de mayo	Queima das Fitas
Lisboa	13 de junio	Santo António
	Junio	Festas da Cidade: bailes folclóricos

Localidad / Local	Fecha / Date	Fiesta / Fiesta
Porto	24 de junio	São João
Tavira	13, 24 y 29 de junio	Festas da Cidade en honor de los Santos Populares
Braga	23-24 de junio	Festa de S. João Baptista-Arraiais
Terceira (ilha) Açores	Junio	Festas do Divino Espírito Santo
Cascais	Junio	Festas do Mar
Cascais	Julio	Feira do Artesanato
Coimbra	1.ª semana de julio	Festas à Rainha Santa
Braga	4-12 de julio	Feira Nacional de Cerâmica
Tomar	En el mes de julio cada tres años	Festa dos Tabuleiros
Áveiro	Agosto	Festas da Ria
Guimarães	1.º domingo de agosto	Festas Gualterianas con cortejo histórico
Peniche	1.º domingo de agosto	Festa de Nossa Senhora da Boa Viagem
Funchal	15 de agosto	Festa de Nossa Senhora do Monte
Viana do Castelo	20-23 de agosto	Festas da Senhora da Agonia con procesión de barcas
Tomar	1.º domingo de setiembre	Festa do Cirio da Senhora da Piedade
Campo Maior	1.ª semana de setiembre	Festa das Ruas ou Festa do Povo ou dos Artistas
Lamego	8 de setiembre	Romería a Nossa Senhora dos Remédios
Elvas	20-25 de setiembre	Festa do Senhor Jesus da Piedade
Funchal	31 de diciembre	São Silvestre

Direcção-Geral do Turismo
Avda. António Augusto de Aguiar, 86
1069-021 Lisboa
Tel. 213 586 466
Fax 213 586 666

Direcciones útiles / Useful addresses

ICEP PORTUGAL. INVESTIMENTOS, COMÉRCIO
E TURISMO DE PORTUGAL
Av. 5 de Outubro, 101.
1050-051 Lisboa
Tel. 217 909 500. Fax 217 950 961
E-mail: dinf@icep.pt
www.portugalinsite.pt

DEPARTAMENTO DE TURISMO DA CÂMARA
MUNICIPAL DE LISBOA
Av. 5 de Outubro, 293, 8.º
1600-035 Lisboa
Tel. 217 996 100. Fax 217 934 628
E-mail: turismo@mail.cm-lisboa.pt
www.cm-lisboa.pt/turismo

ASSOCIAÇÃO DE TURISMO DE LISBOA - VISITORS AND
CONVENTION BUREAU
LISBOA WELCOME CENTER
Rua do Arsenal, 15.
1100-038 Lisboa
Tel. 210 312 700. Fax 210 312 899
E-mail: atl@-turismolisboa.pt
www.atl-turismolisboa.pt

JUNTA DE TURISMO DA COSTA DO ESTORIL
Arcadas do Parque.
2765-503 Estoril
Tel. 214 663 813. Fax 214 672 280
E-mail: estorilcoast@mail.telepac.pt
www.estorilcoast-tourism.com

DIVISÃO DE TURISMO DA CÂMARA MUNICIPAL DE SINTRA
Praça da República, 23. Edifício do Turismo
2710-616 SINTRA
Tel. 219 231 157 / 219 241 700. Fax 219 235 176
www.cm-sintra.pt

TURISMO PORTO
Rua Clube dos Fenianos, 25
4000-172 Porto
Tel. 222 052 740 / 223 393 470. Fax 223 323 303
E-mail: turismo.central@mail.telepac.pt
www.portoturismo.pt

Oficinas de turismo / Tourist information centres

ALENTEJO
Região de Turismo de São Mamede
Alto Alentejo - Estrada de Santana, 25
7300-238 Portalegre

Tel. 245 300 770. Fax 245 204 053
www.rtsm.pt

Região de Turismo de Setúbal
Costa Azul - Travessa Frei Gaspar, 10
2900-388 Setúbal
Tel. 265 539 120. Fax 265 539 127
www.costa-azul.rts.pt

Região de Turismo de Évora
Rua de Aviz, 90.
7000-591 Évora
Tel. 266 742 534 / 266 742 535. Fax 266 705 238

Região de Turismo da Planicie Dourada
Praça da República, 12
7800-427 Beja
Tel. 284 310 150 - Fax 284 310 151
www.rt-planiciedourada.pt

ALGARVE
Região de Turismo do Algarve
Avda. 5 de Outubro, 18
8000-076 Faro
Tel. 289 800 400. Fax 289 800 489
www.rtalgarve.pt

BEIRAS
Região de Turismo da Rota da Luz
Rua João Mendonça, 8
3800-200 Aveiro
Tel. 234 423 680 / 234 420 760. Fax 234 428 326
www.rotadaluz.aveiro.co.pt

Região de Turismo de Dão-Lafões
Avda. Calaouste Gulbenkian
3510-055 Viseu
Tel. 232 420 950. Fax 232 420 957
www.rt-dao-lafoes.com

Região de Turismo da Serra da Estrela
Av. Frei Heitor Pinto
6200-113 Covilhã
Tel. 275 319 560 - Fax 275 319 569
www.rt-serradaestrela.pt

Região de Turismo do Centro
Largo da Portagem
3000-337 Coimbra
Tel. 239 855 930 / 239 833 019. Fax 239 825 576
www.turismo-centro.pt

PORTO E NORTE DE PORTUGAL
Região de Turismo do Alto Minho
Castelo de Santiago da Barra
4900-361 Viana do Castelo
Tel. 258 820 270 / 1 / 2 / 3. Fax 258 829 798
www.rtam.pt

Região de Turismo do Alto Tâmega e Barroso
Av. Tenente Valadim, 39 - 1º Dto.
5400-558 Chaves
Tel. 276 340 660 - Fax 276 321 419
www.rt-atb.pt

Região de Turismo do Nordeste Transmontano
Largo do Principal - Apartado 173
5301-902 Bragança
Tel. 273 331 078. Fax. 273 331 913
www.bragancanet.pt/turismo

Região de Turismo do Verde Minho
Praceta Dr. José Ferreira Salgado, 90, 6º
4704-525 Braga
Tel. 253 202 770. Fax 253 202 779
www.rtvm.pt

Região de Turismo da Serra do Marão
Praça Luís de Camões, 2
5000-626 Vila Real
Tel. 259 322 819 / 259 323 560 - Fax. 259 321 712
www.rtsmarao.pt

Região de Turismo do Douro Sul
Rua dos Bancos - Apartado 36
5101-909 Lamego
Tel. 254 615 770 - Fax 254 614 014

LISBOA E VALE DO TEJO
Região de Turismo de Leiria / Fátima
Jardim Luís de Camões
2401-801 Leiria
Tel. 244 848 770 - Fax. 244 833 533
N.º Verde: 800 202 559
www.rt-leiriafatima.pt

Região de Turismo dos Templários Floresta
Central e Albufeiras
Rua Serpa Pinto, 1
2300-592 Tomar
Tel. 249 329 000 - Fax 249 324 322
www.rttemplarios.pt

Região de Turismo do Oeste
Rua Direita
2510-060 Óbidos
Tel. 262 955 060 - Fax 262 955 061
www.rt-oeste.pt

Região de Turismo do Ribatejo
Campo Infante da Câmara - Casa do Campino
2000-014 Santarém
Tel. 243 330 330. Fax 243 330 340
www.regturibatejo.pt

AÇORES
Direcção Regional de Turismo dos Açores
Rua Comendador Ernesto Rebelo, 14
9900-112 Horta
Tel. 292 200 500. Fax 292 200 502
www.drtacores.pt

MADEIRA
Direcção Regional de Turismo da Madeira
Avda. Arriaga, 18
9004-519 Funchal
Tel. 291 211 900 - Fax 291 232 151
www.madeiratourism.org

Pousadas charme
Charm paradors

Monte de Santa Luzia
Apartado 30
4901-909 Viana do Castelo
Tel. 258 800 370. Fax 258 828 892

Nossa Senhora da Oliveira
Rua de Santa Maria, s/n.
4801-910 Guimarães
Tel. 253 514 157. Fax 253 514 204

São Bartolomeu
Estrada do Turismo
5300-271 Bragança
Tel. 273 331 493. Fax 273 323 453

São Teotónico
Fortificações Praça Valença do Minho
4930-735 Valença do Minho
Tel. 251 800 260. Fax 251 824 397

Barão de Forrester
Rua José Rufino
5070-031-Alijó
Tel. 259 959 467. Fax 259 959 304

Nossa Senhora das Neves
Rua da Muralha
6350-112 Almeida
Tel. 271 574 283. Fax 271 574 320

Santa Cristina
Rua Francisco Lemos
3150-142 Condeixa-a-Nova
Tel. 239 944 025. Fax 239 943 097

Santa Maria
R. 24 de Janeiro, 7
7330-122 Marvão
Tel. 245 993 201. Fax 245 993 440

Santa Luzia
Av. de Badajoz
7350-097 Elvas
Tel. 268 637 470 / 268 374 472
Fax 268 622 127

São Brás
Paço dos Ferreiros
8150-054 São Brás de Alportel
Tel. 289 842 305. Fax 289 841 726

Conde de Ourém
2490-Ourém
Tel. 249 540 920. Fax 249 542 955

Santa Cruz
9900-017 Horta
Tel. 292 202 200. Fax 292 392 836

Pousadas de naturaleza
Natural paradors

São Gonçalo
Curva do Lancete, Serra do Marão Ansiães
4604-909 Amarante
Tel. 255 460 030. Fax 255 461 353

São Bento
Estrada Nacional 304 - Soengas - Gerês - Caniçada
4850-047 Caniçada
Tel. 253 649 150. Fax 253 647 867

São Lourenço
Estrada Nacional 232, Km 50 Penhas Douradas
6260-200 Manteigas
Tel. 275 980 050. Fax 275 982 453

Ria
Estrada Nacional 327 - Bico do Muranzel - Torreira
3870-301 Murtosa
Tel. 234 860 180. Fax 234 838 333

Quinta da Ortiga
Estrada IP 8, Apartado 67
7540 Santiago do Cacém
Tel. 269 822 871. Fax 269 822 073

São Miguel
Cerro de São Miguel
7470-999 Sousel
Tel. 268 550 050. Fax 268 551 155

Vale do Gaio
Barragem Trigo de Morais
7595-034 Torrão
Tel. 265 669 610 / 797. Fax 265 669 545

Santa Clara
Barragem de Santa Clara
7665-879 Santa Clara-a-Velha
Tel. 283 882 250. Fax 283 882 402

Infante
Sagres 8650-385-Vila do Bispo (Faro)
Tel. 282 620 240. Fax 282 624 225

Pousadas históricas
Historical paradors

Dom Diniz
Terreiro
4920-296 Vila Nova de Cerveira
Tel. 251 708 120. Fax 251 708 129

Santa Marinha
Costa-Parque da Penha. 4810-011-Guimarães
Tel. 253 511 249. Fax 253 514 459

Castelo de Óbidos
2510-Óbidos
Tel. 262 955 080 / 46. Fax 262 959 148

Dona Maria I
Largo do Palácio Nacional de Queluz
2745-191 Queluz
Tel. 214 356 158 / 72 / 81. Fax 214 356 189

Pousada de Palmela
Castelo de Palmela
2950-997 Palmela
Tel. 212 351 226 / 017. Fax 212 330 440

São Filipe
Castelo de São Filipe
2900-300 Setúbal
Tel. 265 550 070 / 265 524 981
Fax 265 539 240

Rainha Santa Isabel
Largo de Dom Diniz, Apartado 88
7100-509 Estremoz
Tel. 268 332 075. Fax 268 332 079

Dom João IV
Terreiro do Paço
7160-250 Vila Viçosa
Tel. 268 980 742. Fax 268 980 747

Pousada dos Lóios
Largo Conde Vila Flor
7000-804 Évora
Tel. 266 730 070. Fax 266 707 248

Castelo do Alvito
Apartado 9
7920-999 Alvito
Tel. 284 480 700. Fax 284 485 383

São Francisco
Largo D. Nuno Álvares Pereira, Apartado 63
7801-901 Beja
Tel. 284 313 580. Fax 284 329 143

Solar da Rede
Santa Cristina-Solar da Rede
5040 Mesão Frio
Tel. 254 890 130. Fax 254 890 139

Convento de Belmonte
6250-Belmonte
Tel. 275 910 300. Fax 275 910 310

Convento do Desagravio
3400-758 Vila Pouca da Beira
Tel. 238 670 080. Fax 238 670 081

Pousadas históricas design
Design historical paradors

Santa Maria do Bouro
Lugar do Terreiro - Bouro Santa Maria
4720-688 Amares
Tel. 253 371 970 / 253 371 971
Fax 253 371 976

Dom Afonso II
Castelo de Alcácer do Sal
7580 Alcácer do Sal
Tel. 265 613 070. Fax 265 613 074

Flor da Rosa
Mosteiro de Sta. Maria - Flor de Rosa
7430-999 Crato
Tel. 245 997 210. Fax 245 997 212

Nossa Senhora da Assunção
Convento dos Loios, Apartado 61
7044-909 Arraiolos
Tel. 266 419 340. Fax 266 419 280

Consejos y normas de seguridad vial (España)

Información cedida por la Dirección General de Tráfico

1. Estado del vehículo

En caso de emprender un viaje es necesario llevar a cabo, con la antelación debida, una completa puesta a punto de su vehículo comprobando:

- Niveles de líquido de frenos, aceite, líquido limpiaparabrisas, agua, y líquido dirección.
- Alumbrado en correcto funcionamiento y altura de los faros.
- Carga de batería y estado de sus bornes.
- Estado de los frenos.
- Estado de la dirección "sin holguras".
- Estado de las bujías.
- Estado y dibujo de rodadura de los neumáticos.
- Estado de las escobillas del limpiaparabrisas.
- Estado de los manguitos del motor y sus abrazaderas a partes fijas.
- Posición correcta de los asientos y sus anclajes.
- Posición correcta del retrovisor "sin ángulos muertos".
- Haga el engrase y cambie el aceite, si fuera necesario.

• Verifique, antes de iniciar el viaje, la presión de los neumáticos y acostúmbrese a circular con el depósito de combustible lleno; ante cualquier situación anómala (retenciones, accidentes, inclemencias meteorológicas, etc.) le será de gran ayuda.

• Compruebe que lleva en su vehículo los recambios imprescindibles como son: rueda de repuesto a su presión necesaria, elevador manual de vehículo (gato), correa de ventilador y juego de luces en perfecto estado.

• En caso de avería o accidente, retire rápidamente el vehículo de la calzada al arcén, y siempre que sea posible, sáquelo de la carretera, estableciendo, en cada caso, las medidas de seguridad vial necesarias.

2. Conducción en caravana

• Si viaja en caravana evite siempre que sea posible los adelantamientos y, si los realiza, no lo haga nunca a más de dos vehículos seguidos.

• Mantenga, en todo momento, las distancias de seguridad entre vehículos.

• En las travesías de núcleos urbanos, extreme su atención ante la presencia de niños, peatones y ciclomotores, y recuerde que la velocidad máxima para circular por ellas es de 50 km/h.

• Si precisa detenerse, saque completamente el vehículo de la calzada al arcén y, si es posible, fuera de la carretera.

• Adecue su velocidad a la del tráfico que le rodea, olvídese de que la señalización le permite circular a mayores niveles.

3. Conducción en autopista y autovía

• En autopista y autovía circule siempre por el carril de la derecha. No cambie de carril más que cuando sea necesario para efectuar un adelantamiento. Una vez efectuado el mismo, vuelva gradualmente al carril derecho.

• Por ser el límite de velocidad 120 km/h, es necesario aumentar la distancia de seguridad entre vehículos.

• En autopista y autovía su vehículo ha de hacerse visible a los demás conductores mucho antes que en una carretera ordinaria, y ello a causa de las grandes velocidades con las que se circula. La mejor señal para advertir el adelantamiento a los demás es hacer destellos luminosos con las luces.

• Cuando tenga necesidad de cambiar de carril aplique la regla de seguridad: retrovisor - señal de maniobra, teniendo siempre presente que detrás pueden venir vehículos que marchen más rápidamente.

• Comience la maniobra de cambio de carril con mucha más antelación que en las carreteras ordinarias, de forma tal que los indicadores de dirección sean bien vistos, manteniendo éstos en funcionamiento durante toda la maniobra.

• Todo conductor que, por razones de emergencia, se vea obligado a circular con su vehículo a una velocidad inferior a 60 km/h en autopistas o autovías deberá abandonarla en la primera salida.

• Si necesita detenerse retire el vehículo lo más posible de la calzada y arcén.

4. Conductor

No olvide adoptar las precauciones elementales e imprescindibles para la conducción en las fechas de desplazamientos masivos y en recorridos de larga distancia.

• La víspera del viaje procure descansar y dormir lo suficiente. Así podrá conducir relajado y sin somnolencia.

• Evite durante el viaje las comidas copiosas, ya que producen efectos negativos con amodorramiento y digestiones pesadas.

• Suprima igualmente cualquier bebida alcohólica. El alcohol disminuye los reflejos y crea una falsa sensación de seguridad. Además, todo conductor queda obligado, bajo sanción, a someterse a las pruebas de alcoholemia, estupefacientes, psicotrópicos y otras análogas.

• Evite la conducción continuada durante muchas horas. Deténgase cada tres horas sacando el coche de la carretera, estire las piernas y respire aire puro, que nunca le vendrá mal. En cualquier caso, al menor síntoma de cansancio pare el coche fuera de la carretera y eche una cabezada.

• Los conductores y usuarios de motocicletas y ciclomotores deberán utilizar cascos protectores para circular por cualquier vía urbana o interurbana.

• Queda prohibido conducir utilizando auriculares conectados a aparatos reproductores de sonido o radioteléfonos.

• Recuerde que la distancia mínima de separación lateral para adelantar a peatones y vehículos de dos ruedas es de 1,50 metros.

• Mientras conduzca no se ponga metas, tiempos ni distancias.

• Adapte la velocidad a las condiciones de la vía.

• Lleve ropa cómoda y calzado adecuado para la conducción.

• Los objetos personales y los que pudiera necesitar durante el viaje, llévelos a mano.

• Si utiliza gafas graduadas no olvide llevar las de repuesto.

5. Preparación del viaje

Antes de iniciar su viaje llame al Centro de Información de Tráfico, teléfono 900 123 505, y solicite información sobre el estado de la circulación en la carretera que Vd. vaya a utilizar, así como datos sobre la situación meteorológica prevista en la zona, posibles itinerarios alternativos en caso de que existan retenciones de tráfico y cualquier otro tipo de información.

• Programe con antelación el plan de viaje, evitando a ser posible los desplazamientos en días y horas punta.

• Si dispone del tiempo necesario, elija para los itinerarios las vías que, contando con las debidas condiciones de seguridad, soporten menor densidad de tráfico.

• Siempre que sea posible, adelante la salida y retrase el regreso evitando coincidir con desplazamientos masivos.

6. Cinturón de seguridad, pasajeros y carga

• Utilice el cinturón de seguridad en las vías urbanas e interurbanas. Su uso es obligatorio para el conductor y los ocupantes, tanto del asiento delantero como de los asientos traseros.

• Evite el exceso de equipaje. Lleve sólo lo verdaderamente necesario y colóquelo adecuadamente. Si puede evitar el llevar baca en el coche, mejor.

• En ningún caso coloque objetos de forma que impidan la perfecta visibilidad del conductor por el espejo retrovisor interior. Coloque la carga de forma equilibrada dentro del coche.

• Queda prohibido circular con niños menores de 12 años, situados en los asientos delanteros del vehículo salvo que utilicen dispositivos homologados al efecto.

• El número máximo de personas que pueden transportarse no puede exceder del número de plazas para las que esté autorizado el vehículo, todas ellas emplazadas y acondicionadas en lugar destinado para ello.

7. Limitación de vehículos pesados

• En determinados itinerarios, o en partes o tramos de ellos comprendidos dentro de las vías públicas interurbanas, así como en tramos urbanos, incluso travesías, se podrán establecer restricciones temporales o permanentes a la circulación de camiones con masa máxima autorizada superior a 3.500 kilogramos, furgones, conjuntos de vehículos, vehículos articulados y vehículos especiales, así como a vehículos en general que no alcancen o no le esté permitido alcanzar la velocidad mínima que pudiera fijarse, cuando, por razón de festividades, vacaciones estacionales o desplazamientos masivos de vehículos, se prevean elevadas intensidades de tráfico.

• Corresponde establecer las aludidas restricciones al organismo autónomo Jefatura Central de Tráfico o, en su caso, a la autoridad de tráfico de la comunidad autónoma que tenga transferida la ejecución de la referida competencia. (Reglamento General de Circulación, Real Decreto 1428/2003, de 21 de noviembre)

• Por ello, el teléfono de información de Tráfico (900.123.505) en servicio las 24 horas del día y las diferentes Jefaturas Provinciales informarán en todo momento de los itinerarios alternativos previstos.

Road safety advice and regulations (Spain)

1. Condition of the vehicle

Before embarking on a journey you should allow sufficient time to carry out a thorough tune up of your vehicle, checking the following items:
- Levels of brake fluid, oil, screen wash, water and steering fluid.
- Correct operation of lights and position of headlights.
- Battery charge level and condition of its terminals.
- Condition of brakes.
- Correct steering alignment.
- Condition of spark plugs.
- Condition and wear on tyre tread.
- Condition of the wiper blades.
- Condition of the engine hose and its fixed clamps.
- Correct positioning of the seats and their anchor points.
- Correct position of the rear view mirror, ensuring there are no" blind spots".
- If necessary change the oil and lubricate.
- Before commencing the journey, check tyre pressure and get used to driving with a full tank of fuel. In unforeseeable circumstances (traffic hold ups, accidents, bad weather etc.) this will prove to be very useful.
- Check that you are carrying all the essential spare parts you need in your vehicle: spare wheel set to the required pressure, jack, fan belt and set of new light bulbs.
- In the event of a breakdown or accident quickly move your vehicle off the carriageway to the hard shoulder and wherever possible move it off the road, taking the appropriate road safety measures according to the circumstances.

2. Driving with a caravan

- If travelling with a caravan, avoid overtaking wherever possible and never overtake more than two vehicles at a time.
- Keep to the safe distance between vehicles at all times.
- When travelling through built up areas look out for children, pedestrians and motorcyclists and remember that the maximum speed limit is 50 km/h.
- If you need to stop, drive the vehicle off the carriageway and onto the hard shoulder. If possible, drive the vehicle off the road completely.
- Match your speed to that of the surrounding traffic. Ignore the fact that road signs may allow you to travel faster.

3. Travelling on motorways and dual carriageways

- When travelling on motorways and dual carriageways, always keep to the right hand lane. Do not change lanes unless you need to in order to overtake.
- Once you have overtaken, gradually return to the right hand lane.
The maximum speed limit on these roads is 120 km/h, which means that safe distances between vehicles must be increased.
- On motorways and dual carriageways your vehicle must be visible to other drivers much sooner than on ordinary roads because of the high speed at which vehicles travel. The best way of signalling to other drivers that you intend to overtake is to flash your lights.
- When you need to change lanes, apply the safety rule: mirror, signal to manoeuvre, remembering that there may be vehicles travelling behind you at higher speeds.
- Begin the manoeuvre to change lanes much earlier than on ordinary roads so that your indicator lights can be seen clearly and keep these lights on throughout the manoeuvre.
- Any driver who is forced by an emergency to drive his vehicle at less than 60 km/h on motorways or dual carriageways should leave by the first available exit.
- If you need to stop, move your vehicle as far as possible away from the carriageway and hard shoulder.

4. The Driver

Don't forget to take basic precautions when driving on particularly busy days and over long distances.
- The day before your journey, make sure you get enough rest and sleep so that you will be relaxed and not affected by sleepiness when driving.
- Avoid heavy meals during your journey as they can be difficult to digest and make you sleepy.
- Avoid all alcoholic drinks. Alcohol dulls your reflexes and creates a false sense of security. Furthermore, all drivers are required to submit to tests for alcoholism, drug addiction, addiction to psychotropic drugs and other similar tests.
- Avoid driving continuously for too many hours. There is no harm in resting every three hours, taking the vehicle off the road, stretching your legs and breathing fresh air. In all cases, at the slightest sign of tiredness, stop the car off the road and take a nap.
- Motorcycle and moped drivers and users must wear protective helmets when travelling along any urban streets or any roads connecting urban centres.
- Drivers are forbidden from wearing headphones connected to any playing device or radio telephone when driving.
- Remember that the minimum distance between you and any pedestrian or two-wheeled vehicle you overtake should be 1.50 metres.
- When you are driving, don't set yourself any targets, times or distances.
- Match your speed to the road conditions.
- Wear comfortable clothes and suitable footwear for driving.
- Keep any personal possessions or objects you may need during the journey within reach.
- If you wear spectacles, remember to take your spare pair with you.

5. Preparing for the journey

Before starting your journey, call the Traffic Information Centre (tel.: 900 123 505) and ask for information about the traffic conditions on the road you intend to use, as well as information about the weather conditions forecast in the area, alternative routes you may take if there are traffic holdups and any other information you may need.
- Plan your journey carefully in advance and, if possible, avoid travelling on busy days and during the rush hour.
- If you have enough time, chose routes which will be less busy, provided that they are safe.
- If possible, leave early on your outbound journey and delay your return journey so as to avoid the busiest times.

6. Safety belt, passengers and loads

- Wear your safety belt whenever travelling in urban areas or on roads connecting urban centres. Use of the safety belt is compulsory for the driver and for the passenger sitting beside him. Rear seat passengers must also use safety belts.
- Avoid carrying excess luggage. Only carry what is absolutely essential and pack it properly. If possible, it is better to avoid using a roof rack.
- Objects should not be loaded in a way which creates an obstacle to clear visibility for the driver using the rear view mirror. Make sure that the load is balanced in the car.
- Children under the age of 12 are forbidden from travelling in the front seat of a car unless they use approved devices for this purpose.
- The maximum number of people carried must never exceed the number of places which the vehicle is authorised to have and all passengers must be seated in the places provided for them.

7. Restrictions on heavy vehicles

- There are some itineraries or even certain stretches within interurban roads, as well as some urban ones which may even include some streets, where there may be temporary or permanent restrictions in traffic flow for lorries with a maximum load of more than 3,500 kilograms, vans, groups of vehicles, articulated vehicles and specialized vehicles, as well as for general automobiles that do not reach or are not able to reach the minimum speed limit; this is specially so during certain festivities, season holidays or when particularly heavy traffic flow is foreseen.
- These restrictions are set by an autonomous organism called the Jefatura Central de Tráfico (Central Transit Headquarters) or, in determined cases, by the transit authority of a given autonomous region that has been granted the aforementioned competence. (Reglamento General de Circulación, Real Decreto 1428/2003, November 21st.).
- There is a 24 hour transit information telephone line (900.123.505) and the various provincial headquarters can inform you at any time of any alternative itineraries that have been anticipated.

Nuevas normas de tráfico

Conductores

Teléfonos móviles sólo con manos libres
Se prohíbe la utilización durante la conducción de teléfonos móviles y cualquier otro medio o sistema de comunicación, salvo si ésta se puede realizar sin emplear las manos ni usar cascos, auriculares o instrumentos similares.

Prohibidas las pantallas con imágenes
Quedan prohibidos los dispositivos que puedan distraer al conductor, como pantallas con acceso a Internet, monitores de televisión y reproductores de vídeo o DVD. Se exceptúan a estos efectos el uso de monitores que, aún estando a la vista del conductor, su utilización sea necesaria (visión de acceso o bajada de peatones, maniobras traseras...) así como el dispositivo GPS.

La radio y el móvil estarán apagados al repostar
El motor y las luces del vehículo deberán estar apagados al repostar combustible, así como los sistemas eléctricos y electromagnéticos, como la radio y el teléfono móvil.

Prohibidos los detectores de radar
Prohibida la instalación en los vehículos de mecanismos, sistemas o cualquier instrumento encaminado a eludir la vigilancia de los agentes de tráfico (detección de radares). También hacer señales con dicha finalidad.

Telepeaje, sólo con su dispositivo
Los vehículos que utilicen los nuevos peajes dinámicos o telepeajes, deberán estar provistos del medio técnico que posibilite su uso operativo.

Circulación de emergencia por el arcén
En caso de emergencia y si se perturbaba la circulación, se permite circular por el arcén de su derecha o por la parte imprescindible de la calzada y a una velocidad anormalmente reducida a turismos, motocicletas y camiones que no excedan de 3.500 kilogramos. En autopista y autovía, es obligatorio abandonar la vía por la primera salida posible.

Luces de emergencia si hay peligro de alcance
Se deberán utilizar durante la circulación las luces de emergencia cuando un vehículo no pueda alcanzar la velocidad mínima exigida y exista peligro de alcance.

Luces y limitación de velocidad en carriles especiales
Obligación de usar las luces de cruce, tanto de día como de noche, para los vehículos que circulen por carriles especiales (reversibles, de sentido contrario al habitual y adicional circunstancial). En caso necesario, también pueden usarse las luces largas.
Además, los conductores que circulen por carril destinado al sentido normal de circulación, pero que tengan contiguo otro habilitado para circular en sentido contrario, también deberán llevar sus luces encendidas (cortas o largas, según el momento). Además, si sólo existe un carril en el sentido normal de la marcha, el conductor deberá limitar su velocidad a 80 km/h.

Nuevos límites de velocidad para algunos vehículos

Vías Vehículos	Autovías y autopistas	Carreteras convencionales señaladas como vías para automóviles	Resto de vías fuera de población
Turismos y motocicletas	120 km/h	100 km/h	90 km/h
Vehículos derivados de turismos, vehículos mixtos adaptables y autobuses	100 km/h	90 km/h	80 km/h
Camiones, tractocamiones, furgones, autocaravanas, vehículos articulados y automóviles con remolque de hasta 750 kilogramos	90 km/h	80 km/h	70 km/h
Automóviles con remolque de más de 750 kilogramos	80 km/h	80 km/h	70 km/h

La carga que sobresalga, siempre señalizada
En los vehículos no destinados exclusivamente al transporte de mercancías, la carga podrá sobresalir por la parte posterior hasta un diez por ciento de su longitud y, si fuera indivisible, un quince por ciento. La carga que sobresalga deberá ir debidamente señalizada por detrás por medio de la señal correspondiente.

Autobuses con viajeros de pie, más despacio
Si en un autobús viajan pasajeros de pie porque así esté autorizado, la velocidad máxima cualquiera que sea el tipo de vía fuera de poblado será de 80 km/h.

Velocidad moderada frente a los ciclistas
Se debe moderar la velocidad, llegando incluso a detenerse, al aproximarse a bicicletas circulando en las proximidades de vías de uso exclusivo de bicicletas y en sus intersecciones, tanto dentro como fuera de poblaciones.

Túneles y pasos inferiores. Nuevas normas
Si la situación de la circulación en un túnel o paso inferior puede previsiblemente dejarle detenido dentro, el conductor está obligado a esperar fuera del mismo, detrás del otro vehículo, en el carril correspondiente hasta que tenga paso libre.
El conductor deberá respetar las normas en túneles y pasos inferiores, relativas a la prohibición de parar, estacionar, cambiar el sentido de la marcha, marchar hacia atrás y adelantar. Además deberá utilizar el alumbrado correspondiente y obedecer las indicaciones de los semáforos y paneles de mensaje variable, así como las instrucciones a través de megafonía o cualquier otro medio.
Si por una emergencia queda inmovilizado dentro de un túnel, se debe apagar el motor, conectar la señal de emergencia y mantener encendidas las luces de posición. Si se trata de una avería que permita continuar, debe hacerlo hasta la salida del túnel o del paso inferior. Si no, dirigir el vehículo hacia la zona reservada para emergencia más próxima en el sentido de su marcha y, si no existe, lo más cerca posible al borde derecho de la calzada; colocar los triángulos y solicitar auxilio en el poste SOS más cercano.
En caso de incendio, el conductor aproximará todo lo posible su vehículo a la derecha, apagará el motor, dejará la llave puesta y las puertas abiertas. Todos sus ocupantes abandonarán el vehículo para dirigirse, sin transitar por la calzada, al refugio o salida más cercana en sentido contrario al fuego.
Sin embargo, si el vehículo queda inmovilizado por necesidades de la circulación, los pasajeros no deben abandonar el vehículo. Conectar temporalmente las luces de emergencia para avisar a los demás, detenerse lo más lejos posible del vehículo precedente y apagar el motor.
Cuando haya circulación en ambos sentidos queda prohibido el adelantamiento, salvo que exista más de un carril para su sentido de circulación, en los que se podrá adelantar sin invadir el sentido contrario.
Cuando no se pretenda adelantar, deberá mantenerse en todo momento una distancia de seguridad con el vehículo precedente de al menos 100 metros o un intervalo mínimo de 4 segundos. Para vehículos de más de 3.500 kilogramos, la distancia será de 150 metros o un intervalo de 6 segundos.

Preferencia en vertical y horizontal
Los conductores deben ceder el paso a los vehículos que transiten por una vía preferente si tienen señalización vertical u horizontal de Ceda el Paso o Stop.

Los niños, siempre sujetos
Cualquier persona mayor de 3 años que no alcance una estatura de 150 centímetros, deberá utilizar un sistema de sujeción homologado a su talla y peso, siempre que los vehículos dispongan de él. En caso contrario, deben usar el cinturón de seguridad de los adultos en los asientos traseros. Los menores de 3 años están siempre obligados a utilizar un sistema de sujeción homologado a su peso y talla.

El uso del chaleco reflectante
Los conductores de turismos, autobuses, vehículos destinados a transporte de mercancías, vehículos mixtos, conjuntos de vehículos no agrícolas y los conductores y personal auxiliar de los vehículos pilotos de protección y acompañamiento, deberán utilizar un chaleco reflectante de alta visibilidad cuando salgan del vehículo y ocupen la calzada o el arcén de las vías interurbanas.

Peatones, ni en autopista ni en autovía
Prohibidas la circulación de peatones y la práctica de autoestop en autopista y en autovías.

Bicicletas, ciclomotores y motocicletas

Ciclistas, prioridad respecto a vehículos a motor
Los ciclistas tendrán prioridad de paso respecto a los vehículos a motor cuando éste gire a la derecha o la izquierda para entrar en otra vía, y cuando circulando los ciclistas en grupo, el primero de ellos haya iniciado ya un cruce o entrado en una glorieta.

Tasa de alcoholemia para ciclistas
La tasa máxima de alcoholemia de los conductores en general (0,5) también afecta a los ciclistas, a los que incluye expresamente.

Descensos pronunciados y seguimiento
En los descensos prolongados con curvas, los ciclistas podrán abandonar el arcén circulando por la parte de la calzada que necesiten, siempre por la derecha. Podrán circular por el arcén los vehículos en seguimiento de ciclistas a velocidad lenta.

Circular en grupo, pero no en pelotón
Se permite a los conductores de bicicleta circular sin mantener la separación entre ellos, extremando la atención a fin de evitar alcances entre los propios ciclistas. Además, no se consideran adelantamientos los producidos entre ciclistas del mismo grupo. Podrán circular en columna de a dos como máximo, siempre lo más a la derecha posible de la vía y colocándose de uno en uno en tramos de poca visibilidad. En autovías sólo podrán circular por el arcén, siempre que sean mayores de 14 años y no esté prohibido por la señal correspondiente. Cuando se prohíba su circulación un panel indicará el itinerario alternativo.

Reflectantes obligatorios
Cuando sea obligatorio el uso del alumbrado, si circulan por vía interurbana, los conductores de bicicleta llevarán colocada una prenda reflectante que permita a los conductores de vehículos y demás usuarios distinguirlos a una distancia de 150 metros.

En bicicleta, todos con casco
Los conductores y ocupantes de bicicleta deberán utilizar cascos de protección homologados o certificados cuando circulen en vías interurbanas, salvo en rampas ascendentes prolongadas, por razones médicas y en condiciones extremas de calor. Los ciclistas en competición y los profesionales durante los entrenamientos o en competición, se regirán por sus propias normas.

Circulación de vehículos para personas con movilidad reducida
Se prohíbe circular por autopistas y autovías a ciclomotores y vehículos para personas de movilidad reducida (tara no superior a 350 kilogramos y que en llano no supere 45 km/ h...).

Los menores en vehículos de dos ruedas
Las bicicletas podrán transportar un menor de hasta 7 años en asiento adicional homologado cuando el conductor sea mayor de edad. En los ciclomotores y motocicletas, siempre que estén construidos para ello, además del conductor puede viajar un pasajero mayor de 12 años. Excepcionalmente podrá viajar un mayor de 7 años cuando el vehículo lo conduzca su padre, madre o tutor o por personas mayores de edad por ellos autorizadas, siempre con casco.

Giros interurbanos, desde la derecha
En vías interurbanas, los ciclos y ciclomotores de dos ruedas, si no existe un carril especialmente acondicionado para el giro a la izquierda, deben situarse a la derecha fuera de la calzada siempre que sea posible, e iniciarlo desde ese lugar.

El uso del cinturón en moto
Cuando las motocicletas (con y sin sidecar), ciclomotores, vehículos de tres ruedas y cuadriciclos, cuenten con estructura de autoprotección y cinturones de seguridad (y conste en su tarjeta de inspección técnica), su conductor y pasajeros estarán obligados a usarlos, tanto en vías urbanas como interurbanas, quedando exentos de utilizar el casco de protección.

New traffic regulations

Drivers

Mobile phones are only allowed with hands-off devices
The use of mobile pones or any other means or systems of communication is prohibited unless these can be operated without the use of hands, headphones, earplugs or similar instruments.

Screens with images are forbidden
Any devices which can distract the driver are considered illegal, such as screens which access the Internet, television monitors and video or DVD reproducers. This does not apply to the use of other monitors that may affect the driver's view but are deemed necessary (in order to see a pedestrian exit, for manoeuvring the vehicle in reverse, etc.) as well as GPS devices.

Radios and mobile phones must be turned off when refuelling
The vehicle's motor and lights must be turned off when refuelling, as well as any electrical and electromagnetic systems, such as radios and mobile phones.

Radar detectors are prohibited
Installing any mechanism, system or instrument in your vehicle to elude traffic police control (such as a radar detector) is prohibited. The same applies to signalling to this effect.

Teletoll, only with the appropiate device
Vehicles that use new dynamic toll booths or teletoll devices should have the technical means that allow their operative use.

Emergency driving on the curb
In case of an emergency or if traffic flow is disturbed, private vehicles, motorcycles and lorries that do not exceed 3.500 kilograms may drive on the curb to the right or on the edge of the paved road, as long as they do so at a very low speed. In these type of situations, motorways and main roads must be abandoned as soon as possible.

Emergency lights required if there is danger of being hit
Emergency lights must be used while driving a vehicle that cannot function at the minimum required velocity and there is danger of being hit.

Lights and speed limit in special lanes
The use of dipped headlights is mandatory, both day and night, for vehicles that circulate in special lanes (reversible lanes, lanes used to drive the wrong way and other special circumstances.) When it is necessary, full-beam headlights can also be used in special lanes.
Furthermore, drivers who circulate on a lane destined for normal direction flow but who are next to another one enabled for circulation in the opposite direction must also have their lights turned on (dipped or full-beam headlights, according to the time of day). In addition, if there is only one lane in the normal direction, the speed limit must be kept under 80 km/ h.

New speed limits for some vehicles

Roads / Vehicles	Main Roads and Motorways Indicated for Vehicles	Conventional Highways/Roads	Rest of Roads Outside of Populated Areas
Cars and Motorcycles	120 km/h	100 km/h	90 km/h
Vehicles Derived from Private Vehicles, Adaptable Mixed Vehicles and Buses		100 km/h	90 km/h 80 km/h
Lorries, Tractors, Vans, Camping Vehicles, Articulated Vehicles and Lorries that Tow up to 750 kilograms	90 km/h	80 km/h	70 km/h
Lorries that Tow over 750 kilograms	80 km/h	80 km/h	70 km/h

Overloads must always be indicated
In vehicles that are not exclusively destined for merchandise transportation, the load can hang over the back up to ten per cent of its longitude and, if it is indivisible, up to fifteen per cent. The load that sticks out must be properly indicated, by placing the appropriate sign in the back of the vehicle.

Buses with standing passengers
Vehicles that are authorized to carry standing passengers may never travel over 80 km/h on any road.

Moderate speed near cyclists
Speed must be restrained, must even come to a full stop, when the vehicle circulates near lanes that are for the exclusive use of bicycles as well as in their intersections, both inside and outside populated areas.

New norms for tunnels and underpasses
If the traffic flow in a tunnel or an underpass can be expected to make the vehicle stop halfway through, the driver must wait outside, behind another vehicle in the corresponding lane, until it can fully cross the tunnel or underpass.
In tunnels and underpasses the driver is not allowed to stop, park, change directions, drive in reverse or overtake another vehicle. In addition, drivers must obey corresponding lighting laws and street light indications as well as those displayed in panels with changing messages; the same holds for any instructions coming from any public address systems or similar means.
If the vehicle is forced to stop inside a tunnel due to an emergency, the motor must be turned off, and emergency and side lights must be turned and left on. If the problem allows traffic to continue flowing, lights must be kept on until exiting the tunnel or underpass. If not, the vehicle must be directed towards the nearest emergency area in the same direction as it is circulating; if there is no nearby emergency area, the vehicle should be positioned the closest that it possibly can to the right edge of the roadway; triangles must be put up and help should be requested in the closest SOS post.

In case of fire, the driver will position the vehicle as close as possible to the right side of the road; the motor must be turned off, the keys must stay in the ignition and all doors remain open. All passengers must abandon the vehicle and head towards the nearest refuge or exit, in the opposite direction of the fire, if possible, without walking directly on the road.
If the vehicle comes to a halt due to a problem in traffic flow, passengers are not required to abandon it. Emergency lights should be turned on temporarily in order to communicate the problem to others, the vehicle must be stopped the furthest away possible from the preceding vehicle and the motor must be turned off.
When there is traffic flow in two directions passing a vehicle is forbidden unless there is more than one lane in the same direction, which allows the vehicle to be overtaken without invading one of the lanes that goes the other way.
If the driver does not want to pass another car, he must maintain a secure distance behind the preceding vehicle at all times of at least 100 metres or a minimal interval of 4 seconds. For vehicles of over 3.500 kilograms, the distance will be of 150 metres or an interval of 6 seconds.

Vertical and horizontal preference
Drivers must yield to vehicles that drive on roads where it indicates that they have the right of way either with a vertical or a horizontal Yield or Stop sign.

Children, always buckled up
All persons over 3 years of age that do not reach a height of 150 centimetres must use an approved security system for their height and weight, whenever this is available in the vehicle. If this is not the case, they must use the adult seat belt in the back seat. Those under 3 years old are always required to use an authorized security system adequate for their weight and height.

Use of the reflecting vest
Drivers of private vehicles, buses, merchandise transporting vehicles, mixed vehicles, groups of non agricultural vehicles as well as drivers and assistant personnel of pilot protection and accompaniment vehicles must use a highly visible reflecting vest when they exit the vehicle and occupy the roadway or the curb in interurban roads.

Pedestrians are not allowed on motorways nor on main roads
Pedestrians are not allowed on motorways or on main roads; hitchhiking is also prohibited.

Bicycles, mopeds and motorcycles

Cyclists, priority with regards to motorized vehicles
Cyclists have the right of way with regard to motorized vehicles when these wish to turn either right or left to take another road, and also when there are cyclists circulating in a group and the first one has begun crossing a road or has entered a roundabout.

Alcohol level in cyclists
The maximum level of alcohol for drivers in general (0,5) also applies to cyclists.

Marked downward slopes and following vehicles
In prolonged downward slopes with curves, cyclists are allowed to abandon the curb and circulate on the main road whenever necessary, always on the right. Vehicles that travel behind cyclists at a slow speed are allowed to circulate on the curb.

Circulating in group, but not in a crowd
Cyclists are allowed to drive without maintaining a required distance between themselves, as long as every effort is made to avoid getting too close to other cyclists. In addition, when cyclists of the same group pass in front of each other, this is not considered overtaking. They are allowed to drive in rows of up to two members, always as far to the right of the road as possible and one after the other in stretches of low visibility. On main roads, cyclists are only allowed to drive on the curb, they must be at least 14 years of age and there must be no road sign that prohibits bicycle traffic flow. Whenever cyclists are not allowed to circulate, there will be a panel indicating an alternative itinerary.

Mandatory reflectives
Whenever it is mandatory to use lighting, if driving on interurban roads, cyclists will preferably wear a piece of reflective clothing that allows car drivers and other users to distinguish them at a distance of 150 metres.

On bicycles, everyone must wear a helmet
Bicycle drivers and passengers must use officially approved or certified protective helmets when driving on interurban roads, except on prolonged ascending ramps, for medical reasons and in conditions of extreme heat. Competing and professional cyclists can follow their own norms during training or while in competition.

Vehicle traffic flow for persons with reduced mobility
Neither mopeds nor the vehicles of persons with reduced mobility (tare that does not exceed 350 kilograms and that does not go over 45 km/ h on flat ground) are allowed to drive on motorways and main roads.

Minors on two wheel vehicles
Bicycles can transport minors of up to 7 years of age in an officially approved additional seat when the driver is overage. For mopeds and motorcycles, if they are suited for it, an additional passenger of over 12 years of age is allowed on as well as the driver. Passengers of over 7 years old are allowed on rare occasions, for example when the driver is the father, mother, tutor or someone overage authorized to do so, and always wearing a helmet.

Interurban turns, from the right
On interurban roads, cycles and two wheeled mopeds wishing to turn right must first occupy the right hand lane if there is no special lane indicated for turning; they must try to steer away from the road whenever possible, and initiate turns from the extreme right.

The use of safety belts on motorcycles
Whenever a motorcycle (with or without a sidecar), a moped, a three wheeled vehicle or a cuadri-cycle, has a self protective structure and safety belts (and this is specified in its technical inspection card), the driver and passengers are required to use them, both in urban as well as interurban roads, in which case they are exempt from using a protective helmet.

Carretera	Carretera Estatal de Referencia	Itinerario de Referencia O/D
Road	*Reference State Road*	*Reference Itinerary from/to*
A-1	N-I	Madrid-Burgos
		Variante de Miranda de Ebro
		L. P .Álava-L. P. Álava
		(Condado de Treviño)
AP-1	A-1	Burgos-Armiñón
A-11	N-122	Soria-Valladolid
		Tordesillas-Frontera portuguesa
A-12	N-120	Logroño-Burgos
A-13		Logroño-L. P. Navarra
A-14	N-230	Lleida-Frontera francesa (Viella)
A-15	N-111y N-122	Medinaceli-Soria
		Variante de Ágreda
AP-15	N-122	Soria-Ágreda
		Ágreda-L. P. Navarra
A-2	N-II	Madrid-Zaragoza
		Fraga-Barcelona
		Barcelona-Frontera francesa
AP-2	A-2 y N-II	Zaragoza-El Vendrell
		Papiol-Molins
A-21	N-240	Jaca-L. P. Navarra
A-22	N-240	Lleida-Huesca
A-23	N-234 y 330	Sagunto-Frontera
		francesa (Somport)
A-24	N-334	Daroca-Calatayud
A-26	N-260	Figueres-Olot
A-27	N-240	Tarragona-Montblanc
A-3	N-III	Madrid-Valencia
A-30	N-301	Albacete-Cartagena
A-31	A-31,N-301,N-430 y N-330	Atalaya-Alicante
A-32	N-322	Linares-Albacete
A-33	N-344 y N-430	Cieza-Fuente la Higuera
A-35	N-430	Almansa-Xativa
AP-36	N-301	Ocaña-La Roda
AP-37		Alicante-Murcia
A-4	N-IV	Madrid-Sevilla
		Aeropuerto de Jerez-A-48
		(Cádiz)
AP-4	A-4	Sevilla-Cádiz
A-40	N-400, N-403 y N-420	Maqueda-Toledo-Cuenca-Teruel
A-41	N-401	Ciudad Real-Puertollano
AP-41	N-401	Madrid-Toledo-Ciudad Real
		Puertollano-Córdoba
A-42	N-401	Madrid-Toledo
A-43	N-430,N-420 Y 310	Mérida-Ciudad Real-Atalaya
A-44	N-323	Bailén-Motril
A-45	N-331	Córdoba-Málaga
AP-46	N-331	Alto de las Pedrizas-Málaga
A-47	N-433	Sevilla-Frontera portuguesa
		(Rosal de la Frontera)
A-48	N-340	A-4 (Cádiz) - Algeciras
A-49	A-49	Sevilla-Frontera
		portuguesa (Ayamonte)
A-5	N-V	Madrid-Frontera
		portuguesa (Badajoz)
A-50	N-501	Ávila-Salamanca
A-51	N-110	Circunvalación Ávila
AP-51	N-110	Ap-6-Ávila
A-52	A-52	Benavente-Vigo
AP-53	N-525	Santiago-Alto de Santo Domingo
A-54	N-547	Lugo-Santiago
A-55	N-550	Vigo-Tui
A-56	N-540	Guntin (Lugo)-Ourense
A-57		A Cañiza-Pontevedra
A-58	N-521	Trujillo-Cáceres
A-6	N-VI	Madrid-Villalba
		Adanero-A Coruña
AP-6	A-6	Villalba-Adanero
A-60	N-601	Valladolid-León
AP-61	N-603	Segovia-Ap-6
A-62	N-620	Burgos-Frontera portuguesa
A-63	N-634	Oviedo-La Espina
A-64	A-8	Villaviciosa-Oviedo
A-65	N-610	Benavente-Palencia
A-66	N-630	Gijón-Campomanes
		León-Sevilla
AP-66	A-66	Campomanes-León
A-67	N-611 y A-67	Palencia-Santander
A-68	N-232	El Burgo de Ebro-Zaragoza
		Variante de Fuentes de Ebro
		Zaragoza-Figueruelas
AP-68	N-232	Bilbao-Zaragoza
AP-69	N-232	Haro-Pancorbo
A-7	A-7 y N-340	Barcelona-Algeciras
AP-7	A-7 y A-37	Frontera Francesa (La
		Junquera)-Puzol
		Silla-Alicante
		Crevillente-Cartagena-Vera
		Málaga-Guadiaro
AP-71	N-120	León-Astorga
A-70		Circunvalación de Alicante
A-72		Monforte-Chantada
A-73	N-627	Burgos-Aguilar de Campo
A-74		Almadén-A-43
A-77		Acceso Noroeste
		a Alicante
A-78	N-340	Elche-Crevillente
A-79	N-340	Vía parque Elche-Alicante
A-8	A-8, N-634 y N-632	L. P.Vizcaya-Santander
		(Parbayón) Torrelavega
		(Zurita)-Gijón-
		A-6 Baamonde
AP-8	N-634	Parballón-Zurita
A-80	N-634 Y N-625	Ribadesella-Cangas de Onís
AP-9	N-550 y N-651	A Coruña y Ferrol-Frontera
		portuguesa (Tui)
A-91	N-342	L. P. Granada (Vélez Rubio)-
		Puerto Lumbreras
AC-10	N-550 / N-VI	AC-11 (Alfonso Molina)-
		AC-12 (N-VI San Pedro Nos
		Casablanca-Puerto en A Coruña)
AC-11	N-550 y N-557	Avda. Alfonso Molina
		en A Coruña
AC-12	N-VI	San Pedro de Nos-
		Puerto de A Coruña
AC-14		A-6-A Coruña
AI-81		Acceso Este a Avilés
AL-12	N-344	Acceso Este a Almería
AL-14		Acceso al Puerto
		de Almería
R-1	N-I	Madrid-Santo Tomé
		del Puerto
R-2	N-II	Madrid-Guadalajara
R-3	N-III	Madrid-Arganda
R-4	N-IV	Madrid-Ocaña
R-5	N-V	Madrid-Navalcarnero
B-10	B-10	Ronda Litoral
		de Barcelona
B-20	B-20	Ronda Norte
		de Barcelona
B-21		Segundo acceso al puerto
		de Barcelona
B-22		Acceso al aeropuerto
		de Barcelona
B-23		Acceso Barcelona centro
B-24	N-340	Acceso a Barcelona
		desde Vallirana
B-30	B-30	Calzadas laterrales AP-7
		en Barcelona
B-40		Autovía Orbital de Barcelona
BA-11	N-432	Acceso Sur a Badajoz
BA-20	N-V	Circunvalación de Badajoz
BU-11	N-620	Acceso Sur a Burgos

Carretera	Carretera Estatal de Referencia	Itinerario de Referencia O/D
Road	*Reference State Road*	*Reference Itinerary from/to*
BU-30		Circunvalación de Burgos
CA-31	N-IV (a)	Acceso norte al Pto. de Santamaría
CA-32	N-IV (a)	Acceso sur al Pto. de Santamaría
CA-33	N-IV	Acceso a Cádiz
CA-34	N-341	Acceso a Gibraltar
CC-11	N-630	Acceso Norte a Cáceres
CC-21	N-521	Acceso Oeste a Cáceres
CC-23	N-521	Acceso Este a Cáceres
CO-31	N-432	Acceso norte a Córdoba
CO-32		Nuevo acceso al aeropuerto de Córdoba
CS-22	N-225	Nueva carretera acceso al puerto de Castellón
CT-31		Acceso Oeste a Cartagena
CT-32		Acceso Este a Cartagena
CT-33		Acceso a la dársena de Cartagena
CT-34		Acceso a la dársena de Escombreras
CU-11		Acceso Oeste a Cuenca
EL-20		Circunvalación de Elche
FE-11		La Trinchera-El Ponto
FE-12		Freixeiro-Río do Pozo
FE-13		Montón-Catabois
FE-14		Fene-Puerto
GJ-10		Ronda interior de Gijón
GJ-20		Ronda Oeste. Acceso al puerto de Gijón
GJ-81		Acceso Sur a Gijón
GR-12		Acceso al aeropuerto de Granada
GR-14	N-323	Acceso Oeste al puerto de Motril
GR-16		Acceso Este al Puerto de Motril
GR-30		Circunvalación de Granada
GR-43	N-432	Acceso a Granada desde la N-432
H-30	N-431 y N-441	Circunvalación de Huelva
H-31	N-431	Acceso a Huelva desde la A-49
J-12	N-323 (a)	Acceso Norte a Jaén
J-14	N-323 (a)	Acceso Este a Jaén
LL-11		Acceso Este a Lérida
LL-12		Acceso Sur a Lérida
LE-12	N-601	Conexión LE-20 y LE-30
LE-20		Circunvalación de León
LE-30		Circunvalación de León
LO-20	N-232	Circunvalación Sur de Logroño
LU-11	N-VI	Nadela-Tolda de Castilla
M-11	A-10	Acceso al aeropuerto de Madrid desde la M-30
M-12		Eje aeropuerto de Madrid (M-40 a A-1)
M-13		Eje Este-Oeste (Aeropuerto de Madrid)
M-14		Acceso al aeropuerto de Madrid desde la A-2
M-21		Variante de la A-2. Conexión M-40 y M-50
M-22	N-100	Conexión A-2 - M-21
M-23		Conexión M-30 y M-40 con la R-3
M-30	M-30	Circunvalación de Madrid
M-31		Eje Sureste. Conexión M-40 y M-50
M-40	M-40	Circunvalación de Madrid
M-50	M-50	Circunvalación de Madrid
M-60		Circunvalación de Madrid

Carretera	Carretera Estatal de Referencia	Itinerario de Referencia O/D
Road	*Reference State Road*	*Reference Itinerary from/to*
MA-20	MA-20	Circunvalación de Málaga
MA-21	N-340 a	Torremolinos-Málaga
MA-22	N-354	Acceso al puerto de Málaga
MA-23	N-348	Acceso Sur al aeropuerto de Málaga
MA-24	N-340 a	Acceso Este (La Araña) a Málaga
ME-11	N-630	Acceso Norte a Mérida
MU-30	MU-30	Circunvalación de Murcia
MU-31		Acceso suroeste a Murcia
O-11		Acceso suroeste a Oviedo
O-12		Acceso Sur a Oviedo
O-13		Acceso Oeste a Oviedo
OU-11		Acceso Centro a Ourense
P-11	N-611	Acceso Sur a Palencia
PO-10		Circunvalación de Pontevedra
PO-11	N-563 y N-558	Acceso al puerto de Marín
PO-12	N-558	Acceso Oeste a Pontevedra
PU-11		Acceso Norte a Puertollano
S-10	N-635	Acceso Este a Santander
S-20	S-20	Acceso Oeste a Santander
S-30		Ronda de la Bahía de Santander
SA-11	N-630	Acceso Norte a Salamanca
SA-20	N-501	Ronda Sur de Salamanca
SC-11	N-525	Acceso A-9-Cornes
SC-12	N-525a	Conexión Castiñeiriño-Cornes
SC-20		Circunvalación de Santiago de Compostela
SE-20		Circunvalación de Sevilla
SE-30	SE-30	Circunvalación de Sevilla
SE-40		Circunvalación de Sevilla
SG-20	SG-20	Circunvalación de Segovia
SO-20		Circunvalación de Soria
T-11	N-420	Reus-Tarragona
TO-20		Circunvalación de Toledo
TO-21		Acceso Oeste a Toledo
TO-22		Acceso Oeste desde la A-41
TO-23		Acceso Este a Toledo
V-11		Acceso al aeropuerto de Valencia
V-21	N-221	Puzol-Valencia
V-23		Acceso al puerto de Sagunto
V-30	N-335	Circunvalación de Valencia
V-31		Acceso Sur a Valencia
VA-11	N-122	Acceso Este a Valladolid
VA-12	N-601	Acceso Sur a Valladolid
VA-20		Circunvalación de Valladolid
VA-30		Circunvalación de Valladolid
VG-20		Segundo cinturón de Vigo
Z-32		Conexión N-232 Y A-68
Z-40		Circunvalación de Zaragoza
ZA-11	N-630	Acceso Norte a Zamora
ZA-12	N-122	Acceso Este a Zamora
ZA-13	N-630	Acceso Sur a Zamora
ZA-20		Circunvalación de Zamora

Índice de topónimos / *Place index*

A

A dos Ferreiros de Cima P (Ave.) 74 B 4
Ababuj E (Te.) 106 B 1
Abação (São Tomé) P (Br.) 54 C 3
Abaças P (V. R.) 55 B 5
Abad E (A Co.) 3 A 2
Abade de Neiva P (Br.) 53 D 2
Abade de Vermoim P (Br.) 54 A 4
Abadengo de Torío E (Le.) 19 A 5
Abades E (Our.) 35 B 5
Abades E (Po.) 14 C 4
Abades E (Seg.) 80 D 3
Abades y las Norias, Los E (Mu.) 171 A 3
Abadía E (Các.) 98 A 3
Abadia P (Lei.) 111 C 1
Abadía de Lebanza, lugar E (Pa.) 20 B 3
Abadía, La E (Bur.) 22 C 2
Abadim P (Br.) 55 A 3
Abadín o Provecende E (Lu.) 4 A 4
Abadiño-Zelaieta E (Viz.) 23 C 2
Abáigar E (Na.) 24 B 5
Abajas E (Bur.) 22 A 5
Abalo E (Po.) 13 D 4
Ábalos E (La R.) 43 B 1
Abaltzisketa E (Gui.) 24 B 2
Abambres P (Bra.) 56 B 3
Abánades E (Gua.) 83 D 3
Abaniella E (Ast.) 5 B 5
Abanilla E (Mu.) 156 A 3
Abanqueiro E (A Co.) 13 D 4
Abanto E (Zar.) 85 A 1
Abanto y Ciérbana/ Abanto Zierbena E (Viz.) 10 D 5
Abarán E (Mu.) 155 C 3
Abarca de Campos E (Pa.) 40 A 5
Abartzuza → Abárzuza E (Na.) 24 B 5
Abárzuza/Abartzuza E (Na.) 24 B 5
Abastas E (Pa.) 40 A 3
Abaurrea Alta → Abaurregaina E (Na.) 25 C 3
Abaurrea Baja → Abaurrepea E (Na.) 25 C 3
Abaurregaina/ Abaurrea Alta E (Na.) 25 C 3
Abaurrepea/ Abaurrea Baja E (Na.) 25 C 3
Abavides E (Our.) 35 C 4
Abdet E (Ali.) 141 B 4
Abeancos E (A Co.) 15 A 3
Abedes E (Our.) 35 D 5
Abedim P (V. C.) 34 B 4
Abedul E (Ast.) 5 D 5
Abedul E (Ast.) 7 A 5
Abegoaria P (Set.) 127 C 3
Abegondo E (A Co.) 2 D 5
Abejar E (So.) 63 B 2
Abejera E (Zam.) 57 D 1
Abejuela E (Alb.) 154 C 2
Abejuela E (Alm.) 170 D 3
Abejuela E (Te.) 106 B 5
Abela P (Set.) 143 C 4
Abeleda E (Our.) 35 D 1
Abeledo E (Lu.) 4 A 4
Abelenda E (Our.) 34 C 1
Abelenda E (Our.) 34 D 2
Abelgas de Luna E (Le.) 18 B 3
Abelheira P (Lis.) 110 C 4
Abelón E (Zam.) 58 A 4
Abellá E (A Co.) 14 C 1
Abella de la Conca E (Ll.) 49 B 3
Abella, l' E (Bar.) 71 A 1
Abellada, lugar E (Hues.) 47 B 2
Abelleira E (A Co.) 13 C 3
Abenfigo E (Te.) 87 B 4
Abengibre E (Alb.) 139 B 1
Abenilla E (Hues.) 47 A 2
Abenójar E (C. R.) 134 C 3
Abenozas E (Hues.) 48 B 2
Abenuj, lugar E (Alb.) 139 A 5
Aberasturi E (Ál.) 23 C 4
Abertura E (Các.) 116 B 5
Abezames E (Zam.) 59 A 3
Abi E (Hues.) 48 B 1
Abia de la Obispalía E (Cu.) 103 D 5
Abia de las Torres E (Pa.) 40 C 2
Abiada E (Can.) 20 D 3
Abibes P (Év.) 129 C 3
Abiego E (Hues.) 47 C 4
Abión E (So.) 64 A 3
Abionzo E (Can.) 21 C 1
Abitureira P (C. B.) 94 D 4
Abitureira P (Guar.) 96 B 1
Abitureiras P (San.) 111 B 4
Abiúl Vila Chã P (Lei.) 93 D 5
Abizanda E (Hues.) 47 D 3
Abla E (Alm.) 183 B 1
Ablanque E (Gua.) 84 A 3
Ablaña de Abajo E (Ast.) 6 C 5
Ablitas E (Na.) 45 A 5
Aboadela P (Port.) 54 D 5
Abobeleira P (V. R.) 55 D 1
Abóboda P (Lis.) 126 B 3
Aboboreira P (C. B.) 113 B 1
Aboboreira P (San.) 112 C 2
Aboi E (Po.) 14 A 4
Aboim P (Br.) 54 D 3
Aboim P (Port.) 54 D 4
Aboim da Nóbrega P (Br.) 54 B 1
Abolafia de la Torre, lugar E (Cór.) 166 C 1
Aborim P (Br.) 54 A 2
Abrã P (San.) 111 B 3
Abragão P (Port.) 54 C 5
Abrajanejo E (Cád.) 178 C 4
Abrançalha de Baixo P (San.) 112 B 3
Abrançalha de Cima P (San.) 112 B 3
Abrantes P (San.) 112 B 3
Abraveses P (Vis.) 75 A 4
Abraveses de Tera E (Zam.) 38 B 5
Abreiro P (Bra.) 56 A 4
Abrera E (Bar.) 70 C 3
Abres E (A Co.) 14 A 1
Abres E (Ast.) 4 C 3
Abrigada P (Lis.) 111 A 5
Abrigos, Los E (S.Cruz T.) 195 D 5
Abril, lugar E (Alb.) 138 A 2
Abriojal E (Alm.) 183 D 2
Abrucena E (Alm.) 183 B 1
Abrunheira P (Co.) 93 C 3
Abrunheira P (Lei.) 94 B 4
Abrunheira P (Lis.) 126 B 3
Abrunheira P (Lis.) 110 C 5
Abrunheiro Grande P (C. B.) 112 B 1
Abrunheiro Pequeno P (C. B.) 112 B 1
Abrunhosa P (Vis.) 75 B 4
Abrunhosa do Mato P (Vis.) 75 B 5
Abrunhosa-a-Velha P (Vis.) 75 B 5
Abuín E (A Co.) 13 D 4
Abuin E (A Co.) 13 C 4
Abusejo E (Sa.) 77 D 4
Abuxanas P (San.) 111 A 4
Abuzaderas E (Alb.) 138 D 4
Acantilado de los Gigantes E (S.Cruz T.) 195 B 3
Acebal E (Ast.) 19 A 1
Acebal, El E (Ast.) 6 D 4
Acebeda, La E (Mad.) 81 D 2
Acebedo E (Ast.) 6 A 4
Acebedo E (Le.) 19 C 2
Acebedo E (Po.) 34 A 1
Acebedo do Río E (Our.) 35 A 3
Acebeiro E (Po.) 14 C 5
Acebes del Páramo E (Le.) 38 B 2
Acebo E (Các.) 96 D 3
Acebo E (Lu.) 4 B 5
Acebrón, El E (Cu.) 120 D 1
Acebuchal E (Sev.) 164 A 4
Acebuchal, El E (J.) 151 D 3
Acebuchal, El E (Sev.) 164 D 2
Acebuche E (Huel.) 146 C 5
Aceca E (To.) 101 C 5
Acedera E (Bad.) 132 C 2
Acedillo E (Bur.) 41 C 1
Acedinos E (Mad.) 101 C 3
Acedo E (Na.) 24 A 5
Acedre E (Lu.) 35 C 1
Acehúche E (Các.) 115 A 1
Aceituna E (Các.) 97 C 3
Aceitunilla E (Các.) 97 C 1
Aceña E (Bur.) 42 A 4
Aceña, La E (Các.) 114 A 4
Aceñuela, La E (Sev.) 165 D 4
Acequias E (Gr.) 182 A 2
Acera de la Vega E (Pa.) 20 A 5
Acered E (Zar.) 85 A 1
Aceredo E (Our.) 34 D 5
Aceuchal E (Bad.) 131 A 5
Acipreste P (Lei.) 111 A 2
Açoreira P (Bra.) 76 B 1
Açores P (Guar.) 76 A 5
Acra E (J.) 168 D 1
Ácula E (Gr.) 181 C 1
Acuña E (Po.) 34 A 1
Achada P (Aç.) 109 D 4
Achada P (Lis.) 126 B 1
Achadas da Cruz P (Ma.) 109 D 1
Achadinha P (Aç.) 109 C 4
Achas E (Po.) 34 C 3
Achete P (San.) 111 C 4
A-da-Beja P (Lis.) 126 C 3
Adães P (Br.) 54 A 3
A-da-Gorda P (Lei.) 110 D 3
Adahuesca E (Hues.) 47 C 4
Adai E (Lu.) 16 A 2
Adal E (Can.) 10 A 4
Adalia E (Vall.) 59 C 3
Adalid, lugar E (Sev.) 165 A 4
Adamuz E (Cór.) 150 B 4
Adanero E (Áv.) 80 B 3
Adão P (Guar.) 96 A 1
A-das-Lebres P (Lis.) 126 D 2
Adaúfe P (Br.) 54 B 2
Ade P (Guar.) 76 C 5
A-de-Barros P (Vis.) 75 C 2
Adeganha P (Bra.) 56 B 5
Adeje E (S.Cruz T.) 195 C 4
Adelán E (Lu.) 4 A 3
Adelantado, El E (Cór.) 166 D 5
Adelfas, Las E (Alm.) 183 B 1
Adelfilla, La E (Cór.) 149 A 4
Ademuz E (Val.) 105 C 4
Adgiraldo P (C. B.) 95 B 4
Adina E (Po.) 33 D 1
Adiós/Adioz E (Na.) 24 D 5
Adioz → Adiós E (Na.) 24 D 5
Adoain E (Na.) 25 D 4
A-do-Bago P (Lis.) 126 D 1
A-do-Barbas P (Lei.) 111 B 1
Adobes E (Gua.) 85 A 5
A-do-Bispo P (Vis.) 75 D 2
A-do-Corvo P (Be.) 160 C 2
A-do-Freire P (San.) 111 D 2
Adomingueiros P (Vis.) 75 B 2
Adopisco P (Vis.) 74 D 3
Ador E (Val.) 141 C 3
Adorigo P (Vis.) 75 C 1
A-dos-Arcos P (Lis.) 126 D 1
A-dos-Bispos P (Lis.) 127 A 1
A-dos-Calvos P (Lis.) 126 C 2
A-dos-Cunhados P (Lis.) 110 C 5
A-dos-Francos P (Lei.) 111 A 4
A-dos-Loucos P (Lis.) 127 A 2
A-dos-Negros P (Lei.) 110 D 3
A-dos-Ruivos P (Lei.) 110 D 4
Adoufe P (V. R.) 55 B 4
Adra E (Alm.) 183 A 4
Adrada de Haza E (Bur.) 61 C 3
Adrada de Pirón E (Seg.) 81 B 2
Adrada, La E (Áv.) 100 B 3
Adradas E (So.) 63 D 5
Adrados E (Le.) 19 B 3
Adrados E (Seg.) 61 A 5
Adragonte E (A Co.) 2 D 4
Adrall E (Ll.) 49 D 2
Adri E (Gi.) 51 D 4
Adside P (Vis.) 74 C 4
Adsubia/Atzúvia, l' E (Ali.) 141 C 3
Aduanas/Duana, la E (Ali.) 142 A 3
Aduna E (Gui.) 24 B 1
Adurão P (Co.) 95 A 3
Advagar P (San.) 111 C 4
Adzaneta de Albaida/ Atzeneta d'Albaida, l' E (Val.) 141 A 3
Aes E (Can.) 9 B 5
Afife P (V. C.) 53 C 1
Afonsim P (V. R.) 55 C 3
Afonsim P (Vis.) 75 B 4
Afonso Vicente P (Fa.) 161 B 3
Afur E (S.Cruz T.) 196 C 1
Agadão P (Ave.) 74 B 5
Agaete E (Las P.) 191 B 2
Agallas E (Sa.) 97 B 1
Agaró, S', lugar E (Gi.) 52 C 5
Age E (Gi.) 50 C 1
Àger E (Ll.) 48 D 5
Agés E (Bur.) 42 A 2
Agicampe E (Gr.) 167 A 5
Aginaga E (Ál.) 22 D 2
Aginaga E (Gui.) 12 B 5
Agirre-Aperribai E (Viz.) 23 A 1
Agodim P (Lei.) 93 C 5
Agoitz → Aoiz E (Na.) 25 B 4
Agolada E (Po.) 15 A 4
Agón E (Zar.) 65 B 1
Agoncillo E (La R.) 44 A 2
Agones E (Ast.) 6 A 3
Agost E (Ali.) 156 D 1
Agra E (Alb.) 155 A 1
Agra E (Lu.) 15 D 4
Agracea, La E (J.) 153 B 2
Agramón E (Alb.) 155 A 2
Agramunt E (Ll.) 69 B 1
Agras P (Ave.) 74 A 5
Agras P (Ave.) 74 B 2
Ágreda E (So.) 64 C 1
Agrela P (Br.) 54 C 3
Agrela P (Co.) 94 B 2
Agrela P (Port.) 54 A 5
Agrelo P (Port.) 54 B 4
Agrelos P (V. R.) 55 C 5
Agrelos P (V. R.) 55 B 2
Agres E (Ali.) 141 A 4
Agro de Chao (Santiso) E (A Co.) 15 A 3
Agrobom P (Bra.) 56 C 4
Agrochão P (Bra.) 56 C 2
Agrón E (A Co.) 14 A 2
Agrón E (Gr.) 181 C 2
Agros, Os E (Lu.) 4 A 3
Agrupación de Mogón E (J.) 152 D 4
Agrupación de Santo Tomé E (J.) 152 C 4
Agua Amarga E (Alm.) 170 A 4
Agua Amarga E (Alm.) 184 D 2
Água d'Alte P (Vis.) 75 A 3
Água das Casas P (San.) 112 B 2
Agua de Bueyes E (Las P.) 190 A 3
Água de Pau P (Aç.) 109 B 5
Água de Peixe P (Be.) 144 C 2
Água de Pena P (Ma.) 110 C 2
Agua del Medio-Sopalmo, El E (Alm.) 184 D 1
Água do Alto P (Aç.) 109 C 5
Água Formosa P (C. B.) 112 C 2
Água Formosa P (Lei.) 93 C 4
Agua García E (S.Cruz T.) 196 B 2
Água Levada P (Ave.) 74 A 3
Água Longa P (Port.) 54 A 5
Água Retorta P (Aç.) 109 D 4
Água Revés e Castro P (V. R.) 56 A 3
Agua Salada E (Mu.) 154 D 4
Água Travessa P (Lei.) 93 D 4
Água Travessa P (San.) 112 B 4
Aguada E (Lu.) 15 B 5
Aguada de Cima P (Ave.) 74 A 5
Aguada do Baixo P (Ave.) 74 A 5
Aguadero E (Gr.) 182 A 3
Aguadulce E (Alm.) 183 D 3
Aguadulce E (Sev.) 165 C 5
Aguafría E (Huel.) 146 C 5
Aguain E (Ast.) 6 C 5
Agualada E (A Co.) 1 D 5
Agualonga P (V. C.) 34 A 5
Agualva P (Aç.) 109 A 5
Agualva de Cima P (Set.) 127 C 4
Agualva-Cacém P (Lis.) 126 C 3
Aguamansa E (S.Cruz T.) 196 A 2
Aguapesada E (A Co.) 14 A 2
Aguarda E (Lu.) 4 B 5
Aguarón E (Zar.) 65 C 5
Aguas E (Hues.) 47 B 3
Águas P (C. B.) 96 A 3
Águas Belas P (Guar.) 96 A 2
Águas Belas P (San.) 112 B 1
Águas Boas P (Ave.) 73 D 5
Águas Boas P (Vis.) 75 C 3
Aguas Cándidas E (Bur.) 22 A 5
Águas de Moura P (Set.) 127 C 4
Águas Frias P (V. R.) 56 A 1
Águas Frias de Baixo P (Fa.) 160 B 4
Aguas Nuevas E (Alb.) 138 C 3
Aguas Santas E (Lu.) 15 B 2
Aguas Santas P (Br.) 54 B 2
Águas Santas P (Port.) 54 A 5
Águas Santas P (V. R.) 55 C 4
Águas Vivas P (Bra.) 57 C 4
Aguas, Las E (S.Cruz T.) 195 D 2
Aguasal E (Vall.) 60 B 5
Aguasantas E (A Co.) 14 A 3
Aguasantas E (Po.) 34 B 1
Aguascaldas E (Hues.) 48 B 2
Aguatavar E (S.Cruz T.) 193 B 2
Aguatón E (Te.) 85 D 5
Aguatona E (Las P.) 191 D 3
Aguaviva E (Te.) 87 B 4
Aguaviva de la Vega E (So.) 63 D 5
Aguçadoura P (Port.) 53 C 3
Aguda E (Ast.) 6 C 4
Aguda P (Lei.) 94 B 5
Aguda P (Port.) 73 D 1
Agudo E (C. R.) 133 D 2
Águeda P (Ave.) 74 A 5
Águeda del Caudillo E (Sa.) 77 B 5
Agüeira E (Lu.) 16 C 3
Agueiros P (Ave.) 74 A 3
Agüera E (Ast.) 5 D 5
Agüera E (Bur.) 22 A 2
Agüeras, Las E (Ast.) 18 B 1
Agueria E (Ast.) 6 C 5
Agüeria E (Ast.) 18 C 1
Agüero E (Hues.) 46 B 2
Aguiã P (V. C.) 34 B 5
Aguiar P (Br.) 53 D 2
Aguiar P (Év.) 144 C 1
Aguiar da Beira P (Guar.) 75 C 3
Aguiar de Sousa P (Port.) 74 A 1
Aguieira P (Vis.) 75 A 5
Águila, El E (Cád.) 177 B 5
Águila, El E (Cór.) 165 A 1
Aguilafuente E (Seg.) 81 A 1
Aguilar de Anguita E (Gua.) 83 D 2
Aguilar de Bureba E (Bur.) 42 B 1
Aguilar de Campoo E (Pa.) 20 D 4
Aguilar de Campos E (Vall.) 39 B 5
Aguilar de Codés E (Na.) 43 D 1
Aguilar de Ebro E (Zar.) 66 D 3
Aguilar de la Frontera E (Cór.) 166 B 3
Aguilar de Montuenga E (So.) 84 A 1
Aguilar de Segarra E (Bar.) 70 B 1
Aguilar de Tera E (Zam.) 38 B 5
Aguilar del Alfambra E (Te.) 86 B 5
Aguilar del Río Alhama E (La R.) 44 C 5
Águilas E (Mu.) 171 B 4
Aguilera E (So.) 63 A 4
Aguilera, La E (Bur.) 61 C 2
Aguilón E (Zar.) 66 A 5
Aguillo E (Bur.) 23 B 5
Agüimes E (Las P.) 191 D 3
Aguinaliu E (Hues.) 48 A 4
Aguiño E (A Co.) 13 C 5
Aguións E (Po.) 14 B 4
Agulo E (S.Cruz T.) 194 C 1
Agullana E (Gi.) 52 A 1
Agullent E (Val.) 140 D 3
Agunchos P (V. R.) 55 A 3
Agunzarejo, El, lugar E (Mu.) 155 C 2
Agurain/Salvatierra E (Ál.) 23 D 4
Agustines y Tíjola E (Gr.) 182 B 3
Agustínez E (Sa.) 77 D 4
Ahedo E (Viz.) 22 B 1
Ahigal E (Các.) 97 D 3
Ahigal de los Aceiteros E (Sa.) 76 D 3
Ahigal de Villarino E (Sa.) 77 C 1
Ahillas E (Val.) 124 A 1
Ahillones E (Bad.) 148 A 2
Ai E (Po.) 14 A 5
Aia E (Gui.) 24 A 3
Aia E (Gui.) 24 A 1
Aiacor → Ayacor E (Val.) 140 D 2
Aião P (Port.) 54 C 4
Aibar E (Na.) 45 B 1
Aielo de Malferit E (Val.) 140 D 3
Aielo de Rugat → Ayelo de Rugat E (Val.) 141 B 3
Aiguablava E (Gi.) 52 D 4
Aiguafreda E (Bar.) 71 A 1
Aiguafreda E (Gi.) 52 D 4
Aiguamúrcia E (Ta.) 69 D 4
Aiguaviva E (Gi.) 52 A 4
Aiguaviva Parc E (Gi.) 72 A 1
Aigües E (Ali.) 157 D 1
Aín E (Cas.) 107 B 5
Aineto E (Hues.) 47 B 2
Aínsa E (Hues.) 47 D 2
Aintzioa E (Na.) 25 B 3
Ainzón E (Zar.) 65 B 1
Aiós E (Po.) 33 D 1
Airães P (Port.) 54 C 4
Airão São João Baptista P (Br.) 54 B 3
Airas E (Our.) 35 A 2
Airó P (Br.) 54 A 3
Aisa E (Hues.) 26 C 5
Aitona E (Ll.) 68 B 3

Aivado P (C. B.) 112 C 1
Aivados P (Be.) 160 B 1
Aixirivall A 49 D 1
Aixovall A 49 D 1
Aizarna E (Gui.) 24 A 1
Aizarnazabal E (Gui.) 24 A 1
Ajalvir E (Mad.) 102 A 1
Ajamil E (La R.) 43 C 4
Ajarte E (Bur.) 23 C 4
Ajo E (Can.) 9 D 4
Ajo, El E (Áv.) 79 C 3
Ajofrín E (To.) 119 B 2
Ajuda P (Lis.) 126 C 3
Ajude P (Br.) 54 C 2
Ajuria E (Viz.) 23 B 1
Ajuy E (Las P.) 189 D 3
Ala P (Bra.) 56 C 3
Alacant/Alicante E (Ali.) 157 C 2
Alacón E (Te.) 86 C 2
Aladrén E (Zar.) 85 D 1
Alaejos E (Vall.) 59 B 5
Alagoa E (Po.) 14 B 5
Alagoa P (Fa.) 175 B 2
Alagoa P (Por.) 113 C 4
Alagoas P (Ave.) 74 B 2
Alagoas P (Guar.) 96 B 2
Alagón E (Các.) 97 C 5
Alagón E (Zar.) 65 D 2
Alagones, Los E (Te.) 87 B 4
Alaior E (Bal.) 90 C 2
Alaiza E (Ál.) 23 D 4
Alájar E (Huel.) 146 D 5
Alajeró E (S. Cruz T.) 194 B 2
Alaló E (So.) 63 A 5
Alalpardo E (Mad.) 82 A 5
Alameda E (Mál.) 166 A 5
Alameda de Cervera E (C. R.) 120 C 5
Alameda de Gardón, La E (Sa.) 76 D 5
Alameda de la Sagra E (To.) 101 C 5
Alameda del Obispo E (Cór.) 166 A 1
Alameda del Valle E (Mad.) 81 C 3
Alameda, La E (C. R.) 135 B 5
Alameda, La E (So.) 64 C 4
Alamedilla E (Gr.) 168 C 3
Alamedilla del Berrocal E (Áv.) 80 A 5
Alamedilla, La E (Sa.) 96 D 1
Alamedilla, La, lugar E (To.) 119 A 2
Alamicos, Los E (Alm.) 170 C 2
Alamillo E (C. R.) 133 D 5
Alamillo, El E (Cád.) 186 C 4
Alamín E (Mad.) 100 D 3
Alaminos E (Gua.) 83 B 4
Álamo P (Be.) 161 A 2
Álamo P (Fa.) 161 C 4
Álamo, El E (Las P.) 191 C 2
Álamo, El E (Mad.) 101 B 3
Álamo, El E (Sev.) 163 B 2
Álamos, Los E (Alm.) 170 A 3
Álamos, Los E (S. Cruz T.) 193 C 2
Alamús, els E (Ll.) 68 D 2
Alandroal P (Év.) 129 C 4
Alange E (Bad.) 131 C 4
Alanís E (Sev.) 148 B 4
Alaquàs E (Val.) 125 A 4
Alar del Rey E (Pa.) 20 D 5
Alará E (Alm.) 170 C 2
Alaraz E (Sa.) 79 B 4
Alarba E (Zar.) 85 A 1
Alarcia E (Bur.) 42 B 3
Alarcón E (Cu.) 122 B 3
Alarconas y Antorchas E (Cór.) 166 D 5
Alares, Los E (To.) 118 A 4
Alarilla E (Gua.) 82 D 4
Alaró E (Bal.) 91 D 2
Alàs i Cerc E (Ll.) 50 A 2
Alastuey E (Hues.) 46 B 1
Alatoz E (Alb.) 139 C 1
Alba E (Lu.) 3 C 5
Alba E (Te.) 85 C 5
Alba de Cerrato E (Pa.) 60 D 1
Alba de los Cardaños E (Pa.) 20 B 3
Alba de Tormes E (Sa.) 78 D 4
Alba de Yeltes E (Sa.) 77 C 5
Albacete E (Alb.) 138 D 2
Albagés, l' E (Ll.) 68 D 4
Albaicín, El E (Mál.) 180 C 1
Albaida E (Val.) 141 A 3
Albaida del Aljarafe E (Sev.) 163 C 4
Albaina E (Bur.) 23 C 5
Albal E (Val.) 125 A 4
Albalá E (Bad.) 130 A 3
Albalá E (Các.) 115 C 5
Albalá de la Vega E (Pa.) 40 A 2
Albaladejo E (C. R.) 137 A 5
Albaladejo del Cuende E (Cu.) 122 A 1
Albalat de la Ribera E (Val.) 141 A 1
Albalat dels Sorells E (Val.) 125 B 3
Albalat dels Tarongers E (Val.) 125 B 2
Albalate de Cinca E (Hues.) 67 D 2
Albalate de las Nogueras E (Cu.) 104 A 2
Albalate de Zorita E (Gua.) 103 A 3
Albalate del Arzobispo E (Te.) 86 D 1
Albalatillo E (Hues.) 67 B 2
Albánchez E (Alm.) 170 B 5
Albánchez de Mágina E (J.) 168 B 1
Albandí E (Ast.) 6 C 3
Albanyà E (Gi.) 51 D 2
Albardo P (Guar.) 96 B 1
Albaredos E (Le.) 16 C 5
Albarellos E (Our.) 34 D 1
Albarellos E (Our.) 35 D 5
Albarellos E (Po.) 15 A 4
Albares E (Gua.) 102 D 3
Albares de la Ribera E (Le.) 17 C 5
Albaricoques E (Alm.) 184 C 3
Albarizas E (Mál.) 188 A 2
Albarracín E (Te.) 105 B 2
Albarraque P (Lis.) 126 B 3
Albarreal de Tajo E (To.) 118 D 1
Albarrol P (Lei.) 94 A 5
Albatana E (Alb.) 139 B 5
Albatàrrec E (Ll.) 68 C 3
Albatera E (Ali.) 156 B 3
Albeira P (Br.) 54 A 2
Albelda E (Hues.) 68 B 1
Albelda de Iregua E (La R.) 43 D 2
Albendea E (Cu.) 103 D 1
Albendiego E (Gua.) 82 D 1
Albendín E (Cór.) 166 D 2
Albentosa E (Te.) 106 C 4
Albeos E (Po.) 34 C 3
Alberca de Záncara, La E (Cu.) 121 D 3
Alberca, La E (Mu.) 156 A 5
Alberca, La E (Sa.) 97 D 1
Albercón E (Las P.) 191 A 3
Alberche del Caudillo E (To.) 99 D 5
Albergaria P (San.) 111 B 4
Albergaria das Cabras P (Ave.) 74 B 3
Albergaria dos Doze P (Lei.) 93 D 5
Albergaria-a-Nova P (Ave.) 74 A 3
Albergaria-a-Velha P (Ave.) 74 A 4
Alberge P (Set.) 127 D 5
Albergue P (Ave.) 73 D 5
Alberguería E (Our.) 35 D 4
Alberguería de Argañán, La E (Sa.) 96 D 1
Alberic E (Val.) 141 A 1
Alberite E (La R.) 43 D 2
Alberite de San Juan E (Zar.) 65 B 1
Albernoa P (Be.) 144 C 5
Albero Alto E (Hues.) 47 A 4
Albero Bajo E (Hues.) 47 A 5
Alberquilla, La E (Mu.) 154 C 3
Alberquilla, La E (Mu.) 156 A 2
Alberquilla, La E (Mu.) 171 A 2
Alberuela de la Liena E (Hues.) 47 C 4
Alberuela de Tubo E (Hues.) 67 B 1
Albesa E (Ll.) 68 C 2
Albeta E (Zar.) 65 B 1
Albi, l' E (Ll.) 69 A 4
Albillos E (Bur.) 41 C 3
Albinyana E (Ta.) 70 A 5
Albiol, l' E (Ta.) 69 B 5
Albir, l' E (Ali.) 141 D 5
Albires E (Le.) 39 B 3
Albixoi E (A Co.) 14 D 1
Albiztur E (Gui.) 24 B 2
Albizuelexaga-San Martin E (Viz.) 23 A 2
Albocácer/Albocàsser E (Cas.) 107 D 2
Albocàsser → Albocácer E (Cas.) 107 D 2
Albogas P (Lis.) 126 C 2
Alboim das Choças P (V. C.) 34 B 5
Alboloduy E (Alm.) 183 C 2
Albolote E (Gr.) 167 D 5
Albolleque E (Gua.) 102 C 1
Albondón E (Gr.) 182 C 3
Albons E (Gi.) 52 C 3
Alborache E (Val.) 124 C 4
Alboraia → Alboraya E (Val.) 125 B 3
Alboraya/Alboraia E (Val.) 125 B 3
Alborea E (Alb.) 123 C 5
Alboreca E (Gua.) 83 C 1
Alborés E (A Co.) 13 C 2
Alborge E (Zar.) 67 A 5
Albornos E (Áv.) 79 D 4
Albox E (Alm.) 170 B 4
Albudeite E (Mu.) 155 C 4
Albuera, La E (Bad.) 130 C 4
Albufeira P (Fa.) 174 A 3
Albuixech E (Val.) 125 B 3
Albujón E (Mu.) 172 B 2
Albuñán E (Gr.) 168 D 5
Albuñol E (Gr.) 182 C 4
Albuñuelas E (Gr.) 168 C 5
Albuñuelas E (Gr.) 181 D 3
Alburejos, Los E (Cád.) 186 B 2
Alburitel P (San.) 111 D 1
Alburquerque E (Bad.) 114 B 5
Alcabideche P (Lis.) 126 B 3
Alcabón E (To.) 100 C 5
Alcabre E (Po.) 33 D 2
Alcácer do Sal P (Set.) 143 D 1
Alcácer/Alcàsser E (Val.) 125 A 4
Alcáçovas P (Év.) 144 B 1
Alcadozo E (Alb.) 138 C 5
Alcafache P (Vis.) 75 A 5
Alcafozes P (C. B.) 96 A 5
Alcahozo E (Cu.) 123 A 4
Alcaidaria P (Lei.) 93 C 5
Alcaide E (Alm.) 170 C 1
Alcaide P (C. B.) 95 C 3
Alcaidía, La E (Cór.) 166 C 3
Alcaínça Grande P (Lis.) 126 C 2
Alcaine E (Te.) 86 C 3
Alcains P (C. B.) 95 C 5
Alcalá E (Mu.) 171 A 2
Alcalá E (S. Cruz T.) 195 B 4
Alcalá de Chivert/ Alcalà de Xivert E (Cas.) 108 A 2
Alcalá de Ebro E (Zar.) 65 D 1
Alcalá de Guadaira E (Sev.) 164 B 4
Alcalá de Gurrea E (Hues.) 46 C 4
Alcalá de Henares E (Mad.) 102 B 1
Alcalá de la Selva E (Te.) 106 C 2
Alcalá de la Vega E (Cu.) 105 B 5
Alcalá de los Gazules E (Cád.) 186 C 2
Alcalá de Moncayo E (Zar.) 64 D 2
Alcalà de Xivert → Alcalá de Chivert E (Cas.) 108 A 2
Alcalá del Júcar E (Alb.) 139 C 1
Alcalá del Obispo E (Hues.) 47 A 4
Alcalá del Río E (Sev.) 164 A 3
Alcalá del Valle E (Cád.) 179 B 3
Alcalá la Real E (J.) 167 B 4
Alcalalí E (Ali.) 141 D 4
Alcampell E (Hues.) 48 B 5
Alcanadre E (La R.) 44 B 2
Alcanar E (Ta.) 88 C 5
Alcanara y Los Búcanos, La E (Mu.) 171 B 3
Alcanar-Platja E (Ta.) 88 C 5
Alcanede P (San.) 111 B 3
Alcanena P (San.) 111 C 3
Alcanhões P (San.) 111 C 4
Alcanó E (Ll.) 68 C 4
Alcántara E (Các.) 114 C 2
Alcantarilha P (Fa.) 174 A 2
Alcantarilla E (Alb.) 153 D 2
Alcantarilla E (Mu.) 155 D 5
Alcantarilla, La E (Cór.) 166 C 4
Alcántera de Xúquer E (Val.) 140 D 2
Alcantud E (Cu.) 104 A 1
Alcañices E (Zam.) 57 C 2
Alcañiz E (Te.) 87 C 2
Alcañizo E (To.) 99 B 5
Alcaracejos E (Cór.) 149 C 2
Alcaravela P (San.) 112 C 2
Alcaraz E (Alb.) 137 D 5
Alcaria P (Be.) 145 A 2
Alcaria P (C. B.) 95 C 3
Alcaria P (Fa.) 174 B 2
Alcaria P (Lei.) 111 B 2
Alcaria Alta P (Fa.) 161 A 3
Alcaria Cova P (Fa.) 161 B 3
Alcaria dos Javazes P (Be.) 161 B 3
Alcaria Longa P (Be.) 160 D 2
Alcaria Queimada P (Fa.) 161 A 3
Alcaria Ruiva P (Be.) 161 A 1
Alcarias P (Be.) 144 A 5
Alcarias P (Fa.) 161 A 4
Alcarias P (Fa.) 174 D 2
Alcarraques P (Co.) 94 A 2
Alcarràs E (Ll.) 68 C 3
Alcarva P (Guar.) 75 D 2
Alcàsser → Alcácer E (Val.) 125 A 4
Alcaucín E (Mál.) 181 A 3
Alcaudete E (J.) 167 A 3
Alcaudete de la Jara E (To.) 117 D 1
Alcaudique E (Alm.) 183 A 3
Alcazaba E (Bad.) 130 D 2
Alcazaba, La E (Alm.) 182 D 4
Alcázar E (Gr.) 182 B 3
Alcázar de San Juan E (C. R.) 120 C 4
Alcázar del Rey E (Cu.) 103 A 4
Alcazarén E (Vall.) 60 B 5
Alcázares, Los E (Mu.) 172 C 1
Alceda E (Can.) 21 C 1
Alcedo de Alba E (Le.) 18 D 4
Alcoba E (C. R.) 118 C 5
Alcoba de la Ribera E (Le.) 38 C 1
Alcoba de la Torre E (So.) 62 B 2
Alcobaça P (Lei.) 111 A 2
Alcobendas E (Mad.) 101 D 1
Alcobertas P (San.) 111 B 3
Alcocèber/Alcossebre E (Cas.) 108 A 3
Alcocer E (Gua.) 103 C 1
Alcocer de Planes/ Alcosser de Planes E (Ali.) 141 A 4
Alcocero de Mola E (Bur.) 42 B 2
Alcochete P (Set.) 127 A 3
Alcoentre P (Lis.) 111 A 5
Alcofra P (Vis.) 74 C 4
Alcogulhe P (Lei.) 111 B 1
Alcohujate E (Cu.) 103 C 2
Alcoi → Alcoy E (Ali.) 141 A 4
Alcoitão P (Lis.) 126 B 3
Alcolea E (Alm.) 183 A 2
Alcolea E (Cór.) 150 A 5
Alcolea de Calatrava E (C. R.) 135 A 2
Alcolea de Cinca E (Hues.) 67 D 2
Alcolea de las Peñas E (Gua.) 83 B 1
Alcolea de Tajo E (To.) 117 B 1
Alcolea del Pinar E (Gua.) 83 D 2
Alcolea del Río E (Sev.) 164 C 2
Alcoleja E (Ali.) 141 B 4
Alcoletge E (Ll.) 68 D 2
Alcollarín E (Các.) 116 B 5
Alconaba E (So.) 63 D 2
Alconada E (Sa.) 79 A 3
Alconada de Maderuelo E (Seg.) 62 A 4
Alconadilla E (Seg.) 62 A 4
Alconchel E (Bad.) 130 A 5
Alconchel de Ariza E (Zar.) 84 B 1
Alconchel de la Estrella E (Cu.) 121 C 2
Alconera E (Bad.) 147 A 1
Alcongosta P (C. B.) 95 C 3
Alcóntar E (Alm.) 169 C 5
Alcora, l' → Alcora E (Cas.) 107 B 4
Alcora/Alcora, l' E (Cas.) 107 B 4
Alcoraia, l' → Alcoraya, La E (Ali.) 156 D 2
Alcoraya, La/Alcoraia, l' E (Ali.) 156 D 2
Alcorcillo E (Zam.) 57 C 2
Alcorcón E (Mad.) 101 C 2
Alcorisa E (Te.) 87 A 3
Alcorlo, lugar E (Gua.) 82 D 2
Alcorneo E (Các.) 114 A 4
Alcornocal, El E (C. R.) 134 C 1
Alcornocal, El E (Cór.) 149 A 3
Alcornocalejo, lugar E (Sev.) 164 B 2
Alcornocalejos E (Cád.) 178 B 5
Alcornocosa, La E (Sev.) 163 C 1
Alcorochel P (San.) 111 D 3
Alcoroches E (Gua.) 84 D 5
Alcôrrego P (Por.) 128 D 1
Alcorriol P (San.) 111 D 2
Alcossebre → Alcocèber E (Cas.) 108 A 3
Alcosser de Planes → Alcocer de Planes E (Ali.) 141 A 4
Alcotas E (Te.) 106 C 5
Alcoutim P (Fa.) 161 C 3
Alcover E (Ta.) 69 C 5
Alcoy/Alcoi E (Ali.) 141 A 4
Alcozar E (So.) 62 B 3
Alcozarejos E (Alb.) 139 A 1
Alcubierre E (Hues.) 66 D 1
Alcubilla de Avellaneda E (So.) 62 B 2
Alcubilla de las Peñas E (So.) 83 C 1
Alcubilla de Nogales E (Zam.) 38 B 4
Alcubilla del Marqués E (So.) 62 C 3
Alcubillas E (C. R.) 136 C 4
Alcubillas Altas, Las E (Alm.) 183 D 1
Alcublas E (Val.) 124 C 1
Alcúdia E (Bal.) 92 B 1
Alcúdia de Crespins, l' E (Val.) 140 D 2
Alcudia de Guadix E (Gr.) 168 D 5
Alcudia de Monteagud E (Alm.) 170 B 5
Alcúdia de Veo, l' E (Cas.) 107 A 5
Alcúdia, l' E (Ali.) 141 A 4
Alcúdia, l' E (Val.) 141 A 1
Alcuéscar E (Các.) 131 C 1
Alcuetas E (Le.) 39 A 3
Alcuneza E (Gua.) 83 C 2
Alcútar E (Gr.) 182 C 2
Alda E (Ál.) 23 D 4
Aldaia E (Val.) 125 A 4
Aldán E (Po.) 33 D 2
Aldão P (Br.) 54 C 3
Aldatz E (Na.) 24 C 3
Aldea E (Lu.) 3 C 4
Aldea Blanca E (Las P.) 191 C 4
Aldea Blanca E (S. Cruz T.) 195 D 5
Aldea de Arriba E (Our.) 35 A 4
Aldea de Fuente Carretero E (Cór.) 165 B 2
Aldea de San Esteban E (So.) 62 C 3
Aldea de San Miguel E (Vall.) 60 B 4
Aldea de Tejada E (Huel.) 163 B 3
Aldea del Cano E (Các.) 115 B 5
Aldea del Fresno E (Mad.) 100 D 2
Aldea del Obispo E (Sa.) 76 D 4
Aldea del Obispo, La E (Các.) 116 A 3
Aldea del Pinar E (Bur.) 62 C 1
Aldea del Puente, La E (Le.) 39 B 1
Aldea del Rey E (C. R.) 135 C 4
Aldea del Rey Niño E (Áv.) 80 A 5
Aldea en Cabo E (To.) 100 C 3
Aldea Real E (Seg.) 81 A 1
Aldea, l' E (Ta.) 88 D 4
Aldeacentenera E (Các.) 116 C 3
Aldeacipreste E (Sa.) 98 A 2
Aldeacueva E (Viz.) 22 B 1
Aldeadávila de la Ribera E (Sa.) 57 A 5
Aldeahermosa E (J.) 152 C 2
Aldealabad E (Áv.) 79 D 5
Aldealabad del Mirón E (Áv.) 79 A 5
Aldealafuente E (So.) 64 A 2
Aldealba de Hortaces E (Sa.) 97 A 1
Aldealbar E (Vall.) 60 D 4
Aldealcorvo E (Seg.) 81 C 1
Aldealengua E (Sa.) 78 D 2
Aldealengua e Pedraza E (Seg.) 81 C 2
Aldealengua de Santa María E (Seg.) 62 A 4
Aldealgordo de Abajo E (Sa.) 78 B 4
Aldealices E (So.) 64 A 1
Aldealobos E (La R.) 44 A 3
Aldealpozo E (So.) 64 A 2
Aldealseñor E (So.) 64 A 1
Aldeamayor de San Martín E (Vall.) 60 B 4
Aldeanueva de Atienza E (Gua.) 82 D 1
Aldeanueva de Barbarroya E (To.) 117 C 2
Aldeanueva de Ebro E (La R.) 44 C 3
Aldeanueva de Figueroa E (Sa.) 78 D 1
Aldeanueva de Guadalajara E (Gua.) 82 D 5
Aldeanueva de la Serrezuela E (Seg.) 61 C 4
Aldeanueva de la Sierra E (Sa.) 77 D 5
Aldeanueva de la Vera E (Các.) 98 C 4
Aldeanueva de Portanovis E (Sa.) 77 A 4
Aldeanueva de San Bartolomé E (To.) 117 B 2
Aldeanueva de Santa Cruz E (Áv.) 99 A 2
Aldeanueva del Camino E (Các.) 98 A 3
Aldeanueva del Campanario E (Seg.) 61 D 5
Aldeanueva del Codonal E (Seg.) 80 B 2
Aldeanueva del Monte E (Seg.) 62 A 5
Aldeaquemada E (J.) 152 B 2
Aldearrodrigo E (Sa.) 78 B 1
Aldearrubia E (Sa.) 78 D 2
Aldeasaz E (Seg.) 81 B 2
Aldeaseca E (Áv.) 80 A 2
Aldeaseca de Alba E (Sa.) 79 A 4
Aldeaseca de Armuña E (Sa.) 78 C 2
Aldeaseca de la Frontera E (Sa.) 79 B 3
Aldeasoña E (Seg.) 61 B 4
Aldeatejada E (Sa.) 78 C 3
Aldeavieja E (Áv.) 80 C 4
Aldeavieja de Tormes E (Sa.) 78 C 5
Aldeávila de Revilla E (Sa.) 77 D 3
Aldehorno E (Seg.) 61 C 4
Aldehuela E (Các.) 97 B 2
Aldehuela E (Gua.) 84 D 4
Aldehuela E (Seg.) 81 B 2
Aldehuela E (Te.) 106 A 3
Aldehuela de Ágreda E (So.) 64 C 1
Aldehuela de Calatañazor E (So.) 63 B 2
Aldehuela de Jerte E (Các.) 97 C 4
Aldehuela de la Bóveda E (Sa.) 78 A 3
Aldehuela de Liestos E (Zar.) 85 A 2
Aldehuela de Periáñez E (So.) 64 A 1
Aldehuela de Yeltes E (Sa.) 77 C 5
Aldehuela del Codonal E (Seg.) 80 B 2
Aldehuela del Rincón E (So.) 63 C 1

Aldehuela, La E (Áv.) 99 A 2
Aldehuela, La E (Mad.) 102 A 5
Aldehuelas, Las E (So.) 43 D 5
Aldeia P (Ave.) 73 D 2
Aldeia P (San.) 112 B 1
Aldeia P (Vis.) 74 D 3
Aldeia Ana de Aviz P (Lei.) 94 B 5
Aldeia Cimeira P (C. B.) 113 A 1
Aldeia da Biscaia P (Év.) 128 B 5
Aldeia da Cruz P (Lei.) 94 B 5
Aldeia da Dona P (Guar.) 96 C 1
Aldeia da Mata P (Por.) 113 A 4
Aldeia da Ponte P (Guar.) 96 C 1
Aldeia da Portela P (Set.) 126 D 5
Aldeia da Ribeira P (C. B.) 94 C 5
Aldeia da Ribeira P (Guar.) 96 C 1
Aldeia da Ribeira P (San.) 111 B 3
Aldeia da Serra P (Év.) 128 C 3
Aldeia da Serra P (Guar.) 75 D 5
Aldeia da Serra P (Lei.) 112 A 1
Aldeia da Tôr P (Fa.) 174 C 2
Aldeia das Amoreiras P (Be.) 160 A 1
Aldeia das Dez P (Co.) 95 A 2
Aldeia de Além P (San.) 111 B 3
Aldeia de Eiras P (San.) 112 D 2
Aldeia de Ferreira P (Év.) 129 C 5
Aldeia de Irmãos P (Set.) 126 D 5
Aldeia de Joanes P (C. B.) 95 C 3
Aldeia de João Pires P (C. B.) 96 A 4
Aldeia de Nacomba P (Vis.) 75 C 2
Aldeia de Paio Pires P (Set.) 126 D 4
Aldeia de Palheiros P (Be.) 160 A 2
Aldeia de Ruins P (Be.) 144 A 4
Aldeia de Santa Margarida P (C. B.) 96 A 4
Aldeia de Santa Margarida P (San.) 112 B 3
Aldeia de Santo António P (Guar.) 96 B 2
Aldeia de São Brás do Regedouro P (Év.) 144 C 1
Aldeia do Bispo P (C. B.) 96 A 3
Aldeia do Bispo P (Guar.) 96 A 1
Aldeia do Bispo P (Guar.) 96 C 2
Aldeia do Cano P (Set.) 143 C 5
Aldeia do Carvalho P (C. B.) 95 C 2
Aldeia do Carvalho P (Vis.) 75 A 5
Aldeia do Futuro P (Set.) 143 C 2
Aldeia do Juzo P (Lis.) 126 B 3
Aldeia do Mato P (San.) 112 B 2
Aldeia do Meco P (Set.) 126 C 5
Aldeia do Pinto P (Be.) 145 B 5
Aldeia do Pombal P (Por.) 129 D 2
Aldeia do Souto P (C. B.) 95 D 2
Aldeia dos Delbas P (Be.) 144 A 5
Aldeia dos Fernandes P (Be.) 160 B 2
Aldeia dos Gagos P (San.) 112 B 1
Aldeia dos Neves P (Be.) 160 C 2
Aldeia Formosa P (Co.) 95 A 1
Aldeia Fundeira P (Lei.) 94 B 4
Aldeia Galega da Merceana P (Lis.) 110 D 5
Aldeia Gavinha P (Lis.) 110 D 5
Aldeia Grande P (Lis.) 110 D 5
Aldeia Grande P (Set.) 127 A 5
Aldeia Nova P (Bra.) 57 D 3
Aldeia Nova P (Év.) 129 C 3
Aldeia Nova P (Guar.) 76 C 4
Aldeia Nova P (Guar.) 75 D 4
Aldeia Nova P (Guar.) 96 A 1
Aldeia Nova P (San.) 111 D 1
Aldeia Nova P (Vis.) 75 B 3
Aldeia Nova do Cabo P (C. B.) 95 C 3
Aldeia Novada Favela P (Be.) 160 B 2
Aldeia Novado Barroso P (V. R.) 55 B 1
Aldeia Rica P (Guar.) 75 D 4
Aldeia São Francisco de Assis P (C. B.) 95 B 3
Aldeia Velha P (Co.) 94 D 3
Aldeia Velha P (Guar.) 96 C 2
Aldeia Velha P (Guar.) 75 D 4
Aldeia Velha P (Por.) 128 C 1
Aldeia Viçosa P (Guar.) 75 D 5
Aldeias P (Guar.) 95 C 1
Aldeias P (Vis.) 75 B 1
Aldeias de Montoito P (Év.) 129 B 5
Aldeire E (Gr.) 182 D 1
Aldeonsancho E (Seg.) 81 C 1
Aldeonte E (Seg.) 61 D 5
Aldeyuso E (Vall.) 61 A 3
Aldixe E (Lu.) 3 D 4
Aldosende E (Lu.) 15 C 4
Aldover E (Ta.) 88 C 3
Aldreu P (Br.) 53 D 2
Aleas E (Gua.) 82 C 3
Aledo E (Mu.) 171 B 1
Alegia/Alegría de Oria E (Gui.) 24 B 2
Alegrete P (Por.) 113 D 5
Alegría de Oria → Alegia E (Gui.) 24 B 2
Alegria-Dulantzi E (Ál.) 23 C 4
Aleixar, l' E (Ta.) 69 B 5
Aleje E (Le.) 19 C 4
Alejos, Los E (Alb.) 154 A 1
Alella E (Bar.) 71 B 3
Além do Rio P (V. C.) 53 C 1
Alencarce de Baixo P (Co.) 93 D 3
Alencarce de Cima P (Co.) 93 D 3
Alende E (Po.) 14 A 5
Alenquer P (Lis.) 127 A 1
Alentisca P (Por.) 129 D 2
Alentisque E (So.) 64 A 4
Alentorn E (Ll.) 49 B 5
Aler E (Hues.) 48 B 4
Alera E (Zar.) 45 C 3
Alerre E (Hues.) 46 D 4
Alesanco E (La R.) 43 A 2
Alesón E (La R.) 43 B 2
Alfacar E (Gr.) 168 A 5
Alfafar E (Val.) 125 A 4
Alfafar P (Co.) 94 A 3
Alfafara E (Ali.) 140 D 4
Alfahuara E (Alm.) 170 B 2
Alfaião P (Bra.) 57 A 1
Alfaiates P (Guar.) 96 C 1
Alfaix E (Alm.) 184 D 1
Alfajarín E (Zar.) 66 C 3
Alfambra E (Te.) 106 A 1
Alfambras P (Fa.) 159 A 4
Alfamén E (Zar.) 65 C 4
Alfandega da Fé P (Bra.) 56 C 4
Alfántega E (Hues.) 67 D 1
Alfanzina P (Fa.) 173 D 3
Alfara de Algimia E (Val.) 125 A 1
Alfara de Carles E (Ta.) 88 B 3
Alfara del Patriarca E (Val.) 125 A 3
Alfaraz de Sayago E (Zam.) 78 A 1
Alfarazes P (Guar.) 76 A 5
Alfarb → Alfarp E (Val.) 124 D 5
Alfarela de Jales P (V. R.) 55 C 4
Alfarim P (Set.) 126 C 5
Alfarnate E (Mál.) 180 D 2
Alfarnatejo E (Mál.) 180 D 2
Alfaro E (La R.) 44 D 4
Alfarp/Alfarb E (Val.) 124 D 5
Alfarràs E (Ll.) 68 C 1
Alfarrasí E (Val.) 141 A 3
Alfàs del Pi, l' E (Ali.) 141 C 5
Alfauir E (Val.) 141 B 3
Alfávila, La E (J.) 167 B 3
Alfeiçao P (Fa.) 174 C 2
Alfeiria P (Lis.) 126 D 1
Alfeizerão P (Lei.) 110 D 2
Alfena P (Port.) 54 A 5
Alfera, La E (Alb.) 154 A 1
Alferce P (Fa.) 159 D 4
Alferrarede P (San.) 112 B 3
Alfés E (Ll.) 68 C 3
Alfinach E (Val.) 125 B 2
Alfocea E (Zar.) 66 A 2
Alfondeguilla/Fondeguilla E (Cas.) 125 B 1
Alfoquia, La E (Alm.) 170 C 4
Alforgemel P (San.) 111 B 4
Alforja E (Ta.) 69 B 5
Alfornón E (Gr.) 182 C 3
Alforque E (Zar.) 67 A 5
Alfouvar de Baixo P (Lis.) 126 C 2
Alfouvés P (San.) 111 B 4
Alfoz E (Lu.) 4 A 3
Alfoz de Bricia E (Bur.) 21 C 3
Alfrivida P (C. B.) 113 C 1
Alfundão P (Be.) 144 B 3
Algaba, La E (Sev.) 163 D 3
Algadefe E (Le.) 38 D 3
Algaiarens, lugar E (Bal.) 90 B 1
Algaiat → Algayat E (Ali.) 156 B 2
Algaida E (Bal.) 92 A 4
Algaida E (Mu.) 155 D 4
Algaida y Gata E (Cór.) 166 D 5
Algaida, La E (Alm.) 183 C 4
Algaida, La E (Cád.) 177 B 3
Algaidón, El E (Mu.) 154 D 2
Algalé P (Set.) 144 A 2
Algallarín E (Cór.) 150 C 5
Algámitas E (Sev.) 179 B 2
Algar E (Cád.) 178 C 4
Algar E (Cór.) 166 D 4
Algar de Mesa E (Gua.) 84 C 1
Algar de Palancia E (Val.) 125 A 1
Algar, El E (Mu.) 172 C 2
Algarão P (Lei.) 111 A 3
Algarbes, Los E (Cór.) 165 D 2
Algarga E (Gua.) 102 D 4
Algarinejo E (Gr.) 167 A 5
Algarra E (Cu.) 105 B 5
Algarrobo E (Mál.) 181 B 4
Algarrobo-Costa E (Mál.) 181 B 4
Algars E (Ali.) 141 A 4
Algarvia P (Aç.) 109 D 4
Algatocín E (Mál.) 187 B 1
Algayat/Algaiat E (Ali.) 156 B 2
Algayón E (Hues.) 68 B 1
Algaz P (San.) 112 A 2
Alge P (Lei.) 94 B 4
Algeciras E (Cád.) 187 A 4
Algemesí E (Val.) 141 A 1
Algeráz P (Vis.) 75 A 5
Algeriz P (V. R.) 55 D 3
Algerri E (Ll.) 68 C 1
Algeruz P (Set.) 127 B 4
Algés P (Lis.) 126 C 3
Algete E (Mad.) 82 A 5
Algezares E (Mu.) 156 A 5
Algide P (Br.) 54 D 4
Algimia de Alfara E (Val.) 125 A 2
Algimia de Almonacid E (Cas.) 107 A 5
Alginet E (Val.) 125 A 5
Algoceira P (Be.) 159 B 2
Algoda-Matola E (Ali.) 156 C 3
Algodonales E (Cád.) 178 D 3
Algodor E (Mad.) 101 C 5
Algodor P (Be.) 161 A 1
Algodre E (Zam.) 58 D 3
Algodres P (Guar.) 75 C 4
Algodres P (Guar.) 76 B 2
Algora E (Gua.) 83 B 3
Algorfa E (Ali.) 156 C 4
Algorós E (Ali.) 156 C 3
Algosinho P (Bra.) 57 B 5
Algoso P (Bra.) 57 B 4
Algoz P (Fa.) 174 A 2
Alguaire E (Ll.) 68 C 2
Alguazas E (Mu.) 155 D 4
Alguber P (Lis.) 111 A 4
Algueirão Mem Martins P (Lis.) 126 B 2
Alguenya, l' → Algueña E (Ali.) 156 B 2
Algueña/Alguenya, l' E (Ali.) 156 B 2
Alhabia E (Alm.) 183 C 2
Alhadas P (Co.) 93 C 2
Alhagüeces E (Mu.) 171 A 1
Alhais P (Lei.) 93 B 4
Alhais P (Vis.) 75 B 3
Alhama E (Ali.) 141 D 5
Alhama de Almería E (Alm.) 183 D 2
Alhama de Aragón E (Zar.) 64 C 5
Alhama de Granada E (Gr.) 181 B 2
Alhama de Murcia E (Mu.) 171 C 1
Alhambra E (C. R.) 136 D 3
Alhambras, Las E (Te.) 106 B 4
Alhanchete, El E (Alm.) 170 D 5
Alhandra P (Lis.) 127 A 2
Alharilla E (J.) 151 A 5
Alhaurín de la Torre E (Mál.) 180 B 5
Alhaurín el Grande E (Mál.) 180 A 5
Alhendín E (Gr.) 181 D 1
Alhões P (Vis.) 74 D 2
Alhóndiga E (Gua.) 103 A 1
Alhondiguilla, La E (Gr.) 167 C 4
Alhos Vedros P (Set.) 126 D 4
Alía E (Các.) 117 B 4
Aliaga E (Te.) 86 C 5
Aliaguilla E (Cu.) 123 C 2
Alías, Los E (Alm.) 184 C 1
Alicante → Alacant E (Ali.) 157 C 2
Alicate E (Mál.) 188 A 2
Alicún E (Alm.) 183 C 2
Alicún de Ortega E (Gr.) 168 D 3
Alienes E (Ast.) 5 C 4
Alija de la Ribera E (Le.) 38 D 1
Alija del Infantado E (Le.) 38 B 4
Alijão P (Br.) 54 D 4
Alijó P (V. R.) 55 D 5
Alimonde P (Bra.) 56 D 1
Alins E (Hues.) 48 C 1
Alins E (Ll.) 29 C 5
Alins del Monte E (Hues.) 48 A 5
Alinyà E (Ll.) 49 D 3
Alió E (Ta.) 69 D 5
Alique E (Gua.) 103 C 1
Alisar, El E (Sev.) 163 C 2
Aliseda E (Các.) 114 D 4
Aliseda de Tormes E (Áv.) 99 A 2
Alisios, Los E (S. Cruz T.) 196 B 2
Alitaje E (Gr.) 167 D 5
Aliud E (So.) 64 A 3
Aljabaras, Las E (Cór.) 149 A 5
Aljambra E (Alm.) 170 C 4
Aljaraque E (Huel.) 176 B 2
Aljariz E (Alm.) 170 D 5
Aljezur P (Fa.) 159 B 4
Aljibe y las Brancas de Sicilia, El E (Mu.) 171 A 2
Aljorra, La E (Mu.) 172 B 2
Aljubarrota P (Lei.) 111 A 2
Aljube E (Alb.) 139 A 5
Aljucén E (Bad.) 131 B 2
Aljucer E (Mu.) 156 A 5
Aljustrel P (Be.) 144 B 5
Alkaiaga E (Na.) 12 D 5
Alkiza E (Gui.) 24 B 1
Alkotz E (Na.) 24 D 3
Almaça P (Vis.) 94 C 1
Almaceda P (C. B.) 95 B 4
Almacelles E (Ll.) 68 B 2
Almácetas, Las, lugar E (Alm.) 169 D 4
Almáciga E (S. Cruz T.) 196 C 1
Almaciles E (Gr.) 154 A 5
Almáchar E (Mál.) 180 D 4
Almada P (Set.) 126 C 4
Almada de Ouro P (Fa.) 161 C 4
Almadén E (C. R.) 133 D 4
Almadén de la Plata E (Sev.) 147 D 5
Almadena P (Fa.) 173 B 2
Almadenejos E (C. R.) 134 A 4
Almadenes E (Mu.) 155 B 3
Almadrones E (Gua.) 83 B 3
Almafrà E (Ali.) 156 C 1
Almagarinos E (Le.) 17 D 5
Almagreira P (Aç.) 109 D 5
Almagreira P (Lei.) 93 C 4
Almagro E (C. R.) 135 D 3
Almagros, Los E (Mu.) 171 D 1
Almajalejo E (Alm.) 170 C 4
Almajano E (So.) 63 D 1
Almajar E (Cád.) 177 C 5
Almalaguês P (Co.) 94 A 3
Almaluez E (So.) 64 A 5
Almandoz E (Na.) 25 A 2
Almansa E (Alb.) 140 A 3
Almansas, Las E (J.) 152 D 5
Almansil P (Fa.) 174 C 3
Almanza E (Le.) 19 D 5
Almanzora E (Alm.) 170 C 4
Almarail E (So.) 63 D 3
Almaraz E (Các.) 116 C 1
Almaraz de Duero E (Zam.) 58 B 4
Almarcha, La E (Cu.) 121 D 2
Almarchal, El E (Cád.) 186 B 4
Almarda E (Val.) 125 C 2
Almargem P (Vis.) 75 A 3
Almargem do Bispo P (Lis.) 126 C 2
Almargen E (Mál.) 179 C 2
Almargens P (Fa.) 174 D 2
Almarza E (So.) 43 D 5
Almarza de Cameros E (La R.) 43 C 3
Almàssera E (Val.) 125 B 3
Almassora → Almazora E (Cas.) 107 C 5
Almatret E (Ll.) 68 B 5
Almatriche E (Las P.) 191 D 2
Almayate Alto E (Mál.) 181 A 4
Almayate Bajo E (Mál.) 181 A 4
Almazán E (So.) 63 C 4
Almazcara E (Le.) 17 B 5
Almazora/Almassora E (Cas.) 107 C 5
Almazorre E (Hues.) 47 C 3
Almazul E (So.) 64 B 3
Almedíjar E (Cas.) 125 A 1
Almedina E (C. R.) 137 A 5
Almedina, La, lugar E (J.) 152 D 5
Almedinilla E (Cór.) 167 A 4
Almegíjar E (Gr.) 182 C 3
Almeida P (Guar.) 76 C 4
Almeida de Sayago E (Zam.) 58 A 5
Almeidinha P (Vis.) 75 B 5
Almeirim P (Be.) 160 B 1
Almeirim P (San.) 111 C 5
Almenar E (Ll.) 68 C 1
Almenar de Soria E (So.) 64 A 2
Almenara E (Cas.) 125 B 1
Almenara de Adaja E (Vall.) 80 B 1
Almenara de Tormes E (Sa.) 78 B 2
Almendra E (Sa.) 57 C 5
Almendra E (Zam.) 58 B 3
Almendra P (Guar.) 76 B 2
Almendral E (Bad.) 130 C 5
Almendral E (Các.) 97 D 4
Almendral de la Cañada E (To.) 100 A 3
Almendral, El E (Alm.) 183 D 1
Almendral, El E (Cád.) 185 D 1
Almendral, El E (Gr.) 181 A 2
Almendralejo E (Bad.) 131 B 4
Almendricos E (Mu.) 171 A 4
Almendro, El E (Huel.) 161 D 3
Almendros E (Cu.) 103 A 5
Almendros, Los E (Mad.) 102 A 3
Almendros, Los E (Sa.) 78 C 2
Almensilla E (Sev.) 163 D 4
Almería E (Alm.) 183 D 3
Almerimar E (Alm.) 183 B 4
Almeza, La E (Val.) 106 A 5
Almicerán, El E (J.) 169 B 1
Almiruete E (Gua.) 82 C 2
Almiserà E (Val.) 141 B 3
Almoçageme P (Lis.) 126 B 2
Almocáizar E (Alm.) 184 C 1
Almócita E (Alm.) 183 B 2
Almochuel E (Zar.) 66 D 5
Almodôvar P (Be.) 160 C 2
Almodóvar del Campo E (C. R.) 134 D 4
Almodóvar del Pinar E (Cu.) 122 C 2
Almodóvar del Río E (Cór.) 165 C 1
Almofala P (Guar.) 76 D 3
Almofala P (Vis.) 75 B 2
Almofala P (Vis.) 74 C 5
Almofrela P (Port.) 54 D 5
Almogadel P (San.) 112 A 1
Almogía E (Mál.) 180 B 3
Almograve P (Be.) 159 B 1
Almoguera E (Gua.) 102 D 3
Almohaja E (Te.) 85 B 5
Almoharín E (Các.) 131 D 1
Almoines E (Val.) 141 C 2
Almoinha P (Set.) 126 D 5
Almolda, La E (Zar.) 67 B 3
Almonacid de la Cuba E (Zar.) 66 B 5
Almonacid de la Sierra E (Zar.) 65 C 4
Almonacid de Toledo E (To.) 119 C 2
Almonacid de Zorita E (Gua.) 103 A 2
Almonacid del Marquesado E (Cu.) 121 B 1
Almonaster la Real E (Huel.) 146 C 5
Almonda P (San.) 111 C 3
Almontarás E (Gr.) 169 B 1
Almonte E (Huel.) 163 A 5
Almoradí E (Ali.) 156 C 4
Almoraima E (Cád.) 187 A 3
Almorchón E (Bad.) 133 A 4
Almornos P (Lis.) 126 C 2
Almorox E (To.) 100 C 3
Almorquim P (Lis.) 126 B 2
Almoster E (Ta.) 69 B 5
Almoster P (Lei.) 94 A 5
Almoster P (San.) 111 B 4
Almudáfar E (Hues.) 68 A 2
Almudaina E (Ali.) 141 B 4
Almudaina, S' E (Bal.) 90 B 2
Almudena, La E (Mu.) 154 C 5
Almudévar E (Hues.) 46 C 5
Almunia de Doña Godina, La E (Zar.) 65 C 4
Almunia de San Juan E (Hues.) 48 A 5
Almunia del Romeral, La E (Hues.) 47 A 3
Almunias, Las E (Hues.) 47 C 3
Almuniente E (Hues.) 47 A 5
Almuña E (Ast.) 5 C 3
Almuñécar E (Gr.) 181 D 4
Almuradiel E (C. R.) 152 A 1
Almussafes E (Val.) 125 A 5
Alobras E (Te.) 105 C 3
Alocén E (Gua.) 103 B 1
Alojera E (S. Cruz T.) 194 B 1
Alomartes E (Gr.) 167 C 5
Alón E (A Co.) 13 D 2
Alonso de Ojeda E (Các.) 132 A 1
Alonsotegi E (Viz.) 22 D 1
Aloños E (Can.) 21 C 1
Álora E (Mál.) 180 A 3
Alorna P (San.) 111 C 5
Alòs de Balaguer E (Ll.) 49 A 5
Alós d'Isil E (Ll.) 29 B 4
Alosno E (Huel.) 162 A 2
Alovera E (Gua.) 82 C 5
Alozaina E (Mál.) 179 D 4
Alp E (Gi.) 50 C 2
Alpalhão P (Por.) 113 B 4
Alpandeire E (Mál.) 179 B 5
Alpanseque E (So.) 83 B 1
Alparatas, Las E (Alm.) 184 D 1

Alparrache E (So.) 63 D3
Alpartir E (Zar.) 65 C4
Alpatró E (Ali.) 141 B3
Alpedreira P (Por.) 130 A3
Alpedrete E (Mad.) 81 B5
Alpedrete de la Sierra E (Gua.) 82 B3
Alpedrinha P (C. B.) 95 C3
Alpedriz P (Lei.) 111 A1
Alpedroches E (Gua.) 83 A1
Alpens E (Bar.) 50 D3
Alpeñes E (Te.) 86 A4
Alpera E (Alb.) 139 D2
Alpiarça P (San.) 111 D4
Alpicat E (Ll.) 68 C2
Alporchinhos P (Fa.) 173 D3
Alporchones E (Mu.) 171 B2
Alportel P (Fa.) 174 D2
Alpouvar P (Fa.) 174 A2
Alpuente E (Val.) 124 A1
Alqueidão P (Co.) 93 C3
Alqueidão P (Co.) 95 B3
Alqueidão P (Lei.) 94 A5
Alqueidão P (Lis.) 126 B2
Alqueidão P (San.) 111 D1
Alqueidão P (San.) 111 D2
Alqueidão P (San.) 111 B3
Alqueidão P (San.) 112 B2
Alqueidão P (San.) 111 C3
Alqueidão da Serra P (Lei.) 111 B2
Alqueidão de Arrimal P (Lei.) 111 B2
Alqueidão de Santo Amaro P (San.) 112 B1
Alqueidão do Mato P (San.) 111 B3
Alquería E (Mál.) 180 D3
Alqueria Blanca E (Bal.) 92 C5
Alqueria d'Asnar, l' E (Ali.) 141 A4
Alquería de Abajo, La E (Alm.) 170 B1
Alqueria de la Comtessa, l' → Alquería de la Condesa E (Val.) 141 C3
Alquería de la Condesa/Alqueria de la Comtessa, l' E (Val.) 141 C3
Alquería del Fargue E (Gr.) 182 A1
Alquería, La E (Alm.) 183 A4
Alquería, La E (Gr.) 169 D2
Alquería, La E (Mál.) 180 B4
Alquería, La E (Mu.) 155 C1
Alquerías → Lugar de Casillas E (Mu.) 156 A4
Alquerías del Niño Perdido/Alqueries, les E (Cas.) 107 C5
Alquerías Valencia E (Cas.) 125 C1
Alqueries de Benifloret E (Ali.) 141 A4
Alqueries, les → Alquerías del Niño Perdido E (Cas.) 107 C5
Alquerubim P (Ave.) 74 A4
Alqueva P (Év.) 145 B2
Alqueve P (Co.) 94 D2
Alquézar E (Hues.) 47 C4
Alquián, El E (Alm.) 184 A3
Alquibla, La E (Mu.) 155 C4
Alquife E (Gr.) 182 D1
Alquité E (Seg.) 62 B5
Alsasua → Altsasu E (Na.) 24 A3
Alsodux E (Alm.) 183 C2
Alta Mora P (Fa.) 161 B4
Altabix E (Ali.) 156 D2
Altable E (Bur.) 42 D1
Altafulla E (Ta.) 89 D1
Altamira E (A Co.) 2 C4
Altamira-San Kristobal E (Viz.) 11 B4
Altamiros E (Áv.) 79 D5
Altarejos E (Cu.) 121 D1
Alte P (Fa.) 174 B2
Altea E (Ali.) 141 D5
Altea la Vella → Altea la Vieja E (Ali.) 141 D5
Altea la Vieja/Altea la Vella E (Ali.) 141 D5
Alter do Chão P (Por.) 113 B5
Alter Pedroso P (Por.) 113 B5
Altet E (Ll.) 69 C2
Altet, El/Altet, l' E (Ali.) 157 C2
Altet, l' → Altet, El E (Ali.) 157 C2
Altico, El E (Alb.) 138 A5
Altico, El E (J.) 151 D3
Alto E (Lu.) 16 A3
Alto E (Lu.) 15 D2
Alto da Guerra P (Set.) 127 A5
Alto da Serra P (San.) 111 A3
Alto de la Mesa E (Huel.) 163 A1
Alto de la Muela E (Zar.) 65 D3
Alto do Moinho P (Set.) 126 C4
Alto Fica P (Fa.) 174 B2
Alto Palomo E (Mu.) 155 C3
Altobar de la Encomienda E (Le.) 38 C4
Altobordo E (Mu.) 171 B3
Altorricón E (Hues.) 68 B1
Altos-Arroyos, Los E (S. Cruz T.) 196 A2
Altsasu/Alsasua E (Na.) 24 A3
Altura E (Cas.) 124 D1
Altura P (Fa.) 175 B2
Alturas do Barroso P (V. R.) 55 B2
Altzaa E (Viz.) 23 C1
Altzaga E (Gui.) 24 B2
Altzibar-Karrika E (Gui.) 12 C5
Altzo E (Gui.) 24 B2
Altzola E (Gui.) 23 D1
Altzorritz → Alzórriz E (Na.) 25 B5
Altzusta E (Viz.) 23 B2
Alumbres E (Mu.) 172 C2
Alustante E (Gua.) 85 A5
Alva P (Vis.) 74 D3
Alvações de Tanha P (V. R.) 55 B5
Alvações do Corgo P (V. R.) 55 B5
Alvadia P (V. R.) 55 B3
Alvados P (Lei.) 111 C2
Alvaiade P (C. B.) 113 B1
Alvaiázere P (Lei.) 94 A5
Alvalade P (Set.) 143 D4
Alvarado-La Risca E (Bad.) 130 C3
Alvarães P (V. C.) 53 D2
Alvaré E (Ast.) 6 C2
Alvaredo P (V. C.) 34 C3
Alvaredos P (Bra.) 56 C1
Alvarelhos P (Port.) 54 A4
Alvarelhos P (V. R.) 56 A2
Alvarenga P (Ave.) 74 C2
Alvarenga P (Port.) 54 C4
Alvares P (Be.) 161 A1
Alvares P (Co.) 94 C4
Alvarim P (Ave.) 74 B5
Alvarim P (Vis.) 94 C1
Alvarinhos P (Lis.) 126 B2
Álvaro P (C. B.) 94 D4
Alvega P (San.) 112 C3
Alveite Grande P (Co.) 94 B2
Alveite Pequeno P (Co.) 94 C3
Alvelos P (Br.) 54 A3
Alvendre P (Guar.) 76 A5
Alverca da Beira P (Guar.) 76 A4
Alverca do Ribatejo P (Lis.) 126 D2
Alves P (Be.) 161 B2
Alvide P (Lis.) 126 B3
Alviobeira P (San.) 112 A1
Alvisquer P (Por.) 112 D3
Alvite P (Br.) 54 D3
Alvite P (V. R.) 55 B3
Alvite P (Vis.) 75 B2
Alvites P (Bra.) 56 B3
Alvito P (Be.) 144 C2
Alvito P (Br.) 54 A2
Alvito da Beira P (C. B.) 95 A5
Alvoco da Serra P (Guar.) 95 B2
Alvoco das Várzeas P (Co.) 95 A2
Alvoeira P (Co.) 94 D2
Alvor P (Fa.) 173 C2
Alvora P (V. C.) 34 B5
Alvorge P (Lei.) 94 A4
Alvorninha P (Lei.) 111 A3
Alvre P (Port.) 74 B1
Alxán E (Po.) 34 A3
Alxán E (Po.) 34 A2
Alzina, l' E (Ll.) 69 C1
Alzinar, l' E (Bar.) 70 B4
Alzira E (Val.) 141 A1
Alzórriz/Altzorritz E (Na.) 25 B5
Allariz E (Our.) 35 B3
Allariz E (Po.) 33 D1
Allendelagua E (Can.) 10 C4
Allepuz E (Te.) 106 C1
Alles E (Ast.) 8 B5
Allo E (Na.) 44 B1
Allonca, A E (Lu.) 16 D1
Alloza E (Te.) 86 D3
Allueva E (Te.) 86 A2
Amadora P (Lis.) 126 C3
Amaiur/Maia E (Na.) 25 B1
Amalloa E (Viz.) 11 C5
Amandi E (Ast.) 7 A4
Amarante E (Lu.) 15 B4
Amarante P (Port.) 54 D5
Amareleja P (Be.) 145 D3
Amarelhe P (Port.) 74 D1
Amarelle E (A Co.) 14 C2
Amares P (Br.) 54 B2
Amarguilla E (Alm.) 169 C5
Amaro P (Fa.) 175 A3
Amasa E (Gui.) 24 B1
Amatos E (Sa.) 78 D3
Amatos de Alba E (Sa.) 78 D3
Amatos de Salvatierra E (Sa.) 78 C5
Amatriáin E (Na.) 45 A1
Amavida E (Áv.) 79 C5
Amaya E (Bur.) 21 A5
Amayas E (Gua.) 84 C2
Amayuelas de Arriba E (Pa.) 40 C3
Ambás E (Ast.) 6 C3
Ambasaguas E (Viz.) 22 B1
Ambasaguas de Curueño E (Le.) 19 A5
Ambel E (Zar.) 65 A2
Ambingue E (Ast.) 7 B5
Ambite E (Mad.) 102 C2
Ambres E (Ast.) 17 C1
Ambroa E (A Co.) 3 A4
Ambrona E (So.) 83 C1
Ambrosero E (Can.) 10 A4
Ambroz E (Gr.) 181 D1
Ameal P (Ave.) 74 B3
Ameal P (Lei.) 94 B4
Ameal P (Lis.) 110 C5
Amedo P (Bra.) 56 A5
Ameixede P (Port.) 74 C1
Ameixeira E (Po.) 34 C3
Ameixenda E (A Co.) 13 B2
Ameixenda E (A Co.) 14 A2
Ameixial P (Fa.) 160 C4
Ameixial P (San.) 127 D1
Ameixiosa P (Vis.) 74 D2
Ameixoeira P (Lis.) 126 C3
Amêndoa P (C. B.) 112 C2
Amendoeira P (Bra.) 56 C3
Amendoeira da Serra P (Be.) 161 A1
Amendoeira do Campo P (Be.) 144 D5
Amer E (Gi.) 51 D4
Ames E (A Co.) 14 A3
Ames E (A Co.) 14 A2
Améscoa Baja E (Na.) 24 B4
Ametlla de Casserres, l' E (Bar.) 50 C4
Ametlla de Mar, l' E (Ta.) 89 A3
Ametlla de Merola, l' E (Bar.) 50 C5
Ametlla del Vallès, l' E (Bar.) 71 B2
Ameyugo E (Bur.) 22 D5
Amezketa E (Gui.) 24 B2
Amiadoso E (Our.) 35 B3
Amiais P (Vis.) 75 B4
Amiais de Baixo P (San.) 111 C3
Amiais de Cima P (San.) 111 C3
Amial P (Ave.) 74 A4
Amieira P (C. B.) 94 D4
Amieira P (Co.) 93 D2
Amieira P (Év.) 145 B2
Amieira P (Lei.) 93 B5
Amieira P (San.) 111 D1
Amieira Cova P (Por.) 112 D3
Amieira do Tejo P (Por.) 113 A3
Amieiro P (V. R.) 55 D5
Amil E (Po.) 14 A5
Amioso P (C. B.) 94 C5
Amioso do Senhor P (Co.) 94 C4
Amiudal E (Our.) 34 C1
Amoedo E (Po.) 34 A2
Amoeiro E (Our.) 35 A1
Amonde P (V. C.) 53 D1
Amor P (Lei.) 93 B5
Amora P (Set.) 126 D4
Amorebieta E (Viz.) 23 B1
Amoreira P (Co.) 94 C4
Amoreira P (Fa.) 161 A4
Amoreira P (Guar.) 76 B5
Amoreira P (Lei.) 110 D3
Amoreira P (Lis.) 126 C2
Amoreira P (Por.) 128 B1
Amoreira P (San.) 127 D1
Amoreira P (San.) 112 B3
Amoreira da Gândara P (Ave.) 74 A5
Amoreiras P (Guar.) 76 A5
Amoreiras P (Vis.) 75 A1
Amoreiras-Gare P (Be.) 159 D1
Amorim P (Port.) 53 D3
Amorín E (Po.) 33 D4
Amoroce E (Our.) 35 A3
Amorosa P (Fa.) 160 A4
Amoroto E (Viz.) 11 C5
Amparo, El E (S. Cruz T.) 195 C2
Ampolla, l' E (Ta.) 88 D3
Amposta E (Ta.) 88 C4
Ampudia E (Pa.) 60 A1
Ampuero E (Can.) 10 B5
Ampuyenta, La E (Las P.) 190 A3
Amurrio E (Ál.) 22 D2
Amusco E (Pa.) 40 C4
Amusquillo E (Vall.) 60 D2
Anadia P (Ave.) 94 A1
Anadón E (Te.) 86 A2
Anagueis P (Co.) 94 A3
Anais P (V. C.) 54 A1
Anaya E (Seg.) 80 D3
Anaya de Alba E (Sa.) 78 D4
Anayo E (Ast.) 7 B4
Anca E (A Co.) 3 A3
Ançã P (Co.) 94 A2
Ancas P (Ave.) 74 A5
Ancede P (Port.) 74 D1
Ancéis E (A Co.) 2 C4
Anciles E (Hues.) 28 B5
Ancillo E (Can.) 10 A4
Ancín/Antzin E (Na.) 24 A5
Anclas, Las E (Gua.) 103 B1
Ancorados E (Po.) 14 B4
Anços P (Lei.) 93 D4
Anchuela del Campo E (Gua.) 84 C2
Anchuela del Pedregal E (Gua.) 84 D4
Anchuelo E (Mad.) 102 B1
Anchuras E (C. R.) 117 D4
Andabao E (A Co.) 14 D2
Andaluz E (So.) 63 A4
Andam P (Lei.) 111 B2
Andatza E (Gui.) 24 B1
Andavías E (Zam.) 58 B3
Andeiro E (A Co.) 2 C4
Andenes, Los E (S. Cruz T.) 196 B2
Andés E (Ast.) 5 A3
Andilla E (Val.) 124 B1
Andoain E (Gui.) 24 B1
Andoin E (Ál.) 24 A4
Andoio E (A Co.) 2 B5
Andorinha P (Co.) 94 D1
Andorinha P (Co.) 93 D2
Andorra E (Te.) 87 A2
Andorra la Vella A 49 D 1
Andosilla E (Na.) 44 C2
Andra Mari E (Viz.) 10 D5
Andrade E (A Co.) 2 D3
Andrães P (V. R.) 55 B5
Andratx E (Bal.) 91 B4
Andrés P (Lei.) 93 D5
Andrés P (San.) 112 A1
Andreses, Los E (Huel.) 146 B4
Andreus P (San.) 112 C2
Andújar E (J.) 151 A4
Anelhe P (V. R.) 55 C2
Anento E (Zar.) 85 C2
Anero E (Can.) 9 D4
Anes E (Ast.) 6 D4
Aneto E (Hues.) 48 D1
Anfeoz E (Our.) 35 A3
Angeja P (Ave.) 74 A4
Ángeles, Los E (Cád.) 187 A2
Ángeles, Los E (Cór.) 165 B1
Angiozar E (Gui.) 23 D2
Anglades, les E (Gi.) 52 A3
Anglès E (Gi.) 51 D4
Anglesola E (Ll.) 69 B2
Angón E (Gua.) 83 A2
Angoren E (Po.) 34 A2
Angostina E (Can.) 10 B5
Angosto E (Bur.) 22 B3
Angosto de Arriba E (Alm.) 169 D5
Angostura, La E (Áv.) 99 A2
Angostura, La E (Las P.) 191 C2
Angra do Heroísmo P (Aç.) 109 A5
Anguciana E (La R.) 43 A1
Angueira P (Bra.) 57 C3
Angüés E (Hues.) 47 B4
Anguiano E (La R.) 43 B3
Anguijes, Los E (Alb.) 138 C3
Anguita E (Gua.) 83 D2
Anguix E (Bur.) 61 B2
Anguix E (Gua.) 103 B2
Anhões P (V. C.) 34 B4
Aniés E (Hues.) 46 C3
Anieves E (Ast.) 6 C5
Aniñón E (Zar.) 64 D4
Anissó P (Br.) 54 C2
Anjarón E (Cór.) 166 B4
Anjos P (Aç.) 109 D5
Anjos P (Br.) 54 D2
Anleo E (Ast.) 5 A3
Anllares del Sil E (Le.) 17 B3
Anllo E (Lu.) 35 C1
Anllo E (Our.) 34 D1
Anllóns E (A Co.) 1 D4
Anna E (Val.) 140 D2
Anobra P (Co.) 93 D3
Anoeta E (Gui.) 24 B1
Anorias, Las E (Alb.) 139 B4
Anós E (A Co.) 1 D5
Anoves, les E (Ll.) 49 C4
Anquela del Ducado E (Gua.) 84 B3
Anquela del Pedregal E (Gua.) 84 D4
Anreade P (Vis.) 74 D1
Anroig/Enroig E (Cas.) 107 D1
Anserall E (Ll.) 49 D2
Anseriz P (Co.) 94 D2
Ansião P (Lei.) 94 A5
Ansó E (Hues.) 26 B4
Ansoain E (Na.) 25 A4
Ansul P (Guar.) 76 C4
Anta P (Ave.) 73 D1
Anta de Rioconejos E (Zam.) 37 B4
Antanhol P (Co.) 94 A3
Antas E (Alm.) 170 D5
Antas E (Po.) 34 B1
Antas P (Br.) 53 D2
Antas P (V. C.) 34 A5
Antas P (Vis.) 75 C4
Antas P (Vis.) 75 D2
Antas de Ulla E (Lu.) 15 B3
Antella E (Val.) 140 D1
Antenza E (Hues.) 48 C4
Anteporta P (San.) 111 A4
Antequera E (Mál.) 180 B2
Antes E (A Co.) 13 D2
Antes P (Ave.) 94 A1
Antigo P (V. R.) 55 C1
Antigua E (Las P.) 190 A3
Antigua, La E (Le.) 38 C4
Antigüedad E (Pa.) 41 A5
Antilla, La E (Huel.) 175 D2
Antillón E (Hues.) 47 B5
Antime P (Br.) 54 C3
Antimio de Abajo E (Le.) 38 D1
Antimio de Arriba E (Le.) 38 D1
Antius E (Bar.) 70 B1
Antões P (Lei.) 93 C4
Antolinos, Los E (Mu.) 172 C1
Antoñán del Valle E (Le.) 38 B1
Antoñana E (Ál.) 23 D5
Antoñanes del Páramo E (Le.) 38 C2
Antromero E (Ast.) 6 C3
Antuñano E (Bur.) 22 C1
Antuzede P (Co.) 94 A2
Antzin → Ancín E (Na.) 24 A5
Antzuola E (Gui.) 23 D2
Anue E (Na.) 25 A3
Ánxeles E (A Co.) 14 C2
Ánxeles E (A Co.) 15 A2
Anxeles, Os E (A Co.) 15 A2
Ánxeles, Os E (A Co.) 14 A3
Anxeriz E (A Co.) 14 A1
Anyós A 50 A 1
Anzánigo E (Hues.) 46 C2
Anzas E (Lu.) 4 C3
Anzó E (Po.) 14 D4
Anzola E (Gr.) 167 C5
Añá E (A Co.) 14 D2
Añana-Gesaltza/Salinas de Añana E (Ál.) 22 D4
Añastro E (Bur.) 23 B5
Añavieja E (So.) 64 C1
Añaza E (S. Cruz T.) 196 B2
Añe E (Seg.) 80 D2
Añina-Polila E (Cád.) 177 C4
Añón de Moncayo E (Zar.) 64 D2
Añora E (Cór.) 149 D2
Añorbe E (Na.) 24 D5
Añover de Tajo E (To.) 101 C5
Añover de Tormes E (Sa.) 78 B1
Aoiz/Agoitz E (Na.) 25 B4
Aos E (Na.) 25 B4
Aostri de Losa E (Bur.) 22 D3
Aparecida, La E (Ali.) 156 B4
Aparecida, La E (Mu.) 172 B2
Apariços P (Lei.) 111 C1
Apelação P (Lis.) 126 D2
Aperregi E (Ál.) 23 A3
Apiche E (Mu.) 171 A2
Apiés E (Hues.) 47 A3
Apinaniz E (Ál.) 23 C5
Apostiça P (Set.) 126 D5
Aprikano E (Ál.) 23 A4
Apúlia P (Br.) 53 D3
Aquilué E (Hues.) 46 D2
Ara E (Hues.) 46 D1
Ará, La E (Ast.) 6 B5
Arabayona de Mógica E (Sa.) 79 A2
Arabexo E (A Co.) 14 A1
Aracena E (Huel.) 146 D5

rada P (Ave.) 73 D2
radas P (Ave.) 73 D4
rades E (A Co.) 14 B2
rafo E (S.Cruz T.) 196 B3
ragoncillo E (Gua.) 84 B3
ragosa E (Gua.) 83 B3
raguás E (Hues.) 47 D1
ragüés del Puerto E (Hues.) 26 C5
rahal E (Sev.) 164 D5
rahuetes E (Seg.) 81 C1
aia E (Ál.) 23 D3
raitz E (Na.) 24 C2
rakaldo E (Viz.) 23 A2
rakil E (Na.) 24 C3
al, El E (Sev.) 163 D3
ralla de Luna E (Le.) 18 C3
rama E (Gui.) 24 A2
ramaio E (Ál.) 23 C2
amil E (Ast.) 6 D4
ramunt E (Ll.) 49 A3
ranarache/
Aranaratxe E (Na.) 24 A4
anaratxe →
Aranarache E (Na.) 24 A4
rancedo E (Ast.) 5 A3
ancón E (So.) 64 A2
anda de Duero E (Bur.) 61 D3
randa de Moncayo E (Zar.) 64 D3
randa, Los E (Cór.) 166 C3
ándiga E (Zar.) 65 B4
andilla E (Bur.) 62 B2
randilla del Arroyo E (Cu.) 103 D1
ránegas, Los E (Alm.) 170 B2
ranga E (A Co.) 3 A5
angas E (Ast.) 8 A5
rango E (Ast.) 6 A3
anguren E (Na.) 25 A4
anguren E (Viz.) 22 D1
anhas P (C. B.) 96 B4
ranjassa, S' E (Bal.) 91 D4
anjuez E (Mad.) 101 D5
ano E (Na.) 24 C1
ànser E (Ll.) 50 A1
rante E (Lu.) 4 C3
antza E (Na.) 24 D1
antzazu E (Gui.) 23 D3
antzazu E (Viz.) 23 B2
anyó, l' E (Ll.) 69 C2
anzueque E (Gua.) 102 D1
añuel E (Cas.) 107 A4
ão P (Fa.) 173 C2
rão P (V. C.) 34 A4
apiles E (Sa.) 78 C3
as E (Na.) 43 D1
as de los Olmos E (Val.) 105 D5
asán E (Hues.) 48 B1
ascués E (Hues.) 46 D3
auxo E (Our.) 34 D5
auzo de Miel E (Bur.) 62 B1
auzo de Salce E (Bur.) 62 B1
auzo de Torre E (Bur.) 62 B2
aya E (S.Cruz T.) 196 B2
azede P (Co.) 93 D2
azuri E (Na.) 24 D4
bancón E (Gua.) 82 D3
baniés E (Hues.) 47 B4
beca E (Ll.) 69 A3
beitza → Arbeiza E (Na.) 24 B5
beiza/Arbeitza E (Na.) 24 B5
bejal E (Pa.) 20 C3
bejales E (Las P.) 191 C2
beteta E (Gua.) 83 D5
bizu E (Na.) 24 B3
bo E (Po.) 34 C3
boç, l' E (Ta.) 70 B5
boçar, l' E (Bar.) 70 C4
bol E (Lu.) 3 D4
boleas E (Alm.) 170 C4
boleda, La/
Zugaztieta E (Viz.) 10 D5
boledas, Las E (Mu.) 155 C4
boleja, La E (Mu.) 156 A5
bolí E (Ta.) 69 A5
bón E (Ast.) 5 A3
búcies E (Gi.) 51 C5
bués E (Hues.) 46 B1
buniel E (J.) 168 A2
ca E (A Co.) 14 C2
ca E (Po.) 14 B4
cã P (V. R.) 55 C5
ca P (Vis.) 74 C4
cahueja E (Le.) 39 A1
callana E (Ast.) 5 D3
cas E (Cu.) 104 B5
cas P (Ave.) 74 B4
Arcas P (Bra.) 56 C2
Arcas P (Vis.) 75 D2
Arcas P (Vis.) 75 A3
Arcas P (Vis.) 75 B2
Arcavell E (Ll.) 49 D1
Arce E (Can.) 9 B4
Arcediano E (Sa.) 78 D2
Arcena P (Lis.) 126 D2
Arcenillas E (Zam.) 58 C4
Arcentales/Artzentales E (Viz.) 22 C1
Arcicóllar E (To.) 101 A4
Arcillo E (Zam.) 58 A4
Arco P (Bra.) 56 B5
Arco da Calheta P (Ma.) 109 D2
Arco de Baúlhe P (Br.) 55 A3
Arco de São Jorge P (Ma.) 110 B1
Arco, El E (Sa.) 78 B1
Arconada E (Bur.) 42 A1
Arconada E (Pa.) 40 C3
Arcones E (Seg.) 81 D2
Arcos E (A Co.) 13 B2
Arcos E (Bur.) 41 D3
Arcos E (Lu.) 15 B4
Arcos E (Our.) 35 A1
Arcos E (Our.) 36 C1
Arcos E (Po.) 34 B3
Arcos E (Po.) 14 B4
Arcos P (Ave.) 94 A1
Arcos P (Év.) 129 B3
Arcos P (Port.) 53 D3
Arcos P (V. C.) 53 D1
Arcos P (V. R.) 55 C1
Arcos P (Vis.) 75 C1
Arcos de Jalón E (So.) 84 A1
Arcos de la Cantera E (Cu.) 104 A4
Arcos de la Frontera E (Cád.) 178 B4
Arcos de la
Polvorosa E (Zam.) 38 C5
Arcos de la Sierra E (Cu.) 104 B2
Arcos de las Salinas E (Te.) 106 A5
Arcos de Valdevez P (V. C.) 34 B5
Arcos, Los E (Na.) 44 A1
Arcossó P (V. R.) 55 C2
Arcozelo P (Br.) 54 A2
Arcozelo P (Port.) 73 D1
Arcozelo P (V. C.) 54 A1
Arcozelo da Serra P (Guar.) 75 B5
Arcozelo das Maias P (Vis.) 74 B4
Arcozelos P (Vis.) 75 C2
Arcs, els E (Ll.) 69 A2
Arcucelos E (Our.) 35 D4
Arcusa E (Hues.) 47 D2
Archena E (Mu.) 155 D4
Árchez E (Mál.) 181 B3
Archidona E (Mál.) 180 C1
Archidona E (Sev.) 163 C1
Archilla E (Gua.) 83 A5
Archillas, Los, lugar E (Gr.) 182 C3
Archivel E (Mu.) 154 C4
Ardaitz E (Na.) 25 B3
Ardales E (Mál.) 179 D3
Ardanatz → Ardanaz E (Na.) 25 B5
Ardanaz/Ardanatz E (Na.) 25 B5
Ardaña E (A Co.) 2 A5
Ardãos P (V. R.) 55 C1
Ardegão P (Br.) 54 C3
Ardegão P (V. C.) 54 A2
Ardemil E (A Co.) 14 C1
Ardesaldo E (Ast.) 5 D4
Ardèvol E (Ll.) 70 A1
Ardiaca E (Ta.) 89 B2
Ardido P (Lei.) 111 A2
Ardisa E (Zar.) 46 B3
Ardisana E (Ast.) 7 D4
Ardite, lugar E (Mál.) 179 D4
Arditurri E (Gui.) 12 D5
Ardón E (Le.) 38 D2
Ardoncino E (Le.) 38 D1
Areal P (Vis.) 74 C4
Areas E (Po.) 34 A4
Areas E (Po.) 34 B2
Areas E (Po.) 34 A3
Areatza E (Viz.) 23 B2
Arecida E (S.Cruz T.) 193 B3
Areeiro P (Fa.) 174 C3
Areeiros E (Po.) 34 A2
Arega P (Lei.) 94 B5
Areia P (Br.) 53 D3
Areia P (Co.) 93 D1
Areia P (Lis.) 126 A3
Areia P (Por.) 112 D3
Areia P (Port.) 53 D4
Areia Branca P (Lis.) 110 C4
Areias P (Br.) 54 A2
Areias P (Bra.) 56 A5
Areias P (San.) 112 A1
Areias P (San.) 112 C3
Areias de Vilar P (Br.) 54 A2
Areias Gordas P (Set.) 127 A4
Areiltza-Olazar E (Viz.) 23 A2
Areirinha P (Lei.) 110 D4
Arejos, Los E (Mu.) 171 B4
Arelho P (Lei.) 110 D3
Arellano E (Na.) 44 B1
Arén E (Hues.) 48 D3
Arena, La E (Viz.) 10 D5
Arenal E (Cád.) 178 D3
Arenal E (Can.) 9 C5
Arenal d'en Castell, S' E (Bal.) 90 C1
Arenal, El E (Áv.) 99 C3
Arenal, El E (Seg.) 81 C1
Arenal, S' E (Bal.) 91 D4
Arenales E (Cór.) 166 A4
Arenales E (Gr.) 167 D5
Arenales
de San Gregorio E (C. R.) 120 D5
Arenales del Sol, Los/
Arenals del Sol E (Ali.) 157 C3
Arenales, Los E (Ast.) 6 C4
Arenales, Los E (Gr.) 167 A5
Arenales, Los E (Sev.) 165 A4
Arenals del Sol →
Arenales
del Sol, Los E (Ali.) 157 C3
Arenas E (Ast.) 6 D4
Arenas E (Ast.) 7 A5
Arenas E (Mál.) 181 B3
Arenas de Iguña E (Can.) 21 B1
Arenas de San Juan E (C. R.) 136 A1
Arenas de San Pedro E (Áv.) 99 C3
Arenas del Rey E (Gr.) 181 C2
Arenas, Las E (Ast.) 8 A5
Arenas, Las E (Mad.) 101 D3
Arenas, Las E (S.Cruz T.) 196 A2
Arenas, Las E (Sev.) 177 D3
Arenas-Areeta, Las E (Viz.) 10 D5
Arene-Pelaio Deuna E (Viz.) 11 B4
Arenes, Ses, lugar E (Bal.) 90 A2
Arengades-Enginyers E (Gi.) 52 B2
Arenillas E (So.) 63 A5
Arenillas de Muñó E (Bur.) 41 C3
Arenillas
de Nuño Pérez E (Pa.) 40 C1
Arenillas
de Riopisuerga E (Bur.) 41 A2
Arenillas
de San Pelayo E (Pa.) 40 B1
Arenillas
de Valderaduey E (Le.) 39 C3
Arenillas
de Villadiego E (Bur.) 41 B1
Arenillas, lugar E (Sev.) 164 B2
Arenosos, Los E (Mál.) 179 A4
Arens de Lledó E (Te.) 88 A2
Arensandiaga E (Viz.) 23 A1
Arentim P (Br.) 54 A3
Arenys de Mar E (Bar.) 71 C2
Arenys de Munt E (Bar.) 71 C2
Arenzana de Abajo E (La R.) 43 B2
Arenzana de Arriba E (La R.) 43 B2
Areños E (Pa.) 20 C3
Ares E (A Co.) 2 D3
Ares del Maestrat →
Ares del Maestre E (Cas.) 107 C1
Ares del Maestre/
Ares del Maestrat E (Cas.) 107 C1
Areso E (Na.) 24 C2
Arespalditza →
Respaldiza E (Ál.) 22 D2
Aretxabaleta E (Ál.) 23 B4
Aretxabaleta E (Gui.) 23 C2
Àreu E (Ll.) 29 C5
Arevalillo E (Áv.) 79 A5
Arevalillo de Cega E (Seg.) 81 C1
Arévalo E (Áv.) 80 A2
Arévalo de la Sierra E (So.) 43 D5
Arez P (Por.) 113 A3
Arez P (Set.) 143 D1
Arfa E (Ll.) 49 D2
Arga de Baixo P (V. C.) 33 D5
Arga de Cima P (V. C.) 33 D5
Arga de São João P (V. C.) 33 D5
Argalo E (A Co.) 13 C3
Argallón E (Cór.) 148 D3
Argamasilla de Alba E (C. R.) 136 D1
Argamasilla
de Calatrava E (C. R.) 135 A4
Argamasón E (Alb.) 138 C3
Argamasón, El E (Alm.) 184 D2
Argamassa, S' E (Bal.) 90 A4
Argame E (Ast.) 6 B5
Argana P (Bra.) 56 B2
Argana Alta E (Las P.) 192 C4
Argana Baja E (Las P.) 192 C4
Arganda del Rey E (Mad.) 102 A3
Argandoña E (Ál.) 23 C4
Arganil P (Co.) 94 D2
Arganil P (San.) 112 D1
Arganza E (Ast.) 5 C5
Arganza E (Le.) 17 A5
Argañín E (Zam.) 57 D4
Argañoso E (Le.) 37 D1
Argavieso E (Hues.) 47 A4
Argayo del Sil E (Le.) 17 B4
Argea P (San.) 111 D3
Argecilla E (Gua.) 83 A3
Argela P (V. C.) 33 D5
Argelaguer E (Gi.) 51 D2
Argelita E (Cas.) 107 A4
Argemil P (V. R.) 56 A1
Argençola E (Bar.) 69 D2
Argente E (Te.) 85 D5
Argentera, l' E (Ta.) 89 A1
Argentona E (Bar.) 71 C2
Argés E (To.) 119 A1
Argilaga, l' E (Ta.) 69 D5
Argolibio E (Ast.) 7 C5
Argomaiz E (Ál.) 23 C4
Argomedo E (Bur.) 21 C3
Argomil P (Guar.) 76 A5
Argomilla E (Can.) 9 C5
Argoncilhe P (Ave.) 74 A1
Argoños E (Can.) 10 A4
Argovejo E (Le.) 19 C3
Argozelo P (Bra.) 57 A2
Argozón E (Lu.) 15 B5
Argual E (S.Cruz T.) 193 B3
Arguayo E (S.Cruz T.) 195 C3
Arguedas E (Na.) 45 A4
Arguedeira P (Vis.) 75 B2
Argüelles E (Ast.) 6 C4
Arguellite E (Alb.) 153 D2
Argüero E (Ast.) 7 A3
Arguineguín E (Las P.) 191 B4
Arguís E (Hues.) 46 D3
Arguisuelas E (Cu.) 122 D1
Argujillo E (Zam.) 58 D5
Aria E (Na.) 25 C3
Ariant, lugar E (Bal.) 92 A1
Ariany E (Bal.) 92 B3
Aribe E (Na.) 25 C3
Aricera P (Vis.) 75 B1
Arico E (S.Cruz T.) 196 A4
Arico el Nuevo E (S.Cruz T.) 196 A4
Arico Viejo E (S.Cruz T.) 196 A4
Arieiro P (Ave.) 73 D5
Ariéstolas E (Hues.) 47 D5
Arija E (Bur.) 21 B3
Arinhos P (Ave.) 94 A1
Arinsal A 29 D 5
Ariñez E (Las P.) 191 C3
Ariño E (Te.) 86 D2
Ariola P (Guar.) 76 A2
Aris E (Po.) 34 A1
Arisgotas E (To.) 119 B3
Aristot E (Ll.) 50 A2
Ariz P (Port.) 74 C1
Ariz P (Vis.) 75 B2
Ariza E (Zar.) 64 B5
Arizala E (Na.) 24 B5
Arizkun E (Na.) 25 B1
Arjona E (J.) 151 A5
Arjonilla E (J.) 151 A5
Arkiskil E (Na.) 24 C2
Arkortxa E (Viz.) 23 A1
Arlanza E (Le.) 17 C5
Arlanzón E (Bur.) 42 A3
Arlós E (Ast.) 6 B3
Armada, A E (A Co.) 2 D3
Armada, A E (Our.) 34 D2
Armadouro P (Co.) 95 A4
Armal E (Ast.) 5 A4
Armallones E (Gua.) 84 A4
Armamar P (Vis.) 75 B1
Armañanzas E (Na.) 44 A1
Armarção de Pera P (Fa.) 173 D3
Armariz E (Our.) 35 B3
Armellada E (Le.) 38 B1
Armental E (Our.) 35 B1
Armenteira E (Po.) 33 D1
Armentera, l' E (Gi.) 52 B3
Armenteros E (Sa.) 78 D5
Armentia E (Ál.) 23 B4
Armentia E (Bur.) 23 B5
Armentón E (A Co.) 2 B4
Armeñime E (S.Cruz T.) 195 C4
Armil P (Br.) 54 C3
Armilla E (Gr.) 181 D1
Armillas E (Te.) 86 B3
Armintza E (Viz.) 11 A4
Armiñon E (Ál.) 23 A5
Armunia E (Le.) 38 D1
Armuña E (Seg.) 80 D2
Armuña de Almanzora E (Alm.) 170 A5
Armuña de Tajuña E (Gua.) 102 D1
Arnadelo E (Le.) 16 D5
Arnal P (Bra.) 55 D5
Arnal P (Lei.) 93 D5
Arnao E (Ast.) 6 B3
Arnas P (Vis.) 75 D3
Arnedillo E (La R.) 44 A3
Arnedo E (Bur.) 21 C3
Arnedo E (La R.) 44 B3
Arnedo, lugar E (Alb.) 138 B1
Arnego E (Po.) 15 A5
Arnego E (Po.) 14 D3
Arneiro E (Lu.) 3 D5
Arneiro P (Lis.) 126 B3
Arneiro P (Lis.) 110 D5
Arneiro P (Por.) 113 B2
Arneiro P (San.) 94 A5
Arneiro das Milhariças P (San.) 111 C3
Arneiro de Tremês P (San.) 111 C3
Arneiros P (Lis.) 126 C1
Arneiros P (Vis.) 75 A1
Arnes E (Ta.) 88 A3
Arneva E (Ali.) 156 B4
Arnoia E (Our.) 34 D2
Arnóia P (Br.) 54 D4
Arnois E (Po.) 14 C3
Arnoso E (Po.) 34 A3
Arnoso (Santa Eulália) P (Br.) 54 A3
Arnozela P (Br.) 54 D4
Arnuero E (Can.) 10 A4
Aro E (A Co.) 13 D2
Arobes E (Ast.) 7 C4
Aroche E (Huel.) 146 B5
Aroeiras P (Lei.) 93 D5
Arões P (Ave.) 74 B3
Arona E (S.Cruz T.) 195 D4
Arosa P (Br.) 55 A3
Arosa P (Br.) 54 C2
Arou E (A Co.) 1 B5
Arouca P (Ave.) 74 C2
Arousa E (Po.) 13 D5
Arquillinos E (Zam.) 58 C2
Arquillos E (J.) 152 A3
Arrabal P (Lei.) 111 C1
Arrabal P (Lei.) 111 B2
Arrabal (Oia) E (Po.) 33 C4
Arrabal de Portillo E (Vall.) 60 B4
Arrabal
de San Sebastián E (Sa.) 77 A5
Arrabal Santa
Bárbara, lugar E (Te.) 105 B2
Arrabal, El E (Cu.) 105 C5
Arrabalde E (Zam.) 38 B4
Arrabaldo E (Our.) 35 A2
Arrabassada i Savinosa E (Ta.) 89 D1
Arracó, S' E (Bal.) 91 A4
Arraia-Maeztu E (Ál.) 23 D5
Arraiolos P (Év.) 128 C4
Arraioz E (Na.) 25 A2
Arraitz-Orkin E (Na.) 25 A3
Arrancacepas E (Cu.) 103 D3
Arrancada do Vouga P (Ave.) 74 A4
Arranhó P (Lis.) 126 D1
Arrankudiaga E (Viz.) 23 A1
Arrarats E (Na.) 24 D2
Arrasate o Mondragón E (Gui.) 23 C2
Arrate E (Gui.) 23 D1
Arratzu E (Viz.) 11 B5
Arraya de Oca E (Bur.) 42 B2
Arrayanes-Cruz-
la Laguna E (J.) 151 D4
Arre E (Na.) 25 A4
Arreba E (Bur.) 21 D3
Arreciadas P (San.) 112 B3
Arrecife E (Cór.) 165 D2
Arrecife E (Las P.) 192 C4
Arredondo E (Can.) 10 A5
Arreigada P (Port.) 54 B5
Arreiro P (Lei.) 111 A2
Arrentela P (Set.) 126 D4
Arrepiado P (San.) 112 A3
Arrés E (Hues.) 46 B1
Arres de Jos E (Ll.) 28 C4
Arretxalde (Lezama) E (Viz.) 11 A5
Arriacha Cimeira P (Por.) 112 D3
Arriacha Fundeira P (Por.) 112 D3

Arriano E (Ál.) 22 D4
Arriate E (Mál.) 179 B4
Arribe (Araitz) E (Na.) 24 C2
Arrieta E (Las P.) 192 D3
Arrieta E (Viz.) 11 B5
Arrieta-Mendi E (Gui.) 23 D2
Arrifana P (Ave.) 74 A2
Arrifana P (Co.) 94 A3
Arrifana P (Co.) 94 B2
Arrifana P (Guar.) 76 A5
Arrifana P (Guar.) 95 B1
Arrifana P (Guar.) 96 C1
Arrifana P (Lis.) 111 B4
Arrifana P (San.) 112 B3
Arrifes P (Aç.) 109 A4
Arrigorriaga E (Viz.) 23 A1
Arrimal P (Lei.) 111 B3
Arriondas E (Ast.) 7 C4
Arrizada P (Fa.) 160 D3
Arroa-Bekoa E (Gui.) 12 A5
Arroa-Goikoa E (Gui.) 24 A1
Arroba de los Montes E (C. R.) 134 B1
Arroes E (Ast.) 7 A3
Arroios P (V. R.) 55 B5
Arrolobos E (Các.) 97 D2
Arronches P (Por.) 129 D1
Arróniz E (Na.) 44 B1
Arrotea E (Po.) 34 A3
Arroteia P (Fa.) 175 A3
Arroturas E (J.) 152 D4
Arrouquelas P (San.) 111 B4
Arroxo E (Lu.) 35 D1
Arroxo E (Lu.) 16 C2
Arroyal E (Bur.) 41 D2
Arroyal E (Can.) 21 B3
Arroyo E (Huel.) 146 C5
Arroyo Aceituno, El E (Alm.) 170 C5
Arroyo Albánchez, El E (Alm.) 170 B5
Arroyo Ancón E (Mál.) 180 A3
Arroyo Canales E (J.) 153 C3
Arroyo Cerezo E (Val.) 105 C4
Arroyo Corrales E (Mál.) 180 A3
Arroyo de Coche E (Mál.) 180 C3
Arroyo de Cuéllar E (Seg.) 60 C5
Arroyo de la Encomienda E (Vall.) 60 A3
Arroyo de la Luz E (Các.) 115 A3
Arroyo de la Miel-Benalmádena Costa E (Mál.) 180 B5
Arroyo de la Plata E (Sev.) 163 C2
Arroyo de las Fraguas E (Gua.) 82 C2
Arroyo de los Olivos E (Mál.) 180 B4
Arroyo de Priego E (Cór.) 166 D5
Arroyo de Salas E (Bur.) 42 C5
Arroyo de San Serván E (Bad.) 131 A3
Arroyo de San Zadornil E (Bur.) 22 C4
Arroyo de Verdelecho E (Alm.) 183 D1
Arroyo del Cerezo E (Cór.) 166 D5
Arroyo del Ojanco E (J.) 153 A2
Arroyo Hurtado E (Mu.) 155 A4
Arroyo Medina, El E (Alm.) 170 B4
Arroyo Molinos E (Cád.) 179 A3
Arroyo Molinos, lugar E (J.) 169 A2
Arroyofrío E (Alb.) 153 C2
Arroyofrío E (Te.) 105 B3
Arroyomolinos E (Các.) 131 C1
Arroyomolinos E (Mad.) 101 B3
Arroyomolinos de la Vera E (Các.) 98 B4
Arroyomolinos de León E (Huel.) 147 A4
Arroyuelo E (Bur.) 22 B4
Arroyuelos E (Cór.) 166 C4
Arruazu E (Na.) 24 B3
Arrúbal E (La R.) 44 A2
Arruda dos Pisões P (San.) 111 B4
Arruda dos Vinhos P (Lis.) 126 D1
Arsèguel E (Ll.) 50 A2
Arsenal de la Carraca E (Cád.) 185 D1
Artà E (Bal.) 92 D2
Arta E (Viz.) 23 C1
Artabia → Artavia E (Na.) 24 B5
Artaix → Artaj E (Val.) 124 C1
Artaj/Artaix E (Val.) 124 C1
Artajo/Artaxo E (Na.) 25 C5
Artajona E (Na.) 44 D1
Artana E (Cas.) 107 B5
Artasona E (Hues.) 48 A4
Artasona del Llano E (Hues.) 46 D5
Artavia/Artabia E (Na.) 24 B5
Artaxo → Artajo E (Na.) 25 C5
Artazu E (Na.) 24 C5
Artea E (Viz.) 23 B2
Arteaga de Arriba E (Alb.) 138 A5
Arteas de Abajo E (Cas.) 106 C5
Arteixo E (A Co.) 2 B4
Artenara E (Las P.) 191 B2
Artés E (Bar.) 70 D1
Artesa E (Cas.) 107 B5
Artesa de Lleida E (Ll.) 68 D3
Artesa de Segre E (Ll.) 49 B5
Artieda E (Na.) 25 C5
Artieda E (Zar.) 46 A1
Arties E (Ll.) 28 D4
Arto E (Hues.) 46 D2
Artola E (Mál.) 187 D1
Artoño E (Po.) 15 A3
Artze E (Na.) 25 B4
Artze E (Na.) 24 D2
Artzentales → Arcentales E (Viz.) 22 C1
Artziniega E (Ál.) 22 C2
Arucas E (Las P.) 191 C2
Arure E (S. Cruz T.) 194 B2
Árvore P (Port.) 53 D4
Arvoredo P (Vis.) 75 B4
Arzádegos E (Our.) 56 A1
Arzallus E (Gui.) 24 A1
Arzila P (Co.) 93 D3
Arzúa E (A Co.) 14 D2
Ascara E (Hues.) 46 C1
Ascarza E (Bur.) 23 B4
Ascaso E (Hues.) 47 C1
Ascó E (Ta.) 88 C1
Ascoy E (Mu.) 155 C3
Asdrúbal E (C. R.) 135 A5
Asegur E (Các.) 97 C1
Asensios, Los E (Alm.) 170 B2
Asenso E (A Co.) 13 C2
Asiain E (Na.) 24 D4
Asiego E (Ast.) 8 A5
Asín E (Zar.) 46 A3
Asín de Broto E (Hues.) 47 B1
Askartza E (Ál.) 23 C4
Asma E (Lu.) 15 B5
Asma E (Lu.) 15 C5
Asnela P (Br.) 55 A3
Asomada, La E (Las P.) 190 B2
Asomada, La E (Las P.) 192 B4
Aspa E (Ll.) 68 D3
Aspariegos E (Zam.) 58 D2
Aspe E (Ali.) 156 C2
Asperelo E (Po.) 15 A5
Aspilla E (Alm.) 170 A3
Asprella E (Ali.) 156 D3
Aspurz E (Na.) 25 D5
Assafora P (Lis.) 126 B2
Assanha da Paz P (Lei.) 93 C4
Assares P (Bra.) 56 B4
Asseiceira P (San.) 111 A4
Asseiceira P (San.) 112 A2
Asseiceira Grande P (Lis.) 126 C1
Assenta P (Lis.) 110 B5
Assentiz P (San.) 111 B4
Assentiz P (San.) 111 D2
Asso-Veral E (Zar.) 26 A5
Assumar P (Por.) 129 C1
Assunção P (Por.) 129 D1
Assureiras P (V. R.) 55 D1
Astariz E (Our.) 35 A2
Asteasu E (Gui.) 24 B1
Astepe E (Viz.) 23 B1
Asterria E (Viz.) 23 B2
Asterrika E (Viz.) 11 D5
Astigarraga E (Gui.) 12 C5
Astillero, El E (Can.) 9 C4
Astor, l' E (Bar.) 69 D2
Astorga E (Le.) 38 A1
Astrain E (Na.) 24 D4
Astromil P (Port.) 54 B5
Astudillo E (Pa.) 40 D4
Astúlez E (Ál.) 22 D4
Astureses E (Our.) 34 D1
Asturianos E (Zam.) 37 B4
Atadoa P (Co.) 94 A3
Atães P (Br.) 54 B1
Atães P (Br.) 54 C3
Ataíde P (Port.) 54 C5
Ataíja de Baixo P (Lei.) 111 B2
Ataíja de Cima P (Lei.) 111 B2
Atajate E (Mál.) 179 A5
Atalaia P (C. B.) 112 D1
Atalaia P (C. B.) 113 B1
Atalaia P (Guar.) 76 B4
Atalaia P (Lis.) 110 D5
Atalaia P (Por.) 112 D3
Atalaia P (San.) 112 B2
Atalaia P (San.) 112 A3
Atalaia P (Set.) 127 A3
Atalaia do Campo P (C. B.) 95 C4
Atalaya E (Bad.) 147 A2
Atalaya E (Mu.) 171 C2
Atalaya de Cuenca, lugar E (Cu.) 104 B5
Atalaya del Cañavate E (Cu.) 122 A3
Atalaya, La E (Las P.) 191 B2
Atalaya, La E (Mál.) 180 C1
Atalaya, La E (Sa.) 97 B1
Atalaya-Isdabe E (Mál.) 187 D2
Atalayuela, lugar E (J.) 169 A2
Atallu E (Na.) 24 B2
Atán (Mazaricos) E (A Co.) 13 C2
Atanzón E (Gua.) 82 D5
Atapuerca E (Bur.) 42 A2
Ataquines E (Vall.) 80 A1
Atarés E (Hues.) 46 C1
Atarfe E (Gr.) 167 D5
Atarrabia → Villava E (Na.) 25 A4
Ataun E (Gui.) 24 A3
Atauta E (So.) 62 C4
Atazar, El E (Mad.) 82 A3
Atea E (Zar.) 85 A1
Ateca E (Zar.) 64 D5
Atei P (V. R.) 55 A3
Atenor P (Bra.) 57 B4
Atez E (Na.) 24 D3
Atiães P (Br.) 54 A2
Atiaga E (Ál.) 22 D4
Atienza E (Gua.) 83 A1
Atilhó P (V. R.) 55 B1
Atios E (Po.) 34 A3
Atochares E (Alm.) 184 B3
Atouguia P (San.) 111 D1
Atouguia da Baleia P (Lei.) 110 C3
Atrozela P (Lis.) 126 B3
Atxondo E (Viz.) 23 C2
Atxuri E (Viz.) 11 A5
Atzavares, les E (Ali.) 156 D3
Atzeneta d'Albaida, l' → Adzaneta de Albaida E (Val.) 141 A3
Atzeneta del Maestrat E (Cas.) 107 C3
Atzúvia, l' → Adsubia E (Ali.) 141 C3
Audanzas del Valle E (Le.) 38 C4
Aulabar E (J.) 168 B2
Aulaga, La E (Sev.) 163 B2
Aulago E (Alm.) 183 C1
Aulesti E (Viz.) 11 C5
Auñón E (Gua.) 103 B1
Aurín E (Hues.) 47 A1
Auritz E (Na.) 24 D2
Auritz/Burguete E (Na.) 25 C3
Aurizberri/Espinal E (Na.) 25 B3
Aurrekoetxe E (Viz.) 11 A5
Ausejo E (La R.) 44 A2
Ausejo de la Sierra E (So.) 63 D1
Ausias March E (Val.) 124 D5
Ausines, Los E (Bur.) 42 A3
Autilla del Pino E (Pa.) 40 B5
Autillo de Campos E (Pa.) 40 A4
Autol E (La R.) 44 B3
Auza E (Na.) 24 D3
Auzotxikia E (Gui.) 24 B2
Avanca P (Ave.) 74 A3
Avantos P (Bra.) 56 B3
Avarientos E (Các.) 97 C4
Ave Casta P (San.) 112 A1
Avedillo de Sanabria E (Zam.) 37 A4
Aveinte E (Áv.) 79 D4
Aveiras de Baixo P (Lis.) 111 B5
Aveiras de Cima P (Lis.) 111 A5
Aveiro P (Ave.) 73 D4
Avelal P (Vis.) 75 B4
Avelanoso P (Bra.) 57 C2
Avelar P (Lei.) 94 A5
Avelãs da Ribeira P (Guar.) 76 A4
Avelãs de Ambom P (Guar.) 76 A5
Avelãs de Caminho P (Ave.) 74 A5
Avelãs de Cima P (Ave.) 74 A5
Aveleda P (Br.) 54 B3
Aveleda P (Bra.) 37 A5
Aveleda P (Port.) 54 C4
Aveleda P (Port.) 53 D4
Aveledas P (V. R.) 56 A1
Aveledo P (Co.) 94 B2
Aveleira P (C. B.) 112 B2
Aveleira P (Co.) 94 B2
Aveleira P (Lei.) 94 A5
Aveleiras P (Guar.) 75 D4
Aveleiras P (V. C.) 34 B5
Avelinha P (Vis.) 75 A4
Aveloso P (Guar.) 76 A2
Avellà, l' → Avella, La E (Cas.) 107 D1
Avella, La/Avellà, l' E (Cas.) 107 D1
Avellanar E (Các.) 97 C2
Avellaneda E (Áv.) 99 A2
Avellanes, les E (Ll.) 48 D5
Avellanosa de Muñó E (Bur.) 41 C5
Avellanosa del Páramo E (Bur.) 41 C2
Avenal P (Co.) 94 A3
Avenal P (Lis.) 110 D5
Aveno E (Ast.) 6 D4
A-Ver-o-Mar P (Port.) 53 C3
Aves P (Port.) 54 B4
Avessada P (Lis.) 126 C2
Avessada P (San.) 112 D3
Avessadas P (Port.) 54 C5
Avià E (Bar.) 50 C4
Aviados E (Le.) 19 A4
Avidagos P (Bra.) 56 A4
Avidos P (Br.) 54 A4
Ávila E (Áv.) 80 A5
Avilés E (Ast.) 6 B3
Avilés E (Mu.) 154 D5
Avín E (Ast.) 7 D5
Avintes P (Port.) 74 A1
Avinyó E (Bar.) 50 D5
Avinyonet de Puigventós E (Gi.) 52 A2
Avinyonet del Penedès E (Bar.) 70 C4
Aviñante de la Peña E (Pa.) 20 B4
Avión E (Our.) 34 C1
Avis P (Por.) 128 D1
Avô P (Co.) 95 A2
Avões P (Vis.) 75 A1
Axpe E (Viz.) 23 C2
Ayacata E (Las P.) 191 B3
Ayacor/Aiacor E (Val.) 140 D2
Ayagaures E (Las P.) 191 B4
Ayamonte E (Huel.) 175 C2
Ayechu E (Na.) 25 C4
Ayegui E (Na.) 24 B5
Ayelo de Rugat/ Aielo de Rugat E (Val.) 141 B3
Ayera E (Hues.) 47 A4
Ayerbe E (Hues.) 46 C3
Ayesa E (Na.) 45 B1
Aylagas E (So.) 62 D2
Aylanes E (Bur.) 21 D4
Ayllón E (Seg.) 62 B4
Ayna E (Alb.) 154 B1
Ayódar E (Cas.) 107 A5
Ayoluengo E (Bur.) 21 C5
Ayones E (Ast.) 5 C4
Ayoo de Vidriales E (Zam.) 38 A4
Ayora E (Val.) 140 A2
Ayuela E (Pa.) 20 B5
Ayuelas E (Bur.) 22 D5
Az E (Po.) 15 A4
Azabal E (Các.) 97 C2
Azadinos E (Le.) 18 D5
Azagra E (Na.) 44 C3
Azaila E (Te.) 66 D5
Azambuja P (Lis.) 127 B1
Azambujeira P (Lei.) 110 D4
Azambujeira P (San.) 111 B4
Azanúy E (Hues.) 48 A5
Azañón E (Gua.) 83 C5
Azara E (Hues.) 47 C4
Azarbe E (Mu.) 156 A4
Azares del Páramo E (Le.) 38 B3
Azaruja P (Év.) 129 A4
Azcona/Azkona E (Na.) 24 C5
Azedia P (Lis.) 126 D1
Azeitada P (San.) 111 C5
Azelha P (Lei.) 111 B2
Azenha P (Ave.) 93 D1
Azenha P (Co.) 93 C3
Azenha P (Lei.) 93 D5
Azenha Nova P (Co.) 93 C2
Azenha Velha P (Lis.) 110 B5
Azenhas P (Lis.) 126 B1
Azenhas do Mar P (Lis.) 126 B2
Ázere P (Co.) 94 C1
Ázere P (V. C.) 34 B5
Azervadinha P (San.) 127 D2
Azevedo P (Port.) 53 D4
Azevedo P (V. C.) 33 C5
Azevo P (Guar.) 76 B3
Azias P (V. C.) 54 B1
Azinhaga P (San.) 111 D4
Azinhal P (Be.) 160 D1
Azinhal P (Be.) 160 C3
Azinhal P (Fa.) 161 C4
Azinhal P (Fa.) 160 B4
Azinhal P (Guar.) 76 C4
Azinhal P (San.) 112 C1
Azinheira P (C. B.) 112 C1
Azinheira P (San.) 111 A4
Azinheira dos Barros P (Set.) 143 D3
Azinhoso P (Bra.) 57 A
Azkarai E (Viz.) 22 D
Azkoaga E (Ál.) 23 C
Azkoitia E (Gui.) 24 A
Azkona → Azcona E (Na.) 24 C
Azkue → San Roque E (Gui.) 23 D
Azlor E (Hues.) 47 C
Aznalcázar E (Sev.) 163 C
Aznalcóllar E (Sev.) 163 C
Azões P (Br.) 54 A
Azofra E (La R.) 43 A
Azohía, La E (Mu.) 172 A
Azoia P (Lei.) 111 B
Azóia P (Lis.) 126 A
Azóia P (Set.) 126 C
Azóia de Baixo P (San.) 111 C
Azóia de Cima P (San.) 111 C
Azoños E (Can.) 9 C
Azores E (Cór.) 167 A
Azpeitia E (Gui.) 24 A
Azpilgoeta E (Gui.) 23 D
Aztegieta E (Ál.) 23 B
Azuaga E (Bad.) 148 B
Azuara E (Zar.) 66 B
Azucaica E (To.) 119 B
Azucarera, La E (Zam.) 59 A
Azuébar E (Cas.) 125 A
Azueira P (Lis.) 126 C
Azuel E (Cór.) 150 C
Azuelo E (Na.) 43 D
Azuqueca de Henares E (Gua.) 102 C
Azurara P (Port.) 53 D
Azurva P (Ave.) 73 D
Azurveira P (Ave.) 73 D
Azután E (To.) 117 B

B

Baamonde E (Lu.) 3 C
Baamorto E (Lu.) 15 D
Babe P (Bra.) 57 A
Babilafuente E (Sa.) 79 A
Babio E (Po.) 33 D
Baçal P (Bra.) 57 A
Bacares E (Alm.) 169 D
Bacariza E (Alb.) 138 D
Bacarot, El E (Ali.) 157 C
Bacoco E (Bad.) 113 D
Bacoi E (Lu.) 4 A
Bácor-Olivar E (Gr.) 169 A
Bachiller, El, lugar E (Alb.) 139 C
Badajoz E (Bad.) 130 B
Badalona E (Bar.) 71 B
Badamalos P (Guar.) 96 C
Badames E (Can.) 10 A
Badarán E (La R.) 43 A
Bade P (V. C.) 34 A
Bádenas E (Te.) 85 D
Badia Blava E (Bal.) 91 D
Badia de Palma E (Bal.) 91 B
Badia del Vallès E (Bar.) 71 A
Badia Gran E (Bal.) 91 D
Badilla E (Zam.) 57 D
Badim P (V. C.) 33 B
Badolatosa E (Sev.) 166 A
Badorc, El E (Bar.) 70 B
Badules E (Zar.) 85 C
Baells E (Hues.) 48 B
Baena E (Cór.) 166 D
Baeres E (Ast.) 6 D
Baeza E (J.) 152 A
Bafareira P (C. B.) 95 A
Bagà E (Bar.) 50 C
Bagoada P (V. C.) 33 D
Bagueixe P (Bra.) 56 D
Bagueixos E (Lu.) 15 D
Báguena E (Te.) 85 C
Bagüés E (Zar.) 46 A
Baguín E (Po.) 33 D
Bagunte P (Port.) 53 D
Bahabón E (Vall.) 60 D
Bahabón de Esgueva E (Bur.) 61 D
Bahía Dorada E (Mál.) 187 C
Baião P (Port.) 54 D
Baiãs P (Fa.) 174 A
Baiasca E (Ll.) 49 B
Baides E (Gua.) 83 B
Baies, les → Bayas, Las E (Ali.) 156 D
Bailén E (J.) 151 C
Bailo E (Hues.) 46 B
Baillo E (Le.) 37 B
Baiña E (Ast.) 6 C

Baiña E (Po.) 33 C3
Baiñas E (A Co.) 13 C1
Baio E (A Co.) 1 C5
Baio Grande E (A Co.) 1 C5
Baiões P (Vis.) 74 D3
Baión E (Po.) 13 D5
Baiona E (Po.) 33 C3
Bairrada P (San.) 112 B2
Bairrada P (San.) 112 A2
Bairradas P (San.) 111 A4
Bairral P (Ave.) 74 C2
Bairrão P (Lei.) 94 B4
Bairro P (Br.) 54 B4
Bairro P (Lei.) 110 D3
Bairro P (Lis.) 111 A5
Bairro P (San.) 111 D2
Bairro da Figueira P (Lei.) 111 A3
Bairro da Mosca P (Set.) 127 A3
Bairro da Sapec P (Set.) 127 A5
Bairro de Almeirim P (Év.) 128 D5
Bairro de Dona
Constância P (San.) 111 B4
Bairro do Degebe P (Év.) 128 D4
Bairro dos Cadoços P (Set.) 143 C2
Bairro Novo P (Év.) 129 A4
Bairros P (Ave.) 74 C1
Bairros dos Mortais P (San.) 111 B3
Baixa da Banheira P (Set.) 126 D4
Baixinho P (San.) 111 B4
Bajamar E (S.Cruz T.) 196 B1
Bajauri E (Bur.) 23 C5
Bajos y Tagoro E (S.Cruz T.) 196 A2
Bakaiku E (Na.) 24 B3
Bakedano →
Baquedano E (Na.) 24 B4
Bakio E (Viz.) 11 A4
Baladejos, Los E (Cád.) 186 B2
Balado E (A Co.) 14 C1
Balaguer E (Ll.) 68 D1
Balança P (Br.) 54 C1
Balanegra E (Alm.) 183 A4
Balanzas, Los E (Mu.) 172 C2
Balax E (Gr.) 169 C4
Balazar P (Br.) 54 B3
Balazar P (Port.) 53 D3
Balazote E (Alb.) 138 B3
Balbacil E (Gua.) 84 B2
Balbarda E (Áv.) 79 D5
Balbases, Los E (Bur.) 41 B3
Balboa E (Bad.) 130 C2
Balboa E (Le.) 16 D4
Balcaide E (A Co.) 14 A3
Balconchán E (Zar.) 85 B2
Balcones, Los E (Ali.) 156 C5
Balcones, Los E (Gr.) 169 A4
Balconete E (Gua.) 83 A5
Baldazos E (Mu.) 171 B2
Baldellou E (Hues.) 48 C5
Baldío E (Các.) 98 C5
Baldío P (Év.) 129 C5
Baldíos, Los E (S.Cruz T.) 196 B2
Baldomar E (Ll.) 49 B5
Baldornón E (Ast.) 6 D4
Baldos P (Vis.) 75 C2
Baldovar E (Val.) 124 A1
Balea E (Po.) 33 C1
Baleira E (Lu.) 16 B2
Baleizão P (Be.) 145 A4
Balenyà E (Bar.) 71 A1
Balenyà E (Bar.) 51 A5
Balerma E (Alm.) 183 A4
Baliarrain E (Gui.) 24 B2
Balisa E (Seg.) 80 C2
Balmaseda E (Viz.) 22 C1
Balmori E (Ast.) 8 A4
Balneario
del Cantalar, lugar E (Mu.) 154 B4
Balneario Retortillo E (Sa.) 77 B4
Baloca P (Ave.) 74 B2
Balocas P (Co.) 94 D2
Balón E (A Co.) 2 D3
Balones E (Ali.) 141 B4
Balonga E (Mu.) 156 A2
Balouta E (Le.) 17 A3
Balsa E (Lu.) 3 D3
Balsa P (Por.) 113 D4
Balsa P (Port.) 54 A5
Balsa P (V. R.) 55 C4
Balsa de Ves E (Alb.) 123 D5
Balsapintada E (Mu.) 172 A1
Balsareny E (Bar.) 50 C5
Balsas P (Co.) 93 D1
Balsas P (San.) 112 A4
Balsicas E (Mu.) 172 B1
Balsillas, lugar E (Gr.) 169 B4
Baltanás E (Pa.) 60 D1
Baltar E (Lu.) 4 A5
Baltar E (Our.) 35 B5
Baltar E (Po.) 14 A4
Baltar P (Port.) 54 B5
Baltezana E (Can.) 10 C5
Baltrozes P (Vis.) 75 D2
Balugães P (Br.) 53 D2
Balurcos de Baixo P (Fa.) 161 B3
Balurcos de Cima P (Fa.) 161 B3
Ballabriga E (Hues.) 48 C2
Ballesta, La E (Cór.) 149 C3
Ballestero, El E (Alb.) 137 D3
Ballesteros E (C. R.) 119 B5
Ballesteros E (Mu.) 154 D5
Ballesteros
de Calatrava E (C. R.) 135 B3
Ballesteros, lugar E (Cu.) 104 B5
Ballobar E (Hues.) 68 A3
Ballota E (Ast.) 5 D3
Bama E (A Co.) 14 C3
Bamba E (Zam.) 58 D4
Bamio E (Po.) 13 D4
Bamiro E (A Co.) 1 C5
Banaguás E (Hues.) 46 C1
Banariés E (Hues.) 46 D4
Banastás E (Hues.) 46 D4
Banastón E (Hues.) 47 D2
Banática P (Set.) 126 C3
Bancalàs, els E (Cas.) 107 C3
Bancalejo, El E (Alm.) 170 C3
Bances E (Ast.) 6 A3
Banda de las Rosas E (S.Cruz T.) 194 B1
Bandaliés E (Hues.) 47 A4
Bandarises P (Vis.) 74 D4
Bande E (Our.) 35 A4
Bandeira E (Po.) 14 C4
Bandeiras P (Aç.) 109 B3
Bandoxa E (A Co.) 2 D5
Banecidas E (Le.) 39 C1
Bangueses E (Our.) 34 D4
Bangueses de Abaixo E (Our.) 34 D4
Banhos P (Ave.) 93 D1
Banuncias E (Le.) 38 D1
Banyalbufar E (Bal.) 91 B3
Banyeres de Mariola E (Ali.) 140 D4
Banyeres del Penedès E (Ta.) 70 A5
Banyoles E (Gi.) 52 A3
Banzás E (A Co.) 13 D2
Baña, A E (A Co.) 13 D2
Baña, La E (Le.) 37 A3
Bañaderos E (Las P.) 191 C2
Bañares E (La R.) 43 A2
Bañeza, La E (Le.) 38 B3
Baño E (A Co.) 13 B3
Bañobárez E (Sa.) 77 A3
Bañón E (Te.) 85 D4
Baños de Agua
Hedionda E (J.) 167 B2
Baños de Alcantud,
lugar E (Cu.) 104 A1
Baños de Cerrato E (Pa.) 60 C1
Baños de Ebro/
Mañueta E (Ál.) 43 B1
Baños de la Encina E (J.) 151 C3
Baños de Ledesma E (Sa.) 78 B2
Baños de Molgas E (Our.) 35 C3
Baños de Montemayor E (Các.) 98 B2
Baños de Panticosa E (Hues.) 27 A4
Baños de Río Tobía E (La R.) 43 B3
Baños de Rioja E (La R.) 43 A1
Baños de Tajo E (Gua.) 84 C5
Baños de Valdearados E (Bur.) 62 A2
Baños de Zújar, lugar E (Gr.) 169 B3
Baños y Mendigo E (Mu.) 172 A1
Baños, Los E (Gr.) 181 B2
Baños, Los E (Mu.) 155 C4
Baños, Los E (Mu.) 156 A3
Bañuelos E (Gua.) 63 A5
Bañuelos de Bureba E (Bur.) 42 B1
Bañuelos del Rudrón E (Bur.) 21 C5
Bañugues E (Ast.) 6 C2
Baquedano/Bakedano E (Na.) 24 B4
Baquerín de Campos E (Pa.) 40 A5
Baraçais P (Lei.) 110 D4
Baraçal P (Guar.) 75 D4
Baraçal P (Guar.) 96 B1
Bárago E (Can.) 20 B2
Baraguás E (Hues.) 46 D1
Barahona de Fresno E (Seg.) 62 A5
Barahonda Vieja E (Mu.) 139 C5
Barajas E (Áv.) 99 B2
Barajas de Melo E (Cu.) 103 A4
Barakaldo E (Viz.) 10 D5
Baralho P (San.) 112 C4
Baralla E (Lu.) 16 B3
Barallobre E (A Co.) 2 D3
Barán E (Lu.) 15 D4
Baranbio E (Ál.) 23 A2
Baranda E (Bur.) 22 A2
Barañain E (Na.) 24 D4
Barão de São João P (Fa.) 173 B2
Barão de São Miguel P (Fa.) 173 A2
Baraona E (So.) 63 B5
Barásoain E (Na.) 45 A1
Barazón E (A Co.) 15 A3
Barbacena P (Por.) 129 D2
Barbacena, lugar E (Sev.) 163 B3
Barbadás E (Our.) 35 B2
Barbadelo E (Lu.) 16 A4
Barbadillo E (Sa.) 78 B3
Barbadillo de Herreros E (Bur.) 42 C4
Barbadillo
del Mercado E (Bur.) 42 B5
Barbadillo del Pez E (Bur.) 42 C4
Barbaído P (C. B.) 95 B5
Barbalimpia E (Cu.) 104 A5
Barbalos E (Sa.) 78 A5
Barbantes E (Our.) 35 A2
Barbaño E (Bad.) 131 A3
Barbarin E (Na.) 44 B1
Barbaruens E (Hues.) 48 A1
Barbastro E (Hues.) 47 D5
Barbate E (Cád.) 186 B4
Barbatona E (Gua.) 83 C2
Barbecho E (Ast.) 6 D4
Barbeira E (A Co.) 13 D2
Barbeiros E (A Co.) 14 C1
Barbeita P (V. C.) 34 B4
Barbeito E (A Co.) 14 D1
Barbeito P (Vis.) 75 A4
Barbens E (Ll.) 69 B2
Barberà de la Conca E (Ta.) 69 C4
Barberà del Vallès E (Bar.) 71 A3
Barboa E (Ál.) 22 D4
Bárboles E (Zar.) 65 D2
Barbolla E (Seg.) 61 D5
Barbolla, La E (Gua.) 83 B1
Barbudo E (Po.) 34 B1
Barbudo P (Br.) 54 B2
Barbués E (Hues.) 47 A5
Barbuñales E (Hues.) 47 C5
Barca E (So.) 63 C4
Barca
de la Florida, La E (Cád.) 178 A4
Barca, La E (Ast.) 5 D5
Barca, La E (Cád.) 186 A3
Barca, La E (Huel.) 161 D4
Bárcabo E (Hues.) 47 D3
Barcala E (Po.) 14 A4
Barcarena P (Lis.) 126 C3
Barcarrota E (Bad.) 130 C5
Barcebal E (So.) 62 D3
Barcebalejo E (So.) 62 D3
Barceíno E (Sa.) 77 B2
Barcel P (Bra.) 56 A4
Barcela E (Po.) 34 C3
Barcelinhos P (Br.) 54 A3
Barcelona E (Bar.) 71 A4
Barceloneta E (Gi.) 52 A5
Barcelos P (Br.) 53 D2
Bárcena E (Can.) 21 C1
Bárcena de Campos E (Pa.) 40 C1
Bárcena de Cicero E (Can.) 10 A4
Bárcena de la Abadía E (Le.) 17 B4
Bárcena
de Pie de Concha E (Can.) 21 B2
Bárcena de Pienza E (Bur.) 22 A3
Bárcena del Bierzo E (Le.) 17 B5
Bárcena del Monasterio E (Ast.) 5 B4
Bárcena Mayor E (Can.) 21 A2
Barcenaciones E (Can.) 9 A5
Bárcenas E (Bur.) 22 A2
Barcenilla E (Can.) 9 B4
Barcenillas E (Can.) 20 D1
Barcenillas de Cerezos E (Bur.) 22 A2
Barcenillas del Ribero E (Bur.) 22 A2
Barceo E (Sa.) 77 B2
Barcia E (Ast.) 5 C3
Barcia E (Our.) 34 D2
Barcia E (Po.) 34 C1
Barcial de la Loma E (Vall.) 39 B5
Barcial del Barco E (Zam.) 38 C5
Barcience E (To.) 100 D5
Barciles Alto, lugar E (To.) 101 C5
Barcina de los Montes E (Bur.) 22 B5
Barcina del Barco E (Bur.) 22 C4
Barcinas E (Gr.) 168 A4
Barco P (Br.) 54 B3
Barco P (C. B.) 95 B3
Barco de Ávila, El E (Áv.) 98 D2
Barco
de Valdeorras, O E (Our.) 36 C1
Barcones E (So.) 63 A5
Barcos P (Vis.) 75 C1
Barcouço P (Ave.) 94 A2
Barchín del Hoyo E (Cu.) 122 B2
Bardallur E (Zar.) 65 D2
Bardaos E (A Co.) 3 A2
Bardaos E (A Co.) 14 B1
Bardauri E (Bur.) 23 A5
Bardena del Caudillo E (Zar.) 45 D4
Bardetes, Ses E (Bal.) 90 C5
Baredo E (Po.) 33 C3
Bareyo E (Can.) 10 A4
Bargas E (To.) 101 B5
Bargis, lugar E (Gr.) 182 B3
Bargota E (Na.) 44 A1
Barillas E (Na.) 45 A5
Barinaga E (Viz.) 23 C1
Barinas E (Mu.) 156 A3
Bariones de la Vega E (Le.) 38 D4
Barizo E (A Co.) 1 D4
Barjacoba E (Zam.) 36 C4
Barjas E (Le.) 16 C5
Barlovento E (S.Cruz T.) 193 C2
Barluenga E (Hues.) 47 A3
Barniedo de la Reina E (Le.) 19 D3
Baró, El E (Val.) 125 A3
Baró, lugar E (Bur.) 22 C3
Baroja E (Ál.) 23 B5
Barona, la E (Cas.) 107 C3
Baroncelle E (Lu.) 3 D4
Baronia de Rialb, la E (Ll.) 49 C5
Baronzás E (Our.) 35 C4
Baroña E (A Co.) 13 C4
Barós E (Hues.) 46 D1
Barosa P (Lei.) 111 B1
Barosa, La E (Le.) 36 D1
Barqueira, A E (A Co.) 3 B2
Barqueiros P (Br.) 53 D3
Barqueres, les E (Bar.) 71 C2
Barqueros E (Ast.) 5 A3
Barqueros E (Mu.) 155 C5
Barquilla E (Sa.) 76 D4
Barquilla de Pinares E (Các.) 98 D4
Barquillo, El E (Áv.) 98 D2
Barquiña E (A Co.) 13 D3
Barra Cheia P (Set.) 126 D4
Barraca
d'Aigües Vives, la E (Val.) 141 B1
Barracão P (Guar.) 96 A1
Barracão P (Lei.) 93 C5
Barracas E (Cas.) 106 C5
Barracel E (Our.) 35 B3
Barraco, El E (Áv.) 100 B1
Barracón, lugar E (Cór.) 166 B4
Barracha P (Fa.) 174 D2
Barrachina E (Te.) 85 D3
Barrada P (Év.) 145 C1
Barrada P (Fa.) 160 D3
Barrada P (San.) 112 C3
Barrado E (Các.) 98 B4
Barral E (A Co.) 14 B1
Barral-Correlos E (Lu.) 4 A3
Barrán E (Our.) 15 A5
Barranca, La E (Mad.) 81 B4
Barrancão P (Fa.) 173 B3
Barranco de la Madera E (Mál.) 179 C3
Barranco
de la Montesina E (J.) 152 D4
Barranco de las Lajas E (S.Cruz T.) 196 B2
Barranco de Quiles, El E (Alm.) 170 B3
Barranco de Zafra E (Mál.) 180 B4
Barranco
del Agua, El, lugar E (Mál.) 180 C1
Barranco del Sol E (Mál.) 180 B3
Barranco do Velho P (Fa.) 174 C2
Barranco Ferrer E (Gr.) 182 B4
Barranco Grande E (S.Cruz T.) 196 B2
Barranco Hondo E (S.Cruz T.) 196 B2
Barranco la Arena E (S.Cruz T.) 196 A2
Barranco Longo P (Fa.) 174 A2
Barranco Molax E (Mu.) 155 C3
Barrancos P (Be.) 146 B3
Barrancos, Los E (Cád.) 178 B4
Barrancos, Los E (Mad.) 101 B1
Barranch E (Bal.) 90 A2
Barranda E (Mu.) 154 C4
Barranquete, El E (Alm.) 184 B3
Barranquillo
de Andrés, El E (Las P.) 191 B3
Barrantes E (Po.) 13 D5
Barrantes E (Po.) 33 D4
Barrantes P (Lei.) 110 D3
Barrañán E (A Co.) 2 B4
Barrasa E (Bur.) 22 B2
Barratera E (Mu.) 155 C3
Barrax E (Alb.) 138 A2
Barreda E (Ast.) 6 C4
Barreda E (Can.) 9 B4
Barredos E (Ast.) 6 D5
Barreira P (Guar.) 76 A3
Barreira P (Lei.) 111 B1
Barreira P (San.) 111 D1
Barreiralva P (Lis.) 126 B1
Barreiras P (Lei.) 93 D4
Barreiras P (Lis.) 110 D4
Barreiras P (Por.) 112 C4
Barreiras do Tejo P (San.) 112 B3
Barreirinha P (San.) 111 B3
Barreiro P (Set.) 126 D4
Barreiro de Além P (Ave.) 74 A3
Barreiro de Besteiros P (Vis.) 74 C5
Barreiros E (Lu.) 16 B2
Barreiros E (Lu.) 4 B3
Barreiros P (Lei.) 93 B5
Barreiros P (V. R.) 56 A2
Barreiros P (Vis.) 75 B4
Barrela P (V. R.) 55 C4
Barrela, A E (Lu.) 15 B5
Barren-Aldea E (Gui.) 24 A3
Barrenta P (Lei.) 111 C2
Barreosa P (Guar.) 95 A2
Barrera, La E (Las P.) 191 C3
Barreras E (Sa.) 77 A2
Barreras, Las E (Gr.) 182 B3
Barres E (Ast.) 4 D3
Barretos P (Por.) 113 D3
Barri de Mar →
Barrio-Mar E (Cas.) 125 C2
Barriada
de Alcora, La E (Alm.) 183 B2
Barriada de la Paz E (Sev.) 165 D4
Barriada del Romeral E (Gr.) 182 B4
Barriada Estación E (Mál.) 180 A3
Barriada Estación E (Mál.) 179 A5
Barriada Obrera
del Sur E (Te.) 86 B4
Barriaga, lugar E (Cór.) 165 D2
Barrientos E (Le.) 38 B2
Barriga E (Bur.) 22 C3
Barrigões P (Fa.) 160 C4
Barrika E (Viz.) 10 D4
Barril P (Lis.) 126 B1
Barril P (Vis.) 94 C1
Barril de Alva P (Co.) 94 D2
Barrillos E (Le.) 19 A5
Barrillos
e las Arrimadas E (Le.) 19 B4
Barriños, Los, lugar E (Huel.) 161 B2
Barrio E (Ál.) 22 D4
Barrio E (Ast.) 19 B1
Bárrio P (Lei.) 111 A2
Bárrio P (V. C.) 34 A5
Barrio Arroyo E (Val.) 123 D3
Barrio de Archilla E (Alm.) 183 C4
Barrio de Arriba E (Can.) 9 D5
Barrio de Cascalla E (Our.) 36 D1
Barrio de Díaz Ruiz E (Bur.) 22 B5
Barrio de la Puebla, El E (Pa.) 20 B5
Barrio de la Puente E (Le.) 18 A4
Barrio de la Tercia E (Le.) 18 D3
Barrio de la Vega E (Gr.) 182 A1
Barrio de las Ollas E (Le.) 19 B4
Barrio de Lomba E (Zam.) 37 A4
Barrio de Muñó E (Bur.) 41 B4
Barrio
de Nuestra Señora E (Le.) 19 A5
Barrio de Peral E (Mu.) 172 B2
Barrio de Pinilla E (Le.) 18 D5
Barrio de Rábano E (Zam.) 37 A4
Barrio de Santa María E (Pa.) 20 D4
Barrio de Santa María E (To.) 99 D5
Barrio del Santuario E (Alb.) 139 D1
Barrio Estación E (Le.) 19 A4
Barrio Nuevo E (Cád.) 186 A3
Barrio Nuevo E (Gr.) 169 D3
Barrio Nuevo E (Gr.) 169 D1
Barrio Nuevo,
El, lugar E (Alb.) 138 D4
Barrio Providencia E (Mu.) 155 D4
Barrio, El E (Áv.) 99 B1
Barrio-Mar/Barri
de Mar E (Cas.) 125 C2
Barriomartín E (So.) 43 C5
Barriopalacio E (Can.) 21 B1
Barrio-Panizares E (Bur.) 21 B5
Barriopedro E (Gua.) 83 B4
Barrios E (Po.) 15 A5

Barrios
de Bureba, Los E (Bur.) 22 B5
Barrios de Colina E (Bur.) 42 A2
Barrios
de Gordón, Los E (Le.) 18 C4
Barrios de la Vega E (Pa.) 40 A1
Barrios de Luna, Los E (Le.) 18 C4
Barrios
de Nistoso, Los E (Le.) 18 A5
Barrios de Villadiego E (Bur.) 41 B1
Barrios, Los E (Cád.) 187 A4
Barriosuso E (Bur.) 22 A3
Barriz E (Lu.) 15 C4
Barro E (A Co.) 13 D3
Barro E (A Co.) 14 A2
Barro E (Ast.) 8 A4
Barro E (Po.) 14 A5
Barro E (Po.) 34 B2
Barrô P (Ave.) 94 A1
Barrô P (Ave.) 74 A5
Barrô P (Co.) 94 A2
Barro P (Lis.) 126 C2
Barrô P (Lis.) 110 C5
Barrô P (Vis.) 75 A1
Barro Branco P (Év.) 129 C3
Barro Lobo P (Lei.) 110 D4
Barroca P (C. B.) 95 B3
Barroca P (San.) 111 D3
Barroca P (Set.) 127 A3
Barroca Grande P (C. B.) 95 A3
Barrocal P (Lei.) 93 D4
Barrocalvo P (Lei.) 110 D4
Barrocaria P (San.) 111 D1
Barrocas P (Lis.) 110 B5
Barrocas P (San.) 112 B3
Barroças e Taias P (V. C.) 34 B4
Barromán E (Áv.) 79 D2
Barroqueiro P (Por.) 112 C5
Barros P (Br.) 54 B1
Barros, Los E (S. Cruz T.) 193 B3
Barrosa E (Po.) 33 D1
Barrosa P (Lis.) 126 B2
Barrosa P (San.) 127 B2
Barrosas P (Port.) 54 C4
Barroso E (Our.) 34 C2
Barroso P (Fa.) 160 D3
Barrozinha P (Set.) 143 D1
Barruecopardo E (Sa.) 77 A2
Barruelo E (Bur.) 22 A4
Barruelo de Santullán E (Pa.) 20 D3
Barruelo del Valle E (Vall.) 59 C2
Barruera E (Ll.) 48 D1
Bartivás, lugar E (Cád.) 185 D2
Barués E (Zar.) 45 C2
Barulho P (Por.) 113 D5
Barx E (Val.) 141 B2
Barxa E (Our.) 35 A3
Barxes E (Our.) 35 A5
Barxeta E (Val.) 141 A2
Bárzana (Quirós) E (Ast.) 18 B1
Bas E (Gi.) 51 C3
Basadre E (Po.) 15 A3
Basardilla E (Seg.) 81 B2
Basauntz E (Viz.) 23 B1
Basauri E (Viz.) 23 A1
Báscara E (Gi.) 52 A3
Bascoi E (A Co.) 14 D1
Basconcillos del Tozo E (Bur.) 21 B5
Báscones E (Ast.) 6 B4
Báscones de Ojeda E (Pa.) 20 C5
Báscones de Valdivia E (Pa.) 21 A4
Bascuñana E (Bur.) 42 D2
Bascuñana
de San Pedro E (Cu.) 104 A3
Bascuñuelos E (Bur.) 22 B4
Baseia E (Gi.) 52 B2
Baserri-Santa Ana E (Viz.) 10 D5
Bassacs, els E (Bar.) 50 C4
Bassella E (Ll.) 49 C4
Basses d'Alpicat, les E (Ll.) 68 C2
Bastavales E (A Co.) 14 A3
Bastida → Labastida E (Ál.) 43 B1
Bastida de Sort, La E (Ll.) 49 B1
Bastida, La E (Sa.) 78 A5
Basto P (Br.) 54 D4
Basto P (Br.) 55 A3
Basto São Clemente P (Br.) 54 D3
Batalha P (Lei.) 111 B1
Batalláns E (Po.) 34 B3
Batán de San Pedro E (Cu.) 121 A1
Batán del Puerto E (Alb.) 138 A5
Batán, El E (Alb.) 138 A4
Batán, El E (Các.) 97 B5
Batán, El E (J.) 153 B3
Batanes, lugar E (Alb.) 138 A5
Batão P (Set.) 143 D2
Batea E (Ta.) 88 A1
Baterna E (Áv.) 99 D1
Baterno E (Bad.) 133 D2
Batet de la Serra E (Gi.) 51 C3
Batllòria, la E (Bar.) 71 C1
Batocas P (Guar.) 96 C1
Batres E (Mad.) 101 B3
Batxikabo E (Ál.) 22 D4
Baúl E (Gr.) 169 A4
Bausen E (Ll.) 28 C3
Bayacas E (Gr.) 182 B3
Bayárcal E (Alm.) 183 A2
Bayarque E (Alm.) 170 A5
Bayas E (Bur.) 23 A5
Bayas, Las/Baies, les E (Ali.) 156 D3
Bayo E (Ast.) 6 A4
Bayo, El E (Zar.) 45 C4
Bayos, Los E (Le.) 17 D3
Bayubas de Abajo E (So.) 63 A4
Bayubas de Arriba E (So.) 63 A3
Baza E (Gr.) 169 B3
Bazagona, La E (Các.) 98 A5
Bazán E (C. R.) 136 A5
Bazana, La E (Bad.) 146 C2
Bazar E (A Co.) 14 A1
Bazar E (Lu.) 4 A5
Baztan E (Na.) 25 A2
Bea E (Te.) 85 D2
Beade E (Our.) 34 D2
Beade E (Po.) 33 D3
Beal E (Mu.) 172 C2
Beamud E (Cu.) 104 D3
Beán E (A Co.) 14 C2
Bearin E (Na.) 24 B5
Beariz E (Our.) 34 D2
Beariz E (Our.) 34 C1
Beartzun E (Na.) 25 B2
Beas E (Huel.) 162 C3
Beas de Granada E (Gr.) 168 A5
Beas de Guadix E (Gr.) 168 C5
Beas de Segura E (J.) 153 A3
Beasain E (Gui.) 24 A2
Beatas, Las E (Mu.) 172 C1
Beato, El E (To.) 101 B5
Beatos, Los E (Mu.) 172 C2
Beba E (A Co.) 13 C2
Bebedouro P (Co.) 93 D2
Beberino E (Le.) 18 D3
Beça P (V. R.) 55 B2
Becedas E (Áv.) 98 C2
Becedillas E (Áv.) 99 A1
Beceite E (Te.) 88 A3
Becerreá E (Lu.) 16 B3
Becerril de Campos E (Pa.) 40 B4
Becerril de la Sierra E (Mad.) 81 B5
Becerril del Carpio E (Pa.) 20 D5
Becilla de Valderaduey E (Vall.) 39 B4
Beco P (San.) 112 B1
Bedaio E (Gui.) 24 B2
Bédar E (Alm.) 184 D1
Bedaroa E (Viz.) 11 C4
Bedavo E (Ast.) 6 D5
Bedia E (Viz.) 23 A1
Bedmar E (J.) 168 B1
Bedón E (Bur.) 22 A3
Bedoña E (Gui.) 23 C2
Bedriñana E (Ast.) 7 A3
Beg E (Alb.) 154 A3
Begega E (Ast.) 5 D5
Beget E (Gi.) 51 C2
Begíjar E (J.) 152 A5
Begonte E (Lu.) 15 C1
Begudà E (Gi.) 51 C3
Beguda Alta, La E (Bar.) 70 C3
Begues E (Bar.) 70 D4
Begur E (Gi.) 52 C4
Beijós P (Vis.) 74 D5
Beira E (A Co.) 2 C5
Beirã P (Por.) 113 D3
Beira Grande P (Bra.) 76 A1
Beira Valente P (Vis.) 75 C2
Beiral do Lima P (V. C.) 54 A1
Beire E (Na.) 45 A2
Beire P (Port.) 54 B5
Beires E (Alm.) 183 B2
Beiriz P (Port.) 53 D3
Beiro de Abaixo E (Our.) 34 D2
Beizama E (Gui.) 24 A2
Beja P (Be.) 144 D4
Béjar E (Sa.) 98 B2
Bejarin, El E (Gr.) 168 C5
Bejís E (Cas.) 106 C5
Bel E (Cas.) 88 A5
Bela P (V. C.) 34 B4
Bela Romão P (Fa.) 174 D3
Belako E (Viz.) 11 A5
Belalcázar E (Cór.) 133 B5
Belante E (Lu.) 15 D4
Belas P (Lis.) 126 C3
Belascoáin/Belaskoain E (Na.) 24 D4
Belaskoain →
Belascoáin E (Na.) 24 D4
Belauntza E (Gui.) 24 B2
Belazaima do Chão P (Ave.) 74 B5
Belazeima P (Vis.) 74 B5
Belbimbre E (Bur.) 41 B4
Belchite E (Zar.) 66 C5
Belén E (Ast.) 5 B3
Belén E (Các.) 116 B3
Beleña E (Sa.) 78 C4
Beleña de Sorbe E (Gua.) 82 C3
Beleño E (Ast.) 19 C1
Belerda E (Gr.) 168 C4
Belerda E (J.) 168 D1
Belesar E (Lu.) 3 C4
Belesar E (Lu.) 15 D3
Belesar E (Po.) 33 D3
Bèlgida E (Val.) 141 A3
Belianes E (Ll.) 69 B3
Belicena E (Gr.) 181 D1
Beliche P (Fa.) 161 A4
Beliche P (Fa.) 161 B4
Belide P (Co.) 93 D3
Belinchón E (Cu.) 102 D5
Bélmez E (Cór.) 149 B2
Bélmez E (J.) 168 B2
Bélmez
de la Moraleda E (J.) 168 B2
Belmil E (A Co.) 15 A3
Belmonte E (Cu.) 121 B3
Belmonte E (Our.) 35 B2
Belmonte P (C. B.) 95 D2
Belmonte P (Fa.) 175 A3
Belmonte de Campos E (Pa.) 39 D5
Belmonte de Gracián E (Zar.) 65 B5
Belmonte de Miranda E (Ast.) 5 D5
Belmonte de San José E (Te.) 87 C3
Belmonte de Tajo E (Mad.) 102 B4
Belmontejo E (Cu.) 122 A1
Beloncio E (Ast.) 7 A5
Belones, Los E (Mu.) 172 D2
Belorado E (Bur.) 42 C2
Belsierre E (Hues.) 47 D1
Beltejar E (So.) 83 D1
Beluntza E (Ál.) 23 A3
Beluso E (A Co.) 13 D4
Beluso E (Po.) 33 D2
Belver P (Bra.) 56 A5
Belver P (Por.) 112 D3
Belver de Cinca E (Hues.) 67 D2
Belver de los Montes E (Zam.) 59 A2
Belvís E (C. R.) 135 B5
Belvis de Jarama E (Mad.) 102 A1
Belvís de la Jara E (To.) 117 D2
Belvís de Monroy E (Các.) 116 C1
Bellaguarda E (Ll.) 68 D5
Bellavista E (Bal.) 91 D4
Bellavista E (Huel.) 176 B2
Bellavista E (Sev.) 164 A4
Bellcaire d'Empordà E (Gi.) 52 C3
Bellcaire d'Urgell E (Ll.) 69 A1
Bellestar E (Hues.) 48 B3
Bellestar del Flumen E (Hues.) 47 A4
Bell-lloc E (Gi.) 52 B5
Bell-Lloc del Pla →
Benlloch E (Cas.) 107 D3
Bell-lloc d'Urgell E (Ll.) 68 D2
Bellmunt del Priorat E (Ta.) 88 D1
Bellmunt d'Urgell E (Ll.) 69 A1
Bello E (Ast.) 18 D1
Bello E (Te.) 85 B3
Bellostas, Las E (Hues.) 47 C2
Bellotar E (Alb.) 153 C1
Bellprat E (Bar.) 69 D3
Bellpuig E (Ll.) 69 B2
Bellreguard E (Val.) 141 C2
Bellús E (Val.) 141 A2
Bellvei E (Ta.) 70 A5
Bellver E (Bar.) 70 B4
Bellver de Cerdanya E (Ll.) 50 B2
Bellvís E (Ll.) 68 D2
Bembézar del Caudillo E (Cór.) 149 B5
Bembibre E (Le.) 17 C5
Bembibre E (Our.) 36 B4
Bembibre E (Po.) 33 D3
Bembibre
(Val do Dubra) E (A Co.) 14 A1
Bemposta P (Ave.) 74 A3
Bemposta P (Ave.) 73 D5
Bemposta P (Bra.) 57 B5
Bemposta P (C. B.) 96 A4
Bemposta P (Lei.) 111 A2
Bemposta P (Lei.) 111 B2
Bemposta P (Lis.) 126 D2
Bemposta P (San.) 112 C4
Benabarre E (Hues.) 48 B4
Benablón E (Mu.) 154 C4
Benacazón E (Sev.) 163 C4
Benadalid E (Mál.) 179 A5
Benade E (Lu.) 15 D1
Benafarces E (Vall.) 59 B3
Benafer E (Cas.) 106 D5
Benafigos E (Cas.) 107 B3
Benafim Grande P (Fa.) 174 B2
Benagalbón E (Mál.) 180 D4
Benagéber E (Val.) 124 A2
Benagouro P (V. R.) 55 B4
Benaguasil E (Val.) 124 D3
Benahadux E (Alm.) 183 D3
Benahavís E (Mál.) 187 D1
Benajarafe E (Mál.) 180 D4
Benalauría E (Mál.) 179 A5
Benalmádena E (Mál.) 180 B5
Benalúa E (Gr.) 168 D4
Benalúa de las Villas E (Gr.) 167 D4
Benalup-
Casas Viejas E (Cád.) 186 B3
Benamahoma E (Cád.) 178 D4
Benamargosa E (Mál.) 181 A3
Benamarías E (Le.) 38 A1
Benamariel E (Le.) 38 D2
Benamaurel E (Gr.) 169 C3
Benamejí E (Cór.) 166 B5
Benamira E (So.) 83 D2
Benamocarra E (Mál.) 181 A4
Benaocaz E (Cád.) 178 D4
Benaoján E (Mál.) 179 A4
Benaque E (Mál.) 180 D4
Benarrabá E (Mál.) 187 B1
Benasal/Benassal E (Cas.) 107 C2
Benasau E (Ali.) 141 B4
Benasque E (Hues.) 28 B5
Benassal → Benasal E (Cas.) 107 C2
Benatae E (J.) 153 C2
Benavent de Segrià E (Ll.) 68 C2
Benavente E (Bad.) 114 A5
Benavente E (Zam.) 38 C5
Benavente P (San.) 127 B1
Benavides de Órbigo E (Le.) 38 B1
Benavila P (Por.) 128 D1
Benavites E (Val.) 125 B2
Benazolve E (Le.) 38 D2
Bencarrón E (Sev.) 164 B4
Bencatel P (Év.) 129 C4
Bendada P (Guar.) 96 A2
Bendafé P (Co.) 94 A3
Bendición E (Ast.) 6 D4
Bendilló E (Lu.) 36 B1
Bendoiro E (Po.) 14 D4
Benecid E (Alm.) 183 B2
Benedita P (Lei.) 111 A3
Benegiles E (Zam.) 58 D3
Beneixama →
Benejama E (Ali.) 140 C4
Beneixida E (Val.) 140 D2
Benejama/
Beneixama E (Ali.) 140 C4
Benejí E (Alm.) 183 A3
Benejúzar E (Ali.) 156 C4
Benespera P (Guar.) 96 A1
Benetússer E (Val.) 125 A4
Benfarras P (Fa.) 174 B2
Benfeita P (Co.) 94 D2
Benfeita P (Vis.) 94 B1
Benferri E (Ali.) 156 B4
Benfica P (Lis.) 126 C3
Benfica do Ribatejo P (San.) 111 C5
Bengoetxea E (Viz.) 23 A2
Beniaján E (Mu.) 156 A5
Beniarbeig E (Ali.) 141 D3
Beniardà E (Ali.) 141 C4
Beniarjó E (Val.) 141 C3
Beniarrés E (Ali.) 141 B3
Benias de Onís E (Ast.) 7 D5
Beniatjar E (Val.) 141 A3
Benicarló E (Cas.) 108 B1
Benicasim/Benicàssim E (Cas.) 107 D4
Benicàssim →
Benicasim E (Cas.) 107 D4
Benicolet E (Val.) 141 B3
Benicull E (Val.) 141 A1
Benichembla/
Benigembla E (Ali.) 141 C4
Benidoleig E (Ali.) 141 D4
Benidorm E (Ali.) 141 C5
Beniel E (Mu.) 156 B4
Benifaió E (Val.) 125 A5
Benifairó
de la Valldigna E (Val.) 141 B2
Benifairó de les Valls E (Val.) 125 B2
Benifallet E (Ta.) 88 C2
Benifallim E (Ali.) 141 A5
Benifató E (Ali.) 141 C4
Beniflà E (Val.) 141 C3
Benigànim E (Val.) 141 A2
Benigembla →
Benichembla E (Ali.) 141 C4
Benijófar E (Ali.) 156 C4
Benijós E (S. Cruz T.) 196 A2
Benilloba E (Ali.) 141 B4
Benillup E (Ali.) 141 B4
Benimanet-Beniferri E (Val.) 125 A3
Benimantell E (Ali.) 141 C4
Benimarfull E (Ali.) 141 A4
Benimassot E (Ali.) 141 B4
Benimaurell E (Ali.) 141 C4
Benimeli E (Ali.) 141 D3
Benimodo E (Val.) 140 D1
Benimuslem E (Val.) 141 A1
Benínar E (Alm.) 183 A3
Beniparrell E (Val.) 125 A4
Benirredrà E (Val.) 141 C2
Benisanó/Benissanó E (Val.) 124 D3
Benisoda/Benissoda E (Val.) 141 A3
Benissa E (Ali.) 141 D4
Benissanet E (Ta.) 88 D2
Benissanó →
Benisanó E (Val.) 124 D3
Benissoda →
Benisoda E (Val.) 141 A3
Benissuera →
Benisuera E (Val.) 141 A3
Benisuera/Benissuera E (Val.) 141 A3
Benita, La E (Cór.) 166 B3
Benitachell/Poblenou
de Benitatxell, el E (Ali.) 142 A4
Benitagla E (Alm.) 170 B5
Benitorafe E (Alm.) 170 A5
Benitos E (Áv.) 79 D5
Benizalón E (Alm.) 170 B5
Benlhevai P (Bra.) 56 B4
Benllera E (Le.) 18 C4
Benlloch/Bell-Lloc
del Pla E (Cas.) 107 D3
Benquerença P (C. B.) 96 A3
Benquerenças P (C. B.) 113 B1
Benquerencia E (Các.) 115 D5
Benquerencia E (Lu.) 4 B3
Benquerencia
de la Serena E (Bad.) 132 D4
Bens E (A Co.) 2 C4
Bens P (Be.) 161 B2
Bensafrim P (Fa.) 173 B2
Bentarique E (Alm.) 183 C2
Bentraces E (Our.) 35 A2
Bentué de Rasal E (Hues.) 46 D2
Benuza E (Le.) 37 A2
Benza E (A Co.) 14 B2
Benzal E (Alm.) 171 A4
Benzú E (Ce.) 188 B4
Beo E (A Co.) 1 D4
Bera/Vera de Bidasoa E (Na.) 12 D5
Berán E (Our.) 34 D2
Beranga E (Can.) 10 A4
Berango E (Viz.) 10 D5
Berano Nagusi E (Viz.) 23 C
Berantevilla/Beranturi E (Ál.) 23 A5
Beranturi →
Berantevilla E (Ál.) 23 A5
Beranúy E (Hues.) 48 C
Berastegi E (Gui.) 24 C
Beratón E (So.) 64 D
Berbegal E (Hues.) 47 C
Berbén E (Cád.) 177 B
Berberana E (Bur.) 22 D
Berbinzana E (Na.) 44 D
Bercedo E (Bur.) 22 A
Berceo E (La R.) 43 A
Bercero E (Vall.) 59 C
Berceruelo E (Vall.) 59 C
Bercial E (Seg.) 80 C
Bercial de San
Rafael, El E (To.) 117 C
Bercial de Zapardiel E (Áv.) 79 D
Bercial, El E (To.) 117 B
Bercianos de Aliste E (Zam.) 57 D
Bercianos de Valverde E (Zam.) 38 B
Bercianos de Vidriales E (Zam.) 38 B
Bercianos

del Páramo E (Le.) 38 C2
Bercianos
del Real Camino E (Le.) 39 C2
Bercimuel E (Seg.) 62 A5
Bercimuelle E (Sa.) 98 D1
Bérchules E (Gr.) 182 C2
Berdejo E (Zar.) 64 C3
Berdeogas E (A Co.) 13 B1
Berdia E (A Co.) 14 B2
Berdillo E (A Co.) 2 A5
Berdoias E (A Co.) 13 B1
Berducedo E (Ast.) 5 A5
Berducido E (Po.) 34 B2
Berdún E (Hues.) 26 B5
Beresmo E (Our.) 34 C1
Berga E (Bar.) 50 C4
Berganciano E (Sa.) 77 D1
Berganúy E (Hues.) 48 C3
Berganzo E (Ál.) 23 B5
Bergara E (Gui.) 23 D2
Bergasa E (La R.) 44 B3
Bergasillas Bajera E (La R.) 44 B3
Berge E (Te.) 87 A3
Bergondo E (A Co.) 2 D4
Bergua E (Hues.) 47 B1
Beriain E (Na.) 25 A5
Beringel P (Be.) 144 C3
Beringelinho P (Be.) 160 C2
Berja E (Alm.) 183 A3
Berlanas, Las E (Áv.) 80 A4
Berlanga E (Bad.) 148 A2
Berlanga de Duero E (So.) 63 A4
Berlanga del Bierzo E (Le.) 17 B4
Berlangas de Roa E (Bur.) 61 C2
Berlengas P (Co.) 93 C1
Bermeja, La E (Mu.) 155 C4
Bermejal E (Huel.) 162 C4
Bermellar E (Sa.) 77 A2
Bermeo E (Viz.) 11 B4
Bermés E (Po.) 14 D4
Bermillo de Alba E (Zam.) 58 A3
Bermillo de Sayago E (Zam.) 57 D4
Bermún E (A Co.) 13 B2
Bernagoitia E (Viz.) 23 B1
Bernales E (Can.) 10 B5
Bernardos E (Seg.) 80 D1
Bernedo E (Ál.) 23 C5
Berninches E (Gua.) 103 B1
Bernueces E (Ast.) 6 D3
Bernués E (Hues.) 46 C1
Bernúy E (To.) 100 B5
Bernuy de Coca E (Seg.) 80 B1
Bernúy de Porreros E (Seg.) 81 A2
Bernúy-Salinero E (Áv.) 80 B5
Bernúy-Zapardiel E (Áv.) 79 D3
Berodia E (Ast.) 8 A5
Berrande E (Our.) 36 B5
Berredo E (Our.) 35 B3
Berredo E (Po.) 15 A3
Berreo E (A Co.) 14 B2
Berres E (Po.) 14 B4
Berrioplano E (Na.) 24 D4
Berriozar E (Na.) 25 A4
Berriz E (Viz.) 23 C1
Berro E (Alb.) 138 B4
Berro, El E (Mu.) 155 B5
Berrobi E (Gui.) 24 B2
Berrocal E (Huel.) 163 A2
Berrocal de Huebra E (Sa.) 78 A4
Berrocal
de Salva Tierra E (Sa.) 78 C5
Berrocalejo E (Các.) 117 A1
Berrocalejo
de Aragona E (Áv.) 80 B5
Berrocales
del Jarama, Los E (Mad.) 102 A1
Berroeta E (Na.) 25 A2
Berrón, El E (Ast.) 6 D4
Berrozo E (Po.) 14 C5
Berroztegieta E (Ál.) 23 B4
Berrueces E (Vall.) 39 C5
Berrueco E (Zar.) 85 B2
Berrueco, El E (Mad.) 82 A3
Berrueco, El, lugar E (J.) 167 C1
Bertamiráns (Ames) E (A Co.) 14 A3
Bertoa E (A Co.) 2 A4
Bértola E (Po.) 34 A1
Beruete E (Na.) 24 D2
Berzocana E (Các.) 116 D4
Berzosa E (Mad.) 81 B5
Berzosa E (So.) 62 C3
Berzosa de Bureba E (Bur.) 22 C5
Berzosa
de los Hidalgos E (Pa.) 20 C5
Berzosa del Lozoya E (Mad.) 82 A3
Berzosilla E (Pa.) 21 B4
Berzosilla, La E (Mad.) 81 B5
Besalú E (Gi.) 51 D3
Besande E (Le.) 19 D3
Bescanó E (Gi.) 51 D4
Bescaran E (Ll.) 50 A1
Bescós
de Garcipollera E (Hues.) 26 D5
Beselga P (San.) 112 A2
Beselga P (Vis.) 75 D2
Beseño E (A Co.) 14 D3
Besians E (Hues.) 48 A3
Besora E (Ll.) 50 A4
Besouro P (Fa.) 174 C3
Bespén E (Hues.) 47 B4
Besteiras P (Ave.) 74 A3
Besteiras P (San.) 112 B1
Besteiros P (Be.) 161 A3
Besteiros P (Br.) 54 B2
Besteiros P (Fa.) 160 C4
Besteiros P (Por.) 113 D5
Besteiros P (Port.) 54 B5
Bestida P (Ave.) 73 D3
Bestué E (Hues.) 47 D1
Besullo E (Ast.) 17 B1
Betán E (Our.) 35 C3
Betancuria E (Las P.) 190 A3
Betanzos E (A Co.) 2 D4
Betelu E (Na.) 24 C2
Bétera E (Val.) 125 A3
Betés de Sobremonte E (Hues.) 27 A5
Betesa E (Hues.) 48 C2
Beteta E (Cu.) 104 B1
Betis E (Cád.) 186 C5
Betolatza E (Ál.) 23 B3
Betoñu E (Ál.) 23 B4
Betote E (Lu.) 16 A4
Betren E (Ll.) 28 D4
Betunes P (Fa.) 174 C2
Betxí E (Cas.) 107 B5
Beuda E (Gi.) 51 D2
Bexo E (A Co.) 13 D4
Bezana E (Bur.) 21 C3
Bezanes E (Ast.) 19 B1
Bezares E (La R.) 43 B2
Bezas E (Te.) 105 C2
Bezerreira P (Vis.) 74 C5
Béznar E (Gr.) 182 A3
Biañez E (Viz.) 22 B1
Biar E (Ali.) 140 C5
Bias do Sul P (Fa.) 175 A3
Biasteri → Laguardia E (Ál.) 43 C1
Bica P (Lei.) 111 A2
Bicas P (San.) 112 B4
Bicesse P (Lis.) 126 B3
Bico P (V. C.) 34 A5
Bicorp E (Val.) 140 C1
Bicos P (Be.) 143 C5
Bidania E (Gui.) 24 A2
Bidankoze →
Vidángoz E (Na.) 26 A4
Bidaurreta →
Vidaurreta E (Na.) 24 C4
Biduedo E (Our.) 35 A1
Biduido E (A Co.) 14 A3
Biedes E (Ast.) 7 B4
Biedes E (Ast.) 6 B4
Biel E (Zar.) 46 A2
Bielba E (Can.) 8 C5
Bielsa E (Hues.) 27 D5
Bienservida E (Alb.) 153 C1
Bienvenida E (Bad.) 147 C2
Bienvenida E (C. R.) 134 B5
Bierge E (Hues.) 47 C4
Biescas E (Hues.) 27 A5
Bigastro E (Ali.) 156 B4
Bigorne P (Vis.) 75 A2
Bigues E (Bar.) 71 A2
Bigüezal E (Na.) 25 D5
Bijuesca E (Zar.) 64 C3
Bikarregi E (Viz.) 23 B2
Bilar → Elvillar E (Ál.) 43 C1
Bilbao, lugar E (Sev.) 165 A5
Bilbao/Bilbo E (Viz.) 11 A5
Bilbo → Bilbao E (Viz.) 11 A5
Bilhó P (V. R.) 55 A4
Biloda E (Ál.) 23 B4
Biloria → Viloria E (Na.) 24 A5
Billabona → Villabona E (Gui.) 24 B1
Billela E (Viz.) 11 A4
Bimeda E (Ast.) 17 B2
Bimenes E (Ast.) 6 D5
Binaced E (Hues.) 67 D1
Binacua E (Hues.) 46 C1
Binéfar E (Hues.) 68 A1
Biniali E (Bal.) 91 D3
Biniamar E (Bal.) 91 D2
Biniancolla-
Punta Prima E (Bal.) 90 D3
Biniaraix E (Bal.) 91 C2
Biniés E (Hues.) 26 B5
Binisafua Roters E (Bal.) 90 D3
Binissalem E (Bal.) 91 D3
Binixica E (Bal.) 90 C3
Biosca E (Ll.) 69 D1
Biota E (Zar.) 45 D3
Bioucas P (San.) 112 B2
Birre P (Lis.) 126 B3
Bisaurri E (Hues.) 48 B1
Bisbal de Falset, la E (Ta.) 68 D5
Bisbal
del Penedès, la E (Ta.) 70 A5
Bisbal d'Empordà, la E (Gi.) 52 B4
Biscainhas P (Co.) 93 C2
Biscainho P (San.) 127 C2
Biscarrués E (Hues.) 46 B3
Biscoitos P (Aç.) 109 A5
Bisimbre E (Zar.) 65 B1
Bisjueces E (Bur.) 22 A3
Bismula P (Guar.) 96 C1
Bispeira P (Vis.) 74 B3
Bitarães P (Port.) 54 B5
Bítem E (Ta.) 88 C3
Bitoriano E (Ál.) 23 A3
Biure E (Gi.) 52 A1
Biure E (Ta.) 69 D3
Biurrun E (Na.) 24 D5
Bizarril P (Guar.) 76 C3
Bizmay, El E (Alm.) 170 B1
Blacos E (So.) 63 A2
Blacha E (Áv.) 99 C1
Blanca E (Mu.) 155 C3
Blancafort E (Ta.) 69 C4
Blancares Nuevos,
lugar E (Alb.) 138 B2
Blancares Viejos, lugar E (Alb.) 138 B2
Blancas E (Te.) 85 B4
Blancos E (Mu.) 155 D4
Blancos E (Our.) 35 B4
Blanes E (Gi.) 72 A1
Blanquitos, Los E (S. Cruz T.) 195 D4
Blascoeles E (Áv.) 80 C4
Blascomillán E (Áv.) 79 C4
Blasconuño
de Matacabras E (Áv.) 79 D1
Blascosancho E (Áv.) 80 B3
Blázquez, Los E (Cór.) 148 D1
Blecua E (Hues.) 47 B4
Bleda, La E (Bar.) 70 B4
Blesa E (Te.) 86 B2
Bliecos E (So.) 64 A4
Blimea E (Ast.) 6 D5
Blocona E (So.) 83 D1
Boa E (A Co.) 13 C3
Boa Farinha P (C. B.) 112 C1
Boa Ventura P (Ma.) 110 B1
Boa Vista P (Lei.) 93 C5
Boada E (Sa.) 77 C4
Boada de Campos E (Pa.) 39 D5
Boada de Roa E (Bur.) 61 B2
Boadella d'Empordà E (Gi.) 52 A2
Boadilla E (Sa.) 77 D4
Boadilla de Rioseco E (Pa.) 39 D4
Boadilla del Camino E (Pa.) 40 D3
Boadilla del Monte E (Mad.) 101 C2
Boado E (A Co.) 14 D2
Boal E (Ast.) 5 A4
Boaldeia P (Vis.) 74 D4
Boalhosa P (V. C.) 54 B1
Boalo, El E (Mad.) 81 B5
Boaña de Arriba E (A Co.) 13 D1
Boaño E (A Co.) 1 C5
Boassas P (Vis.) 74 D1
Boavista P (Co.) 93 B3
Boavista P (Fa.) 174 D3
Boavista P (Lei.) 110 D3
Boavista P (Lei.) 111 A2
Boavista P (Lei.) 110 D4
Boavista P (Lis.) 110 C5
Boavista P (Lis.) 110 B5
Boavista dos Pinheiros P (Be.) 159 C2
Bobadela P (Co.) 95 A1
Bobadela P (V. R.) 55 C1
Bobadela P (V. R.) 56 A1
Bobadilla E (Gr.) 181 D1
Bobadilla E (J.) 167 A2
Bobadilla E (La R.) 43 B3
Bobadilla E (Mál.) 180 A2
Bobadilla del Campo E (Vall.) 79 C1
Bobadilla-Estación E (Mál.) 180 A2
Bobal P (V. R.) 55 A4
Bobar, El E (Alm.) 184 A3
Bobes E (Ast.) 6 C4
Bobia E (Ast.) 7 D5
Boborás E (Our.) 34 D1
Boca P (Ave.) 73 D5
Boca de Huérgano E (Le.) 19 D3
Bocacara E (Sa.) 77 B5
Bocado P (Co.) 94 D2
Bocairent E (Val.) 140 D4
Bocaleones E (Cád.) 178 D3
Boceguillas E (Seg.) 61 D5
Bocígano E (Gua.) 82 B2
Bocigas E (Vall.) 80 B1
Bocigas de Perales E (So.) 62 B3
Bocos E (Bur.) 22 A3
Bocos de Duero E (Vall.) 61 A3
Boche E (Alb.) 154 A2
Bochones E (Gua.) 83 A1
Bodaño E (Po.) 14 D4
Bodas, Las E (Le.) 19 B4
Bodegones, Los E (Huel.) 176 D2
Bodera, La E (Gua.) 83 A1
Bodiosa P (Vis.) 74 D4
Bodón, El E (Sa.) 97 A1
Bodonal de la Sierra E (Bad.) 146 D3
Bodurria E (Gr.) 169 B4
Boebre E (A Co.) 2 D3
Boecillo E (Vall.) 60 A3
Boedo E (A Co.) 2 C4
Boelhe P (Port.) 74 C1
Boente E (Po.) 34 B2
Boeza E (Le.) 17 D5
Bofinho P (Lei.) 94 A5
Bogajo E (Sa.) 77 B3
Bogalhal P (Guar.) 76 B3
Bogarra E (Alb.) 138 A5
Bogarre E (Gr.) 168 B4
Bogas de Baixo P (C. B.) 95 A4
Bogas de Cima P (C. B.) 95 B4
Bogas do Meio P (C. B.) 95 B4
Bohodón, El E (Áv.) 80 A3
Bohonal E (Bad.) 118 A5
Bohonal de Ibor E (Các.) 116 D1
Bohoyo E (Áv.) 98 D2
Boí E (Ll.) 48 D1
Boialvo P (Ave.) 74 B5
Boiça do Louro P (Lis.) 111 A4
Boiças P (San.) 111 A4
Boidobra P (C. B.) 95 C2
Boim P (Port.) 54 C5
Boimente E (Lu.) 3 D2
Boímo P (V. C.) 34 C5
Boimorto E (A Co.) 14 D2
Boimorto E (Our.) 35 B1
Boiro E (A Co.) 13 D4
Boisan E (Le.) 37 D2
Boivães P (V. C.) 54 B1
Boivão P (V. C.) 34 A4
Boixadors E (Bar.) 70 A1
Boizán E (Lu.) 3 C4
Bojal, El E (Mu.) 156 A5
Bola, A E (Our.) 35 A3
Bolaimí E (Alm.) 170 C3
Bolaños de Calatrava E (C. R.) 135 D3
Bolaños de Campos E (Vall.) 39 B5
Bolbaite E (Val.) 140 D2
Boldú E (Ll.) 69 B2
Bolea E (Hues.) 46 D3
Boleiros P (San.) 111 C2
Boleta P (Co.) 93 D2
Bolfiar P (Ave.) 74 A5
Bolho P (Co.) 94 A1
Bolhos P (Lei.) 110 C4
Bolibar E (Gui.) 23 C3
Bolibar E (Viz.) 23 C1
Boliqueime P (Fa.) 174 B2
Bolmente E (Lu.) 35 C1
Bolmir E (Can.) 21 A3
Bolnuevo E (Mu.) 171 D3
Bolo, O E (Our.) 35 A1
Bolo, O E (Our.) 36 C2
Bolos E (Po.) 14 B4
Boltaña E (Hues.) 47 C2
Bolulla E (Ali.) 141 C4
Bolvir E (Gi.) 50 C1
Bollacín E (Can.) 21 C2
Bólliga E (Cu.) 103 D3
Bollullos
de la Mitación E (Sev.) 163 D4
Bollullos Par
del Condado E (Huel.) 163 A4
Bom Sucesso P (Co.) 93 C2
Bomba, La E (Gi.) 52 B2
Bombardeira P (Lis.) 110 B5
Bombarral P (Lei.) 110 D4
Bombel P (Év.) 127 D4
Bon E (Po.) 33 D2
Bon Vento P (Lei.) 110 D4
Bonabal P (Lis.) 110 B5
Bonansa E (Hues.) 48 C2
Bonanza E (Cád.) 177 B3
Bonares E (Huel.) 162 D4
Bonastre E (Ta.) 70 A5
Bonaterra E (Ta.) 70 A5
Bonavista E (Ta.) 89 C1
Bonete E (Alb.) 139 C3
Boniches E (Cu.) 105 A5
Bonielles E (Ast.) 6 B4
Bonilla E (Cu.) 103 C3
Bonilla de la Sierra E (Áv.) 99 B1
Bonillo, El E (Alb.) 137 C3
Bonitos P (Lei.) 93 C4
Bonmatí E (Gi.) 51 D4
Bono E (Hues.) 48 D1
Bonrepós i Mirambell E (Val.) 125 A3
Bonxe E (Lu.) 15 D1
Boñar E (Le.) 19 B4
Boo E (Ast.) 18 C1
Boo E (Can.) 9 B4
Boo E (Can.) 9 C4
Boós E (So.) 63 A3
Boqueixón E (A Co.) 14 C3
Boquerizo E (Ast.) 8 B4
Boquilobo P (San.) 111 D3
Boquiñeni E (Zar.) 65 C1
Bora E (Po.) 34 A1
Borau E (Hues.) 26 C5
Borba P (Br.) 54 D4
Borba P (Év.) 129 C3
Borba da Montanha P (Br.) 54 D4
Borba de Godim P (Port.) 54 C4
Borbalán E (S. Cruz T.) 194 B2
Borbela P (V. R.) 55 B4
Borbén E (Po.) 34 B2
Borbotó E (Val.) 125 A3
Borcos E (Bur.) 41 C1
Bordalba E (Zar.) 64 B4
Bordalos P (Por.) 128 D1
Bordecorex E (So.) 63 B5
Bordeira P (Fa.) 174 C2
Bordeira P (Fa.) 173 A2
Bordeiro P (Co.) 94 C3
Bordeje E (So.) 63 C4
Bòrdes, es E (Ll.) 28 C4
Bordeta, La E (Ll.) 68 C3
Bordils E (Gi.) 52 B4
Bordinheira P (Lis.) 110 C5
Bordón E (Te.) 87 A5
Bordonhos P (Vis.) 74 D3
Borge, El E (Mál.) 180 D4
Borges Blanques, les E (Ll.) 69 A3
Borges del Camp, les E (Ta.) 89 B1
Borgonyà E (Bar.) 51 A4
Borgonyà E (Gi.) 52 A3
Borines E (Ast.) 7 B4
Borja E (Zar.) 65 A1
Borjabad E (So.) 63 D3
Borleña E (Can.) 21 B1
Bormate E (Alb.) 139 A1
Bormoio E (A Co.) 1 D5
Bormujos E (Sev.) 163 D4
Bornacha P (Fa.) 175 B2
Borneiro E (A Co.) 1 C5
Bornes P (Bra.) 56 C4
Bornes de Aguiar P (V. R.) 55 C3
Bornos E (Cád.) 178 B3
Boroa E (Viz.) 23 B1
Borobia E (So.) 64 C3
Borox E (To.) 101 C4
Borralha P (Ave.) 74 A5
Borralha P (V. R.) 55 A2
Borralhal P (Vis.) 74 C5
Borrassà E (Gi.) 52 A2
Borrastre E (Hues.) 47 B1
Borraxeiros E (Po.) 15 A3
Borreco P (San.) 111 D3
Borredà E (Bar.) 50 D3
Borrenes E (Le.) 37 A1
Borriana → Burriana E (Cas.) 107 C5
Borricén E (Mu.) 172 C2
Borrifáns E (A Co.) 14 D1
Borriol E (Cas.) 107 C4
Bortedo E (Bur.) 22 C1
Bosc de la
Batllòria, el E (Gi.) 71 C1
Boscdetosca E (Gi.) 51 C3
Boscos
de Tarragona, els E (Ta.) 89 D1
Bosque E (A Co.) 2 D3

Bosque (Cabana)	E	(A Co.)	1	D4
Bosque, El	E	(Cád.)	178	D4
Bossòst	E	(Ll.)	28	C4
Bostronizo	E	(Can.)	21	B1
Bot	E	(Ta.)	88	B2
Botão	P	(Co.)	94	A2
Botarell	E	(Ta.)	89	B1
Botaya	E	(Hues.)	46	C1
Boticas	P	(V. R.)	55	C2
Botija	E	(Các.)	115	D4
Bótoa	E	(Bad.)	130	B1
Botorrita	E	(Zar.)	66	A4
Botos	E	(Po.)	14	D4
Bouça	P	(Bra.)	56	B2
Bouça	P	(C. B.)	95	C2
Bouça	P	(Co.)	94	B4
Bouça Cova	P	(Guar.)	76	A4
Bouça Fria	P	(Br.)	55	A3
Bouças Donas	P	(V. C.)	34	C5
Bouceguedim	P	(Ave.)	74	C2
Bouceiros	P	(Lei.)	111	C2
Bouçoães	P	(V. R.)	56	B1
Bougado (Santiago)	P	(Port.)	54	A4
Bouro (Santa Maria)	P	(Br.)	54	C2
Bouro (Santa Marta)	P	(Br.)	54	C2
Bousés	E	(Our.)	35	D5
Bouxinhas	P	(Lei.)	94	A5
Bouza	E	(Our.)	35	A2
Bouza	E	(Our.)	34	C1
Bouza, La	E	(Sa.)	76	D3
Bouzas	E	(Le.)	37	B1
Bouzón	E	(Po.)	34	A3
Bóveda	E	(Lu.)	15	D2
Bóveda	E	(Lu.)	15	D5
Bóveda	E	(Lu.)	15	C2
Bóveda	E	(Lu.)	15	C1
Bóveda	E	(Our.)	35	C3
Bóveda	E	(Our.)	35	B1
Bóveda de la Ribera	E	(Bur.)	22	B3
Bóveda de Toro, La	E	(Zam.)	59	A5
Bóveda del Río Almar	E	(Sa.)	79	B3
Bovera	E	(Ll.)	68	C5
Box	E	(Ast.)	6	C4
Boxinos	P	(C. B.)	95	B4
Boya	E	(Zam.)	37	C5
Bozoo	E	(Bur.)	22	D5
Brabos	E	(Áv.)	79	D4
Braçais	P	(Lei.)	94	B5
Braçal	P	(Co.)	94	C3
Bracana	E	(Cór.)	167	B4
Brácana	E	(Gr.)	167	B5
Bràfim	E	(Ta.)	69	D5
Braga	P	(Br.)	54	B2
Bragada	P	(Bra.)	56	D2
Bragadas	P	(V. R.)	55	B2
Bragade	E	(A Co.)	2	D5
Bragado	P	(V. R.)	55	C2
Bragança	P	(Bra.)	56	D1
Bragança	P	(Lis.)	110	D5
Brahojos de Medina	E	(Vall.)	79	C1
Branca	P	(Ave.)	74	A3
Branca	P	(San.)	127	C2
Brancanes	P	(Fa.)	174	D3
Brandara	P	(V. C.)	54	A1
Brandariz	E	(Po.)	14	C3
Brandeso	E	(A Co.)	14	D3
Brandilanes	E	(Zam.)	57	D3
Brandim	P	(V. R.)	55	A1
Brandomés	E	(Po.)	14	C3
Brandomil	E	(A Co.)	13	C1
Brandoñas	E	(A Co.)	13	C1
Branqueira	P	(Fa.)	174	B3
Brántega	E	(Po.)	15	A3
Branzá	E	(A Co.)	14	D3
Branzelo	P	(Port.)	74	B1
Braña, A	E	(Lu.)	16	B1
Braña, La	E	(Ast.)	4	D3
Braña, La	E	(Ast.)	6	B3
Braña, La	E	(Le.)	19	B3
Brañas	E	(A Co.)	15	B2
Brañas Verdes	E	(A Co.)	1	B5
Brañillín	E	(Ast.)	18	C3
Braño	E	(A Co.)	13	C3
Brañosera	E	(Pa.)	20	D3
Brañuelas	E	(Le.)	17	D5
Braojos	E	(Mad.)	81	D2
Brasal	E	(A Co.)	13	C2
Brasfemes	P	(Co.)	94	A2
Brates	E	(A Co.)	14	D2
Bravães	P	(V. C.)	54	B1
Bravos	E	(Lu.)	3	D2
Bravos, Los	E	(Huel.)	146	C4
Brazacorta	E	(Bur.)	62	B2
Brazatortas	E	(C. R.)	134	D5
Brazoes	P	(San.)	112	A2
Brazuelo	E	(Le.)	37	D1
Brea	E	(A Co.)	2	A5
Brea	E	(A Co.)	14	B1
Brea de Aragón	E	(Zar.)	65	A4
Brea de Tajo	E	(Mad.)	102	D3
Breda	E	(Gi.)	71	C1
Brejão	P	(Be.)	159	B2
Brejo	P	(Lei.)	94	B5
Brejo Fundeiro	P	(C. B.)	112	C2
Brejo Mouro	P	(Set.)	143	D2
Brejoeira	P	(San.)	127	D2
Brejos	P	(Fa.)	174	A3
Brejos Correteiros	P	(Set.)	127	A4
Brejos da Moita	P	(Set.)	127	A4
Brejos de Azeitão	P	(Set.)	126	D5
Brejos de Canes	P	(Set.)	127	B5
Brenes	E	(Sev.)	164	A3
Brenha	P	(Co.)	93	C2
Brenla	E	(A Co.)	1	D5
Breña Alta	E	(S. Cruz T.)	193	C3
Breña Baja	E	(S. Cruz T.)	193	C3
Breña, La	E	(Las P.)	191	C3
Breñas, Las	E	(Las P.)	192	A4
Bres	E	(Ast.)	4	C4
Brescos	P	(Set.)	143	B3
Bretanha	P	(Aç.)	109	A4
Bretó	E	(Zam.)	58	C1
Bretocino	E	(Zam.)	58	C1
Bretoña	E	(Lu.)	4	B4
Bretún	E	(So.)	43	D5
Brexo	E	(A Co.)	2	C4
Briallos	E	(Po.)	14	A5
Brías	E	(So.)	63	A5
Bribes	E	(A Co.)	2	C4
Bricia	E	(Ast.)	8	A4
Bricia	E	(Bur.)	21	C3
Brieva	E	(Seg.)	81	A2
Brieva de Cameros	E	(La R.)	43	B4
Brieves	E	(Ast.)	5	C3
Brihuega	E	(Gua.)	83	A4
Brime de Sog	E	(Zam.)	38	A4
Brime de Urz	E	(Zam.)	38	B5
Brimeda	E	(Le.)	38	A1
Brincones	E	(Sa.)	77	C1
Brinches	P	(Be.)	145	A4
Brinkola	E	(Gui.)	23	D3
Briñas	E	(La R.)	43	A1
Brión	E	(A Co.)	14	A3
Brión	E	(A Co.)	2	D3
Briones	E	(La R.)	43	B1
Briongos	E	(Bur.)	62	A1
Brisas, Las	E	(Gua.)	103	B1
Britelo	P	(Br.)	54	D4
Britelo	P	(V. C.)	34	C5
Britiande	P	(Vis.)	75	B1
Brito	P	(Br.)	54	B3
Brito	P	(Bra.)	56	B1
Brito de Baixo	P	(Bra.)	56	C1
Briviesca	E	(Bur.)	42	B1
Brizuela	E	(Bur.)	21	D3
Broega	P	(Set.)	127	A4
Brogueira	P	(San.)	111	D3
Bronco, El	E	(Các.)	97	C3
Bronchales	E	(Te.)	105	A1
Broño	E	(A Co.)	13	D2
Brosmos	E	(Lu.)	35	D1
Brotas	P	(Év.)	128	B2
Broto	E	(Hues.)	27	B5
Broullón	E	(Po.)	33	D2
Brovales	E	(Bad.)	146	D2
Broza	E	(Lu.)	15	D5
Brozas	E	(Các.)	114	D2
Bruc, el	E	(Bar.)	70	C2
Brucardes, les	E	(Bar.)	70	C1
Brucó	P	(Bra.)	57	A5
Brucs	E	(Gi.)	51	A3
Brués	E	(Our.)	34	D1
Brufe	P	(Br.)	54	C1
Brugos de Fenar	E	(Le.)	18	D4
Bruguera	E	(Gi.)	52	B5
Bruguerol	E	(Gi.)	52	C5
Brujuelo	E	(J.)	167	D1
Brul	E	(Ast.)	4	D3
Brull, el	E	(Bar.)	71	B1
Brullés	E	(Bur.)	41	B1
Brunete	E	(Mad.)	101	B2
Brunhais	P	(Br.)	54	C2
Brunheda	P	(Bra.)	56	A4
Brunheiras	P	(Be.)	143	B5
Brunheirinho	P	(San.)	112	C4
Brunhos	P	(Co.)	93	C3
Brunhosinho	P	(Bra.)	57	B4
Brunhoso	P	(Bra.)	56	D4
Brunyola	E	(Gi.)	51	D5
Buarcos	P	(Co.)	93	B3
Búbal	E	(Lu.)	35	B1
Buberos	E	(So.)	64	A3
Bubierca	E	(Zar.)	64	D5
Bubión	E	(Gr.)	182	B2
Buçaco	P	(Ave.)	94	B1
Bucarrero	E	(Can.)	9	D5
Bucelas	P	(Lis.)	126	D2
Bucesta	E	(La R.)	43	D3
Buciegas	E	(Cu.)	103	D2
Buciños	E	(Lu.)	15	B5
Bucos	P	(Br.)	54	D2
Buchabade	E	(Po.)	34	B1
Budens	P	(Fa.)	173	A2
Budia	E	(Gua.)	83	B5
Budiño	E	(A Co.)	14	C2
Budiño	E	(Po.)	34	A3
Buelles	E	(Ast.)	8	C5
Buen Paso	E	(S. Cruz T.)	195	D2
Buen Suceso	E	(Bad.)	147	A1
Buenache de Alarcón	E	(Cu.)	122	B2
Buenache de la Sierra	E	(Cu.)	104	C4
Buenafuente del Sistal, La	E	(Gua.)	84	A4
Buenamadre	E	(Sa.)	77	C3
Buenamesón	E	(Mad.)	102	C4
Buenas Noches	E	(Mál.)	187	C2
Buenasbodas	E	(To.)	117	D2
Buenaventura	E	(To.)	99	D3
Buenavista	E	(Gr.)	181	B1
Buenavista	E	(Sa.)	78	C4
Buenavista → Sierra, La	E	(Cór.)	166	B3
Buenavista de Abajo	E	(S. Cruz T.)	193	C3
Buenavista de Arriba	E	(S. Cruz T.)	193	C3
Buenavista de Valdavia	E	(Pa.)	20	B5
Buenavista del Norte	E	(S. Cruz T.)	195	B2
Buendía	E	(Cu.)	103	B2
Buenlugar	E	(Las P.)	191	C2
Bueña	E	(Te.)	85	C5
Buera	E	(Hues.)	47	C4
Buerba	E	(Hues.)	47	C1
Bueres	E	(Ast.)	19	B1
Buesa	E	(Hues.)	47	B1
Buetas	E	(Hues.)	48	A2
Bueu	E	(Po.)	33	D2
Bufaganyes	E	(Gi.)	52	B5
Bufalhão	P	(Co.)	94	C2
Bufalí	E	(Val.)	141	A3
Bufarda	P	(Lei.)	110	C4
Buferrera	E	(Ast.)	7	D5
Bugalhão	P	(V. R.)	55	A2
Bugalhos	P	(San.)	111	C3
Bugallido	E	(A Co.)	14	A3
Bugarín	E	(Po.)	34	B3
Bugariña	E	(Po.)	34	C2
Bugarra	E	(Val.)	124	C3
Bugedo	E	(Bur.)	22	D5
Bugéjar	E	(Gr.)	170	A1
Búger	E	(Bal.)	92	A2
Buitrago	E	(Sev.)	164	B3
Buitrago	E	(So.)	63	D1
Buitrago del Lozoya	E	(Mad.)	81	D3
Buitrón, El	E	(Huel.)	162	D2
Buiza	E	(Le.)	18	D3
Bujalance	E	(Cór.)	150	C5
Bujalaro	E	(Gua.)	83	A3
Bujaraloz	E	(Zar.)	67	B4
Bujarrabal	E	(Gua.)	83	C2
Bujeo, El	E	(Cád.)	186	D5
Bularros	E	(Áv.)	79	D4
Bulbuente	E	(Zar.)	65	A1
Bulnes	E	(Ast.)	20	A1
Bullas	E	(Mu.)	155	A4
Bunheiro	P	(Ave.)	73	D3
Bunhosa	P	(Co.)	93	C2
Buniel	E	(Bur.)	41	C3
Bunyola	E	(Bal.)	91	C3
Buñales	E	(Hues.)	47	A5
Buño	E	(A Co.)	1	D4
Buñol	E	(Val.)	124	C4
Buñuel	E	(Na.)	45	B5
Burato	E	(A Co.)	13	D4
Burbáguena	E	(Te.)	85	C2
Burbia	E	(Le.)	17	A4
Burbunera	E	(Cór.)	166	D4
Burela	E	(Lu.)	4	A2
Burés	E	(A Co.)	13	D4
Burés, El	E	(Bar.)	70	C2
Bureta	E	(Zar.)	65	B1
Burete	E	(Mu.)	154	D4
Burga	P	(Bra.)	56	C4
Burgães	P	(Port.)	54	B4
Burganes de Valverde	E	(Zam.)	38	C5
Burgás	E	(Lu.)	3	C4
Burgau	P	(Fa.)	173	B3
Burgelu → Elburgo	E	(Ál.)	23	C4
Burgi → Burgui	E	(Na.)	26	A5
Burgo	E	(Lu.)	3	C3
Burgo	P	(Ave.)	74	B2
Burgo de Ebro, El	E	(Zar.)	66	C3
Burgo de Osma, El	E	(So.)	62	D3
Burgo Ranero, El	E	(Le.)	39	B2
Burgo, El	E	(Mál.)	179	C4
Burgo, O	E	(A Co.)	2	C4
Burgohondo	E	(Áv.)	100	A2
Burgomillodo	E	(Seg.)	61	C5
Burgos	E	(Bur.)	41	D3
Burgueira	E	(Po.)	33	C4
Burguete → Auritz	E	(Na.)	25	C3
Burgui/Burgi	E	(Na.)	26	A5
Burguillos	E	(Sev.)	164	A2
Burguillos de Toledo	E	(To.)	119	B1
Burguillos del Cerro	E	(Bad.)	146	D1
Burinhosa	P	(Lei.)	111	A1
Buriz	E	(Lu.)	3	B4
Burjassot	E	(Val.)	125	A3
Burjulú	E	(Alm.)	171	A5
Burlada	E	(Na.)	25	A4
Burón	E	(Le.)	19	C2
Burrero, El	E	(Las P.)	191	D3
Burres	E	(A Co.)	14	D2
Burriana/Borriana	E	(Cas.)	107	C5
Burrueco	E	(Alb.)	138	B5
Buruaga	E	(Ál.)	23	B3
Burujón	E	(To.)	118	D1
Burunchel	E	(J.)	153	A5
Buscalque	E	(Our.)	34	D5
Buscás	E	(A Co.)	14	C1
Buscastell	E	(Bal.)	89	C4
Busdongo de Arbás	E	(Le.)	18	C3
Buseu	E	(Ll.)	49	B2
Busmayor	E	(Le.)	16	C5
Busmente-Herias-La Muria	E	(Ast.)	5	A4
Busnela	E	(Bur.)	21	C2
Busot	E	(Ali.)	157	C1
Busquistar	E	(Gr.)	182	C1
Bustantegua	E	(Can.)	21	D1
Bustarenga	P	(Vis.)	74	C3
Bustares	E	(Gua.)	82	D1
Bustarviejo	E	(Mad.)	81	D4
Buste, El	E	(Zar.)	65	A1
Busteliño	E	(Our.)	35	C3
Bustelo	E	(Our.)	35	C3
Bustelo	P	(Ave.)	74	B5
Bustelo	P	(Port.)	54	D5
Bustelo	P	(Port.)	54	C5
Bustelo	P	(Port.)	54	A5
Bustelo	P	(V. R.)	55	D1
Bustelo	P	(Vis.)	74	D2
Bustelo	P	(Vis.)	75	B2
Bustidoño	E	(Can.)	21	B3
Bustillo de Cea	E	(Le.)	39	D1
Bustillo de Chaves	E	(Vall.)	39	C4
Bustillo de la Vega	E	(Pa.)	40	A2
Bustillo del Monte	E	(Can.)	21	B4
Bustillo del Oro	E	(Zam.)	59	A2
Bustillo del Páramo	E	(Bur.)	41	C1
Bustillo del Páramo	E	(Le.)	38	C2
Bustillo del Páramo	E	(Pa.)	40	A2
Busto	E	(Ast.)	5	C3
Busto	E	(Lu.)	16	A5
Busto	E	(Po.)	14	D4
Busto de Bureba	E	(Bur.)	22	C5
Busto de Treviño	E	(Bur.)	23	B5
Busto, El	E	(Na.)	44	A1
Busto, O	E	(A Co.)	13	D1
Bustos	E	(Le.)	38	A2
Bustos	P	(Ave.)	73	D5
Bustriguado	E	(Can.)	8	D5
Busturenga	P	(Ave.)	74	A4
Busturia	E	(Viz.)	11	B4
Butjosa, La	E	(Bar.)	70	C1
Butsènit	E	(Ll.)	69	A1
Butsènit	E	(Ll.)	68	C3
Buxán	E	(A Co.)	14	A3
Buxán	E	(A Co.)	14	A2
Buxán	E	(A Co.)	13	B1
Buxantes	E	(A Co.)	13	B2
Buzanada	E	(S. Cruz T.)	195	D5

C

Ca l'Avi	E	(Bar.)	70	B4
Ca l'Esteper	E	(Bar.)	71	A2
Ca n'Amat	E	(Bar.)	70	C3
Ca n'Amat	E	(Bar.)	70	D3
Caamaño	E	(A Co.)	13	C4
Caamouco	E	(A Co.)	2	D3
Caaveiro	E	(A Co.)	3	A3
Cabacés	E	(Ta.)	68	D5
Cabaco, El	E	(Sa.)	77	D5
Cabaços	P	(Fa.)	161	A4
Cabaços	P	(Lei.)	94	A5
Cabaços	P	(V. C.)	54	A1
Cabaços	P	(Vis.)	75	C2
Cabalar	E	(A Co.)	3	A3
Cabaleiros	E	(A Co.)	14	B1
Caballar	E	(Seg.)	81	B2
Caballeros, Los	E	(Gr.)	182	C2
Caballón, lugar	E	(Huel.)	162	D3
Cabana	E	(A Co.)	1	D4
Cabana Maior	P	(V. C.)	34	B5
Cabanabona	E	(Ll.)	69	C1
Cabanas	E	(A Co.)	2	D3
Cabanas	E	(Lu.)	3	C2
Cabanas	E	(Our.)	36	A2
Cabanas	P	(Fa.)	175	B3
Cabanas	P	(Port.)	54	B4
Cabanas	P	(Set.)	127	A4
Cabanas	P	(V. R.)	55	C3
Cabanas	P	(V. R.)	55	D3
Cabanas de Baixo	P	(Bra.)	76	B1
Cabanas de Cima	P	(Bra.)	56	B5
Cabanas de Torres	P	(Lis.)	110	D5
Cabanas de Viriato	P	(Vis.)	94	D1
Cabanas do Chão	P	(Lis.)	110	D5
Cabanelas	P	(Ave.)	74	B2
Cabanelas	P	(Br.)	54	A2
Cabanelas	P	(Bra.)	56	B3
Cabanelas	P	(Port.)	53	D5
Cabanella	E	(Ast.)	5	A3
Cabanelles	E	(Gi.)	52	A2
Cabanes	E	(Cas.)	107	D3
Cabanes	E	(Gi.)	52	B2
Cabanillas	E	(Na.)	45	B5
Cabanillas	E	(So.)	63	D5
Cabanillas de la Sierra	E	(Mad.)	81	D4
Cabanillas de San Justo	E	(Le.)	17	C5
Cabanillas del Campo	E	(Gua.)	82	C5
Cabanyes	E	(Gi.)	52	C5
Cabanyes, les	E	(Bar.)	70	B4
Cabanzón	E	(Can.)	8	C5
Cabañaquinta	E	(Ast.)	18	D1
Cabañas	E	(Bur.)	42	A3
Cabañas de Aliste	E	(Zam.)	57	D1
Cabañas de Castilla, Las	E	(Pa.)	40	D2
Cabañas de Ebro	E	(Zar.)	65	D2
Cabañas de la Dornilla	E	(Le.)	17	B5
Cabañas de la Sagra	E	(To.)	101	B5
Cabañas de Polendos	E	(Seg.)	81	A2
Cabañas de Sayago	E	(Zam.)	58	B5
Cabañas de Tera	E	(Zam.)	38	A5
Cabañas de Virtus, lugar	E	(Bur.)	21	C3
Cabañas de Yepes	E	(To.)	120	A1
Cabañas del Castillo	E	(Các.)	116	D3
Cabañas Raras	E	(Le.)	17	A5
Cabañas, lugar	E	(Cád.)	179	A3
Cabañeros	E	(Le.)	38	D3
Cabañes de Esgueva	E	(Bur.)	61	C1
Cabañuelas, Las	E	(Alm.)	183	C3
Cabárceno	E	(Can.)	9	C5
Cabarcos	E	(Le.)	36	D1
Cabarcos	E	(Lu.)	4	B3
Cabeça	P	(Guar.)	95	B2
Cabeça Boa	P	(Bra.)	76	B1
Cabeça da Igreja	P	(Bra.)	36	B5
Cabeça das Mós	P	(San.)	112	C3
Cabeça das Pombas	P	(Lei.)	111	B3
Cabeça de Carneiro	P	(Év.)	129	C5
Cabeça do Poço	P	(C. B.)	112	C1
Cabeça Gorda	P	(Be.)	144	D4
Cabeça Gorda	P	(Lis.)	110	C5
Cabeça Gorda	P	(San.)	111	B4
Cabeça Gorda	P	(San.)	111	C3
Cabeça Santa	P	(Port.)	74	C1
Cabeça Veada	P	(Lei.)	111	B3
Cabeçadas	P	(Co.)	94	D2
Cabeçais	P	(Ave.)	74	B2
Cabeção	P	(Év.)	128	C2
Cabeças	P	(Ave.)	73	D3
Cabeças	P	(Lei.)	94	B5
Cabeças Verdes	P	(Co.)	73	C5
Cabeceiras de Basto	P	(Br.)	55	A3
Cabecinhas	P	(Ave.)	73	D5
Cabecinhas	P	(San.)	127	D1
Cabeço	P	(Co.)	73	C5
Cabeco	P	(Lei.)	93	C4
Cabeço de Câmara	P	(Fa.)	174	B3
Cabeço de Vide	P	(Por.)	129	B1

abeço do Soudo P (San.) 111 D2
abeços P (Co.) 93 D1
abeçudo P (C. B.) 94 C5
abeçudos P (Br.) 54 A4
abeçudos P (Por.) 113 D4
abeda P (Lis.) 126 D1
abeza de Béjar, La E (Sa.) 98 C1
abeza de Campo E (Le.) 36 D1
abeza de
Diego Gómez E (Sa.) 78 A3
abeza de
Framontanos E (Sa.) 77 B1
abeza del Buey E (Bad.) 133 B4
abeza del Caballo E (Sa.) 77 A1
abeza del
Obispo, lugar E (Cór.) 165 D3
abeza Gorda, lugar E (Cád.) 177 B3
abeza la Vaca E (Bad.) 147 A4
abeza Pedro, lugar E (Cór.) 149 C5
abezabellosa E (Các.) 98 A4
abezabellosa de
la Calzada E (Sa.) 78 D2
abezadas, Las E (S. Cruz T.) 193 C2
abezamesada E (To.) 120 D1
abezarados E (C. R.) 134 D3
abezarrubias del
Puerto E (C. R.) 134 D5
abezas de Alambre E (Áv.) 79 D3
abezas de Bonilla E (Áv.) 99 B1
abezas de
San Juan, Las E (Sev.) 178 A2
abezas del Pozo E (Áv.) 79 D2
abezas del Villar E (Áv.) 79 B4
abezas Rubias E (Huel.) 162 A1
abezo E (Các.) 97 D1
abezo de la Plata E (Mu.) 156 B5
abezo de Torres E (Mu.) 156 A4
abezón de Cameros E (La R.) 43 C4
abezón de la Sal E (Can.) 9 A5
abezón de la Sierra E (Bur.) 62 C1
abezón de Liébana E (Can.) 20 B2
abezón de Pisuerga E (Vall.) 60 B2
abezón de
Valderaduey E (Vall.) 39 C4
abezudos, Los E (Huel.) 176 D2
abezuela E (Seg.) 81 B1
abezuela de
Salvatierra E (Sa.) 78 C5
abezuela del Valle E (Các.) 98 B3
abezuelas, Las E (Mad.) 81 A5
abia E (Bur.) 41 C3
abida E (Gua.) 82 B2
abildo
y la Campana, El E (Mu.) 171 A4
abizuela E (Áv.) 80 A3
able, El E (Las P.) 192 C4
abó E (Ll.) 49 C3
abo P (V. C.) 34 B4
abo Blanco E (S. Cruz T.) 195 D5
abo de Gata E (Alm.) 184 B4
abo de Palos E (Mu.) 172 D2
abo Espichel P (Set.) 126 C5
aboalles de Abajo E (Le.) 17 C3
aboalles de Arriba E (Le.) 17 C3
abolafuente E (Zar.) 84 B1
aborana E (Ast.) 18 C1
abòries, les
(Avinyonet del Penedès) E (Bar.) 70 C4
bornera E (Le.) 18 C3
borredondo E (Bur.) 42 A1
borredondo E (Can.) 9 A4
bouco P (Aç.) 109 B4
bovilaño E (A Co.) 2 B4
bra E (Cór.) 166 C4
bra de Mora E (Te.) 106 B2
bra del Camp E (Ta.) 69 C4
bra del Santo Cristo E (J.) 168 C2
bração P (V. C.) 34 A5
brahíga E (Bad.) 147 A1
brales E (Ast.) 8 A5
branes E (Ast.) 7 A4
bredo E (Na.) 23 D5
breira P (Co.) 94 C3
breira P (Guar.) 76 B5
breiro P (Ave.) 74 C3
breiro P (V. C.) 34 B5
breiros E (Lu.) 3 C4
brejas del Campo E (So.) 64 A2
brejas del Pinar E (So.) 63 A2
brejas, lugar E (Cu.) 103 D5
brela P (Év.) 127 D4
brera E (Sa.) 78 B4
brera de Mar E (Bar.) 71 B3
brera, La E (Mad.) 81 D3
breras, Las E (J.) 167 C3
Cabreras, Los E (Alm.) 170 C3
Cabrerizos E (Sa.) 78 D2
Cabrero E (Các.) 98 A4
Cabreros del Monte E (Vall.) 59 B1
Cabreros del Río E (Le.) 38 D2
Cabretón E (La R.) 44 C5
Cabria E (Pa.) 21 A4
Cabrianes E (Bar.) 70 C1
Cabril P (Ave.) 74 B3
Cabril P (Co.) 95 A3
Cabril P (V. R.) 54 D1
Cabril P (Vis.) 75 B4
Cabril P (Vis.) 74 D2
Cabril, El, lugar E (Cór.) 148 D4
Cabrils E (Bar.) 71 B3
Cabrillanes E (Le.) 18 A3
Cabrillas E (Mál.) 181 A4
Cabrillas E (Sa.) 77 D4
Cabrita E (J.) 168 B2
Cabriz P (Lis.) 126 B2
Cabriz P (V. R.) 55 B3
Cabrum P (Ave.) 74 B3
Cabueñes E (Ast.) 6 D3
Cacabelos E (Le.) 17 A5
Caçães P (Port.) 54 B4
Caçarelhos P (Bra.) 57 B3
Caçarilhe P (Br.) 54 D3
Caceira P (Co.) 93 C3
Cacela Velha P (Fa.) 175 B2
Cacemes P (Ave.) 94 B1
Cáceres E (Các.) 115 B3
Cacia P (Ave.) 73 D4
Cacilhas P (Set.) 126 D3
Cacín E (Gr.) 181 B2
Cachada E (Po.) 33 D1
Cachamuíña E (Our.) 35 B2
Cache P (V. R.) 55 C4
Cacheiras E (A Co.) 14 B3
Cachoeiras P (Lis.) 127 A1
Cachoeiras P (Lis.) 126 D1
Cachopo P (Fa.) 160 D4
Cachopos P (Set.) 143 C1
Cachorrilla E (Các.) 96 D5
Cachorro P (Aç.) 109 B3
Cadafais P (Lis.) 127 A1
Cadafaz P (Co.) 94 D3
Cadafaz P (Guar.) 75 D5
Cadafaz P (Por.) 112 D3
Cadafresnas E (Le.) 16 D5
Cadagua E (Bur.) 22 B2
Cadaixo P (Co.) 94 B3
Cadalso E (Các.) 97 A3
Cadalso de los Vidrios E (Mad.) 100 C3
Cadaqués E (Gi.) 52 D2
Cadaval P (Lis.) 110 D4
Cadavedo E (Ast.) 5 C3
Cadeçais P (Co.) 94 C3
Cadenes, Ses E (Bal.) 91 D4
Cades E (Can.) 8 C5
Cádiar E (Gr.) 182 C2
Cadima P (Co.) 93 D1
Cádiz E (Cád.) 185 C1
Cadoiço P (Lei.) 111 B2
Cadolla E (Ll.) 49 A2
Cadramón, O E (Lu.) 4 A3
Cadreita E (Na.) 44 D3
Cadrelo E (Po.) 34 A1
Cadrete E (Zar.) 66 A3
Cadriceira P (Lis.) 126 C1
Cadrón E (Po.) 15 A4
Cafede P (C. B.) 95 C5
Cagido P (Vis.) 94 C1
Cagitán E (Mu.) 155 B3
Caheruelas, Las E (Cád.) 186 D4
Caia P (Por.) 130 A2
Caia Santiago P (Por.) 113 C5
Caíde de Rei P (Port.) 54 C5
Caideros E (Las P.) 191 B2
Caimari E (Bal.) 92 A2
Caín de Valdeón E (Le.) 19 D1
Caión E (A Co.) 2 B4
Caires P (Br.) 54 B2
Cairrão P (Guar.) 96 A1
Caixaria P (Lis.) 126 C1
Caixas P (Set.) 126 C5
Cájar E (Gr.) 182 A1
Cajigar E (Hues.) 48 C3
Cajiz E (Mál.) 181 A4
Cal Canonge E (Ta.) 69 D4
Cal Ferreres E (Bar.) 70 C1
Cala E (Huel.) 147 B5
Cala Blanca E (Bal.) 90 A2
Cala Blava E (Bal.) 91 D4
Cala Bona E (Bal.) 92 D3
Cala de Sant Vicenç E (Bal.) 92 B1
Cala del Moral, La E (Mál.) 180 D4
Cala d'en Bou E (Bal.) 89 C4
Cala d'Or E (Bal.) 92 C5
Cala Figuera E (Bal.) 92 C5
Cala Galdana E (Bal.) 90 B2
Cala Lliteres E (Bal.) 92 D2
Cala Llombards E (Bal.) 92 B5
Cala Llonga E (Bal.) 90 A4
Cala Llonga E (Bal.) 90 D2
Cala Mesquida E (Bal.) 92 D2
Cala Millor E (Bal.) 92 D3
Cala Moreia-
Cala Morlanda E (Bal.) 92 D3
Cala Morell, lugar E (Bal.) 90 A1
Cala Murada E (Bal.) 92 C4
Cala Pi E (Bal.) 91 D5
Cala Ratjada E (Bal.) 92 D2
Cala Reona E (Mu.) 172 D2
Cala Santanyí E (Bal.) 92 B5
Cala Tarida E (Bal.) 89 C4
Cala Vadella E (Bal.) 89 C5
Calabacino, El E (Huel.) 146 D5
Calabazanos E (Pa.) 40 C5
Calabazares E (Huel.) 146 C5
Calabazas E (Vall.) 60 A5
Calabazas de
Fuentidueña E (Seg.) 61 B4
Calabor E (Zam.) 37 A5
Calabuig E (Gi.) 52 B3
Calaceite E (Te.) 88 A2
Caladrones E (Hues.) 48 B4
Calaf E (Bar.) 70 A1
Calafell E (Ta.) 70 A5
Calahonda E (Gr.) 182 B4
Calahonda-Chaparral E (Mál.) 188 B2
Calahorra E (La R.) 44 C3
Calahorra de Boedo E (Pa.) 40 D1
Calahorra, La E (Gr.) 182 D1
Calalberche E (To.) 100 D3
Calamocos E (Le.) 17 B5
Calamocha E (Te.) 85 C3
Calamonte E (Bad.) 131 B3
Cala'n Porter E (Bal.) 90 C3
Calanda E (Te.) 87 B3
Calañas E (Huel.) 162 C2
Calar de la Santa E (Mu.) 154 B3
Calardos E (Gr.) 181 A1
Calasanz E (Hues.) 48 B5
Calasparra E (Mu.) 155 A3
Calatañazor E (So.) 63 A2
Calatayud E (Zar.) 65 A5
Calatorao E (Zar.) 65 C4
Calavera, La E (Mu.) 172 C1
Calaveras de Abajo E (Le.) 19 D5
Calaveras de Arriba E (Le.) 19 D5
Calçadas P (San.) 112 A2
Calçadinha P (Por.) 129 D3
Calcena E (Zar.) 64 D3
Caldas da Felgueira P (Vis.) 95 A1
Caldas da Rainha P (Lei.) 110 D3
Caldas de Luna E (Le.) 18 B3
Caldas de Monchique P (Fa.) 159 C4
Caldas de Reis E (Po.) 14 A5
Caldas de Vizela P (Br.) 54 B4
Caldas, Las E (Ast.) 6 B4
Calde E (Lu.) 15 D2
Calde P (Vis.) 75 A3
Caldearenas E (Hues.) 46 D2
Caldebarcos E (A Co.) 13 B3
Caldelas E (Po.) 34 A4
Caldelas E (Po.) 34 B1
Caldelas P (Br.) 54 B3
Caldelas P (Br.) 54 B2
Caldelas P (Lei.) 111 C1
Caldeliñas E (Our.) 35 D5
Calderones, Los, lugar E (Mu.) 155 C5
Calders E (Bar.) 70 D1
Caldes de Malavella E (Gi.) 52 A5
Caldes de Montbui E (Bar.) 71 A2
Caldes d'Estrac E (Bar.) 71 C2
Caldesiños E (Our.) 36 B3
Caldevilla de Valdeón E (Le.) 19 D2
Caldones E (Ast.) 6 D3
Caldueño E (Ast.) 8 A4
Caleao E (Ast.) 19 A1
Calella E (Bar.) 71 D2
Calella de Palafrugell E (Gi.) 52 C5
Calendário P (Br.) 54 A4
Calera de León E (Bad.) 147 B4
Calera y Chozas E (To.) 117 C1
Calera, La E (Các.) 117 B3
Calera, La E (S. Cruz T.) 194 B2
Calera, La, lugar E (C. R.) 136 D3
Calero, El E (Las P.) 191 D3
Caleruega E (Bur.) 62 A1
Caleruela E (J.) 152 D4
Caleruela E (To.) 117 B1
Cales de Mallorca E (Bal.) 92 C4
Caleta de Famara E (Las P.) 192 C3
Caleta de Vélez E (Mál.) 181 B4
Caleta del Sebo E (Las P.) 192 D2
Caleta, La E (S. Cruz T.) 195 C4
Caleta, La E (S. Cruz T.) 195 C2
Caleta, La E (S. Cruz T.) 194 C4
Caleta-Guardia, La E (Gr.) 182 A4
Caletas, Las E (S. Cruz T.) 193 C4
Caletillas, Las E (S. Cruz T.) 196 B2
Calhandriz P (Lis.) 126 D2
Calhariz P (San.) 111 B4
Calhariz P (Set.) 126 D5
Calheiros P (V. C.) 34 A5
Calheta P (Aç.) 109 C3
Calheta P (Ma.) 109 D2
Calheta de Nesquim P (Aç.) 109 C4
Calhetas P (Aç.) 109 B4
Caliças P (Fa.) 173 B2
Calicasas E (Gr.) 167 D5
Caliero E (Ast.) 6 B3
Càlig E (Cas.) 108 B1
Calmarza E (Zar.) 84 C1
Calo E (A Co.) 14 A3
Calo E (A Co.) 1 C5
Caló, Es E (Bal.) 90 D5
Calomarde E (Te.) 105 A2
Calonge E (Bal.) 92 C5
Calonge E (Gi.) 52 C5
Calonge de Segarra E (Bar.) 70 A1
Calonge, El E (Cór.) 165 A2
Caloura P (Aç.) 109 B5
Calp → Calpe E (Ali.) 141 D5
Calpe/Calp E (Ali.) 141 D5
Caltojar E (So.) 63 B5
Calvão P (Ave.) 73 D5
Calvão P (V. R.) 55 C1
Calvaria P (Lei.) 93 C5
Calvaria de Cima P (Lei.) 111 B1
Calvario E (A Co.) 2 D3
Calvário P (C. B.) 112 B1
Calvario, El E (Sev.) 164 D5
Calvario, O E (Po.) 33 C4
Calvarrasa de Abajo E (Sa.) 78 D3
Calvarrasa de Arriba E (Sa.) 78 D3
Calvelha P (Port.) 53 D4
Calvelhe P (Bra.) 57 A3
Calvelo E (Our.) 35 C3
Calvelo P (V. C.) 54 A1
Calvelle E (Our.) 35 B2
Calvera E (Hues.) 48 C2
Calvet, El E (Bar.) 70 C2
Calvete P (Co.) 93 C3
Calvià E (Bal.) 91 B4
Calvinos P (San.) 112 A1
Calvor E (Lu.) 16 A4
Calvos E (A Co.) 14 D3
Calvos E (Our.) 35 B2
Calvos E (Po.) 34 B2
Calvos P (Br.) 54 C2
Calvos P (C. B.) 112 C1
Calvos P (Fa.) 174 A2
Calvos P (Vis.) 74 D4
Calvos de Randín E (Our.) 35 A5
Calvos
de Sobrecamiño E (A Co.) 14 D2
Calypo Fado E (To.) 101 A3
Calzada de Béjar, La E (Sa.) 98 B2
Calzada de Calatrava E (C. R.) 135 C4
Calzada de Don Diego E (Sa.) 78 B3
Calzada de la Valdería E (Le.) 38 A3
Calzada
de los Molinos E (Pa.) 40 B3
Calzada de Oropesa E (To.) 99 A5
Calzada de Tera E (Zam.) 38 A5
Calzada de Valdunciel E (Sa.) 78 C2
Calzada de Vergara E (Alb.) 139 B1
Calzada del Coto E (Le.) 39 C2
Calzada, La E (Las P.) 191 D2
Calzadilla E (Các.) 97 A4
Calzadilla de la Cueza E (Pa.) 40 A3
Calzadilla
de los Barros E (Bad.) 147 B2
Calzadilla de
los Hermanillos E (Le.) 39 C2
Calzadilla de Tera E (Zam.) 38 A5
Calzadilla del Campo E (Sa.) 78 A2
Calzadizo, lugar E (Alb.) 137 D3
Callao Salvaje E (S. Cruz T.) 195 C4
Calldetenes E (Bar.) 51 B5
Calle E (A Co.) 14 C1
Calle, A E (Po.) 34 A2
Callejo, El E (Can.) 10 B4
Callejo, El E (Viz.) 22 B1
Callejones E (S. Cruz T.) 193 C3
Callén E (Hues.) 47 A5
Calleras E (Ast.) 5 C4
Calles E (Val.) 124 A2
Callezuela, La E (Ast.) 6 B3
Callobre E (A Co.) 2 D4
Callobre E (A Co.) 2 D5
Callobre E (Po.) 14 B4
Callosa de Segura E (Ali.) 156 B4
Callosa d'en Sarrià E (Ali.) 141 C5
Callosilla E (Ali.) 156 B3
Callús E (Bar.) 70 B1
Camacha P (Ma.) 109 B1
Camacha P (Ma.) 110 C2
Camachos, Los E (Mu.) 172 C2
Camachos, Los E (Mu.) 172 C1
Camaleño E (Can.) 20 B1
Camallera E (Gi.) 52 B3
Camango E (Ast.) 7 D4
Camanzo E (Po.) 14 C3
Camañas E (Te.) 85 D5
Câmara de Lobos P (Ma.) 110 B2
Camarasa E (Ll.) 69 A1
Camarate P (Lis.) 126 D2
Camarena E (To.) 101 A4
Camarena de la Sierra E (Te.) 106 A4
Camarenilla E (To.) 101 A5
Camargo E (Can.) 9 C4
Camargo, lugar E (Gr.) 168 B3
Camarilla, lugar E (C. R.) 136 D5
Camarillas E (Te.) 86 C5
Camarinha P (San.) 112 B1
Camariñas E (A Co.) 1 B5
Camarles E (Ta.) 88 D4
Camarma
de Esteruelas E (Mad.) 102 B1
Camarnal P (Lis.) 127 A1
Camarneira P (Co.) 93 D1
Camarões P (Lis.) 126 C2
Camarzana de Tera E (Zam.) 38 A5
Camás E (Ast.) 7 A4
Camas E (Sev.) 163 D4
Camasobres E (Pa.) 20 C3
Camba E (Lu.) 3 D1
Camba E (Our.) 36 A4
Camba E (Po.) 15 B4
Camba P (Co.) 95 A3
Cambados E (Po.) 13 D5
Cambás E (A Co.) 3 B4
Cambas P (C. B.) 95 A4
Cambeda E (A Co.) 13 C1
Cambedo P (V. R.) 55 D1
Cambela E (Our.) 36 B3
Cambelas P (Lis.) 110 B5
Cambeo E (Our.) 35 B1
Cambeses E (Po.) 34 A2
Cambeses P (Br.) 54 A3
Cambeses P (V. C.) 34 B4
Cambeses do Rio P (V. R.) 55 B1
Cambil E (J.) 168 A2
Camboño E (A Co.) 13 C3
Cambra P (Vis.) 74 C4
Cambre E (A Co.) 2 C4
Cambre E (A Co.) 2 A4
Cambres P (Vis.) 75 B1
Cambrils E (Ta.) 89 B1
Cambrón E (Các.) 97 C2
Cambroncino E (Các.) 97 C2
Cameixa E (Our.) 34 D1
Camella, La E (S. Cruz T.) 195 C4
Camellarets E (Ta.) 68 C5
Camelle E (A Co.) 1 C5
Cameno E (Bur.) 42 B1
Camesa de Valdivia E (Pa.) 21 A4
Camí Molins E (Ta.) 70 A5
Camijanes E (Can.) 8 C5
Caminayo E (Le.) 19 D3
Caminha P (V. C.) 33 C5
Camino Real E (Mál.) 180 C3
Caminomorisco E (Các.) 97 C2
Caminreal E (Te.) 85 C4
Camiño Real E (Lu.) 3 C5
Camocha, La E (Ast.) 6 D3
Camós E (Gi.) 52 A3
Camos E (Po.) 33 D3
Camp de les Comes E (Gi.) 52 A4
Camp de Mirra, el →
Campo de Mirra E (Ali.) 140 C4
Campamento E (Cád.) 187 A4
Campana, La E (Sev.) 164 D3
Campanario E (Bad.) 132 C3
Campanário P (Ma.) 110 A2
Campanas P (Ave.) 93 D1
Campanas/Kanpaneta E (Na.) 25 A5

Campanero E (Sa.) 77 A 4
Campanet E (Bal.) 92 A 2
Campaneta, La E (Ali.) 156 B 4
Campanhã P (Port.) 54 A 5
Campanhó P (V. R.) 55 A 4
Campanillas E (Mál.) 180 B 4
Campano, Lo E (Mu.) 172 B 3
Campano, lugar E (Cád.) 185 D 2
Campañó E (Po.) 34 A 1
Campañones E (Ast.) 6 C 3
Camparañón E (So.) 63 C 2
Camparca P (Co.) 93 D 3
Campaspero E (Vall.) 61 A 4
Campazas E (Le.) 39 A 4
Campdevànol E (Gi.) 51 A 3
Campeã P (V. R.) 55 A 5
Campelo E (Po.) 34 A 1
Campêlo P (Lei.) 94 B 4
Campelos P (Bra.) 75 D 1
Campelos P (Lei.) 94 C 4
Campelos P (Lis.) 110 C 5
Campell E (Ali.) 141 C 4
Campelles E (Gi.) 50 D 2
Campello, el E (Ali.) 157 D 1
Campia P (Vis.) 74 C 4
Campiello E (Ast.) 6 C 4
Campiello E (Ast.) 18 A 1
Campilduero, lugar E (Sa.) 77 A 3
Campillejos E (Gua.) 82 B 2
Campillo E (Alb.) 153 C 1
Campillo E (Can.) 21 D 1
Campillo E (Mu.) 171 A 2
Campillo E (Zam.) 58 A 3
Campillo de Abajo E (Mu.) 172 A 2
Campillo de Altobuey E (Cu.) 122 D 3
Campillo de Aragón E (Zar.) 84 D 1
Campillo de Aranda E (Bur.) 61 D 3
Campillo de Arenas E (J.) 167 D 3
Campillo de Azaba E (Sa.) 96 D 1
Campillo de Deleitosa E (Các.) 116 C 2
Campillo de Dueñas E (Gua.) 85 A 3
Campillo
de la Jara, El E (To.) 117 C 3
Campillo de la Virgen E (Alb.) 138 D 4
Campillo
de las Doblas E (Alb.) 138 D 4
Campillo de
los Jiménez E (Mu.) 155 A 4
Campillo de Llerena E (Bad.) 148 A 1
Campillo de Mena E (Bur.) 22 B 2
Campillo de Ranas E (Gua.) 82 B 2
Campillo
de Salvatierra E (Sa.) 78 C 5
Campillo del Moro E (Alm.) 183 D 3
Campillo del
Negro, El, lugar E (Alb.) 139 A 4
Campillo del Río E (J.) 151 D 5
Campillo, El E (Alm.) 170 A 4
Campillo, El E (Alm.) 170 B 3
Campillo, El E (Huel.) 162 D 2
Campillo, El E (J.) 152 D 3
Campillo, El E (Sev.) 165 B 3
Campillo, El E (Te.) 105 D 2
Campillo, El E (Vall.) 59 C 5
Campillo, El, lugar E (Sev.) 163 C 3
Campillos E (Mál.) 179 D 2
Campillos-Paravientos E (Cu.) 105 B 5
Campillos-Sierra E (Cu.) 105 A 4
Campina P (Fa.) 174 B 2
Campina P (Fa.) 174 C 3
Campina P (Fa.) 175 A 3
Campina P (Vis.) 75 C 4
Campinho P (Év.) 145 C 1
Campino E (Bur.) 21 C 3
Campins E (Bar.) 71 C 1
Campisábalos E (Gua.) 82 C 1
Campitos, Los E (S. Cruz T.) 196 C 2
Campizes P (Co.) 93 D 3
Camplongo de Arbas E (Le.) 18 D 3
Campllong E (Gi.) 52 A 5
Campo E (A Co.) 14 B 1
Campo E (Ast.) 6 B 5
Campo E (Hues.) 48 B 2
Campo E (Le.) 18 D 3
Campo E (Le.) 37 B 1
Campo E (Lu.) 15 D 3
Campo E (Lu.) 15 B 4
Campo E (Po.) 34 C 2
Campo P (Br.) 54 A 2
Campo P (Év.) 145 B 1
Campo P (Lei.) 110 D 3
Campo P (Port.) 54 A 5
Campo P (Vis.) 75 A 4
Campo Abajo E (Mu.) 156 A 1
Campo Arcís E (Val.) 123 D 4
Campo Arriba E (Mu.) 139 D 5
Campo Benfeito P (Vis.) 75 A 2
Campo Coy E (Mu.) 154 D 5
Campo de Abajo E (Val.) 124 A 1
Campo de Aras E (Cór.) 166 B 5
Campo de Arca P (Ave.) 74 B 3
Campo de Arriba E (Val.) 124 A 1
Campo de Besteiros P (Vis.) 74 C 5
Campo de Cámara E (Mál.) 180 B 3
Campo de Caso (Caso) E (Ast.) 19 B 1
Campo de Cima P (Ma.) 109 B 1
Campo de Criptana E (C. R.) 120 C 4
Campo de Cuéllar E (Seg.) 60 D 5
Campo de Ledesma E (Sa.) 77 D 1
Campo de Matanzas E (Mu.) 156 A 4
Campo de Mirra/
Camp de Mirra, el E (Ali.) 140 C 4
Campo de
Peñaranda, El E (Sa.) 79 B 2
Campo de San Pedro E (Seg.) 62 A 4
Campo de Víboras P (Bra.) 57 B 3
Campo de Villavidel E (Le.) 38 D 2
Campo del Agua E (Le.) 16 D 4
Campo do Gerês P (Br.) 54 C 1
Campo Humano E (Gr.) 167 B 5
Campo Lugar E (Các.) 132 B 1
Campo Maior P (Por.) 130 A 2
Campo Nubes E (Cór.) 167 A 3
Campo Real E (Mad.) 102 B 2
Campo Real E (Zar.) 45 C 1
Campo Real, lugar E (Cór.) 166 A 4
Campo Redondo P (Be.) 143 C 5
Campo y Santibáñez E (Le.) 18 D 5
Campo, El E (Pa.) 20 C 3
Campo, O E (A Co.) 14 D 2
Campo, O
(San Xoán de Río) E (Our.) 36 A 2
Campoalbillo E (Alb.) 139 A 1
Campobecerros E (Our.) 36 A 4
Campocámara E (Gr.) 169 B 2
Campocerrado E (Sa.) 77 C 4
Campodarbe E (Hues.) 47 C 2
Campodón E (Mad.) 101 C 2
Campofrío E (Huel.) 163 A 1
Campogrande de Aliste E (Zam.) 57 D 1
Campohermoso E (Alm.) 184 C 3
Campohermoso E (Le.) 19 A 4
Campo-Huerta E (Cád.) 179 A 3
Campolara E (Bur.) 42 B 4
Campolongo E (A Co.) 13 D 2
Campomanes E (Ast.) 18 C 2
Campomanes E (Bad.) 131 C 2
Camponaraya E (Le.) 17 A 5
Camporramiro E (Lu.) 15 C 5
Camporredondo E (J.) 152 D 3
Camporredondo E (Our.) 34 D 2
Camporredondo E (Vall.) 60 C 4
Camporredondo de
Alba E (Pa.) 20 A 3
Camporrells E (Hues.) 48 B 5
Camporrobles E (Val.) 123 C 2
Camporrotuno E (Hues.) 47 D 2
Campos E (Bal.) 92 B 4
Campos E (Te.) 86 C 4
Campos P (Br.) 54 C 3
Campos P (Br.) 55 A 2
Campos P (V. C.) 33 D 4
Campos P (V. R.) 55 B 2
Campos del Río E (Mu.) 155 C 4
Campos y Salave E (Ast.) 4 D 3
Campos, Los E (Alm.) 170 C 1
Campos, Los E (Ast.) 6 B 3
Campos, Los E (Sa.) 77 C 3
Campos, Los E (So.) 43 D 5
Camposancos E (Po.) 33 C 5
Campotéjar E (Gr.) 168 A 3
Campotéjar Alta E (Mu.) 155 D 4
Campredó E (Ta.) 88 C 4
Camprodon E (Gi.) 51 B 2
Camprovín E (La R.) 43 B 2
Camps E (Bar.) 70 B 1
Campsa E (Ta.) 89 C 1
Campuzano E (Can.) 9 B 5
Camuñas E (To.) 120 A 4
Can Blanc E (Gi.) 51 C 3
Can Bondia
(Masies de Voltregà, les) E (Bar.) 51 A 4
Can Canals de
Mas Bover E (Bar.) 70 C 3
Can Canyameres E (Bar.) 71 A 2
Can Casablanques E (Bar.) 71 A 3
Can Casablanques E (Bar.) 70 D 3
Can Claramunt E (Bar.) 70 B 3
Can Coral E (Bar.) 70 A 4
Can Dalmases E (Bar.) 70 C 3
Can Guasch E (Bal.) 89 D 4
Can Manent E (Bar.) 50 C 5
Can Marçal E (Bar.) 50 C 5
Can Martí E (Bar.) 70 B 3
Can Mas E (Bar.) 70 C 3
Can Negre E (Bal.) 89 D 4
Can Palaueda E (Bar.) 71 A 2
Can Parellada E (Bar.) 70 C 3
Can Pastilla E (Bal.) 91 D 4
Can Picafort E (Bal.) 92 B 2
Can Ponç E (Bar.) 50 C 5
Can Ratés E (Bar.) 71 D 2
Can Reixac E (Bar.) 71 B 2
Can Rovira E (Bar.) 71 A 2
Can Salgot E (Bar.) 71 A 2
Can Sansó E (Bal.) 90 A 4
Can Trias E (Bar.) 70 D 4
Can Tries E (Bar.) 70 D 3
Can Tura E (Bar.) 70 D 3
Can Vidal E (Bar.) 50 C 5
Can Vilalba E (Bar.) 70 D 3
Can Vilar E (Gi.) 52 B 5
Cana Negreta E (Bal.) 89 D 4
Cana Ventura E (Bal.) 89 D 4
Cana, Es E (Bal.) 90 A 4
Canadelo P (Port.) 55 A 4
Canado P (Vis.) 75 A 3
Canados P (Lis.) 111 A 5
Canal P (San.) 111 C 3
Canal Caveira P (Set.) 143 D 3
Canal, El E (Alm.) 183 A 4
Canaleja E (Alb.) 137 C 4
Canaleja E (Huel.) 146 C 5
Canaleja, La E (Cád.) 186 B 2
Canaleja, La E (Val.) 106 A 5
Canalejas E (Alm.) 171 A 4
Canalejas E (Le.) 19 D 5
Canalejas de Peñafiel E (Vall.) 61 A 4
Canalejas del Arroyo E (Cu.) 103 D 2
Canales E (Alm.) 170 C 2
Canales E (Áv.) 79 D 2
Canales E (Gr.) 182 A 1
Canales de la Sierra E (La R.) 42 D 4
Canales de Molina E (Gua.) 84 C 3
Canales del Ducado E (Gua.) 83 D 4
Canales, Las E (Mu.) 171 A 2
Canales-La Magdalena E (Le.) 18 C 4
Canaletes E (Bar.) 70 B 3
Canalica, La E (Alm.) 170 C 3
Canalosa, La E (Ali.) 156 B 2
Canals E (Val.) 140 D 2
Canara E (Mu.) 154 D 4
Canas P (Co.) 94 B 3
Canas de Santa Maria P (Vis.) 74 D 5
Canas de Senhorim P (Vis.) 75 A 5
Canaval E (Lu.) 35 D 1
Canaviais P (Év.) 128 D 4
Cancajos, Los E (S. Cruz T.) 193 C 3
Cancarix E (Alb.) 155 B 2
Cancela P (Vis.) 94 C 1
Cancelada E (Mál.) 187 D 2
Cancelas P (Co.) 94 B 4
Cancelas P (Guar.) 76 A 2
Cancelo E (Lu.) 16 B 4
Cancelos P (Port.) 74 B 1
Cances E (A Co.) 2 A 4
Cances Grande E (A Co.) 2 A 4
Cancienes E (Ast.) 6 C 3
Canda, A E (Our.) 36 C 4
Candal P (Ave.) 74 C 3
Candal P (Co.) 94 B 3
Candal P (Lei.) 94 A 5
Candana de
Curueño, La E (Le.) 19 A 4
Candanal E (Ast.) 6 D 4
Candanchú E (Hues.) 26 D 4
Candanedo de Boñar E (Le.) 19 B 4
Candanedo de Fenar E (Le.) 18 D 4
Candás E (Ast.) 6 C 3
Candás E (Our.) 35 B 4
Candasnos E (Hues.) 67 D 3
Candeda E (Our.) 36 C 2
Candeda E (Our.) 36 D 2
Candedo P (Bra.) 56 B 1
Candedo P (V. R.) 55 D 4
Candeeira P (Ave.) 74 A 5
Candeeiros P (Lei.) 111 A 3
Candelaria E (S. Cruz T.) 196 B 3
Candelária P (Aç.) 109 B 3
Candelária P (Aç.) 109 A 4
Candelario E (Sa.) 98 C 2
Candeleda E (Áv.) 99 B 4
Candemil P (Port.) 54 D 5
Candemil P (V. C.) 33 D 5
Candemuela E (Le.) 18 B 3
Candilichera E (So.) 64 A 2
Candín E (Le.) 17 A 4
Cando E (A Co.) 13 D 3
Candolías E (Can.) 21 C 2
Candón E (Huel.) 162 C 4
Candosa P (Co.) 94 D 2
Candoso P (Bra.) 56 A 5
Canduas E (A Co.) 1 C 4
Caneças P (Lis.) 126 C 2
Canedo E (Ast.) 5 B 3
Canedo E (Le.) 17 A 5
Canedo E (Lu.) 16 A 5
Canedo E (Our.) 35 B 2
Canedo P (Ave.) 74 A 1
Canedo P (V. R.) 55 B 2
Canedo de Basto P (Br.) 55 A 3
Canedo do Chão P (Vis.) 75 B 4
Caneiro P (San.) 111 D 2
Caneiro P (San.) 127 D 1
Caneiros P (C. B.) 95 A 4
Caneja E (Mu.) 154 C 4
Canejan E (Ll.) 28 D 3
Canelas P (Ave.) 74 A 4
Canelas P (Ave.) 74 C 2
Canelas P (Port.) 74 B 1
Canelas P (Port.) 73 D 1
Canelas P (V. R.) 75 B 1
Canelles E (Gi.) 52 A 3
Canena E (J.) 152 A 4
Canencia E (Mad.) 81 D 3
Canero E (Ast.) 5 C 3
Canet d'Adri E (Gi.) 51 D 4
Canet de Mar E (Bar.) 71 D 2
Canet d'en Berenguer E (Val.) 125 B 2
Canetlo Roig E (Cas.) 88 A 5
Cânevе P (Co.) 94 A 4
Canfranc E (Hues.) 26 D 5
Canfranc-Estación E (Hues.) 26 D 4
Cangas E (Lu.) 4 B 2
Cangas E (Po.) 33 D 2
Cangas de Onís E (Ast.) 7 C 4
Cangas del Narcea E (Ast.) 17 B 1
Canhardo P (San.) 111 D 2
Canhas P (Ma.) 110 A 2
Canhestros P (Be.) 144 A 3
Caniçada P (Br.) 54 C 2
Caniçal P (Ma.) 110 C 1
Caniçal Cimeiro P (C. B.) 112 D 1
Caniceira P (Co.) 93 C 1
Caniceira P (San.) 111 D 4
Caniço P (Ma.) 110 C 2
Canicosa de la Sierra E (Bur.) 62 D 1
Canicouba E (Po.) 34 A 1
Canidelo P (Port.) 53 D 4
Canidelo P (Port.) 53 D 5
Caniles E (Gr.) 169 C 4
Canillas de Abajo E (Sa.) 78 A 3
Canillas de Aceituno E (Mál.) 181 A 3
Canillas de Albaida E (Mál.) 181 B 3
Canillas de Esgueva E (Vall.) 61 A 2
Canillas de Río Tuerto E (La R.) 43 A 2
Canillas de Torneros E (Sa.) 78 B 3
Canillo A 30 A 5
Canizo, O E (Our.) 36 B 4
Canjáyar E (Alm.) 183 B 2
Cano P (Por.) 129 A 2
Canonja, La E (Ta.) 89 C 1
Canos, Los E (Alm.) 183 B 1
Cánovas E (Mu.) 171 D 2
Canovelles E (Bar.) 71 B 2
Cànoves E (Bar.) 71 B 1
Canredondo E (Gua.) 83 D 4
Cans E (Po.) 34 A 3
Cansado P (Por.) 112 C 5
Canseco E (Le.) 19 A 3
Cansinos, Los E (Cór.) 150 B 5
Cantabrana E (Bur.) 22 A 5
Cantagallo E (Sa.) 98 B 2
Cantal, El E (Alm.) 170 B 3
Cantalapiedra E (Sa.) 79 B 1
Cantalejo E (Seg.) 81 B 1
Cantalgallo, lugar E (Bad.) 147 D 2
Cantalobos E (Hues.) 67 A 1
Cantalojas E (Gua.) 82 C 1
Cantalpino E (Sa.) 79 A 2
Cantalucía E (So.) 62 D 2
Cantallops E (Bar.) 71 A 2
Cantallops E (Gi.) 52 A 1
Cantanhede P (Co.) 93 D 1
Cantaracillo E (Sa.) 79 B 3
Cantareros, Los E (Mu.) 171 C 2
Cantarranas E (Cád.) 186 B 3
Cantavieja E (Te.) 107 A 1
Canteiros E (A Co.) 2 D 2
Cantejeira-Pumarín E (Le.) 16 D 4
Cantelães P (Br.) 54 D
Cantera, La E (S. Cruz T.) 195 D
Canteras E (Mu.) 172 B
Canteras, Las E (Cád.) 185 D
Canteras, Las E (S. Cruz T.) 195 B
Canteras, Las E (Sa.) 78 C
Cantillana E (Sev.) 164 B
Cantimpalos E (Seg.) 81 A
Cantinas, Las, lugar E (Huel.) 161 C
Cantiveros E (Áv.) 79 D
Canto de Calvão P (Co.) 73 C
Cantoblanco E (Alb.) 123 D
Cantolla, La E (Can.) 9 D
Cantón, El E (Mu.) 156 B
Cantonigròs E (Bar.) 51 B
Cantoral de la Peña E (Pa.) 20 C
Cantoria E (Alm.) 170 B
Canturri E (Ll.) 49 C
Canya, La E (Gi.) 51 C
Canyada de Bihar,
la → Cañada E (Ali.) 140 C
Canyada dels Pins,
la → Cañada, La E (Val.) 125 A
Canyada, la →
Cañada, La E (Ali.) 156 D
Canyamars E (Bar.) 71 C
Canyamel E (Bal.) 92 D
Canyelles E (Bar.) 70 B
Canyelles E (Gi.) 72 B
Canyelles-Almadrava E (Gi.) 52 C
Canyet de Mar E (Gi.) 72 B
Cañada Ancha E (Cád.) 186 A
Cañada Buendía E (Alb.) 154 D
Cañada Catena E (J.) 153 B
Cañada de Agra E (Alb.) 155 A
Cañada de Alcalá E (J.) 167 C
Cañada de
Benatanduz E (Te.) 86 D
Cañada de Calatrava E (C. R.) 135 A
Cañada de Canara E (Mu.) 155 A
Cañada
de Cañepla, La E (Alm.) 170 A
Cañada de Gallego E (Mu.) 171 D
Cañada de la Cruz E (Mu.) 154 A
Cañada de la Jara E (Cád.) 186 D
Cañada de la Leña E (Mu.) 156 A
Cañada de
las Cruces, La E (Alm.) 170 B
Cañada de Morote E (Alb.) 154 A
Cañada de San
Urbano, La E (Alm.) 184 A
Cañada de Tobarra E (Alb.) 138 D
Cañada de Verich, La E (Te.) 87 C
Cañada del Gamo E (Cór.) 148 D
Cañada del Hoyo E (Cu.) 104 C
Cañada del Provencio E (Alb.) 154 A
Cañada del
Quintanar, lugar E (Alb.) 138 B
Cañada del Rabadán E (Cór.) 165 C
Cañada del Real Tesoro E (Mál.) 179 A
Cañada del Salobral
o Molina, lugar E (Alb.) 138 C
Cañada del Trigo E (Mu.) 156 A
Cañada Grande, La E (Alm.) 170 B
Cañada Hermosa E (Mu.) 155 D
Cañada Incosa-
Cerro Pelado E (J.) 151 D
Cañada Juncosa E (Alb.) 138 B
Cañada Rosal E (Sev.) 165 B
Cañada Vellida E (Te.) 86 B
Cañada, La E (Áv.) 80 C
Cañada, La E (Áv.) 99 A
Cañada, La E (Cu.) 123 B
Cañada, La/Canyada
dels Pins, la E (Val.) 125 A
Cañada, La/Canyada, la E (Ali.) 156 D
Cañada/Canyada
de Bihar, la E (Ali.) 140 C
Cañadajuncosa E (Cu.) 122 A
Cañadas E (Alb.) 153 D
Cañadas de
Haches de Abajo E (Alb.) 138 B
Cañadas de
Haches de Arriba E (Alb.) 138 B
Cañadas del Romero E (Mu.) 171 D
Cañadilla, La E (Te.) 86 D
Cañadillas, Las E (Sev.) 163 C
Cañal, El E (Cád.) 186 B
Cañamaque E (So.) 64 A
Cañamares E (C. R.) 137 B
Cañamares E (Cu.) 104 A
Cañamares E (Gua.) 83 A
Cañamero E (Các.) 117 A
Cáñar E (Gr.) 182 B
Cañar, El E (Alb.) 154 D

Cañarejo	E	(Mu.)	171	B 2
Cañarico	E	(Mu.)	155	D 5
Cañas	E	(A Co.)	2	C 5
Cañas	E	(La R.)	43	A 2
Cañavate, El	E	(Cu.)	122	A 3
Cañaveral	E	(Các.)	115	B 1
Cañaveral de León	E	(Huel.)	147	A 4
Cañaveras	E	(Cu.)	103	D 2
Cañaveruelas	E	(Cu.)	103	C 2
Cañeda	E	(Can.)	21	A 3
Cañete	E	(Cu.)	105	A 5
Cañete de las Torres	E	(Cór.)	166	D 1
Cañete la Real	E	(Mál.)	179	C 2
Cañicera	E	(So.)	62	D 5
Cañiza, A	E	(Po.)	34	C 3
Cañizal	E	(Zam.)	79	A 1
Cañizar	E	(Gua.)	82	D 4
Cañizar de Amaya	E	(Bur.)	41	A 1
Cañizar de Argaño	E	(Bur.)	41	B 2
Cañizar del Olivar	E	(Te.)	86	C 4
Cañizares	E	(Cu.)	104	A 1
Cañizares, lugar	E	(Gua.)	84	C 4
Cañizo	E	(Zam.)	58	D 2
Caño	E	(Ast.)	7	C 5
Caño Quebrado	E	(J.)	167	C 1
Cañón, El, lugar	E	(Bur.)	22	C 3
Caños de Meca, Los	E	(Cád.)	186	A 4
Cañuelo, El	E	(Cór.)	167	A 3
Cañuelo, El	E	(Sev.)	163	C 2
Cañuelo, El	E	(Sev.)	179	C 1
Capafonts	E	(Ta.)	69	B 5
Caparacena	E	(Gr.)	167	D 5
Caparica	P	(Set.)	126	C 4
Caparide	P	(Lis.)	126	B 3
Caparroces, Los	E	(Alm.)	170	A 3
Caparrosa	P	(Vis.)	74	D 4
Caparroses, Los	E	(Alm.)	171	B 4
Caparrosinha	P	(Vis.)	74	D 5
Caparroso	E	(Na.)	45	A 3
Capçanes	E	(Ta.)	88	D 1
Capdella	E	(Ll.)	49	A 1
Capdellà, Es	E	(Bal.)	91	B 4
Capdepera	E	(Bal.)	92	D 2
Capdesaso	E	(Hues.)	67	B 1
Capela	E	(A Co.)	15	A 2
Capela	P	(Port.)	74	B 1
Capela	P	(San.)	112	D 2
Capelas	P	(Aç.)	109	A 4
Capelas	P	(Lis.)	110	C 4
Capelins	P	(Év.)	129	C 5
Capelo	P	(Aç.)	109	A 3
Capeludos	P	(V. R.)	55	C 2
Capella	E	(Hues.)	48	B 3
Capellades	E	(Bar.)	70	B 3
Capicorb	E	(Cas.)	108	A 3
Capileira	E	(Gr.)	182	B 2
Capilla	E	(Bad.)	133	B 3
Capillas	E	(Pa.)	39	D 5
Capinha	P	(C. B.)	95	D 3
Capitorno	P	(Co.)	94	B 2
Capmany	E	(Gi.)	52	A 1
Capolat	E	(Bar.)	50	B 4
Caprés	E	(Mu.)	156	A 3
Captivadors, els	E	(Ali.)	141	C 5
Capuchos	P	(Set.)	126	C 4
Carabantes	E	(So.)	64	C 3
Carabanzo	E	(Ast.)	18	C 1
Carabaña	E	(Mad.)	102	C 3
Carabias	E	(Gua.)	83	B 2
Carabias	E	(Seg.)	61	D 4
Carabusino	E	(Các.)	97	C 1
Caracena	E	(So.)	62	D 5
Caracena del Valle	E	(Cu.)	103	C 4
Caracuel de Calatrava	E	(C. R.)	135	A 3
Caramos	P	(Port.)	54	C 4
Caramujeira	P	(Fa.)	173	D 3
Caramulo	P	(Vis.)	74	C 5
Caranceja	E	(Can.)	9	A 5
Carande	E	(Le.)	19	D 3
Carandia	E	(Can.)	9	B 5
Caranguejeira	P	(Lei.)	111	C 1
Carantoña	E	(A Co.)	1	B 5
Carapeços	P	(Br.)	53	D 2
Carapetosa	P	(C. B.)	113	B 1
Carapinha	P	(Co.)	94	C 2
Carapinhal	P	(Lei.)	94	B 5
Carapinheira	P	(Co.)	93	D 2
Carapinheira	P	(Lis.)	126	C 1
Carapito	P	(Guar.)	75	D 4
Carapito	P	(Vis.)	75	C 2
Carasa	E	(Can.)	10	A 4
Carasoles, Los	E	(Alm.)	170	C 4
Carataunas	E	(Gr.)	182	B 3
Caravaca	E	(Mál.)	180	D 3
Caravaca de la Cruz	E	(Mu.)	154	D 4
Caravelas	P	(Bra.)	56	B 4
Caravia	E	(Ast.)	6	C 4
Carazo	E	(Bur.)	42	B 5
Carazo	E	(Lu.)	16	A 1
Carazuelo	E	(So.)	64	A 2
Carbajal de Fuentes	E	(Le.)	39	A 4
Carbajal de la Legua	E	(Le.)	18	D 5
Carbajal de Rueda	E	(Le.)	19	C 5
Carbajal de Valderaduey	E	(Le.)	39	D 1
Carbajales de Alba	E	(Zam.)	58	A 2
Carbajales de la Encomienda	E	(Zam.)	37	C 4
Carbajalinos	E	(Zam.)	37	B 4
Carbajo	E	(Các.)	114	A 2
Carbajosa	E	(Zam.)	58	A 3
Carbajosa de Armuña	E	(Sa.)	78	C 2
Carbajosa de la Sagrada	E	(Sa.)	78	C 3
Carballa	E	(Po.)	34	A 1
Carballal	E	(A Co.)	14	B 2
Carballal	E	(Po.)	34	A 2
Carballeda	E	(A Co.)	2	D 2
Carballeda	E	(Our.)	15	A 5
Carballeda	E	(Our.)	36	D 2
Carballeda de Avia	E	(Our.)	34	D 2
Carballedo	E	(Lu.)	15	B 5
Carballedo	E	(Po.)	34	B 1
Carballido	E	(Lu.)	15	D 2
Carballido	E	(Lu.)	4	A 3
Carballido	E	(Lu.)	4	C 5
Carballido	E	(Lu.)	3	D 4
Carballiño, O	E	(Our.)	34	D 1
Carballo	E	(A Co.)	2	A 5
Carballo	E	(Ast.)	17	C 1
Carballo	E	(Lu.)	15	B 2
Carballo	E	(Lu.)	15	C 4
Carballo	E	(Lu.)	16	B 4
Carballo (Verea)	E	(Our.)	35	A 4
Carballo, O	E	(A Co.)	2	C 4
Carballosa	E	(A Co.)	13	C 4
Carbayín	E	(Ast.)	6	D 4
Carbellino	E	(Zam.)	57	D 5
Carbia	E	(Po.)	14	D 3
Carboentes	E	(Po.)	15	A 5
Carbonal, El	E	(Sev.)	164	B 2
Carbonera	E	(Pa.)	40	A 1
Carbonera de Frentes	E	(So.)	63	C 2
Carboneras	E	(Alm.)	184	D 2
Carboneras	E	(Huel.)	147	A 5
Carboneras de Guadazaón	E	(Cu.)	122	D 1
Carboneras, Las	E	(Bad.)	130	C 2
Carbonero de Ahusín	E	(Seg.)	80	D 2
Carbonero el Mayor	E	(Seg.)	80	D 2
Carboneros	E	(J.)	151	D 3
Carbuelo	P	(Port.)	74	B 1
Carcaboso	E	(Các.)	97	C 4
Carcabuey	E	(Cór.)	166	D 4
Carcacía	E	(A Co.)	14	A 3
Carcaixent	E	(Val.)	141	A 1
Carção	P	(Bra.)	57	B 3
Carçãozinho	P	(Bra.)	56	D 2
Cárcar	E	(Na.)	44	C 2
Carcastillo	E	(Na.)	45	B 3
Carcavelos	P	(Lis.)	126	B 3
Carceda	E	(Ast.)	17	B 1
Carcedo	E	(Ast.)	5	C 3
Carcedo de Bureba	E	(Bur.)	42	A 1
Carcedo de Burgos	E	(Bur.)	41	D 3
Carcelén	E	(Alb.)	139	C 1
Càrcer	E	(Val.)	140	D 2
Carche, El	E	(Mu.)	155	D 1
Cárchel	E	(J.)	167	D 2
Carchelejo	E	(J.)	167	D 2
Carchena	E	(Sev.)	163	D 5
Carchuna	E	(Gr.)	182	B 4
Cardais	P	(San.)	111	D 3
Cardal	P	(San.)	112	B 2
Cardalda	E	(Po.)	13	D 5
Cardama	E	(A Co.)	14	C 2
Cardanha	P	(Bra.)	56	C 5
Cardaño de Abajo	E	(Pa.)	20	A 3
Cardaño de Arriba	E	(Pa.)	20	A 3
Cardeal	P	(Co.)	94	B 4
Cardeal	P	(Guar.)	96	B 2
Cardedeu	E	(Bar.)	71	B 2
Cardeiro	E	(A Co.)	14	D 2
Cardeita	E	(Our.)	35	C 3
Cardejón	E	(So.)	64	B 3
Cardelle	E	(Our.)	34	C 1
Cárdenas	E	(La R.)	43	B 2
Cardenchosa, La	E	(Bad.)	148	C 3
Cardenchosa, La	E	(Cór.)	149	A 3
Cardenete	E	(Cu.)	123	A 2
Cardeña	E	(Cór.)	150	C 3
Cardeñadijo	E	(Bur.)	41	D 3
Cardeñajimeno	E	(Bur.)	41	D 3
Cardeñosa	E	(Áv.)	80	A 4
Cardeñosa	E	(Gua.)	83	A 2
Cardeñosa de Volpejera	E	(Pa.)	40	B 3
Cardeñuela-Riopico	E	(Bur.)	42	A 2
Cardes	E	(Ast.)	7	B 5
Cardiel de los Montes	E	(To.)	100	A 4
Cardiel, lugar	E	(Hues.)	68	A 4
Cardigos	P	(San.)	112	D 1
Cardo	E	(Ast.)	6	C 3
Cardoiço Negrelos	P	(Co.)	94	D 1
Cardón	E	(Las P.)	189	D 4
Cardona	E	(Bar.)	50	B 5
Cardonera, La	E	(Las P.)	191	A 3
Cardones	E	(Las P.)	191	C 2
Cardosa	P	(C. B.)	95	A 5
Cardosa, La	E	(Ll.)	69	C 2
Cardosas	P	(Fa.)	173	C 2
Cardosas	P	(Lis.)	126	D 1
Cardoso de la Sierra, El	E	(Gua.)	82	A 2
Caregue	E	(Ll.)	49	B 1
Carelle	E	(A Co.)	15	A 2
Carenas	E	(Zar.)	64	D 5
Carenque	P	(Lis.)	126	C 3
Caria	P	(C. B.)	95	D 2
Caria	P	(Vis.)	74	D 4
Caria	P	(Vis.)	75	C 2
Caridad, La	E	(S.Cruz T.)	196	B 1
Caridad, La (Franco, El)	E	(Ast.)	5	A 3
Caridade	P	(Év.)	145	B 1
Caridade, A	E	(Our.)	35	D 5
Cariñena	E	(Zar.)	65	D 5
Cariño	E	(A Co.)	3	B 1
Cariseda	E	(Le.)	17	B 3
Caritat, La	E	(Bar.)	71	B 3
Caritel	E	(Po.)	34	B 1
Carlão	P	(V. R.)	55	D 4
Carlet	E	(Val.)	125	A 5
Carlos, Los	E	(Gr.)	182	B 4
Carlota, La	E	(Cór.)	165	D 2
Carme	E	(Bar.)	70	B 3
Carmen, El	E	(Cu.)	122	B 5
Carmena	E	(To.)	100	C 5
Cármenes	E	(Le.)	18	D 3
Carmona	E	(A Co.)	3	B 1
Carmona	E	(Can.)	20	D 1
Carmona	E	(Sev.)	164	C 3
Carmonita	E	(Bad.)	131	B 1
Carnaxide	P	(Lis.)	126	C 3
Carne Assada	P	(Lis.)	126	B 3
Carneiro	P	(Port.)	55	A 5
Carnero	E	(Sa.)	78	B 3
Carnés	E	(A Co.)	1	B 5
Carnicães	P	(Guar.)	75	D 4
Carnide	P	(Lei.)	93	B 5
Carnide	P	(Lei.)	93	C 5
Carnide	P	(Lis.)	126	C 3
Carnota	E	(A Co.)	13	B 3
Carnota	P	(Lis.)	126	D 1
Caroi	E	(Po.)	34	B 1
Carolina, La	E	(J.)	151	D 3
Caroyas	E	(Ast.)	5	C 3
Carpalhosa	P	(Lei.)	93	C 5
Carpinteiro	P	(Guar.)	76	A 5
Carpio	E	(Vall.)	79	C 1
Carpio de Azaba	E	(Sa.)	77	A 5
Carpio de Tajo, El	E	(To.)	118	C 1
Carpio Medianero	E	(Áv.)	79	A 5
Carpio, El	E	(Cór.)	150	B 5
Carpio-Bernardo	E	(Sa.)	78	D 3
Carquejo	P	(Ave.)	94	A 2
Cárquere	P	(Vis.)	75	A 1
Carracedelo	E	(Le.)	37	A 1
Carracedo	E	(Our.)	35	B 1
Carracedo	E	(Po.)	14	A 4
Carracedo	E	(Zam.)	38	A 4
Carracedo da Serra	E	(Our.)	36	B 4
Carracedo del Monasterio	E	(Le.)	17	A 5
Carraclaca	E	(Mu.)	171	B 2
Carragosa	P	(Bra.)	56	D 1
Carragosela	P	(Co.)	94	D 2
Carragosela	P	(Guar.)	95	B 1
Carral	E	(A Co.)	2	C 5
Carral	E	(Le.)	38	B 2
Carral	E	(Lu.)	15	C 1
Carralcova	P	(V. C.)	34	B 5
Carramaiza	E	(Gr.)	169	B 2
Carranque	E	(To.)	101	B 4
Carranza	E	(Viz.)	22	B 1
Carrapatas	P	(Bra.)	56	C 3
Carrapateira	P	(Fa.)	175	B 2
Carrapateira	P	(Fa.)	173	A 2
Carrapatelo	P	(Év.)	145	B 1
Carrapatoso	P	(San.)	112	B 2
Carrapichana	P	(Guar.)	75	C 5
Carrasca, La	E	(Cór.)	167	A 4
Carrasca, La	E	(J.)	167	B 2
Carrasca, La, lugar	E	(Alm.)	184	D 1
Carrascal	E	(Sa.)	78	B 2
Carrascal	E	(Seg.)	81	B 2
Carrascal	E	(Zam.)	58	B 4
Carrascal	P	(Co.)	93	C 3
Carrascal	P	(Év.)	128	D 3
Carrascal	P	(Lei.)	111	A 2
Carrascal	P	(San.)	112	D 3
Carrascal de Barregas	E	(Sa.)	78	C 2
Carrascal de Velambélez	E	(Sa.)	78	B 2
Carrascal del Obispo	E	(Sa.)	78	A 4
Carrascal del Río	E	(Seg.)	61	C 5
Carrascalejo	E	(Áv.)	98	D 2
Carrascalejo	E	(Các.)	117	B 2
Carrascalejo de Huebra	E	(Sa.)	78	A 4
Carrascalejo, El	E	(Bad.)	131	B 2
Carrascalet, El	E	(Val.)	141	A 1
Carrascalina	E	(Sa.)	78	B 2
Carrascalinho	P	(Fa.)	159	B 3
Carrascas	P	(Lei.)	111	C 2
Carrasco	E	(J.)	153	C 3
Carrasco	E	(Sa.)	77	C 1
Carrascosa	E	(Alb.)	153	C 1
Carrascosa	E	(Cu.)	84	B 5
Carrascosa de Abajo	E	(So.)	62	D 4
Carrascosa de Arriba	E	(So.)	62	C 5
Carrascosa de Haro	E	(Cu.)	121	C 3
Carrascosa de Henares	E	(Gua.)	82	D 3
Carrascosa de la Sierra	E	(So.)	64	A 1
Carrascosa de Tajo	E	(Gua.)	83	D 5
Carrascosa del Campo	E	(Cu.)	103	B 5
Carrascosilla, lugar	E	(Cu.)	103	C 4
Carrascoy	E	(Mu.)	172	A 1
Carraspite, lugar	E	(Mál.)	181	B 4
Carrasqueira	P	(Be.)	159	B 1
Carrasqueira	P	(Fa.)	174	A 2
Carrasqueira	P	(Lis.)	126	D 1
Carrasqueira	P	(Set.)	143	B 1
Carrasqueiro	P	(Co.)	94	C 4
Carrasquilla	E	(Mu.)	155	A 4
Carrasquilla, lugar	E	(J.)	150	D 5
Carratraca	E	(Mál.)	179	D 3
Carraxo	E	(Our.)	35	D 4
Carrazeda de Ansiães	P	(Bra.)	56	A 5
Carrazede	P	(San.)	112	A 2
Carrazedo	P	(Ave.)	74	B 4
Carrazedo	P	(Br.)	54	D 2
Carrazedo	P	(Br.)	54	B 2
Carrazedo	P	(Bra.)	56	D 1
Carrazedo	P	(Vis.)	75	C 1
Carrazedo da Cabugueira	P	(V. R.)	55	C 2
Carrazedo de Montenegro	P	(V. R.)	55	D 3
Carrazedo do Alvão	P	(V. R.)	55	B 3
Carreço	P	(V. C.)	53	C 1
Carregado	P	(Lis.)	127	A 1
Carregais	P	(C. B.)	113	A 1
Carregais	P	(Guar.)	75	C 3
Carregal	P	(Co.)	95	A 3
Carregal	P	(Lei.)	94	A 5
Carregal	P	(Lei.)	110	D 3
Carregal	P	(Vis.)	74	B 4
Carregal	P	(Vis.)	74	D 4
Carregal	P	(Vis.)	75	C 2
Carregal do Sal	P	(Vis.)	94	D 1
Carregosa	P	(Ave.)	74	B 2
Carregosa	P	(Ave.)	73	D 5
Carregueira	P	(Lis.)	126	B 1
Carregueira	P	(San.)	112	C 2
Carregueira	P	(San.)	111	D 2
Carregueira	P	(San.)	112	A 3
Carregueira	P	(Set.)	127	A 4
Carregueiro	P	(Be.)	144	B 5
Carregueiro	P	(Lei.)	93	D 4
Carregueiros	P	(San.)	112	A 2
Carreira	E	(A Co.)	13	C 5
Carreira	E	(A Co.)	1	D 5
Carreira	P	(Br.)	54	B 4
Carreira	P	(Br.)	54	A 3
Carreira	P	(Port.)	54	A 4
Carreira do Mato	P	(San.)	112	B 2
Carreiras	P	(Lis.)	126	D 1
Carreiras	P	(Por.)	113	C 4
Carreiros	P	(Co.)	93	C 1
Carreiros	P	(Lei.)	110	D 4
Carrejo	E	(Can.)	9	A 5
Carrentías Medias	E	(Ali.)	156	B 4
Carreña (Cabrales)	E	(Ast.)	8	A 5
Carrer de Baix, El	E	(Bar.)	71	A 2
Carrer de Cal Rossell, El	E	(Bar.)	70	B 4
Carrera de la Viña, La	E	(Gr.)	167	A 5
Carrera, La	E	(Ast.)	6	D 4
Carrera, La	E	(Áv.)	98	D 2
Carrera, La	E	(Le.)	38	A 1
Carrera, La	E	(S.Cruz T.)	195	D 2
Carreras, Las	E	(Viz.)	10	D 5
Carreros	E	(Sa.)	78	A 3
Carretera	E	(Ast.)	4	D 3
Carretera al Portal	E	(Cád.)	185	D 1
Carretera de Extremadura	E	(Mad.)	101	B 3
Carretera del Empalme	E	(Huel.)	175	D 2
Carretera Estación	E	(Mu.)	155	C 3
Carretería	E	(Las P.)	191	C 2
Carretón, El	E	(S.Cruz T.)	196	B 3
Carreu	E	(Ll.)	49	B 3
Carrias	E	(Bur.)	42	B 2
Carriazo	E	(Can.)	9	D 4
Carriço	P	(Lei.)	93	B 4
Carrícola	E	(Val.)	141	A 3
Carriches	E	(To.)	100	C 5
Carril	E	(Po.)	13	D 4
Carril	P	(San.)	112	B 1
Carril	P	(San.)	112	A 2
Carrió (Bergondo)	E	(A Co.)	2	D 4
Carrión de Calatrava	E	(C. R.)	135	C 2
Carrión de los Céspedes	E	(Sev.)	163	B 4
Carrión de los Condes	E	(Pa.)	40	B 2
Carrión, El	E	(Las P.)	191	D 3
Carriones, Los	E	(Gr.)	169	C 2
Carrís	E	(Po.)	34	C 3
Carris	P	(Ave.)	73	D 5
Carritos	P	(Co.)	93	C 3
Carritxó, Es	E	(Bal.)	92	C 4
Carrizal	E	(Las P.)	191	D 3
Carrizal	E	(Le.)	19	D 4
Carrizo de la Ribera	E	(Le.)	38	C 1
Carrizosa	E	(C. R.)	136	D 3
Carroça, Sa	E	(Bal.)	89	D 5
Carrocera	E	(Le.)	18	C 4
Carromeu	P	(Co.)	93	C 1
Carroqueiro	P	(C. B.)	96	A 4
Carros	P	(Be.)	161	A 2
Carrús	E	(Ali.)	156	C 2
Cartagena	E	(Mu.)	172	B 2
Cartagena, Lo	E	(Ali.)	156	C 3
Cartajima	E	(Mál.)	179	B 5
Cártama	E	(Mál.)	180	B 4
Cartaojal	E	(Mál.)	180	C 1
Cartaria	P	(Lei.)	93	D 5
Cartavio	E	(Ast.)	5	A 3
Cartaxo	P	(San.)	111	B 5
Cartaya	E	(Huel.)	162	A 4
Carteire	E	(Lu.)	15	C 3
Cartellà	E	(Gi.)	52	A 4
Cartelle	E	(Our.)	35	A 3
Cartelle	E	(Our.)	34	D 2
Cartes	E	(Can.)	9	B 5
Carteya-Guadarranque	E	(Cád.)	187	A 4
Cartim	P	(Ave.)	74	B 3
Cartirana	E	(Hues.)	47	A 1
Cartuja Baja	E	(Zar.)	66	B 3
Cartuja de Monegros, La	E	(Hues.)	67	A 2
Carucedo	E	(Le.)	37	A 1
Carva	P	(V. R.)	55	D 4
Carvajales, Los	E	(Mál.)	180	A 1
Carvalha	P	(Lis.)	126	D 1
Carvalha	P	(Vis.)	75	B 2
Carvalhais	P	(Bra.)	56	B 3
Carvalhais	P	(Co.)	93	B 3
Carvalhais	P	(Co.)	94	B 2
Carvalhais	P	(Lei.)	93	D 5
Carvalhais	P	(San.)	111	B 3
Carvalhais	P	(Vis.)	74	C 3
Carvalhal	P	(Ave.)	74	A 4
Carvalhal	P	(Br.)	53	D 3
Carvalhal	P	(Bra.)	76	C 1
Carvalhal	P	(C. B.)	94	C 5
Carvalhal	P	(C. B.)	95	C 3
Carvalhal	P	(C. B.)	94	D 5
Carvalhal	P	(Co.)	94	D 3
Carvalhal	P	(Co.)	93	C 3
Carvalhal	P	(Fa.)	175	A 2
Carvalhal	P	(Guar.)	76	A 3
Carvalhal	P	(Guar.)	96	C 1
Carvalhal	P	(Lei.)	94	A 4
Carvalhal	P	(Lei.)	111	A 3
Carvalhal	P	(Lei.)	110	D 4
Carvalhal	P	(Lei.)	111	A 2

Carvalhal P (Lis.) 126 B 2
Carvalhal P (Lis.) 126 C 1
Carvalhal P (Por.) 113 D 5
Carvalhal P (San.) 112 A 1
Carvalhal P (San.) 112 B 2
Carvalhal P (Set.) 143 B 1
Carvalhal P (Vis.) 75 B 3
Carvalhal P (Vis.) 94 B 1
Carvalhal P (Vis.) 75 B 4
Carvalhal P (Vis.) 74 D 5
Carvalhal Benfeito P (Lei.) 111 A 3
Carvalhal da Aroeira P (San.) 111 D 2
Carvalhal da Louça P (Guar.) 75 A 5
Carvalhal da Mulher P (Vis.) 74 C 5
Carvalhal de Mançores P (Co.) 94 B 2
Carvalhal de Vermilhas P (Vis.) 74 C 4
Carvalhal do Chão P (Ave.) 74 B 3
Carvalhal do Estanho P (Vis.) 74 D 4
Carvalhal do Pombo P (San.) 111 D 2
Carvalhal Formoso P (C. B.) 95 D 2
Carvalhal Grande P (San.) 112 A 2
Carvalhal Meão P (Guar.) 96 B 1
Carvalhal Pequeño P (San.) 112 A 2
Carvalhal Redondo P (Vis.) 75 A 5
Carvalhar de Tapeus P (Co.) 93 D 4
Carvalhas P (Vis.) 75 A 5
Carvalheda P (Guar.) 75 C 5
Carvalheira P (Br.) 54 C 1
Carvalheiro P (San.) 111 C 3
Carvalhelhos P (V. R.) 55 B 2
Carvalhinhos P (Co.) 94 B 4
Carvalho P (Br.) 54 D 4
Carvalho P (Co.) 94 B 2
Carvalho P (Co.) 94 D 4
Carvalho P (V. R.) 55 D 4
Carvalho de Egas P (Bra.) 56 A 5
Carvalho de Rei P (Port.) 54 D 5
Carvalhos P (Br.) 54 A 3
Carvalhos P (C. B.) 94 C 5
Carvalhos P (V. C.) 53 D 2
Carvalhos de Figueiredo P (San.) 112 A 2
Carvalhosa P (Port.) 54 B 4
Carvalhosa P (Vis.) 75 A 2
Carvalhosas P (Co.) 94 A 3
Carviçais P (Bra.) 76 C 1
Carvoeira P (Lis.) 126 B 1
Carvoeira P (Lis.) 110 D 5
Carvoeiro P (Co.) 94 D 4
Carvoeiro P (Fa.) 173 D 3
Carvoeiro P (San.) 112 D 2
Ca's Concos E (Bal.) 92 B 4
Casa Ayala E (Las P.) 191 C 2
Casa Blanca de los Rioteros E (Alb.) 139 A 4
Casa Blanca, lugar E (J.) 167 D 3
Casa Blanca, Sa E (Bal.) 91 D 4
Casa Branca P (Év.) 128 B 5
Casa Branca P (Por.) 129 A 2
Casa Branca P (San.) 112 C 3
Casa Branca P (Set.) 143 D 2
Casa Caballos, lugar E (Alb.) 138 B 2
Casa Cañete E (Alb.) 138 C 4
Casa Capitán E (Alb.) 138 C 2
Casa de Guijoso, lugar E (Alb.) 137 B 3
Casa de Hurtado, lugar E (C. R.) 136 A 1
Casa de la Campana, lugar E (Alb.) 138 A 1
Casa de la Florida, lugar E (Alb.) 139 B 5
Casa de la Hormiga, lugar E (C. R.) 137 A 2
Casa de la Noguera, La E (Alb.) 153 D 1
Casa de la Sartén, lugar E (Alb.) 138 B 1
Casa de la Sierrecilla, lugar E (Alb.) 137 B 2
Casa de la Vega E (Áv.) 98 D 2
Casa de las Cauques, lugar E (Alb.) 137 C 2
Casa de las Mayorgas, lugar E (C. R.) 136 B 2
Casa de las Monjas E (Alb.) 139 A 4
Casa de las Monjas E (Cu.) 121 D 5
Casa de las Monjas E (Mu.) 171 B 3
Casa de las Monjas, lugar E (Mu.) 155 C 2
Casa de Monteagudo, lugar E (Alb.) 137 D 1
Casa de Naia E (Lu.) 15 B 4
Casa de Postas E (Cád.) 186 A 3
Casa de Uceda E (Gua.) 82 B 4
Casa del Capitán, lugar E (Alb.) 137 D 1
Casa del Navajo, lugar E (Alb.) 138 A 1
Casa el Avi E (Mu.) 171 B 2
Casa Grande E (Alb.) 138 C 2
Casa Grande E (Te.) 106 B 2
Casa Nueva E (Alb.) 138 A 5
Casa Nueva E (Mu.) 154 B 3
Casa Palacio E (Mu.) 171 B 2
Casa Pastores E (Las P.) 191 D 4
Casa Quemada, lugar E (Alb.) 138 A 1
Casa Real E (Gr.) 167 C 5
Casa Rosa E (Alb.) 138 A 5
Casa Velha P (Co.) 93 D 3
Casabermeja E (Mál.) 180 C 3
Casablanca E (Alb.) 138 C 5
Casablanca E (Alm.) 170 B 2
Casablanca E (Cád.) 177 D 3
Casablanca E (Las P.) 191 C 2
Casablanca E (Lu.) 4 A 5
Casablanca E (Mu.) 155 D 2
Casablanquilla E (Mál.) 180 A 3
Casafranca E (Sa.) 78 B 5
Casainhos P (Lis.) 126 D 2
Casaio E (Our.) 36 D 2
Casais E (A Co.) 1 C 5
Casais P (Fa.) 159 C 4
Casais P (Lis.) 110 C 4
Casais P (Port.) 54 B 5
Casais P (San.) 112 A 1
Casais Brancos P (Lei.) 110 C 3
Casais da Abadia P (San.) 111 D 1
Casais da Amendoeira P (San.) 111 B 5
Casais da Areia P (Lis.) 111 A 4
Casais da Cidade P (Lei.) 110 D 3
Casais da Granja P (Lei.) 94 A 4
Casais da Igreja P (San.) 111 D 2
Casais da Lagoa P (Lis.) 111 B 5
Casais da Lapa P (San.) 111 B 5
Casais da Pedreira P (Lis.) 111 A 5
Casais das Boiças P (Lis.) 111 A 5
Casais de Baixo P (Lei.) 111 A 2
Casais de Júlio P (Lei.) 110 C 4
Casais de Santa Teresa P (Lei.) 111 B 2
Casais de São Jorge P (Co.) 93 D 4
Casais de São Lourenço P (Lis.) 126 B 1
Casais de Vera Cruz P (Co.) 93 D 2
Casais do Porto P (Lei.) 93 C 4
Casais dos Lagartos P (San.) 111 B 5
Casais dos Penedos P (San.) 111 B 5
Casais Galegos P (Lis.) 110 D 5
Casais Garridos P (Lei.) 111 B 1
Casais Martanes P (San.) 111 D 2
Casais Monizes P (San.) 111 B 3
Casais Novos P (San.) 112 A 1
Casais Revelhos P (San.) 112 B 3
Casais Robustos P (San.) 111 C 3
Casal E (Our.) 34 D 3
Casal E (Our.) 34 D 5
Casal E (Po.) 34 A 3
Casal E (Po.) 13 D 4
Casal P (Ave.) 74 B 4
Casal P (Guar.) 95 A 1
Casal P (Vis.) 74 D 3
Casal P (Vis.) 74 D 5
Casal Branco P (San.) 111 C 5
Casal Cimeiro P (Co.) 93 D 4
Casal Comba P (Ave.) 94 A 1
Casal da Azenha P (Co.) 94 A 3
Casal da Barba Pouca P (San.) 112 C 3
Casal da Clara P (Lei.) 93 C 4
Casal da Galharda P (Lis.) 110 C 4
Casal da Madalena P (C. B.) 94 B 5
Casal da Marinha P (Lei.) 111 A 3
Casal da Misericórdia P (Lis.) 110 C 4
Casal da Quinta P (Lei.) 93 C 5
Casal da Ribeira P (C. B.) 113 A 1
Casal da Senhora P (Co.) 94 D 1
Casal da Serra P (C. B.) 95 C 4
Casal da Várzea P (Lis.) 110 C 4
Casal da Venda P (Co.) 93 D 3
Casal das Figueiras P (Co.) 93 D 2
Casal de Abade P (Co.) 94 D 2
Casal de Almeida P (Co.) 93 C 3
Casal de Cadima P (Co.) 93 D 2
Casal de Cima P (Vis.) 75 B 4
Casal de Cinza P (Guar.) 76 A 5
Casal de Ermio P (Co.) 94 B 3
Casal de Loivos P (V. R.) 55 C 5
Casal de Maria P (Vis.) 94 C 1
Casal de Paul P (San.) 111 B 4
Casal de São João P (Co.) 93 C 1
Casal de São João P (Co.) 94 D 2
Casal de São José P (Co.) 94 D 3
Casal de São Tomé P (Co.) 93 C 1
Casal do Barril P (Co.) 93 D 4
Casal do Carvalho P (Lei.) 111 A 3
Casal do Espírito Santo P (Co.) 94 D 2
Casal do Esporão P (Vis.) 75 B 4
Casal do Fundo P (Vis.) 75 B 4
Casal do Lobo P (Co.) 94 A 2
Casal do Marco P (Set.) 126 D 4
Casal do Redinho P (Co.) 93 D 3
Casal do Rei P (Guar.) 95 A 2
Casal do Rei P (San.) 112 A 3
Casal do Relvas P (Lei.) 111 B 1
Casal dos Bernardos P (San.) 111 D 1
Casal dos Bufos P (C. B.) 94 C 5
Casal dos Ferreiros P (Lei.) 94 B 5
Casal dos Ledos P (Lei.) 111 B 1
Casal dos Lobos e Casal do Meio P (Lei.) 111 C 1
Casal dos Matos P (Lei.) 111 B 2
Casal dos Netos P (Co.) 93 C 1
Casal dos Ossos P (San.) 127 D 2
Casal dos Secos P (San.) 111 D 1
Casal Fernão João P (Lei.) 93 D 4
Casal Novo P (C. B.) 94 C 5
Casal Novo P (C. B.) 112 C 2
Casal Novo P (Co.) 93 C 3
Casal Novo P (Co.) 94 D 3
Casal Novo P (Lei.) 93 C 5
Casal Novo P (Lei.) 110 D 3
Casal Novo P (San.) 112 A 2
Casal Novo P (San.) 111 D 2
Casal Vasco P (Guar.) 75 C 4
Casal Ventoso P (San.) 112 C 3
Casal Verde P (Co.) 93 C 3
Casal Vieira P (Lei.) 111 C 2
Casalarreina E (La R.) 43 A 1
Casaldima P (Ave.) 74 A 3
Casalgordo E (To.) 119 B 2
Casalhino P (Co.) 93 C 3
Casalinho P (Co.) 94 B 4
Casalinho P (Lei.) 93 D 5
Casalinho P (Lei.) 111 A 2
Casalinho P (San.) 112 A 4
Casalinho P (San.) 111 C 2
Casalinho P (San.) 111 D 5
Casalinho do Alfaiata P (Lis.) 110 B 5
Casanova E (Lu.) 15 B 3
Casanova (Boqueixón) E (A Co.) 14 C 3
Casanueva E (Gr.) 167 C 5
Casar E (Can.) 9 A 5
Casar de Cáceres E (Các.) 115 B 3
Casar de Escalona, El E (To.) 100 B 4
Casar de Miajadas E (Các.) 132 B 1
Casar de Palomero E (Các.) 97 C 2
Casar de Talavera, El E (To.) 99 D 5
Casar, El E (Gua.) 82 A 5
Casarabonela E (Mál.) 179 D 4
Casarejos E (So.) 62 D 2
Casares E (Bur.) 22 A 4
Casares E (Mál.) 187 B 2
Casares P (Br.) 54 D 2
Casares de Arbás E (Le.) 18 C 3
Casares de las Hurdes E (Các.) 97 C 1
Casariche E (Sev.) 166 A 5
Casarito, El E (Sa.) 97 D 1
Casarrubios del Monte E (To.) 101 B 3
Casarrubuelos E (Mad.) 101 C 4
Casas P (Év.) 129 B 3
Casas Alfaro E (Mu.) 154 A 4
Casas Altas E (Val.) 105 D 5
Casas Altas P (Fa.) 175 A 2
Casas Altas, Las E (S. Cruz T.) 196 B 2
Casas Bajas E (Gr.) 181 D 1
Casas Bajas E (Val.) 105 D 5
Casas da Fonte Cova P (Lei.) 93 B 4
Casas da Zebreira P (C. B.) 95 B 4
Casas de Abajo E (Alb.) 138 B 4
Casas de Aguilar E (Las P.) 191 B 2
Casas de Arriba, Las, lugar E (Alb.) 138 D 4
Casas de Belvís E (Các.) 116 C 1
Casas de Benítez E (Cu.) 122 B 5
Casas de Cabezamorena, lugar E (Alb.) 137 C 2
Casas de Cuerva, lugar E (Alb.) 138 A 2
Casas de Don Antonio E (Các.) 115 C 5
Casas de Don Gómez E (Các.) 97 A 4
Casas de Don Juan E (Gr.) 170 A 1
Casas de Don Pedro E (Bad.) 133 A 1
Casas de Don Pedro, lugar E (Alb.) 139 C 2
Casas de Esper E (Zar.) 46 B 4
Casas de Estepa E (J.) 152 D 5
Casas de Eufemia E (Val.) 123 D 4
Casas de Fernando Alonso E (Cu.) 122 A 5
Casas de Garcimolina E (Cu.) 105 C 5
Casas de Guerra, lugar E (C. R.) 136 B 1
Casas de Guijarro E (Cu.) 122 B 5
Casas de Haches, Las E (Alb.) 138 A 5
Casas de Haro E (Cu.) 122 A 5
Casas de Jaime, lugar E (Alb.) 139 C 4
Casas de Juan Fernández E (Cu.) 122 D 4
Casas de Juan Gil E (Alb.) 139 D 1
Casas de Juan Núñez E (Alb.) 139 B 1
Casas de la Cumbre, Las E (S. Cruz T.) 196 C 1
Casas de la Loma, lugar E (Cu.) 122 A 5
Casas de la Peña E (Alb.) 121 D 5
Casas de las Beatas, lugar E (Alb.) 137 D 1
Casas de Lázaro E (Alb.) 138 A 4
Casas de los Agüeros, lugar E (Mu.) 139 D 5
Casas de los Herrericos, lugar E (Alb.) 137 D 1
Casas de los Mateos, lugar E (Alb.) 137 D 1
Casas de los Pinos E (Cu.) 121 D 5
Casas de Luján, lugar E (Cu.) 121 A 1
Casas de Madrona E (Val.) 140 A 2
Casas de Malagana, lugar E (Alb.) 121 B 5
Casas de Millán E (Các.) 115 C 1
Casas de Miravete E (Các.) 116 B 2
Casas de Molina, lugar E (Alb.) 122 C 5
Casas de Monleón E (Sa.) 78 B 5
Casas de Moya E (Mu.) 154 B 4
Casas de Moya E (Val.) 123 C 4
Casas de Nuevo, Las E (Hues.) 46 C 3
Casas de Ortega, lugar E (Alb.) 138 A 1
Casas de Pedro Serrano, lugar E (Cu.) 122 B 5
Casas de Peña E (Mu.) 171 B 2
Casas de Porro E (Cád.) 186 C 5
Casas de Pradas E (Val.) 123 C 4
Casas de Reina E (Bad.) 147 D 3
Casas de Roldán E (Cu.) 121 D 5
Casas de San Galindo E (Gua.) 83 A 3
Casas de San Juan E (Bad.) 130 B 1
Casas de Santa Cruz E (Cu.) 122 D 4
Casas de Sebastián Pérez E (Áv.) 99 A 1
Casas de Veiga E (Our.) 35 B 4
Casas de Veneguera, Las E (Las P.) 191 A 3
Casas de Ves E (Alb.) 123 C 5
Casas del Castañar E (Các.) 98 A 4
Casas del Cerro E (Alb.) 139 C 1
Casas del Conde, Las E (Sa.) 98 A 1
Casas del Conde, lugar E (Alb.) 139 A 4
Casas del Gordo, lugar E (Alb.) 121 C 5
Casas del Matado, lugar E (Alb.) 138 B 1
Casas del Monte E (Các.) 98 A 3
Casas del Olmo E (Cu.) 122 D 5
Casas del Padre Moreno, lugar E (Alb.) 138 B 1
Casas del Pino, lugar E (Alb.) 121 B 5
Casas del Preso E (C. R.) 120 C 5
Casas del Puerto de Villatoro E (Áv.) 99 B 1
Casas del Puerto, lugar E (Alb.) 139 A 5
Casas del Río, Las E (C. R.) 134 D 1
Casas del Río, lugar E (Alb.) 154 D 1
Casas del Río/ Cases del Riu, les E (Cas.) 88 A 5
Casas do Soeiro P (Guar.) 75 D 5
Casas dos Montes E (Our.) 35 D 5
Casas Novas P (Év.) 128 A 3
Casas Novas P (Év.) 145 B 1
Casas Novas P (Por.) 129 D 1
Casas Novas P (Set.) 143 C 5
Casas Novas de Marés P (Év.) 129 C 5
Casas Nuevas E (Cu.) 105 B 4
Casas Nuevas E (Mu.) 155 B 5
Casas Nuevas y de Gallardo E (Mu.) 171 B 2
Casas, Las E (Alm.) 170 B 2
Casas, Las E (C. R.) 135 B 2
Casas, Las E (Cád.) 178 D 3
Casas, Las E (S. Cruz T.) 194 C 4
Casas, Las E (S. Cruz T.) 194 C 1
Casas, Las E (So.) 63 D 2
Casas, Las E (Val.) 123 C 3
Casas, Las → Rincón de Olivedo E (La R.) 44 C 5
Casas, Os E (A Co.) 3 B 2
Casasana E (Gua.) 103 C 1
Casasbuenas E (To.) 119 A 2
Casaseca de Campeán E (Zam.) 58 C 4
Casaseca de las Chanas E (Zam.) 58 C 4
Casas-Ibáñez E (Alb.) 123 B 5
Casasimarro E (Cu.) 122 C 4
Casasoá E (Our.) 35 C 3
Casasola E (Alb.) 138 C 5
Casasola E (Áv.) 79 D 5
Casasola de Arión E (Vall.) 59 B 3
Casasola de la Encomienda E (Sa.) 77 D 3
Casasuertes E (Le.) 19 D 2
Casatejada E (Các.) 98 C 5
Casavegas E (Pa.) 20 C 2
Casavells E (Gi.) 52 B 4
Casavieja E (Áv.) 100 A 3
Casbas de Huesca E (Hues.) 47 B 4
Cascais P (Lis.) 126 B 3
Cascajares E (Seg.) 62 A 5
Cascajares de Bureba E (Bur.) 22 C 5
Cascajares de la Sierra E (Bur.) 42 B 5
Cascajosa E (So.) 63 B 3
Cascalheira P (Set.) 127 A 4
Cascante E (Na.) 45 A 5
Cascante del Río E (Te.) 105 D 3
Cascantes E (Le.) 18 D 4
Cascón de la Nava E (Pa.) 40 B 5
Casconho P (Co.) 93 D 4
Casebres P (Set.) 127 D 5
Cáseda E (Na.) 45 B 1
Casegas P (C. B.) 95 B 3
Caseirinhos P (Lei.) 93 D 4
Caselhos P (Co.) 94 C 3
Caseres E (Ta.) 88 A 2
Caserías E (J.) 167 B 4
Caserío de Peñalajos, lugar E (C. R.) 152 A 1
Caserío La Cañada, lugar E (C. R.) 136 C 1
Caserío Las Monjas, lugar E (C. R.) 136 A 1
Caserío Las Perdigueras, lugar E (C. R.) 136 C 1
Caserones, Los E (Las P.) 191 D 3
Caserras del Castillo E (Hues.) 48 C 4
Cases d'Alcanar, les E (Ta.) 88 C 5
Cases del Riu, les → Casas del Río E (Cas.) 88 A 5
Cases del Senyor, les E (Ali.) 156 B 2
Casetas E (Zar.) 66 A 2
Casetes de la Gornal, les E (Bar.) 70 A 5
Casével P (Be.) 160 B 1
Casevel P (Co.) 93 D 3
Casével P (San.) 111 C 3
Casica, La E (Alb.) 138 B 4
Casicas E (Ali.) 156 C 3
Casicas, Las E (Mu.) 155 D 3
Casilla, La E (Mu.) 171 B 2
Casillas E (A Co.) 14 C 1
Casillas E (Áv.) 100 B 2
Casillas E (Bur.) 21 D 3
Casillas E (Gua.) 83 A 1
Casillas de Berlanga E (So.) 63 B 4
Casillas de Coria E (Các.) 97 A 5
Casillas de Chicapierna E (Áv.) 99 A 1
Casillas de Flores E (Sa.) 96 D 2
Casillas de Marín de Abajo E (Alb.) 139 C 3
Casillas de Morales E (Las P.) 190 A 3
Casillas de Ranera E (Cu.) 123 D 1
Casillas del Ángel E (Las P.) 190 B 2
Casillas, Las E (Can.) 10 B 4
Casillas, Las E (J.) 167 B 2
Casillas, Las E (Mál.) 181 A 3
Casillas, Las, lugar E (Cór.) 166 A 3
Casimiros, Los E (Gr.) 182 D 3
Casinos E (Val.) 124 C 2
Casiñas, Las E (Các.) 113 D 4
Casla E (Seg.) 81 D 1
Casmilo P (Co.) 94 A 4
Caso E (Ast.) 19 B 1
Casomera E (Ast.) 18 D 2
Casona, La E (Ast.) 18 C 1
Casos Novos P (San.) 112 C 2
Caspe E (Zar.) 67 C 5
Caspueñas E (Gua.) 82 D 5
Cassà de la Selva E (Gi.) 52 A 5
Casserres E (Bar.) 50 C 4
Castadón E (Our.) 35 B 2
Castainço P (Vis.) 75 D 2
Castala E (Alm.) 183 A 3
Castalla E (Ali.) 140 D 5
Castanedo E (Ast.) 5 A 4
Castanedo E (Can.) 9 D 4
Castanesa E (Hues.) 48 C 1
Castanheira P (Ave.) 74 A 2
Castanheira P (Bra.) 57 A 4
Castanheira P (C. B.) 113 A 1

Castanheira	P	(Guar.)	76	B5
Castanheira	P	(Guar.)	75	D3
Castanheira	P	(Lei.)	111	A2
Castanheira	P	(V. C.)	34	A5
Castanheira Cimeira	P	(C. B.)	94	D5
Castanheira de Pera	P	(Lei.)	94	B4
Castanheira do Ribatejo	P	(Lis.)	127	A1
Castanheira do Vouga	P	(Ave.)	74	B5
Castanheiro	P	(Ave.)	74	B3
Castanheiro	P	(Co.)	93	C2
Castanheiro do Sul	P	(Vis.)	75	C1
Castanyet	E	(Gi.)	51	D5
Castañar de Ibor	E	(Các.)	116	D2
Castañar, El	E	(To.)	119	A3
Castañares	E	(Bur.)	41	D3
Castañares de Rioja	E	(La R.)	43	A1
Castañeda	E	(A Co.)	15	A2
Castañeda	E	(Sa.)	78	D3
Castañedo	E	(Ast.)	5	D3
Castañedo	E	(Ast.)	6	A4
Castañedo del Monte	E	(Ast.)	6	B5
Castañeiras-Fuente de Oliva	E	(Le.)	16	D4
Castañera	E	(Ast.)	7	C4
Castañera	E	(Ast.)	7	A4
Castañeras	E	(Ast.)	5	D3
Castaño del Robledo	E	(Huel.)	146	C5
Castaño, El	E	(Viz.)	10	C5
Castaños, Los	E	(Alm.)	184	C1
Castañuelo	E	(Huel.)	146	D5
Cástaras	E	(Gr.)	182	C3
Castarnés	E	(Hues.)	48	C1
Castedo	P	(Bra.)	56	B5
Castedo	P	(V. R.)	55	D5
Casteição	P	(Guar.)	76	A3
Castejón	E	(Cu.)	103	C2
Castejón	E	(Na.)	44	D4
Castejón de Alarba	E	(Zar.)	85	A1
Castejón de Henares	E	(Gua.)	83	B3
Castejón de las Armas	E	(Zar.)	64	D5
Castejón de Monegros	E	(Hues.)	67	B3
Castejón de Sos	E	(Hues.)	48	B1
Castejón de Tornos	E	(Te.)	85	B2
Castejón de Valdejasa	E	(Zar.)	46	A5
Castejón del Campo	E	(So.)	64	B2
Castejón del Puente	E	(Hues.)	47	D5
Castel de Cabra	E	(Te.)	86	C4
Casteláns	E	(Po.)	34	B2
Castelão	P	(Fa.)	160	D4
Castelãos	P	(Bra.)	56	C3
Castelãos	P	(V. R.)	55	C1
Casteleiro	P	(Guar.)	96	A2
Castelejo	P	(C. B.)	95	C3
Castelflorite	E	(Hues.)	67	C1
Castelhanas	P	(Lei.)	93	C4
Castelhanos	P	(Fa.)	161	A3
Castelnou	E	(Te.)	87	A1
Castelo	E	(A Co.)	2	C5
Castelo	E	(A Co.)	14	B2
Castelo	E	(Lu.)	15	D3
Castelo	E	(Lu.)	4	A2
Castelo	P	(Br.)	54	D4
Castelo	P	(Bra.)	56	C4
Castelo	P	(C. B.)	94	C5
Castelo	P	(Lei.)	93	D5
Castelo	P	(San.)	112	B1
Castelo	P	(San.)	93	D5
Castelo	P	(San.)	112	D2
Castelo	P	(Vis.)	74	B5
Castelo	P	(Vis.)	75	C2
Castelo Bom	P	(Guar.)	76	C5
Castelo Branco	P	(Aç.)	109	A3
Castelo Branco	P	(Bra.)	56	D5
Castelo Branco	P	(C. B.)	113	C1
Castelo de Paiva	P	(Ave.)	74	C1
Castelo de Penalva	P	(Vis.)	75	B4
Castelo de Vide	P	(Por.)	113	C4
Castelo do Neiva	P	(V. C.)	53	C2
Castelo Melhor	P	(Guar.)	76	B2
Castelo Mendo	P	(Guar.)	76	C5
Castelo Novo	P	(C. B.)	95	C4
Castelo Picão	P	(Lis.)	126	C1
Castelo Rodrigo	P	(Guar.)	76	C3
Castelo Viegas	P	(Co.)	94	A3
Casteloais	E	(Our.)	36	A2
Castelões	P	(Ave.)	74	B3
Castelões	P	(Port.)	54	C5
Castelões	P	(Vis.)	74	C5
Castelserás	E	(Te.)	87	B2
Castelvispal	E	(Te.)	106	D3
Castell d'Aro	E	(Gi.)	52	B5
Castell de Cabres	E	(Cas.)	87	D5
Castell de Castells	E	(Ali.)	141	C4
Castell de Ferro	E	(Gr.)	182	B4
Castell de l'Areny	E	(Bar.)	50	C3
Castell de Montbui, el	E	(Bar.)	71	A2
Castell de Montornès	E	(Ta.)	69	D5
Castell, el	E	(Ta.)	88	B5
Castell, Es	E	(Bal.)	90	D2
Castelladral	E	(Bar.)	50	B5
Castellanos	E	(Le.)	39	C2
Castellanos	E	(Zam.)	37	B4
Castellanos de Castro	E	(Bur.)	41	B3
Castellanos de Moriscos	E	(Sa.)	78	D2
Castellanos de Villiquera	E	(Sa.)	78	C2
Castellanos de Zapardiel	E	(Áv.)	79	D2
Castellar	E	(J.)	152	C3
Castellar de la Frontera	E	(Cád.)	187	A3
Castellar de la Muela	E	(Gua.)	84	D4
Castellar de la Ribera	E	(Ll.)	49	D4
Castellar de n'Hug	E	(Bar.)	50	D2
Castellar de Santiago	E	(C. R.)	152	B1
Castellar de Tost	E	(Ll.)	49	D3
Castellar del Riu	E	(Bar.)	50	B3
Castellar del Vallès	E	(Bar.)	71	A2
Castellar, El	E	(Cór.)	167	A4
Castellar, El	E	(Te.)	106	B2
Castellar-l'Oliveral	E	(Val.)	125	B4
Castellàs	E	(Ll.)	49	C2
Castellbell i el Vilar	E	(Bar.)	70	C2
Castellbisbal	E	(Bar.)	70	D3
Castellbó	E	(Ll.)	49	D2
Castellcir	E	(Bar.)	71	A1
Castelldans	E	(Ll.)	68	D3
Castelldefels	E	(Bar.)	70	D5
Castellfollit de la Roca	E	(Gi.)	51	C2
Castellfollit de Riubregós	E	(Bar.)	69	D1
Castellfollit del Boix	E	(Bar.)	70	B2
Castellfort	E	(Cas.)	107	B1
Castellgalí	E	(Bar.)	70	C2
Castellnou de Bages	E	(Bar.)	70	C1
Castellnou de Seana	E	(Ll.)	69	A2
Castellnovo	E	(Cas.)	125	A1
Castelló de Farfanya	E	(Ll.)	68	D1
Castelló de la Plana → Castellón de la Plana	E	(Cas.)	107	C5
Castelló de la Ribera	E	(Val.)	141	A1
Castelló de Rugat	E	(Val.)	141	B3
Castelló d'Empúries	E	(Gi.)	52	B2
Castellolí	E	(Bar.)	70	B2
Castellón de la Plana/Castelló de la Plana	E	(Cas.)	107	C5
Castellonet de la Conquesta	E	(Val.)	141	B3
Castellote	E	(Te.)	87	A4
Castells, els	E	(Ll.)	49	B2
Castellserà	E	(Ll.)	69	A1
Castellterçol	E	(Bar.)	71	A1
Castellvell del Camp	E	(Ta.)	89	B1
Castellví de Rosanes	E	(Bar.)	70	C3
Castenda	E	(A Co.)	14	B1
Castielfabib	E	(Val.)	105	C4
Castiello	E	(Ast.)	18	C1
Castiello	E	(Ast.)	7	A3
Castiello de Jaca	E	(Hues.)	26	D5
Castigaleu	E	(Hues.)	48	C3
Castil de Campo	E	(Cór.)	167	A3
Castil de Lences	E	(Bur.)	22	A5
Castil de Peones	E	(Bur.)	42	B2
Castil de Tierra	E	(So.)	64	A3
Castil de Vela	E	(Pa.)	39	D5
Castilblanco	E	(Áv.)	79	D4
Castilblanco	E	(Bad.)	117	C5
Castilblanco de Henares	E	(Gua.)	83	A3
Castilblanco de los Arroyos	E	(Sev.)	164	A2
Castildelgado	E	(Bur.)	42	D2
Castilfalé	E	(Le.)	39	A3
Castilforte	E	(Gua.)	103	D1
Castilfrío de la Sierra	E	(So.)	64	A1
Castilhão	P	(Vis.)	75	A2
Castiliscar	E	(Zar.)	45	C2
Castilmimbre	E	(Gua.)	83	B5
Castilnuevo	E	(Gua.)	84	D4
Castilruiz	E	(So.)	64	B1
Castillazuelo	E	(Hues.)	47	D4
Castilleja de Guzmán	E	(Sev.)	163	D4
Castilleja de la Cuesta	E	(Sev.)	163	D4
Castilleja del Campo	E	(Sev.)	163	B4
Castilléjar	E	(Gr.)	169	C2
Castillejo	E	(Sa.)	78	C5
Castillejo de Azaba	E	(Sa.)	96	D1
Castillejo de Dos Casas	E	(Sa.)	76	D4
Castillejo de Iniesta	E	(Cu.)	122	D3
Castillejo de Martín Viejo	E	(Sa.)	77	A4
Castillejo de Mesleón	E	(Seg.)	61	D5
Castillejo de Robledo	E	(So.)	62	A3
Castillejo de Yeltes	E	(Sa.)	77	C4
Castillejo del Romeral	E	(Cu.)	103	D4
Castillejo-Sierra	E	(Cu.)	104	B2
Castillo	E	(Các.)	97	B2
Castillo	E	(Can.)	10	A4
Castillo Anzur, lugar	E	(Cór.)	166	A4
Castillo de Alba	E	(Zam.)	58	A2
Castillo de Baños	E	(Gr.)	182	C4
Castillo de Bayuela	E	(To.)	100	A4
Castillo de Castellar	E	(Cád.)	187	A3
Castillo de Garcimuñoz	E	(Cu.)	121	D2
Castillo de la Albaida	E	(Cór.)	149	D5
Castillo de las Guardas, El	E	(Sev.)	163	B2
Castillo de Locubín	E	(J.)	167	B3
Castillo de Tajarja	E	(Gr.)	181	C1
Castillo de Villamalefa	E	(Cas.)	107	A4
Castillo del Pla	E	(Hues.)	48	B5
Castillo del Romeral	E	(Las P.)	191	C4
Castillo Pedroso	E	(Can.)	21	B1
Castillo, El	E	(Las P.)	190	B3
Castillo, El	E	(Le.)	18	A4
Castillo, El	E	(Mad.)	102	A2
Castillo-Albaráñez	E	(Cu.)	103	D3
Castillonroy	E	(Hues.)	68	B1
Castillo-Nuevo/Gazteluberri	E	(Na.)	25	D5
Castillos, Los	E	(Gr.)	182	C4
Castinçal	P	(Co.)	94	C2
Castiñeira	E	(Our.)	36	B3
Castiñeiras	E	(A Co.)	13	C5
Castralvo	E	(Te.)	106	A2
Castraz	E	(Sa.)	77	C4
Castrecias	E	(Bur.)	21	A5
Castrejón	E	(Sa.)	78	B3
Castrejón de la Peña	E	(Pa.)	20	B4
Castrejón de Trabancos	E	(Vall.)	59	B5
Castrelo	E	(A Co.)	13	C1
Castrelo	E	(Po.)	14	C5
Castrelo de Abaixo	E	(Our.)	36	B5
Castrelo de Cima	E	(Our.)	36	B5
Castrelo de Miño	E	(Our.)	34	D2
Castrelo do Val	E	(Our.)	35	D5
Castrelos	E	(A Co.)	14	C1
Castrelos	E	(Po.)	33	D2
Castrelos	E	(Zam.)	36	D5
Castrelos	P	(Bra.)	56	D1
Castresana	E	(Bur.)	22	B2
Castriciones	E	(Bur.)	22	B3
Castril	E	(Gr.)	169	B1
Castrillejo de la Olma	E	(Pa.)	40	B3
Castrillo de Bezana	E	(Bur.)	21	C3
Castrillo de Cabrera	E	(Le.)	37	B2
Castrillo de Cepeda	E	(Le.)	18	A5
Castrillo de Don Juan	E	(Pa.)	61	A2
Castrillo de Duero	E	(Vall.)	61	B3
Castrillo de la Guareña	E	(Zam.)	79	A1
Castrillo de la Reina	E	(Bur.)	42	C5
Castrillo de la Ribera	E	(Le.)	38	D1
Castrillo de la Valduerna	E	(Le.)	38	A2
Castrillo de la Vega	E	(Bur.)	61	C3
Castrillo de las Piedras	E	(Le.)	38	A2
Castrillo de los Polvazares	E	(Le.)	38	A1
Castrillo de Murcia	E	(Bur.)	41	B2
Castrillo de Onielo	E	(Pa.)	60	D1
Castrillo de Porma	E	(Le.)	19	A5
Castrillo de Riopisuerga	E	(Bur.)	40	D1
Castrillo de Rucios	E	(Bur.)	41	D1
Castrillo de San Pelayo	E	(Le.)	38	B2
Castrillo de Sepúlveda	E	(Seg.)	61	C5
Castrillo de Solarana	E	(Bur.)	41	D5
Castrillo de Valderaduey	E	(Le.)	39	D1
Castrillo de Villavega	E	(Pa.)	40	C2
Castrillo del Val	E	(Bur.)	42	A3
Castrillo-Matajudíos	E	(Bur.)	41	A3
Castrillo-Tejeriego	E	(Vall.)	60	D2
Castriz	E	(A Co.)	13	D1
Castro	E	(A Co.)	2	D2
Castro	E	(A Co.)	2	D4
Castro	E	(A Co.)	1	D5
Castro	E	(Lu.)	15	D2
Castro	E	(Lu.)	15	D1
Castro	E	(Po.)	14	B5
Castro	E	(Po.)	34	A2
Castro	E	(Po.)	14	C3
Castro	E	(So.)	62	D5
Castro	P	(V. R.)	56	A3
Castro (Carballedo)	E	(Lu.)	15	B5
Castro (Dozón)	E	(Po.)	15	A5
Castro Caldelas	E	(Our.)	36	A2
Castro Daire	P	(Vis.)	75	A2
Castro de Alcañices	E	(Zam.)	57	D3
Castro de Avelãs	P	(Bra.)	56	D1
Castro de Escuadro	E	(Our.)	35	D3
Castro de Filabres	E	(Alm.)	183	D1
Castro de Fuentidueña	E	(Seg.)	61	C4
Castro de la Lomba	E	(Le.)	18	B4
Castro de Laza, O	E	(Our.)	35	D4
Castro de Rei	E	(Lu.)	15	D4
Castro de Rei	E	(Lu.)	4	A5
Castro del Río	E	(Cór.)	166	C2
Castro Enríquez	E	(Sa.)	78	A3
Castro Laboreiro	P	(V. C.)	34	D4
Castro Marim	P	(Fa.)	175	C2
Castro Roupal	P	(Bra.)	56	D3
Castro Verde	P	(Be.)	160	C1
Castro Vicente	P	(Bra.)	56	D4
Castroañe	E	(Le.)	39	C1
Castrobarto	E	(Bur.)	22	B2
Castrobol	E	(Vall.)	39	B4
Castrocalbón	E	(Le.)	38	A3
Castroceniza	E	(Bur.)	42	A5
Castrocontrigo	E	(Le.)	37	D3
Castrodeza	E	(Vall.)	59	D3
Castrofeito	E	(A Co.)	14	C2
Castrofuerte	E	(Le.)	38	D3
Castrogonzalo	E	(Zam.)	38	D5
Castrojeriz	E	(Bur.)	41	A3
Castrojimeno	E	(Seg.)	61	C5
Castromaior	E	(Lu.)	15	C3
Castromaior	E	(Lu.)	3	D4
Castromao	E	(Our.)	36	C3
Castromembibre	E	(Vall.)	59	B2
Castromil	E	(Zam.)	36	C5
Castromocho	E	(Pa.)	40	A5
Castromonte	E	(Vall.)	59	C2
Castromudarra	E	(Le.)	19	C5
Castroncelos	E	(Lu.)	16	A5
Castronuevo	E	(Zam.)	58	D2
Castronuevo de Esgueva	E	(Vall.)	60	B2
Castronuño	E	(Vall.)	59	B4
Castropepe	E	(Zam.)	38	D5
Castropetre	E	(Le.)	36	D1
Castropodame	E	(Le.)	17	C5
Castropol	E	(Ast.)	4	C3
Castroponce	E	(Vall.)	39	C4
Castroquilame	E	(Le.)	37	A1
Castroserna de Abajo	E	(Seg.)	81	D1
Castroserna de Arriba	E	(Seg.)	81	D1
Castroserracín	E	(Seg.)	61	C5
Castrotierra de la Valduerna	E	(Le.)	38	A2
Castrotierra de Valmadrigal	E	(Le.)	39	B2
Castro-Urdiales	E	(Can.)	10	C4
Castrovega de Valmadrigal	E	(Le.)	39	B3
Castroverde	E	(Lu.)	16	A2
Castroverde de Campos	E	(Zam.)	39	B5
Castroverde de Cerrato	E	(Vall.)	60	D2
Castrovido	E	(Bur.)	42	C5
Castroviejo	E	(La R.)	43	B3
Castuera	E	(Bad.)	132	C4
Catadau	E	(Val.)	124	D5
Catalán, lugar	E	(Mál.)	181	A3
Catalmerejos, Los	E	(Alb.)	138	A5
Catarroeira	P	(San.)	127	D1
Catarroja	E	(Val.)	125	A4
Catarruchos	P	(Co.)	93	D2
Catí	E	(Cas.)	107	D1
Catifarra	P	(Set.)	143	B5
Cativelos	P	(Guar.)	75	B5
Catllar, el	E	(Ta.)	89	D1
Catoira	E	(Po.)	14	A4
Catral	E	(Ali.)	156	C3
Catribana	P	(Lis.)	126	B2
Caudé	E	(Te.)	105	D2
Caudete	E	(Alb.)	140	B4
Caudete de las Fuentes	E	(Val.)	123	D3
Caudiel	E	(Cas.)	106	D5
Caulès	E	(Gi.)	72	A1
Caunedo	E	(Ast.)	17	D2
Cava	E	(Ll.)	50	A2
Cavaca	P	(Guar.)	75	C4
Cavada, La	E	(Can.)	9	D5
Cavadinha	P	(San.)	111	D1
Cavadoude	P	(Guar.)	76	A5
Cavaleiro	P	(Be.)	159	B2
Cavaleiros	P	(Ave.)	94	A2
Cavaleiros	P	(Co.)	93	D3
Cavalinhos	P	(Lei.)	111	B1
Cavalos	P	(Fa.)	160	C4
Caveira	P	(Set.)	143	B2
Cavernães	P	(Vis.)	75	A4
Cavês	P	(Br.)	55	A3
Caviedes	E	(Can.)	8	D5
Caxarias	P	(San.)	111	D1
Caxias	P	(Lis.)	126	C3
Cayés	E	(Ast.)	6	C4
Cayuela	E	(Bur.)	41	C3
Cazadores	E	(Las P.)	191	C3
Cazalegas	E	(To.)	100	A5
Cazalilla	E	(J.)	151	B5
Cazalla de la Sierra	E	(Sev.)	148	B5
Cazanuecos	E	(Le.)	38	C3
Cazás	E	(Lu.)	3	C4
Cazo	E	(Ast.)	7	C5
Cazón	E	(Lu.)	15	C5
Cazorla	E	(J.)	152	D5
Cazurra	E	(Zam.)	58	C4
Cea	E	(Le.)	39	D2
Cea	E	(Po.)	13	D5
Ceadea	E	(Zam.)	57	D2
Ceal	E	(J.)	168	D2
Cebanico	E	(Le.)	19	D5
Cebas	E	(Gr.)	169	B1
Cebolais de Baixo	P	(C. B.)	113	B1
Cebolais de Cima	P	(C. B.)	113	B1
Cebolla	E	(To.)	100	B5
Cebral	E	(Our.)	14	D5
Cebrecos	E	(Bur.)	41	D5
Cebreiro	E	(A Co.)	14	C3
Cebreiro, O	E	(Lu.)	16	C4
Cebreiros	E	(Our.)	35	B2
Cebreros	E	(Áv.)	100	C1
Cebrones del Río	E	(Le.)	38	B3
Ceceda	E	(Ast.)	7	A4
Ceclavín	E	(Các.)	114	D1
Cecos	E	(Ast.)	16	D2
Cedães	P	(Bra.)	56	B3
Cedainhos	P	(Bra.)	56	B4
Cedeira	E	(A Co.)	3	A1
Cedeira	E	(Po.)	34	A2
Cedemonio	E	(Ast.)	5	A4
Cedillo	E	(Các.)	113	C2
Cedillo de la Torre	E	(Seg.)	61	D4
Cedillo del Condado	E	(To.)	101	B4
Cedofeita	E	(Lu.)	4	C3
Cedovim	P	(Guar.)	76	A2
Cedrillas	E	(Te.)	106	B2
Cedrim	P	(Ave.)	74	B4
Cedrón	E	(Lu.)	16	B3
Cedros	P	(Aç.)	109	A3
Cee	E	(A Co.)	13	B2
Ceferina	E	(Cád.)	185	D1
Cefiñas, Las	E	(Huel.)	146	B4
Cefontes	E	(Ast.)	6	D3
Cegarra, Los	E	(Mu.)	170	D3
Ceguilla (Aldealengua de Pedraza)	E	(Seg.)	81	C2
Cehegín	E	(Mu.)	154	D4
Ceilán	E	(A Co.)	14	A2
Ceinos de Campos	E	(Vall.)	39	C5
Ceira	P	(Co.)	94	A3
Ceiroco	P	(Co.)	95	A3
Ceiroquinho	P	(Co.)	94	D3
Ceivães	P	(V. C.)	34	B4
Cela	E	(A Co.)	2	C4
Cela	E	(Alm.)	169	D4
Cela	E	(Lu.)	15	D1
Cela	E	(Lu.)	15	D3
Cela	E	(Our.)	34	D5
Cela	E	(Po.)	33	D2
Cela	E	(Po.)	34	A3
Cela	E	(Le.)	16	D5
Cela	P	(Lei.)	111	A2
Cela	P	(V. C.)	34	C4
Cela	P	(V. R.)	55	D2
Cela	P	(Vis.)	75	A3
Cela de Cima	P	(Lei.)	111	B1
Cela de Núñez/Sela de Nunyes	E	(Ali.)	141	A4
Cela Velha	P	(Lei.)	111	A2
Celada	E	(Le.)	38	A2
Celada de la Torre	E	(Bur.)	41	D2
Celada de Roblecedo	E	(Pa.)	20	C3
Celada del Camino	E	(Bur.)	41	B3
Celada, La	E	(Cór.)	166	D5
Celada-Marlantes	E	(Can.)	21	A3
Celadas	E	(Te.)	105	D1
Celadas, Las	E	(Bur.)	41	C1
Celadilla del Páramo	E	(Le.)	38	C1
Celadilla del Río	E	(Pa.)	20	A5
Celadilla-Sotobrín	E	(Bur.)	41	D2
Cela-Estación	E	(Alm.)	169	D4
Celanova	E	(Our.)	35	A3
Celas	E	(A Co.)	2	C4
Celas	P	(Bra.)	56	C2

Celavente E (Our.) 36 C2
Celavisa P (Co.) 94 D3
Celeiro E (Lu.) 4 B3
Celeiro E (Lu.) 3 D2
Celeiros E (Our.) 36 A3
Celeirós E (Our.) 35 D2
Celeiros E (Po.) 34 B3
Celeirós P (Br.) 54 B3
Celeirós P (V. R.) 55 C5
Celeirós P (V. R.) 55 D2
Celigueta/Zeligeta E (Na.) 25 B5
Celín E (Alm.) 183 B3
Celis E (Can.) 8 C5
Celorico da Beira P (Guar.) 75 D5
Celorico de Basto P (Br.) 54 D4
Celorio E (Ast.) 8 A4
Celrà E (Gi.) 52 A4
Céltigos E (Lu.) 16 A3
Celucos E (Can.) 8 C5
Cella E (Te.) 105 C1
Cellera de Ter, la E (Gi.) 51 D4
Celles E (Ast.) 6 D4
Cellorigo E (La R.) 22 D5
Cem Soldos P (San.) 112 A2
Cembranos E (Le.) 38 D1
Cembrero E (Pa.) 40 C1
Cementerio E (Mu.) 171 A2
Cenascuras E (Gr.) 169 A4
Cendejas de Enmedio E (Gua.) 83 A3
Cendejas de la Torre E (Gua.) 83 A3
Cenegro E (So.) 62 B4
Cenera E (Ast.) 18 C1
Cenes de la Vega E (Gr.) 182 A1
Cenicero E (La R.) 43 B1
Cenicientos E (Mad.) 100 C3
Cenizate E (Alb.) 123 A5
Centeáns E (Po.) 34 A3
Centelles E (Bar.) 71 A1
Centenera E (Gua.) 82 D5
Centenera E (Hues.) 48 B3
Centenera de Andaluz E (So.) 63 B4
Centenera del Campo E (So.) 63 C4
Centenero E (Hues.) 46 C2
Centenillo, El E (J.) 151 C2
Central Térmica
Puente Nuevo E (Cór.) 149 C4
Centroña E (A Co.) 2 D3
Ceo E (Po.) 34 B2
Cepães P (Br.) 54 C3
Cepeda E (Sa.) 98 A1
Cepeda la Mora E (Áv.) 99 C1
Cepedelo E (Our.) 36 C4
Cepelos P (Ave.) 74 B3
Cepero, El, lugar E (Alb.) 139 C4
Cepillo, El, lugar E (Alb.) 137 C4
Cepões P (Vis.) 75 B1
Cepões P (Vis.) 75 A4
Cepos P (Co.) 94 D3
Cequelinos E (Po.) 34 C3
Cerbón E (So.) 64 A1
Cerca de Arriba E (Ast.) 6 D3
Cerca Velha P (Fa.) 174 B2
Cercadillo E (Gua.) 83 B1
Cercadillos E (Las P.) 191 A3
Cercado, El E (Alm.) 170 C2
Cercado, El E (S.Cruz T.) 194 B2
Cercados de Espinos E (Las P.) 191 B4
Cercados, Los E (Las P.) 191 B3
Cercal P (Co.) 93 C3
Cercal P (Lei.) 94 B4
Cercal P (Lis.) 111 A4
Cercal P (San.) 111 C1
Cercal P (Set.) 143 B5
Cerceda E (A Co.) 2 B5
Cerceda E (A Co.) 14 C2
Cerceda E (Mad.) 81 B5
Cercedilla E (Mad.) 81 A4
Cercio E (Po.) 14 D4
Cercio P (Bra.) 57 C4
Cercosa P (Vis.) 94 B1
Cercosa P (Vis.) 74 C4
Cercs E (Bar.) 50 C3
Cerdá E (Val.) 140 D2
Cerdal P (V. C.) 34 A4
Cerdanyola del Vallès E (Bar.) 71 A3
Cerdedelo E (Our.) 36 A4
Cerdedo E (Po.) 14 B5
Cerdedo P (V. R.) 55 A2
Cerdeira E (Our.) 35 B3
Cerdeira P (Co.) 94 D2
Cerdeira P (Guar.) 96 B1
Cerdeira P (V. R.) 55 C3
Cerdeira P (Vis.) 94 B1
Cerdeira P (Vis.) 75 B3
Cerdido E (A Co.) 3 B2
Cerdigo E (Can.) 10 C4
Cereceda E (Ast.) 7 B4
Cereceda E (Áv.) 98 D2
Cereceda E (Bur.) 22 A4
Cereceda E (Can.) 10 B5
Cereceda E (Gua.) 83 C5
Cereceda de la Sierra E (Sa.) 77 D5
Cerecinos de Campos E (Zam.) 59 A1
Cerecinos del Carrizal E (Zam.) 58 C2
Cereixedo E (Lu.) 16 D4
Cereixido E (Lu.) 16 C2
Cereixo E (A Co.) 1 B5
Cereixo E (Po.) 14 B4
Cerejais P (Bra.) 56 C5
Cerejeira P (C. B.) 113 A1
Cerejeira P (San.) 112 A2
Cerejeiras P (Co.) 94 B4
Cerejo P (Guar.) 76 A4
Cereo E (A Co.) 1 D5
Ceresa E (Hues.) 47 D1
Ceresola E (Hues.) 47 B2
Cerezal E (Các.) 97 C2
Cerezal de Aliste E (Zam.) 58 A3
Cerezal de la Guzpeña E (Le.) 19 D4
Cerezal
de Peñahorcada E (Sa.) 77 A1
Cerezal de Puertas E (Sa.) 77 C2
Cerezal de Sanabria E (Zam.) 37 C4
Cerezales del Condado E (Le.) 19 B5
Cerezo E (Các.) 97 C3
Cerezo de Abajo E (Seg.) 81 D1
Cerezo de Arriba E (Seg.) 82 A1
Cerezo de Mohernando E (Gua.) 82 C3
Cerezo de Río Tirón E (Bur.) 42 C1
Cerezo, El E (J.) 153 C4
Cerezos, Los E (Te.) 106 B4
Cerler E (Hues.) 28 B5
Cermoño E (Ast.) 5 D4
Cernache P (Co.) 94 A3
Cernache do
Bom Jardim P (C. B.) 94 B5
Cernadilla E (Zam.) 37 C5
Cernado E (Our.) 36 B3
Cernecina E (Zam.) 58 A4
Cernégula E (Bur.) 21 D5
Cerollera, La E (Te.) 87 C3
Cerponzóns E (Po.) 34 A1
Cerqueda E (A Co.) 1 D4
Cerquedo P (Co.) 94 B1
Cerradura, La E (J.) 167 D2
Cerrajón, El E (J.) 167 B3
Cerralba E (Mál.) 180 A4
Cerralbo E (Sa.) 77 A2
Cerralbos, Los E (To.) 100 B5
Cerratón de Juarros E (Bur.) 42 B2
Cerrazo E (Can.) 9 A4
Cerreda E (Our.) 35 C1
Cerredelo E (Our.) 35 B4
Cerredo E (Ast.) 5 B4
Cerredo E (Ast.) 17 C3
Cerricos, Los E (Alm.) 170 B3
Cerrillares, Los, lugar E (Mu.) 139 C5
Cerrillo de Maracena E (Gr.) 181 D1
Cerrillos, Los, lugar E (C. R.) 136 D2
Cerro P (Fa.) 160 B4
Cerro Alarcón E (Mad.) 101 A1
Cerro da Vinha P (Fa.) 161 B3
Cerro de Águia P (Fa.) 174 A3
Cerro de Andévalo, El E (Huel.) 162 B1
Cerro de
Santiago, lugar E (Huel.) 163 B4
Cerro do Ouro P (Fa.) 174 A2
Cerro Lobo E (Alb.) 138 D4
Cerro Muriano E (Cór.) 149 D5
Cerro Negro E (Gr.) 182 B3
Cerro Perea E (Sev.) 165 C3
Cerro, El E (Mál.) 181 A3
Cerro, El E (Sa.) 98 A2
Cerroblanco E (Alb.) 137 D4
Cerrogordo, El E (Alm.) 170 B4
Cerva P (V. R.) 55 A3
Cervães P (Br.) 54 A2
Cervantes E (Lu.) 16 C3
Cervatos E (Can.) 21 A3
Cervatos de la Cueza E (Pa.) 40 A3
Cervela E (Lu.) 15 D4
Cervelló E (Bar.) 70 D4
Cervera E (Ll.) 69 C2
Cervera de Buitrago E (Mad.) 82 A3
Cervera
de la Cañada E (Zar.) 64 D4
Cervera de los Montes E (To.) 99 D4
Cervera de Pisuerga E (Pa.) 20 C4
Cervera del Llano E (Cu.) 121 D1
Cervera del Maestrat
→ Cervera del
Maestre E (Cas.) 108 A1
Cervera del Maestre/
Cervera del Maestrat E (Cas.) 108 A1
Cervera del Rincón E (Te.) 86 A4
Cervera del Río Alhama E (La R.) 44 C5
Cerveruela E (Zar.) 85 D1
Cervià de les Garrigues E (Ll.) 69 A4
Cervià de Ter E (Gi.) 52 A3
Cervillego de la Cruz E (Vall.) 79 D1
Cervo E (A Co.) 3 A1
Cervo E (Lu.) 4 A2
Cesar P (Ave.) 74 A2
Céspedes E (Bur.) 22 A3
Céspedes E (Cór.) 165 B1
Cespedosa
de Agadones E (Sa.) 97 B1
Cespedosa de Tormes E (Sa.) 98 D1
Cespón E (A Co.) 13 D4
Cestona → Zestoa E (Gui.) 24 A1
Cesuras E (A Co.) 2 D5
Cesuris E (Our.) 36 B2
Cete P (Port.) 54 B5
Cetina E (Zar.) 64 C5
Ceuta E (Ce.) 188 B5
Ceutí E (Mu.) 155 D4
Cevico de la Torre E (Pa.) 60 C1
Cevico Navero E (Pa.) 61 A1
Cexo E (Our.) 35 A3
Cezura E (Pa.) 21 A4
Ciadoncha E (Bur.) 41 B4
Ciaño E (Ast.) 6 D5
Cibanal E (Zam.) 57 C5
Cibea E (Ast.) 17 C2
Cibões P (Br.) 54 C1
Ciborro P (Év.) 128 B3
Cibuyo E (Ast.) 17 B1
Cícere E (A Co.) 13 D1
Cicouro P (Bra.) 57 C2
Cid Toledo E (Cór.) 166 B3
Cida E (Ast.) 6 B4
Cida, A E (Our.) 14 D5
Cidad de
Valdeporres, lugar E (Bur.) 21 C3
Cidade P (Lei.) 110 D3
Cidadelha de Jales P (V. R.) 55 C3
Cidadelhe P (Guar.) 76 B3
Cidadelhe P (V. C.) 34 C5
Cidadelhe P (V. R.) 55 A5
Cidamón E (La R.) 43 A1
Cidones E (So.) 63 C1
Cidral P (San.) 111 A4
Ciempozuelos E (Mad.) 101 D4
Cierva, La E (Cád.) 178 C3
Cierva, La E (Cu.) 104 D4
Cieza E (Mu.) 155 C3
Cifuentes E (Gua.) 83 C4
Cifuentes de Rueda E (Le.) 19 B5
Cigales E (Vall.) 60 A2
Cigudosa E (So.) 64 B1
Cigüenza E (Bur.) 22 A3
Ciguera E (Le.) 19 C3
Ciguñuela E (Vall.) 59 D3
Cihuela E (So.) 64 C4
Cihuri E (La R.) 43 A1
Cijuela E (Gr.) 181 C1
Ciladas P (Év.) 129 D3
Cilanco E (Alb.) 123 C5
Cillamayor E (Pa.) 20 D4
Cillán E (Áv.) 79 D5
Cillanueva E (Le.) 38 D1
Cillaperlata E (Bur.) 22 B4
Cillas E (Gua.) 84 D3
Cilleros E (Các.) 96 D4
Cilleros de la Bastida E (Sa.) 78 A5
Cilleruelo E (Alb.) 138 A4
Cilleruelo de Abajo E (Bur.) 61 C1
Cilleruelo de Arriba E (Bur.) 61 D1
Cilleruelo de Bezana E (Bur.) 21 C3
Cilleruelo de Bricia E (Bur.) 21 C3
Cilleruelo de
San Mamés E (Seg.) 62 A4
Cilloruelo E (Sa.) 78 D3
Cima de Vila E (Lu.) 15 C1
Cima de Vila E (Our.) 35 B2
Cima de Vila E (Our.) 35 D4
Cimada, La E (Mál.) 179 B3
Cimadas Cimeiras P (C. B.) 112 D1
Cimadas Fundeiras P (C. B.) 112 D1
Cimadevilla E (Ast.) 7 A3
Cimanes de la Vega E (Le.) 38 D4
Cimanes del Tejar E (Le.) 18 C5
Cimballa E (Zar.) 84 D2
Cimbres P (Vis.) 75 B1
Cimo de Vila P (Port.) 55 A5
Cimo de Vila de
Castanheira P (V. R.) 56 A1
Cimo dos Ribeiros P (San.) 112 C2
Cinco Casas E (C. R.) 136 C1
Cinco Olivas E (Zar.) 67 A5
Cinco Vilas P (Guar.) 76 C4
Cinconogueiras E (Our.) 35 B1
Cincovillas E (Gua.) 83 A1
Cinctorres E (Cas.) 87 B5
Cinés E (A Co.) 2 D5
Cinfães P (Vis.) 74 D1
Cinge E (Lu.) 4 C3
Cinta, La E (Alm.) 170 C5
Cintrão P (Lei.) 110 D4
Cintruénigo E (Na.) 44 D4
Ciñera E (Le.) 18 D3
Cional E (Zam.) 37 C5
Cipérez E (Sa.) 77 C2
Ciquiril E (Po.) 14 B5
Cira E (Po.) 14 C3
Cirat E (Cas.) 107 A4
Cirauqui/Zirauki E (Na.) 24 C5
Circes E (A Co.) 14 D3
Cirés E (Hues.) 48 C2
Ciria E (So.) 64 C3
Ciriza/Ziritza E (Na.) 24 D4
Ciruela E (So.) 63 A4
Ciruelas E (Gua.) 82 D4
Ciruelos E (To.) 101 D5
Ciruelos de Cervera E (Bur.) 62 A1
Ciruelos de Coca E (Seg.) 80 B1
Ciruelos del Pinar E (Gua.) 84 A2
Cirueña E (La R.) 43 A2
Cirujales E (Le.) 18 A4
Cirujales del Río E (So.) 64 A1
Cirujeda E (Te.) 86 C4
Cisla E (Áv.) 79 C3
Cisnera, La E (S.Cruz T.) 196 A4
Cisneros E (Pa.) 40 A3
Cisnes, urbanización Los E (Sa.) 78 D3
Cistella E (Gi.) 52 A2
Cisterna P (Bra.) 36 B5
Cistérniga E (Vall.) 60 B3
Cistierna E (Le.) 19 C4
Citores del Páramo E (Bur.) 41 B2
Ciudad Jardín
Virgen del Milagro E (Pa.) 40 C5
Ciudad Quesada E (Ali.) 156 C4
Ciudad Real E (C. R.) 135 B2
Ciudad Rodrigo E (Sa.) 77 A5
Ciudalcampo E (Mad.) 81 D5
Ciutadella de Menorca E (Bal.) 90 A2
Ciutadilla E (Ll.) 69 C3
Cívica E (Gua.) 83 B4
Civís E (Ll.) 49 D1
Civit E (Ll.) 69 D3
Cizur E (Na.) 24 D4
Cizur Mayor/
Zizur Nagusia E (Na.) 24 D4
Claras P (Lei.) 93 B4
Claravalls E (Ll.) 69 B2
Clareanes P (Fa.) 174 C2
Clares E (Gua.) 84 B2
Clarés de Ribota E (Zar.) 64 D4
Clariana E (Bar.) 70 B5
Clariana E (Bar.) 70 A2
Clariana de Cardener E (Ll.) 50 A5
Clarines P (Fa.) 161 A3
Claveros, Los E (Alm.) 169 D4
Clavijo E (La R.) 43 D2
Clavinque E (Sev.) 164 B4
Clua, La E (Ll.) 49 B5
Coalla E (Ast.) 6 A4
Coaña E (Ast.) 5 A3
Coaxe E (Po.) 14 A4
Cobarredeiras E (A Co.) 2 D2
Cobaticas E (Mu.) 172 D2
Cobatillas E (Mu.) 156 A4
Cobatillas E (Te.) 86 C5
Cobatillas, Las E (Alm.) 154 A5
Cobatillas, Las, lugar E (Cád.) 186 C2
Cobatillas, lugar E (Alb.) 154 D1
Cobatillas, lugar E (Cór.) 165 C1
Cóbdar E (Alm.) 170 B5
Cobeja E (To.) 101 C5
Cobeña E (Mad.) 102 A1
Cobertelada E (So.) 63 C4
Cobertinha P (Vis.) 74 D3
Cobeta E (Gua.) 84 B3
Cobisa E (To.) 119 B1
Cobo, El E (Mu.) 154 D3
Cobos de Cerrato E (Pa.) 41 B5
Cobos de Fuentidueña E (Seg.) 61 B5
Cobos de Segovia E (Seg.) 80 C3
Cobos Junto
a la Molina E (Bur.) 41 D
Cobrana E (Le.) 17 B
Cobre P (Lis.) 126 B
Cobreces E (Can.) 9 A
Cobreros E (Zam.) 37 A
Cobres E (Po.) 34 A
Cobro P (Bra.) 56 A
Coca E (Seg.) 80 C
Coca de Alba E (Sa.) 79 A
Cocañín E (Ast.) 6 D
Cocentaina E (Ali.) 141 A
Cocón, El E (Mu.) 171 B
Cocoteros, Los E (Las P.) 192 D
Coculina E (Bur.) 41 C
Cochadas P (Co.) 93 C
Cocharro P (San.) 127 C
Codal P (Ave.) 74 B
Codaval P (V. R.) 55 D
Codeçais P (Bra.) 56 A
Codeçais P (Vis.) 75 A
Codeçais P (Vis.) 75 A
Codeceda P (Br.) 54 B
Codeceira P (Lei.) 111 C
Codeçoso P (V. R.) 55 B
Codeçoso P (V. R.) 55 A
Codes E (Gua.) 84 B
Codesal E (Zam.) 37 C
Codeseda E (Po.) 14 B
Codesedo E (Our.) 35 C
Codesido E (Lu.) 3 C
Codeso E (A Co.) 14 C
Codesoso E (A Co.) 15 A
Codesseiro P (Guar.) 76 A
Codessoso P (V. R.) 55 B
Codo E (Zar.) 66 C
Codoñera, La E (Te.) 87 C
Codornillos E (Le.) 39 C
Codorniz E (Seg.) 80 B
Codos E (Zar.) 65 C
Codosera, La E (Bad.) 114 A
Coelhal P (Co.) 94 D
Coelhal P (Lei.) 94 C
Coelheira P (Lei.) 94 B
Coelheira P (Vis.) 74 C
Coelhoso P (Bra.) 57 A
Coelhoso P (Vis.) 74 C
Coence E (Lu.) 15 B
Coentral P (Lei.) 94 C
Coentral
das Barreiras P (Lei.) 94 C
Coeses E (Lu.) 15 D
Cofiñal E (Le.) 19 B
Cofita E (Hues.) 47 D
Cofrentes E (Val.) 124 A
Cogeces de Íscar E (Vall.) 60 B
Cogeces del Monte E (Vall.) 60 D
Cogollo E (Ast.) 6 B
Cogollor E (Gua.) 83 B
Cogollos E (Bur.) 41 D
Cogollos de Guadix E (Gr.) 168 D
Cogollos de la Vega E (Gr.) 168 A
Cogolludo E (Gua.) 82 D
Cogorderos E (Le.) 38 A
Cogul, el E (Ll.) 68 D
Cogula P (Guar.) 76 A
Cogullada, la E (Val.) 141 A
Cogullos E (Bur.) 21 D
Coimbra P (Co.) 94 A
Coimbra P (Lei.) 110 C
Coimbrão P (Lei.) 93 B
Coimbrões P (Vis.) 75 A
Coín E (Mál.) 180 A
Coina P (Set.) 126 D
Coira E (Our.) 35 B
Coiras E (Our.) 15 A
Coiro E (A Co.) 13 C
Coiro E (Po.) 33 D
Coirón E (Po.) 33 D
Coirós E (A Co.) 2 D
Coito P (Co.) 94 D
Coja P (Co.) 94 D
Coja P (Guar.) 75 C
Cojáyar E (Gr.) 182 D
Cojos de Robliza E (Sa.) 78 A
Cojos, Los E (Val.) 123 C
Colantres E (A Co.) 2 D
Colares P (Lis.) 126 B
Colégio P (Fa.) 173 B
Coleja P (Bra.) 76 A
Colera E (Gi.) 52 C
Colherinhas P (Guar.) 75 C
Colilla, La E (Áv.) 80 A
Colina E (Bur.) 12 B
Colinas de Trasmonte E (Zam.) 38 C
Colinas del Campo

de Martín Moro E (Le.) 17 D4
Colinas, Las E (Mad.) 101 C3
Colinas, Las E (Zar.) 66 A3
Colindres E (Can.) 10 A4
Colmeal P (Co.) 94 D3
Colmeal P (Guar.) 76 B3
Colmeal da Torre P (C. B.) 95 D1
Colmeias P (Lei.) 93 C5
Colmenar E (Mál.) 180 D3
Colmenar de la Sierra E (Gua.) 82 B2
Colmenar de Montemayor E (Sa.) 98 A2
Colmenar de Oreja E (Mad.) 102 B4
Colmenar del Arroyo E (Mad.) 100 D2
Colmenar Viejo E (Mad.) 81 C5
Colmenar, El E (Mál.) 187 A1
Colmenar, El, lugar E (Alb.) 138 B4
Colmenarejo E (Mad.) 101 B1
Colmenares E (Pa.) 20 C4
Colo de Pito P (Vis.) 75 A2
Colombres E (Ast.) 8 C4
Colomera E (Gr.) 167 D4
Colomers E (Gi.) 52 B3
Colonia de la Estación E (Sa.) 76 D5
Colònia de Sant Jordi E (Bal.) 92 A5
Colònia de Sant Pere, Sa E (Bal.) 92 C2
Colonia de Tejada, lugar E (Huel.) 161 C3
Colònia Estevenell E (Gi.) 51 B2
Colònia Fàbrica E (Ta.) 68 C5
Colònia Güell, la E (Bar.) 70 D4
Colonia Nuestra Señora del Prado E (To.) 99 D5
Colònia Rosal, La E (Bar.) 50 C4
Colònia Sedó E (Bar.) 70 C3
Colònia Valls, la E (Bar.) 70 B1
Colos P (Be.) 159 D1
Columbeira P (Lei.) 110 D4
Columbrianos E (Le.) 17 B5
Colunga E (Ast.) 7 B3
Colungo E (Hues.) 47 D4
Colúns E (A Co.) 13 C2
Coll E (Ll.) 48 D1
Coll de Nargó E (Ll.) 49 C3
Coll d'en Rabassa E (Bal.) 91 C4
Collada E (Ast.) 5 B4
Collada, La E (Ast.) 6 D4
Collado E (Áv.) 98 D2
Collado E (Các.) 98 C4
Collado de Contreras E (Áv.) 79 D3
Collado del Mirón E (Áv.) 99 A1
Collado Hermoso E (Seg.) 81 B2
Collado Villalba E (Mad.) 81 B5
Collado, El E (Cu.) 104 C2
Collado, El E (Huel.) 146 D5
Collado, El E (So.) 44 A5
Collado, El E (Val.) 106 A5
Collado, El, lugar E (Gr.) 182 D3
Collado-Mediano E (Mad.) 81 B5
Collados E (Cu.) 104 A3
Collados E (Te.) 85 D2
Collados, Los E (Alb.) 154 A1
Collados, Los E (Alm.) 184 D1
Collanzo E (Ast.) 18 D2
Collao E (Ast.) 6 D4
Collazos de Boedo E (Pa.) 20 C5
Collbató E (Bar.) 70 C3
Colldejou E (Ta.) 89 A1
Colle E (Le.) 19 B4
Collejares E (J.) 168 D1
Collera E (Ast.) 7 D4
Collfred E (Ll.) 49 B5
Collía E (Ast.) 7 C4
Cólliga E (Cu.) 104 A5
Colliguilla E (Cu.) 104 A4
Colloto E (Ast.) 6 C4
Colls, lugar E (Hues.) 48 C3
Collsuspina E (Bar.) 71 A1
Coma, la E (Ll.) 50 A3
Coma, Sa E (Bal.) 92 D3
Comares E (Mál.) 180 D3
Coma-ruga E (Ta.) 70 A5
Combarro E (Po.) 33 D1
Combarros E (Le.) 38 A1
Comeiras de Baixo P (San.) 111 C4
Comeiras de Cima P (San.) 111 C3
Comenda P (Por.) 113 A4
Comendador E (Mál.) 180 B4
Comesaña E (Po.) 33 D3
Comillas E (Can.) 8 D4
Cómpeta E (Mál.) 181 B3
Compludo E (Le.) 37 C1
Comporta P (Set.) 143 B1
Compostilla E (Le.) 37 B1
Comunión/Komunioi E (Ál.) 22 D5
Con E (Ast.) 7 D5
Concabella E (Ll.) 69 C1
Concavada P (San.) 112 C3
Conceição P (Be.) 144 A5
Conceição P (Fa.) 174 C3
Conceição P (Fa.) 175 B2
Conceição P (Lis.) 126 B3
Concejero E (Bur.) 22 B2
Concejo E (Cád.) 178 B4
Concepción E (Huel.) 162 D1
Concepción, La E (Alm.) 170 D5
Concepción, La E (Cór.) 167 A4
Concud E (Te.) 105 D2
Concha E (Gua.) 84 C2
Concha, La E (Can.) 21 D1
Concha, La E (Can.) 9 C4
Cónchar E (Gr.) 182 A2
Conchel E (Hues.) 67 D1
Condado E (Bur.) 22 A4
Condado de Castilnovo E (Seg.) 81 D1
Condado, O E (Our.) 35 B1
Conde P (Br.) 54 B4
Condeixa-a-Nova P (Co.) 94 A3
Condeixa-a-Velha P (Co.) 94 A3
Condemios de Abajo E (Gua.) 82 D1
Condemios de Arriba E (Gua.) 82 C1
Condes E (Lu.) 15 B2
Condes P (Ave.) 73 D5
Condesa, La E (J.) 151 B4
Condomina, La E (Mu.) 171 B2
Condós E (A Co.) 2 D4
Conduzo E (A Co.) 2 C4
Conesa E (Ta.) 69 C3
Conforto E (Lu.) 4 C4
Confrides E (Ali.) 141 B4
Congeitaria P (San.) 112 B1
Congo-Canal E (Alm.) 183 C4
Congosta E (Zam.) 38 A4
Congosto E (Bur.) 21 A5
Congosto E (Le.) 17 B5
Congosto de Valdavia E (Pa.) 20 B5
Congosto, El E (Cu.) 121 C1
Congostrina E (Gua.) 82 D2
Conil E (Las P.) 192 B4
Conil de la Frontera E (Cád.) 185 D3
Conilleres, les E (Bar.) 70 B4
Conlelas P (Bra.) 56 D1
Conqueiros P (C. B.) 113 A1
Conques E (Ll.) 49 A4
Conquezuela E (So.) 83 C1
Conquista E (Cór.) 150 B2
Conquista de la Sierra E (Các.) 116 B4
Conquista del Guadiana E (Bad.) 131 D1
Conreria, la E (Bar.) 71 B3
Consell E (Bal.) 91 D3
Consolação P (Lei.) 110 C4
Consolación E (C. R.) 136 B3
Constance P (Port.) 54 C5
Constância P (San.) 112 A3
Constantí E (Ta.) 89 C1
Constantim P (Bra.) 57 C3
Constantim P (V. R.) 55 B5
Constantina E (Sev.) 148 C5
Constanzana E (Áv.) 79 D3
Consuegra E (To.) 119 D4
Consuegra de Murera E (Seg.) 81 C1
Contador, El E (Alm.) 170 A3
Contamina E (Zar.) 64 C5
Contenças P (Co.) 94 B1
Contige P (Vis.) 75 B4
Contim P (V. R.) 55 A1
Contim P (Vis.) 75 C1
Contins P (Bra.) 56 B3
Contreras E (Bur.) 42 B5
Convento P (San.) 111 C5
Convento de Duruelo, El E (Áv.) 79 C4
Conventos, Los E (Mu.) 171 B3
Convoy, El E (Alm.) 171 A4
Conxo E (A Co.) 14 B3
Coo E (Can.) 9 A5
Coomonte E (Zam.) 38 C4
Copa, La E (Mu.) 155 A4
Cope E (Mu.) 171 C4
Copernal E (Gua.) 82 D3
Copons E (Bar.) 70 A2
Coquilla de Huebra E (Sa.) 78 A4
Cora E (Po.) 14 B4
Corachar/Coratxà E (Cas.) 87 D4
Corala, La E (Vall.) 60 B3
Corao E (Ast.) 7 C4
Coratxà → Corachar E (Cas.) 87 D4
Corbalán E (Te.) 106 A2
Corbatón E (Te.) 85 D4
Corbera E (Val.) 141 B1
Corbera de Llobregat E (Bar.) 70 D4
Corbera d'Ebre E (Ta.) 88 B2
Corbillos de los Oteros E (Le.) 39 A2
Corbins E (Ll.) 68 D2
Corbón del Sil E (Le.) 17 B4
Corçà E (Gi.) 52 B4
Corcitos P (Fa.) 174 C2
Corcoesto E (A Co.) 1 D4
Córcoles E (Gr.) 167 B4
Córcoles E (Gua.) 103 B1
Corcolilla E (Val.) 106 A5
Corcos E (Le.) 19 C5
Corcos E (Vall.) 60 B1
Corcoya E (Sev.) 166 A5
Corcubión E (A Co.) 13 B2
Corchuela E (To.) 99 B5
Corchuela, La E (Bad.) 130 B3
Cordido E (Lu.) 4 A2
Cordinhã P (Co.) 94 A1
Cordiñanes de Valdeón E (Le.) 19 D1
Córdoba E (Cór.) 149 D5
Cordobilla E (Cór.) 166 A4
Cordobilla de Lácara E (Bad.) 131 B1
Cordovilla E (Alb.) 139 A5
Cordovilla E (Sa.) 79 A3
Cordovilla de Aguilar E (Pa.) 21 A4
Cordovilla la Real E (Pa.) 40 D4
Cordovín E (La R.) 43 A2
Corduente E (Gua.) 84 C4
Corella E (Na.) 44 D4
Corera E (La R.) 44 A2
Cores E (A Co.) 1 D4
Coreses E (Zam.) 58 D3
Corga P (Ave.) 74 A2
Corga P (Br.) 54 A4
Corga P (Co.) 93 C1
Corga P (Vis.) 75 B4
Corgas P (C. B.) 112 D1
Corgas P (Guar.) 95 A2
Corgo P (Br.) 55 A3
Corgo, O E (Lu.) 16 A2
Córgomo E (Our.) 36 C1
Coria E (Các.) 97 A5
Coria del Río E (Sev.) 163 D5
Corias E (Ast.) 17 B1
Corias E (Ast.) 6 A4
Córigos E (Ast.) 18 D1
Coripe E (Sev.) 178 D2
Coriscada P (Guar.) 76 A3
Coristanco E (A Co.) 2 A5
Corme-Aldea E (A Co.) 1 D4
Corme-Porto E (A Co.) 1 C4
Cornago E (La R.) 44 B5
Cornanda E (A Co.) 13 D3
Cornazo E (Po.) 13 D5
Córneas E (Lu.) 16 C2
Corneda E (Our.) 34 D1
Corneira E (A Co.) 13 D2
Cornejo E (Bur.) 21 D2
Cornellà de Llobregat E (Bar.) 71 A4
Cornellà del Terri E (Gi.) 52 A3
Cornellana E (Ll.) 50 A3
Cornes E (A Co.) 14 A3
Cornes P (V. C.) 33 D4
Corneyana E (Ast.) 6 A4
Cornicabra E (Bad.) 148 A1
Corniero E (Le.) 19 C3
Cornisa del Suroeste E (Las P.) 191 B4
Cornoces E (Our.) 35 A1
Cornoedo E (A Co.) 2 D4
Cornón de la Peña E (Pa.) 20 A4
Cornudella de Montsant E (Ta.) 69 A5
Cornudilla E (Bur.) 22 B5
Coromina, La E (Bar.) 50 B5
Corón E (Po.) 13 D5
Coronada, La E (Bad.) 132 C3
Coronada, La E (Cór.) 148 D3
Coronado (São Romão) P (Port.) 54 A4
Coroneles E (Can.) 21 B4
Coronil, El E (Sev.) 178 C1
Corpa E (Mad.) 102 C2
Corporales E (La R.) 42 D2
Corporales E (Le.) 37 C2
Corporario E (Sa.) 57 A5
Corrada E (Ast.) 6 A3
Corral de Abaixo-Corral de Arriba-Penelas E (Lu.) 15 D2
Corral de Almaguer E (To.) 120 C2
Corral de Ayllón E (Seg.) 62 A5
Corral de Calatrava E (C. R.) 135 A3
Corral de Garcíñigo E (Sa.) 78 A5
Corral de la Bodega, lugar E (Huel.) 162 D4
Corral de las Arrimadas E (Le.) 19 B4
Corral, El E (Alm.) 182 D4
Corralejo E (Gua.) 82 B2
Corralejo E (Las P.) 190 B1
Corrales E (Huel.) 176 B2
Corrales E (Le.) 16 D5
Corrales E (Zam.) 58 C5
Corrales de Buelna, Los E (Can.) 9 B5
Corrales de Duero E (Vall.) 61 B2
Corrales, Los E (Gr.) 169 A5
Corrales, Los E (Sev.) 179 C1
Corrales, Los E (Val.) 123 D3
Corral-Rubio E (Alb.) 139 B3
Correcillas E (Le.) 19 A3
Corredoira E (Po.) 14 B5
Corredoira E (Po.) 14 A4
Corredoria, La E (Ast.) 6 C4
Corredoura P (Lei.) 111 B2
Corredoura P (San.) 111 C4
Correxais E (Our.) 36 C2
Corró d'Amunt E (Bar.) 71 B2
Corroios P (Set.) 126 D4
Corros, Los E (Ast.) 5 C4
Corros, Los E (Ast.) 6 D4
Corrubedo E (A Co.) 13 B5
Corsino P (Fa.) 159 B4
Cortas de Blas, Las E (Vall.) 60 A1
Corte Besteiros P (Fa.) 175 A2
Corte da Velha P (Be.) 161 A1
Corte de Peleas E (Bad.) 130 D4
Corte do Ouro P (Fa.) 160 C4
Corte do Pinto P (Be.) 161 C1
Corte Figueira P (Be.) 160 C3
Corte Gafo de Baixo P (Be.) 161 A1
Corte Gafo de Cima P (Be.) 161 A1
Corte Garcia P (Fa.) 174 C2
Corte João Marques P (Fa.) 160 D4
Corte Malhão P (Be.) 160 A2
Corte Pequena P (Be.) 160 D1
Corte Serranos P (Fa.) 160 D4
Corte Sines P (Be.) 161 B1
Corte Tabelião P (Fa.) 161 B3
Corte Vicente Anes P (Be.) 144 B4
Corte Zorrinho P (Be.) 160 B2
Corte, La E (Huel.) 146 C5
Cortecillas, Las E (Sev.) 163 B1
Corteconcepción E (Huel.) 147 A5
Cortegaça P (Ave.) 73 D2
Cortegaça P (Lis.) 126 B2
Cortegaça P (Vis.) 94 B1
Cortegada E (Our.) 34 D3
Cortegada E (Our.) 35 C4
Cortegada E (Po.) 14 D4
Cortegana E (Bad.) 130 D4
Cortegana E (Huel.) 146 C5
Cortegazas E (Our.) 34 C2
Cortelazor E (Huel.) 146 D5
Cortelha P (Fa.) 160 C4
Cortelha P (Fa.) 175 B2
Cortellas E (Po.) 34 A2
Cortém P (Lei.) 110 D3
Corterrangel E (Huel.) 146 D5
Corterredor P (Co.) 94 C3
Cortes E (Gr.) 168 C5
Cortes E (Mál.) 187 D2
Cortes E (Na.) 65 B1
Cortes P (Ave.) 74 B4
Cortes P (C. B.) 112 C1
Cortes P (Co.) 94 C4
Cortes P (Lei.) 111 C1
Cortes P (San.) 111 C1
Cortes P (V. C.) 34 B4
Cortes de Aragón E (Te.) 86 B3
Cortes de Arenoso E (Cas.) 106 D3
Cortes de Baixo P (C. B.) 95 C2
Cortes de Baza E (Gr.) 169 B2
Cortes de la Frontera E (Mál.) 179 A5
Cortes de Pallás E (Val.) 124 B5
Cortes de Tajuña E (Gua.) 83 D3
Cortes do Meio P (C. B.) 95 C2
Cortes Pereiras P (Fa.) 161 B3
Cortes y Graena E (Gr.) 168 C5
Cortesa, La, lugar E (Alb.) 138 C3
Cortezona, La E (Bad.) 131 C2
Cortiçada P (C. B.) 95 D3
Cortiçada P (Guar.) 75 C4
Cortiçada P (Lei.) 111 A2
Cortiçada P (Vis.) 74 C5
Cortiçadas do Lavre P (Év.) 128 A3
Cortiçal P (San.) 111 B3
Corticeiro de Baixo P (Co.) 93 C1
Cortiçô P (Guar.) 75 C4
Cortiçô P (V. R.) 55 B1
Cortiçô da Serra P (Guar.) 75 D5
Cortiços P (Bra.) 56 C3
Cortiços P (San.) 111 C5
Cortiguera E (Le.) 17 B5
Cortijillos E (Cád.) 187 A4
Cortijillos, Los E (Mál.) 181 A3
Cortijo del Cura E (Gr.) 169 C2
Cortijo Alto, El E (Alm.) 183 D2
Cortijo Blanco E (Mál.) 180 D3
Cortijo Blanco, El E (Alm.) 170 A4
Cortijo de Baratas E (Gr.) 167 A5
Cortijo de la Mesa, lugar E (Cád.) 186 A2
Cortijo de la Monja, lugar E (C. R.) 151 D1
Cortijo de la Orozca E (Gr.) 167 A5
Cortijo de las Tinadas, lugar E (Alb.) 137 D1
Cortijo de los Cáliz, lugar E (J.) 167 C3
Cortijo de Macián, lugar E (Alm.) 170 B1
Cortijo de Tortas E (Alb.) 137 D5
Cortijo del Aire E (Gr.) 167 D5
Cortijo del Cura E (Alb.) 153 D1
Cortijo del Marqués E (Sev.) 165 C5
Cortijo del Rojo, lugar E (Alm.) 170 B2
Cortijo Grande, El E (Alm.) 184 D1
Cortijo Nuevo E (J.) 169 A3
Cortijo, El E (La R.) 43 C1
Cortijos Altos, Los E (Alm.) 170 B4
Cortijos de Abajo E (C. R.) 119 A5
Cortijos de Arriba E (C. R.) 119 A5
Cortijos de Marín E (Alm.) 183 C4
Cortijos Nuevos E (J.) 153 B3
Cortijos Nuevos del Campo E (Gr.) 170 A1
Cortijuelo E (J.) 168 D1
Cortijuelo, lugar E (J.) 168 A2
Cortijuelos E (Mál.) 181 A3
Cortina E (Ast.) 18 C1
Cortina, lugar E (Sev.) 165 A5
Cortinhola P (Fa.) 160 B4
Cortiñán E (A Co.) 2 D4
Cortiuda E (Ll.) 49 C4
Cortos E (Áv.) 80 B4
Cortos E (So.) 64 A1
Cortos de la Sierra E (Sa.) 78 B4
Corts E (Gi.) 52 A3
Corts, les E (Gi.) 52 C3
Coruche P (Guar.) 75 C3
Coruche P (San.) 127 D2
Corujas P (Bra.) 56 C3
Corujeira P (Co.) 93 C1
Corujeira P (Guar.) 95 D1
Corujeira P (Lis.) 126 D1
Corujeira P (San.) 112 C1
Corujeira P (Vis.) 74 C4
Corujeira P (Vis.) 75 B3
Corujera, La E (S.Cruz T.) 196 A2
Corujos P (Fa.) 161 B4
Corullón E (Le.) 16 D5
Corumbela E (Mál.) 181 B3
Coruña del Conde E (Bur.) 62 B2
Coruña, A/Coruña, La E (A Co.) 2 C4
Coruña, La → Coruña, A E (A Co.) 2 C4
Coruño E (Ast.) 6 C4
Coruxo E (Po.) 33 D3
Corval P (Év.) 145 B1
Corval P (Vis.) 94 C1
Corveira E (A Co.) 2 C4
Corveira P (Vis.) 74 C5
Corvelle E (Lu.) 4 A4
Corvelle E (Lu.) 3 D4
Corvelle E (Our.) 35 A4
Corvera E (Can.) 9 B5
Corvera E (Mu.) 172 A1
Corvillón E (Our.) 35 B3
Corvillos de la Sobarriba E (Le.) 39 A1
Corvio E (Pa.) 20 D4
Corvo P (Vis.) 74 D1
Corzáns E (Po.) 34 B3
Corzos E (Our.) 36 C3
Cos E (Can.) 9 A5
Cosa E (Te.) 85 D4
Coscojuela de Fantova E (Hues.) 47 D4
Coscojuela de Sobrarbe E (Hues.) 47 D2
Coscullano E (Hues.) 47 B3
Coscurita E (So.) 63 D4
Coslada E (Mad.) 102 A2
Coso E (Zam.) 37 A4
Cospedal E (Le.) 18 A3
Cospeito E (Lu.) 3 D5
Cospindo E (A Co.) 1 D4

Cossourado	P	(Br.)	54	A2
Cossourado	P	(V. C.)	34	A5
Costa	E	(A Co.)	14	A3
Costa Calma	E	(Las P.)	189	D5
Costa da Caparica	P	(Set.)	126	C4
Costa de los Pinos	E	(Bal.)	92	D3
Costa del Silencio, urbanización	E	(S.Cruz T.)	195	D5
Costa d'en Blanes	E	(Bal.)	91	B4
Costa do Valado	P	(Ave.)	73	D4
Costa Nova	E	(Ali.)	142	A4
Costa Nova do Prado	P	(Ave.)	73	C4
Costa Teguise	E	(Las P.)	192	D4
Costa, A	E	(Lu.)	3	D4
Costa, La	E	(Cád.)	186	D5
Costa, La	E	(S.Cruz T.)	193	B3
Costa, Sa	E	(Bal.)	92	B5
Costacabana	E	(Alm.)	184	A3
Costana, La	E	(Can.)	21	B3
Costeán	E	(Hues.)	47	D4
Costes, les	E	(Gi.)	52	B1
Costitx	E	(Bal.)	92	A3
Costur	E	(Cas.)	107	C4
Cosuenda	E	(Zar.)	65	C5
Cota	P	(Vis.)	75	A3
Cotanes del Monte	E	(Zam.)	59	B1
Cotar	E	(Bur.)	41	D2
Cotarós	E	(Our.)	36	A2
Cotas	P	(Co.)	94	A4
Cotas	P	(V. R.)	55	D5
Cotayo, El	E	(Ast.)	6	D4
Cotelo	P	(Vis.)	75	A2
Cotes	E	(Val.)	140	D2
Cotifo	P	(Fa.)	173	B2
Cotilfar	E	(Gr.)	168	A3
Cotillas	E	(Alb.)	153	C1
Cotillo	E	(Can.)	21	B1
Cotillo, El	E	(Las P.)	190	A1
Cótimos	P	(Guar.)	76	A3
Coto	E	(Ast.)	17	B1
Coto	E	(Po.)	34	A2
Coto	E	(Po.)	34	A3
Coto	P	(Lei.)	110	D3
Coto de Bornos	E	(Cád.)	178	B3
Coto de la Isleta, lugar	E	(Cád.)	177	C5
Coto Murillo, lugar	E	(Bad.)	147	C1
Coto Valverde	E	(Bur.)	62	B2
Coto, El	E	(Ast.)	17	D2
Coto, El	E	(Ast.)	6	D4
Coto, El	E	(Gua.)	82	A5
Cotobade	E	(Po.)	34	B1
Coto-Ríos	E	(J.)	153	B4
Cotos de Monterrey	E	(Mad.)	81	D4
Cotovia	P	(Set.)	126	D5
Cotovios	P	(Lis.)	126	D1
Coucieiro	P	(Br.)	54	B1
Couço	P	(San.)	128	A1
Couço	P	(Vis.)	74	D5
Couço Cimeiro	P	(San.)	112	B1
Couço Fundeiro	P	(San.)	112	A1
Coura	P	(V. C.)	34	A5
Coura	P	(Vis.)	75	A3
Coura	P	(Vis.)	75	C1
Courel	P	(Br.)	53	D3
Courela	P	(Guar.)	75	D4
Courelas da Toura	P	(Év.)	129	A4
Courelas de Azaruja	P	(Év.)	129	A4
Couso	E	(Our.)	34	C1
Couso	E	(Our.)	35	B4
Couso	E	(Po.)	33	D3
Couso	E	(Po.)	34	A3
Couso	E	(Po.)	15	A5
Couso	E	(Po.)	14	B5
Couso	E	(Po.)	14	B3
Cousso	P	(V. C.)	34	C4
Coutada	P	(C. B.)	95	C3
Coutada	P	(Fa.)	175	B2
Couto	E	(Lu.)	15	B4
Couto	E	(Po.)	34	B2
Couto	E	(Po.)	34	C3
Couto	E	(Po.)	13	D5
Couto	P	(Br.)	54	A2
Couto	P	(Port.)	54	A4
Couto	P	(V. C.)	34	B5
Couto	P	(Vis.)	74	C4
Couto de Abaixo, O	E	(Po.)	33	D1
Couto de Arriba, O	E	(Po.)	33	D1
Couto de Baixo	P	(Vis.)	74	D4
Couto de Cima	P	(Vis.)	74	D4
Couto de Esteves	P	(Ave.)	74	B3
Couto de Mosteiro Ameal	P	(Vis.)	94	C1
Couzadoiro	E	(A Co.)	3	C1
Cova	E	(Lu.)	35	C1
Cova	E	(Our.)	36	A2
Cova	P	(Br.)	54	C2
Cova	P	(C. B.)	94	D5
Cova Alta	P	(Lei.)	111	C1
Cova da Lua	P	(Bra.)	36	D5
Cova da Moura	P	(Lis.)	126	B1
Cova da Piedade	P	(Set.)	126	C4
Cova da Serpe	P	(Co.)	93	C2
Cova da Zorra	P	(Be.)	159	C1
Cova do Gato	P	(Set.)	143	C4
Cova do Ouro	P	(Co.)	94	A2
Cova do Vapor	P	(Set.)	126	C4
Covadonga	E	(Ast.)	7	D5
Covais	P	(Co.)	94	C2
Covaleda	E	(So.)	63	A1
Covanera	E	(Bur.)	21	C5
Covão	P	(Lei.)	111	B2
Covão da Carvalha	P	(Lei.)	111	C2
Covão do Coelho	P	(San.)	111	C2
Covão do Feto	P	(San.)	111	C3
Covão do Lobo	P	(Ave.)	93	D1
Covarrubias	E	(Bur.)	42	A5
Covarrubias	E	(So.)	63	C4
Covas	E	(Lu.)	16	A3
Covas	E	(Lu.)	3	D2
Covas	E	(Our.)	36	D1
Covas	E	(Our.)	35	B5
Covas	E	(Our.)	35	A1
Covas	E	(Our.)	35	C2
Covas	E	(Po.)	13	D5
Covas	P	(Co.)	94	D1
Covas	P	(Port.)	54	B4
Covas	P	(V. C.)	33	D5
Covas	P	(V. R.)	55	C3
Covas	P	(Vis.)	74	C4
Covas de Coina	P	(Set.)	126	D4
Covas de Ferro	P	(Lis.)	126	C2
Covas do Barroso	P	(V. R.)	55	B2
Covas do Douro	P	(V. R.)	55	C5
Covas do Monte	P	(Vis.)	74	D2
Covas do Rio	P	(Vis.)	74	D2
Covas, As (Meaño)	E	(Po.)	33	D1
Covelães	P	(V. R.)	55	A1
Covelas	E	(Our.)	35	B4
Covelas	P	(Ave.)	74	B2
Covelas	P	(Br.)	54	B2
Covelas	P	(Port.)	74	D1
Covelas	P	(Vis.)	74	D1
Covelinhas	P	(V. R.)	75	B1
Covelinhas	P	(Vis.)	74	D1
Covelo	E	(Our.)	34	C2
Covelo	E	(Po.)	34	B1
Covelo	E	(Po.)	14	A5
Covelo	P	(Co.)	94	C2
Covelo	P	(Port.)	74	A1
Covelo	P	(Vis.)	74	D4
Covelo	P	(Vis.)	74	C3
Covelo	P	(Vis.)	74	C4
Covelo de Paiva	P	(Vis.)	75	A3
Covelo de Paivó	P	(Ave.)	74	C2
Covelo do Gerês	P	(V. R.)	55	A1
Covelo do Monte	P	(Port.)	55	A4
Covelo, O	E	(Po.)	34	C2
Coves de Vinromà, les	E	(Cas.)	107	D2
Covet	E	(Ll.)	49	B4
Coveta Fumà	E	(Ali.)	157	D1
Covetes, Ses	E	(Bal.)	92	A5
Covibar-Pablo Iglesias	E	(Mad.)	102	A2
Covide	P	(Br.)	54	C1
Coviella	E	(Ast.)	7	C4
Covilhã	P	(C. B.)	95	C2
Covoada	P	(Aç.)	109	A4
Covões	P	(Ave.)	93	D1
Cox	E	(Ali.)	156	B4
Coy	E	(Mu.)	154	D5
Coya	E	(Ast.)	7	A4
Coz	P	(Lei.)	111	A2
Cózar	E	(C. R.)	136	D5
Cózares, Los	E	(Gr.)	182	C3
Cozuelos de Fuentidueña	E	(Seg.)	61	A5
Cozuelos de Ojeda	E	(Pa.)	20	D4
Cozvíjar	E	(Gr.)	182	A2
Crasto	P	(Port.)	73	D1
Crasto	P	(Port.)	53	D4
Crasto	P	(Vis.)	74	C4
Crastos	P	(Lei.)	111	A3
Crato	P	(Por.)	113	B4
Craveira do Norte	P	(Set.)	127	C4
Craveira do Sul	P	(Set.)	127	C4
Creado	P	(Guar.)	76	B5
Crecente	E	(Lu.)	4	B5
Crecente	E	(Po.)	34	C3
Cregenzán	E	(Hues.)	47	D4
Creixell	E	(Ta.)	90	A1
Creixomil	P	(Br.)	53	D2
Crémenes	E	(Le.)	19	C3
Crendes	E	(A Co.)	2	D4
Crespià	E	(Gi.)	52	A3
Crespo	E	(Bur.)	21	C3
Crespos	E	(Áv.)	79	D3
Crespos	P	(Br.)	54	B2
Crespos	P	(Lei.)	93	C5
Crespos	P	(Lei.)	111	C2
Crestuma	P	(Port.)	74	A1
Cretas	E	(Te.)	88	A3
Creu de Codines, La	E	(Bar.)	51	B4
Creu de Palau, La	E	(Gi.)	52	A4
Creu Vermella, Sa	E	(Bal.)	91	C3
Crevadas, Las/ Crevades, les	E	(Cas.)	107	C3
Crevades, les → Crevadas, Las	E	(Cas.)	107	C3
Crevillent → Crevillente	E	(Ali.)	156	C3
Crevillente/Crevillent	E	(Ali.)	156	C3
Criação	P	(Co.)	93	C1
Criales	E	(Bur.)	22	B3
Criaz	P	(Br.)	53	D3
Cripán/Kripan	E	(Ál.)	43	C1
Cristelo	P	(Ave.)	74	B4
Cristelo	P	(Br.)	53	D3
Cristelo	P	(Port.)	54	B5
Cristelo	P	(V. C.)	34	A5
Cristelo	P	(V. C.)	33	C5
Cristelo Covo	P	(V. C.)	34	A4
Cristelos	E	(Po.)	33	D4
Cristianos, Los	E	(S.Cruz T.)	195	C5
Cristimil	E	(Po.)	14	D4
Cristina	E	(Bad.)	131	D3
Cristo del Espíritu Santo	E	(C. R.)	135	A1
Cristóbal	E	(Sa.)	98	B1
Cristoval	P	(V. C.)	34	D3
Cristóvãos	P	(San.)	111	D1
Crivillén	E	(Te.)	86	D3
Croca	P	(Port.)	54	C5
Cros, el	E	(Bar.)	71	C3
Cruce de Arinaga	E	(Las P.)	191	D4
Cruce de Sardina	E	(Las P.)	191	D4
Cruce, El → Granja, La	E	(Mad.)	102	A1
Cruceiro	E	(Our.)	35	A1
Cruceras, Las	E	(Áv.)	100	B2
Crucero, El	E	(Ast.)	5	C4
Crucero, El	E	(Bur.)	22	D5
Cruces	E	(Ast.)	6	C4
Crucifixo	P	(San.)	112	B3
Cruilles	E	(Gi.)	52	B4
Crujía, La	E	(J.)	151	B4
Cruz	P	(Br.)	54	A3
Cruz da Légua	P	(Lei.)	111	B2
Cruz de Illas, La	E	(Ast.)	6	B3
Cruz de João Mendes	P	(Set.)	143	C3
Cruz de Pau	P	(Set.)	126	D4
Cruz de Tea	E	(S.Cruz T.)	195	D4
Cruz del Roque	E	(S.Cruz T.)	196	A4
Cruz do Campo	P	(San.)	111	B5
Cruz do Incio, A (Incio, O)	E	(Lu.)	16	A5
Cruz Quebrada	P	(Lis.)	126	C3
Cruz Santa	E	(S.Cruz T.)	195	D2
Cruz, La	E	(Ast.)	6	B4
Cruz, La	E	(J.)	151	D4
Cruzes	P	(Lei.)	110	D3
Cuacos de Yuste	E	(Các.)	98	C4
Cuadrilleros	E	(Sa.)	78	A1
Cuadro, El	E	(Ast.)	6	B3
Cuadros	E	(Le.)	18	D5
Cualedro	E	(Our.)	35	C4
Cuarte	E	(Hues.)	46	D4
Cuarte de Huerva	E	(Zar.)	66	A3
Cuarteros, Los	E	(Mu.)	172	D1
Cuarteros, Los, lugar	E	(Alb.)	138	B2
Cuartico, El	E	(Alb.)	138	B3
Cuartillas, Las	E	(Alm.)	184	D1
Cuartillos	E	(Cád.)	177	D4
Cuarto del Bolo, lugar	E	(Alb.)	138	B2
Cuarto del Pilar	E	(Sa.)	78	A4
Cuarto, El, lugar	E	(Alb.)	154	A2
Cuartos, Los	E	(Áv.)	98	D2
Cuatro Higueras, Las	E	(Alm.)	183	A4
Cuatro Puertas	E	(Las P.)	191	D3
Cuatrocorz	E	(Hues.)	48	B5
Cuatrovientos	E	(Le.)	37	B1
Cuba	P	(Be.)	144	D3
Cuba, La	E	(Te.)	87	B5
Cubalhão	P	(V. C.)	34	C4
Cubas	E	(Alb.)	139	B1
Cubas	E	(Can.)	9	D4
Cubas de la Sagra	E	(Mad.)	101	C3
Cubel	E	(Zar.)	85	A2
Cubelas	E	(Lu.)	4	C3
Cubelles	E	(Bar.)	70	B5
Cubells	E	(Ll.)	69	A1
Cubells, Es	E	(Bal.)	89	C5
Cubilla	E	(Bur.)	22	C5
Cubilla	E	(So.)	63	A2
Cubillas	E	(Vall.)	59	B4
Cubillas de Arbás	E	(Le.)	18	C3
Cubillas de Cerrato	E	(Pa.)	60	C2
Cubillas de los Oteros	E	(Le.)	39	A2
Cubillas de Rueda	E	(Le.)	19	C5
Cubillas de Santa Marta	E	(Vall.)	60	B1
Cubillejo	E	(Bur.)	42	A4
Cubillejo de la Sierra	E	(Gua.)	84	D3
Cubillejo del Sitio	E	(Gua.)	84	D3
Cubillo	E	(Seg.)	81	B2
Cubillo de Ojeda	E	(Pa.)	20	C4
Cubillo de Uceda, El	E	(Gua.)	82	B4
Cubillo del Campo	E	(Bur.)	41	D4
Cubillo del César	E	(Bur.)	42	A4
Cubillo, El	E	(Alb.)	137	D4
Cubillo, El	E	(Cu.)	105	B5
Cubillos	E	(Zam.)	58	C3
Cubillos de Losa	E	(Bur.)	22	B3
Cubillos del Sil	E	(Le.)	17	B5
Cubla	E	(Te.)	106	A3
Cubo de Benavente	E	(Zam.)	37	D4
Cubo de Bureba	E	(Bur.)	22	C5
Cubo de Don Sancho, El	E	(Sa.)	77	C3
Cubo de Hogueras	E	(So.)	63	D2
Cubo de la Sierra	E	(So.)	63	D1
Cubo de la Solana	E	(So.)	63	D3
Cubo de Tierra del Vino, El	E	(Zam.)	58	C5
Cubos	P	(Vis.)	75	B5
Cucador, El	E	(Alm.)	170	C4
Cucalón	E	(Te.)	85	D2
Cucarrete	E	(Cád.)	186	B3
Cucujães	P	(Ave.)	74	A2
Cucharal	E	(Alb.)	138	A4
Cucharetas, Las	E	(Gr.)	169	B2
Cuchillo, El	E	(Las P.)	192	B3
Cucho	E	(Bur.)	23	B5
Cudeiro	E	(Our.)	35	B2
Cudillero	E	(Ast.)	6	A3
Cudón	E	(Can.)	9	B4
Cue	E	(Ast.)	8	B4
Cuelgamures	E	(Zam.)	58	C5
Cuelgamuros	E	(Mad.)	81	A5
Cuéllar	E	(Seg.)	60	D4
Cuéllar de la Sierra	E	(So.)	63	D1
Cuellos, Los	E	(J.)	151	D3
Cuénabres	E	(Le.)	19	D2
Cuenca	E	(Cór.)	148	C2
Cuenca	E	(Cu.)	104	B4
Cuenca	E	(J.)	169	A2
Cuenca de Campos	E	(Vall.)	39	C5
Cuenca, La	E	(So.)	63	B2
Cuencabuena	E	(Te.)	85	C2
Cuenya	E	(Ast.)	7	A4
Cueras	E	(Ast.)	17	B1
Cuerlas, Las	E	(Zar.)	85	B3
Cuero	E	(Ast.)	6	A4
Cuerres	E	(Ast.)	7	D4
Cuerva	E	(To.)	118	D2
Cuervo, El	E	(Sev.)	177	D3
Cuervo, El	E	(Te.)	105	C4
Cuesta Alta	E	(Mu.)	155	C3
Cuesta Blanca de Arriba	E	(Mu.)	172	A2
Cuesta de Almendros	E	(Gr.)	182	C3
Cuesta de la Villa	E	(S.Cruz T.)	196	A2
Cuesta del Mellado	E	(Mu.)	171	A3
Cuesta del Rato	E	(Val.)	105	C4
Cuesta, La	E	(S.Cruz T.)	193	C2
Cuesta, La	E	(S.Cruz T.)	196	B2
Cuestas, Las	E	(Ast.)	6	B4
Cueta, La	E	(Le.)	17	D2
Cueto	E	(Can.)	9	C4
Cueto	E	(Le.)	17	A5
Cueto, El	E	(Ast.)	6	B3
Cueva	E	(Bur.)	21	D2
Cueva Bermeja	E	(S.Cruz T.)	196	C2
Cueva de Ágreda	E	(So.)	64	C2
Cueva de Ambrosio, La, lugar	E	(Alm.)	170	C1
Cueva de Juarros	E	(Bur.)	42	A3
Cueva de la Mora	E	(Huel.)	162	C1
Cueva de Roa, La	E	(Bur.)	61	B3
Cueva del Agua	E	(S.Cruz T.)	193	B2
Cueva del Hierro	E	(Cu.)	104	B1
Cueva del Pájaro, La	E	(Alm.)	184	D2
Cueva del Viento	E	(S.Cruz T.)	195	C3
Cueva Grande	E	(Las P.)	191	C3
Cueva, La	E	(Alb.)	139	D4
Cueva, La, lugar	E	(Alb.)	138	D3
Cuevarruz, La	E	(Val.)	106	A5
Cuevas Bajas	E	(Mál.)	166	C5
Cuevas Caídas	E	(Las P.)	191	C3
Cuevas de Almudén	E	(Te.)	86	B4
Cuevas de Amaya	E	(Bur.)	21	A5
Cuevas de Ambrosio	E	(J.)	153	A3
Cuevas de Ayllón	E	(So.)	62	B5
Cuevas de Cañart	E	(Te.)	87	A4
Cuevas de los Medinas	E	(Alm.)	184	B3
Cuevas de los Úbedas	E	(Alm.)	184	A3
Cuevas de Luna	E	(Gr.)	169	B3
Cuevas de Portalrubio	E	(Te.)	86	A4
Cuevas de Provanco	E	(Seg.)	61	B3
Cuevas de Reyllo	E	(Mu.)	171	D2
Cuevas de San Clemente	E	(Bur.)	42	A4
Cuevas de San Marcos	E	(Mál.)	166	C5
Cuevas de Soria, Las	E	(So.)	63	C2
Cuevas de Velasco	E	(Cu.)	103	D4
Cuevas del Almanzora	E	(Alm.)	170	D5
Cuevas del Becerro	E	(Mál.)	179	C3
Cuevas del Campo	E	(Gr.)	169	A3
Cuevas del Moreno, Las	E	(Alm.)	170	C2
Cuevas del Sil	E	(Le.)	17	C3
Cuevas del Valle	E	(Áv.)	99	C3
Cuevas labradas	E	(Gua.)	84	B4
Cuevas Labradas	E	(Te.)	106	A1
Cuevas Minadas, lugar	E	(Gua.)	84	B4
Cuevas, Las	E	(Gr.)	183	A1
Cuevas, Las	E	(Val.)	123	C3
Cuevas-Romo, Las	E	(Mál.)	180	D3
Cuevecitas, Las	E	(S.Cruz T.)	196	B3
Cuezva	E	(Bur.)	22	C4
Cuide de Vila Verde	P	(V. C.)	54	B1
Cuíña	E	(A Co.)	3	C2
Cuíña	E	(A Co.)	13	D2
Cuíñas	E	(Lu.)	16	C2
Cujó	P	(Vis.)	75	A2
Culata, La	E	(Las P.)	191	B3
Culebras	E	(Cu.)	103	D3
Culebros	E	(Le.)	18	A5
Culla	E	(Cas.)	107	C2
Cúllar	E	(Gr.)	169	D3
Cúllar Vega	E	(Gr.)	181	D1
Cullera	E	(Val.)	141	B1
Culleredo	E	(A Co.)	2	C4
Cumbraos	E	(A Co.)	14	D1
Cumbraos	E	(A Co.)	15	A1
Cumbre, La	E	(Các.)	116	A4
Cumbres de Enmedio	E	(Huel.)	146	D4
Cumbres de San Bartolomé	E	(Huel.)	146	C4
Cumbres Mayores	E	(Huel.)	146	D4
Cumbres Verdes	E	(Gr.)	182	A1
Cumeada	P	(C. B.)	112	C1
Cumeada	P	(Év.)	145	B1
Cumeada	P	(Fa.)	174	A2
Cumeeira	P	(V. R.)	55	B5
Cumeira	P	(Lei.)	111	A3
Cumeira de Cima	P	(Lei.)	111	B2
Cumeira do Baixo	P	(Lei.)	111	B2
Cumeiro	E	(Po.)	14	D3
Cumieira	P	(Lei.)	93	D5
Cumieira	P	(Lei.)	94	A4
Cunas	E	(Alm.)	171	A5
Cunas	E	(Le.)	37	C3
Cunchillos	E	(Zar.)	64	D1
Cundíns	E	(A Co.)	1	D5
Cunha	P	(Br.)	54	A3
Cunha	P	(V. C.)	34	A5
Cunha	P	(Vis.)	75	D3
Cunha Alta	P	(Vis.)	75	B5
Cunha Baixa	P	(Vis.)	75	B5
Cunhas	P	(Br.)	55	A3
Cunheira	P	(Por.)	113	A4
Cunit	E	(Ta.)	70	B5
Cuns	E	(A Co.)	1	D5
Cuntis	E	(Po.)	14	A4
Curalha	P	(V. R.)	55	D2
Curantes	E	(Po.)	14	C4
Curas, Los	E	(Mu.)	171	C3
Curbe	E	(Hues.)	67	A1
Cures	E	(A Co.)	13	C4
Curiel de Duero	E	(Vall.)	61	A3
Curillas	E	(Le.)	38	A2
Curopos	P	(Bra.)	56	B1
Currais	P	(Ave.)	74	B3
Currais	P	(Fa.)	160	D4
Curral das Freiras	P	(Ma.)	110	B2
Curral dos Boieiros	P	(Fa.)	175	A2
Currás	E	(Our.)	35	B2
Currás	E	(Po.)	33	D4

rrás E (Po.) 14 A5
rrelos E (Lu.) 15 C4
rrelos P (Vis.) 94 D1
rro E (Po.) 14 A5
rros P (V. R.) 55 D3
rros P (V. R.) 55 C2
rtis E (A Co.) 15 A1
rtis-Estación E (A Co.) 14 D1
rva, La E (Alm.) 183 A4
rvaceira P (Vis.) 75 B5
rvaceiras Grandes P (San.) 112 A2
rvaceiras Pequenas P (San.) 112 A2
rval P (Ave.) 74 A3
rvatos P (Be.) 160 C3
rvos P (Br.) 53 D2
sanca E (Our.) 14 D5
stóias P (Guar.) 76 A1
stóias P (Port.) 53 D5
tanda E (Te.) 85 D3
tar E (Mál.) 180 D3
tián E (Po.) 14 B5
currita de Juarros E (Bur.) 42 A3
currita de Río Tirón E (La R.) 42 D1

CH

ã P (Ave.) 74 B3
ã P (San.) 111 C2
ã P (V. R.) 55 D4
ã P (V. R.) 55 B1
ã de Baixo P (San.) 111 C3
ã de Cima P (San.) 111 C3
acim P (Bra.) 56 C4
acín E (A Co.) 13 C2
acones, Los E (Alm.) 170 B4
afiras, Las E (S.Cruz T.) 195 D5
agarcía Medianero E (Sa.) 79 A5
aguazoso E (Our.) 36 B3
aguazoso E (Our.) 36 C5
aherrero E (Áv.) 79 D3
aián E (A Co.) 14 B2
aín E (Po.) 34 B2
ainça P (Co.) 94 A4
ainça P (Lei.) 111 B2
ainça P (San.) 112 B3
alamera E (Hues.) 67 D2
amadouro P (Vis.) 94 C1
amartín E (Áv.) 79 D5
aminé P (San.) 112 B4
amoim P (Br.) 54 C1
ampana P (Fa.) 175 B2
amusca P (Co.) 95 A1
amusca P (San.) 111 D4
an E (Po.) 34 B2
an, A (Cotobade) E (Po.) 34 B1
ança P (Por.) 113 A4
ança-Gare P (Co.) 94 A4
ancelaria P (Por.) 113 A5
ancelaria P (San.) 111 D2
andoiro E (Our.) 36 B2
andrexa E (Our.) 35 D2
ano E (Le.) 17 A3
ans, As E (Po.) 34 B3
antada E (Lu.) 15 B5
añe E (Seg.) 60 C5
ao E (A Co.) 2 D4
ao E (Lu.) 3 C4
ao E (Lu.) 4 B2
ão da Feira P (Lei.) 111 B2
ão da Parada P (Lei.) 110 D3
ão da Vã P (C. B.) 95 B5
ão das Donas P (Fa.) 173 C2
ão das Eiras P (San.) 112 A1
ão das Maias P (San.) 112 B2
ão de Codes P (San.) 112 C2
ão de Couce P (Lei.) 94 A5
ão de Lamas P (Co.) 94 A3
ão de Lopes P (San.) 112 C2
ão de Lopes Pequeno P (San.) 112 C2
ão de Lucas P (San.) 112 B3
ão de Maçãs P (San.) 111 D1
ão de Pias P (Lei.) 111 B2
ão do Carvalho P (Ave.) 74 B3
ão do Galego P (C. B.) 113 A1
ão do Porto P (V. C.) 33 D5
ão do Sapo P (Lis.) 110 D4
ão Pardo P (Lei.) 111 B2
ão Sobral P (Co.) 95 A2
orna E (So.) 84 A1
os E (Lu.) 3 D2
os P (C. B.) 95 C3
os P (Guar.) 76 A3
os P (Lei.) 94 B5
Chãos P (Lei.) 111 A3
Chãos P (Lei.) 111 A2
Chãos P (Lis.) 126 C1
Chãos P (San.) 112 A1
Chãos P (San.) 111 A3
Chãos P (Set.) 143 B4
Chapa Fridão P (Port.) 54 D4
Chaparral E (Mu.) 155 A4
Chaparral P (Set.) 143 C5
Chaparral Alto, El E (Alm.) 170 A3
Chaparral, El E (Ali.) 156 D4
Chaparral, El E (Gr.) 167 D5
Chapas, Las E (Mál.) 188 A2
Chapatales, Los E (Sev.) 178 A1
Chapela E (Po.) 34 A2
Chapinería E (Mad.) 100 D2
Chapinha P (Co.) 94 B3
Chapinheira P (Co.) 94 C3
Charán E (Mu.) 154 C3
Charco de los Hurones E (Cád.) 178 C4
Charco del Pino E (S.Cruz T.) 195 D4
Charco del Tamujo E (C. R.) 119 B5
Charco Dulce E (Cád.) 186 B2
Charcofrío, lugar E (Sev.) 163 B3
Charche, El E (Alm.) 170 C2
Charches E (Gr.) 169 A5
Charilla E (J.) 167 C3
Charneca P (Lei.) 94 A5
Charneca P (Lei.) 93 D4
Charneca P (Lis.) 126 B3
Charneca P (Lis.) 126 B1
Charneca P (Lis.) 126 C3
Charneca P (San.) 111 B4
Charneca P (San.) 111 D3
Charneca da Caparica P (Set.) 126 C4
Charnequinhas P (Set.) 143 C5
Charo E (Hues.) 48 A2
Charruada P (San.) 111 D2
Chãs P (Guar.) 76 B2
Chãs P (Lei.) 93 B5
Chãs P (Lei.) 93 C4
Chãs de Égua P (Co.) 95 A2
Chãs de Tavares P (Vis.) 75 C5
Chasna E (S.Cruz T.) 196 A2
Chatún E (Seg.) 60 D5
Chauchina E (Gr.) 181 C1
Chaulines, Los E (Gr.) 182 C4
Chavães P (Port.) 54 D5
Chavães P (Vis.) 75 C1
Chave E (A Co.) 13 D3
Chave E (Lu.) 15 C4
Chave P (Ave.) 74 B2
Chaveira P (San.) 112 D1
Chaveiral P (Guar.) 95 A1
Chaves P (V. R.) 55 D1
Chaviães P (V. C.) 34 C3
Chavião P (V. C.) 34 A5
Chavín E (Lu.) 3 D2
Chayofa E (S.Cruz T.) 195 C5
Checa E (Gua.) 84 D5
Cheiras P (Guar.) 76 B5
Cheires P (V. R.) 55 C5
Cheleiros P (Lis.) 126 B2
Cheles E (Bad.) 129 D5
Chelo P (Co.) 94 B2
Chelva E (Val.) 124 A2
Chella E (Val.) 140 D2
Chequilla E (Gua.) 84 D5
Chera E (Val.) 124 B3
Chércoles E (So.) 64 A5
Chercos E (Alm.) 170 B5
Chericoca, La, lugar E (Alb.) 138 C3
Cherín E (Gr.) 183 A2
Chert/Xert E (Cas.) 108 A1
Cheste E (Val.) 124 C3
Chía E (Hues.) 48 B1
Chica-Carlota, La E (Cór.) 165 D2
Chiclana de la Frontera E (Cád.) 185 D2
Chiclana de Segura E (J.) 152 D2
Chiguergue E (S.Cruz T.) 195 C3
Chilches E (Mál.) 180 D4
Chilches/Xilxes E (Cas.) 125 C1
Chiloeches E (Gua.) 102 C1
Chillarón de Cuenca E (Cu.) 104 A4
Chillarón del Rey E (Gua.) 83 B5
Chillón E (C. R.) 133 D4
Chilluévar E (J.) 152 D5
Chimeneas E (Gr.) 181 C1
Chimiche E (S.Cruz T.) 196 A4
Chimillas E (Hues.) 46 D4
Chinas, Las E (Huel.) 146 C5
Chinchilla de Monte-Aragón E (Alb.) 139 A3
Chinchón E (Mad.) 102 A4
Chío E (S.Cruz T.) 195 C3
Chipar de Cima P (Ave.) 93 D1
Chipiona E (Cád.) 177 A4
Chiprana E (Zar.) 67 C5
Chiqueda P (Lei.) 111 A2
Chirán E (Alm.) 183 A3
Chirche E (S.Cruz T.) 195 C4
Chirivel E (Alm.) 170 B3
Chiriveta E (Hues.) 48 C4
Chirles/Xirles E (Ali.) 141 C5
Chirritana, La E (Cór.) 165 A2
Chisagües E (Hues.) 27 D5
Chite E (Gr.) 182 A3
Chiva de Morella/Xiva de Morella E (Cas.) 87 C5
Chiva E (Val.) 124 C4
Chive, El E (Alm.) 184 C1
Cho E (S.Cruz T.) 195 D5
Choca do Mar P (Ave.) 73 D5
Choça Queimada P (Fa.) 161 B4
Chodes E (Zar.) 65 B4
Chodos/Xodos E (Cas.) 107 B3
Chopera, La E (Mad.) 101 B1
Chopos, Los E (J.) 167 B3
Chorense P (Br.) 54 C1
Chorente E (Lu.) 15 D4
Chorente P (Br.) 54 A3
Choriza, La E (Alb.) 138 B3
Chorosas P (Co.) 93 D1
Chorro, El E (Mál.) 180 A3
Chosendo P (Vis.) 75 D2
Chospes, Los E (Alb.) 137 D4
Choutaria P (Lis.) 126 C2
Chouto P (San.) 112 A4
Chóvar E (Cas.) 125 B1
Chozas E (J.) 153 B3
Chozas de Abajo E (Le.) 38 C1
Chozas de Arriba E (Le.) 38 C1
Chozas de Canales E (To.) 101 A4
Chucena E (Huel.) 163 B4
Chuche, El E (Alm.) 183 D3
Chueca E (To.) 119 B2
Chulilla E (Val.) 124 B2
Chumberas, Las E (S.Cruz T.) 196 B2
Chumillas E (Cu.) 122 C2
Churra E (Mu.) 156 A4
Churriana E (Mál.) 180 B5
Churriana de la Vega E (Gr.) 181 D1

D

Dacón E (Our.) 35 A1
Dade P (Vis.) 74 D4
Daganzo de Arriba E (Mad.) 102 A1
Dagorda P (Lis.) 110 D4
Daimalos-Vados, lugar E (Mál.) 181 B3
Daimés E (Ali.) 156 D3
Daimiel E (C. R.) 135 D2
Daimús E (Val.) 141 C2
Daimuz E (Alm.) 170 B3
Daires P (Vis.) 74 B5
Dalí E (Alm.) 169 D4
Dalías E (Alm.) 183 B3
Dalvares P (Vis.) 75 B1
Dama, La E (S.Cruz T.) 194 B2
Damil E (Lu.) 15 D1
Dantxarinea E (Na.) 25 A1
Darbo E (Po.) 33 D2
Dardavaz P (Vis.) 94 C1
Darei P (Vis.) 75 B4
Darmós E (Ta.) 88 D1
Darnius E (Gi.) 52 A1
Daroca E (Zar.) 85 B2
Daroca de Rioja E (La R.) 43 C2
Darque P (V. C.) 53 C1
Darrical E (Alm.) 183 A3
Darro E (Gr.) 168 C5
Das E (Gi.) 50 C2
Daspera P (C. B.) 95 A5
Daya Nueva E (Ali.) 156 C4
Daya Vieja E (Ali.) 156 C4
De la Loma E (Gr.) 182 A3
Deán Grande E (A Co.) 13 C5
Deão P (V. C.) 53 D1
Deba E (Gui.) 11 D5
Decermilo P (Vis.) 75 B4
Degaña E (Ast.) 17 B3
Degolados P (San.) 112 D2
Degollada, La E (S.Cruz T.) 196 A4
Dégracia Cimeira P (Por.) 112 D3
Dégracia Fundeira P (Por.) 112 D3
Degracias P (Co.) 93 D4
Degrada E (Lu.) 16 D3
Dehesa E (Gr.) 181 B1
Dehesa Baja, La E (S.Cruz T.) 196 A2
Dehesa de Campoamor E (Ali.) 156 C5
Dehesa de los Montes E (Gr.) 180 D1
Dehesa de Marinartín E (Mad.) 101 B3
Dehesa de Montejo E (Pa.) 20 C4
Dehesa de Perosín E (Sa.) 96 D2
Dehesa de Romanos E (Pa.) 20 C5
Dehesa de San Isidro, lugar E (Huel.) 163 A4
Dehesa de Val, La E (Alb.) 138 A5
Dehesa de Villandrando E (Pa.) 41 A4
Dehesa del Cañaveral E (Cór.) 166 C5
Dehesa Mayor E (Seg.) 60 D5
Dehesa Mayorga E (Bad.) 114 A5
Dehesa, La E (Alb.) 154 A4
Dehesa, La E (Alb.) 154 B2
Dehesa, La E (Alb.) 138 B5
Dehesa, La E (Huel.) 163 A1
Dehesa, La E (Mad.) 101 C1
Dehesas E (Le.) 37 A1
Dehesas de Guadix E (Gr.) 168 D3
Dehesas Viejas E (Gr.) 168 A4
Dehesas, Las E (Mad.) 81 A4
Dehesas, Las E (S.Cruz T.) 195 D2
Dehesilla E (Gr.) 166 D5
Deià → Deyá E (Bal.) 91 C2
Deifontes E (Gr.) 168 A5
Deilão P (Bra.) 57 B1
Deilão P (Vis.) 74 D2
Deixa-o-Resto P (Set.) 143 B3
Deixebre E (A Co.) 14 C2
Deleitosa E (Các.) 116 C2
Delfià E (Gi.) 52 B1
Delgada P (Lei.) 110 D4
Delgadas, Las E (Huel.) 163 A2
Delgadillo E (Gr.) 168 C4
Delika E (Ál.) 22 D3
Delongo P (San.) 112 A2
Deltebre E (Ta.) 88 D4
Demetrios, Los E (Cu.) 104 C2
Demo P (Lei.) 111 C2
Dénia E (Ali.) 142 A3
Denúy E (Hues.) 48 C1
Deocriste P (V. C.) 53 D1
Derde E (Alm.) 170 B1
Derio E (Viz.) 11 A5
Derramadero, lugar E (Alb.) 154 B1
Derramador, El E (Ali.) 156 C3
Derramador, El E (Val.) 123 D4
Derrea da Cimeira P (Lei.) 94 C4
Desamparados, Los E (Ali.) 156 B4
Desbarate P (Fa.) 174 D2
Descargamaría E (Các.) 97 B2
Descoberto P (C. B.) 95 B4
Desejosa P (Vis.) 75 C1
Desierto, El E (S.Cruz T.) 195 D4
Desojo E (Na.) 44 A1
Despujol, El E (Bar.) 51 A4
Desteriz E (Our.) 34 D3
Destriana E (Le.) 38 A2
Destriz P (Vis.) 74 B4
Deva E (Ast.) 6 D3
Dévanos E (So.) 64 C1
Devesa E (Lu.) 15 C2
Devesa E (Our.) 15 A5
Devesa E (Our.) 36 A5
Devesa E (Po.) 14 A5
Devesa de Boñar, La E (Le.) 19 B4
Devesa de Curueño E (Le.) 19 A5
Devesa, A E (Lu.) 4 C3
Devesa, A E (Po.) 14 A4
Devesos E (A Co.) 3 C2
Dexo E (A Co.) 2 C3
Deyá/Deià E (Bal.) 91 C2
Deza E (So.) 64 B4
Dianteiro P (Vis.) 74 C3
Díaz, Los E (Mu.) 172 B3
Dicastillo E (Na.) 44 B1
Diego Álvaro E (Áv.) 79 A5
Diezma E (Gr.) 168 B5
Dílar E (Gr.) 182 A2
Dima E (Viz.) 23 B2
Dine P (Bra.) 36 C5
Diogo Dias P (Fa.) 160 D3
Diogo Martins P (Be.) 161 A3
Diomondí E (Lu.) 15 C5
Dios Le Guarde E (Sa.) 77 C5
Dioses, Los E (Alm.) 170 C5
Distriz E (Lu.) 35 D1
Distriz E (Lu.) 3 C4
Diustes E (So.) 43 D4
Doade E (Lu.) 35 D1
Doade E (Our.) 34 C1
Dobres E (Can.) 20 B2
Dobro E (Bur.) 21 D4
Doctoral, El E (Las P.) 191 D4
Dodro E (A Co.) 14 A4
Dogueno P (Be.) 160 C3
Doiras E (Ast.) 5 A4
Dois Portos P (Lis.) 126 D1
Dólar E (Gr.) 183 A1
Dolores E (Ali.) 156 C4
Dolores E (Mu.) 172 C1
Dolores, Los E (Ali.) 156 C3
Dolores, Los E (Mu.) 172 B2
Dom Durão P (Lis.) 110 D4
Domaio E (Po.) 34 A2
Dombate E (A Co.) 1 C5
Dombellas E (So.) 63 C1
Domenes E (Alm.) 169 C5
Domeniliaga → San Millán E (Ál.) 23 D4
Domeny-Taialà E (Gi.) 52 A4
Domeño E (Val.) 124 B2
Domeño (Romanzado) E (Na.) 25 C5
Dómez E (Zam.) 57 D2
Dominga Chã P (Guar.) 76 A4
Domingão P (Por.) 112 C5
Domingo García E (Seg.) 80 C2
Domingo Pérez E (Gr.) 168 A3
Domingo Pérez E (To.) 100 B5
Domingo Señor E (Sa.) 78 A4
Domingos da Vinha P (Por.) 112 D3
Dominguizo P (C. B.) 95 C3
Don Álvaro E (Bad.) 131 C3
Don Benito E (Bad.) 132 A2
Don Gonzalo E (Mu.) 154 D5
Dona Bolida P (San.) 111 C4
Dona Maria P (Lis.) 126 C2
Donadillo E (Zam.) 37 C4
Donadío E (J.) 152 B5
Donado E (Zam.) 37 C4
Donai P (Bra.) 56 D1
Donalbai E (Lu.) 15 C1
Donamaria E (Na.) 24 D2
Donas E (Po.) 33 D3
Donas P (C. B.) 95 C3
Donatos, Los E (Alm.) 169 D4
Doncos E (Lu.) 16 C4
Done Bikendi Harana E (Ál.) 23 D5
Donelo P (V. R.) 75 C1
Doney de la Requejada E (Zam.) 37 B4
Doneztebe/Santesteban E (Na.) 24 D2
Donhierro E (Seg.) 80 A2
Donillas E (Le.) 18 A5
Doniños E (A Co.) 2 D3
Donís E (Lu.) 16 D3
Donjimeno E (Áv.) 79 D3
Donões P (V. R.) 55 B1
Donón E (Po.) 33 C2
Donostia-San Sebastián E (Gui.) 12 C5
Donramiro E (Po.) 14 D4
Donvidas E (Áv.) 80 A2
Doña Ana E (Mál.) 180 B4
Doña Blanca E (Cád.) 177 C5
Doña Inés E (Mu.) 154 D5
Doña María E (Alm.) 183 C1
Doña Mencía E (Cór.) 166 D3
Doña Rama E (Cór.) 149 A3
Doña Santos E (Bur.) 62 B1
Doñinos de Ledesma E (Sa.) 78 A2
Doñinos de Salamanca E (Sa.) 78 C3
Dor E (A Co.) 1 B5
Dordóniz E (Bur.) 23 B5
Dorna P (V. R.) 55 D2
Dorna P (Vis.) 74 C5
Dornelas E (Po.) 34 A3
Dornelas P (Ave.) 74 B3
Dornelas P (Br.) 54 B2
Dornelas P (Guar.) 75 C4
Dornelas P (V. R.) 55 B2
Dornelas do Zêzere P (Co.) 95 A3
Dornes P (San.) 112 B1
Doroña E (A Co.) 3 A4
Doroño E (Bur.) 23 B4
Dorrao/Torrano E (Na.) 24 B4
Dòrria E (Gi.) 50 D2
Dorrón E (Po.) 33 D1
Dos Aguas E (Val.) 124 C5
Dos Hermanas E (Sev.) 164 A5
Dos Torres de Mercader E (Te.) 87 A4
Dosbarrios E (To.) 120 A1
Doso E (A Co.) 3 A3
Dosrius E (Bar.) 71 C2
Dossãos P (Br.) 54 B1
Dos-Torres E (Cór.) 149 D1
Douro P (Lei.) 94 B5
Dozón E (Po.) 15 A5

Drago, El E (Cád.) 178 A 4
Dragonal E (Las P.) 191 C 2
Dragonte E (Le.) 16 D 5
Driebes E (Gua.) 102 D 3
Drova, La E (Val.) 141 B 2
Duana, la → Aduanas E (Ali.) 142 A 3
Duáñez E (So.) 63 D 2
Duas Igrejas P (Ave.) 74 A 2
Duas Igrejas P (Br.) 54 A 1
Duas Igrejas P (Bra.) 57 C 4
Duas Igrejas P (Port.) 54 C 5
Dúas Igrexas E (Po.) 14 C 5
Dúdar E (Gr.) 182 A 1
Dueñas E (Pa.) 60 B 1
Duesaigües E (Ta.) 89 A 1
Dueso E (Can.) 10 A 4
Duesos E (Ast.) 7 C 4
Duio E (A Co.) 13 A 2
Dumbría E (A Co.) 13 B 1
Dunas, Las E (Sa.) 78 C 2
Duques, Los E (Val.) 123 D 4
Durana E (Ál.) 23 B 3
Durango E (Viz.) 23 C 1
Duratón E (Seg.) 61 D 5
Durazno, El E (S. Cruz T.) 196 A 2
Dúrcal E (Gr.) 182 A 2
Durón E (Gua.) 83 B 5
Durrães P (Br.) 53 D 2
Durro E (Ll.) 48 D 1
Durruma Kanpezu E (Ál.) 23 D 5
Duruelo E (Áv.) 80 A 5
Duruelo E (Seg.) 81 D 1
Duruelo de la Sierra E (So.) 43 A 5

E

Ea E (Viz.) 11 C 4
Eaurta → Jaurrieta E (Na.) 25 D 3
Écija E (Sev.) 165 C 3
Echarren E (Na.) 24 C 5
Echarri/Etxarri E (Na.) 24 D 4
Edral P (Bra.) 56 B 1
Edrosa P (Bra.) 56 C 1
Edroso P (Bra.) 36 B 5
Edroso P (Bra.) 56 C 2
Ega P (Co.) 93 D 3
Egea E (Hues.) 48 B 2
Eguaria P (Lis.) 126 B 2
Egües E (Na.) 25 A 4
Egulbati E (Na.) 25 A 4
Eguzkialdea E (Na.) 24 D 1
Ehari E (Ál.) 23 B 4
Eibar E (Gui.) 23 D 1
Eidián E (Po.) 15 A 3
Eira de Ana P (Br.) 53 D 2
Eira dos Vales P (Co.) 94 B 3
Eira Pedrinha P (Co.) 94 A 3
Eira Vedra P (Br.) 54 D 2
Eira Velha P (C. B.) 112 C 1
Eirado P (Guar.) 75 C 3
Eirado P (V. C.) 34 B 4
Eiras E (Our.) 35 A 2
Eiras P (Co.) 94 A 2
Eiras P (Lis.) 126 D 1
Eiras P (V. C.) 34 B 5
Eiras P (V. R.) 55 D 1
Eiras, As E (Po.) 33 D 5
Eirexe E (Lu.) 15 B 3
Eirigo P (Vis.) 74 B 5
Eiriz P (Port.) 54 B 4
Eiriz P (V. R.) 55 C 3
Eirol P (Ave.) 74 A 4
Eirón E (A Co.) 13 D 2
Eirós E (Po.) 34 A 1
Eitzaga E (Viz.) 23 C 1
Eivados P (Bra.) 56 A 3
Eivissa E (Bal.) 89 D 4
Eixo P (Ave.) 73 D 4
Eja P (Port.) 74 B 1
Ejea de los Caballeros E (Zar.) 45 D 4
Ejeme E (Sa.) 78 D 4
Ejep E (Hues.) 48 A 3
Ejido, El E (Alm.) 183 B 4
Ejulve E (Te.) 86 D 4
Ekora → Yécora E (Ál.) 43 D 1
Elantxobe E (Viz.) 11 B 4
Elbarrena E (Gui.) 24 B 1
Elbete E (Na.) 25 A 2
Elburgo/Burgelu E (Ál.) 23 C 4
Elcano E (Na.) 25 A 4
Elciego/Eltziego E (Ál.) 43 C 1
Elcoaz E (Na.) 25 C 4
Elche de la Sierra E (Alb.) 154 C 1
Elche/Elx E (Ali.) 156 D 3
Elda E (Ali.) 156 C 1
Elduain E (Gui.) 24 B 2
Elechas E (Can.) 9 C 4
Eleizalde (Amoroto) E (Viz.) 11 C 5
Elejalde Forua E (Viz.) 11 B 5
Elexalde E (Viz.) 23 A 1
Elgea E (Ál.) 23 C 3
Elgeta E (Gui.) 23 C 2
Elgoibar E (Gui.) 23 D 1
Elgorriaga E (Na.) 24 D 2
Eliana, l' E (Val.) 124 D 3
Elizondo (Baztan) E (Na.) 25 A 2
Eljas E (Các.) 96 C 3
Elkano E (Gui.) 12 A 5
Elo → Monreal E (Na.) 25 B 5
Elorrio E (Viz.) 23 C 2
Elorz E (Na.) 25 A 4
Elosu E (Gui.) 23 D 2
Eltzaburu E (Na.) 24 D 3
Eltziego → Elciego E (Ál.) 43 C 1
Elvas P (Por.) 130 A 3
Elvillar/Bilar E (Ál.) 43 C 1
Elviria E (Mál.) 188 B 2
Elx → Elche E (Ali.) 156 D 3
Éller E (Ll.) 50 B 1
Embid E (Gua.) 84 D 3
Embid de Ariza E (Zar.) 64 C 5
Embid de la Ribera E (Zar.) 65 A 4
Embún E (Hues.) 26 B 5
Emerandos E (Viz.) 11 B 4
Empalme E (Po.) 33 D 1
Empalme, El E (Cas.) 108 A 4
Emparedada, lugar E (Cór.) 165 C 1
Emperador E (Val.) 125 B 3
Empúria-Brava E (Gi.) 52 C 2
Empúries E (Gi.) 52 C 3
Ena E (Hues.) 46 C 2
Enate E (Hues.) 47 D 4
Encamp A 30 A 5
Encarnação P (Lis.) 126 B 1
Encarnación, La E (Mu.) 154 D 4
Encarnaciones, Las E (Sev.) 179 A 2
Encebras, Las E (Mu.) 155 D 2
Encima Angulo E (Bur.) 22 C 2
Encín y La Canaleja, El E (Mad.) 102 B 1
Encina de San Silvestre E (Sa.) 77 D 2
Encina, La E (Ali.) 140 B 4
Encina, La E (Sa.) 97 A 1
Encinacorba E (Zar.) 65 C 5
Encinahermosa, lugar E (Alb.) 138 A 2
Encinar
de los Reyes, El E (Mad.) 101 D 1
Encinar,
urbanización El E (Sa.) 78 D 3
Encinarejo de Córdoba E (Cór.) 165 D 1
Encinares E (Áv.) 98 D 2
Encinares, Los E (J.) 167 C 2
Encinas E (Seg.) 61 D 5
Encinas de Abajo E (Sa.) 78 D 3
Encinas de Arriba E (Sa.) 78 D 4
Encinas de Esgueva E (Vall.) 61 A 2
Encinas Reales E (Cór.) 166 C 5
Encinasola E (Huel.) 146 B 3
Encinasola de
las Minayas E (Sa.) 78 A 2
Encinasola de
los Comendadores E (Sa.) 77 B 2
Encinedo E (Le.) 37 B 3
Encinilla-Grija E (Sev.) 177 D 3
Encinillas E (Seg.) 81 A 2
Encio E (Bur.) 22 D 5
Enciso E (La R.) 44 A 4
Encomienda de
Mudela, lugar E (C. R.) 135 D 5
Encomienda, La E (Cu.) 121 C 3
Encourados P (Br.) 54 A 3
Encrobas, As E (A Co.) 2 C 5
Endrinal E (Sa.) 78 B 5
Eneritz → Enériz E (Na.) 24 D 5
Enériz/Eneritz E (Na.) 24 D 5
Enfesta E (A Co.) 14 B 2
Enfesta E (A Co.) 2 D 4
Enfesta E (Our.) 35 D 5
Enfesta (Pontecesures) E (Po.) 14 A 4
Enfistiella, La E (Ast.) 18 D 1
Énguera E (Val.) 140 C 2
Enguídanos E (Cu.) 123 A 2
Enillas, Las E (Zam.) 58 B 4
Enix E (Alm.) 183 C 3
Énova, l' E (Val.) 141 A 2
Enquerentes E (A Co.) 14 C 3
Enroig → Anroig E (Cas.) 107 D 1
Entins E (A Co.) 13 D 3
Entoma E (Our.) 36 D 1
Entradas P (Be.) 160 C 1
Entrago E (Ast.) 18 A 1
Entrala E (Zam.) 58 C 4
Entralgo E (Ast.) 18 D 1
Entrambasaguas E (Bur.) 22 C 2
Entrambasaguas E (Can.) 9 D 4
Entrambasaugas E (Lu.) 15 C 3
Entrambasmestas E (Can.) 21 C 1
Entre Ambos-os-Rios P (V. C.) 34 C 5
Entre-a-Serra P (C. B.) 94 D 5
Entrecinsa E (Our.) 36 B 4
Entrecruces E (A Co.) 2 A 5
Entredicho, El E (Mu.) 154 A 5
Entrego, El E (Ast.) 6 D 5
Entrena E (La R.) 43 C 2
Entrepeñas E (Zam.) 37 B 4
Entrerríos E (Bad.) 132 B 2
Entrerríos E (Mál.) 188 B 1
Entrialgo E (Ast.) 6 B 3
Entrimo E (Our.) 34 D 5
Entrín Alto E (Bad.) 130 D 4
Entrín Bajo E (Bad.) 130 D 4
Entroncamento P (San.) 111 D 3
Entroncamento P (Set.) 127 A 3
Envendos P (San.) 112 D 2
Enviny E (Ll.) 49 B 2
Enxabarda P (C. B.) 95 B 3
Enxameia P (Guar.) 76 A 2
Enxames E (Our.) 36 A 5
Enxames P (C. B.) 95 D 3
Enxara do Bispo P (Lis.) 126 C 1
Enxofães P (Co.) 94 A 1
Epele E (Gui.) 24 C 1
Épila E (Zar.) 65 C 3
Era E (Ast.) 6 A 3
Era Alta E (Mu.) 155 D 5
Era de la Viña E (Cád.) 179 A 3
Erada P (C. B.) 95 B 3
Erandio E (Viz.) 10 D 5
Erandio-Goikoa E (Viz.) 10 D 5
Eras, Las E (Alb.) 139 C 1
Eras, Las E (S. Cruz T.) 196 A 4
Eratsun E (Na.) 24 D 2
Erbecedo E (A Co.) 2 A 5
Erbedeiro E (Lu.) 15 C 5
Erbille E (Po.) 34 A 3
Erbogo E (A Co.) 14 A 3
Ercina, La E (Le.) 19 B 4
Erdozain E (Na.) 25 B 4
Ereira P (Co.) 93 C 3
Ereira P (Lis.) 110 D 5
Ereira P (San.) 111 B 5
Ereiras P (Lei.) 93 D 4
Ereño E (Viz.) 11 C 5
Ereñozu E (Gui.) 24 C 1
Eresué E (Hues.) 48 B 1
Ergoien E (Gui.) 12 C 5
Ería, La E (Ast.) 6 C 3
Erias E (Các.) 97 B 2
EricE (Atez) E (Na.) 24 D 3
EricE (Iza) E (Na.) 24 D 3
Ericeira P (Lis.) 126 B 1
Eriste E (Hues.) 28 B 5
Erjos E (S. Cruz T.) 195 C 3
Erjos del Tanque E (S. Cruz T.) 195 C 3
Erla E (Zar.) 46 A 4
Ermedelo E (A Co.) 13 D 3
Ermelo P (V. C.) 34 C 5
Ermelo P (V. R.) 55 A 4
Ermesinde P (Port.) 54 A 5
Ermida E (A Co.) 13 D 2
Ermida P (Bra.) 56 C 1
Ermida P (C. B.) 112 D 1
Ermida P (Co.) 93 C 1
Ermida P (V. C.) 34 C 5
Ermida P (V. R.) 55 B 5
Ermida P (Vis.) 74 D 2
Ermida, A E (Our.) 14 C 5
Ermidas-Aldeia P (Set.) 143 D 4
Ermidas-Sado P (Set.) 143 D 4
Ermigeira P (Lis.) 110 C 5
Ermita de la Esperanza E (Cór.) 166 B 3
Ermita de Patiño E (Mu.) 156 A 5
Ermita del Ramonete E (Mu.) 171 C 3
Ermita Nueva E (J.) 167 C 4
Ermita Nueva →
Sangonera la Verde E (Mu.) 155 D 5
Ermita
Virgen de la Sierra E (Cór.) 166 C 3
Ermita, l' →
Ermita, La E (Ali.) 158 A 1
Ermita, La E (Gr.) 169 B 2
Ermita, La/Ermita, l' E (Ali.) 158 A 1
Ermitabarri-Ibarra E (Viz.) 23 A 2
Ermo E (A Co.) 3 B 2
Ermua E (Viz.) 23 C 1
Ernes E (Lu.) 16 D 1
Erra P (San.) 127 D 1
Erratzu E (Na.) 25 B 1
Errenteria E (Viz.) 11 B 5
Errenteria → Rentería E (Gui.) 12 C 5
Errezil E (Gui.) 24 A 1
Errezu → Riezu E (Na.) 24 C 4
Erribera E (Ál.) 22 C 4
Errigoiti/Rigoitia E (Viz.) 11 B 5
Erro E (Na.) 25 B 3
Erroitegi E (Ál.) 23 D 4
Erronkari → Roncal E (Na.) 26 A 4
Errotaldea E (Gui.) 24 B 2
Erts A 29 D 5
Erustes E (To.) 100 B 5
Ervas Tenras P (Guar.) 76 A 4
Ervedal P (Co.) 95 A 1
Ervedal P (Co.) 93 C 2
Ervedal P (Por.) 129 A 1
Ervedeira P (Lei.) 93 B 4
Ervedo P (V. R.) 55 D 1
Ervedosa P (Bra.) 56 B 2
Ervedosa P (Guar.) 76 A 3
Ervedosa do Douro P (Vis.) 75 C 1
Ervedoso P (Ave.) 74 B 3
Ervideira P (Lei.) 94 C 4
Ervideira P (Por.) 112 C 5
Ervideiro P (Br.) 54 D 3
Ervidel P (Be.) 144 B 4
Ervilhais P (Vis.) 74 C 1
Ervilhal P (Vis.) 74 D 3
Es Cap de Barbària E (Bal.) 90 C 5
Esa → Yesa E (Na.) 25 C 5
Esblada E (Ta.) 70 A 4
Escabralhado P (Guar.) 96 C 1
Escacena del Campo E (Huel.) 163 B 4
Escairón E (Lu.) 15 C 5
Escala, l' E (Gi.) 52 C 3
Escalada E (Bur.) 21 C 4
Escalada E (Huel.) 146 C 5
Escalante E (Can.) 10 A 4
Escaldes-Engordany, les A 50 A 1
Escalera E (Gua.) 84 B 4
Escalhão P (Guar.) 76 C 2
Escaló E (Ll.) 29 B 5
Escalona E (Hues.) 47 D 1
Escalona E (To.) 100 C 4
Escalona del Prado E (Seg.) 81 A 1
Escalona, La E (S. Cruz T.) 195 D 4
Escalonilla E (Áv.) 100 A 1
Escalonilla E (To.) 100 C 5
Escalos de Baixo P (C. B.) 95 D 5
Escalos de Cima P (C. B.) 95 D 5
Escamilla E (Gua.) 103 C 1
Escamplero E (Ast.) 6 B 4
Escanilla E (Hues.) 47 D 3
Escaño E (Bur.) 21 D 3
Escañuela E (J.) 167 B 1
Escapães P (Ave.) 74 A 2
Escarabajosa de
Cabezas E (Seg.) 81 A 2
Escarabajosa de Cuéllar E (Seg.) 60 D 4
Escarabote E (A Co.) 13 C 4
Escardarcs E (Gi.) 50 C 1
Escarei P (V. R.) 55 B 3
Escariche E (Gua.) 102 D 2
Escarigo P (C. B.) 95 D 2
Escarigo P (Guar.) 76 D 3
Escarihuela, La E (Mu.) 171 A 3
Escariz (São Mamede) P (Br.) 54 A 2
Escaro, lugar E (Le.) 19 D 2
Escaroupim P (San.) 127 B 1
Escároz/Ezkaroze E (Na.) 25 D 3
Escarrilla E (Hues.) 27 A 4
Escart E (Ll.) 49 B 1
Escàs A 29 D 5
Escatelares P (Set.) 143 B 3
Escatrón E (Zar.) 67 A 5
Esclanyà E (Gi.) 52 C 4
Esclavitud E (A Co.) 14 A 3
Esclet E (Gi.) 52 A 5
Escó E (Zar.) 25 D 5
Escóbados de Abajo E (Bur.) 22 A 5
Escobar de Campos E (Le.) 39 D 3
Escobar de Polendos E (Seg.) 81 A 2
Escobar, El E (Mu.) 172 A 1
Escobedo E (Can.) 9 C 5
Escobedo E (Can.) 9 C 4
Escober de Tábara E (Zam.) 58 A 1
Escobonal, El E (S. Cruz T.) 196 A 3
Escobosa de Almazán E (So.) 63 D 4
Escombreras E (Mu.) 172 C 3
Escopete E (Gua.) 102 D 2
Escorca E (Bal.) 91 D 2
Escorial, El E (Mad.) 101
Escorihuela E (Te.) 106
Escornabois E (Our.) 35
Escorratel, El E (Ali.) 156
Escós E (Ll.) 49
Escoura P (Port.) 74
Escoural P (Ave.) 94
Escoural P (Co.) 93
Escóznar E (Gr.) 167
Escuadra E (Po.) 34
Escuadro E (Po.) 14
Escuadro E (Zam.) 58
Escucha E (Te.) 86
Escudeiros P (Br.) 54
Escuelas, Las E (J.) 168
Escuer E (Hues.) 27
Escuernavacas E (Sa.) 77
Esculca P (Co.) 94
Escúllar E (Alm.) 183
Escullos, Los E (Alm.) 184
Escuredo E (Le.) 18
Escuredo E (Zam.) 37
Escurial E (Các.) 132
Escurial de la Sierra E (Sa.) 78
Escurquela P (Vis.) 75
Escusa P (Por.) 113
Escusa P (Por.) 112
Escusa, A (Ribadumia) E (Po.) 13
Escúzar E (Gr.) 181
Esfiliana E (Gr.) 168
Esfrega P (C. B.) 95
Esglésies, les E (Ll.) 48
Esgos E (Our.) 35
Esgueira P (Ave.) 73
Esguevillas de Esgueva E (Vall.) 60
Eskantzana E (Ál.) 23
Eskoriatza E (Gui.) 23
Eslava E (Na.) 45
Eslida E (Cas.) 125
Esmelle E (A Co.) 2
Esmolfe P (Vis.) 75
Esmoriz P (Ave.) 73
Esmorode E (A Co.) 13
Espada, La E (Mu.) 155
Espadanal P (Co.) 94
Espadanedo P (Bra.) 56
Espadanedo P (Vis.) 74
Espadaña E (Sa.) 77
Espadañedo E (Zam.) 37
Espadilla E (Cas.) 107
Espadín, El E (Alm.) 170
Espaén E (Ll.) 49
Espargo P (Ave.) 74
Espariz P (Co.) 94
Esparra, l' E (Gi.) 51
Esparragal E (Mu.) 156
Esparragal E (Mu.) 171
Esparragal, El E (Cór.) 167
Esparragal, El, lugar E (Cád.) 186
Esparragalejo E (Bad.) 131
Esparragosa de
la Serena E (Bad.) 132
Esparragosa de Lares E (Bad.) 133
Esparreguera E (Bar.) 70
Espartal, El E (Mad.) 82
Espartinas E (Sev.) 163
Esparza E (Na.) 25
Espasande E (Ast.) 4
Espasande E (Lu.) 4
Espasante E (A Co.) 3
Especiosa P (Bra.) 57
Espedrada P (Guar.) 76
Espeja E (Sa.) 76
Espeja de San Marcelino E (So.) 62
Espejo E (Cór.) 166
Espejón E (So.) 62
Espejos
de la Reina, Los E (Le.) 19
Espeliz E (Alm.) 184
Espelt, l' E (Bar.) 70
Espelúy E (J.) 151
Espera E (Cád.) 178
Esperança P (Br.) 54
Esperança P (Por.) 130
Esperante E (Lu.) 15
Esperanza, La E (Gr.) 181
Esperanzas, Las E (Mu.) 172
Esperela E (Lu.) 16
Espés E (Hues.) 48
Espiçandeira P (Lis.) 126
Espiche P (Fa.) 173
Espiel E (Cór.) 149
Espierba E (Hues.) 27
Espigas E (A Co.) 13
Espina de Tremor E (Le.) 18

Espina, La E (Ast.) 5 D4
Espina, La E (Le.) 19 D4
Espinal → Aurizberri E (Na.) 25 B3
Espinama E (Can.) 20 A2
Espinar, El E (Seg.) 80 D5
Espinar, El, lugar E (To.) 119 C1
Espinardo E (Mu.) 156 A4
Espinaredo E (Ast.) 7 B5
Espinavell E (Gi.) 51 B1
Espindo P (Br.) 54 D2
Espinelves E (Gi.) 51 B5
Espinhal P (Co.) 94 B3
Espinhal P (Co.) 94 B4
Espinhal P (Guar.) 96 A2
Espinhal P (Guar.) 76 B5
Espinheira P (Co.) 73 D5
Espinheira P (Lei.) 110 D3
Espinheira P (Lis.) 111 A5
Espinheira P (San.) 111 B3
Espinheiro P (Co.) 94 B3
Espinheiro P (Co.) 93 D1
Espinheiro P (Guar.) 75 D4
Espinheiro P (Lei.) 111 B2
Espinheiro P (San.) 112 B3
Espinheiro P (San.) 111 C3
Espinhel P (Ave.) 74 A5
Espinho P (Ave.) 73 D1
Espinho P (Vis.) 74 C4
Espinho P (Vis.) 75 A5
Espinho P (Vis.) 75 D1
Espinho P (Vis.) 94 B1
Espinho Grande P (C. B.) 113 A1
Espinho Pequeno P (C. B.) 113 A1
Espinhosa P (Bra.) 56 B1
Espinhosa P (Vis.) 75 D1
Espinhosela P (Bra.) 56 D1
Espinilla E (Can.) 21 A2
Espino E (Mál.) 181 A3
Espino de la Orbada E (Sa.) 79 A2
Espino de los Doctores E (Sa.) 78 A2
Espino, El E (Le.) 17 B4
Espino, El E (So.) 64 A1
Espinos, Los E (Las P.) 191 A3
Espinosa de Cerrato E (Pa.) 41 B5
Espinosa de Cervera E (Bur.) 62 A1
Espinosa de Henares E (Gua.) 82 D3
Espinosa de la Ribera E (Le.) 18 C5
Espinosa de los Caballeros E (Áv.) 80 B2
Espinosa de los Monteros E (Bur.) 22 A2
Espinosa de Villagonzalo E (Pa.) 40 D1
Espinosa del Camino E (Bur.) 42 B2
Espinosilla de San Bartolomé E (Bur.) 41 C1
Espinoso del Rey E (To.) 118 A2
Espiñeira E (Lu.) 4 B3
Espiñeira E (Our.) 14 D5
Espiño E (Our.) 36 C3
Espiño E (Our.) 35 C5
Espiñoso E (Our.) 35 A3
Espirdo E (Seg.) 81 A2
Espirito Santo E (Po.) 33 D2
Espírito Santo P (Be.) 161 A2
Espírito Santo P (Co.) 93 D3
Espite P (San.) 111 D1
Espiunca P (Ave.) 74 C2
Esplegares E (Gua.) 83 D4
Espluga Calba, l' E (Ll.) 69 B3
Espluga de Francolí, l' E (Ta.) 69 B4
Esplugues de Llobregat E (Bar.) 71 A4
Esplús E (Hues.) 68 A1
Espolla E (Gi.) 52 B1
Esponellà E (Gi.) 52 A3
Esporles E (Bal.) 91 C3
Esporões P (Br.) 54 B3
Esporões P (Guar.) 76 A3
Esposa E (Hues.) 26 C5
Esposade P (Port.) 74 A1
Esposende P (Br.) 53 D2
Espot E (Ll.) 29 B5
Espragosa P (Be.) 160 D2
Espronceda E (Na.) 44 A1
Espumaderas, Las, lugar E (J.) 153 B4
Espunyola, l' E (Bar.) 50 B4
Esquedas E (Hues.) 46 D3
Esquio P (Co.) 94 B4
Esquivel E (Sev.) 164 A3
Esquivias E (To.) 101 C4
Establés E (Gua.) 84 B2
Establiments E (Bal.) 91 C3
Estacada, La E (Mu.) 155 C1
Estação P (San.) 112 B4
Estacas E (Po.) 34 B2
Estacas E (Po.) 14 A4
Estació de Sant Vicenç de Calders, l' E (Ta.) 70 A5
Estació, l' → Estación, La E (Ali.) 156 C2
Estación E (Lu.) 16 A5
Estación E (Mál.) 180 B4
Estación E (Mu.) 171 A3
Estación E (To.) 101 C4
Estación de Aljucén E (Bad.) 131 B2
Estación de Almonaster E (Huel.) 146 C5
Estación de Archidona E (Mál.) 180 C1
Estación de Arroyo-Malpartida E (Các.) 115 A3
Estación de Begíjar E (J.) 152 A5
Estación de Cabra E (J.) 168 C2
Estación de Chinchilla E (Alb.) 139 A3
Estación de El Espinar E (Seg.) 81 A4
Estación de Espelúy E (J.) 151 C5
Estación de Fernán Núñez E (Cór.) 166 B2
Estación de Ferrocarril E (Sev.) 164 B3
Estación de Gorafe E (Gr.) 169 A4
Estación de Guadix E (Gr.) 168 D5
Estación de Huelma E (J.) 168 C2
Estación de Huesa E (J.) 168 C2
Estación de Huétor Tájar E (Gr.) 181 B1
Estación de La Calahorra, lugar E (Gr.) 169 A5
Estación de Linares-Baeza E (J.) 151 D4
Estación de Moreda E (Gr.) 168 C4
Estación de Obejo E (Cór.) 149 D4
Estación de Pedro-Martínez E (Gr.) 168 C3
Estación de Río Záncara E (C. R.) 121 A5
Estación de Salinas E (Mál.) 180 D1
Estación de Vadollano E (J.) 151 D4
Estación Emperador E (To.) 119 B5
Estación Férrea E (Cád.) 187 A4
Estación Férrea E (Mu.) 155 C3
Estación Ferrocarril E (Các.) 114 A4
Estación Ferrocarril E (Huel.) 163 B4
Estación Mora de Rubielos E (Te.) 106 C4
Estación Portazgo E (Zar.) 66 B1
Estación Urda Peleches E (To.) 119 C4
Estación y Pajares, La E (Mad.) 101 A1
Estación, La E (Alm.) 183 C1
Estación, La E (Alm.) 183 B1
Estación, La E (Alm.) 171 A4
Estación, La E (Áv.) 80 C5
Estación, La E (Áv.) 80 B3
Estación, La E (C. R.) 134 D5
Estación, La E (Cór.) 166 D3
Estación, La E (Cór.) 166 C3
Estación, La E (Cór.) 150 C5
Estación, La E (Cór.) 165 A2
Estación, La E (Gr.) 169 A5
Estación, La E (Mad.) 101 B1
Estación, La E (Mad.) 100 D1
Estación, La E (Mad.) 81 B5
Estación, La E (Pa.) 20 C4
Estación, La E (Sa.) 78 A3
Estación, La E (Sa.) 78 B3
Estación, La E (Sa.) 79 B1
Estación, La E (Te.) 87 A1
Estación, La E (To.) 101 D4
Estación, La E (Zam.) 58 D3
Estación, La, lugar E (Alm.) 183 B1
Estación, La, lugar E (Bad.) 131 B5
Estación, La, lugar E (Bad.) 147 B1
Estación, La, lugar E (Mál.) 179 B4
Estación, La/ Estació, l' E (Ali.) 156 C2
Estación, lugar E (Cád.) 187 A4
Estada E (Hues.) 48 A4
Estadilla E (Hues.) 48 A4
Estall E (Hues.) 48 C4
Estamariu E (Ll.) 50 A2
Estancos, Los E (Las P.) 190 B2
Estanquillo, El E (S.Cruz T.) 194 C2
Estany d'en Mas, S' E (Bal.) 92 C4
Estany, l' E (Bar.) 51 A5
Estanyol E (Gi.) 51 D4
Estaña E (Hues.) 48 B4
Estaràs E (Ll.) 69 D2
Estarreja P (Ave.) 73 D3
Estartit, l' E (Gi.) 52 C3
Estás E (Po.) 33 D4
Estébanez de la Calzada E (Le.) 38 B2
Estebanvela E (Seg.) 62 B5
Esteiramantens P (Fa.) 175 A3
Esteiro E (A Co.) 3 A2
Esteiro E (A Co.) 13 C3
Esteiro E (A Co.) 13 D4
Esteiro P (Co.) 95 A4
Estela P (Port.) 53 D3
Estela Montes P (Fa.) 174 B2
Estella del Marqués E (Cád.) 177 D4
Estella/Lizarra E (Na.) 24 B5
Estellencs E (Bal.) 91 B3
Estepa E (Sev.) 165 D5
Estepa de San Juan E (So.) 63 D1
Estépar E (Bur.) 41 C3
Estepona E (Mál.) 187 C2
Ester P (Vis.) 74 D2
Esteras de Lubia E (So.) 64 A2
Esteras de Medinaceli E (So.) 83 D2
Estercuel E (Te.) 86 C3
Esteriz E (Po.) 33 D3
Esterri d'Àneu E (Ll.) 29 B5
Esterri de Cardós E (Ll.) 29 C5
Estesos, Los E (Cu.) 121 D5
Estet E (Hues.) 48 C1
Estevais P (Bra.) 56 B5
Estevais P (Bra.) 56 D5
Estevais P (C. B.) 112 B1
Esteval P (Fa.) 174 C3
Esteval dos Mouros P (Fa.) 174 B2
Esteveira P (Fa.) 174 B2
Esteveira P (San.) 112 C4
Estevês P (C. B.) 113 A1
Estevesiños E (Our.) 35 D5
Estibeira P (Be.) 159 B2
Estiche de Cinca E (Hues.) 67 D1
Estivella E (Val.) 125 B2
Esto E (A Co.) 1 D5
Estói P (Fa.) 174 D3
Estollo E (La R.) 43 A3
Estômbar P (Fa.) 173 D2
Estopiñán del Castillo E (Hues.) 48 C5
Estorãos P (V. C.) 53 D1
Estorde E (A Co.) 13 B2
Estoril P (Lis.) 126 B3
Estorniho P (Lei.) 110 D4
Estorninhos P (Fa.) 175 B2
Estorninos E (Các.) 114 C1
Estrada P (Lei.) 93 D4
Estrada P (Lei.) 110 C4
Estrada da Bouça P (Lei.) 93 C5
Estrada, A E (Po.) 14 B4
Estramil E (A Co.) 2 B4
Estrecho de San Ginés, El E (Mu.) 172 C2
Estrecho, El E (Mu.) 172 A2
Estreito P (C. B.) 95 A4
Estreito P (San.) 111 D1
Estreito da Calheta P (Ma.) 109 D2
Estreito de Câmara de Lobos P (Ma.) 110 B2
Estrela P (Be.) 145 C2
Estrella, La E (To.) 117 C2
Estremera E (Mad.) 102 D4
Estremoz P (Év.) 129 B3
Estribeiro P (Lis.) 111 A5
Estriégana E (Gua.) 83 C2
Estrivela E (Po.) 34 A1
Estubeny E (Val.) 140 D2
Esturãos P (V. R.) 55 D2
Etayo E (Na.) 24 B5
Etreros E (Seg.) 80 C3
Etxalar E (Na.) 25 A1
Etxaleku E (Na.) 24 D3
Etxano E (Viz.) 23 B1
Etxarri → Echarri E (Na.) 24 D4
Etxarri-Aranatz E (Na.) 24 B3
Etxauri E (Na.) 24 D4
Etxebarria E (Viz.) 23 C1
Euba E (Viz.) 23 B1
Eucisia P (Bra.) 56 C5
Eugenia P (C. B.) 96 B4
Eugi E (Na.) 25 B3
Eulate E (Na.) 24 A4
Eume E (A Co.) 3 A3
Eurovillas E (Mad.) 102 C2
Évora P (Év.) 128 D5
Évora de Alcobaça P (Lei.) 111 A2
Évora Monte P (Év.) 129 A3
Extramiana E (Bur.) 22 B4
Extremo P (V. C.) 34 B4
Ézaro E (A Co.) 13 B2
Ezcaray E (La R.) 42 D3
Ezkaroze → Escároz E (Na.) 25 D3
Ezkio E (Gui.) 24 A2
Ezkio-Itsaso E (Gui.) 24 A2
Ezkurra E (Na.) 24 D2
Ezprogui E (Na.) 45 B1
Ezquerra E (Bur.) 42 C2
Eztuniga → Zúñiga E (Na.) 24 A5

F

Faba-Bargelas, La E (Le.) 16 C4
Fabara E (Zar.) 87 D1
Fabero E (Le.) 17 B4
Fábrica Azucarera E (Zar.) 65 C3
Fábrica de Giner, la → Primera del Río E (Cas.) 87 C5
Fábrica del Pedroso E (Sev.) 148 B5
Fàbrica, La E (Bar.) 70 C2
Fábrica, La E (Gr.) 181 A1
Facinas E (Cád.) 186 C4
Facós E (Our.) 34 D4
Facha P (V. C.) 54 A1
Facheca/Fageca E (Ali.) 141 B4
Facho P (Lei.) 111 A2
Facho P (Port.) 53 D4
Fadón E (Zam.) 58 A4
Faedal, El E (Ast.) 5 D4
Faedo E (Ast.) 6 A3
Faedo E (Ast.) 5 D3
Fafe P (Br.) 54 C3
Fafião P (V. R.) 54 D1
Fagajesto E (Las P.) 191 B2
Fageca → Facheca E (Ali.) 141 B4
Fago E (Hues.) 26 B5
Fagundo E (S.Cruz T.) 193 B2
Faia P (Br.) 55 A3
Faia P (Guar.) 75 D5
Faia P (Vis.) 75 C2
Faial P (Ma.) 110 B1
Faial da Terra P (Aç.) 109 D5
Faião P (Lis.) 126 B2
Fail P (Vis.) 74 D5
Faiões P (V. R.) 55 D1
Faisca E (A Co.) 2 D3
Faitús E (Gi.) 51 B2
Fajã da Ovelha P (Ma.) 109 D1
Fajã de Cima P (Aç.) 109 B4
Fajã Grande P (Aç.) 109 A2
Fajão P (Co.) 94 D3
Fajarda P (San.) 127 C1
Fajãzinha P (Aç.) 109 A2
Fajões P (Ave.) 74 B2
Fajozes P (Port.) 53 D4
Falachos P (Guar.) 76 A4
Falagueira P (Por.) 113 A3
Falagueira Venda Nova P (Lis.) 126 C3
Falces E (Na.) 44 D2
Falfosa P (Fa.) 174 C3
Falgorosa P (Ave.) 74 B5
Falgoselhe P (Ave.) 74 B5
Falgueiras P (Bra.) 56 C2
Fals E (Bar.) 70 B1
Falset E (Ta.) 89 A1
Famalicão P (Guar.) 95 D1
Famalicão P (Lei.) 110 D2
Famelga E (Po.) 34 B1
Famões P (Lei.) 110 D4
Famorca E (Ali.) 141 B4
Fanadia P (Lei.) 110 D3
Fanadix E (Ali.) 142 A4
Fandinhães P (Port.) 74 C1
Fangarifau P (Set.) 127 C5
Fanhais P (Lei.) 111 A1
Fanhões P (Lis.) 126 D2
Fanlillo E (Hues.) 47 B1
Fanlo E (Hues.) 27 C5
Fanzara E (Cas.) 107 B5
Fânzeres P (Port.) 54 A5
Fañabé E (S.Cruz T.) 195 C4
Fañanás E (Hues.) 47 A4
Fao E (A Co.) 14 C3
Fão P (Br.) 53 D3
Far d'Empordà, el E (Gi.) 52 B2
Faraján E (Mál.) 179 B5
Faramontanos de Tábara E (Zam.) 58 B1
Faramontaos E (Our.) 35 A1
Faramontaos E (Our.) 35 C2
Farasdués E (Zar.) 45 D3
Fareja P (Br.) 54 C3
Fareja P (Vis.) 75 A2
Farejinhas P (Vis.) 75 A2
Farelos P (Fa.) 161 A3
Farena E (Ta.) 69 B5
Farga de Bebié, La E (Gi.) 51 A3
Farga de Moles, La E (Ll.) 49 D1
Faria P (Br.) 53 D3
Farinha Branca P (Por.) 128 B1
Fariza de Sayago E (Zam.) 57 C4
Farlete E (Zar.) 66 D2
Farminhão P (Vis.) 74 D5
Farnadeiros E (Lu.) 15 D3
Faro E (Le.) 17 B3
Faro E (Lu.) 3 D1
Faro P (Fa.) 174 C3
Faro do Alentejo P (Be.) 144 C3
Farrapa E (A Co.) 13 B1
Farrera E (Ll.) 49 C1
Fárrio P (San.) 111 D1
Fartosas P (Co.) 94 A4
Farves P (Vis.) 74 C4
Fasgar E (Le.) 17 D4
Fasnia E (S.Cruz T.) 196 A3
Fataga E (Las P.) 191 C4
Fatarella, la E (Ta.) 88 B1
Fataunços P (Vis.) 74 D4
Fatela P (C. B.) 95 D3
Fátima E (Gr.) 169 C1
Fátima P (San.) 111 C2
Faucena E (Gr.) 168 B4
Faura E (Val.) 125 B2
Favacal P (Co.) 94 B4
Favaios P (V. R.) 55 D5
Favais P (V. R.) 55 B3
Favara E (Val.) 141 B1
Favões P (Port.) 74 C1
Fayón E (Zar.) 68 B5
Fayos, Los E (Zar.) 64 D1
Fazamões P (Vis.) 75 A1
Fazenda P (Por.) 112 D4
Fazenda das Lajes P (Aç.) 109 A2
Fazendas de Almeirim P (San.) 111 D5
Fazouro E (Lu.) 4 B2
Feal E (A Co.) 2 D2
Feáns E (A Co.) 2 C4
Feás E (A Co.) 3 B1
Feás E (Our.) 35 B5
Feás E (Our.) 34 D1
Febres P (Co.) 93 D1
Febró, la E (Ta.) 69 B5
Feces de Abaixo E (Our.) 55 D1
Fechaladrona E (Ast.) 18 D1
Feijó P (Set.) 126 C4
Feira P (Ave.) 74 A2
Feira P (Ave.) 74 B4
Feira do Monte, A E (Lu.) 3 D5
Feirão P (Vis.) 75 A1
Feiro P (V. C.) 53 D1
Feital P (Guar.) 76 A4
Feiteira P (Ave.) 73 D5
Feiteira P (Fa.) 160 D4
Feitos P (Br.) 53 D2
Feitosa P (V. C.) 54 A1
Feitoso P (Co.) 93 C2
Feitoso P (Lei.) 111 A3
Feixe P (San.) 128 A1
Felanitx E (Bal.) 92 B4
Felechares de la Valdería E (Le.) 38 A3
Feleches E (Ast.) 6 D4
Felechosa E (Ast.) 19 A2
Felgar P (Bra.) 56 C5
Felgueira P (Ave.) 74 B3
Felgueira P (Vis.) 94 C1
Felgueiras P (Br.) 54 D3
Felgueiras P (Bra.) 56 C4
Felgueiras P (Bra.) 76 C1
Felgueiras P (Port.) 54 C4
Felgueiras P (Vis.) 75 A1
Felgueirasa P (Co.) 95 A1
Felguera E (Ast.) 18 B1
Felguera, La E (Ast.) 18 C1
Felguerina E (Ast.) 19 B1
Feli E (Mu.) 171 B3
Felipa, La E (Alb.) 139 A2
Felix E (Alm.) 183 C3
Felmil E (Lu.) 3 D5
Felmín E (Le.) 18 D3
Femés E (Las P.) 192 B5
Fenais da Ajuda P (Aç.) 109 C4
Fenais da Luz P (Aç.) 109 B4
Fenazar E (Mu.) 155 D3
Fene E (A Co.) 2 D3
Férez E (Alb.) 154 C2
Feria E (Bad.) 131 A5
Fermedo P (Ave.) 74 B2
Fermelã P (Ave.) 74 A4
Fermentães P (Bra.) 56 D2
Fermentões P (Vis.) 74 D2
Fermentelos P (Ave.) 74 A5
Fermontelos P (Vis.) 74 D3
Fermoselle E (Zam.) 57 C5

Fernán Caballero E (C. R.) 135 B 1
Fernán Núñez E (Cór.) 166 A 2
Fernán Pérez E (Alm.) 184 C 3
Fernandes P (Be.) 161 B 2
Fernandilho P (Fa.) 161 A 4
Fernandina, La E (J.) 151 D 3
Fernandinho P (Lis.) 126 C 1
Fernando Pó P (Set.) 127 C 4
Fernão Ferro P (Set.) 126 D 4
Fernão Joanes P (Guar.) 95 D 1
Fernão Vaz P (Be.) 160 A 2
Ferradosa P (Bra.) 56 C 5
Ferradosa P (Bra.) 56 B 2
Ferragudo P (Év.) 145 C 1
Ferragudo P (Fa.) 173 C 2
Ferral P (V. R.) 55 A 1
Ferral del Bernesga E (Le.) 18 D 5
Ferraria E (Lu.) 16 A 5
Ferraria P (Lei.) 111 A 1
Ferraria P (Por.) 112 D 3
Ferraria de São João P (Co.) 94 B 4
Ferrarias P (Fa.) 174 B 3
Ferrarias P (Fa.) 174 A 2
Ferrarias P (Lei.) 94 A 5
Ferrarias Cimeiras P (C. B.) 113 B 1
Ferreira E (A Co.) 3 A 3
Ferreira E (A Co.) 1 D 5
Ferreira E (Gr.) 182 D 1
Ferreira E (Lu.) 35 C 1
Ferreira E (Lu.) 4 A 2
Ferreira P (Bra.) 56 C 2
Ferreira P (Port.) 54 B 5
Ferreira P (V. C.) 34 A 5
Ferreira de Aves P (Vis.) 75 B 3
Ferreira do Alentejo P (Be.) 144 B 3
Ferreira do Zêzere P (San.) 112 B 1
Ferreira-a-Nova P (Co.) 93 C 2
Ferreiras P (Fa.) 174 A 2
Ferreirim P (Vis.) 75 B 1
Ferreirim P (Vis.) 75 C 2
Ferreiro E (A Co.) 14 D 2
Ferreiró P (Port.) 53 D 4
Ferreiroa E (Po.) 15 A 4
Ferreirola E (Gr.) 182 C 3
Ferreiros E (Lu.) 15 D 4
Ferreiros E (Lu.) 16 B 3
Ferreiros E (Our.) 34 D 5
Ferreiros E (Our.) 35 B 1
Ferreirós E (Po.) 14 D 3
Ferreirós E (Po.) 14 A 4
Ferreiros P (Ave.) 94 A 1
Ferreiros P (Ave.) 74 A 3
Ferreiros P (Br.) 54 B 2
Ferreiros P (Br.) 54 C 2
Ferreiros P (Bra.) 56 B 1
Ferreiros P (V. C.) 34 B 5
Ferreiros de Arriba E (Lu.) 16 B 5
Ferreiros de Avões P (Vis.) 75 A 1
Ferreiros de Tendais P (Vis.) 74 D 1
Ferreiros de Valboa E (Lu.) 16 B 4
Ferreirós do Dão P (Vis.) 94 D 1
Ferreirúa E (Lu.) 16 A 5
Ferreirúa E (Our.) 35 C 1
Ferrel P (Lei.) 110 C 3
Ferrera E (Ast.) 7 A 5
Ferrera E (Ast.) 5 C 3
Ferreras E (Le.) 18 B 5
Ferreras de Abajo E (Zam.) 58 A 1
Ferreras de Arriba E (Zam.) 57 D 1
Ferreries E (Bal.) 90 B 2
Ferrero E (Ast.) 6 C 2
Ferreros E (Ast.) 6 B 5
Ferreros E (Zam.) 37 B 4
Ferreruela de Huerva E (Te.) 85 D 2
Ferreruela de Tábara E (Zam.) 58 A 2
Ferro P (C. B.) 95 C 2
Ferro, Lo E (Mu.) 172 B 1
Ferrocinto P (Vis.) 74 D 4
Ferroi E (Lu.) 15 D 3
Ferrol E (A Co.) 2 D 3
Ferronha P (Vis.) 75 D 2
Fervença P (Br.) 54 D 4
Fervença P (V. R.) 55 A 4
Fervenzas E (A Co.) 3 A 5
Fervidelas P (V. R.) 55 A 1
Festín E (Po.) 34 B 2
Fet, lugar E (Hues.) 48 C 4
Fetais P (Lei.) 110 C 3
Fetais P (Lis.) 126 D 1
Feteira P (Lei.) 93 C 5
Feteira P (Lis.) 110 C 4
Feteiras P (Aç.) 109 A 4
Feteiras P (Lei.) 94 A 5
Fétil P (Lei.) 93 D 5
Fiães P (Ave.) 74 A 2
Fiães P (Guar.) 75 D 4
Fiães P (V. C.) 34 C 3
Fiães P (V. R.) 56 A 1
Fiães do Rio P (V. R.) 55 A 1
Fiães do Tâmega P (V. R.) 55 C 2
Fiais da Beira P (Co.) 94 D 1
Fial P (Ave.) 74 A 4
Fiestras E (Our.) 35 C 4
Figaredo E (Ast.) 18 C 1
Figaró (Montmany) E (Bar.) 71 A 1
Figarol E (Na.) 45 B 2
Figarona E (Ast.) 6 D 4
Fígols E (Bar.) 50 C 3
Fígols E (Ll.) 49 D 3
Figueira P (Ave.) 74 B 5
Figueira P (Bra.) 56 D 5
Figueira P (Fa.) 173 A 3
Figueira P (Fa.) 173 C 2
Figueira P (Lei.) 94 B 5
Figueira P (Port.) 74 B 1
Figueira P (Vis.) 75 B 1
Figueira da Foz P (Co.) 93 B 3
Figueira de Castelo Rodrigo P (Guar.) 76 C 3
Figueira do Lorvão P (Co.) 94 B 2
Figueira dos Cavaleiros P (Be.) 144 A 3
Figueira e Barros P (Por.) 129 A 1
Figueiras E (Lu.) 4 A 3
Figueiras P (Lei.) 93 C 5
Figueiras P (Set.) 127 C 4
Figueiredo P (Ave.) 74 C 2
Figueiredo P (Br.) 54 B 3
Figueiredo P (Br.) 54 B 2
Figueiredo P (C. B.) 94 D 5
Figueiredo P (Guar.) 95 B 1
Figueiredo P (Lis.) 126 C 1
Figueiredo das Donas P (Vis.) 74 D 4
Figueiredo de Alva P (Vis.) 74 D 3
Figueirido E (Po.) 34 A 1
Figueirinha P (Be.) 160 D 2
Figueiró E (Po.) 33 D 4
Figueiró P (Port.) 54 B 4
Figueiró da Granja P (Guar.) 75 C 5
Figueiró da Serra P (Guar.) 75 C 5
Figueiró do Campo P (Co.) 93 D 3
Figueiró dos Vinhos P (Lei.) 94 B 5
Figueiroa E (A Co.) 3 B 1
Figueiros P (Lis.) 111 A 4
Figuera, la E (Ta.) 68 D 5
Figueral, Es E (Bal.) 90 A 3
Figueras E (Ast.) 4 C 3
Figueres E (Gi.) 52 B 2
Figuerinha P (Bra.) 57 B 4
Figuerola del Camp E (Ta.) 69 C 4
Figuerola d'Orcau E (Ll.) 49 A 4
Figueroles E (Cas.) 107 B 4
Figueruela de Abajo E (Zam.) 57 B 1
Figueruela de Arriba E (Zam.) 57 B 1
Figueruela de Sayago E (Zam.) 58 A 5
Figueruelas E (Zar.) 65 D 2
Filgueira E (A Co.) 15 A 2
Filgueira E (Lu.) 15 B 3
Filgueira E (Po.) 34 D 3
Filgueira E (Po.) 14 D 4
Filgueira E (Po.) 14 B 5
Filgueira de Barranca E (A Co.) 2 D 5
Filgueira de Traba E (A Co.) 14 D 1
Filhós P (San.) 111 C 3
Filiel E (Le.) 37 C 2
Finca España E (S.Cruz T.) 196 B 2
Finca Fierro E (Our.) 35 B 2
Fines E (Alm.) 170 B 4
Finestras, lugar E (Hues.) 48 C 5
Finestrat E (Ali.) 141 C 5
Finisterre → Fisterra E (A Co.) 13 A 2
Finos, Los E (Alm.) 170 B 3
Fiñana E (Alm.) 183 B 1
Fiolhoso P (V. R.) 55 D 4
Fión E (Lu.) 15 C 5
Firgas E (Las P.) 191 C 2
Firvedas P (V. R.) 55 B 1
Fiscal E (Hues.) 47 B 1
Fiscal P (Br.) 54 B 2
Fisterra/Finisterre E (A Co.) 13 A 2
Fisteus E (A Co.) 15 A 1
Fistéus E (Lu.) 36 B 1
Fitero E (Na.) 44 C 5
Fitoiro E (Our.) 36 A 2
Flaçà E (Gi.) 52 B 4
Flamengos P (Aç.) 109 A 3
Flariz E (Our.) 35 C 5
Flecha de Torío, La E (Le.) 19 A 4
Flecha, La E (Vall.) 60 A 3
Flechas E (Zam.) 37 B 5
Flix E (Ta.) 68 C 5
Flor da Rosa P (Co.) 94 A 3
Flor da Rosa P (Por.) 113 B 4
Flor del Camp E (Ta.) 89 B 1
Florderrei E (Our.) 36 A 5
Florejacs E (Ll.) 69 C 1
Flores E (Zam.) 57 D 2
Flores de Ávila E (Áv.) 79 C 3
Flores del Sil E (Le.) 37 B 1
Floresta, la E (Bar.) 71 A 3
Floresta, la E (Bar.) 71 B 3
Floresta, la E (Ll.) 69 A 3
Florida de Liébana E (Sa.) 78 C 2
Florida, La E (Bar.) 71 A 3
Florida, La E (S.Cruz T.) 195 D 3
Fogars de la Selva E (Bar.) 71 D 1
Fogars de Montclús E (Bar.) 71 C 1
Fogueteiro P (Set.) 126 D 4
Foia, La E (Ali.) 156 D 3
Foia, la → Foya, La E (Cas.) 107 B 4
Foios E (Val.) 125 B 3
Fóios P (Guar.) 96 C 2
Foitos P (Lei.) 93 C 4
Foixà E (Gi.) 52 B 4
Fojedo E (Le.) 38 C 1
Fojo Lobal P (V. C.) 54 A 1
Foldada E (Pa.) 20 D 4
Folgorosa P (Lis.) 110 D 5
Folgosa E (Lu.) 16 A 2
Folgosa P (Co.) 94 C 3
Folgosa P (Vis.) 75 A 4
Folgosa P (Vis.) 75 B 1
Folgosa do Madalena P (Guar.) 95 B 1
Folgosa do Salvador P (Guar.) 95 B 1
Folgosinho P (Guar.) 75 C 5
Folgoso E (Our.) 35 B 2
Folgoso E (Our.) 35 C 4
Folgoso E (Po.) 14 C 5
Folgoso P (Ave.) 74 B 1
Folgoso P (Vis.) 75 A 2
Folgoso de la Carballeda E (Zam.) 37 C 5
Folgoso de la Ribera E (Le.) 17 C 5
Folgoso do Courel E (Lu.) 16 B 5
Folgueiras E (Lu.) 16 C 3
Folgueiro E (Lu.) 3 D 1
Folgueras E (Ast.) 6 A 3
Folgueroles E (Bar.) 51 B 5
Folhada P (Port.) 54 D 5
Folhadal P (Vis.) 75 A 5
Folhadela P (V. R.) 55 B 5
Folhadosa P (Guar.) 95 A 1
Folharido P (Ave.) 74 B 3
Folques P (Co.) 94 D 2
Folladela E (A Co.) 15 A 2
Folledo E (Le.) 18 C 3
Follente E (Po.) 14 A 5
Folloso E (Le.) 18 A 4
Fombellida E (Vall.) 61 A 2
Fombuena E (Zar.) 85 D 1
Fompedraza E (Vall.) 61 A 3
Foncastín E (Vall.) 59 C 4
Foncea E (La R.) 42 D 1
Foncebadón E (Le.) 37 C 1
Fonciello E (Ast.) 6 C 4
Foncuberta E (Our.) 35 C 2
Fondarella E (Ll.) 69 A 2
Fondeguilla → Alfondeguilla E (Cas.) 125 B 1
Fondó E (Ali.) 156 B 1
Fondo E (Ast.) 6 C 3
Fondó de Les Neus, el → Hondón de las Nieves E (Ali.) 156 C 2
Fondó dels Frares, el → Hondón de los Frailes E (Ali.) 156 B 3
Fondón E (Alm.) 183 B 2
Fondós E (Po.) 14 B 5
Fonelas E (Gr.) 168 D 4
Fonfría E (Lu.) 16 C 1
Fonfría E (Te.) 85 D 2
Fonfría E (Zam.) 57 D 2
Fonoll, el E (Ta.) 69 C 3
Fonollosa E (Bar.) 70 B 1
Fonsagrada, A E (Lu.) 16 C 1
Font Calent E (Ali.) 156 D 2
Font de la Figuera, la E (Val.) 140 B 4
Font de Sa Cala E (Bal.) 92 D 3
Font del Còdol, la E (Bar.) 70 C 3
Font d'en Carròs, la E (Val.) 141 C 3
Font d'en Segures, la → Fuente En-Segures E (Cas.) 107 C 2
Font Granada, la E (Bar.) 71 A 2
Font, Sa E (Bal.) 90 A 4
Fontaciera E (Ast.) 6 D 3
Fontainhas P (Br.) 53 D 3
Fontainhas P (Lei.) 111 B 3
Fontainhas P (San.) 111 C 4
Fontainhas P (San.) 111 D 1
Fontainhas P (San.) 112 A 2
Fontainhas P (San.) 111 C 1
Fontainhas P (Vis.) 75 B 4
Fontán E (A Co.) 2 D 4
Fontanales E (Las P.) 191 B 2
Fontanar E (Gua.) 82 C 5
Fontanar E (J.) 169 A 2
Fontanar de Alarcón, El, lugar E (Alb.) 138 B 4
Fontanar de las Viñas E (Alb.) 138 C 5
Fontanar, El E (Cór.) 166 A 3
Fontanarejo E (C. R.) 134 B 1
Fontanars dels Alforins E (Val.) 140 C 4
Fontaneira E (Lu.) 16 B 2
Fontanelas P (Lis.) 126 B 2
Fontanil de los Oteros E (Le.) 39 A 2
Fontanilla E (Huel.) 161 C 4
Fontanillas de Castro E (Zam.) 58 C 2
Fontanilles E (Gi.) 52 C 4
Fontanosas E (C. R.) 134 B 4
Fontañera, La E (Các.) 113 D 4
Fontão P (Guar.) 95 B 2
Fontão P (V. C.) 53 D 1
Fontclara E (Gi.) 52 C 4
Fontcoberta E (Gi.) 52 A 3
Fonte Arcada P (Guar.) 75 D 5
Fonte Arcada P (Port.) 54 B 5
Fonte Arcada P (Vis.) 75 C 2
Fonte Barreira P (Set.) 127 C 4
Fonte Boa P (Br.) 53 D 3
Fonte Boa dos Nabos P (Lis.) 126 B 1
Fonte Coberta P (Br.) 54 A 3
Fonte da Matosa P (Fa.) 173 D 2
Fonte da Pedra P (San.) 111 C 4
Fonte da Telha P (Set.) 126 C 4
Fonte de Aldeia P (Bra.) 57 C 4
Fonte de Don João P (San.) 112 A 2
Fonte do Corcho P (Fa.) 160 D 4
Fonte Fria P (Guar.) 75 C 4
Fonte Grada P (Lis.) 110 C 5
Fonte Longa P (Bra.) 56 A 5
Fonte Longa P (C. B.) 113 B 1
Fonte Longa P (Guar.) 76 A 2
Fonte Longa P (San.) 111 B 3
Fonte Mercê P (V. R.) 56 A 3
Fonte Santa P (Lei.) 111 A 2
Fonte Santa P (San.) 112 A 3
Fonte Soeiro P (Év.) 129 C 4
Fonte Zambujo P (Fa.) 161 B 3
Fontearcada E (Our.) 35 B 4
Fontecada E (A Co.) 13 D 2
Fontecha E (Le.) 38 C 2
Fontecha E (Pa.) 20 B 4
Fontefría E (Our.) 35 A 1
Fonteira P (V. R.) 55 C 5
Fonteita E (Lu.) 16 A 2
Fontelas P (V. R.) 75 A 1
Fontelo P (Vis.) 75 B 1
Fontellas E (Na.) 45 A 5
Fontemanha P (Ave.) 74 B 5
Fontenla E (Po.) 34 B 3
Fontenla e Cachadas E (Po.) 14 A 5
Fonteo E (Lu.) 16 B 2
Fonterma P (Co.) 93 C 2
Fontes P (Fa.) 173 D 2
Fontes P (Lei.) 111 C 1
Fontes P (V. R.) 55 B 5
Fontes Barrosas P (Bra.) 56 D 1
Fonteta E (Gi.) 52 B 4
Fontetxa E (Ál.) 22 D 5
Fontihoyuelo E (Vall.) 39 C 4
Fontilles E (Ali.) 141 D 4
Fontinha P (Ave.) 74 A 4
Fontinha P (Co.) 93 D 1
Fontinha P (Lei.) 93 D 5
Fontioso E (Bur.) 41 D 5
Fontiveros E (Áv.) 79 D 3
Fontoria E (Le.) 17 A 4
Fontoria de Cepeda E (Le.) 38 A 1
Fontpineda E (Bar.) 70 D 4
Fonts, les → Fuentes, Las E (Cas.) 108 B 3
Fontscaldes E (Ta.) 69 C 4
Fonz E (Hues.) 48 A 5
Fonzaleche E (La R.) 42 D 1
Foradada E (Ll.) 69 B 1
Foradada del Toscar E (Hues.) 48 A 2
Forca P (Vis.) 75 C 3
Forcada P (Ave.) 74 A 5
Forcadela E (Po.) 33 D 4
Forcalhos P (Guar.) 96 D 2
Forcall E (Cas.) 87 B 5
Forcarei E (Po.) 14 C 5
Forcas E (Our.) 35 D 2
Forcat E (Hues.) 48 C 1
Forès E (Ta.) 69 C 3
Forfoleda E (Sa.) 78 C 2
Forjães P (Br.) 53 D 2
Forles P (Vis.) 75 B 3
Formão P (Lei.) 94 B 4
Formariz E (Zam.) 57 C 5
Formariz P (V. C.) 34 A 5
Formentera del Segura E (Ali.) 156 C 4
Formiche Alto E (Te.) 106 B 2
Formiche Bajo E (Te.) 106 B 3
Formigais P (San.) 112 A 1
Formigal E (Hues.) 27 A 4
Formigal P (Co.) 93 C 3
Formigal P (Lei.) 110 D 3
Formigal P (San.) 111 C 1
Formigales E (Hues.) 48 A 2
Formil P (Bra.) 56 D 1
Formilo P (Vis.) 75 B 1
Forna E (Le.) 37 A 3
Fornalha P (Be.) 160 C 3
Fornalha P (Fa.) 174 D 3
Fornalha P (Fa.) 159 D 4
Fornalhas Velhas P (Be.) 143 D 5
Fornalutx E (Bal.) 91 D 2
Fornea P (Co.) 95 A 3
Fornea, A E (Lu.) 4 B 3
Fornelo P (Port.) 53 D 4
Fornelo P (Vis.) 74 C 3
Fornelo do Monte P (Vis.) 74 C 4
Fornelos E (A Co.) 1 C 5
Fornelos E (Po.) 34 B 3
Fornelos E (Po.) 33 C 4
Fornelos P (Br.) 53 D 3
Fornelos P (Br.) 54 C 3
Fornelos P (V. C.) 54 A 1
Fornelos P (V. R.) 55 B 5
Fornelos P (Vis.) 74 C 1
Fornelos de Montes E (Po.) 34 B 2
Fornells E (Bal.) 90 C 1
Fornells E (Gi.) 52 C 4
Fornells de la Selva E (Gi.) 52 A 5
Fornes E (Gr.) 181 C 2
Fornillos E (Hues.) 47 D 5
Fornillos de Aliste E (Zam.) 57 D 2
Fornillos de Apiés E (Hues.) 47 A 3
Fornillos de Fermoselle E (Zam.) 57 C 4
Forninhos P (Guar.) 75 C 4
Forno Telheiro P (Guar.) 75 D 4
Fórnoles E (Te.) 87 C 3
Fornos P (Ave.) 74 A 2
Fornos P (Ave.) 74 C 1
Fornos P (Bra.) 76 D 1
Fornos de Algodres P (Guar.) 75 C 5
Fornos de Ledra P (Bra.) 56 B 2
Fornos do Pinhal P (V. R.) 56 A 2
Fornos Maceira Dão P (Vis.) 75 A 5
Foro E (A Co.) 15 A 1
Foro de Albergaria P (Set.) 143 C 2
Foronda E (Ál.) 23 B 3
Foros da Adúa P (Év.) 128 B 4
Foros da Amora P (Set.) 126 D 4
Foros da Biscaia P (San.) 127 D 1
Foros da Boa Vista P (Set.) 127 C 3
Foros da Caiada P (Be.) 143 C 5
Foros da Fonte Seca P (Év.) 129 B 4
Foros da Palhota P (Év.) 127 D 3
Foros de Amendonça P (Set.) 128 A 5
Foros de Mora P (Év.) 128 B 2
Foros de Salvaterra P (San.) 127 B 1
Foros do Almada P (San.) 127 C 2
Foros do Arrão P (Por.) 112 B 5
Foros do Biscainho P (San.) 127 C 2
Foros do Domingão P (Por.) 112 C 5
Foros do Mocho P (Por.) 128 B 1
Foros do Queimado P (Év.) 129 A 4
Foros do Rebocho P (San.) 127 D 2
Forques, les E (Gi.) 52 B 2
Fortaleny E (Val.) 141 B 1
Fortaleza E (Gr.) 167 B 5
Fortanete E (Te.) 106 D 1
Fortes P (Fa.) 161 B 4
Fortià E (Gi.) 52 B 2
Fortios P (Por.) 113 C 4
Fortuna E (Mad.) 101 C 2
Fortuna E (Mu.) 156 A 3
Fortunho P (V. R.) 55 B 4
Forxa, A E (Our.) 35 B 4
Forxán E (Lu.) 4 B 2
Forzáns E (Po.) 34 B 1

sca, La E (Gi.) 52 C5
tea E (Huel.) 175 C2
untura P (V. C.) 34 A4
xado E (A Co.) 15 A1
xáns E (A Co.) 14 C3
xo E (A Co.) 2 B4
ya, La/Foia, la E (Cas.) 107 B4
z E (Lu.) 4 B2
z P (San.) 112 B4
z da Moura P (Co.) 95 A2
z de Alge P (Lei.) 94 B5
z de Arouce P (Co.) 94 B3
z de Odeleite P (Fa.) 161 C4
z do Arelho P (Lei.) 110 D3
z do Cobrão P (C. B.) 113 A1
z do Sousa P (Port.) 74 A1
z Giraldo P (C. B.) 95 B4
zana E (Ast.) 6 C4
zara E (Po.) 34 B2
z-Calanda E (Te.) 87 B3
ade de Baixo P (San.) 111 D5
ade de Cima P (San.) 111 D5
adelos P (Ave.) 74 A3
adelos P (Br.) 54 A4
adellos E (Zam.) 57 D2
ades E (A Co.) 14 D1
ades E (Po.) 34 B2
ades P (Br.) 54 C2
ades P (Bra.) 56 B1
ades de la Sierra E (Sa.) 78 B5
ades Nuevo, lugar E (Sa.) 78 A2
adizela P (Bra.) 56 B2
aella E (Hues.) 47 A5
aga E (Hues.) 68 B3
aga E (Our.) 34 D4
agas E (Po.) 14 B5
age, El E (Gr.) 168 A4
agén E (Hues.) 27 B5
ago, El E (Zar.) 46 A3
agosa E (Các.) 97 C2
agosela P (Vis.) 75 A4
agoselo E (Po.) 33 D3
agoso P (Br.) 53 D2
agual P (Ave.) 74 B4
águas P (San.) 111 B3
aguas P (Vis.) 75 B3
aguas P (Vis.) 74 D5
aguas, Las E (So.) 63 B2
aiao P (Br.) 54 B3
aide P (Bra.) 56 D2
ailes E (J.) 167 C3
ailes-Frontones-
Higueras, Los E (Mál.) 179 B4
ain E (Na.) 24 D1
aja, lugar E (Cád.) 186 C1
ama E (Can.) 20 B2
ança P (Bra.) 37 A5
anca, La E (Ast.) 8 C4
ance P (V. C.) 33 D5
ance P (V. R.) 55 D2
ancelos E (A Co.) 14 A3
ancelos E (Our.) 34 D2
ancelos P (Port.) 73 D1
ancelos P (V. R.) 55 C4
ancés, El E (Gr.) 169 C4
anceses E (S.Cruz T.) 193 B2
anciac E (Gi.) 52 A5
anco P (Bra.) 56 A4
anco, El E (Ast.) 5 A3
anco, El E (Ast.) 4 D3
ancos E (Seg.) 62 B5
ancos Viejo E (Sa.) 78 D3
andinha P (Év.) 129 B3
andovinez E (Bur.) 41 C3
anqueira, A E (Po.) 34 C3
anqueses
del Vallès, les E (Bar.) 71 B2
anza E (A Co.) 2 D3
anzilhal P (V. R.) 55 D5
asno, El E (Zar.) 65 B4
atel P (C. B.) 113 A2
x de Abajo E (Alm.) 170 B4
azão P (Port.) 54 B5
azão P (San.) 127 D1
azoeira P (San.) 112 B1
azões P (Lei.) 111 A3
eamunde P (Port.) 54 B4
eande E (Our.) 35 D4
eás E (Our.) 35 A1
eás E (Our.) 35 A2
eaza E (Po.) 34 B2
echão P (Guar.) 75 D4
echas P (Bra.) 56 B4
eches P (Guar.) 75 D4
echilla E (Pa.) 40 A4
Frechilla de Almazán E (So.) 63 C4
Fregenal de la Sierra E (Bad.) 146 D3
Fregeneda, La E (Sa.) 76 C2
Fregenite, lugar E (Gr.) 182 B3
Fregim P (Port.) 54 D5
Freginals E (Ta.) 88 C5
Frei João P (San.) 112 D2
Freigil P (Vis.) 74 D1
Freila E (Gr.) 169 A3
Freimoninho P (Vis.) 74 B5
Freineda P (Guar.) 76 C5
Freires P (Lei.) 111 A3
Freiria P (Lis.) 126 D1
Freiria P (Lis.) 126 C1
Freiria P (San.) 111 D1
Freiriz P (Br.) 54 A2
Freitas P (Br.) 54 C3
Freixeda P (Bra.) 56 B4
Freixeda P (V. R.) 55 C2
Freixeda do Torrão P (Guar.) 76 B3
Freixedas P (Guar.) 76 A4
Freixedelo P (Bra.) 57 A2
Freixeiro E (A Co.) 14 A2
Freixeiro E (Po.) 14 D5
Freixial P (C. B.) 95 C3
Freixial P (Lis.) 126 D2
Freixial de Cima P (Lis.) 110 D5
Freixial do Campo P (C. B.) 95 C5
Freixianda P (Lei.) 112 A1
Freixido E (Our.) 36 B2
Freixiel P (Bra.) 56 A5
Freixinho P (Vis.) 75 C2
Freixiosa P (Bra.) 57 C4
Freixiosa P (Vis.) 75 B5
Freixo E (A Co.) 3 C3
Freixo E (Lu.) 16 A4
Freixo E (Lu.) 16 C2
Freixo E (Our.) 35 C4
Freixo E (Po.) 34 D3
Freixo E (Po.) 33 D3
Freixo P (Év.) 129 A4
Freixo P (Guar.) 76 B5
Freixo P (Port.) 54 C5
Freixo P (V. C.) 54 A2
Freixo P (Vis.) 94 C1
Freixo da Serra P (Guar.) 75 C5
Freixo de Baixo P (Port.) 54 D4
Freixo de Cima P (Port.) 54 D4
Freixo de Espada
à Cinta P (Bra.) 76 D1
Freixo de Numão P (Guar.) 76 A1
Freixo Seco de Cima P (Fa.) 160 C4
Freixoeirinho P (San.) 112 D2
Freixoeiro P (San.) 112 D2
Freixofeira P (Lis.) 126 C1
Frende P (Port.) 75 A1
Fréscano E (Zar.) 65 B1
Fresnadillo E (Zam.) 58 A4
Fresneda de Altarejos E (Cu.) 104 A5
Fresneda de Cuéllar E (Seg.) 60 C5
Fresneda de la Sierra E (Cu.) 104 B2
Fresneda
de la Sierra Tirón E (Bur.) 42 C3
Fresneda, La E (Ast.) 6 C4
Fresneda, La E (Te.) 87 D3
Fresneda, La E (To.) 117 D2
Fresnedelo E (Le.) 17 B4
Fresnedilla E (Áv.) 100 B3
Fresnedillas de la Oliva E (Mad.) 101 A1
Fresnedo E (Ast.) 7 A4
Fresnedo E (Bur.) 22 A3
Fresnedo E (Le.) 17 B5
Fresnedo
de Valdellorma E (Le.) 19 B4
Fresnedoso E (Sa.) 98 C1
Fresnedoso de Ibor E (Các.) 116 D2
Fresnellino E (Le.) 38 D2
Fresneña E (Bur.) 42 C2
Fresnillo de las Dueñas E (Bur.) 61 D3
Fresno E (Ast.) 6 C3
Fresno Alhándiga E (Sa.) 78 C4
Fresno de Cantespino E (Seg.) 62 A5
Fresno de Caracena E (So.) 62 D4
Fresno
de la Carballeda E (Zam.) 37 C5
Fresno de la Fuente E (Seg.) 61 D5
Fresno de la Polvorosa E (Zam.) 38 C4
Fresno de la Ribera E (Zam.) 58 D3
Fresno
de la Valduerna E (Le.) 38 A2
Fresno de la Vega E (Le.) 38 D2
Fresno de Río Tirón E (Bur.) 42 C2
Fresno de Rodilla E (Bur.) 42 A2
Fresno de Sayago E (Zam.) 58 A5
Fresno de Torote E (Mad.) 102 B1
Fresno del Camino E (Le.) 38 D1
Fresno del Río E (Can.) 21 A3
Fresno del Río E (Pa.) 20 A5
Fresno el Viejo E (Vall.) 79 C1
Fresno, El E (Ast.) 6 A4
Fresno, El E (Áv.) 80 A5
Fresno, El, lugar E (Gua.) 82 C4
Fresnos, Los E (Bad.) 130 B5
Fresulfe P (Bra.) 36 C5
Friande P (Br.) 54 C2
Frías E (Bur.) 22 B4
Frias P (Ave.) 74 A4
Frías de Albarracín E (Te.) 105 A2
Friastelas P (V. C.) 54 A1
Frielas P (Lis.) 126 D2
Friera E (Le.) 36 D1
Friera de Valverde E (Zam.) 38 B5
Frieres E (Ast.) 6 C5
Friestas P (V. C.) 34 A4
Frigiliana E (Mál.) 181 C4
Friões P (V. R.) 55 D2
Friol E (Lu.) 15 C2
Friolfe E (Lu.) 15 D3
Friumes P (Co.) 94 C2
Frixe E (A Co.) 13 B1
Froián E (Lu.) 16 A4
Frómista E (Pa.) 40 C3
Fronteira P (Por.) 129 B1
Frontera E (S.Cruz T.) 194 C4
Frontera, La E (Cu.) 104 A2
Frontil, El E (Gr.) 181 A1
Frontón, El E (S.Cruz T.) 195 D4
Frontones, Los E (S.Cruz T.) 196 A2
Frossos P (Ave.) 74 A4
Froufe E (Our.) 35 C3
Fruíme E (A Co.) 13 D4
Frula E (Hues.) 66 D1
Frumales E (Seg.) 61 A5
Frúniz E (Viz.) 11 B5
Fuejo E (Ast.) 6 B4
Fuembellida E (Gua.) 84 C4
Fuen del Cepo E (Te.) 106 C4
Fuencalderas E (Zar.) 46 A2
Fuencalenteja →
Fuencaliente
de Puerta E (Bur.) 21 B5
Fuencaliente E (C. R.) 135 A1
Fuencaliente E (C. R.) 150 D2
Fuencaliente
de la Palma E (S.Cruz T.) 193 B4
Fuencaliente de Lucio E (Bur.) 21 A5
Fuencaliente
de Medinaceli E (So.) 83 D1
Fuencaliente
de Puerta
o Fuencalenteja E (Bur.) 21 B5
Fuencaliente del Burgo E (So.) 62 C2
Fuencaliente y Calera E (Alm.) 169 D4
Fuencemillán E (Gua.) 82 D3
Fuencubierta, La E (Cór.) 165 C2
Fuendejalón E (Zar.) 65 B2
Fuendetodos E (Zar.) 66 A5
Fuenferrada E (Te.) 86 A3
Fuengirola E (Mál.) 188 B1
Fuenlabrada E (Alb.) 138 B5
Fuenlabrada E (Mad.) 101 C3
Fuenlabrada
de los Montes E (Bad.) 133 D1
Fuenllana E (C. R.) 136 D4
Fuenmayor E (La R.) 43 C2
Fuensaldaña E (Vall.) 60 A2
Fuensalida E (To.) 100 D4
Fuensanta E (Alb.) 122 B5
Fuensanta E (Cád.) 178 C4
Fuensanta E (Gr.) 181 C1
Fuensanta de Martos E (J.) 167 C2
Fuensanta, La E (Alb.) 138 C4
Fuensanta, La E (Alm.) 170 D3
Fuensanta, La E (Mál.) 180 B5
Fuensanta, La E (Mu.) 170 D2
Fuensanta, La E (Mu.) 154 B3
Fuensaúco E (So.) 63 D2
Fuensaviñán, La E (Gua.) 83 C3
Fuente Abad, La E (Alm.) 170 D5
Fuente Álamo E (J.) 167 B4
Fuente
Álamo de Murcia E (Mu.) 172 A2
Fuente Amarga E (Mu.) 172 B2
Fuente Blanca E (Mu.) 155 D3
Fuente Caldera, lugar E (Gr.) 168 C3
Fuente Camacho E (Gr.) 180 D1
Fuente Dé E (Can.) 20 A1
Fuente de Cantos E (Bad.) 147 B2
Fuente de la Corcha E (Huel.) 162 C3
Fuente
de la Higuera, La E (Alm.) 184 B1
Fuente
de Pedro Naharro E (Cu.) 102 D5
Fuente de Piedra E (Mál.) 180 A1
Fuente
de San Esteban, La E (Sa.) 77 C4
Fuente
de Santa Cruz E (Seg.) 80 B1
Fuente del Arco E (Bad.) 148 A3
Fuente del Conde E (Cór.) 180 D1
Fuente del Fresno E (Mad.) 81 D5
Fuente del Maestre E (Bad.) 131 A5
Fuente del Negro, La E (Alm.) 170 A3
Fuente del Pino E (Mu.) 155 D1
Fuente del Rey E (Cád.) 186 A1
Fuente del Rey E (Sev.) 164 A4
Fuente del Sambol E (Bur.) 41 B3
Fuente del Taif E (Alb.) 154 B1
Fuente
del Tío Molina, La E (Alm.) 170 B5
Fuente el Carnero E (Zam.) 58 C5
Fuente el Fresno E (C. R.) 135 C1
Fuente el Olmo
de Fuentidueña E (Seg.) 61 B5
Fuente
el Olmo de Íscar E (Seg.) 60 C5
Fuente el Sauz E (Áv.) 79 D3
Fuente el Saz
de Jarama E (Mad.) 82 A5
Fuente el Sol E (Vall.) 79 D1
Fuente Encalada E (Zam.) 38 A4
Fuente En-Segures/
Font d'en Segures, la E (Cas.) 107 C2
Fuente Grande E (Gr.) 168 A5
Fuente Grande, La E (Cór.) 167 A4
Fuente Grande, lugar E (Gr.) 167 C5
Fuente la Lancha E (Cór.) 149 C1
Fuente la Reina E (Cas.) 106 D4
Fuente la Vega E (S.Cruz T.) 195 C3
Fuente Librilla E (Mu.) 155 C5
Fuente
Mendoza, La, lugar E (Alm.) 183 B1
Fuente Nueva E (Gr.) 170 A2
Fuente Obejuna E (Cór.) 148 D3
Fuente Palmera E (Cór.) 165 C2
Fuente Roldán, lugar E (Sa.) 78 A5
Fuente Santa E (Alm.) 183 D2
Fuente Segura E (J.) 153 B4
Fuente Tovar E (So.) 63 B4
Fuente Vaqueros E (Gr.) 167 C5
Fuente Vera E (Gr.) 169 B2
Fuente Victoria E (Alm.) 183 B2
Fuente, La E (Alm.) 171 A4
Fuente-Álamo E (Alb.) 139 C4
Fuentealbilla E (Alb.) 123 B5
Fuentearmegil E (So.) 62 C2
Fuentebuena E (Sa.) 98 B2
Fuentebureba E (Bur.) 22 C5
Fuentecambrón E (So.) 62 B4
Fuentecantales E (So.) 62 D2
Fuentecantos E (So.) 63 D1
Fuente-Carrasca E (Alb.) 154 A1
Fuentecén E (Bur.) 61 C3
Fuentegelmes E (So.) 63 B5
Fuenteguinaldo E (Sa.) 96 D1
Fuenteheridos E (Huel.) 146 D5
Fuente-Higuera E (Alb.) 154 A1
Fuentelahiguera
de Albatages E (Gua.) 82 B4
Fuentelaldea E (So.) 63 B3
Fuentelapeña E (Zam.) 59 A5
Fuentelárbol E (So.) 63 B3
Fuentelcarro E (So.) 63 C4
Fuentelcésped E (Bur.) 61 D3
Fuentelencina E (Gua.) 103 A1
Fuentelespino de Haro E (Cu.) 121 B2
Fuentelespino
de Moya E (Cu.) 105 B5
Fuentelfresno E (So.) 63 D1
Fuenteliante E (Sa.) 77 A3
Fuentelisendo E (Bur.) 61 C3
Fuentelmonge E (So.) 64 A4
Fuentelsaz E (Gua.) 84 D2
Fuentelsaz de Soria E (So.) 63 D1
Fuentelviejo E (Gua.) 102 D1
Fuentemilanos E (Seg.) 80 D3
Fuentemizarra E (Seg.) 62 A4
Fuentemolinos E (Bur.) 61 C3
Fuentenebro E (Bur.) 61 C4
Fuentenovilla E (Gua.) 102 D2
Fuente-Olmedo E (Vall.) 80 B1
Fuentepelayo E (Seg.) 81 A1
Fuentepinilla E (So.) 63 B3
Fuentepiñel E (Seg.) 61 B5
Fuenterrabía E (Cád.) 177 B5
Fuenterrabía →
Hondarribia E (Gui.) 12 D4
Fuenterrabiosa, lugar E (Bur.) 21 D2
Fuenterrebollo E (Seg.) 61 B5
Fuenterroble
de Salvatierra E (Sa.) 78 C5
Fuenterrobles E (Val.) 123 C3
Fuentes E (Alb.) 153 D2
Fuentes E (Ast.) 5 B4
Fuentes E (Cu.) 104 C5
Fuentes E (To.) 117 C2
Fuentes Calientes E (Te.) 86 A5
Fuentes Claras E (Te.) 85 C3
Fuentes de Ágreda E (So.) 64 C2
Fuentes de Andalucía E (Sev.) 165 A3
Fuentes de Año E (Áv.) 79 D2
Fuentes de Ayódar E (Cas.) 107 A5
Fuentes de Béjar E (Sa.) 98 C1
Fuentes de Carbajal E (Le.) 39 A4
Fuentes de Cesna E (Gr.) 166 D5
Fuentes de Cuéllar E (Seg.) 60 D4
Fuentes de Ebro E (Zar.) 66 C4
Fuentes de Jiloca E (Zar.) 85 B1
Fuentes
de la Alcarria E (Gua.) 83 A4
Fuentes de León E (Bad.) 147 A4
Fuentes de los Oteros E (Le.) 39 A2
Fuentes de Magaña E (So.) 64 A1
Fuentes de Masueco E (Sa.) 77 B1
Fuentes de Nava E (Pa.) 40 A4
Fuentes de Oñoro E (Sa.) 76 D5
Fuentes de Ropel E (Zam.) 38 D5
Fuentes de Rubielos E (Te.) 106 D3
Fuentes de Valdepero E (Pa.) 40 C4
Fuentes Nuevas E (Le.) 17 A5
Fuentes, Las E (J.) 153 B2
Fuentes, Las, lugar E (Alb.) 139 D2
Fuentes, Las/Fonts, les E (Cas.) 108 B3
Fuentesaúco E (Zam.) 78 D1
Fuentesaúco
de Fuentidueña E (Seg.) 61 A4
Fuentesbuenas E (Cu.) 103 D3
Fuentesclaras
del Chillarón E (Cu.) 104 A4
Fuentesecas E (Zam.) 59 A3
Fuentesoto E (Seg.) 61 B4
Fuentespalda E (Te.) 87 D4
Fuentespina E (Bur.) 61 D3
Fuentespreadas E (Zam.) 58 C5
Fuentestrún E (So.) 64 B1
Fuentetecha E (So.) 64 A2
Fuentetoba E (So.) 63 C2
Fuente-Tójar E (Cór.) 167 A3
Fuente-Urbel E (Bur.) 21 C5
Fuentezuelas, lugar E (Gr.) 182 C2
Fuentidueña E (Cór.) 166 D2
Fuentidueña E (Seg.) 61 B4
Fuentidueña de Tajo E (Mad.) 102 C4
Fuerte del Rey E (J.) 167 C1
Fuertescusa E (Cu.) 104 B1
Fuinhas P (Guar.) 75 D4
Fujaco P (Vis.) 74 D3
Fujacos P (Ave.) 74 A5
Fuliola, la E (Ll.) 69 B2
Fulleda E (Ll.) 69 B4
Fumaces E (Our.) 36 A5
Função P (Ave.) 74 B3
Funchal P (Ma.) 110 B2
Funcheira P (Be.) 160 A1
Fundada P (C. B.) 112 C1
Fundão P (C. B.) 94 D5
Fundão P (C. B.) 95 C3
Fundoais P (Vis.) 74 D1
Fundões P (Vis.) 75 B5
Funes E (Na.) 44 D3
Furacasas P (Port.) 55 A5
Furadouro P (Ave.) 73 D2
Furadouro P (Co.) 94 A3
Furís E (Lu.) 16 B2
Furnas P (Aç.) 109 C4
Furnazinhas P (Fa.) 161 B4
Furtado P (Por.) 112 D2
Fuseta P (Fa.) 175 A3
Fustás E (Our.) 34 D3
Fuste P (Ave.) 74 B3
Fustiñana E (Na.) 45 B5

G

Gabaldón E (Cu.) 122 C3
Gabarderal E (Na.) 45 C1
Gabasa E (Hues.) 48 B5
Gabia Chica E (Gr.) 181 D1

Gabia Grande E (Gr.) 181 D 1
Gabiria E (Gui.) 24 A 2
Gabrieis P (San.) 111 D 2
Gacia E (Alm.) 171 A 4
Gádor E (Alm.) 183 D 2
Gaeiras P (Lei.) 110 D 3
Gaena-Casas Gallegas E (Cór.) 166 C 4
Gafanha da Boa Hora P (Ave.) 73 C 5
Gafanha da Encarnação P (Ave.) 73 C 4
Gafanha da Nazaré P (Ave.) 73 D 4
Gafanha d'Aquém P (Ave.) 73 C 4
Gafanha do Areão P (Ave.) 73 C 5
Gafanha do Carmo P (Ave.) 73 C 4
Gafanhão P (Vis.) 74 D 2
Gafanhoeira (São Pedro) P (Év.) 128 C 3
Gafanhoeiras P (Év.) 145 B 1
Gafarillos E (Alm.) 184 C 2
Gáfete P (Por.) 113 B 4
Gafoi E (A Co.) 14 D 2
Gagos P (Br.) 54 D 3
Gagos P (Guar.) 76 B 5
Gaià E (Bar.) 50 C 5
Gaià E (Gi.) 52 B 5
Gaia P (Port.) 74 D 1
Gaianes E (Ali.) 141 A 3
Gaiate P (Co.) 94 B 3
Gaibiel E (Cas.) 107 A 5
Gaibor E (Lu.) 3 C 5
Gaidovar E (Cád.) 179 A 4
Gaifar P (V. C.) 54 A 2
Gaindola E (Na.) 25 C 2
Gaintza E (Na.) 24 B 3
Gaintza → Gainza E (Gui.) 24 B 2
Gainza/Gaintza E (Gui.) 24 B 2
Gaio P (Lei.) 111 A 2
Gaio P (Set.) 127 A 4
Gaiolo P (San.) 111 D 2
Gaioso E (Lu.) 15 C 1
Gajanejos E (Gua.) 83 A 4
Gajates E (Sa.) 79 A 4
Galafura P (V. R.) 55 B 5
Galamares P (Lis.) 126 B 2
Galapagar E (J.) 167 D 1
Galapagar E (Mad.) 101 B 1
Galapagares E (So.) 62 D 4
Galápagos E (Gua.) 82 B 5
Galar E (Na.) 25 A 4
Galarde E (Bur.) 42 B 3
Galaroza E (Huel.) 146 C 5
Galartza E (Viz.) 23 C 1
Galatzo E (Bal.) 91 B 3
Galbarra E (Na.) 24 A 5
Galbarros E (Bur.) 42 B 1
Galbárruli E (La R.) 22 D 5
Galdakao E (Viz.) 23 A 1
Galdames E (Viz.) 22 D 1
Galdames Goitia E (Viz.) 10 C 5
Gáldar E (Las P.) 191 B 2
Galega P (San.) 112 D 2
Galegos E (A Co.) 14 C 1
Galegos E (Lu.) 4 B 5
Galegos P (Br.) 54 C 2
Galegos P (Por.) 113 D 4
Galegos P (Port.) 54 B 5
Galegos (Santa Maria) P (Br.) 54 A 2
Galende E (Zam.) 37 A 4
Galera E (Gr.) 169 D 2
Galera y los Jopos, La E (Mu.) 171 A 3
Galera, la E (Ta.) 88 C 4
Gález E (Our.) 34 D 5
Galga, La E (S.Cruz T.) 193 C 2
Galguera, La E (Ast.) 8 A 4
Galhardo P (Vis.) 94 B 1
Galifa E (Mu.) 172 B 2
Galilea E (Bal.) 91 B 3
Galilea E (La R.) 44 A 2
Galíndez E (Seg.) 81 C 2
Galindo Béjar E (Sa.) 78 D 4
Galindo y Perahúy E (Sa.) 78 B 3
Galinduste E (Sa.) 78 D 5
Galisancho E (Sa.) 78 D 4
Galisteo E (Các.) 97 C 5
Galisteu P (Guar.) 75 D 5
Galisteu Cimeiro P (C. B.) 112 D 1
Galisteu Fundeiro P (C. B.) 112 D 1
Galiza P (Lis.) 126 B 3
Galizano E (Can.) 9 D 4
Galizes P (Co.) 95 A 2
Galizuela E (Bad.) 133 A 2
Galoze → Gallués E (Na.) 25 D 4
Galpe P (Co.) 94 A 2
Galvã P (Vis.) 75 B 1
Galve E (Te.) 86 B 5
Galve de Sorbe E (Gua.) 82 C 1
Galvecito E (Cád.) 177 C 5
Galveias P (Por.) 112 C 5
Gálvez E (To.) 118 D 2
Gálvez, Los E (Gr.) 182 C 3
Gálvez, Los E (Gr.) 182 B 4
Gallardos, Los E (Alm.) 184 D 1
Gallardos, Los E (Gr.) 169 C 4
Gallecs E (Bar.) 71 A 2
Gallega, La E (Bur.) 62 C 1
Gallego E (Alb.) 154 C 2
Gallegos E (Ast.) 6 C 5
Gallegos E (Áv.) 79 D 5
Gallegos E (Seg.) 81 C 2
Gallegos de Argañán E (Sa.) 76 D 5
Gallegos de Curueño E (Le.) 19 A 4
Gallegos de Hornija E (Vall.) 59 C 3
Gallegos de Sobrinos E (Áv.) 79 C 4
Gallegos de Solmirón E (Sa.) 98 D 1
Gallegos del Campo E (Zam.) 57 C 1
Gallegos del Pan E (Zam.) 58 D 3
Gallegos del Río E (Zam.) 57 D 2
Galleguillos E (Sa.) 79 A 4
Galleguillos de Campos E (Le.) 39 C 3
Gallejones E (Bur.) 21 D 4
Galletas, Las E (S.Cruz T.) 195 D 5
Gallifa E (Bar.) 71 A 2
Gallinero E (So.) 43 D 5
Gallinero de Cameros E (La R.) 43 C 4
Galliners E (Gi.) 52 A 3
Gallipienzo E (Na.) 45 B 1
Gallocanta E (Zar.) 85 B 2
Gallués/Galoze E (Na.) 25 D 4
Gallur E (Zar.) 65 C 1
Gama E (Can.) 10 A 4
Gamarra Nagusia E (Ál.) 23 B 4
Gambelas P (Fa.) 174 C 3
Gambia P (Set.) 127 B 5
Gamelas P (Guar.) 76 B 4
Gamelas P (Lei.) 110 D 4
Gamitas, Las, lugar E (Bad.) 131 D 3
Gamiz-Fika E (Viz.) 11 A 5
Gamonal E (To.) 99 C 5
Gamonal de la Sierra E (Áv.) 79 C 5
Gamones E (Zam.) 57 D 4
Gamonoso E (C. R.) 117 D 4
Ganade E (Our.) 35 B 4
Gáname E (Zam.) 58 A 4
Gançaria P (San.) 111 B 3
Ganceiros E (Our.) 34 D 5
Ganchosa, La E (Sev.) 148 A 5
Gándara E (A Co.) 14 C 2
Gándara E (Po.) 34 A 3
Gándara E (Po.) 33 C 5
Gándara E (Po.) 33 D 2
Gândara P (Ave.) 74 B 4
Gândara P (Ave.) 93 D 1
Gándara (Boimorto) E (A Co.) 14 D 2
Gándara (Narón) E (A Co.) 2 D 3
Gandarela P (Br.) 54 B 4
Gandarela P (Br.) 54 D 3
Gandarilla E (Can.) 8 C 5
Gandesa E (Ta.) 88 B 2
Gandia E (Val.) 141 C 2
Gandra P (Br.) 53 D 3
Gandra P (Port.) 54 B 5
Gandra P (V. C.) 34 A 4
Gandra P (V. C.) 54 A 1
Gandra Chão P (V. C.) 34 A 4
Gandufe P (V. C.) 54 A 1
Gandufe P (Vis.) 75 A 5
Gandul-Marchenilla E (Sev.) 164 B 4
Ganfei P (V. C.) 34 A 4
Gangosa, La E (Alm.) 183 C 3
Ganzo E (Can.) 9 B 5
Gañinas de la Vega E (Pa.) 40 A 1
Garaballa E (Cu.) 123 C 1
Garabato, El E (Cór.) 165 C 2
Garachico E (S.Cruz T.) 193 C 2
Garachico E (S.Cruz T.) 195 C 2
Garafía E (S.Cruz T.) 193 B 2
Garagaltza E (Gui.) 23 D 2
Garagartza E (Gui.) 23 C 2
Garaioa E (Na.) 25 C 3
Garaioltza E (Viz.) 11 A 5
Garaño E (Le.) 18 C 4
Garapacha, La E (Mu.) 155 D 3
Garay E (Viz.) 23 C 1
Garbajosa E (Gua.) 83 D 2
Garbayuela E (Bad.) 133 C 2
Garbet E (Gi.) 52 C 1
Garcão P (V. C.) 34 B 5
Garcia E (Ta.) 88 D 1
Garcia P (Lei.) 93 B 5
Garcías, Los E (Mu.) 172 A 1
Garcías, Los, lugar E (Gr.) 182 B 4
Garciaz E (Các.) 116 C 4
Garcibuey E (Sa.) 98 A 1
Garcíez E (J.) 167 C 1
Garcíez E (J.) 168 B 1
Garcíez-Jimena E (J.) 152 A 5
Garcihernández E (Sa.) 79 A 3
Garcillán E (Seg.) 80 D 3
Garcinarro E (Cu.) 103 B 3
Garciotum E (To.) 100 B 4
Garcirrey E (Sa.) 77 D 3
Gardata-Artikas E (Viz.) 11 C 5
Garde E (Na.) 26 A 4
Gares → Puente la Reina E (Na.) 24 D 5
Garfe P (Br.) 54 C 3
Garfín E (Le.) 19 B 5
Gargáligas E (Bad.) 132 C 2
Gargallà E (Bar.) 50 B 5
Gargallo E (Te.) 86 D 4
Gargallóns E (Po.) 14 A 5
Garganchón E (Bur.) 42 C 3
Garganta P (V. R.) 55 C 5
Garganta de los Hornos E (Áv.) 99 B 1
Garganta de los Montes E (Mad.) 81 D 3
Garganta del Villar E (Áv.) 99 C 1
Garganta la Olla E (Các.) 98 B 4
Garganta, La E (C. R.) 150 C 1
Garganta, La E (Các.) 98 B 2
Garganta, La, lugar E (J.) 153 B 3
Gargantáns E (Po.) 14 A 5
Gargantiel E (C. R.) 134 A 4
Gargantilla E (Các.) 98 A 3
Gargantilla E (To.) 117 C 3
Gargantilla del Lozoya E (Mad.) 81 D 3
Gárgoles de Abajo E (Gua.) 83 C 4
Gárgoles de Arriba E (Gua.) 83 C 4
Gargüera E (Các.) 98 A 4
Garidells, els E (Ta.) 69 C 5
Garínoain E (Na.) 45 A 1
Garita, La E (Las P.) 191 D 3
Garlitos E (Bad.) 133 C 3
Garnatilla, La E (Gr.) 182 B 4
Garòs E (Ll.) 28 D 4
Garraf E (Bar.) 70 D 5
Garrafe de Torío E (Le.) 19 A 4
Garralda E (Na.) 25 C 3
Garrapata, La E (Cád.) 178 B 4
Garrapinillos E (Zar.) 66 A 2
Garray E (So.) 63 D 1
Garres, Los E (Mu.) 156 A 5
Garrida E (Po.) 33 D 3
Garriga, la E (Bar.) 71 B 2
Garrigàs E (Gi.) 52 B 3
Garrigoles E (Gi.) 52 B 3
Garriguella E (Gi.) 52 B 1
Garrobo P (Fa.) 175 A 2
Garrobo, El E (Sev.) 163 C 2
Garrovilla, La E (Bad.) 131 A 2
Garrovillas de Alconétar E (Các.) 115 A 2
Garrucha E (Alm.) 184 D 4
Garvão P (Be.) 160 A 1
Garvín E (Các.) 117 A 2
Gasco, El E (Các.) 97 C 2
Gascones E (Mad.) 81 D 2
Gascueña E (Cu.) 103 C 3
Gascueña de Bornova E (Gua.) 82 D 1
Gaserans E (Gi.) 71 D 1
Gaspalha P (C. B.) 94 D 4
Gaspara, La E (Mál.) 187 C 2
Gasparillo E (Alm.) 170 B 5
Gasparões P (Be.) 144 B 4
Gasteiz → Vitoria E (Ál.) 23 B 4
Gastor, El E (Cád.) 179 A 3
Gata E (Các.) 97 A 3
Gata P (Guar.) 76 A 5
Gata de Gorgos E (Ali.) 142 A 4
Gatão P (Port.) 54 D 4
Gataria P (Lis.) 126 D 1
Gateira P (Guar.) 76 A 3
Gateros E (Alm.) 170 C 3
Gatika E (Viz.) 11 A 5
Gatões P (Co.) 93 C 2
Gatón de Campos E (Vall.) 39 D 5
Gatos, Los E (Alm.) 170 C 2
Gátova E (Val.) 124 D 1
Gaucín E (Mál.) 187 B 1
Gaula P (Ma.) 110 C 2
Gausac E (Ll.) 28 D 4
Gavà E (Bar.) 70 D 4
Gavamar E (Bar.) 70 D 5
Gavarda E (Val.) 140 D 1
Gavàs E (Ll.) 29 B 5
Gave P (V. C.) 34 C 4
Gavea P (V. C.) 33 D 5
Gavet de la Conca E (Ll.) 49 A 4
Gavião P (C. B.) 113 B 2
Gavião P (Por.) 112 D 3
Gavião P (Por.) 128 B 1
Gavião P (San.) 112 A 4
Gaviãozinho P (San.) 112 A 4
Gavieira P (V. C.) 34 C 4
Gavilanes E (Áv.) 99 D 3
Gavilanes E (Le.) 38 B 1
Gavilanes, Los E (S.Cruz T.) 196 A 4
Gavín E (Hues.) 27 A 5
Gazeo E (Ál.) 23 D 4
Gázquez, Los E (Alm.) 170 B 3
Gázquez, Los E (Alm.) 170 D 3
Gaztelu E (Gui.) 24 B 2
Gazteluberri → Castillo-Nuevo E (Na.) 25 D 5
Gea de Albarracín E (Te.) 105 C 2
Gebelim P (Bra.) 56 C 4
Gedrez E (Ast.) 17 B 2
Gejo de Diego Gómez E (Sa.) 78 A 2
Gejo de los Reyes E (Sa.) 77 D 1
Gejuelo del Barro E (Sa.) 77 D 2
Geldo E (Cas.) 125 A 1
Gelibra, La, lugar E (Gr.) 181 D 4
Gelida E (Bar.) 70 C 3
Gelsa E (Zar.) 66 D 4
Gelves E (Sev.) 163 D 4
Gema E (Sa.) 77 B 2
Gema E (Zam.) 58 C 4
Geme P (Br.) 54 B 2
Gémeos P (Br.) 54 D 4
Gemeses P (Br.) 53 D 3
Gemunde P (Port.) 53 D 5
Gemuño E (Áv.) 80 A 5
Genalguacil E (Mál.) 187 B 1
Génave E (J.) 153 B 1
Genestacio de la Vega E (Le.) 38 B 3
Genestosa E (Le.) 18 B 2
Genestoso E (Ast.) 17 C 2
Geneto E (S.Cruz T.) 196 B 2
Genevilla/Uxanuri E (Na.) 23 D 5
Genicera E (Le.) 19 A 3
Genilla E (Cór.) 166 D 4
Genísio P (Bra.) 57 C 3
Génova E (Bal.) 91 C 4
Genovés E (Val.) 141 A 2
Ger E (Gi.) 50 C 1
Geraldes P (Lei.) 110 C 4
Geraldos P (Be.) 160 C 1
Geras E (Le.) 18 C 3
Geraz do Lima (Santa Leocádia) P (V. C.) 53 D 1
Geraz do Lima (Santa Maria) P (V. C.) 53 D 1
Geraz do Minho P (Br.) 54 C 2
Gerb E (Ll.) 68 D 1
Gerena E (Sev.) 163 C 3
Gerendiain E (Na.) 24 D 3
Gérgal E (Alm.) 183 D 1
Geria E (Vall.) 59 D 3
Gerindote E (To.) 100 D 5
Germán, El E (Alm.) 170 C 4
Germil P (V. C.) 54 C 1
Germil P (Vis.) 75 B 4
Gernika-Lumo E (Viz.) 11 B 5
Gerona → Girona E (Gi.) 52 A 4
Gerri de la Sal E (Ll.) 49 B 2
Gerrikaitz E (Viz.) 23 C 1
Gertusa, lugar E (Zar.) 67 A 5
Gesalibar E (Gui.) 23 C 2
Gésera E (Hues.) 47 A 2
Gestaçô P (Port.) 55 A 5
Gestalgar E (Val.) 124 B 3
Gesteira P (Co.) 93 D 3
Gestosa P (Bra.) 36 B 5
Gestosa P (Vis.) 94 C 1
Gestoso E (Le.) 16 C 5
Gestoso P (Vis.) 74 C 3
Getafe E (Mad.) 101 C 3
Getares, lugar E (Cád.) 187 A 5
Getaria E (Gui.) 12 A 5
Gete E (Bur.) 42 B 5
Gete E (Le.) 18 D 3
Getxo E (Viz.) 10 D 5
Gévora del Caudillo E (Bad.) 130 B 2
Gião P (Ave.) 74 A 2
Gião P (Fa.) 174 D 3
Gião P (Port.) 53 D 4
Gibaja E (Can.) 10 B 5
Gibalbín E (Cád.) 178 A 3
Gibraleón E (Huel.) 162 B 4
Gibralgalia E (Mál.) 180 A 4
Gibraltar (Reino Unido) G (Gib.) 187
Giela P (V. C.) 34
Giesteira P (Ave.) 74
Giesteira P (San.) 111
Giesteiras Cimeiras P (C. B.) 113
Giesteiras Fundeiras P (C. B.) 113
Gijano E (Bur.) 22
Gijón E (Ast.) 6
Gijún E (Ast.) 6
Gil García E (Áv.) 98
Gil Márquez E (Huel.) 146
Gila, La E (Alb.) 139
Gilbuena E (Áv.) 98
Gilde P (Ave.) 74
Gilena E (Sev.) 165
Gilet E (Val.) 125
Gilico E (Mu.) 155
Gilma E (Alm.) 183
Gilmonde P (Br.) 53
Gillué E (Hues.) 47
Gimenells E (Ll.) 68
Gimialcón E (Áv.) 79
Gimileo E (La R.) 43
Gimonde P (Bra.) 57
Ginasté E (Hues.) 48
Ginebrosa, La E (Te.) 87
Gines E (Sev.) 163
Ginestar E (Ta.) 88
Gineta, La E (Alb.) 138
Gineta, La E (Mu.) 156
Ginete, El E (Alb.) 154
Ginete, El E (Alb.) 154
Ginetes P (Aç.) 109
Giniginamar E (Las P.) 190
Ginzo de Limia → Xinzo de Limia E (Our.) 35
Giões P (Fa.) 161
Girabolhos P (Guar.) 75
Girona/Gerona E (Gi.) 52
Gironda, La E (Sev.) 178
Gironella E (Bar.) 50
Gisclareny E (Bar.) 50
Gistaín E (Hues.) 28
Gitanos, Los E (Gr.) 167
Gizaburuaga E (Viz.) 11
Gleva, La E (Bar.) 51
Glória P (Év.) 129
Glória P (San.) 127
Goá E (Lu.) 3
Goães P (Br.) 54
Goães P (Br.) 54
Gobernador E (Gr.) 168
Goberno E (Lu.) 4
Gobiendes E (Ast.) 7
Goda P (Ave.) 74
Godall E (Ta.) 88
Godán E (Ast.) 5
Godella E (Val.) 125
Godelleta E (Val.) 124
Godigana P (Lis.) 126
Godim P (V. R.) 55
Godinhaços P (Br.) 54
Godinhela P (Co.) 94
Godojos E (Zar.) 64
Godóns E (Po.) 34
Godos E (Ast.) 6
Godos E (Po.) 14
Godos E (Te.) 85
Goente E (A Co.) 3
Goi E (Lu.) 16
Goialdea E (Gui.) 24
Goián E (Lu.) 35
Goián E (Po.) 33
Goiás E (Po.) 14
Goiballea E (Gui.) 24
Goiburu o San Esteban E (Gui.) 24
Goierri E (Viz.) 10
Goierri E (Viz.) 11
Goikolexea E (Viz.) 11
Goim P (Ave.) 74
Góios P (Br.) 53
Góios P (Br.) 54
Goiriz E (Lu.) 3
Gois P (Be.) 160
Góis P (Co.) 94
Goitaa E (Viz.) 23
Goiuri E (Ál.) 23
Goizueta E (Na.) 24
Goja P (Vis.) 74
Gójar E (Gr.) 182
Golães P (Br.) 54
Golán E (A Co.) 15
Golbardo E (Can.) 9
Golco E (Gr.) 182
Golegã P (San.) 111

lernio E (Bur.) 23 B4
oleta, A E (Po.) 14 B5
oleta, La E (Ast.) 7 B4
leta, La E (Las P.) 191 D4
olfar P (Guar.) 75 D3
lfo, El (Frontera) E (S.Cruz T.) 194 C4
olmar E (A Co.) 3 A1
lmar E (A Co.) 2 B5
lmayo E (So.) 63 C2
lmés E (Ll.) 69 A2
olosalvo E (Alb.) 123 A5
olpejas E (Sa.) 78 B2
lpejera E (Sa.) 78 B3
lpilhal P (Co.) 94 B2
olpilhares P (Co.) 94 C3
ollizo, El E (Alb.) 153 D1
omara E (So.) 64 A3
omareites E (Our.) 35 C3
omariz E (Our.) 35 C2
ombrèn E (Gi.) 50 D2
omeán E (Lu.) 16 A3
omecello E (Sa.) 78 D2
omes Aires P (Be.) 160 B2
omesende E (Our.) 34 D3
ometxa E (Ál.) 23 B4
ómez Velasco E (Sa.) 79 A4
omeznarro E (Vall.) 79 D1
omezserracín E (Seg.) 60 D5
omide P (Br.) 54 B1
onça P (Br.) 54 C3
onçalo P (Guar.) 95 D1
onçalo Bocas P (Guar.) 76 A5
onçalves P (Fa.) 175 A3
onçalvinho P (Lis.) 126 B1
oncinha P (Fa.) 174 C3
ondalães P (Port.) 54 B5
ondar E (Po.) 33 D1
ondar E (Po.) 14 A4
ondar P (Port.) 54 D5
ondar P (V. C.) 33 D5
ondarém P (Br.) 54 D3
ondarém P (V. C.) 33 D5
ondemaria P (San.) 111 D1
ondesende P (Bra.) 56 D1
ondiães P (Br.) 55 B2
ondim P (Port.) 54 A4
ondim P (V. C.) 34 A4
ondomar E (Po.) 33 D3
ondomar P (Br.) 54 B1
ondomar P (Br.) 54 C3
ondomar P (Port.) 54 A5
ondomar P (Vis.) 75 B2
ondomil P (V. C.) 34 A4
ondoriz P (Br.) 54 C1
ondoriz P (V. C.) 34 B5
ondramaz P (Co.) 94 B3
ondrame E (Lu.) 15 D3
ondrás E (Lu.) 4 A2
ondulfes E (Our.) 36 A5
ontalde E (A Co.) 1 D5
ontán E (Our.) 35 A3
ontar E (Alb.) 153 D3
onte E (A Co.) 13 D2
ontim P (Br.) 54 D3
onzar E (A Co.) 14 C2
onzar E (Lu.) 15 C3
oñar E (Alm.) 170 D3
oñi E (Na.) 24 C4
opegi E (Ál.) 23 B3
or E (Gr.) 169 A4
orafe E (Gr.) 168 D4
ordaliza
de la Loma E (Vall.) 39 C4
ordaliza del Pino E (Le.) 39 C2
ordexola E (Viz.) 22 D1
ordo, El E (Các.) 117 A1
ordoncillo E (Le.) 39 A4
ordos P (Co.) 93 D2
ordún E (Zar.) 45 D1
orga E (Ali.) 141 B4
orgollitas, Las E (J.) 153 C3
orgoracha, La E (Gr.) 182 A4
orgua E (Our.) 34 D3
orgullos E (A Co.) 14 B1
orjão P (San.) 112 B5
orjões P (Fa.) 174 C2
orliz E (Viz.) 11 A4
ormaig E (Ali.) 141 A4
ormaz E (So.) 62 D4
ornal, la E (Bar.) 70 B5
ornazo E (Can.) 9 B4
oro, El E (Las P.) 191 D3
orordo E (Viz.) 11 A5
orozika E (Viz.) 23 B1
orrebusto E (Ál.) 43 D1
Gorriti E (Na.) 24 C2
Gorriztaran E (Na.) 24 C2
Gorxá E (A Co.) 15 A1
Gorza → Güesa E (Na.) 25 D4
Gosende P (Port.) 74 D1
Gosende P (Vis.) 75 A2
Gósol E (Ll.) 50 B3
Gostei P (Bra.) 56 D1
Gotarrendura E (Áv.) 80 A4
Gotarta E (Ll.) 48 D2
Gotor E (Zar.) 65 A3
Goujoim P (Vis.) 75 C1
Gouvães da Serra P (V. R.) 55 B3
Gouvães do Douro P (V. R.) 55 C5
Gouveia P (Bra.) 56 C5
Gouveia P (Guar.) 95 C1
Gouveia P (Lis.) 126 B2
Gouveia P (Port.) 54 D5
Gouveias P (Guar.) 76 A4
Gouviães P (Vis.) 75 B1
Gouvinhas P (V. R.) 55 C5
Gouxa E (Po.) 15 A5
Gouxaria P (San.) 111 C3
Gouxaria P (San.) 111 C5
Gove P (Port.) 74 D1
Goyanes E (A Co.) 13 C4
Gozón de Ucieza E (Pa.) 40 B2
Graba E (Po.) 14 C4
Graça P (Lei.) 94 B5
Gracieira P (Lei.) 93 D5
Gracieira P (Lei.) 110 D4
Grada P (Ave.) 94 A2
Grade P (V. C.) 34 B5
Gradefes E (Le.) 19 B5
Gradil P (Lis.) 126 C1
Gradiz P (Guar.) 75 C3
Grado E (Ast.) 6 A4
Grado del Pico E (Seg.) 62 C5
Grado, El E (Hues.) 48 A4
Grageras, Las E (J.) 167 B3
Graices E (Our.) 35 B1
Grainho P (Fa.) 161 A4
Grainho P (San.) 111 C4
Graja de Campalbo E (Cu.) 123 D1
Graja de Iniesta E (Cu.) 123 A3
Graja, La E (Cór.) 165 B2
Grajal de Campos E (Le.) 39 D3
Grajal de Ribera E (Le.) 38 C4
Grajalejo
de las Matas E (Le.) 39 B2
Grajera E (Seg.) 61 D5
Grajuela, La E (Alb.) 138 C1
Grajuela, La E (Mu.) 172 C1
Gralhas P (V. R.) 35 B5
Gralheira P (Fa.) 174 C2
Gralheira P (Vis.) 74 C3
Gralheira P (Vis.) 74 D2
Gralhós P (Bra.) 57 A3
Gralhos P (Fa.) 159 C4
Gramaços P (Co.) 95 A2
Gramatinha P (Lei.) 94 A5
Gramedo E (Zam.) 37 C4
Graminhal P (Vis.) 75 B2
Gran Chaparral, El E (To.) 99 D5
Gran Tarajal E (Las P.) 190 A4
Granada E (Gr.) 182 A1
Granada
de Río Tinto, La E (Huel.) 163 A1
Granada, La E (Bar.) 70 B4
Granadella, la E (Ll.) 68 D4
Granadilla E (Cór.) 166 C4
Granadilla de Abona E (S.Cruz T.) 195 D4
Granado, El E (Huel.) 161 C3
Granados, Los E (S.Cruz T.) 194 B2
Granátula
de Calatrava E (C. R.) 135 C4
Granda E (Ast.) 6 C4
Granda, La E (Ast.) 6 C3
Grandaços P (Be.) 160 B1
Grandais P (Bra.) 56 D1
Grandal E (A Co.) 3 A4
Grandas de Salime E (Ast.) 4 D5
Grandes E (Áv.) 79 D4
Grandes E (Sa.) 77 D2
Grandival E (Bur.) 23 B5
Grândola P (Set.) 143 C2
Grandoso E (Le.) 19 B4
Granel, El E (S.Cruz T.) 193 C2
Granera E (Bar.) 70 D1
Granho P (San.) 127 C1
Granja P (Ave.) 74 B3
Granja P (Bra.) 57 B3
Granja P (Bra.) 57 B4
Granja P (Co.) 94 B3
Granja P (Év.) 145 D2
Granja P (Guar.) 76 A4
Granja P (Lei.) 93 B5
Granja P (Port.) 73 D1
Granja P (V. R.) 55 D5
Granja P (V. R.) 55 C2
Granja P (Vis.) 75 A2
Granja P (Vis.) 75 D2
Granja de Ançã P (Co.) 94 A2
Granja
de la Costera, la E (Val.) 140 D2
Granja de Moreruela E (Zam.) 58 C1
Granja de Rocamora E (Ali.) 156 B3
Granja de
San Vicente, La E (Le.) 17 D5
Granja de Santa Inés E (Zar.) 65 D1
Granja
de Torrehermosa E (Bad.) 148 C2
Granja d'Escarp, la E (Ll.) 68 B4
Granja do Tedo P (Vis.) 75 C1
Granja do Ulmeiro P (Co.) 93 D3
Granja Muedra E (Vall.) 60 B2
Granja Nova P (V. R.) 55 B3
Granja Nova P (Vis.) 75 B2
Granja San Pedro E (Zar.) 64 B5
Granja, La E (Các.) 98 A3
Granja, La E (Mu.) 171 A2
Granja, La E (Sa.) 79 A3
Granja, La →
San Ildefonso E (Seg.) 81 B3
Granja, La/Cruce, El E (Mad.) 102 A1
Granjal P (Vis.) 94 C1
Granjal P (Vis.) 75 C3
Granjilla, La E (Mad.) 101 D1
Granjinha P (Vis.) 75 C1
Granjuela, La E (Cór.) 149 A2
Granollers E (Bar.) 71 B2
Granollers de la Plana E (Bar.) 51 B4
Granollers
de Rocacorba E (Gi.) 51 D4
Granota, La E (Gi.) 52 A5
Granucillo E (Zam.) 38 B4
Granxa E (Po.) 33 D3
Granxa, A E (Our.) 35 D5
Granyanella E (Ll.) 69 C2
Granyena
de les Garrigues E (Ll.) 68 C4
Granyena de Segarra E (Ll.) 69 C2
Graña E (A Co.) 13 C5
Graña E (Lu.) 4 A4
Graña de Umia E (Po.) 14 C4
Graña, A E (Our.) 35 B3
Graña, A E (Po.) 13 D5
Graña, A E (Po.) 34 C2
Grañas E (A Co.) 3 C2
Grañén E (Hues.) 47 A5
Grañena E (J.) 167 D1
Grañeras, Las E (Le.) 39 B2
Grañón E (La R.) 42 D2
Grao, El/Grau, el E (Cas.) 125 C1
Grao/Grau
de Castelló, el E (Cas.) 107 D5
Grao/Grau, el E (Val.) 141 C2
Gratallops E (Ta.) 88 D1
Grau de Castelló,
el → Grao E (Cas.) 107 D5
Grau, el → Grao E (Val.) 141 C2
Grau, el → Grao, El E (Cas.) 125 C1
Grau, Es E (Bal.) 90 D2
Graugés E (Bar.) 50 C4
Graus E (Hues.) 48 A3
Grávalos E (La R.) 44 C4
Gravanço P (Ave.) 74 A5
Gravinhas de Baixo P (Co.) 95 A1
Gravinhas de Cima P (Co.) 95 A1
Graya E (Alb.) 154 A2
Grazalema E (Cád.) 179 A4
Gredilla de Sedano E (Bur.) 21 D5
Gredilla la Polera E (Bur.) 41 D1
Gregos P (Bra.) 57 B4
Gresande E (Po.) 14 D4
Griego, El E (Alb.) 138 B5
Griegos E (Te.) 105 A2
Grifa E (Po.) 34 C1
Grijalba E (Bur.) 41 A2
Grijalba de Vidriales E (Zam.) 38 B4
Grijera, lugar E (Pa.) 20 D4
Grijó P (Port.) 74 A1
Grijó de Parada P (Bra.) 57 A2
Grijó de Vale Benfeito P (Bra.) 56 C3
Grijota E (Pa.) 40 B5
Grilo E (Ast.) 4 D3
Grilo P (Port.) 74 D1
Grimaldo E (Các.) 115 B1
Grimancelos P (Br.) 54 A3
Griñón E (Mad.) 101 C3
Grions E (Gi.) 71 D1
Grisaleña E (Bur.) 42 C1
Grisel E (Zar.) 64 D1
Grisén E (Zar.) 65 D2
Grisuela E (Zam.) 57 C2
Grisuela del Páramo E (Le.) 38 C2
Grixalva E (A Co.) 15 A1
Grixó E (Our.) 34 D3
Grixoa E (A Co.) 13 D1
Grixoa E (Our.) 34 D1
Grocinas P (Co.) 94 A4
Grolos E (Lu.) 15 D3
Groo, El E (Sa.) 77 D1
Grou E (Our.) 34 D5
Grou P (Lei.) 93 B4
Grove, O E (Po.) 13 D5
Grovelas P (V. C.) 54 B1
Grulleros E (Le.) 38 D1
Grullos E (Ast.) 6 A4
Guadabraz, lugar E (J.) 153 B3
Guadahortuna E (Gr.) 168 B3
Guadajira E (Bad.) 130 D3
Guadajoz E (Sev.) 164 C3
Guadalajara E (Gua.) 82 C5
Guadalaviar E (Te.) 104 D2
Guadalcacín E (Cád.) 177 D4
Guadalcanal E (Sev.) 148 A4
Guadalcázar E (Cór.) 165 D1
Guadalema de
los Quinteros E (Sev.) 178 B1
Guadalén E (J.) 152 A4
Guadalest E (Ali.) 141 C4
Guadalimar E (J.) 151 D4
Guadalix de la Sierra E (Mad.) 81 D4
Guadalmedina, lugar E (Mál.) 180 C4
Guadalmez E (C. R.) 133 C4
Guadalmina E (Mál.) 187 D2
Guadalperales, Los E (Bad.) 132 C1
Guadalpín-Río Verde E (Mál.) 188 A1
Guadalupe E (Các.) 117 A4
Guadalupe E (Lu.) 3 C4
Guadalupe P (Aç.) 109 A1
Guadalupe de
Maciascoque E (Mu.) 155 D5
Guadamanil, lugar E (Cád.) 179 A2
Guadamur E (To.) 119 A1
Guadapero E (Sa.) 77 C5
Guadarrama E (Mad.) 81 A5
Guadasequies/
Guadasséquies E (Val.) 141 A3
Guadasséquies →
Guadasequies E (Val.) 141 A3
Guadassuar E (Val.) 141 A1
Guadiana
del Caudillo E (Bad.) 130 D2
Guadiaro E (Cád.) 187 B3
Guadilla de Villamar E (Bur.) 41 A1
Guadix E (Gr.) 168 D5
Guadramil P (Bra.) 37 B5
Guadramiro E (Sa.) 77 B2
Guainos Altos E (Alm.) 182 D4
Guainos Bajos E (Alm.) 182 D4
Guájar Alto E (Gr.) 181 D3
Guájar Faragüit E (Gr.) 182 A3
Guájar Fondón E (Gr.) 182 A3
Gualba E (Bar.) 71 C1
Gualchos E (Gr.) 182 B4
Gualda E (Gua.) 83 B5
Gualda E (Ll.) 68 C2
Gualdim P (Co.) 94 D2
Gualta E (Gi.) 52 C4
Guamasa E (S.Cruz T.) 196 B2
Guancha, La E (S.Cruz T.) 195 D2
Guapa, La E (Gr.) 182 C4
Guarazoca E (S.Cruz T.) 194 C4
Guarda P (Guar.) 76 A5
Guarda, A/Guardia, La E (Po.) 33 C5
Guarda, La E (Bad.) 132 B4
Guardamar de la Safor E (Val.) 141 C2
Guardamar del Segura E (Ali.) 156 D4
Guardão P (Vis.) 74 C5
Guàrdia d'Ares, La E (Ll.) 49 C2
Guardia de Jaén, La E (J.) 167 D2
Guàrdia de Tremp E (Ll.) 49 A4
Guàrdia, La E (Ll.) 69 B2
Guardia, La E (To.) 120 A1
Guardia, La →
Guarda, A E (Po.) 33 C5
Guardias Viejas E (Alm.) 183 B4
Guardiola de Berguedà E (Bar.) 50 C3
Guardiola de Font-rubí E (Bar.) 70 B4
Guardo E (Pa.) 20 A4
Guareña E (Áv.) 79 D5
Guareña E (Bad.) 131 D3
Guargacho →
Monte, El E (S.Cruz T.) 195 D4
Guarnizo E (Can.) 9 C4
Guaro E (Mál.) 179 D5
Guarrate E (Zam.) 59 A5
Guarromán E (J.) 151 D3
Guasa E (Hues.) 46 D1
Guaso E (Hues.) 47 D2
Guatiza E (Las P.) 192 D3
Guayonge E (S.Cruz T.) 196 A2
Guaza E (S.Cruz T.) 195 C5
Guaza de Campos E (Pa.) 39 D4
Guazamara E (Alm.) 171 A4
Gucherre P (San.) 111 B4
Gúdar E (Te.) 106 C1
Gudillos E (Seg.) 81 A5
Gudino E (Sa.) 78 A2
Gudiña, A E (Our.) 36 B4
Guedelhas P (Be.) 160 C3
Guedieiros P (Vis.) 75 C2
Güéjar Sierra E (Gr.) 182 B1
Güel E (Hues.) 48 B3
Güemes E (Can.) 9 D4
Güeñes E (Viz.) 22 D1
Gueral P (Br.) 53 D3
Guerras, Las, lugar E (Gr.) 181 C4
Guerreiros P (Lis.) 126 C2
Guerreiros do Rio P (Fa.) 161 C4
Güesa/Gorza E (Na.) 25 D4
Guesálaz E (Na.) 24 C4
Guetim P (Port.) 73 D1
Güevéjar E (Gr.) 168 A5
Guía E (S.Cruz T.) 196 A2
Guia P (Fa.) 174 A2
Guia P (Lei.) 93 C4
Guía de Isora E (S.Cruz T.) 195 C4
Guía, La E (Mu.) 172 B2
Guiães P (V. R.) 55 B5
Guiamets, els E (Ta.) 88 D1
Guidões P (Port.) 53 D4
Guiende E (A Co.) 13 D4
Guijar, El E (Seg.) 81 B1
Guijarrosa, La E (Cór.) 165 D2
Guijillo, El E (Huel.) 162 D3
Guijo de Ávila E (Sa.) 98 C1
Guijo de Coria E (Các.) 97 B4
Guijo de Galisteo E (Các.) 97 B4
Guijo de Granadilla E (Các.) 97 D3
Guijo
de Santa Bárbara E (Các.) 98 C3
Guijo, El E (Cád.) 178 A4
Guijo, El E (Cór.) 149 D1
Guijo, El E (Huel.) 163 A3
Guijo, El E (Mad.) 81 B5
Guijosa E (Gua.) 83 C2
Guijosa E (So.) 62 C2
Guijuelo E (Sa.) 98 C1
Guijuelos, Los E (Áv.) 98 D2
Guilfrei E (Lu.) 16 B3
Guilhabreu P (Port.) 53 D4
Guilhadeses P (V. C.) 34 B5
Guilheiro P (Guar.) 75 D3
Guilhofrei P (Br.) 54 D2
Guilhovai P (Ave.) 73 D2
Guilhufe P (Port.) 54 B5
Guils de Cerdaña E (Gi.) 50 C1
Guillamil E (Our.) 35 B3
Guillar E (Lu.) 15 D1
Guillar E (Po.) 15 A4
Guillarei E (Po.) 34 A4
Guillena E (Sev.) 163 D3
Güímar E (S.Cruz T.) 196 B3
Guimara E (Le.) 17 A3
Guimarães P (Br.) 54 C3
Guimarães P (Vis.) 75 A4
Guimarães de Tavares P (Vis.) 75 B5
Guimarán E (Ast.) 6 C3
Guimarei E (Lu.) 15 C2
Guimarei E (Our.) 35 D5
Guimarei P (Port.) 54 A4
Güime E (Las P.) 192 C4
Guimerà E (Ll.) 69 C3
Guimil P (V. C.) 34 B4
Guincho, El E (S.Cruz T.) 195 D5
Guindos, Los, lugar E (J.) 151 D2
Guingueta d'Àneu, la E (Ll.) 29 B5
Guingueta, La E (Gi.) 50 C1
Guinicio E (Bur.) 22 D5
Guiraos, Los E (Alm.) 171 A4
Guirela P (Ave.) 74 B1
Guísamo E (A Co.) 2 D4
Guisande P (Ave.) 74 A2
Guisande P (Br.) 54 B3
Guisando E (Áv.) 99 B3
Guissona E (Ll.) 69 C1
Guistola P (Ave.) 74 B5

Guitiriz E (Lu.) 3 B5
Guix, el E (Bar.) 70 C1
Guixaró, El E (Bar.) 50 C4
Guixers E (Ll.) 50 A3
Guizado P (Lei.) 110 D3
Guizán E (Po.) 34 A2
Gulanes E (Po.) 34 A3
Guldriz E (A Co.) 13 D1
Gulpilhares P (Port.) 73 D1
Gullade E (Lu.) 35 D1
Gumá E (Bur.) 62 A3
Gumiei P (Vis.) 74 D4
Gumiel de Izán E (Bur.) 61 D2
Gumiel de Mercado E (Bur.) 61 C2
Gundiás E (Our.) 35 B3
Gundibós E (Lu.) 35 D1
Guntín E (Lu.) 15 C3
Guntín E (Lu.) 3 C4
Guntín de Pallares E (Lu.) 15 C3
Guntumil E (Our.) 35 A5
Gunyoles, les E (Bar.) 70 C4
Gurb E (Bar.) 51 A5
Gures E (A Co.) 13 B2
Gurp E (Ll.) 48 D3
Gurrea de Gállego E (Hues.) 46 B5
Gurueba, La E (Can.) 21 C1
Gurugú, El E (Mad.) 102 B2
Gurulles E (Ast.) 6 A4
Gusendos de los Oteros E (Le.) 39 A2
Gustei E (Our.) 35 B1
Gutar E (J.) 152 D3
Gutierre-Muñoz E (Áv.) 80 B3
Guxinde E (Our.) 34 D4
Guzmán E (Bur.) 61 B2

H

Haba, La E (Bad.) 132 B3
Hacinas E (Bur.) 42 B5
Hacho, El E (Gr.) 168 C3
Haedillo, lugar E (Bur.) 42 B3
Haedo de las Pueblas E (Bur.) 21 C2
Haedo de Linares E (Bur.) 21 D3
Haizkoeta E (Ál.) 23 A4
Hardales, Los E (Cád.) 186 A2
Haría E (Las P.) 192 D3
Haro E (La R.) 43 A1
Hayas, Las E (S. Cruz T.) 194 B2
Hayuela, La E (Can.) 8 D5
Haza E (Bur.) 61 C3
Haza de la Concepción E (Các.) 98 A5
Haza del Trigo E (Gr.) 182 C4
Hazas E (Can.) 22 A1
Hazas de Cesto E (Can.) 10 A4
Hecho E (Hues.) 26 B4
Hedradas, Las E (Zam.) 36 C4
Hedroso E (Zam.) 36 D4
Helecha E (Can.) 21 B1
Helecha de Valdivia E (Pa.) 21 A4
Helechal E (Bad.) 133 A5
Helechosa de los Montes E (Bad.) 117 D5
Helenos P (Lei.) 93 C4
Helguera E (Can.) 21 B2
Helmántico, El E (Sa.) 78 C2
Hellín E (Alb.) 155 A1
Henarejos E (Cu.) 123 B1
Henche E (Gua.) 83 B5
Herada E (Can.) 22 A1
Heras de Ayuso E (Gua.) 82 D4
Heras de la Peña, Las E (Pa.) 20 A4
Herbers → Herbés E (Cas.) 87 C4
Herbés/Herbers E (Cas.) 87 C4
Herbón E (A Co.) 14 A4
Herbosa E (Bur.) 21 C3
Herce E (La R.) 44 A3
Herdade P (C. B.) 95 A5
Herdade P (C. B.) 94 C5
Herdeiros P (San.) 112 C2
Heredad, La E (Alm.) 183 B1
Heredia E (Ál.) 23 D4
Herencia E (C. R.) 120 B5
Herencias, Las E (To.) 117 D1
Herguijuela E (Áv.) 99 B2
Herguijuela E (Các.) 116 B4
Herguijuela
de Ciudad-Rodrigo E (Sa.) 97 A1
Herguijuela
de la Sierra E (Sa.) 97 D1
Herguijuela del Campo E (Sa.) 78 B5
Herguijuela, La E (Các.) 116 A1
Hérmedes de Cerrato E (Pa.) 61 A1
Hermigua E (S. Cruz T.) 194 C1
Hermisende E (Zam.) 36 D5
Hermosa E (Can.) 9 D5
Hermosilla E (Bur.) 22 B5
Hermosillo E (Áv.) 98 D2
Hernán Cortés E (Bad.) 132 A2
Hernancobo, lugar E (Sa.) 78 C4
Hernández, Los E (Alm.) 169 D4
Hernani E (Gui.) 12 C5
Hernán-Pérez E (Các.) 97 B3
Hernansancho E (Áv.) 80 A3
Hernán-Valle E (Gr.) 168 D4
Hernialde E (Gui.) 24 B2
Herrada
del Manco, lugar E (Mu.) 140 A5
Herradón de Pinares E (Áv.) 100 B1
Herradura, La E (Alm.) 171 A4
Herradura, La E (Gr.) 181 D4
Herramélluri E (La R.) 42 D1
Herrán E (Bur.) 22 C4
Herrán, La E (Can.) 9 C5
Herrera E (Can.) 9 C4
Herrera E (Sev.) 165 D4
Herrera de Alcántara E (Các.) 113 C2
Herrera de Duero E (Vall.) 60 B3
Herrera de Ibio E (Can.) 9 A5
Herrera de la Mancha E (C. R.) 136 C2
Herrera
de los Navarros E (Zar.) 85 D1
Herrera de Pisuerga E (Pa.) 40 D1
Herrera de Soria E (So.) 62 D2
Herrera de Valdecañas E (Pa.) 41 A5
Herrera de Valdivielso E (Bur.) 22 A4
Herrera del Duque E (Bad.) 133 C1
Herrera, La E (Alb.) 138 B3
Herrera, La E (Viz.) 22 C1
Herrera-Puente
del Condado E (J.) 152 C4
Herreras, Los E (Alm.) 170 C5
Herrería E (Gua.) 84 C3
Herrería
de Santa Cristina E (Cu.) 104 A1
Herrería, La E (Alb.) 138 C5
Herrería, La E (Alm.) 184 C1
Herrería, La E (Cór.) 165 C1
Herrerías, Las E (Huel.) 161 D2
Herrerías, Las E (Le.) 16 C5
Herreros E (So.) 63 B1
Herreros E (Vall.) 59 C4
Herreros de Jamuz E (Le.) 38 A3
Herreros de Rueda E (Le.) 19 C5
Herreros de Suso E (Áv.) 79 C4
Herreruela E (Các.) 114 C3
Herreruela
de Castillería E (Pa.) 20 C3
Herreruela de Oropesa E (To.) 117 B1
Herrezuelo E (Sa.) 78 D4
Herrín de Campos E (Vall.) 39 D4
Herrumblar, El E (Cu.) 123 A4
Hervás E (Các.) 98 B3
Hervededo E (Le.) 17 A5
Herves E (A Co.) 2 C5
Hervías E (La R.) 43 A2
Hidalga, La E (S. Cruz T.) 196 B3
Hiendelaencina E (Gua.) 82 D2
Hierro E (Bur.) 22 B3
Hierro E (Sev.) 148 C5
Higón E (Bur.) 21 C3
Higuera E (Các.) 116 C2
Higuera de Calatrava E (J.) 167 A1
Higuera de la Serena E (Bad.) 132 B5
Higuera de la Sierra E (Huel.) 147 A5
Higuera de las Dueñas E (Áv.) 100 B3
Higuera de Llerena E (Bad.) 147 D2
Higuera de Vargas E (Bad.) 146 B1
Higuera la Real E (Bad.) 146 D3
Higuera, La E (Alb.) 139 C4
Higuera, La E (Áv.) 99 C3
Higuera, La E (S. Cruz T.) 195 D4
Higueral E (Alm.) 169 D4
Higueral E (J.) 168 D1
Higueral, El E (Cór.) 166 D5
Higueras E (Cas.) 106 D5
Higueras, Las E (Cór.) 167 A4
Higuerón, El E (Cór.) 165 D1
Higueruela E (Alb.) 139 B2
Higueruelas E (Val.) 124 B1
Hija de Dios, La E (Áv.) 99 D1
Híjar E (Alb.) 154 C1
Híjar E (Gr.) 181 D1
Híjar E (Te.) 87 A1
Hijas E (Can.) 9 B5
Hijate, El E (Alm.) 169 C4
Hijes E (Gua.) 82 D1
Hijosa de Boedo E (Pa.) 40 D1
Hinestrosa E (Bur.) 41 A3
Hiniesta, La E (Zam.) 58 B3
Hiniestra E (Bur.) 42 A2
Hinojal E (Các.) 115 B2
Hinojal de Riopisuerga E (Bur.) 40 D1
Hinojales E (Huel.) 146 D4
Hinojar E (Mu.) 171 B2
Hinojar de Cervera E (Bur.) 42 A5
Hinojar del Rey E (Bur.) 62 B2
Hinojares E (J.) 169 A2
Hinojedo E (Can.) 9 B4
Hinojos E (Huel.) 163 B5
Hinojosa E (Gua.) 84 C2
Hinojosa de Duero E (Sa.) 76 D2
Hinojosa de Jarque E (Te.) 86 B5
Hinojosa de la Sierra E (So.) 63 C1
Hinojosa de San Vicente E (To.) 100 A4
Hinojosa del Campo E (So.) 64 B2
Hinojosa del Duque E (Cór.) 149 B1
Hinojosa del Valle E (Bad.) 147 C1
Hinojosa, La E (Cu.) 121 D2
Hinojosa, La E (So.) 62 C2
Hinojosas de Calatrava E (C. R.) 135 A5
Hinojosos, Los E (Cu.) 121 A3
Hío E (Po.) 33 D2
Hiriberri/Villanueva
de Aezkoa E (Na.) 25 C3
Hirmes E (Alm.) 183 A3
Hiruela, La E (Mad.) 82 A2
Hita E (Gua.) 82 D4
Hito, El E (Cu.) 121 B1
Holguera E (Các.) 97 B5
Hombrados E (Gua.) 85 A4
Hombres Olivais P (Lis.) 126 D3
Honcalada E (Vall.) 79 D1
Hondarribia/
Fuenterrabía E (Gui.) 12 D4
Hondón de las
Nieves/Fondó
de Les Neus, el E (Ali.) 156 C2
Hondón de los Frailes/
Fondó dels Frares, el E (Ali.) 156 B3
Hondura E (Sa.) 78 A5
Honquilana, lugar E (Vall.) 80 A1
Honrubia E (Cu.) 122 A3
Honrubia de la Cuesta E (Seg.) 61 D4
Hontalbilla E (Seg.) 61 A5
Hontanar E (To.) 118 B3
Hontanares E (Áv.) 99 C4
Hontanares E (Gua.) 83 B4
Hontanares de Eresma E (Seg.) 81 A3
Hontanas E (Bur.) 41 B3
Hontanaya E (Cu.) 121 A2
Hontangas E (Bur.) 61 C3
Hontecillas E (Cu.) 122 B2
Hontoba E (Gua.) 102 D2
Hontomín E (Bur.) 41 D1
Hontoria E (Ast.) 7 D4
Hontoria E (Seg.) 81 A3
Hontoria de Cerrato E (Pa.) 60 C1
Hontoria de la Cantera E (Bur.) 41 D4
Hontoria de Río Franco E (Bur.) 41 B5
Hontoria
de Valdearados E (Bur.) 62 A2
Hontoria del Pinar E (Bur.) 62 C1
Horcadas E (Le.) 19 D3
Horcajada de la Torre E (Cu.) 103 C5
Horcajada, La E (Áv.) 98 D1
Horcajo E (Các.) 97 B2
Horcajo de la Ribera E (Áv.) 99 A2
Horcajo de la Sierra E (Mad.) 81 D2
Horcajo de las Torres E (Áv.) 79 C2
Horcajo de los Montes E (C. R.) 118 A5
Horcajo de Montemayor E (Sa.) 98 B2
Horcajo de Santiago E (Cu.) 120 D1
Horcajo Medianero E (Sa.) 79 A5
Horcajo, El E (Alb.) 137 D4
Horcajo, El E (Sev.) 177 D2
Horcajuelo de la Sierra E (Mad.) 82 A2
Horche E (Gua.) 102 D1
Hormaza E (Bur.) 41 B3
Hormazas, Las E (Bur.) 41 B1
Hormigos E (To.) 100 C4
Hormilla E (La R.) 43 B2
Hormilleja E (La R.) 43 B2
Horna E (Alb.) 139 A3
Horna E (Bur.) 22 A3
Horna E (Gua.) 83 C1
Hornachos E (Bad.) 131 D5
Hornachuelos E (Cór.) 165 B1
Hornedo E (Can.) 9 D4
Hornera, La E (Mu.) 155 D4
Hornes E (Bur.) 22 B2
Hornico, El E (Mu.) 154 B5
Hornija E (Le.) 16 D5
Hornillalastra E (Bur.) 22 A2
Hornillalatorre E (Bur.) 22 A2
Hornillayuso E (Bur.) 22 A3
Hornillo, El E (Áv.) 99 C3
Hornillo, El E (S. Cruz T.) 194 B2
Hornillos de Cameros E (La R.) 43 D3
Hornillos de Cerrato E (Pa.) 40 D5
Hornillos de Eresma E (Vall.) 60 A5
Hornillos del Camino E (Bur.) 41 B3
Horno-Ciego E (Alb.) 154 A1
Hornos E (J.) 168 C1
Hornos E (J.) 153 B3
Hornos de Moncalvillo E (La R.) 43 C2
Horra, La E (Bur.) 61 C2
Horta E (Le.) 16 D5
Horta P (Aç.) 109 A3
Horta P (Ave.) 94 A1
Horta P (Guar.) 76 A1
Horta da Vilariça P (Bra.) 56 B5
Horta de Sant Joan E (Ta.) 88 A2
Horta, S' E (Bal.) 92 C5
Hortas de Baixo P (Por.) 130 A1
Hortas de Cima P (Por.) 114 A5
Hortas do Tabual P (Fa.) 173 A3
Hortezuela E (So.) 63 A4
Hortezuela de Océn, La E (Gua.) 83 D3
Hortezuelos E (Bur.) 62 A1
Hortichuela E (J.) 167 B4
Hortichuela E (Mu.) 172 B1
Hortichuelas E (Alm.) 184 C3
Hortigosa de Rioalmar E (Áv.) 79 C5
Hortigüela E (Bur.) 42 B5
Hortinhas P (Év.) 129 C4
Hortizuela, lugar E (Cu.) 104 A5
Hortunas E (Val.) 124 A4
Hospital E (Lu.) 36 B1
Hospital da Condesa E (Lu.) 16 C4
Hospital da Cruz E (Lu.) 15 C3
Hospital de Órbigo E (Le.) 38 B1
Hospitales, Los E (Gr.) 167 B5
Hospitalet
de l'Infant, l' E (Ta.) 89 A2
Hospitalet
de Llobregat, l' E (Bar.) 71 A4
Hostafrancs E (Ll.) 69 C1
Hostal de Ipiés E (Hues.) 47 A2
Hostal del Ciervo, lugar E (Zar.) 67 B4
Hostalet, l' E (Gi.) 72 A1
Hostalets
de Balenyà, els E (Bar.) 71 A1
Hostalets
de Pierola, els E (Bar.) 70 C3
Hostalets d'en Bas, els E (Gi.) 51 C3
Hostalets, els E (Gi.) 52 B2
Hostalets, els E (Ta.) 89 D1
Hostalets-Can Lleó, els E (Bar.) 70 B4
Hostalnou, l' E (Ll.) 68 D1
Hostalnou, l' →
Segunda del Río E (Cas.) 87 C5
Hostalric E (Gi.) 71 D1
Hoya
de Santa Ana, lugar E (Alb.) 139 B4
Hoya del Campo E (Mu.) 155 C3
Hoya
del Conejo, La, lugar E (Alb.) 137 C4
Hoya del Salobral E (J.) 167 D3
Hoya Grande E (S. Cruz T.) 193 C2
Hoya, La E (Alm.) 170 C4
Hoya, La E (Alm.) 170 B4
Hoya, La E (Mu.) 171 B2
Hoya, La E (Sa.) 98 C2
Hoya-Gonzalo E (Alb.) 139 B3
Hoyales de Roa E (Bur.) 61 C3
Hoyamorena E (Mu.) 172 C2
Hoyas, Las E (Alb.) 154 A1
Hoyas, Las, lugar E (Bur.) 21 D2
Hoyo de Manzanares E (Mad.) 81 B5
Hoyo de Pinares, El E (Áv.) 100 C1
Hoyo Tabares-
Moreno y Vicenta E (Mál.) 179 B4
Hoyo, El E (C. R.) 151 B2
Hoyo, El E (Cór.) 149 A3
Hoyocasero E (Áv.) 99 C2
Hoyorredondo E (Áv.) 99 A1
Hoyos E (Các.) 96 D3
Hoyos de Miguel Muñoz E (Áv.) 99 C2
Hoyos del Collado E (Áv.) 99 B2
Hoyos del Espino E (Áv.) 99 B2
Hoyos, Los E (Las P.) 191 D2
Hoyuelos E (Seg.) 80 C2
Hoyuelos de la Sierra E (Bur.) 42 C4
Hoz de Abajo E (So.) 62 C5
Hoz de Anero E (Can.) 9 D4
Hoz de Arreba E (Bur.) 21 C3
Hoz de Arriba E (So.) 62 C5
Hoz de Barbastro E (Hues.) 47 D4
Hoz de Jaca E (Hues.) 27 A5
Hoz de la Vieja, La E (Te.) 86 B
Hoz de Valdivielso E (Bur.) 22 A
Hoz, La E (Alb.) 137 D
Hoz, La E (Cór.) 166 D
Hozabejas E (Bur.) 22 A
Hoznayo E (Can.) 9 D
Huarte/Uharte E (Na.) 25 A
Huebro E (Alm.) 184 B
Huecas E (To.) 100 D
Huécija E (Alm.) 183 C
Huélaga E (Các.) 97 A
Huélago E (Gr.) 168 C
Huélamo E (Cu.) 104 D
Huelga, La E (Alm.) 184 C
Huelma E (J.) 168 B
Huelmos de Cañedo E (Sa.) 78 C
Huelva E (Huel.) 176 B
Huelvácar E (Cád.) 186 B
Huelves E (Cu.) 103 A
Huéneja E (Gr.) 183 A
Huera de Dego E (Ast.) 7 C
Huerbas E (Alb.) 153 D
Huércal de Almería E (Alm.) 184 A
Huércal-Overa E (Alm.) 170 D
Huércanos E (La R.) 43 B
Huerce, La E (Gua.) 82 C
Huércemes E (Cu.) 123 A
Huerces E (Ast.) 6 D
Huerga de Frailes E (Le.) 38 B
Huerga de Garavalles E (Le.) 38 B
Huergas de Babia E (Le.) 18 A
Huergas de Gordón E (Le.) 18 D
Huérguina E (Cu.) 105 A
Huérmeces E (Bur.) 41 C
Huérmeces del Cerro E (Gua.) 83 B
Huérmeda E (Zar.) 65 A
Huerres E (Ast.) 7 B
Huerrios E (Hues.) 46 D
Huerta E (Mu.) 154 D
Huerta E (Sa.) 78 D
Huerta E (Seg.) 81 D
Huerta de Abajo E (Bur.) 42 C
Huerta de Arriba E (Bur.) 42 D
Huerta de la Obispalía E (Cu.) 103 D
Huerta
de Llano de Brujas E (Mu.) 156 A
Huerta de Marojales E (Cu.) 104 C
Huerta de San Benito E (Mu.) 156 A
Huerta
de Valdecarábanos E (To.) 119 D
Huerta de Vero E (Hues.) 47 C4
Huerta del Colegio E (Sev.) 165 C5
Huerta del Manco E (J.) 153 C4
Huerta del Marquesado E (Cu.) 105 A4
Huerta del Raal E (Mu.) 156 B4
Huerta del Rey E (Bur.) 62 B1
Huerta Grande E (Huel.) 162 A2
Huerta Real E (Gr.) 169 C3
Huerta, La E (Alm.) 170 D5
Huerta, La E (Ast.) 6 D5
Huerta, La E (Mu.) 156 B4
Huerta, La E (Mu.) 156 A3
Huertahernando E (Gua.) 84 A4
Huertapelayo E (Gua.) 84 A4
Huertas de Cansa, Las E (Các.) 113 D4
Huertas
de la Magdalena E (Các.) 116 A4
Huertas de la Manga E (Sev.) 166 A5
Huertas del Ingeniero E (Cór.) 165 D4
Huertas del Río E (Mál.) 180 C2
Huertas
del Sauceral, Las E (C. R.) 117 D4
Huertas Familiares
de San Fernando E (Cór.) 150 C5
Huertas y Cercados E (Gr.) 169 B4
Huertas y Extramuros E (J.) 151 A4
Huertas y Montes E (Mál.) 179 D3
Huertas, Las E (Mál.) 179 D4
Huérteles E (So.) 43 D5
Huertezuelas E (C. R.) 151 C1
Huerto E (Hues.) 47 B5
Huertos, Los E (Cu.) 105 C5
Huertos, Los E (Seg.) 80 D2
Huesa E (J.) 168 D1
Huesa del Común E (Te.) 86 B2
Huesas, Las E (Las P.) 191 D3
Huesca E (Hues.) 47 A4
Huéscar E (Gr.) 169 D1
Huete E (Cu.) 103 B4
Huétor de Santillán E (Gr.) 168 A5
Huétor Tájar E (Gr.) 181 B1
Huétor Vega E (Gr.) 182 A1
Huetos E (Gua.) 83 C4
Huetre E (Các.) 97 C1
Hueva E (Gua.) 103 A1

Huévar de Aljarafe E (Sev.) 163 C 4
Huidobro E (Bur.) 21 D 4
Huitar Mayor E (Alm.) 170 A 4
Humada E (Bur.) 21 A 5
Humanes E (Gua.) 82 C 4
Humanes de Madrid E (Mad.) 101 C 3
Humbridilla, La E (Las P.) 191 A 4
Humienta E (Bur.) 41 D 3
Humilladero E (Mál.) 180 A 1
Humo E (Cór.) 166 B 3
Hunfrías, Las E (To.) 117 D 3
Hurchillo E (Ali.) 156 B 4
Hurona, La E (Mu.) 155 D 3
Hurones E (Bur.) 41 D 2
Hurtada E (Sa.) 76 D 5
Hurtumpascual E (Áv.) 79 C 5
Husillos E (Pa.) 40 C 4

I

Ibahernando E (Các.) 116 A 5
Ibarbia E (Gui.) 24 A 1
Ibargoiti E (Na.) 25 B 5
Ibarra E (Gui.) 24 A 2
Ibarra E (Viz.) 11 A 5
Ibarra E (Viz.) 23 A 2
Ibarra (Aramaio) E (Ál.) 23 C 2
Ibarrangelu E (Viz.) 11 C 4
Ibarrola-Urriola E (Viz.) 11 C 5
Ibarruri E (Viz.) 23 B 1
Ibarsos, els E (Cas.) 107 C 3
Ibdes E (Zar.) 84 D 1
Ibeas de Juarros E (Bur.) 42 A 3
Ibi E (Ali.) 140 D 5
Ibias E (Ast.) 16 D 2
Ibieca E (Hues.) 47 B 4
Iboya E (Ast.) 6 B 3
Iboybó E (S. Cruz T.) 195 C 4
Ibrillos E (Bur.) 42 D 2
Ibros E (J.) 152 A 4
Iciz E (Na.) 25 D 4
Icod de los Vinos E (S. Cruz T.) 195 C 2
Icod el Alto E (S. Cruz T.) 195 D 2
Icor E (S. Cruz T.) 196 A 4
Idanha P (Lis.) 126 C 3
Idanha-a-Nova P (C. B.) 96 A 5
Idanha-a-Velha P (C. B.) 96 A 4
Idiazabal E (Gui.) 24 A 3
Idotorre → San Pedro E (Gui.) 23 D 1
Iekora → Yécora E (Ál.) 43 D 1
Ifanes P (Bra.) 57 D 3
Ifre-Pastrana E (Mu.) 171 C 3
Igaegi E (Ál.) 23 A 5
Igantzi E (Na.) 24 D 1
Igea E (La R.) 44 B 5
Igeldo E (Gui.) 12 B 5
Iglesia, La E (Can.) 9 D 5
Iglesiapinta E (Bur.) 42 B 4
Iglesiarrubia E (Bur.) 41 C 5
Iglesias E (Bur.) 41 B 3
Iglesuela del Cid, La E (Te.) 107 B 1
Iglesuela, La E (To.) 100 B 5
Igorre E (Viz.) 23 B 1
Igreja Nova P (Br.) 54 A 2
Igreja Nova P (Lis.) 126 C 2
Igreja Nova P (San.) 112 B 1
Igrejinha P (Év.) 128 D 4
Igrexa E (Lu.) 3 D 2
Igrexafeita E (A Co.) 3 A 4
Igriés E (Hues.) 46 D 3
Igualada E (Bar.) 70 B 3
Igualeja E (Mál.) 179 B 5
Igüeña E (Le.) 17 D 4
Igueste E (S. Cruz T.) 196 B 2
Igueste de San Andrés E (S. Cruz T.) 196 C 1
Igúzquiza E (Na.) 24 B 5
Ihabar E (Na.) 24 C 3
Ikaztegieta E (Gui.) 24 B 2
Ilanes E (Zam.) 37 A 4
Ilche E (Hues.) 47 C 5
Ilha P (Lei.) 93 C 4
Ilha da Culatra P (Fa.) 174 D 4
Ilhavo P (Ave.) 73 D 4
Illa E (Our.) 34 D 5
Illa de Arousa E (Po.) 13 D 5
Illán de Vacas E (To.) 100 B 5
Illana E (Gua.) 103 A 4
Illano E (Ast.) 4 D 4
Illar E (Alm.) 183 C 2
Illas, les E (Bar.) 70 D 5
Illescas E (To.) 101 C 4
Illobre E (A Co.) 14 B 3
Illora E (Gr.) 167 C 5

Illueca E (Zar.) 65 A 3
Imada E (S. Cruz T.) 194 B 2
Imarcoain/Imarkoain E (Na.) 25 A 5
Imarkoain →
   Imarcoain E (Na.) 25 A 5
Imende E (A Co.) 2 A 4
Imón E (Gua.) 83 B 1
Imora, La E (J.) 167 C 1
Ina, La E (Các.) 177 D 5
Inácios P (Co.) 93 C 2
Inbuluzketa E (Na.) 25 A 3
Inca E (Bal.) 92 A 2
Incinillas E (Bur.) 22 A 3
Incio, O E (Lu.) 16 A 5
Inchola E (Mu.) 171 D 1
Indias, Las E (S. Cruz T.) 193 B 4
Indioteria, Sa E (Bal.) 91 C 3
Inés E (So.) 62 C 4
Inespal E (Ast.) 6 B 3
Inestrillas E (La R.) 44 C 5
Infantas E (Br.) 54 C 3
Infantas, Las E (J.) 151 C 5
Infantas, Las E (Mad.) 101 D 5
Infantes E (Lei.) 110 B 3
Infesta P (Br.) 54 D 4
Infesta P (V. C.) 34 A 4
Infias E (Br.) 54 B 4
Infias P (Guar.) 75 C 5
Infiesto E (Ast.) 7 B 4
Ingarnal P (C. B.) 95 B 4
Ingenio E (Las P.) 191 D 3
Ingilde P (Port.) 74 D 1
Inguanzo E (Ast.) 8 A 5
Inguias P (C. B.) 95 D 2
Iniesta E (Cu.) 122 D 4
Iniéstola E (Gua.) 83 D 3
Inogés E (Zar.) 65 B 5
Insalde P (V. C.) 34 A 4
Instinción E (Alm.) 183 C 2
Insua E (A Co.) 3 B 2
Insua E (A Co.) 2 D 4
Insua E (Lu.) 15 C 4
Insua E (Lu.) 3 C 5
Insua E (Po.) 34 B 1
Ínsua P (Vis.) 75 B 4
Intorcisa E (Pa.) 20 A 4
Inviernas, Las E (Gua.) 83 B 3
Iñás E (A Co.) 2 C 4
Íñigo E (Sa.) 78 B 5
Íñigo Blasco E (Sa.) 78 D 5
Iraeta E (Gui.) 24 A 1
Iraitzoz E (Na.) 24 D 3
Iran E (Ll.) 48 D 1
Irañeta E (Na.) 24 C 3
Iratzagorria E (Viz.) 22 C 1
Irauregi E (Viz.) 22 D 1
Ircio E (Bur.) 23 A 5
Irede de Luna E (Le.) 18 B 4
Iria E (A Co.) 14 A 4
Iria Flavia E (A Co.) 14 A 4
Irián E (Le.) 18 B 4
Iriépal E (Gua.) 82 C 5
Irijó P (Ave.) 74 B 3
Irivo P (Port.) 54 B 5
Irixo, O E (Our.) 14 D 5
Irixoa E (A Co.) 3 A 4
Iruecha E (So.) 84 B 2
Iruela E (Le.) 37 B 3
Iruela, La E (J.) 152 D 5
Iruelos E (Sa.) 77 C 1
Irueste E (Gua.) 83 A 5
Irun E (Gui.) 24 D 1
Irunberri → Lumbier E (Na.) 25 C 5
Iruña → Pamplona E (Na.) 25 A 4
Irura E (Gui.) 24 B 1
Iruraiz Gauna E (Ál.) 23 C 4
Iruretaegia E (Gui.) 24 B 1
Irurita E (Na.) 25 C 4
Irurozqui (Urraul Alto) E (Na.) 25 C 4
Irurtzun E (Na.) 24 D 3
Is E (Ast.) 5 A 5
Isaba/Izaba E (Na.) 26 A 4
Isabel, La, lugar E (Huel.) 161 C 2
Isabela, La E (J.) 151 D 3
Isar E (Bur.) 41 B 2
Íscar E (Vall.) 60 B 5
Isidros, Los E (Val.) 123 C 4
Isil E (Ll.) 49 C 1
Isla E (Can.) 10 A 4
Isla Cristina E (Huel.) 175 C 2
Isla de Canela E (Huel.) 175 C 2
Isla del Moral E (Huel.) 175 C 2
Isla del Vicario E (Sev.) 165 C 3
Isla Mayor E (Sev.) 177 C 1

Isla Plana E (Mu.) 172 A 3
Isla Playa E (Can.) 10 A 4
Isla Redonda E (Sev.) 165 D 4
Isla, La E (Ast.) 7 C 3
Isllana E (La R.) 43 C 3
Islares E (Can.) 10 B 4
Islas, Las E (C. R.) 134 D 1
Islica, La E (Alm.) 184 D 2
Islote, El E (Las P.) 192 C 4
Isna P (C. B.) 95 A 5
Isoba E (Le.) 19 B 2
Isona E (Ll.) 49 B 4
Isora E (S. Cruz T.) 194 C 4
Isóvol E (Gi.) 50 C 1
Ispaster-Elejalde E (Viz.) 11 C 5
Isso E (Alb.) 155 A 1
Istán E (Mál.) 187 D 1
Isuerre E (Zar.) 45 D 1
Itero de la Vega E (Pa.) 40 D 3
Itero del Castillo E (Bur.) 40 D 3
Itero Seco E (Pa.) 40 C 2
Ítrabo E (Gr.) 181 D 4
Itsaso E (Gui.) 24 A 2
Itsasondo E (Gui.) 24 A 2
Ituero E (Alb.) 138 A 4
Ituero E (So.) 63 D 3
Ituero de Azaba E (Sa.) 96 D 1
Ituero y Lama E (Seg.) 80 C 4
Ituren E (Na.) 24 D 2
Iturmendi E (Na.) 24 B 3
Iturriotz E (Gui.) 12 C 5
Itzalzu → Izalzu E (Na.) 25 D 3
Itziar E (Gui.) 11 D 5
Iurre E (Gui.) 24 A 2
Iurreta E (Viz.) 23 C 1
Ivanrey E (Sa.) 77 A 5
Ivars de Noguera E (Ll.) 68 C 1
Ivars d'Urgell E (Ll.) 69 B 2
Ivorra E (Ll.) 69 D 1
Iza E (Na.) 24 D 3
Izaba → Isaba E (Na.) 26 A 4
Izagre E (Le.) 39 B 3
Izal E (Na.) 25 D 4
Izalzu/Itzalzu E (Na.) 25 D 3
Izana E (So.) 63 C 3
Izara E (Can.) 21 A 3
Izarra E (Ál.) 23 A 3
Izarraitz E (Gui.) 24 A 1
Izartza E (Ál.) 23 C 4
Ízbor E (Gr.) 182 A 3
Izcala E (Sa.) 78 C 1
Izcalina, La E (Sa.) 78 B 1
Izco E (Na.) 25 B 5
Izeda P (Bra.) 57 A 3
Iznájar E (Cór.) 166 D 5
Iznalloz E (Gr.) 168 A 4
Iznate E (Mál.) 181 A 2
Iznatoraf E (J.) 152 D 4
Izoria E (Ál.) 22 D 2
Izurdiaga E (Na.) 24 D 3
Izurtza → Izurza E (Viz.) 23 B 2
Izurza/Izurtza E (Viz.) 23 B 2

J

Jábaga E (Cu.) 104 A 4
Jabalcón E (Gr.) 169 B 3
Jabalera E (Cu.) 103 B 3
Jabaloyas E (Te.) 105 C 3
Jabalquinto E (J.) 151 C 4
Jabares de los Oteros E (Le.) 39 A 2
Jaboneros, lugar E (Mál.) 180 D 4
Jabugo E (Huel.) 146 C 5
Jabuguillo E (Huel.) 147 A 5
Jaca E (Hues.) 46 D 1
Jacarilla E (Ali.) 156 B 4
Jacintos, Los E (Alm.) 170 B 4
Jadraque E (Gua.) 83 A 3
Jaén E (J.) 167 C 1
Jafre E (Gi.) 52 B 3
Jaganta E (Te.) 87 B 4
Jaitz →
   Salinas de Oro E (Na.) 24 C 4
Jaizubia E (Gui.) 12 C 5
Jalance E (Val.) 140 A 1
Jalón de Cameros E (La R.) 43 C 3
Jalón/Xaló E (Ali.) 141 C 3
Jambrina E (Zam.) 58 C 4
Jamilena E (J.) 167 C 2
Jamprestes P (San.) 112 B 1
Jámula, La E (Gr.) 169 C 3
Jana, la E (Cas.) 108 A 1
Janarde P (Ave.) 74 C 2

Janardo P (Lei.) 93 C 5
Janas P (Lis.) 126 B 2
Jandilla, lugar E (Các.) 186 B 3
Janeiro de Cima P (C. B.) 95 A 4
Jara, La E (Các.) 177 B 4
Jara, La E (Cór.) 165 B 2
Jara, La/Xara, la E (Ali.) 141 D 3
Jaraba E (Zar.) 84 C 1
Jarafuel E (Val.) 140 A 1
Jaraguas E (Val.) 123 C 3
Jaraicejo E (Các.) 116 B 2
Jaraices E (Áv.) 79 D 3
Jaraíz de la Vera E (Các.) 98 B 4
Jaral, El E (Alm.) 170 A 4
Jaral, El E (Alm.) 179 A 3
Jaramillo de la Fuente E (Bur.) 42 A 4
Jaramillo Quemado E (Bur.) 42 B 4
Jaramillo, El E (Cór.) 166 D 5
Jarana E (Các.) 185 D 1
Jarandilla de la Vera E (Các.) 98 C 4
Jarata E (Cór.) 166 A 3
Jaray E (So.) 64 B 2
Jarceley E (Ast.) 5 C 5
Jarda, La E (Các.) 178 C 5
Jardia E (Các.) 98 B 4
Jardim do Mar P (Ma.) 109 D 2
Jardín, El E (Alb.) 138 A 4
Jardo P (Guar.) 76 C 5
Jarilla E (Các.) 98 A 3
Jarilla, La E (Sev.) 164 A 3
Jarillas, Las E (Sev.) 164 B 1
Jarque E (Zar.) 65 A 3
Jarque de la Val E (Te.) 86 B 5
Jartos E (Alb.) 154 A 2
Jasa E (Hues.) 26 C 5
Játar E (Gr.) 181 C 3
Jatiel E (Te.) 87 A 1
Jau, El E (Gr.) 181 D 1
Jauca Alta E (Alm.) 169 D 4
Jauca Baja E (Alm.) 169 D 4
Jauca, La E (Alm.) 169 D 4
Jauja E (Cór.) 166 B 5
Jaulín E (Zar.) 66 A 4
Jauntsarats E (Na.) 24 D 3
Jauregi E (Gui.) 12 B 5
Jauro E (Alm.) 170 D 5
Jaurrieta/Eaurta E (Na.) 25 D 3
Jauta E (Cór.) 166 D 4
Jautor, lugar E (Các.) 186 D 3
Javali E (Fa.) 174 D 2
Javali Nuevo E (Mu.) 155 D 5
Javali Viejo E (Mu.) 155 D 5
Jávea/Xàbia E (Ali.) 142 A 4
Javier/Xabier E (Na.) 45 C 1
Javierregay E (Hues.) 46 B 1
Javierrelatre E (Hues.) 46 D 2
Jayena E (Gr.) 181 C 3
Jazente P (Port.) 54 D 5
Jédula E (Các.) 178 A 4
Jemenuño E (Seg.) 80 C 3
Jerez de la Frontera E (Các.) 177 C 4
Jerez de los Caballeros E (Bad.) 146 C 2
Jerez del Marquesado E (Gr.) 182 D 1
Jérica E (Cas.) 106 D 5
Jerónimos y Avileses E (Mu.) 172 C 1
Jerte E (Các.) 98 B 3
Jerumelo P (Lis.) 126 C 2
Jesufrei P (Br.) 54 A 3
Jesús Pobre E (Ali.) 142 A 3
Jesús, El E (S. Cruz T.) 193 B 3
Jete E (Gr.) 181 D 4
Jijona/Xixona E (Ali.) 141 A 5
Jimena E (J.) 168 B 1
Jimena de la Frontera E (Các.) 187 A 2
Jimenado E (Mu.) 172 B 1
Jiménez de Jamuz E (Le.) 38 B 3
Jimera de Líbar E (Mál.) 179 A 5
Jinámar E (Las P.) 191 D 2
Jirueque E (Gua.) 83 A 3
Joane P (Br.) 54 B 3
Joanet E (Gi.) 51 C 5
Joaninho P (San.) 111 B 3
João Antão P (Guar.) 96 A 1
João Serra P (Be.) 160 D 1
Joara E (Le.) 39 D 2
Joarilla de las Matas E (Le.) 39 C 3
Jódar E (J.) 168 B 1
Jodra de Cardos E (So.) 63 C 5
Jodra del Pinar E (Gua.) 83 C 3
Jokano E (Ál.) 23 A 4
Jola E (Các.) 113 D 4
Jolda (Madalena) P (V. C.) 34 A 4
Jomezana E (Ast.) 18 C 2
Jonquera, la E (Gi.) 52 A 1
Jorairátar E (Gr.) 182 D 3

Jorba E (Bar.) 70 A 2
Jorcas E (Te.) 106 C 1
Jordana P (Fa.) 174 D 3
Jorox E (Mál.) 179 D 4
Jorquera E (Alb.) 139 B 1
Josa E (Te.) 86 C 3
José Antonio E (Các.) 178 A 4
Jou P (V. R.) 55 D 3
Jovim P (Port.) 74 A 1
Joya, La E (Huel.) 162 B 1
Joya, La E (Mál.) 180 B 3
Joyosa, La E (Zar.) 65 D 2
Juan Antón E (Sev.) 163 B 2
Juan Fernández E (S. Cruz T.) 196 B 1
Juan Gallego E (Sev.) 163 A 2
Juan Grande E (Las P.) 191 C 4
Juan Mayor E (S. Cruz T.) 193 C 2
Juan Vich E (Val.) 124 A 5
Juanetes, Los E (Mu.) 171 A 1
Juarros de Riomoros E (Seg.) 80 D 3
Juarros de Voltoya E (Seg.) 80 C 2
Jubalcoi E (Ali.) 156 D 2
Júbar E (Gr.) 182 D 2
Jubera E (So.) 83 D 1
Jubrique E (Mál.) 187 B 1
Jucaini E (Alm.) 170 D 5
Judes E (So.) 84 B 2
Judío, El E (Huel.) 162 B 4
Jueus P (Vis.) 74 C 5
Jugueiros P (Port.) 54 C 4
Juguelhe P (Br.) 55 A 2
Juià E (Gi.) 52 B 2
Juízo P (Guar.) 76 B 3
Juliana, La E (Huel.) 162 C 1
Julião P (Fa.) 175 A 2
Jumilla E (Mu.) 155 C 1
Jun E (Gr.) 168 A 5
Junça P (Guar.) 76 C 4
Juncais P (Guar.) 75 C 5
Juncal P (C. B.) 113 A 2
Juncal P (Lei.) 111 B 2
Juncal do Campo P (C. B.) 95 C 5
Juncal, El E (Las P.) 191 B 3
Juncales, Los E (Các.) 178 D 3
Juncalillo E (Las P.) 191 B 2
Juncares, Los E (Cór.) 166 D 5
Junceira P (San.) 112 A 2
Junciana E (Áv.) 98 B 3
Juncosa E (Ll.) 68 D 4
Juncosa
   del Montmell, la E (Ta.) 70 A 5
Juneda E (Ll.) 69 A 3
Jungueiros P (Be.) 144 A 4
Junqueira P (Ave.) 74 B 3
Junqueira P (Bra.) 56 B 5
Junqueira P (Bra.) 57 A 4
Junqueira P (Fa.) 175 C 2
Junqueira P (Lei.) 111 A 2
Junqueira P (Port.) 53 D 4
Junqueira P (V. R.) 55 D 3
Junquera de Tera E (Zam.) 37 D 5
Juntas, Las E (Alm.) 170 C 1
Juntas, Las E (Gr.) 169 A 5
Juntas, Las, lugar E (Gr.) 169 B 3
Junzano E (Hues.) 47 B 4
Jurados, Los, lugar E (Alm.) 171 B 4
Juromenha P (Év.) 129 D 4
Juseu E (Hues.) 48 A 4
Juslibol E (Zar.) 66 B 2
Justel E (Zam.) 37 C 4
Justes P (V. R.) 55 C 4
Juviles E (Gr.) 182 C 2
Juzbado E (Sa.) 78 B 2
Júzcar E (Mál.) 179 B 5

K

Kanpaneta →
   Campanas E (Na.) 25 A 5
Kanpantxu E (Viz.) 11 B 5
Karkamu E (Ál.) 22 D 4
Komunioi →
   Comunión E (Ál.) 22 D 5
Kortezubi E (Viz.) 11 B 5
Kripan → Cripán E (Ál.) 43 C 1

L

Labacengos E (A Co.) 3 B 2
Labajos E (Seg.) 80 B 4
Labarces E (Can.) 8 D 5

Labastida/Bastida E (Ál.) 43 B 1
Labata E (Hues.) 47 B 3
Labiarón E (Ast.) 4 D 5
Labio E (Lu.) 16 A 2
Laborato P (Fa.) 161 A 3
Laborcillas E (Gr.) 168 C 4
Labores, Las E (C. R.) 120 A 5
Laborins P (Co.) 94 B 2
Labrada E (Lu.) 3 B 4
Labrada E (Lu.) 4 A 4
Labrengos P (Ave.) 93 D 1
Labros E (Gua.) 84 C 2
Labruge P (Port.) 53 D 4
Labrugeira P (Lis.) 110 D 5
Labruja P (V. C.) 34 A 5
Labrujó P (V. C.) 34 A 5
Labuerda E (Hues.) 47 D 1
Lácara E (Bad.) 131 A 2
Laceiras P (Vis.) 94 D 1
Laceiras P (Vis.) 74 B 5
Lacort E (Hues.) 47 C 1
Lacorvilla E (Zar.) 46 B 4
Lacuadrada E (Hues.) 47 C 5
Láchar E (Gr.) 181 C 1
Lada E (Ast.) 6 D 5
Ladeira P (C. B.) 95 B 4
Ladeira P (C. B.) 112 C 1
Ladeira P (San.) 112 D 2
Ladeira do Fárrio P (San.) 93 D 5
Laderas del Campillo E (Mu.) 156 A 4
Ladoeiro P (C. B.) 114 A 1
Ladreda P (Vis.) 74 D 3
Ladrido E (A Co.) 3 C 1
Ladrillar E (Các.) 97 C 1
Ladrugães P (V. R.) 55 A 1
Ladruñán E (Te.) 87 A 4
Lafortunada E (Hues.) 47 D 1
Lagarejos
de la Carballeda E (Zam.) 37 B 4
Lagarelhos P (Bra.) 56 C 1
Lagarelhos P (V. R.) 55 D 2
Lagares P (Co.) 95 A 1
Lagares P (Co.) 93 D 4
Lagares P (Port.) 74 B 1
Lagares P (Port.) 54 C 4
Lagares P (Vis.) 74 D 1
Lagares, Los E (Mál.) 180 A 4
Lagarinhos P (Guar.) 95 B 1
Lagarteira P (Lei.) 94 A 4
Lagartera E (To.) 99 B 5
Lagartóns E (Po.) 14 B 4
Lagartos E (Pa.) 39 D 2
Lagata E (Zar.) 86 B 1
Lage P (Vis.) 74 D 5
Lageosa P (Guar.) 96 D 2
Lageosa P (Vis.) 75 A 4
Lages P (Vis.) 75 B 4
Lago E (A Co.) 2 D 2
Lago E (A Co.) 13 C 2
Lago E (Lu.) 4 A 1
Lago E (Our.) 35 A 1
Lago P (Br.) 54 B 2
Lago Bom P (V. R.) 55 C 3
Lago de Babia E (Le.) 17 D 3
Lagoa E (Lu.) 4 A 3
Lagoa P (Aç.) 109 B 5
Lagoa P (Br.) 54 D 3
Lagoa P (Bra.) 56 D 4
Lagoa P (C. B.) 112 C 1
Lagoa P (Co.) 93 C 1
Lagoa P (Fa.) 173 D 2
Lagoa P (Lei.) 93 B 5
Lagoa P (Lis.) 126 B 1
Lagoa P (San.) 112 A 1
Lagoa da Palha P (Set.) 127 A 4
Lagoa das Eiras P (San.) 127 B 1
Lagoa das Talas P (Lei.) 111 A 3
Lagoa de Albufeira P (Set.) 126 C 5
Lagoa de Santo André P (Set.) 143 B 3
Lagoa do Chão P (Lei.) 111 B 2
Lagoa do Furadouro P (San.) 111 D 2
Lagoa do Grou P (San.) 112 A 1
Lagoa Parada P (Lei.) 93 D 4
Lagoa Ruiva P (Lei.) 111 C 2
Lagoas P (Co.) 93 D 1
Lagoas P (V. R.) 56 A 2
Lagoiços P (San.) 128 A 2
Lagomar P (Bra.) 56 D 1
Lagos E (Gr.) 182 B 4
Lagos E (Mál.) 181 B 4
Lagos P (Fa.) 173 B 2
Lagos da Beira P (Co.) 95 A 1
Lagostelle E (Lu.) 3 B 5
Lagran E (Ál.) 23 C 5
Lagualva de Cima P (San.) 111 D 4
Laguardia/Biasteri E (Ál.) 43 C 1
Laguarres E (Hues.) 48 B 3
Laguarta E (Hues.) 47 B 2
Lagueruela E (Te.) 85 D 2
Laguna Dalga E (Le.) 38 C 2
Laguna de Cameros E (La R.) 43 C 4
Laguna de Contreras E (Seg.) 61 B 4
Laguna de Duero E (Vall.) 60 A 3
Laguna de Negrillos E (Le.) 38 D 3
Laguna de Santiago E (S. Cruz T.) 194 C 2
Laguna de Zóñar E (Cór.) 166 A 3
Laguna
del Marquesado E (Cu.) 105 A 4
Laguna del Portil, La E (Huel.) 176 A 2
Laguna Rodrigo E (Seg.) 80 C 3
Laguna, La E (Ast.) 6 B 3
Laguna, La E (J.) 151 D 5
Laguna, La E (S. Cruz T.) 193 B 3
Laguna, La E (S. Cruz T.) 196 B 2
Laguna, La, lugar E (Alb.) 139 D 2
Lagunarrota E (Hues.) 47 C 5
Lagunas de Somoza E (Le.) 37 D 2
Lagunas, Las E (Mál.) 188 B 1
Lagunaseca E (Cu.) 104 C 1
Lagunetas, Las E (Las P.) 191 C 3
Lagunilla E (Sa.) 98 A 2
Lagunilla de la Vega E (Pa.) 40 A 2
Lagunilla del Jubera E (La R.) 44 A 3
Lagunillas, Las E (Cór.) 166 D 4
Lahiguera E (J.) 151 B 5
Laias E (Our.) 35 A 2
Laíño E (A Co.) 14 A 4
Laioso E (Our.) 35 B 3
Lajares E (Las P.) 190 B 1
Laje P (Br.) 54 B 2
Lajedo P (Aç.) 109 A 2
Lajeosa P (Co.) 95 A 1
Lajeosa P (Co.) 94 D 1
Lajeosa P (Vis.) 74 D 5
Lajeosa do Mondego P (Guar.) 75 D 5
Lajes P (Aç.) 109 A 2
Lajes P (Aç.) 109 A 5
Lajes P (Fa.) 174 D 2
Lajes P (Guar.) 95 B 1
Lajes das Flores P (Aç.) 109 A 2
Lajes do Pico P (Aç.) 109 C 4
Lajinhas P (Ave.) 74 A 3
Lajita, La E (Las P.) 189 D 5
Lakuntza E (Na.) 24 B 3
Lalim P (Vis.) 75 A 1
Lalín E (Po.) 14 D 4
Laluenga E (Hues.) 47 C 5
Lalueza E (Hues.) 67 B 1
Lama P (Br.) 54 A 2
Lama P (Port.) 54 A 4
Lama Chã P (V. R.) 55 B 1
Lama de Arcos P (V. R.) 56 A 1
Lama, A E (Po.) 34 B 1
Lamadrid E (Can.) 8 D 5
Lamagrande E (Le.) 16 D 5
Lamalonga E (Our.) 36 C 3
Lamalonga P (Bra.) 56 B 2
Lamarosa P (Co.) 93 D 2
Lamarosa P (San.) 111 B 4
Lamas E (A Co.) 3 A 2
Lamas E (A Co.) 14 B 3
Lamas E (A Co.) 1 C 5
Lamas E (A Co.) 13 B 2
Lamas E (Lu.) 16 C 3
Lamas E (Our.) 35 A 1
Lamas E (Our.) 34 D 1
Lamas P (Ave.) 74 B 2
Lamas P (Co.) 94 A 3
Lamas P (Lis.) 110 D 4
Lamas P (V. R.) 55 B 3
Lamas P (Vis.) 75 B 3
Lamas P (Vis.) 75 A 3
Lamas de Campos E (Lu.) 4 C 5
Lamas de Moreira E (Lu.) 16 C 2
Lamas de Mouro P (V. C.) 34 C 4
Lamas de Olo P (V. R.) 55 B 4
Lamas de Orelhão P (Bra.) 56 A 4
Lamas de Podence P (Bra.) 56 C 3
Lamas do Vouga P (Ave.) 74 A 4
Lamas, As E (Our.) 35 B 4
Lamasadera E (Hues.) 67 C 1
Lamata E (Hues.) 47 D 3
Lamções P (V. R.) 55 C 4
Lamedo E (Can.) 20 C 2
Lamegal P (Guar.) 76 B 4
Lamegal P (Vis.) 75 B 4
Lamego P (Vis.) 75 B 1
Lameira P (Br.) 54 D 3
Lameira P (Lei.) 93 B 5
Lameira P (Lei.) 111 A 2
Lameira d'Ordem P (C. B.) 113 A 2
Lameiras P (Guar.) 76 B 4
Lameiras P (San.) 112 B 2
Lamela E (Po.) 14 C 4
Lamelas P (Port.) 54 A 4
Laminador, El E (Alb.) 153 D 1
Lamosa E (Po.) 34 C 3
Lamosa P (Vis.) 75 C 3
Lamoso P (Bra.) 57 B 5
Lamoso P (Port.) 54 B 4
Lampaça P (V. R.) 56 B 1
Lampai E (A Co.) 14 A 3
Lampaza E (Our.) 35 B 4
Lampreia P (San.) 112 C 3
Lamuño E (Ast.) 6 A 3
Lanaja E (Hues.) 67 A 2
Lanave E (Hues.) 47 A 2
Lançada P (Set.) 127 A 3
Lanção P (Bra.) 56 D 2
Láncara E (Lu.) 16 A 3
Lanciego/Lantziego E (Ál.) 43 C 1
Lancha del Genil E (Gr.) 182 A 1
Lancharejo E (Áv.) 98 D 2
Lanchares E (Can.) 21 B 2
Lanchuelas, Las E (Các.) 113 D 4
Landal P (Lei.) 111 A 4
Landeira P (Év.) 127 C 4
Landeira P (Vis.) 74 C 3
Landerbaso E (Gui.) 24 C 1
Landete E (Cu.) 105 C 5
Landía E (Ast.) 6 D 4
Landim P (Br.) 54 A 4
Landoi E (A Co.) 3 B 1
Landraves E (Bur.) 21 D 3
Landrove E (Lu.) 3 D 2
Laneros, Los E (Gr.) 169 B 2
Lanestosa E (Viz.) 22 B 1
Langa E (Áv.) 79 D 2
Langa de Duero E (So.) 62 B 3
Langa del Castillo E (Zar.) 85 B 1
Langa, La E (Cu.) 103 B 4
Langayo E (Vall.) 61 A 3
Langosto E (So.) 63 C 1
Langraiz Oka →
Nanclares de la Oca E (Ál.) 23 A 4
Langre E (Can.) 9 D 4
Langre E (Le.) 17 B 4
Langreo E (Ast.) 6 D 5
Languilla E (Seg.) 62 B 4
Langullo E (Our.) 36 B 2
Lanhas P (Br.) 54 B 2
Lanhelas P (V. C.) 33 D 5
Lanheses P (V. C.) 53 D 1
Lanhoso P (Br.) 54 C 2
Lanjarón E (Gr.) 182 A 3
Lanseros E (Zam.) 37 C 4
Lantadilla E (Pa.) 40 D 3
Lantañón E (Po.) 14 A 5
Lantarou E (A Co.) 13 C 3
Lanteira E (Gr.) 182 D 1
Lantejuela, La E (Sev.) 165 B 4
Lanteno E (Ál.) 22 D 2
Lantueno E (Can.) 21 B 2
Lantz E (Na.) 25 A 3
Lantziego → Lanciego E (Ál.) 43 C 1
Lanzá E (A Co.) 14 D 1
Lanzahita E (Áv.) 99 D 3
Lanzarote E (Las P.) 191 C 2
Lanzas Agudas E (Viz.) 22 B 1
Lanzós E (Lu.) 3 D 4
Lanzós E (Lu.) 3 C 4
Lanzuela E (Te.) 85 D 2
Lañas E (A Co.) 2 B 4
Laño E (Bur.) 23 C 5
Lapa P (San.) 111 B 5
Lapa P (V. C.) 34 B 4
Lapa de Tourais P (Guar.) 95 B 1
Lapa do Lobo P (Vis.) 95 A 1
Lapa dos Dinheiros P (Guar.) 95 B 1
Lapa Furada P (Lei.) 111 C 2
Lapa, La E (Bad.) 147 A 1
Lapas P (San.) 111 D 3
Lapela P (V. C.) 34 A 4
Lapela P (V. R.) 55 A 1
Laperdiguera E (Hues.) 47 C 5
Lapoblación E (Na.) 43 D 1
Lapuebla de Labarca E (Ál.) 43 C 1
Lara P (V. C.) 34 A 4
Lara de los Infantes E (Bur.) 42 A 4
Laracha E (A Co.) 2 B 4
Laranjeira P (Lei.) 111 A 3
Laranjeiras P (Fa.) 161 C 3
Laranjeiro P (Set.) 126 D 3
Laranueva E (Gua.) 83 C 3
Laraxe E (A Co.) 3 A 3
Larazo E (Po.) 14 D 3
Larçã P (Co.) 94 A 2
Lardeira E (Our.) 36 D 2
Lardeiros E (A Co.) 14 C 2
Lardero E (La R.) 43 D 2
Lardosa P (C. B.) 95 C 4
Laredo E (Can.) 10 B 4
Lares P (Co.) 93 C 3
Largo, El E (Alm.) 171 A 5
Larín E (A Co.) 2 B 4
Larinho P (Bra.) 56 C 5
Lariño E (A Co.) 13 B 3
Lario E (Le.) 19 C 2
Laroá E (Our.) 35 C 4
Laroles E (Gr.) 183 A 2
Larouco E (Our.) 36 B 2
Laroya E (Alm.) 170 A 5
Larrabetzu E (Viz.) 23 A 1
Larraga E (Na.) 44 C 1
Larraintzar E (Na.) 24 D 3
Larraona E (Na.) 24 A 4
Larrasoaina E (Na.) 25 A 3
Larraul E (Gui.) 24 B 1
Larraun E (Na.) 24 C 3
Larrauri-Markaida E (Viz.) 11 A 4
Larrés E (Hues.) 47 A 1
Larrinbe E (Ál.) 22 D 2
Larrion E (Na.) 24 B 5
Larrodrigo E (Sa.) 78 D 4
Larués E (Hues.) 46 B 1
Larva E (J.) 168 C 1
Las E (Our.) 35 A 2
Lasarte-Oria E (Gui.) 12 B 5
Lascasas E (Hues.) 47 A 4
Lascellas E (Hues.) 47 C 4
Lascuarre E (Hues.) 48 B 3
Lasieso E (Hues.) 46 D 2
Laspaúles E (Hues.) 48 C 1
Laspuña E (Hues.) 47 D 1
Lastanosa E (Hues.) 67 C 1
Lastra del Cano, La E (Áv.) 99 A 2
Lastra, A E (Lu.) 16 B 2
Lastra, La E (Áv.) 99 A 2
Lastra, La E (Pa.) 20 B 3
Lastras de Cuéllar E (Seg.) 61 A 5
Lastras de la Torre E (Bur.) 22 C 3
Lastras del Pozo E (Seg.) 80 D 3
Lastres E (Ast.) 7 B 3
Lastrilla E (Pa.) 21 A 4
Lastrilla, La E (Seg.) 81 A 3
Lastur E (Gui.) 23 D 1
Latedo E (Zam.) 57 B 2
Latores E (Ast.) 6 B 4
Latorre E (Hues.) 47 D 2
Latorrecilla E (Hues.) 47 D 2
Latras E (Hues.) 46 D 2
Latre E (Hues.) 46 D 2
Laudio → Llodio E (Ál.) 22 D 2
Láujar de Andarax E (Alm.) 183 A 2
Laukariz E (Viz.) 11 A 5
Laukiz E (Viz.) 11 A 5
Laundos P (Port.) 53 D 3
Laurgain E (Gui.) 24 A 1
Lavacolhos P (C. B.) 95 B 3
Lavaderos, lugar E (Te.) 86 B 4
Lavadores E (Po.) 33 D 2
Lavadores P (Port.) 53 D 5
Lavandeira P (Ave.) 73 D 5
Lavandeira P (Bra.) 56 A 5
Lavandera E (Ast.) 6 D 4
Lavandera E (Le.) 19 A 3
Lavanteira P (Ave.) 74 A 5
Lavares E (Ast.) 7 A 4
Lavares E (Ast.) 6 B 3
Lavegadas P (Co.) 94 C 2
Lavegadas P (Co.) 94 B 3
Lavegadas P (Lei.) 93 B 5
Laveiras P (Lis.) 126 C 3
Lavercos P (Port.) 74 B 1
Lavern E (Bar.) 70 C 4
Laviados P (Bra.) 57 A 1
Laviana E (Ast.) 6 B 3
Lavio E (Ast.) 5 D 4
Lavos P (Co.) 93 B 3
Lavra P (Port.) 53 D 4
Lavradas P (V. C.) 54 B 4
Lavradas P (V. R.) 55 B 1
Lavradio P (San.) 111 C 1
Lavradio P (Set.) 126 D 4
Lavre P (Év.) 128 A 3
Laxe E (A Co.) 2 C 4
Laxe E (A Co.) 1 C 4
Laxe E (Lu.) 15 B 5
Laxe, A E (Po.) 34 B 2
Laxe, A E (Po.) 15 A 4
Laxe, A E (Po.) 14 B
Layana E (Zar.) 45 C
Layna E (So.) 84 A
Layos E (To.) 119 A
Laza E (Our.) 35 D
Lazagurría E (Na.) 44 A
Lazarim P (Vis.) 75 A
Lázaro P (Ave.) 74 B
Lazkao E (Gui.) 24 A
Lazkaomendi E (Gui.) 24 A
Leaburu E (Gui.) 24 B
Leache E (Na.) 45 B
Lebanza E (Pa.) 20 C
Lébor E (Mu.) 171 B
Leboreiro E (A Co.) 15 A
Lebozán E (Our.) 34 C
Lebozán E (Po.) 14 D
Lebrancón E (Gua.) 84 B
Lebrija E (Sev.) 177 D
Lebução P (V. R.) 56 A
Leça da Palmeira P (Port.) 53 D
Leça do Bailio P (Port.) 53 D
Leceia P (Lis.) 126 C
Leceñes E (Ast.) 6 D
Lécera E (Zar.) 86 C
Leces E (Ast.) 7 C
Lecina E (Hues.) 47 C
Leciñana de Mena E (Bur.) 22 B
Leciñana de Tobalina E (Bur.) 22 C
Leciñena E (Zar.) 66 C
Lecrín E (Gr.) 182 A
Lechago E (Te.) 85 C
Lechón E (Zar.) 85 C
Lechuza, La E (Las P.) 191 C
Ledanca E (Gua.) 83 A
Ledaña E (Cu.) 123 A
Ledesma E (A Co.) 14 C
Ledesma E (Sa.) 78 A
Ledesma de la Cogolla E (La R.) 43 B
Ledesma de Soria E (So.) 64 A
Ledia → Liédena E (Na.) 25 C
Ledigos E (Pa.) 40 A
Ledoño E (A Co.) 2 C
Ledrada E (Sa.) 98 C
Ledrado E (So.) 43 D
Leganés E (Mad.) 101 C
Leganiel E (Cu.) 103 A
Legarda E (Na.) 24 D
Legaria E (Na.) 24 A
Legazpi E (Gui.) 23 D
Legorreta E (Gui.) 24 B
Légua P (Port.) 54 D
Leguatiano E (Ál.) 23 B
Leião P (Lis.) 126 C
Leiguarda E (Ast.) 5 D
Leiloio E (A Co.) 2 A
Leintz-Gatzaga/
Salinas de Léniz E (Gui.) 23 C
Leioa E (Viz.) 10 D
Leira E (A Co.) 14 C
Leira E (Our.) 36 C
Leiradas P (Br.) 55 A
Leirado E (Po.) 34 B
Leiria P (Lei.) 111 B
Leiro E (A Co.) 2 D
Leiro E (A Co.) 2 D
Leiro E (Our.) 34 D
Leirós P (V. R.) 55 C
Leirosa P (Co.) 93 B
Leitões P (Br.) 54 B
Leitões P (Co.) 93 C
Leitza E (Na.) 24 C
Leiva E (La R.) 42 D
Leiva E (Mu.) 171 D
Lekaroz E (Na.) 25 A
Lekeitio E (Viz.) 11 C
Lekunberri E (Na.) 24 C
Lema E (A Co.) 14 D
Lema E (A Co.) 2 A
Lemaio E (A Co.) 2 A
Lemede P (Co.) 93 D
Lemenhe P (Br.) 54 A
Lemoa E (Viz.) 23 B
Lemoiz E (Viz.) 11 A
Lemorieta E (Viz.) 23 B
Lences de Bureba E (Bur.) 22 A
Lendínez E (J.) 167 A
Lendo E (A Co.) 2 B
Lendoiro E (A Co.) 2 C
Lente P (Port.) 53 D
Lentegí E (Gr.) 181 D
Lentiscais P (C. B.) 113 C
Lentiscal, El E (Cád.) 186 C
Lentisqueira P (Co.) 93 C
Leomil P (Guar.) 76 C

mil P (Vis.) 75 B2
n E (Le.) 18 D5
z E (Na.) 25 A5
e E (Huel.) 175 D2
ez E (Po.) 34 A1
ga E (Na.) 45 B1
ida → Lleida E (Ll.) 68 C3
ín E (Na.) 44 C2
ma E (Bur.) 41 C5
milla E (Bur.) 42 A1
oño E (A Co.) 14 A3
E (Ll.) 28 C4
aka E (Na.) 24 D1
ende E (A Co.) 13 D3
ón E (A Co.) 13 C4
ta E (A Co.) 14 B1
tedo E (A Co.) 14 B3
trove E (A Co.) 14 A4
ea E (Gui.) 24 A1
ur E (Alb.) 154 B2
ux E (Zar.) 66 B5
egada P (San.) 112 B2
er P (Port.) 74 A1
ide P (Vis.) 74 C4
inco E (Ast.) 18 D1
ira P (Ave.) 94 A1
irinho P (Port.) 74 A1
o E (Lu.) 16 B3
a E (Ál.) 43 C1
a de Río Leza E (La R.) 43 D3
ama E (Ál.) 22 D2
ama E (Viz.) 11 A5
ana de Mena E (Bur.) 22 B2
aun E (Na.) 24 B4
irias P (Guar.) 75 D3
o E (Gui.) 12 C5
uza E (Alb.) 137 D3
ns E (A Co.) 2 C4
ño E (Can.) 9 C4
ardón E (Ast.) 7 B4
er E (Lu.) 16 C3
rán E (Le.) 17 B4
reros E (Cád.) 186 B3
rilla E (Mu.) 155 C5
rilleras, Las E (Mu.) 171 C3
ros E (Te.) 105 D4
eia P (Co.) 93 C2
eras E (So.) 62 C5
ón E (Te.) 85 D4
dena/Ledia E (Na.) 25 C5
gos E (Le.) 19 C2
iro E (Lu.) 4 A1
ncres E (Can.) 9 C4
ndo E (Can.) 10 B4
res E (Ast.) 6 D4
rganes E (Can.) 9 D5
rta E (Hues.) 46 D3
sa E (Hues.) 47 B4
tor E (Alb.) 154 C1
ares P (Bra.) 76 C1
onde E (Lu.) 15 B3
os E (So.) 62 B4
ierre de Ara E (Hues.) 47 C1
üerzana E (Pa.) 20 C4
r E (Alm.) 170 B5
r, lugar E (Cád.) 179 A3
P (Br.) 54 A2
u E (Ast.) 4 D5
oa E (Viz.) 11 C5
la P (V. R.) 56 A3
o E (To.) 120 B2
o del Bierzo E (Le.) 17 B4
neira P (San.) 112 A3
nés E (Ast.) 17 B1
nianos de Sanabria E (Zam.) 37 A4
nits, els E (Gi.) 52 A1
nodre E (A Co.) 2 D3
nões P (V. R.) 55 B3
nones E (Gr.) 167 C4
npias E (Can.) 10 B5
aio E (A Co.) 13 D3
arejos E (Zam.) 37 B5
arejos, lugar E (J.) 151 D4
ares E (Ast.) 6 D5
ares E (Bur.) 21 D3
ares E (Can.) 8 B5
ares E (J.) 151 D4
ares de Bricia E (Bur.) 21 C4
ares de la Sierra E (Huel.) 146 D5
ares de Mora E (Te.) 106 D2
ares de Riofrío E (Sa.) 78 A5
ares del Acebo E (Ast.) 17 C1
ás de Broto E (Hues.) 27 B5
cora E (Lu.) 15 C5
da-a-Pastora P (Lis.) 126 C3
Linda-a-Velha P (Lis.) 126 C3
Lindín E (Lu.) 4 B4
Lindoso P (V. C.) 34 C5
Línea de la Concepción, La E (Cád.) 187 A4
Linejo E (Sa.) 78 A3
Linhaceira P (San.) 112 A2
Linhares P (Bra.) 55 D5
Linhares P (Guar.) 75 D5
Linhares P (V. C.) 34 A5
Linhó P (Lis.) 126 B3
Linyola E (Ll.) 69 A2
Liñares E (Lu.) 16 C4
Liñares E (Our.) 34 C1
Lira E (A Co.) 13 B3
Lira E (Po.) 34 B3
Lires E (A Co.) 13 A1
Liri E (Hues.) 48 B1
Lirios P (Co.) 93 D1
Lisboa P (Lis.) 126 D3
Lisboinha P (Lei.) 94 A5
Litago E (Zar.) 64 D1
Liteiros P (San.) 111 D3
Litera E (Hues.) 48 C4
Litera E (Hues.) 68 B3
Litos E (Zam.) 38 A5
Lituénigo E (Zar.) 64 D1
Livramento P (Aç.) 109 B5
Livramento P (Lis.) 126 B3
Lixa do Alvão P (V. R.) 55 B3
Lizarra → Estella E (Na.) 24 B5
Lizarraga E (Na.) 24 B4
Lizartza E (Gui.) 24 B2
Lizaso E (Na.) 24 D3
Lizoain E (Na.) 25 B4
Loarre E (Hues.) 46 C3
Lobagueira P (Lis.) 110 D5
Lobanes E (Our.) 35 A1
Lobão P (Ave.) 74 A2
Lobão da Beira P (Vis.) 74 D5
Lobás E (Our.) 35 B5
Lobatos P (Co.) 94 D4
Lobatos e Lobatinhos P (Co.) 94 D4
Lobeira E (Our.) 34 D4
Lobeiros P (Lei.) 111 A3
Lobelhe do Mato P (Vis.) 75 A5
Lobera de la Vega E (Pa.) 40 A1
Lobera de Onsella E (Zar.) 46 A1
Lobeznos E (Zam.) 37 A4
Lobillo, El, lugar E (C. R.) 136 D2
Lobios E (Lu.) 35 D1
Lobios E (Our.) 34 D5
Lobo Morto P (San.) 111 A3
Lobón E (Bad.) 130 D3
Lobos, Los E (Alm.) 171 A5
Lobosillo E (Mu.) 172 B2
Lobras E (Gr.) 182 C3
Lóbrega E (Gr.) 153 D5
Lobres E (Gr.) 182 A4
Lobrigos P (V. R.) 55 B5
Locaiba E (Alm.) 170 B4
Lodares E (So.) 83 D1
Lodares P (Port.) 54 B5
Lodares de Osma E (So.) 62 D3
Lodares del Monte E (So.) 63 C4
Lodões P (Bra.) 56 B5
Lodosa E (Na.) 44 B2
Lodoselo E (Our.) 35 C4
Lodoso E (Bur.) 41 C2
Loeches E (Mad.) 102 B2
Loentia E (Lu.) 16 A1
Logares E (Lu.) 4 C5
Logoaça P (Bra.) 76 D1
Logrezana E (Ast.) 6 C3
Logroño E (La R.) 43 D2
Logrosán E (Các.) 116 D5
Loiba E (A Co.) 3 C1
Loimil E (Po.) 14 C4
Loiola E (Gui.) 24 A1
Loira E (A Co.) 3 A2
Lois E (Le.) 19 C3
Lois E (Po.) 13 D5
Loivo P (V. C.) 33 D5
Loivos da Ribeira P (Port.) 75 A1
Loivos do Monte P (Port.) 54 D5
Loja E (Gr.) 181 A1
Lojilla E (Gr.) 167 B4
Loma Cabrera E (Alm.) 184 A3
Loma de Marcos E (Gr.) 167 A4
Loma de María Ángela E (J.) 153 A4
Loma de Montija E (Bur.) 22 A2
Loma de Ucieza E (Pa.) 40 B2
Loma Somera E (Can.) 21 B4
Loma, La E (Gua.) 84 A3
Loma, La E (Mu.) 172 A2
Lomar P (Br.) 54 B3
Lomas E (Pa.) 40 B3
Lomas de Villamediana E (Bur.) 21 C3
Lomas del Gállego, Las E (Zar.) 66 B1
Lomas del Saliente E (Các.) 98 D4
Lomas, Las E (Cád.) 186 B3
Lomas, Las E (Mál.) 180 A4
Lomas, Las E (Mu.) 172 B2
Lomba E (A Co.) 13 C4
Lomba P (Ave.) 74 C3
Lomba P (Co.) 94 D2
Lomba P (Guar.) 96 A1
Lomba P (Port.) 54 D5
Lomba P (Port.) 74 B1
Lomba da Fazenda P (Aç.) 109 D4
Lomba da Maia P (Aç.) 109 C4
Lomba de Alveite P (Co.) 94 C3
Lomba do Poço Frio P (Co.) 93 C2
Lombada P (Co.) 94 B2
Lombador P (Be.) 160 C2
Lombardos P (Be.) 161 B2
Lombo P (Bra.) 56 D4
Lombos P (Fa.) 173 D2
Lomero E (Huel.) 162 B1
Lomilla E (Pa.) 20 D4
Lominchar E (To.) 101 B4
Lomitos, Los E (Las P.) 191 C2
Lomo Blanco E (Las P.) 191 D2
Lomo de Mena E (S.Cruz T.) 196 A3
Lomo del Balo E (S.Cruz T.) 194 B2
Lomo del Cementerio E (Las P.) 191 D3
Lomo del Centro E (S.Cruz T.) 193 C3
Lomo El Sabinal E (Las P.) 191 D2
Lomo Magullo E (Las P.) 191 C3
Lomo Oscuro E (S.Cruz T.) 193 C3
Lomoquiebre E (Las P.) 191 A4
Lomoviejo E (Vall.) 79 D1
Lon E (Can.) 20 B1
Longares E (Zar.) 65 D4
Longás E (Zar.) 46 A1
Longomel P (Por.) 112 C4
Longos P (Br.) 54 B3
Longos Vales P (V. C.) 34 B4
Longra P (Vis.) 75 C1
Longroiva P (Guar.) 76 A2
Longuera-Toscal E (S.Cruz T.) 195 D2
Loña do Monte E (Our.) 35 C2
Loñoa E (Our.) 35 B2
Lope Amargo E (Cór.) 166 B1
Lopera E (J.) 150 D5
Loporzano E (Hues.) 47 A4
Lora de Estepa E (Sev.) 165 D5
Lora del Río E (Sev.) 164 D2
Loranca de Tajuña E (Gua.) 102 D2
Loranca del Campo E (Cu.) 103 B4
Lorbé E (A Co.) 2 D3
Lorbés E (Zar.) 26 A5
Lorca E (Mu.) 171 A2
Lorca/Lorkua E (Na.) 24 C5
Lorcha/Orxa, l' E (Ali.) 141 B3
Lordelo E (Our.) 34 D3
Lordelo P (Br.) 54 B4
Lordelo P (Port.) 54 B5
Lordelo P (Port.) 74 D1
Lordelo P (V. C.) 34 A4
Lordelo P (V. R.) 55 B4
Lordemão P (Co.) 94 A2
Lordosa P (Vis.) 75 A4
Loredo E (Ast.) 6 C5
Loredo E (Can.) 9 D4
Lorenzana E (Le.) 18 D5
Lores E (Pa.) 20 C3
Lores E (Po.) 33 D1
Loreto E (Gr.) 181 B1
Loriana E (Ast.) 6 B4
Loriga P (Guar.) 95 B2
Lorigas, Las E (Mu.) 154 C3
Loriguilla E (Val.) 124 D3
Lorkua → Lorca E (Na.) 24 C5
Loroñe E (Ast.) 7 C4
Loroño E (A Co.) 13 C1
Lorquí E (Mu.) 155 D4
Lorvão P (Co.) 94 B2
Losa del Obispo E (Val.) 124 B2
Losa, La E (Cu.) 122 B4
Losa, La E (Seg.) 81 A4
Losacino E (Zam.) 58 A2
Losacio E (Zam.) 58 A2
Losada E (Le.) 17 C5
Losana de Pirón E (Seg.) 81 B2
Losanglis E (Hues.) 46 C3
Losar de la Vera E (Các.) 98 C4
Losar del Barco, El E (Áv.) 98 D2
Loscorrales E (Hues.) 46 C3
Loscos E (Te.) 86 A2
Losilla E (Zam.) 58 B2
Losilla y San Adrián, La E (Le.) 19 B4
Losilla, La E (Alm.) 170 C3
Losilla, La E (So.) 64 A1
Lotão P (Fa.) 161 A3
Loubite P (Fa.) 173 D2
Loulé P (Fa.) 174 C2
Loumão P (Vis.) 74 D4
Lourdes E (A Co.) 14 D1
Loure P (Ave.) 74 A4
Loureda E (A Co.) 2 B4
Loureda E (A Co.) 14 C3
Loureda P (V. C.) 34 B5
Louredo E (Lu.) 15 C5
Louredo E (Our.) 35 A1
Louredo E (Po.) 34 A2
Louredo P (Ave.) 74 A2
Louredo P (Br.) 54 D2
Louredo P (Br.) 54 C2
Louredo P (Port.) 54 D5
Louredo P (Port.) 54 B5
Louredo P (V. R.) 55 A5
Louredo P (Vis.) 74 D1
Loureira P (Br.) 54 B2
Loureira P (Lei.) 112 A1
Loureira P (Lei.) 93 D5
Loureira P (Lei.) 111 C1
Loureiro E (Our.) 34 D1
Loureiro E (Our.) 35 A1
Loureiro E (Po.) 34 B1
Loureiro E (Po.) 14 C5
Loureiro P (Ave.) 74 A3
Loureiro P (Lis.) 126 D2
Loureiro P (V. R.) 55 A5
Loureiro de Silgueiros P (Vis.) 74 D5
Loureiros E (A Co.) 2 A5
Lourel P (Lis.) 126 B2
Lourenços P (Co.) 93 D4
Lourenzá E (Lu.) 4 B3
Loures P (Lis.) 126 D2
Loureses E (Our.) 35 B4
Loureza E (Po.) 33 D4
Louriçal P (Lei.) 93 C4
Louriçal do Campo P (C. B.) 95 C4
Louriceira P (C. B.) 112 C2
Louriceira P (Lei.) 94 C4
Louriceira P (San.) 111 C3
Louriceira P (San.) 111 B4
Louriceira de Cima P (Lis.) 126 D1
Lourido E (A Co.) 2 D2
Lourido E (Ast.) 4 C4
Lourido E (Po.) 34 B2
Lourinhã P (Lis.) 110 C4
Lourinha de Baixo P (Vis.) 94 B1
Lourinha de Cima P (Vis.) 94 B1
Lourinhal P (Vis.) 94 B1
Lourizán E (Po.) 34 A1
Lourizela P (Ave.) 74 B4
Louro E (A Co.) 13 B3
Louro E (Po.) 14 A4
Louro P (Br.) 54 A3
Lourosa P (Ave.) 74 A2
Lourosa P (Co.) 94 D2
Lourosa P (Vis.) 74 C5
Lousa P (Bra.) 76 B1
Lousa P (C. B.) 95 D5
Lousa P (C. B.) 112 C2
Lousã P (Co.) 94 B3
Lousa P (Lis.) 126 C2
Lousa P (Vis.) 74 C4
Lousada E (Lu.) 15 D3
Lousada E (Lu.) 3 C3
Lousada E (Lu.) 16 C5
Lousada E (Lu.) 16 A4
Lousada P (Ave.) 74 A1
Lousada P (Port.) 54 C4
Lousado P (Br.) 54 A4
Lousame E (A Co.) 13 D3
Lóuzara E (Lu.) 16 B4
Lovelhe P (V. C.) 33 D4
Lovingos E (Seg.) 60 D4
Loxo E (A Co.) 14 C3
Loza E (Ast.) 5 A3
Lozoya E (Mad.) 81 C3
Lozoyuela E (Mad.) 81 D3
Lúa E (Lu.) 16 B1
Luanco E (Ast.) 6 C2
Luaña E (A Co.) 13 D3
Luarca E (Ast.) 5 B3
Lubia E (So.) 63 C3
Lubián E (Zam.) 36 D4
Lubre E (A Co.) 2 D4
Lubrín E (Alm.) 170 C5
Lucainena E (Alm.) 183 A2
Lucainena de las Torres E (Alm.) 184 B2
Lúcar E (Alm.) 170 A4
Lucena E (Cór.) 166 C4
Lucena de Jalón E (Zar.) 65 C3
Lucena del Cid/Llucena E (Cas.) 107 B4
Lucena del Puerto E (Huel.) 162 D4
Luceni E (Zar.) 65 C1
Lucenza E (Our.) 35 C5
Luces E (Ast.) 7 B3
Luci E (A Co.) 14 B3
Luciana E (C. R.) 134 D2
Lucillo de Somoza E (Le.) 37 D2
Lucillos E (To.) 100 B5
Lucín E (A Co.) 13 C2
Luco de Bordón E (Te.) 87 B4
Luco de Jiloca E (Te.) 85 C2
Ludares P (V. R.) 55 C5
Ludeiros E (Our.) 34 D5
Ludiente E (Cas.) 107 A4
Lué E (Ast.) 7 B3
Luelmo E (Zam.) 57 D4
Luesia E (Zar.) 46 A2
Luesma E (Zar.) 85 D1
Lufrei P (Port.) 54 D5
Lugán E (Le.) 19 B4
Lugar de Abajo E (Ast.) 6 B5
Lugar de Arriba E (Ast.) 6 B5
Lugar de Casillas o Alquerías E (Mu.) 156 A4
Lugar de Don Juan → Palmar, El E (Mu.) 156 A5
Lugar de Maria Martins P (C. B.) 96 B4
Lugar Nuevo E (Zar.) 84 D1
Lugar Nuevo de Fenollet/Llocnou d'en Fenollet E (Val.) 141 A2
Lugar Nuevo de la Corona E (Val.) 125 A4
Lugar Nuevo, El E (Alb.) 153 D1
Lugarejos E (Las P.) 191 B2
Lugás E (Ast.) 7 A4
Lugo E (Ast.) 6 C4
Lugo E (Lu.) 15 D2
Lugo de Llanera E (Ast.) 6 C4
Lugones E (Ast.) 6 C4
Lugros E (Gr.) 168 C5
Lugueros E (Le.) 19 A3
Luía E (A Co.) 3 C1
Luíntra E (Our.) 35 C1
Luiña E (Ast.) 17 A3
Luisiana, La E (Sev.) 165 B3
Lújar E (Gr.) 182 B4
Lukiao E (Ál.) 23 A3
Lumajo E (Le.) 17 D2
Lumbier/Irunberri E (Na.) 25 C5
Lumbrales E (Sa.) 76 D3
Lumbreras E (La R.) 43 C4
Lumeras E (Le.) 17 A4
Lumiar P (Lis.) 126 C3
Lumiares P (Vis.) 75 B1
Lumías E (So.) 63 A5
Lumpiaque E (Zar.) 65 C3
Luna E (Zar.) 46 A4
Luneda E (Po.) 34 C3
Luou E (A Co.) 14 A3
Lupiana E (Gua.) 82 D5
Lupiñén E (Hues.) 46 C4
Lupión E (J.) 152 A5
Luque E (Cór.) 166 D3
Luquin E (Na.) 44 B1
Lurda, La E (Sa.) 79 A3
Lurdes E (Bar.) 71 A3
Lusa, La, lugar E (Bur.) 21 D1
Lusinde P (Vis.) 75 B4
Luso P (Ave.) 94 B1
Lustosa P (Port.) 54 B4
Luxaondo E (Ál.) 22 D2
Luyego de Somoza E (Le.) 37 D2
Luz P (Aç.) 109 A1
Luz P (Év.) 145 C2
Luz P (Fa.) 173 B2
Luz P (Fa.) 175 A3
Luz, La E (S.Cruz T.) 196 B1
Luz, La E (S.Cruz T.) 195 D2
Luzaga E (Gua.) 83 D3
Luzaide/Valcarlos E (Na.) 25 C2
Luzás E (Hues.) 48 C4
Luzelos P (Guar.) 76 B3
Luzianes-Gare P (Be.) 159 D2
Luzim P (Port.) 54 C5
Luzmela E (Can.) 9 A5
Luzón E (Gua.) 84 A2

LL

Llabià E (Gi.) 52 C 4
Llac del Cigne, El E (Gi.) 52 A 5
Llacuna, la E (Bar.) 70 A 3
Lladó E (Gi.) 52 A 2
Lladorre E (Ll.) 29 C 5
Lladrós E (Ll.) 29 C 5
Lladurs E (Ll.) 50 A 4
Llafranc E (Gi.) 52 C 5
Llagosta, la E (Bar.) 71 A 3
Llagostera E (Gi.) 52 A 5
Llama E (Le.) 19 B 4
Llamas de Cabrera E (Le.) 37 B 2
Llamas de la Ribera E (Le.) 18 C 5
Llamas de Laciana E (Le.) 17 D 3
Llamas de Rueda E (Le.) 19 C 5
Llambilles E (Gi.) 52 A 5
Llamero E (Ast.) 6 B 4
Llames Alto E (Ast.) 7 A 4
Llamosos, Los E (So.) 63 C 3
Llanars E (Gi.) 51 B 2
Llánaves de la Reina E (Le.) 20 A 2
Llançà E (Gi.) 52 C 1
Llanera E (Ll.) 50 A 5
Llanera de Ranes E (Val.) 140 D 2
Llanes E (Ast.) 8 A 4
Llanillo E (Bur.) 21 B 5
Llanillos, Los E (S. Cruz T.) 194 B 4
Llanito, El E (S. Cruz T.) 193 C 3
Llano E (Ast.) 17 B 1
Llano Campos E (S. Cruz T.) 194 C 1
Llano de Bureba E (Bur.) 22 A 5
Llano de Con E (Ast.) 7 D 5
Llano
de Don Antonio, El E (Alm.) 184 D 2
Llano de la Mata, lugar E (J.) 152 C 3
Llano de los Olleres E (Alm.) 170 B 4
Llano de Olmedo E (Vall.) 60 B 5
Llano del Beal E (Mu.) 172 C 2
Llano del Espino E (Alm.) 170 B 4
Llano del Moro E (S. Cruz T.) 196 B 2
Llano Espinar E (Cór.) 166 B 3
Llano Grande E (S. Cruz T.) 193 C 2
Llano Negro E (S. Cruz T.) 193 B 2
Llano, El E (Ast.) 4 C 4
Llano, El E (Mu.) 155 D 4
Llanos E (Ast.) 18 D 2
Llanos E (Can.) 9 C 5
Llanos de Alba E (Le.) 18 D 4
Llanos de Antequera E (Mál.) 180 B 2
Llanos de Aridane, Los E (S. Cruz T.) 193 B 3
Llanos de Don Juan E (Cór.) 166 C 4
Llanos de la
Concepción E (Las P.) 190 A 2
Llanos de Tormes, Los E (Áv.) 98 D 2
Llanos
de Valdeón, Los E (Le.) 19 D 1
Llanos de Vícar E (Alm.) 183 C 4
Llanos del Caudillo E (C. R.) 136 B 1
Llanos del Mayor, Los E (Alm.) 170 D 5
Llanos del Sotillo E (J.) 151 A 4
Llanos, Los E (Alb.) 138 D 3
Llanos, Los E (Alm.) 170 C 4
Llanos, Los E (Cór.) 165 C 1
Llanos, Los E (Cór.) 166 B 3
Llanos, Los E (Gr.) 181 B 1
Llanos, Los E (J.) 153 B 2
Llanos, Los E (Mad.) 81 B 5
Llanos, Los E (Mál.) 187 C 2
Llanos, Los →
Mellizas, Las E (Mál.) 180 A 3
Llantones E (Ast.) 6 D 3
Llantrales E (Ast.) 6 A 4
Llaos, Los E (Can.) 8 D 4
Llardecans E (Ll.) 68 C 4
Llatazos E (Can.) 10 B 4
Llaurí E (Val.) 141 B 1
Llavorre E (Ll.) 29 B 5
Llavorsí E (Ll.) 49 C 1
Llazos, Los E (Pa.) 20 C 3
Lledó E (Te.) 88 A 3
Lleida/Lérida E (Ll.) 68 C 3
Llen E (Sa.) 78 B 4
Llera E (Bad.) 147 D 1
Llera de Lorio E (Ast.) 19 A 1
Llerana E (Can.) 9 C 5
Llerena E (Bad.) 147 D 3
Llerona E (Bar.) 71 B 2
Llers E (Gi.) 52 A 2
Llert E (Hues.) 48 B 2
Lles de Cerdanya E (Ll.) 50 B 2
Llesp E (Ll.) 48 D 1
Llessui E (Ll.) 49 B 1
Llíber E (Ali.) 141 D 4
Lliçà d'Amunt E (Bar.) 71 A 2
Lliçà de Vall E (Bar.) 71 A 2
Lligallo de Gànguil, el E (Ta.) 88 D 4
Lligallo del Roig, el E (Ta.) 88 D 4
Llimiana E (Ll.) 49 A 4
Llinars
(Castellar del Riu) E (Bar.) 50 B 3
Llinars del Vallès E (Bar.) 71 B 2
Llindars E (Ll.) 69 D 2
Lliors E (Gi.) 51 C 5
Llíria E (Val.) 124 D 2
Llívia E (Gi.) 50 C 1
Llívia E (Ll.) 68 C 2
Llivis, els E (Cas.) 87 C 5
Lloar, el E (Ta.) 88 D 1
Llobera E (Ll.) 49 D 5
Llocnou de Sant Jeroni E (Val.) 141 B 3
Llocnou d'en
Fenollet → Lugar
Nuevo de Fenollet E (Val.) 141 A 2
Llodio/Laudio E (Ál.) 22 D 2
Llofriu E (Gi.) 52 C 4
Llombai E (Val.) 124 D 5
Llombards, Es E (Bal.) 92 B 5
Llombera E (Le.) 18 D 4
Llorà E (Gi.) 51 D 4
Llorac E (Ta.) 69 D 3
Lloredo E (Can.) 9 A 5
Llorenç del Penedès E (Ta.) 70 A 5
Llorengoz E (Bur.) 22 D 3
Lloret de Mar E (Gi.) 72 A 1
Lloret de Vistalegre E (Bal.) 92 A 3
Llosa de Camacho/
Llosa de Camatxo, la E (Ali.) 141 D 4
Llosa de
Camatxo, la →
Llosa de Camacho E (Ali.) 141 D 4
Llosa de Ranes, la E (Val.) 140 D 2
Llosa, la E (Cas.) 125 B 1
Llosa, la E (Ta.) 89 B 1
Lloseta E (Bal.) 91 D 2
Llosses, les E (Gi.) 50 D 3
Llubí E (Bal.) 92 A 2
Lluc E (Bal.) 91 D 2
Lluçà E (Bar.) 50 D 4
Lluçars E (Ll.) 49 B 5
Llucena →
Lucena del Cid E (Cas.) 107 B 4
Llucmaçanes E (Bal.) 90 D 3
Llucmajor E (Bal.) 92 A 4
Llumes E (Zar.) 84 D 1
Llutxent E (Val.) 141 B 3

M

Mabegondo E (A Co.) 2 D 5
Maçã P (Set.) 126 D 5
Macael E (Alm.) 170 A 5
Maçainhas de Baixo P (Guar.) 75 D 5
Maçaira P (Bra.) 56 B 1
Maçal do Chão P (Guar.) 76 A 4
Maçanet de Cabrenys E (Gi.) 51 D 1
Maçanet de la Selva E (Gi.) 72 A 1
Maçanet
Residencial Parc E (Gi.) 71 D 1
Macanhas P (C. B.) 96 A 1
Mação P (San.) 112 D 2
Macarca P (Lei.) 110 D 2
Maçãs P (Bra.) 36 D 5
Maçãs de Caminho P (Lei.) 94 A 5
Maças de Dona Maria P (Lei.) 94 A 5
Macastre E (Val.) 124 C 4
Macayo E (S. Cruz T.) 194 B 1
Maceda E (A Co.) 15 A 2
Maceda E (Our.) 35 C 2
Maceda P (Ave.) 73 D 2
Macedo de Cavaleiros P (Bra.) 56 C 3
Macedo do Mato P (Bra.) 56 D 3
Macedo do Peso P (Bra.) 57 A 4
Maceira E (Po.) 34 C 2
Maceira P (Guar.) 95 B 1
Maceira P (Guar.) 75 D 4
Maceira P (Lei.) 111 B 1
Maceira P (Lis.) 126 C 2
Maceirinha P (Lei.) 111 B 1
Macenda E (A Co.) 13 D 4
Macendo E (Our.) 35 A 2
Macieira P (Ave.) 74 B 3
Macieira P (C. B.) 94 C 5
Macieira P (Vis.) 94 B 1
Macieira P (Vis.) 75 D 2
Macieira P (Vis.) 94 B 1
Macieira P (Vis.) 74 D 3
Macieira da Maia P (Port.) 53 D 4
Macieira de Alcôba P (Ave.) 74 B 4
Macieira de Rates P (Br.) 53 D 3
Macieira de Sarnes P (Ave.) 74 A 2
Macieira do Loureiro P (Ave.) 74 A 3
Macinhata de Seixa P (Ave.) 74 A 3
Macinhata do Vouga P (Ave.) 74 A 4
Macisvenda E (Mu.) 156 A 3
Maçoida P (Ave.) 74 B 4
Maçores P (Bra.) 76 C 1
Maços P (V. R.) 55 D 2
Macotera E (Sa.) 79 B 4
Maçussa P (Lis.) 111 B 5
Machacón E (Sa.) 78 D 3
Machados P (Be.) 145 C 3
Machados P (Fa.) 174 D 2
Macharaviaya E (Mál.) 180 D 4
Machede P (Év.) 129 A 5
Mácher E (Las P.) 192 B 4
Machero, El, lugar E (Alb.) 155 B 2
Machico P (Ma.) 110 C 2
Machio P (Co.) 94 D 4
Machio de Baixo P (Co.) 94 D 4
Machorras, Las, lugar E (Bur.) 21 D 2
Madail P (Ave.) 74 A 3
Madalena P (Aç.) 109 B 3
Madalena P (Port.) 73 D 1
Madalena P (Port.) 54 B 5
Madalena P (San.) 112 A 2
Madalena do Mar P (Ma.) 110 A 2
Madanela, A E (Our.) 35 C 5
Madanela, A E (Po.) 14 A 5
Madarcos E (Mad.) 82 A 2
Madeirã P (C. B.) 94 C 4
Madeirã P (San.) 112 A 3
Maderal, El E (Zam.) 58 C 5
Maderne E (Lu.) 16 C 1
Maderuelo E (Seg.) 62 A 4
Madorra P (V. C.) 53 D 1
Madrelagua E (Las P.) 191 C 2
Madremanya E (Gi.) 52 B 4
Madrid E (Mad.) 101 D 2
Madrid
de las Caderechas E (Bur.) 22 A 4
Madridanos E (Zam.) 58 D 4
Madridejos E (To.) 120 A 4
Madrigal E (Gua.) 83 A 1
Madrigal de la Vera E (Các.) 99 A 4
Madrigal
de las Altas Torres E (Áv.) 79 C 2
Madrigal del Monte E (Bur.) 41 D 4
Madrigalejo E (Các.) 132 C 1
Madrigalejo del Monte E (Bur.) 41 D 4
Madriguera E (Seg.) 62 B 5
Madrigueras E (Alb.) 122 D 5
Madrigueras E (Cád.) 178 D 3
Madriles, Los E (Mu.) 155 A 3
Madriñán E (Po.) 14 D 4
Madrona E (Seg.) 81 A 3
Madroñal E (Cór.) 150 C 4
Madroñal E (Sa.) 97 D 1
Madroñera E (Các.) 116 B 4
Madroño, El E (Alb.) 138 B 4
Madroño, El E (Sev.) 163 A 2
Madruédano E (So.) 62 D 5
Madureira P (Ave.) 74 A 5
Maella E (Zar.) 87 D 1
Maello E (Áv.) 80 C 4
Mafet E (Ll.) 69 B 1
Mafra P (Lis.) 126 C 1
Mafrade P (Fa.) 161 A 4
Magacela E (Bad.) 132 B 3
Magalha P (V. R.) 55 C 5
Magalofes E (A Co.) 2 D 3
Magallón E (Zar.) 65 B 1
Magalluf E (Bal.) 91 B 4
Magán E (Po.) 14 A 4
Magán E (To.) 101 B 5
Magaña E (So.) 64 B 1
Magariños E (Po.) 14 A 4
Magaz de Abajo E (Le.) 17 A 5
Magaz de Arriba E (Le.) 17 A 5
Magaz de Cepeda E (Le.) 38 A 1
Magaz de Pisuerga E (Pa.) 40 C 5
Magazos E (Áv.) 80 A 2
Magazos E (Lu.) 3 D 2
Magdalena E (Po.) 14 C 5
Magdalena E (Viz.) 11 D 5
Magdalena, La E (Can.) 10 B 5
Magdalena, La E (Sa.) 98 D 1
Magoito P (Fa.) 161 B 4
Magoito P (Lis.) 126 B 2
Magraners, els E (Ll.) 68 C 3
Magrelos P (Port.) 74 C 1
Magueija P (Vis.) 75 A 1
Máguez E (Las P.) 192 D 3
Maguilla E (Bad.) 148 A 2
Mahamud E (Bur.) 41 B 4
Mahide E (Zam.) 57 C 1
Mahón → Maó E (Bal.) 90 D 2
Mahora E (Alb.) 139 A 1
Maia P (Aç.) 109 C 4
Maia P (Aç.) 109 D 5
Maia P (Port.) 53 D 5
Maia → Amaiur E (Na.) 25 B 1
Maià de Montcal E (Gi.) 51 D 2
Maiados P (Vis.) 75 B 5
Maials E (Ll.) 68 C 4
Maianca E (A Co.) 2 C 4
Maians E (Bar.) 70 B 2
Maicas E (Te.) 86 B 3
Maillo, El E (Sa.) 77 D 5
Mainar E (Zar.) 85 C 1
Mainetes, Los, lugar E (Alb.) 139 B 5
Maior E (Lu.) 4 B 4
Maiorca P (Co.) 93 C 3
Maiorga P (Lei.) 111 A 2
Maiorga P (San.) 112 B 3
Maire de Castroponce E (Zam.) 38 C 4
Mairena E (Gr.) 182 D 2
Mairena del Alcor E (Sev.) 164 B 4
Mairena del Aljarafe E (Sev.) 163 D 4
Mairos P (V. R.) 56 A 1
Maitino E (Ali.) 156 D 3
Majada, La E (Mu.) 171 C 2
Majadahonda E (Mad.) 101 C 1
Majadales, Los E (Sev.) 164 C 2
Majadas E (Các.) 98 B 5
Majadas, Las E (Cu.) 104 C 3
Majadilla, La E (Las P.) 191 D 3
Majaelrayo E (Gua.) 82 B 2
Maján E (So.) 64 A 4
Majaneque E (Cór.) 165 D 1
Majanicho E (Las P.) 190 B 1
Majones E (Hues.) 26 B 5
Majúa, La E (Le.) 18 A 3
Majuges E (Sa.) 77 B 2
Mal Pas-Bonaire E (Bal.) 92 B 1
Mala E (Las P.) 192 D 3
Mala P (Ave.) 94 A 1
Malacuera E (Gua.) 83 A 4
Málaga E (Mál.) 180 C 4
Málaga del Fresno E (Gua.) 82 C 4
Malagón E (C. R.) 135 C 1
Malaguilla E (Gua.) 82 C 4
Malahá, La E (Gr.) 181 D 1
Malanquilla E (Zar.) 64 C 3
Malaqueijo P (San.) 111 B 4
Malarranha P (Év.) 128 D 2
Malásia P (Lei.) 110 D 3
Malavenda P (Co.) 93 D 4
Malcata P (Guar.) 96 B 2
Malcocinado E (Bad.) 148 B 4
Malcocinado E (Cád.) 186 B 3
Maldà E (Ll.) 69 B 3
Maldonado E (Alb.) 139 B 1
Malején E (Zar.) 65 A 1
Malfeitoso P (Vis.) 74 C 3
Malgrat de Mar E (Bar.) 72 A 2
Malhada P (C. B.) 112 B 1
Malhada P (Vis.) 75 A 3
Malhada Chã P (Co.) 95 A 3
Malhada do Cervo P (C. B.) 95 B 5
Malhada do Peres P (Fa.) 175 A 2
Malhada Sorda P (Guar.) 76 C 5
Malhada Velha P (C. B.) 95 B 4
Malhada Velha P (Co.) 94 B 4
Malhadal P (C. B.) 112 D 1
Malhadas P (Bra.) 57 C 3
Malhadas P (Lei.) 94 A 4
Malhadas da Serra P (Co.) 94 D 3
Malhadinha P (Be.) 143 B 5
Malhadinhas P (San.) 127 B 1
Malhão P (Fa.) 174 A 2
Malhão P (Fa.) 175 A 2
Malhão P (Fa.) 160 B 4
Malhou P (San.) 111 C 3
Maliaño E (Can.) 9 C 4
Malillos E (Le.) 39 A 2
Malillos E (Zam.) 58 A 4
Maljoga P (C. B.) 112 D 1
Malnombre E (Las P.) 189 C 5
Malón E (Zar.) 45 A 5
Malpaís E (S. Cruz T.) 196 B 3
Malpaíses (Abajo) E (S. Cruz T.) 193 C 3
Malpaíses (Arriba) E (S. Cruz T.) 193 C 3
Malpartida E (Sa.) 79 B 4
Malpartida P (Guar.) 76 C 4
Malpartida de Cáceres E (Các.) 115 A 4
Malpartida de Corneja E (Áv.) 99
Malpartida
de la Serena E (Bad.) 132
Malpartida de Plasencia E (Các.) 97
Malpesa, lugar E (Cu.) 103
Malpica de Arba E (Zar.) 45
Malpica de Bergantiños E (A Co.) 1
Malpica de Tajo E (To.) 118
Malpica do Tejo P (C. B.) 113
Malpique P (C. B.) 95
Malpique P (San.) 112
Malta P (Bra.) 56
Malta P (Guar.) 76
Malta P (Port.) 53
Maluenda E (Zar.) 65
Malva E (Zam.) 58
Malvas E (Po.) 33
Malveira P (Lis.) 126
Malveira da Serra P (Lis.) 126
Malla E (Bar.) 51
Malla, la E (Val.) 125
Mallabia E (Viz.) 23
Malladas E (Các.) 96
Malladina, La, lugar E (Le.) 17
Mallecina E (Ast.) 5
Mallén E (Zar.) 65
Malleza E (Ast.) 5
Mallo de Luna E (Le.) 18
Mallol, El E (Gi.) 51
Mallón E (A Co.) 13
Mallou E (A Co.) 13
Mamarrosa P (Ave.) 73
Mamblas E (Áv.) 79
Mambrilla de Castrejón E (Bur.) 61
Mambrillas de Lara E (Bur.) 42
Mami, El E (Alm.) 184
Mamola, La E (Gr.) 182
Mamolar E (Bur.) 62
Mámoles E (Zam.) 57
Mamouros P (Vis.) 75
Manacor E (Bal.) 92
Manadas P (Aç.) 109
Managarai E (Ál.) 22
Manantiales, Los E (Mad.) 101
Mancebas P (Lis.) 126
Mancelos P (Port.) 54
Mancenlle E (Po.) 34
Mancera de Abajo E (Sa.) 79
Mancera de Arriba E (Áv.) 79
Manceras E (Sa.) 77
Manciles E (Bur.) 41
Mancor de la Vall E (Bal.) 91
Mançores P (Vis.) 74
Mancha Blanca E (Las P.) 192
Mancha Real E (J.) 168
Mancha, La E (S. Cruz T.) 195
Manchas, Las E (S. Cruz T.) 195
Manchas, Las E (S. Cruz T.) 193
Mancheño E (Alm.) 154
Manchica, A E (Our.) 35
Manchita E (Bad.) 131
Manchones E (Zar.) 85
Mandaio E (A Co.) 2
Mandayona E (Gua.) 83
Mandiá E (A Co.) 2
Mandín E (Our.) 55
Manduas E (Po.) 14
Maneje E (Las P.) 192
Manga
del Mar Menor, La E (Mu.) 172
Manganeses
de la Lampreana E (Zam.) 58
Manganeses
de la Polvorosa E (Zam.) 38
Mangide P (Guar.) 76
Mangualde P (Vis.) 75
Mangualde da Serra P (Guar.) 95
Manhente P (Br.) 54
Manhouce P (Vis.) 74
Manhufe P (Port.) 54
Manhuncelos P (Port.) 74
Manigoto P (Guar.) 76
Manilva E (Mál.) 187
Manín E (Our.) 34
Manique de Cima P (Lis.) 126
Manique do Intendente P (Lis.) 111
Manises E (Val.) 125
Manjabálago E (Áv.) 79
Manjarrés E (La R.) 43
Manjirón E (Mad.) 81
Manjoeira P (Lis.) 126
Manjoya E (Ast.) 6
Manlleu E (Bar.) 51
Manosalva E (Cór.) 166
Manquillos E (Pa.) 40

anresa	E	(Bar.)	70	C 1
ansilla de Burgos	E	(Bur.)	41	C 2
ansilla de la Sierra	E	(La R.)	43	A 4
ansilla de las Mulas	E	(Le.)	39	A 1
ansilla del Páramo	E	(Le.)	38	C 2
ansilla Mayor	E	(Le.)	39	A 1
ansores	P	(Ave.)	74	B 2
anta Rota	P	(Fa.)	175	B 2
ántaras	E	(A Co.)	3	A 4
anteigas	P	(Guar.)	95	C 1
antiel	E	(Gua.)	83	B 5
antinos	E	(Pa.)	20	A 4
anuel	E	(Val.)	141	A 2
anuel Galo	P	(Be.)	160	D 2
anyanet	E	(Ll.)	49	A 1
anzalvos	E	(Our.)	36	C 5
anzanal de Arriba	E	(Zam.)	37	C 5
anzanal de los Infantes	E	(Zam.)	37	C 4
anzanal del Barco	E	(Zam.)	58	B 3
anzanal del Puerto	E	(Le.)	17	D 5
anzanares	E	(C. R.)	136	B 2
anzanares de Rioja	E	(La R.)	43	A 2
anzanares el Real	E	(Mad.)	81	C 4
anzaneda	E	(Ast.)	6	C 5
anzaneda	E	(Le.)	37	C 3
anzaneda	E	(Our.)	36	B 2
anzaneda de Torío	E	(Le.)	19	A 4
anzanedillo	E	(Bur.)	21	D 3
anzanedo	E	(Bur.)	21	D 3
anzanedo de Valdueza	E	(Le.)	37	B 1
anzaneque	E	(To.)	119	C 3
anzanera	E	(Te.)	106	B 4
anzaneruela	E	(Cu.)	105	C 5
anzanete	E	(Cád.)	186	B 4
anzanil	E	(Gr.)	181	A 1
anzanilla	E	(Huel.)	163	B 4
anzanillo	E	(Vall.)	61	A 3
anzanillo, lugar	E	(Gr.)	168	A 3
anzano, El	E	(Huel.)	146	C 5
anzano, El	E	(Sa.)	77	C 1
añaria	E	(Viz.)	23	B 2
añeru	E	(Na.)	24	C 5
añicas, Las, lugar	E	(Alm.)	184	B 2
añón	E	(A Co.)	3	C 2
añueta → Baños de Ebro	E	(Ál.)	43	B 1
ao	E	(Lu.)	16	A 4
aó/Mahón	E	(Bal.)	90	D 2
aoño	E	(Can.)	9	C 4
aqueda	E	(To.)	100	C 4
ar	E	(Ast.)	7	A 3
ar	P	(Br.)	53	D 2
ar e Guerra	P	(Fa.)	174	C 3
ara	E	(Zar.)	65	B 5
aracena	E	(Gr.)	181	D 1
aragota	P	(Fa.)	175	A 3
aranchón	E	(Gua.)	84	A 2
aranhão	P	(Por.)	128	C 1
arantes	E	(A Co.)	14	B 2
aranyà	E	(Gi.)	52	B 3
araña	E	(Le.)	19	C 2
arañón	E	(Na.)	23	D 5
arañón, lugar	E	(C. R.)	120	C 5
arañosa, La	E	(Mad.)	101	D 3
arateca	P	(Set.)	127	C 4
aravillas, Las	E	(Bal.)	91	D 4
arazoleja	E	(Seg.)	80	D 3
arazovel	E	(So.)	63	B 5
arazuela	E	(Seg.)	80	C 3
arbella	E	(Mál.)	188	A 2
arbella Este	E	(Mál.)	188	A 2
arçà	E	(Ta.)	89	A 1
arcaláin/Markalain	E	(Na.)	24	D 3
arcelinos	E	(Alm.)	170	C 4
arcelle	E	(A Co.)	14	A 2
arcelle	E	(Lu.)	35	D 1
arcén	E	(Hues.)	47	A 5
arcenado	E	(Ast.)	6	D 4
arcilla	E	(Na.)	44	D 3
arcilla de Campos	E	(Pa.)	40	C 3
arco de Canaveses	P	(Port.)	54	C 5
rco, El	E	(Bad.)	114	A 5
arcón	E	(Po.)	34	A 1
arcos, Los	E	(Val.)	123	C 4
archagaz	E	(Các.)	97	C 3
archal	E	(Gr.)	168	C 5
archal de Araoz, El, lugar	E	(Alm.)	183	D 3
archal del Abogado	E	(Alm.)	169	D 5
rchal, El	E	(Alm.)	170	A 4
archal, El	E	(Alm.)	170	B 5
archal, El	E	(Alm.)	170	C 5
archalejo, lugar	E	(Gr.)	168	C 5
archamalo	E	(Gua.)	82	C 5
Marchamona, lugar	E	(Mál.)	181	A 2
Marchante	E	(Alm.)	184	A 2
Marchena	E	(Gr.)	182	A 2
Marchena	E	(J.)	153	D 3
Marchena	E	(Sev.)	164	D 4
Mardos, Los	E	(Alb.)	139	B 5
Mareco	P	(Vis.)	75	C 4
Marecos	P	(Port.)	54	B 5
Marei	E	(Lu.)	16	A 3
Marentes	E	(Ast.)	16	D 2
Mareny Blau	E	(Val.)	125	B 5
Mareny de Barraquetes	E	(Val.)	125	B 5
Mareo de Arriba	E	(Ast.)	6	D 3
Marés	P	(Lis.)	111	A 5
Margalef	E	(Ta.)	68	D 5
Marganell	E	(Bar.)	70	C 2
Margaride	E	(Po.)	14	C 4
Margem	P	(Por.)	112	D 4
Margen, El	E	(Alm.)	170	B 3
Margen, El	E	(Gr.)	169	D 2
Margolles	E	(Ast.)	7	C 4
Margudgued	E	(Hues.)	47	D 2
María	E	(Alm.)	170	B 2
María Aparicio	E	(Cór.)	166	C 1
María de Huerva	E	(Zar.)	66	A 3
Maria de la Salut	E	(Bal.)	92	B 3
Maria Gomes	P	(Co.)	94	D 4
María Jiménez	E	(S. Cruz T.)	196	C 2
Maria Vinagre	P	(Fa.)	159	B 3
Marialba de la Ribera	E	(Le.)	38	D 1
Marialva	P	(Guar.)	76	A 3
Mariana	E	(Cu.)	104	B 4
Marianaia	P	(San.)	112	A 2
Marianas	P	(Co.)	93	C 2
Marianos	P	(San.)	111	D 5
Maribáñez	E	(Sev.)	178	A 1
Marigenta	E	(Huel.)	163	A 2
Marigutiérrez, lugar	E	(Alb.)	138	A 2
Marimínguez	E	(Alb.)	139	B 1
Marin	E	(Gui.)	23	C 3
Marín	E	(Po.)	34	A 1
Marina Manrera	E	(Bal.)	92	B 1
Marina, La	E	(Ali.)	156	D 3
Marinaleda	E	(Sev.)	165	C 4
Marinas	E	(Ast.)	6	B 4
Marinas, Las	E	(Alm.)	183	C 4
Marines	E	(Val.)	124	D 2
Marines, les	E	(Ali.)	142	A 3
Marines, Los	E	(Huel.)	146	D 5
Marines, Los	E	(Mál.)	180	D 3
Marinha	P	(Ave.)	73	D 3
Marinha	P	(Lei.)	94	B 5
Marinha	P	(Lei.)	111	B 2
Marinha da Guia	P	(Lei.)	93	C 4
Marinha das Ondas	P	(Co.)	93	B 4
Marinha Grande	P	(Lei.)	111	B 1
Marinhais	P	(San.)	127	C 1
Marinhão	P	(Br.)	54	D 3
Marinhas	P	(Br.)	53	D 2
Mariña, A	E	(A Co.)	2	D 3
Maripérez, lugar	E	(Alb.)	138	A 2
Marismillas	E	(Sev.)	177	D 2
Maritenda	P	(Fa.)	174	B 2
Mariz	E	(Lu.)	15	B 5
Mariz	E	(Lu.)	15	B 1
Mariz	P	(Br.)	53	D 3
Marjaliza	E	(To.)	119	B 3
Markalain → Marcaláin	E	(Na.)	24	D 3
Markina-Xemein	E	(Viz.)	11	C 5
Marlín	E	(Áv.)	79	D 4
Marlofa	E	(Zar.)	65	D 2
Marmelal	P	(C. B.)	113	A 2
Marmelar	P	(Be.)	145	A 3
Marmeleira	P	(San.)	111	B 4
Marmeleira	P	(Vis.)	94	B 1
Marmeleiro	P	(C. B.)	112	C 1
Marmeleiro	P	(Fa.)	161	C 3
Marmeleiro	P	(Guar.)	96	B 1
Marmeleiro	P	(San.)	112	A 2
Marmelete	P	(Fa.)	159	B 4
Marmelos	P	(Bra.)	56	B 4
Marmelos	P	(Év.)	129	C 5
Marmellar de Abajo	E	(Bur.)	41	C 2
Marmellar de Arriba	E	(Bur.)	41	C 2
Mármol, El	E	(J.)	152	A 4
Marmolejo	E	(J.)	150	D 4
Marne	E	(Le.)	39	A 1
Maro	E	(Mál.)	181	C 4
Maroñas	E	(A Co.)	13	C 2
Maroteras	E	(J.)	151	A 4
Marpequeña	E	(Las P.)	191	D 3
Marques	P	(Lei.)	112	A 1
Marquès, el	E	(Gi.)	71	D 1
Marqués, El, lugar	E	(Alm.)	170	C 2
Marquesado, El	E	(Cád.)	185	D 2
Márquiz de Alba	E	(Zam.)	58	A 2
Marracos	E	(Zar.)	46	B 4
Marrancos	P	(Br.)	54	A 2
Marratxí	E	(Bal.)	91	D 3
Marrazes	P	(Lei.)	111	B 1
Marrón	E	(Can.)	10	B 5
Marroquina, La	E	(Cád.)	185	D 1
Marroquín-Encina Hermosa	E	(J.)	167	B 3
Marrozos	E	(A Co.)	14	B 3
Marruas	P	(San.)	111	D 3
Marrube	E	(Lu.)	15	C 5
Marrubio	E	(Le.)	37	B 2
Marrubio	E	(Our.)	35	D 2
Marrupe	E	(To.)	100	A 4
Martagina, lugar	E	(Mál.)	187	B 3
Marteleira	P	(Lis.)	110	C 4
Martiago	E	(Sa.)	97	B 1
Martialay	E	(So.)	63	D 2
Martiherrero	E	(Áv.)	80	A 5
Martilandrán	E	(Các.)	97	C 2
Martillán	E	(Sa.)	77	A 4
Martillué	E	(Hues.)	46	D 1
Martim	P	(Br.)	54	A 3
Martim	P	(V. R.)	55	D 4
Martim Afonso	P	(Lis.)	126	D 1
Martim Longo	P	(Fa.)	161	A 3
Martimporra (Bimenes)	E	(Ast.)	6	D 5
Martín	E	(Gr.)	169	B 1
Martín	E	(Lu.)	15	D 5
Martín	E	(Lu.)	16	B 1
Martín de la Jara	E	(Sev.)	179	C 1
Martín de Yeltes	E	(Sa.)	77	C 4
Martín del Río	E	(Te.)	86	B 4
Martín González	E	(Cór.)	166	C 5
Martín Malo	E	(J.)	151	D 3
Martín Miguel	E	(Seg.)	80	D 3
Martín Muñoz de la Dehesa	E	(Seg.)	80	A 2
Martín Muñoz de las Posadas	E	(Seg.)	80	B 2
Martinamor	E	(Sa.)	78	D 4
Martinchel	P	(San.)	112	B 2
Martindegi	E	(Gui.)	12	C 5
Martinet	E	(Ll.)	50	B 2
Martinete, El	E	(Alm.)	170	D 5
Martinete, El	E	(Cór.)	166	C 4
Martínez	E	(Áv.)	79	A 5
Martínez del Puerto, Los	E	(Mu.)	156	B 5
Martínez, Los	E	(Ali.)	156	C 4
Martingança	P	(Lei.)	111	A 1
Martinhanes	P	(Be.)	160	D 2
Martins Joanes	P	(Lis.)	110	D 5
Martiñán	E	(Our.)	35	A 4
Martioda	E	(Ál.)	23	B 4
Martorell	E	(Bar.)	70	D 3
Martorelles	E	(Bar.)	71	A 3
Martos	E	(J.)	167	B 2
Maruanas	E	(Cór.)	150	B 5
Marugán	E	(Seg.)	80	C 3
Maruri	E	(Viz.)	11	A 4
Marvão	P	(Co.)	93	D 1
Marvão	P	(Por.)	113	D 4
Marvila	P	(Lei.)	94	B 5
Marvila	P	(San.)	112	A 4
Marxuquera Alta	E	(Val.)	141	C 2
Marxuquera Baixa	E	(Val.)	141	B 2
Marzà	E	(Gi.)	52	B 2
Marzagán	E	(Las P.)	191	D 2
Marzagão	P	(Bra.)	56	A 5
Marzales	E	(Vall.)	59	C 3
Marzán	E	(Le.)	18	A 4
Marzán	E	(Lu.)	4	B 2
Marzaniella	E	(Ast.)	6	B 3
Marzoa	E	(A Co.)	14	C 2
Mas Bo	E	(Bar.)	71	A 2
Mas Carpa	E	(Ta.)	89	C 1
Mas de Barberans	E	(Ta.)	88	B 4
Mas de Calaf	E	(Cas.)	107	D 3
Mas de la Correntilla	E	(Cas.)	107	C 4
Mas de las Matas	E	(Te.)	87	B 3
Mas del Jutge, el → Masía del Juez	E	(Val.)	124	D 4
Mas del Lleó	E	(Ll.)	68	B 2
Mas del Olmo	E	(Val.)	105	D 4
Mas dels Frares	E	(Cas.)	107	D 4
Mas d'en Bosc, El	E	(Ta.)	89	B 1
Mas d'en Queixa	E	(Cas.)	107	D 3
Mas d'en Ramona	E	(Cas.)	107	D 2
Mas d'en Rieres	E	(Cas.)	108	A 2
Mas d'en Serra	E	(Bar.)	70	C 5
Mas d'en Toni → Masía de Toni	E	(Cas.)	107	B 2
Mas Flacià, el	E	(Gi.)	72	A 1
Mas Mates	E	(Gi.)	52	C 2
Mas Planoi, el	E	(Bar.)	70	C 2
Mas Rovira	E	(Bar.)	70	D 4
Masa	E	(Bur.)	21	D 5
Masada del Masagarejo, lugar	E	(Cu.)	105	B 4
Masalavés/Massalavés	E	(Val.)	141	A 1
Masarac	E	(Gi.)	52	B 1
Masarrochos/Massarojos	E	(Val.)	125	A 3
Masca	E	(S. Cruz T.)	195	B 3
Mascaraque	E	(To.)	119	C 2
Mascarell	E	(Cas.)	125	C 1
Mascarenhas	P	(Bra.)	56	B 3
Mascotelos	P	(Br.)	54	B 3
Masdache	E	(Las P.)	192	C 4
Masdenverge	E	(Ta.)	88	C 4
Masegosa	E	(Cu.)	104	C 1
Masegoso	E	(Alb.)	138	A 4
Masegoso	E	(Te.)	105	B 3
Masegoso de Tajuña	E	(Gua.)	83	B 4
Masella	E	(Gi.)	50	C 2
Maset, el	E	(Bar.)	70	C 3
Masía de Brusca, La/Masia d'en Brusca	E	(Cas.)	107	D 2
Masia de Dolç, lugar	E	(Cas.)	107	B 1
Masía de Toni/Mas d'en Toni	E	(Cas.)	107	B 2
Masía del Juez/Mas del Jutge, el	E	(Val.)	124	D 4
Masia d'en Brusca → Masía de Brusca, La	E	(Cas.)	107	D 2
Maside	E	(Lu.)	16	A 4
Maside	E	(Our.)	35	A 1
Masies de Dalt	E	(Gi.)	52	B 2
Masies de Roda, les	E	(Bar.)	51	B 4
Masies de Voltregà, les	E	(Bar.)	51	A 4
Masllorenç	E	(Ta.)	69	D 5
Masma	E	(Lu.)	4	B 3
Masmullar	E	(Mál.)	180	D 3
Masnou, el	E	(Bar.)	71	B 3
Masó, la	E	(Ta.)	69	C 5
Masos de Pals, els	E	(Gi.)	52	C 4
Masos de Vespella, els	E	(Ta.)	69	D 5
Maspalomas	E	(Las P.)	191	C 4
Maspujols	E	(Ta.)	89	B 1
Masquefa	E	(Bar.)	70	C 3
Masriudoms	E	(Ta.)	89	A 2
Masroig, el	E	(Ta.)	88	D 1
Massalavés → Masalavés	E	(Val.)	141	A 1
Massalcoreig	E	(Ll.)	68	B 4
Massalfassar	E	(Val.)	125	B 3
Massamá	P	(Lis.)	126	C 3
Massamagrell	E	(Val.)	125	B 3
Massana, la	A		29	D 5
Massanassa	E	(Val.)	125	A 4
Massanes	E	(Gi.)	71	D 1
Massarojos → Masarrochos	E	(Val.)	125	A 3
Massoteres	E	(Ll.)	69	D 1
Masueco	E	(Sa.)	77	A 1
Masvidal	E	(Gi.)	51	B 5
Mata	E	(Bur.)	41	D 1
Mata	E	(Gi.)	52	A 3
Mata	P	(C. B.)	95	D 5
Mata	P	(Co.)	94	A 3
Mata	P	(Guar.)	75	D 4
Mata	P	(Lei.)	93	C 5
Mata	P	(Lis.)	126	D 1
Mata	P	(Lis.)	126	D 1
Mata	P	(San.)	93	D 5
Mata	P	(San.)	111	D 2
Mata Bejid	E	(J.)	168	A 2
Mata da Rainha	P	(C. B.)	95	D 4
Mata de Alcántara	E	(Các.)	114	C 2
Mata de Armuña, La	E	(Sa.)	78	C 2
Mata de Bérbula, La	E	(Le.)	19	A 4
Mata de Cuéllar	E	(Seg.)	60	C 4
Mata de Curueño, La	E	(Le.)	19	A 4
Mata de la Riba, La	E	(Le.)	19	B 4
Mata de Ledesma, La	E	(Sa.)	78	A 2
Mata de Lobos	P	(Guar.)	76	C 3
Mata de los Olmos, La	E	(Te.)	86	D 3
Mata de Monteagudo, La	E	(Le.)	19	C 4
Mata de Morella, la	E	(Cas.)	87	B 5
Mata de Pinyana, la	E	(Ll.)	68	C 2
Mata de Quintanar	E	(Seg.)	81	A 2
Mata del Páramo, La	E	(Le.)	38	C 2
Mata do Duque	P	(San.)	127	C 2
Mata do Rei	P	(San.)	111	B 3
Mata Mourisca	P	(Lei.)	93	C 4
Mata, La	E	(Ali.)	156	D 4
Mata, La	E	(Ast.)	6	A 4
Mata, La	E	(Cád.)	177	B 5
Mata, La	E	(Seg.)	81	C 2
Mata, La	E	(To.)	100	C 5
Matabuena	E	(Seg.)	81	C 2
Matacães	P	(Lis.)	110	C 5
Matachana	E	(Le.)	17	C 5
Matadeón de los Oteros	E	(Le.)	39	A 2
Matadepera	E	(Bar.)	70	D 2
Mataduços	P	(Ave.)	73	D 4
Matalpino	E	(Mad.)	81	B 4
Matagorda	E	(Alm.)	183	B 4
Matalascañas → Torre de la Higuera	E	(Huel.)	177	A 2
Matalavilla	E	(Le.)	17	C 3
Matalebreras	E	(So.)	64	B 1
Matalobos del Páramo	E	(Le.)	38	C 2
Mataluenga	E	(Le.)	18	C 5
Matallana de Torío	E	(Le.)	19	A 3
Matallana de Valmadrigal	E	(Le.)	39	B 2
Matamá	E	(Our.)	35	D 4
Matamá	E	(Po.)	33	D 3
Matamala	E	(Sa.)	78	D 3
Matamala	E	(Seg.)	81	C 2
Matamala de Almazán	E	(So.)	63	C 4
Matamorisca	E	(Pa.)	20	D 4
Matamorosa	E	(Can.)	21	A 3
Matança	P	(Guar.)	75	C 4
Matancinha	P	(Vis.)	75	A 1
Matanegra, lugar	E	(Bad.)	147	C 2
Matanza de Acentejo, La	E	(S. Cruz T.)	196	A 2
Matanza de los Oteros	E	(Le.)	39	A 3
Matanza de Soria	E	(So.)	62	C 3
Matanza, La	E	(Mu.)	156	A 4
Matanza, La, lugar	E	(Alb.)	154	D 1
Matanza, La, lugar	E	(Alm.)	184	B 2
Mataotero	E	(Le.)	17	C 3
Mataporquera	E	(Can.)	21	A 4
Matapozuelos	E	(Vall.)	60	A 4
Mataró	E	(Bar.)	71	C 3
Matarredonda	E	(Sev.)	165	D 4
Matarrosa del Sil	E	(Le.)	17	B 4
Matarrubia	E	(Gua.)	82	B 3
Matarrubia	E	(Mad.)	81	A 5
Matas	P	(Co.)	93	C 4
Matas	P	(Lis.)	110	C 4
Matas, Las	E	(Mad.)	101	B 1
Matas, Las	E	(Sev.)	164	D 5
Matasejún	E	(So.)	44	A 5
Matea, La	E	(J.)	153	C 4
Matela	P	(Bra.)	57	A 3
Matela	P	(Vis.)	75	C 4
Matellanes	E	(Zam.)	57	C 2
Mateos, Los	E	(Mu.)	172	B 2
Matet	E	(Cas.)	107	A 5
Mateus	P	(V. R.)	55	B 5
Matidero, lugar	E	(Hues.)	47	C 2
Matienzo	E	(Can.)	10	A 5
Matienzo	E	(Viz.)	22	B 1
Matilla de Arzón	E	(Zam.)	38	D 4
Matilla de los Caños	E	(Vall.)	59	D 3
Matilla de los Caños del Río	E	(Sa.)	78	A 3
Matilla la Seca	E	(Zam.)	58	D 3
Matilla, La	E	(Las P.)	190	B 2
Matilla, La	E	(Seg.)	81	C 1
Matillas	E	(Gua.)	83	A 3
Matío	E	(A Co.)	1	C 5
Mato	P	(V. C.)	54	A 2
Mato de Miranda	P	(San.)	111	D 4
Mato Santo Espírito	P	(Fa.)	175	A 2
Mato Serrão	P	(Fa.)	173	D 2
Matoeira	P	(Lei.)	110	D 3
Matorral, El	E	(Las P.)	190	B 3
Matorral, El	E	(Las P.)	191	D 4
Matos	P	(Co.)	93	B 3
Matos	P	(Lei.)	93	B 5
Matos	P	(Port.)	53	D 5
Matos	P	(San.)	112	A 1
Matos	P	(San.)	112	A 3
Matos	P	(Vis.)	74	C 1
Matos da Ranha	P	(Lei.)	93	C 5
Matosinhos	P	(Port.)	53	D 5
Matosinhos	P	(V. R.)	55	D 2
Matosos	P	(Lei.)	93	D 4
Matreros, Los	E	(Alm.)	170	D 5
Matueca de Torío	E	(Le.)	19	A 4
Matute	E	(La R.)	43	A 3
Matute de Almazán	E	(So.)	63	C 4
Maureles	P	(Port.)	54	C 5
Maus	E	(Our.)	35	C 3
Maxiais	P	(C. B.)	113	C 1
Maxial	P	(C. B.)	95	A 4

Maxial	P	(Lis.)	110	D5
Maxial	P	(San.)	112	B2
Maxial de Além	P	(San.)	112	B2
Maxieira	P	(San.)	111	C2
Maya, La	E	(Sa.)	78	C5
Mayalde	E	(Zam.)	58	B5
Mayordomo, El	E	(Alm.)	184	C1
Mayorga	E	(Vall.)	39	B4
Maza	E	(Ast.)	7	A5
Mazagatos	E	(Seg.)	62	B4
Mazagón	E	(Huel.)	176	C3
Mazaleón	E	(Te.)	87	D2
Mazalinos	E	(Áv.)	98	C2
Mazalvete	E	(So.)	64	A2
Mazaneda	E	(Ast.)	6	C2
Mazarambroz	E	(To.)	119	B2
Mazarefes	P	(V. C.)	53	D1
Mazarete	E	(Gua.)	84	B2
Mazaricos	E	(A Co.)	13	C2
Mazariegos	E	(Pa.)	40	A5
Mazarrón	E	(Mu.)	171	D3
Mazarulleque	E	(Alm.)	184	B3
Mazarulleque	E	(Cu.)	103	B4
Mazas, Las	E	(Ast.)	6	B5
Mazaterón	E	(So.)	64	B4
Mazedo	P	(V. C.)	34	B4
Mazes	P	(Vis.)	75	A2
Mazmela	E	(Gui.)	23	C3
Mazouco	P	(Bra.)	76	D1
Mazueco	E	(Bur.)	42	A4
Mazuecos	E	(Gua.)	102	D3
Mazuecos de Valdeginate	E	(Pa.)	40	A4
Mazuela	E	(Bur.)	41	B4
Mazuelo de Muñó	E	(Bur.)	41	C3
Mazuza	E	(Mu.)	154	B3
Meã	P	(Vis.)	75	B4
Meã	P	(Vis.)	74	D2
Meabia	E	(Po.)	14	C4
Meadela	P	(V. C.)	53	C1
Mealha	P	(Fa.)	160	D4
Mealhada	P	(Ave.)	94	A1
Meanes	E	(Cas.)	107	C3
Meangos	E	(A Co.)	2	D5
Meáns	E	(A Co.)	13	C1
Meaño	E	(Po.)	33	D1
Meãs	P	(Co.)	95	A3
Meãs do Campo	P	(Co.)	93	D2
Meca	P	(Lis.)	111	A5
Mecerreyes	E	(Bur.)	42	A4
Mecina Alfahar	E	(Gr.)	182	D2
Mecina Bombarón	E	(Gr.)	182	D2
Mecina Fondales	E	(Gr.)	182	C3
Mecina Tedel	E	(Gr.)	182	D3
Meco	E	(Mad.)	102	B1
Meco	P	(Co.)	93	D2
Meda	E	(Lu.)	16	A2
Meda	E	(Lu.)	35	D1
Meda	P	(Guar.)	76	A2
Meda de Mouros	P	(Co.)	94	D2
Médano, El	E	(S. Cruz T.)	196	A5
Medas	P	(Port.)	74	B1
Medeiros	E	(Our.)	35	D5
Medeiros	P	(V. R.)	55	B1
Medelim	P	(C. B.)	96	A4
Medelo	P	(Br.)	54	C3
Medellín	E	(Bad.)	132	A2
Meder	E	(Po.)	34	B3
Mederos	E	(Las P.)	191	A3
Mediana de Aragón	E	(Zar.)	66	C4
Mediana de Voltoya	E	(Áv.)	80	B5
Medianías, Las	E	(Las P.)	191	D3
Medida, La	E	(S. Cruz T.)	196	B3
Medín	E	(A Co.)	14	D2
Medina Azahara	E	(Cór.)	149	D5
Medina de las Torres	E	(Bad.)	147	B2
Medina de Pomar	E	(Bur.)	22	A3
Medina de Rioseco	E	(Vall.)	59	C1
Medina del Campo	E	(Vall.)	59	D5
Medinaceli	E	(So.)	83	D1
Medina-Sidonia	E	(Cád.)	186	B2
Medinilla	E	(Áv.)	98	C1
Medinilla de la Dehesa	E	(Bur.)	41	C3
Medinyà	E	(Gi.)	52	A4
Mediona	E	(Bar.)	70	B3
Medranda	E	(Gua.)	83	A3
Medrano	E	(La R.)	43	C2
Medroa	P	(San.)	112	B2
Medrões	P	(V. R.)	55	A5
Médulas, Las	E	(Le.)	37	A1
Megeces	E	(Vall.)	60	B4
Megide	P	(Port.)	73	D1
Megina	E	(Gua.)	84	D5
Mei	P	(V. C.)	34	B5
Meia Praia	P	(Fa.)	173	B2
Meia Via	P	(San.)	111	D3
Meia Viana	P	(Fa.)	159	C4
Meijinhos	P	(Vis.)	75	A1
Meilán	E	(Lu.)	15	D2
Meilán	E	(Lu.)	4	B4
Meimão	P	(C. B.)	96	B2
Meimoa	P	(C. B.)	96	A3
Meinedo	P	(Port.)	54	C5
Meios	P	(Guar.)	95	D1
Meira	E	(Lu.)	4	B5
Meira	E	(Po.)	33	D2
Meira	E	(Po.)	14	A4
Meirama	E	(A Co.)	2	C5
Meiraos	E	(Lu.)	16	B5
Meirás	E	(A Co.)	2	D2
Meirás	E	(A Co.)	2	D4
Meire	E	(A Co.)	15	A3
Meirinhas	P	(Lei.)	93	C5
Meirinhos	P	(Bra.)	56	D5
Meirol	E	(Po.)	34	B3
Meis	E	(Po.)	14	A5
Meis	E	(Po.)	13	D5
Meixedo	P	(Bra.)	56	D1
Meixedo	P	(V. C.)	53	D1
Meixedo	P	(V. R.)	55	B1
Meixedo	P	(Vis.)	75	B1
Meixide	P	(V. R.)	55	C1
Meixo	E	(Our.)	35	A2
Meixomil	P	(Port.)	54	B4
Méizara	E	(Le.)	38	C2
Mejorada	E	(To.)	99	D5
Mejorada del Campo	E	(Mad.)	102	A2
Mejorito, El	E	(Sa.)	77	C5
Mela, La	E	(Alm.)	184	C1
Melcões	P	(Vis.)	75	A1
Meleças	P	(Lis.)	126	C2
Melegís	E	(Gr.)	182	A3
Melendreros	E	(Ast.)	7	A5
Meles	P	(Bra.)	56	C2
Melezna	E	(Le.)	16	D5
Melgaço	P	(V. C.)	34	C3
Melgar de Abajo	E	(Vall.)	39	C3
Melgar de Arriba	E	(Vall.)	39	C3
Melgar de Fernamental	E	(Bur.)	40	D2
Melgar de Tera	E	(Zam.)	38	A5
Melgar de Yuso	E	(Pa.)	40	D3
Melgosa	E	(Bur.)	42	A1
Melgosa, La	E	(Cu.)	104	B5
Melhe	P	(V. R.)	55	B3
Meliana	E	(Val.)	125	B3
Melias	E	(Our.)	35	B1
Melicena	E	(Gr.)	182	C4
Mélida	E	(Na.)	45	A2
Mélida	E	(Vall.)	61	A3
Melide	E	(A Co.)	15	A2
Melides	P	(Set.)	143	B3
Meligioso	P	(Vis.)	94	B1
Melilla	E	(Mel.)	188	D5
Melo	P	(Guar.)	75	C5
Melón	E	(Our.)	34	C2
Meloxo	E	(Po.)	13	C5
Melque de Cercos	E	(Seg.)	80	C2
Melres	P	(Port.)	74	B1
Melriça	P	(Co.)	93	D4
Melroeira	P	(Lis.)	126	C1
Mellanes	E	(Zam.)	57	D2
Mellizas, Las/Llanos, Los	E	(Mál.)	180	A3
Membibre de la Hoz	E	(Seg.)	61	A4
Membribe de la Sierra	E	(Sa.)	78	B5
Membrilla	E	(C. R.)	136	B2
Membrillar	E	(Pa.)	40	B1
Membrillera	E	(Gua.)	82	D3
Membrillo Alto	E	(Huel.)	162	D2
Membrillo, El	E	(To.)	117	D1
Membrío	E	(Các.)	114	B3
Mem-Moniz	P	(Fa.)	174	A2
Memoria	P	(Lei.)	93	D5
Memória	P	(Lei.)	93	C5
Menàrguens	E	(Ll.)	68	D2
Menas, Las	E	(Alm.)	169	D5
Menas, Los	E	(Alm.)	170	C4
Menasalbas	E	(To.)	118	D3
Menaza	E	(Pa.)	21	A4
Mendalvo	P	(Lei.)	111	A2
Mendaro	E	(Gui.)	23	D1
Mendata	E	(Viz.)	11	B5
Mendatza → Mendaza	E	(Na.)	24	A5
Mendavia	E	(Na.)	44	A2
Mendaza/Mendatza	E	(Na.)	24	A5
Mendeika	E	(Viz.)	22	D2
Mendes	P	(Lei.)	93	C5
Mendexa	E	(Viz.)	11	C5
Mendi → Ormaola	E	(Gui.)	23	D1
Mendieta	E	(Mu.)	171	B2
Mendieta	E	(Viz.)	11	B5
Mendiga	P	(Lei.)	111	B2
Mendigorría	E	(Na.)	24	D5
Mendiola	E	(Ál.)	23	B4
Mendiola	E	(Viz.)	23	C2
Mendiondo	E	(Viz.)	11	A5
Mendo Gordo	P	(Guar.)	75	D3
Mendoza	E	(Ál.)	23	B4
Menduíña	E	(Po.)	33	D2
Meneses de Campos	E	(Pa.)	39	D5
Mengabril	E	(Bad.)	132	A2
Mengamuñoz	E	(Áv.)	99	C1
Mengíbar	E	(J.)	151	C5
Menoita	P	(Guar.)	76	A5
Menores, Los	E	(S. Cruz T.)	195	C4
Mens	E	(A Co.)	1	D4
Mentera-Barruelo	E	(Can.)	10	A5
Mentrestido	P	(V. C.)	33	D5
Méntrida	E	(To.)	101	A3
Menuza, lugar	E	(Zar.)	67	A5
Meñaka	E	(Viz.)	11	A5
Meñakabarrena	E	(Viz.)	11	A5
Meotz → Meoz	E	(Na.)	25	C4
Meoz/Meotz	E	(Na.)	25	C4
Mequinenza	E	(Zar.)	68	A4
Mera de Boixo	E	(A Co.)	3	B2
Mera de Riba	E	(A Co.)	3	B2
Meranges	E	(Gi.)	50	B1
Merás	E	(Ast.)	5	C3
Merca, A	E	(Our.)	35	A3
Mercadal, Es	E	(Bal.)	90	C2
Mercadillo	E	(Áv.)	79	A5
Mercador	P	(Fa.)	161	A4
Merceana	P	(Lis.)	110	D5
Mercês	P	(Lis.)	126	B3
Mercurín	E	(A Co.)	14	C1
Merea	E	(Ll.)	49	B4
Meredo	E	(Ast.)	4	D4
Merelim (São Paio)	P	(Br.)	54	B2
Mereludi	E	(Viz.)	11	C5
Merelle	E	(A Co.)	14	C1
Mérida	E	(Bad.)	131	B3
Meridãos	P	(Vis.)	74	D2
Merille	E	(Lu.)	3	D2
Merlães	P	(Ave.)	74	B3
Merlán	E	(Lu.)	15	B2
Merlán	E	(Lu.)	15	C5
Merli	E	(Hues.)	48	B2
Meroños, Los	E	(Mu.)	172	C1
Mértola	P	(Be.)	161	A2
Merufe	P	(V. C.)	34	B4
Meruge	P	(Co.)	95	A1
Merza	E	(Po.)	14	C3
Mesa Roldán, La	E	(Alm.)	184	D2
Mesa, La	E	(Ast.)	5	A5
Mesa, La	E	(J.)	151	D3
Mesão Frio	P	(V. R.)	75	A1
Mesas de Asta	E	(Cád.)	177	C3
Mesas de Ibor	E	(Các.)	116	D2
Mesas del Guadalora	E	(Cór.)	165	A1
Mesas, Las	E	(Cu.)	121	B4
Mesas, Las	E	(Las P.)	191	C2
Mesegal	E	(Các.)	97	C2
Mesegar de Corneja	E	(Áv.)	99	A1
Mesegar de Tajo	E	(To.)	100	B5
Mesego	E	(Po.)	14	B4
Mesía	E	(A Co.)	14	D1
Mesiego	E	(Our.)	34	D1
Mesillo	E	(Mu.)	171	B2
Mesón do Vento	E	(A Co.)	2	C5
Mesones	E	(Alb.)	154	A1
Mesones	E	(Gua.)	82	B4
Mesones de Isuela	E	(Zar.)	65	A3
Mesonfrío	E	(Lu.)	15	C4
Mespelerreka → Regatol, El	E	(Viz.)	10	D5
Mesquida, Sa	E	(Bal.)	90	D2
Mesquinhata	P	(Port.)	74	D1
Mesquita	P	(Be.)	161	B2
Mesquita	P	(Fa.)	174	A2
Mesquitela	P	(Guar.)	75	C5
Mesquitela	P	(Guar.)	76	C5
Mesquitela	P	(Vis.)	75	B5
Messegães	P	(V. C.)	34	B4
Messejana	P	(Be.)	144	A5
Messines de Baixo	P	(Fa.)	160	A4
Mesta, La	E	(Alb.)	137	D5
Mestanza	E	(C. R.)	135	A5
Mestas	E	(Ast.)	7	D4
Mestas	E	(Ast.)	7	B5
Mestas de Con	E	(Ast.)	7	D5
Mestas, Las	E	(Các.)	97	D1
Mestras	P	(Lei.)	111	A3
Metauten	E	(Na.)	24	B5
Mexilhoeira da Carregação	P	(Fa.)	173	C2
Mexilhoeira Grande	P	(Fa.)	173	C2
Mezalocha	E	(Zar.)	65	D4
Mezio	P	(Vis.)	75	A2
Mezonzo	E	(A Co.)	14	D1
Mezquetillas	E	(So.)	83	C1
Mezquita de Jarque	E	(Te.)	86	B4
Mezquita de Loscos	E	(Te.)	86	A2
Mezquita, A	E	(Our.)	36	C4
Mezquitilla, La	E	(Sev.)	179	B2
Miajadas	E	(Các.)	132	A1
Miamán	E	(Our.)	35	C3
Miami Platja	E	(Ta.)	89	A2
Mian	E	(Ast.)	7	C5
Miànegues	E	(Gi.)	51	D3
Mianos	E	(Zar.)	46	A1
Micereces de Tera	E	(Zam.)	38	B5
Micieces de Ojeda	E	(Pa.)	20	C5
Mido	P	(Guar.)	76	C5
Midões	P	(Br.)	54	A3
Midões	P	(Co.)	94	D1
Midões	P	(V. R.)	56	A3
Miedes de Aragón	E	(Zar.)	65	B5
Miedes de Atienza	E	(Gua.)	82	D1
Miedo, El, lugar	E	(Mu.)	140	A4
Mieldes	E	(Ast.)	5	C5
Miengo	E	(Can.)	9	B4
Miera	E	(Can.)	9	D5
Mieres	E	(Ast.)	6	C5
Mieres	E	(Ast.)	6	C4
Mieres	E	(Gi.)	51	D3
Mierla, La	E	(Gua.)	82	C3
Mieza	E	(Sa.)	77	A1
Migjorn Gran, Es	E	(Bal.)	90	B2
Miguel Esteban	E	(To.)	120	D3
Miguel Ibáñez	E	(Seg.)	80	D2
Miguelláñez	E	(Seg.)	80	D2
Miguelturra	E	(C. R.)	135	B3
Mijala	E	(Bur.)	22	D3
Mijangos	E	(Bur.)	22	B4
Mijares	E	(Áv.)	99	D3
Mijarojos	E	(Can.)	9	B5
Mijas	E	(Mál.)	180	B5
Milà, el	E	(Ta.)	69	C5
Milagres	P	(Lei.)	93	C5
Milagro	E	(Na.)	44	D3
Milagros	E	(Bur.)	61	D3
Milano, El	E	(Sa.)	77	A1
Milanos	E	(Gr.)	167	B5
Milanos	E	(Gr.)	167	A5
Mileu	P	(Vis.)	75	C2
Milhais	P	(Bra.)	56	A4
Milhão	P	(Bra.)	57	A1
Milharado	P	(Lis.)	126	C1
Milhazes	P	(Br.)	53	D3
Milheiro	P	(Guar.)	76	B3
Milheirós	P	(C. B.)	94	C5
Milheirós	P	(San.)	112	A1
Milheirós de Poiares	P	(Ave.)	74	A2
Milhundos	P	(Port.)	54	C5
Milmanda	E	(Our.)	35	A3
Milmarcos	E	(Gua.)	84	C2
Milreu	P	(C. B.)	112	C2
Milla de Tera	E	(Zam.)	37	D5
Milla del Páramo, La	E	(Le.)	38	C1
Milla del Río, La	E	(Le.)	38	B1
Milladoiro	E	(A Co.)	14	B3
Millana	E	(Gua.)	103	C1
Millana, La	E	(Mál.)	179	D4
Millanes	E	(Các.)	116	C1
Millarada	E	(Po.)	34	A2
Millarada, A	E	(Po.)	14	C5
Millares	E	(Val.)	124	C5
Millarouso	E	(Our.)	36	C2
Millena	E	(Ali.)	141	B4
Miller	E	(J.)	153	D3
Milles de la Polvorosa	E	(Zam.)	38	C5
Mimbral, El	E	(Cád.)	178	B5
Mimetiz (Zalla)	E	(Viz.)	22	C1
Mimosa	P	(Set.)	143	D4
Mina Antolín, lugar	E	(Cór.)	149	A2
Mina Caridad, lugar	E	(Sev.)	163	C3
Mina da Juliana	P	(Be.)	144	B5
Mina de Aparis	P	(Be.)	146	A3
Mina de São Domingos	P	(Be.)	161	B1
Mina do Bugalho	P	(Év.)	129	D4
Mina, La	E	(Cór.)	166	A4
Mina, lugar	E	(Huel.)	162	D1
Minas da Panasqueira	P	(C. B.)	95	A3
Minas de Cala	E	(Huel.)	147	B5
Minas de Louzal	P	(Set.)	143	D3
Minas de Riotinto	E	(Huel.)	163	A2
Minas de Santa Quitería	E	(To.)	117	C4
Minas de São João	P	(V. R.)	55	A3
Minas del Castillo de las Guardas	E	(Sev.)	163	B
Minas del Horcajo	E	(C. R.)	150	C
Minas del Marquesado	E	(Gr.)	182	D
Minas Diógenes, lugar	E	(C. R.)	151	A
Minas, Las	E	(Alb.)	155	A
Minateda-Horca	E	(Alb.)	155	A
Minaya	E	(Alb.)	122	A
Minde	P	(San.)	111	C
Mindelo	P	(Port.)	53	D
Minglanilla	E	(Cu.)	123	A
Mingogil	E	(Alb.)	155	A
Mingorría	E	(Áv.)	80	B
Minhocal	P	(Guar.)	75	D
Minhotães	P	(Br.)	54	A
Miñagón	E	(Ast.)	5	A
Miñambres de la Valduerna	E	(Le.)	38	B
Miñana	E	(So.)	64	B
Miñanes	E	(Pa.)	40	B
Miñao Goien	E	(Ál.)	23	B
Miñarzo	E	(A Co.)	13	B
Miño	E	(A Co.)	2	D
Miño de Medinaceli	E	(So.)	83	C
Miño de San Esteban	E	(So.)	62	B
Miñón	E	(Bur.)	22	A
Miñón	E	(Bur.)	41	C
Miñosa, La	E	(Gua.)	83	A
Miñosa, La	E	(So.)	63	C
Miñotos	E	(Lu.)	3	D
Miñu	E	(Ast.)	5	B
Mioma	P	(Vis.)	75	B
Miomães	P	(Vis.)	74	D
Mioño	E	(Can.)	10	C
Miou	E	(Ast.)	4	C
Mira	E	(A Co.)	14	A
Mira	E	(Cu.)	123	B
Mira	P	(Co.)	93	C
Mira de Aire	P	(Lei.)	111	C
Mirabel	E	(Các.)	115	C
Mirabel	E	(Các.)	98	B
Mirabueno	E	(Gua.)	83	B
Miradeses	P	(Bra.)	56	A
Mirador del Montseny, El	E	(Bar.)	71	B
Mirador, El	E	(Bar.)	70	D
Mirador, El	E	(Mu.)	172	C
Miraelrío	E	(J.)	152	A
Miraflor	E	(Ali.)	141	D
Miraflor	E	(Las P.)	191	C
Miraflores	E	(Cád.)	177	B
Miraflores	E	(Mad.)	101	C
Miraflores de la Sierra	E	(Mad.)	81	C
Mirafuentes	E	(Na.)	24	A
Miragaia	P	(Lis.)	110	C
Miralcamp	E	(Ll.)	69	A
Miralrío	E	(Gua.)	83	A
Miralsot	E	(Hues.)	68	A
Miramar	E	(Val.)	141	C
Mirambel	E	(Te.)	87	A
Mirambell	E	(Bar.)	70	A
Miranda	E	(Ast.)	6	B
Miranda	E	(Lu.)	16	A
Miranda	E	(Mu.)	172	B
Miranda	E	(S. Cruz T.)	193	C
Miranda	P	(V. C.)	34	A
Miranda de Arga	E	(Na.)	44	D
Miranda de Azán	E	(Sa.)	78	C
Miranda de Duero	E	(So.)	63	D
Miranda de Ebro	E	(Bur.)	23	A
Miranda del Castañar	E	(Sa.)	98	A
Miranda del Rey, lugar	E	(J.)	151	D
Miranda do Corvo	P	(Co.)	94	
Miranda do Douro	P	(Bra.)	57	
Miranda, La	E	(Ast.)	6	
Mirandela	P	(Bra.)	56	
Mirandilla	E	(Bad.)	131	
Mirantes, lugar	E	(Le.)	18	
Mira-sol	E	(Bar.)	70	
Miraval	E	(Mad.)	82	
Miravalles	E	(Ast.)	7	
Miraveche	E	(Bur.)	22	
Miravet	E	(Ta.)	88	
Miravete de la Sierra	E	(Te.)	86	
Miro	P	(Co.)	94	
Mirón	E	(Po.)	34	
Mirón, El	E	(Áv.)	99	
Mironcillo	E	(Áv.)	99	
Mirones	E	(Can.)	9	
Mirones, Los	E	(C. R.)	135	
Mirueña de los Infanzones	E	(Áv.)	79	
Mislata	E	(Val.)	125	
Miudes	E	(Ast.)	5	

iuzela P (Guar.) 96 B 1
ixós E (Our.) 35 D 5
yares E (Ast.) 7 B 4
izala E (Alm.) 184 C 2
izarela P (Guar.) 75 D 5
izquitillas, lugar E (Alb.) 139 A 4
ó Grande P (Lei.) 94 C 5
oal E (Ast.) 17 B 2
oalde E (Po.) 14 C 4
oanes E (Ast.) 5 B 3
oaña E (Po.) 33 D 2
oar E (A Co.) 14 C 2
oarves de Ojeda E (Pa.) 20 C 5
oçamedes P (Vis.) 74 D 4
ocanal E (S. Cruz T.) 194 C 4
oçarria P (San.) 111 B 4
ocejón E (To.) 101 B 5
ocifas da Nazaré P (Co.) 93 D 4
ociños E (Our.) 34 D 3
oclín E (Gr.) 167 C 5
oclinejo E (Mál.) 180 D 4
ochales E (Gua.) 84 C 2
ochicle, lugar E (Cád.) 177 C 5
ochos, Los E (Cór.) 165 D 1
ochuelos, Los E (J.) 152 D 2
odelos P (Port.) 54 B 5
odino E (Le.) 19 C 4
odivas P (Port.) 53 D 4
odúbar de la Cuesta E (Bur.) 41 D 3
odúbar
de la Emparedada E (Bur.) 41 D 3
odúbar
de San Cebrián E (Bur.) 42 A 3
oeche E (A Co.) 3 A 2
oeche E (A Co.) 3 B 2
ões P (Vis.) 75 A 3
ofreita P (Bra.) 36 D 5
ogadouro P (Bra.) 57 A 5
ogán E (Las P.) 191 B 4
ogão Cimeiro P (San.) 112 C 2
ogarraz E (Sa.) 98 A 1
ogatar E (Zam.) 58 B 5
ogente/Moixent E (Val.) 140 C 3
ogino, lugar E (J.) 152 C 3
ogo de Malta P (Bra.) 56 A 5
ogofores P (Ave.) 94 A 1
ogón E (J.) 152 D 4
ogor E (A Co.) 3 C 1
ogor E (Po.) 33 D 1
ogro E (Can.) 9 B 4
ogueirães P (Vis.) 74 C 4
oguer E (Huel.) 176 C 2
oharras, lugar E (Alb.) 137 D 1
oheda, La E (Các.) 97 A 4
oheda-Portales E (Mál.) 180 C 3
ohedas
de Granadilla E (Các.) 97 D 3
ohedas de la Jara E (To.) 117 B 3
ohedas, Las E (Alb.) 138 A 5
ohernando E (Gua.) 82 C 4
ohorte E (Cu.) 104 B 5
oi E (Po.) 15 A 5
oià E (Bar.) 70 D 1
oia E (Lu.) 16 D 3
oialde E (Our.) 36 A 5
oimenta E (A Co.) 13 D 4
oimenta P (Bra.) 36 C 5
oimenta P (Vis.) 74 C 1
oimenta da Beira P (Vis.) 75 C 2
oimenta da Serra P (Guar.) 95 B 1
oimenta
de Maceira Dão P (Vis.) 75 A 5
oimentinha P (Guar.) 76 A 4
oinhos P (Co.) 94 B 3
oinhos P (Co.) 94 B 2
oinhos de Carvide P (Lei.) 93 B 5
oinhos de Vento P (Be.) 160 B 2
oita P (Ave.) 74 B 4
oita P (Ave.) 94 A 1
oita P (Guar.) 96 A 2
oita P (Lei.) 94 B 4
oita P (Lei.) 111 A 1
oita P (Lei.) 111 A 3
oita P (San.) 111 C 1
oita P (Set.) 127 A 4
oita P (Vis.) 75 A 3
oita da Roda P (Lei.) 93 B 5
oita da Serra P (Co.) 94 C 2
oita do Açôr P (Lei.) 111 B 2
oita do Boi P (Lei.) 93 C 4
oita do Martinho P (Lei.) 111 C 2
oita do Norte P (San.) 112 A 3
oitalina P (Lei.) 111 B 2
oitas P (C. B.) 113 A 1
oitas Venda P (San.) 111 C 3

Moixent → Mogente E (Val.) 140 C 3
Moja E (Bar.) 70 B 4
Mojácar E (Alm.) 184 D 1
Mojácar Playa E (Alm.) 184 D 4
Mojados E (Vall.) 60 B 4
Mojares E (Gua.) 83 C 2
Mojón, El E (Mu.) 156 B 4
Mojonar, El E (Alm.) 170 B 2
Mojonera, La E (Alm.) 183 C 4
Molacillos E (Zam.) 58 C 3
Moladão P (Co.) 94 C 2
Molar, El E (J.) 152 C 5
Molar, El E (Mad.) 82 A 4
Molar, el E (Ta.) 88 D 1
Molares E (Huel.) 146 C 5
Molares P (Br.) 54 D 4
Molares, Los E (Sev.) 178 B 1
Molata, La E (Mu.) 171 D 1
Moldes E (Le.) 16 C 5
Moldes P (Ave.) 74 C 2
Moldones E (Zam.) 57 B 1
Moledo P (Lis.) 110 C 4
Moledo P (V. C.) 33 C 5
Moledo P (Vis.) 75 A 3
Molelos P (Vis.) 74 C 5
Molezuelas
de la Carballeda E (Zam.) 37 D 4
Molianos P (Lei.) 111 B 2
Molina → Cañada
del Salobral, lugar E (Alb.) 138 C 4
Molina de Aragón E (Gua.) 84 C 4
Molina de Segura E (Mu.) 155 D 4
Molina de Ubierna, La E (Bur.) 41 D 1
Molina del Portillo
del Busto, La E (Bur.) 22 C 5
Molina, La E (Gi.) 50 C 2
Molinaferrera E (Le.) 37 C 2
Molinar, El E (Alb.) 138 B 5
Molinàs E (Gi.) 52 B 1
Molinas, Los E (Alm.) 170 C 5
Molinaseca E (Le.) 37 B 1
Molinell, El E (Cas.) 107 C 2
Molineras, Las E (Gr.) 169 C 4
Molinicos E (Alb.) 154 A 1
Molinilla E (Ál.) 22 D 4
Molinillo E (Sa.) 98 A 1
Molinillo, El E (C. R.) 118 D 4
Molinillo, El E (Gr.) 168 B 5
Molinillo, El E (Mu.) 171 B 2
Molinillo, lugar E (Mad.) 101 A 2
Molinito, El E (S. Cruz T.) 194 C 2
Molino de la Hoz-
Nuevo Club de Golf E (Mad.) 101 B 1
Molino de Viento, El E (Las P.) 191 A 4
Molinos E (Te.) 87 A 4
Molinos de Duero E (So.) 63 B 1
Molinos de Papel E (Cu.) 104 B 4
Molinos de Razón E (So.) 43 C 5
Molinos Marfagones E (Mu.) 172 B 2
Molinos, Los E (Gr.) 167 B 5
Molinos, Los E (Las P.) 191 A 3
Molinos, Los E (Mad.) 81 A 5
Molinos, Los, lugar E (Bad.) 147 D 3
Molinos-Sijuela, Los E (Mál.) 179 B 4
Molins E (Ali.) 156 B 4
Molins de Rei E (Bar.) 70 D 4
Molpeceres E (Vall.) 61 A 3
Molsosa, la E (Ll.) 70 A 1
Molta dos Ferreiros P (Lis.) 110 C 4
Molvízar E (Gr.) 182 A 4
Molledo E (Can.) 21 B 2
Molledo, El E (S. Cruz T.) 195 C 3
Mollerussa E (Ll.) 69 A 2
Mollet de Peralada E (Gi.) 52 B 1
Mollet del Vallès E (Bar.) 71 A 3
Mollina E (Mál.) 180 A 1
Molló E (Gi.) 51 B 2
Momán E (Lu.) 3 B 4
Momán E (Lu.) 4 A 5
Mombeja P (Be.) 144 C 4
Mombeltrán E (Áv.) 99 C 3
Momblona E (So.) 63 D 4
Mombuey E (Zam.) 37 C 5
Momediano E (Bur.) 22 B 3
Monachil E (Gr.) 182 A 1
Monasterio E (Gua.) 82 D 3
Monasterio E (So.) 63 B 3
Monasterio de la Sierra E (Bur.) 42 C 5
Monasterio de Rodilla E (Bur.) 42 A 2
Monasterio de Vega E (Vall.) 39 C 3
Monasterioguren E (Ál.) 23 B 4
Monasterios, Los E (Val.) 125 B 2
Moncabril E (Zam.) 37 A 4
Moncada/
Montcada de l'Horta E (Val.) 125 A 3

Moncalvillo E (Bur.) 42 C 5
Moncalvillo del Huete E (Cu.) 103 B 3
Monção P (V. C.) 34 B 4
Moncarapacho P (Fa.) 174 D 3
Moncayo, lugar E (Gr.) 153 C 5
Monclova, La E (Sev.) 165 A 3
Moncofa E (Cas.) 125 C 1
Monchique P (Fa.) 159 C 4
Monda E (Mál.) 179 D 5
Mondariz E (Po.) 34 B 2
Mondariz-Balneario E (Po.) 34 B 2
Mondéjar E (Gua.) 102 D 3
Mondim da Beira P (Vis.) 75 B 2
Mondim de Basto P (V. R.) 55 A 4
Mondim de Cima P (Vis.) 75 B 2
Mondoñedo E (Lu.) 4 A 3
Mondoñedo E (Lu.) 4 B 2
Mondragón → Arrasate E (Gui.) 23 C 2
Mondreganes E (Le.) 19 D 5
Mondrões P (V. R.) 55 B 5
Mondrón E (Mál.) 180 D 3
Mondújar E (Gr.) 182 A 2
Monegrillo E (Zar.) 67 A 3
Moneixas E (Po.) 14 D 4
Monells E (Gi.) 52 B 4
Moneo E (Bur.) 22 A 3
Mones E (Ast.) 7 B 4
Monesma E (Hues.) 47 D 5
Monesma de Benabarre E (Hues.) 48 C 3
Monesterio E (Bad.) 147 B 4
Moneva E (Zar.) 86 B 1
Monfarracinos E (Zam.) 58 C 3
Monfebres P (V. R.) 55 D 4
Monfero E (A Co.) 3 A 4
Monfirre P (Lis.) 126 C 2
Monflorite E (Hues.) 47 A 4
Monforte P (Co.) 94 A 3
Monforte P (Por.) 129 C 1
Monforte da Beira P (C. B.) 113 D 1
Monforte de la Sierra E (Sa.) 97 D 1
Monforte de Lemos E (Lu.) 35 D 1
Monforte de Moyuela E (Te.) 86 A 2
Monforte del Cid E (Ali.) 156 C 2
Monfortinho P (C. B.) 96 C 4
Monga E (Ast.) 7 A 4
Mongay, lugar E (Hues.) 48 C 4
Monistrol d'Anoia E (Bar.) 70 C 3
Monistrol de Calders E (Bar.) 70 D 1
Monistrol de Montserrat E (Bar.) 70 C 2
Monjas, Las E (Sev.) 164 D 5
Monjas, Las E (Val.) 123 C 4
Monjos, Los E (Alm.) 183 B 1
Monleón E (Sa.) 78 B 5
Monleras E (Sa.) 77 D 1
Monnars E (Ta.) 89 D 1
Monóvar/Monòver E (Ali.) 156 C 1
Monòver → Monóvar E (Ali.) 156 C 1
Monreal de Ariza E (Zar.) 64 B 5
Monreal del Campo E (Te.) 85 C 4
Monreal del Llano E (Cu.) 121 B 3
Monreal/Elo E (Na.) 25 B 5
Monroy E (Các.) 115 C 2
Monroyo E (Te.) 87 C 4
Monsagro E (Sa.) 97 C 1
Monsalupe E (Áv.) 80 A 4
Monsanto P (C. B.) 96 B 4
Monsanto P (San.) 111 C 3
Monsaraz P (Év.) 145 C 1
Monsarros P (Ave.) 94 A 1
Monseiro E (Lu.) 16 A 4
Monserrat/
Montserrat Alcalà E (Val.) 124 D 4
Monsul P (Br.) 54 C 2
Mont de Roda E (Hues.) 48 B 3
Monta, La E (Sev.) 164 B 3
Montaberner/
Montaverner E (Val.) 141 A 3
Montagut E (Gi.) 51 C 2
Montagut E (Ll.) 68 C 3
Montalbà E (Cas.) 107 D 3
Montalbán E (Te.) 86 B 4
Montalbán de Córdoba E (Cór.) 166 A 3
Montalbanejo E (Cu.) 121 D 2
Montalbanes, Los E (Gr.) 168 A 4
Montalbo E (Cu.) 121 B 1
Montalegre P (V. R.) 55 B 1
Montalvão P (Por.) 113 C 2
Montalviche E (Alm.) 170 C 2
Montalvo P (San.) 112 B 3
Montalvo Primero E (Sa.) 78 C 3
Montalvos E (Alb.) 138 C 1
Montamarta E (Zam.) 58 B 2
Montán E (Cas.) 106 D 4
Montan de Tost E (Ll.) 49 D 3
Montánchez E (Các.) 115 D 5

Montanejos E (Cas.) 106 D 4
Montanissell E (Ll.) 49 C 3
Montanúy E (Hues.) 48 C 1
Montaña Alta E (Las P.) 191 B 2
Montaña Blanca E (Las P.) 192 C 4
Montaña la Data E (Las P.) 191 B 4
Montaña los Vélez E (Las P.) 191 D 3
Montaña San Gregorio E (Las P.) 191 C 2
Montaña Tenisca E (S. Cruz T.) 193 B 3
Montaña, La E (Ast.) 5 B 3
Montaña, La E (S. Cruz T.) 193 C 3
Montañana E (Bur.) 22 D 5
Montañana E (Hues.) 48 C 3
Montañana E (Zar.) 66 B 2
Montaña-Zamora E (S. Cruz T.) 195 D 3
Montañeta, La E (Las P.) 191 C 2
Montañeta, La E (S. Cruz T.) 195 C 3
Montañetas, Las E (S. Cruz T.) 195 D 3
Montaos E (A Co.) 14 C 1
Montarecos P (Por.) 113 D 5
Montargil P (Por.) 128 B 1
Montaria P (V. C.) 53 D 1
Montarrón E (Gua.) 82 C 3
Montaverner →
Montaberner E (Val.) 141 A 3
Montaves E (So.) 44 A 5
Montbarbat E (Gi.) 72 A 1
Montblanc E (Ta.) 69 C 4
Montbrió del Camp E (Ta.) 89 B 1
Montcada de l'Horta →
Moncada E (Val.) 125 A 3
Montcada i Reixac E (Bar.) 71 A 3
Montcal E (Gi.) 52 A 4
Montclar E (Bar.) 50 B 4
Montclar E (Ll.) 69 B 1
Monte E (A Co.) 3 A 2
Monte E (A Co.) 15 A 2
Monte E (Can.) 9 D 5
Monte E (Can.) 9 C 4
Monte E (Lu.) 35 D 1
Monte E (Lu.) 4 A 2
Monte E (Po.) 13 D 5
Monte E (Po.) 34 A 3
Monte P (Ave.) 73 D 3
Monte P (Br.) 54 C 3
Monte P (Br.) 54 C 1
Monte P (Ma.) 110 B 2
Monte P (Set.) 127 C 5
Monte Agudo P (Fa.) 175 A 2
Monte Alcedo E (Val.) 124 D 3
Monte Alto E (Cór.) 165 D 2
Monte Blanco E (Cas.) 107 B 5
Monte Bom P (Lis.) 126 B 1
Monte Brito P (Fa.) 174 B 2
Monte Carvalho P (Por.) 113 C 4
Monte Claro P (Por.) 113 A 3
Monte Córdova P (Port.) 54 B 4
Monte da Agolada
de Cima P (San.) 127 D 1
Monte da Apariça P (Be.) 144 D 3
Monte da Batalha P (Set.) 143 C 1
Monte da Caiada P (Be.) 160 D 2
Monte da Corda P (Fa.) 159 B 4
Monte da Corte Negra P (Be.) 144 C 4
Monte da Charneca P (Fa.) 174 A 2
Monte da Estrada P (Be.) 159 C 1
Monte da Pedra P (Por.) 113 A 4
Monte da Velha P (Guar.) 76 C 5
Monte da Velha P (Por.) 113 B 5
Monte das Flores P (Év.) 128 C 5
Monte das Mestras P (Be.) 160 C 3
Monte das Obras P (Set.) 143 D 1
Monte das Viúvas P (Be.) 160 C 3
Monte de Batres E (Mad.) 101 B 3
Monte de Breña E (S. Cruz T.) 193 C 3
Monte de Lobos P (Vis.) 94 B 1
Monte de Luna E (S. Cruz T.) 193 C 4
Monte de Matallana E (Vall.) 59 D 1
Monte de Negas P (Be.) 160 D 3
Monte de Palma P (Set.) 127 C 5
Monte de Pueblo E (S. Cruz T.) 193 C 3
Monte de San Lorenzo E (Vall.) 59 C 2
Monte do Fialho P (Be.) 160 D 3
Monte do Guerreiro P (Be.) 160 D 1
Monte do Nicolau P (Év.) 127 C 4
Monte do Torrao P (Por.) 112 D 4
Monte do Trigo P (Év.) 145 A 1
Monte dos Alhos P (Set.) 143 D 5
Monte dos Mestres P (Be.) 160 C 2
Monte dos Pereiros P (Por.) 112 D 4
Monte Fidalgo P (C. B.) 113 C 2
Monte Francisco P (Fa.) 175 C 2
Monte Frio P (Co.) 94 D 2
Monte Galego P (San.) 112 C 3
Monte Gato P (Be.) 160 D 2

Monte Gordo P (Fa.) 175 C 2
Monte Judeu P (Fa.) 173 B 2
Monte Julia E (Hues.) 68 A 2
Monte la Reina E (Zam.) 58 D 3
Monte Lentiscal E (Las P.) 191 C 2
Monte Lope-Álvarez E (J.) 167 A 2
Monte Margarida P (Guar.) 96 B 1
Monte Negro P (Fa.) 174 C 3
Monte Novo P (Fa.) 159 A 4
Monte Novo P (Guar.) 96 A 1
Monte Novo P (Set.) 127 C 5
Monte Novo do Sul P (Set.) 143 B 1
Monte Orenes, lugar E (Cu.) 121 D 5
Monte Perobolso P (Guar.) 76 C 5
Monte Real P (Lei.) 93 B 5
Monte Redondo P (Lei.) 93 B 5
Monte Redondo P (Lis.) 110 C 5
Monte Redondo P (V. C.) 34 B 5
Monte Robledal E (Mad.) 102 C 3
Monte Vasco P (Guar.) 96 A 1
Monte Vedat/Vedat
de Torrent, el E (Val.) 125 A 4
Monte Velho P (Por.) 112 D 4
Monte, El o Guargacho E (S. Cruz T.) 195 D 4
Monte, El, lugar E (Alb.) 138 C 2
Monteagudo E (A Co.) 2 B 4
Monteagudo E (Mu.) 156 A 4
Monteagudo E (Na.) 44 D 5
Monteagudo
de las Salinas E (Cu.) 122 C 1
Monteagudo
de las Vicarías E (So.) 64 B 5
Monteagudo del Castillo E (Te.) 106 B 1
Montealegre E (Le.) 17 D 5
Montealegre de Campos E (Vall.) 59 D 1
Montealegre del Castillo E (Alb.) 139 C 4
Monteana E (Ast.) 6 C 3
Montearagón E (To.) 100 B 5
Montecelo E (Po.) 33 D 1
Montecillo E (Can.) 21 B 4
Monteclaro-La Cabaña E (Mad.) 101 C 2
Montecorto E (Mál.) 179 A 3
Montecote E (Cád.) 186 A 3
Montecubeiro E (Lu.) 16 A 1
Montederramo E (Our.) 35 D 2
Montedor P (V. C.) 53 C 1
Montefrío E (Gr.) 167 B 5
Montefurado E (Lu.) 36 B 2
Monte-Gil E (Sev.) 178 D 1
Montegil P (Lis.) 110 D 5
Montehermoso E (Các.) 97 C 4
Monteira P (Co.) 94 C 3
Monteiras P (Vis.) 75 A 2
Monteiros P (Guar.) 76 B 5
Montejaque E (Mál.) 179 A 4
Montejícar E (Gr.) 168 A 3
Montejo E (Sa.) 78 C 5
Montejo de Arévalo E (Seg.) 80 B 1
Montejo de Bricia E (Bur.) 21 C 3
Montejo de Cebas E (Bur.) 22 C 4
Montejo de la Sierra E (Mad.) 82 A 2
Montejo de la Vega
de la Serrezuela E (Seg.) 61 D 3
Montejo de Tiermes E (So.) 62 C 5
Montejos del Camino E (Le.) 38 C 1
Montelavar P (Lis.) 126 B 2
Montelo P (San.) 111 C 2
Montelongo E (Our.) 35 A 4
Monteluz E (Gr.) 167 D 5
Montellà E (Ll.) 50 B 2
Montellano E (Sev.) 178 C 2
Montemaior E (A Co.) 2 B 5
Montemayor E (Cór.) 166 A 2
Montemayor de Pililla E (Vall.) 60 C 4
Montemayor del Río E (Sa.) 98 B 2
Montemolín E (Bad.) 147 C 3
Montemor-o-Novo P (Év.) 128 B 4
Montemor-o-Velho P (Co.) 93 C 3
Montemuro P (Lis.) 126 C 2
Montenegrelo P (V. R.) 55 C 3
Montenegro E (Gr.) 182 D 2
Montenegro de Ágreda E (So.) 64 B 1
Montenegro de Cameros E (So.) 43 B 4
Monte-Palacio E (Sev.) 164 D 5
Monterde E (Zar.) 84 D 1
Monterde de Albarracín E (Te.) 105 B 1
Monterrei E (Our.) 35 D 5
Monterroso E (Lu.) 15 B 3
Monterrubio E (Seg.) 80 D 4
Monterrubio
de Armuña E (Sa.) 78 C 2
Monterrubio
de la Demanda E (Bur.) 42 D 4
Monterrubio
de la Serena E (Bad.) 132 D 5

Monterrubio
de la Sierra E (Sa.) 78 C 4
Montes E (Our.) 35 C 5
Montes E (Po.) 14 B 5
Montes P (Lei.) 111 A 2
Montes Altos P (Be.) 161 C 2
Montes Claros E (Cór.) 166 D 5
Montes da Senhora P (C. B.) 113 A 1
Montes de Alvor P (Fa.) 173 C 2
Montes de Cima P (Fa.) 159 C 4
Montes de Mora E (To.) 119 A 4
Montes de San Benito E (Huel.) 162 A 2
Montes de Sebares E (Ast.) 7 B 5
Montes Grandes P (Fa.) 173 D 2
Montes Juntos P (Év.) 129 C 5
Montes Novos P (Fa.) 160 D 4
Montes Velhos P (Be.) 144 B 4
Montesa E (Hues.) 47 D 4
Montesa E (Val.) 140 D 2
Montesclaros E (To.) 99 D 4
Monteseiro E (Lu.) 16 D 1
Montesinos, Los E (Ali.) 156 C 4
Montesquiu E (Bar.) 51 A 3
Montesusín E (Hues.) 67 A 1
Montevil P (Set.) 143 C 1
Montezinho P (Bra.) 36 D 5
Montfalcó Murallat E (Ll.) 69 D 2
Montferrer de Segre E (Ll.) 49 D 2
Montferri E (Ta.) 69 D 5
Montgai E (Ll.) 69 A 1
Montgat E (Bar.) 71 B 3
Montgons, els E (Ta.) 89 C 1
Montiano E (Bur.) 22 C 2
Montico, El E (Ast.) 6 C 3
Montico, El E (Vall.) 59 D 3
Montichelvo/Montitxelvo E (Val.) 141 B 3
Montiel E (C. R.) 137 A 5
Montiela, La E (Cór.) 165 D 3
Montijo E (Bad.) 130 D 3
Montijo P (Set.) 127 A 3
Montijos P (Lei.) 93 B 5
Montilla E (Cór.) 166 B 3
Montillana E (Gr.) 167 D 3
Montim P (Br.) 54 D 3
Montinho P (C. B.) 113 A 2
Montinho P (Por.) 128 D 1
Montinho
da Conveniência P (Fa.) 175 B 2
Montinhos da Luz P (Fa.) 173 B 2
Montinhos dos Pegos P (San.) 127 D 2
Montinhoso P (Set.) 127 A 4
Montiró E (Gi.) 52 B 3
Montitxelvo →
Montichelvo E (Val.) 141 B 3
Montizón E (J.) 152 D 2
Montjoi E (Gi.) 52 C 2
Montjuïc E (Bar.) 71 A 2
Montjuïc E (Gi.) 52 A 4
Montmagastre E (Ll.) 49 B 5
Montmajor E (Bar.) 50 B 4
Montmaneu E (Bar.) 69 D 2
Montmeló E (Bar.) 71 B 3
Montmesa E (Hues.) 46 C 4
Montnegre E (Bar.) 71 D 2
Montnegre E (Gi.) 52 B 4
Montoito P (Év.) 129 B 5
Montoliu de Lleida E (Ll.) 68 C 3
Montoliu de Segarra E (Ll.) 69 C 3
Montón E (Zar.) 85 B 1
Montorio E (Bur.) 41 C 1
Montornès
de Segarra E (Ll.) 69 C 2
Montornès del Vallès E (Bar.) 71 B 3
Montoro E (Cór.) 150 C 4
Montoro de Mezquita E (Te.) 86 D 5
Montoros, Los E (Gr.) 182 D 3
Montoto de Ojeda E (Pa.) 20 C 4
Montouro P (Co.) 73 D 5
Montouto E (A Co.) 13 D 1
Montouto E (A Co.) 2 C 5
Montouto E (Lu.) 3 D 3
Montouto P (Bra.) 36 C 5
Montoxo E (A Co.) 3 B 2
Montpol E (Ll.) 49 D 4
Mont-ral E (Ta.) 69 B 5
Mont-ras E (Gi.) 52 C 5
Montroi → Montroy E (Val.) 124 D 5
Mont-roig E (Gi.) 52 A 5
Mont-roig del Camp E (Ta.) 89 B 1
Montrondo E (Le.) 17 D 3
Montroy/Montroi E (Val.) 124 D 5
Montseny E (Bar.) 71 B 1
Montserrat Alcalà →
Monserrat E (Val.) 124 D 4
Montuenga E (Bur.) 41 D 4
Montuenga E (Seg.) 80 B 2
Montuenga de Soria E (So.) 84 A 1
Montuïri E (Bal.) 92 A 3
Monturque E (Cór.) 166 B 3
Monumenta E (Zam.) 57 D 4
Monzalbarba E (Zar.) 66 A 2
Monzo E (A Co.) 14 B 1
Monzón E (Hues.) 47 D 5
Monzón de Campos E (Pa.) 40 C 4
Moñux E (So.) 63 D 4
Mopagán, El E (Mál.) 180 A 3
Mora E (To.) 119 C 2
Mora P (Bra.) 57 B 4
Mora P (Év.) 128 B 2
Mora de Luna E (Le.) 18 C 4
Mora de Montañana,
La, lugar E (Hues.) 48 C 3
Mora de Rubielos E (Te.) 106 C 3
Mora de Santa Quiteria E (Alb.) 139 B 5
Móra d'Ebre E (Ta.) 88 D 1
Móra la Nova E (Ta.) 88 D 1
Móra, La E (Gi.) 52 B 3
Moradillo de Roa E (Bur.) 61 C 3
Moradillo de Sedano E (Bur.) 21 D 5
Moraime E (A Co.) 13 B 1
Morais P (Bra.) 56 D 3
Moral de Calatrava E (C. R.) 135 D 4
Moral de Castro E (Sa.) 77 D 3
Moral de Hornuez E (Seg.) 61 D 4
Moral de la Reina E (Vall.) 39 C 5
Moral de Sayago E (Zam.) 58 A 4
Moral del Condado E (Le.) 19 A 5
Moral, El E (Mu.) 154 B 5
Moraleda de Zafayona E (Gr.) 181 B 1
Moraleja E (Các.) 96 D 4
Moraleja de Coca E (Seg.) 80 B 2
Moraleja de Cuéllar E (Seg.) 61 A 4
Moraleja de Enmedio E (Mad.) 101 C 3
Moraleja
de las Panaderas E (Vall.) 60 A 5
Moraleja
de Matacabras E (Áv.) 79 D 2
Moraleja de Sayago E (Zam.) 78 A 1
Moraleja del Vino E (Zam.) 58 C 4
Moraleja, La E (Mad.) 101 D 1
Moralejo y
La Junquera, El E (Mu.) 154 B 5
Morales E (So.) 63 A 4
Morales de Campos E (Vall.) 59 C 1
Morales de Rey E (Zam.) 38 C 4
Morales de Toro E (Zam.) 59 B 3
Morales de Valverde E (Zam.) 38 B 5
Morales del Arcediano E (Le.) 38 A 2
Morales del Vino E (Zam.) 58 C 4
Morales, Los E (Cór.) 149 D 5
Morales, Los E (Gr.) 181 B 2
Morales-
Santa María, Los E (Mál.) 179 B 4
Moralet, El E (Ali.) 156 D 1
Moralina E (Zam.) 57 D 4
Moralita, La E (Sa.) 77 C 3
Moralzarzal E (Mad.) 81 B 5
Moranchel E (Gua.) 83 B 4
Morás E (Lu.) 4 A 1
Morasverdes E (Sa.) 77 C 5
Morata E (Mu.) 171 C 3
Morata de Jalón E (Zar.) 65 B 4
Morata de Jiloca E (Zar.) 85 A 1
Morata de Tajuña E (Mad.) 102 A 3
Moratalla E (Mu.) 154 D 3
Moratilla
de los Meleros E (Gua.) 103 A 1
Moratinos E (Pa.) 39 D 2
Moratón E (Alm.) 184 A 1
Moratones E (Zam.) 38 B 4
Morcillo E (Các.) 97 B 4
Morcillos, Los, lugar E (Alb.) 137 D 1
Morcín E (Ast.) 6 B 5
Morcuera E (So.) 62 C 4
Moreanes P (Be.) 161 B 2
Moreda E (Ast.) 18 C 1
Moreda E (Gr.) 168 B 4
Moreda E (Lu.) 15 D 5
Moreda-Moreta E (Ál.) 43 D 1
Moredo P (Bra.) 56 D 2
Moreira E (Po.) 34 B 3
Moreira E (Po.) 34 A 2
Moreira E (Po.) 14 B 4
Moreira P (Guar.) 75 C 4
Moreira P (Port.) 74 B 1
Moreira P (Port.) 53 D 5
Moreira P (V. C.) 34 B 4
Moreira P (V. R.) 55 C 4
Moreira P (Vis.) 75 A 5
Moreira de Cónegos P (Br.) 54 B 4
Moreira
de Geraz do Lima P (V. C.) 53 D 1
Moreira de Rei P (Guar.) 76 A 3
Moreira do Castelo P (Br.) 54 D 4
Moreira do Lima P (V. C.) 54 A 1
Moreira do Rei P (Br.) 54 D 3
Moreira Nova E (Po.) 14 B 4
Moreira Pequena P (San.) 111 D 2
Moreiras E (Our.) 34 D 1
Moreiras E (Our.) 35 A 2
Moreiras P (V. R.) 55 D 2
Moreiras Grandes P (San.) 111 D 2
Morel P (Vis.) 74 D 3
Morelena P (Lis.) 126 C 2
Morelinho P (Lis.) 126 B 2
Morell, el E (Ta.) 89 C 1
Morella E (Cas.) 87 C 5
Morellana E (Cór.) 166 D 3
Morenilla E (Gua.) 85 A 4
Morenos P (Fa.) 175 A 2
Morenos, Los E (Cór.) 148 D 3
Morenos, Los, lugar E (Gr.) 182 C 3
Morente E (Cór.) 150 C 5
Morentín E (Na.) 44 B 1
Morera de Montsant, la E (Ta.) 69 A 5
Morera, La E (Bad.) 130 D 5
Moreruela
de los Infanzones E (Zam.) 58 C 3
Moreruela de Tábara E (Zam.) 58 B 1
Morés E (Zar.) 65 A 4
Moreta → Moreda E (Ál.) 43 D 1
Morga E (Viz.) 11 B 5
Morgade E (Our.) 35 C 4
Morgade P (V. R.) 55 B 1
Morganiscas P (Lei.) 93 B 4
Morgovejo E (Le.) 19 D 4
Moriana E (Bur.) 22 D 5
Moricoste E (Alb.) 138 C 5
Moriles E (Cór.) 166 B 4
Morilla E (Can.) 21 D 1
Morilla E (Hues.) 47 C 5
Morilla de los Oteros E (Le.) 39 A 2
Morille E (Sa.) 78 C 4
Morillejo E (Gua.) 83 D 5
Morillo de Liena E (Hues.) 48 B 2
Morillo de Monclús E (Hues.) 48 A 2
Moriñigo E (Sa.) 79 A 3
Moriones (Ezprogui) E (Na.) 45 B 1
Moriscos E (Sa.) 78 D 2
Morla de la Valdería E (Le.) 37 D 3
Morlán E (A Co.) 14 B 2
Mormentelos E (Our.) 36 B 3
Morón de Almazán E (So.) 63 D 4
Morón de la Frontera E (Sev.) 178 D 1
Morones, Los E (Gr.) 182 C 3
Moronta E (Sa.) 77 B 2
Moropeche E (Alb.) 153 D 2
Moros E (Zar.) 64 D 5
Morote, lugar E (Alb.) 154 A 2
Morquintian E (A Co.) 13 B 1
Morraça P (Co.) 93 D 2
Morrano E (Hues.) 47 B 3
Morreira P (Br.) 54 B 3
Morriondo E (Le.) 18 B 5
Morro del Jable E (Las P.) 189 C 5
Morro, El E (Alm.) 170 D 5
Morros P (Co.) 93 C 2
Mortágua P (Vis.) 94 C 1
Mortazer P (Vis.) 74 C 5
Mortera E (Can.) 9 B 4
Mortera, La E (Ast.) 5 D 3
Mortera, La E (Ast.) 5 B 4
Mos E (Lu.) 15 D 1
Mos E (Po.) 34 A 3
Mós P (Br.) 54 B 1
Mós P (Bra.) 76 C 1
Mós P (Bra.) 56 D 2
Mós P (Guar.) 76 A 1
Mós P (Vis.) 74 D 2
Mosarejos E (So.) 62 D 4
Moscardón E (Te.) 105 B 2
Moscari E (Bal.) 92 A 2
Moscas del Páramo E (Le.) 38 C 3
Moscavide P (Lis.) 126 D 3
Moscoso E (Po.) 34 B 2
Moscoso P (V. R.) 55 A 2
Mosende E (Po.) 34 A 3
Moslares de la Vega E (Pa.) 40 B 2
Mosqueroles E (Bar.) 71 C 1
Mosqueruela E (Te.) 107 A 2
Mosteirinho P (Vis.) 74 D 3
Mosteirinho P (Vis.) 74 B 5
Mosteiro E (Lu.) 15 D 3
Mosteiro E (Lu.) 16 C 2
Mosteiro E (Lu.) 15 D 1
Mosteiro E (Our.) 35 A 3
Mosteiro E (Po.) 34 B 2
Mosteiro P (Ave.) 74 A 2
Mosteiro P (Be.) 161 A 1
Mosteiro P (Br.) 54 D 2
Mosteiro P (Bra.) 56 B 2
Mosteiro P (C. B.) 112 C 1
Mosteiro P (C. B.) 94 D 5
Mosteiro P (Guar.) 75 C 4
Mosteiro P (Lei.) 94 C 4
Mosteiró P (Port.) 53 D 4
Mosteiro P (Vis.) 74 D 3
Mosteiro (Meis) E (Po.) 14 A 5
Mosteiro de Cima P (V. R.) 55 D 2
Mosteiro de Fráguas P (Vis.) 74 D 5
Mosteiro Fundeiro P (C. B.) 94 D 5
Mosteiros P (Aç.) 109 A 4
Mosteiros P (Lei.) 110 D 3
Mosteiros P (Por.) 113 D 5
Mosteiros P (San.) 111 B 3
Mostoirinho P (Vis.) 74 D 4
Móstoles E (Mad.) 101 C 2
Mota P (Ave.) 74 A 2
Mota de Altarejos E (Cu.) 122 A 1
Mota del Cuervo E (Cu.) 121 A 4
Mota del Marqués E (Vall.) 59 B 3
Mota Grande P (Lis.) 126 C 2
Motilla del Palancar E (Cu.) 122 C 3
Motilleja E (Alb.) 138 D 1
Motos E (Gua.) 85 A 5
Motril E (Gr.) 182 A 4
Motrinos P (Év.) 145 C 1
Moucide E (Lu.) 4 A 2
Mouçós P (V. R.) 55 B 4
Mougán E (Lu.) 15 D 3
Mougás E (Po.) 33 C 4
Mougueiras de Cima P (C. B.) 95 A 5
Moumis P (Vis.) 75 A 1
Mouquim P (Ave.) 74 A 4
Moura P (Be.) 145 C 3
Moura da Serra P (Co.) 95 A 2
Moura de Carvalhal P (Vis.) 75 A 4
Moura Morta P (V. R.) 55 A 5
Moura Morta P (Vis.) 75 A 2
Mourão P (Bra.) 56 A 5
Mourão P (Év.) 145 C 1
Mouraria P (Lei.) 110 D 3
Mouratos P (Lei.) 111 B 1
Mouraz P (Vis.) 94 D 1
Mourdo P (Ave.) 73 D 3
Moure P (Br.) 54 A 2
Moure P (Br.) 54 A 3
Moure P (Br.) 54 B 2
Moure P (Port.) 54 C 4
Moure de Madalena P (Vis.) 75 A 4
Mourela E (A Co.) 3 A 3
Mourelo P (C. B.) 95 B 4
Mourelos P (Co.) 94 A 2
Mourelos P (Vis.) 74 D 1
Mourence E (Lu.) 3 C 4
Mourentán E (Po.) 34 C 3
Mourentáns E (A Co.) 14 A 2
Mourilhe P (V. R.) 55 B 1
Mourilhe P (Vis.) 75 B 5
Mourisca E (Our.) 36 C 3
Mourisca do Vouga P (Ave.) 74 A 4
Mouriscados E (Po.) 34 B 3
Mouriscas P (San.) 112 C 3
Mouriscas-Sado P (Set.) 127 B 5
Mourisco E (Our.) 35 C 2
Mourisia P (Co.) 95 A 2
Mouriz P (Port.) 54 B 5
Mourolinho P (San.) 112 B 1
Mouronho P (Co.) 94 D 2
Mouruás E (Our.) 36 A 2
Moutedo P (Ave.) 74 B 4
Movera E (Zar.) 66 B 3
Moveros E (Zam.) 57 D 2
Movilla, lugar E (Bur.) 42 B 1
Moya E (Las P.) 191 C 2
Moyuela E (Zar.) 86 B 1
Mozaga E (Las P.) 192 C 4
Mozar E (Zam.) 38 C 5
Mozárbez E (Sa.) 78 C 3
Mozares E (Bur.) 22 A 3
Mozelos P (Ave.) 74 A 1
Mozelos P (Vis.) 74 D 4
Mozoncillo E (Seg.) 81 A 1
Mozoncillo de Juarros E (Bur.) 42 A 3
Mozoncillo de Oca E (Bur.) 42 B 2
Mozóndiga E (Le.) 38 C 1
Mozos de Cea E (Le.) 39 D 1
Mozota E (Zar.) 66 A 4
Múceres P (Vis.) 74 C 5
Mucientes E (Vall.) 60 A 2
Mucifal P (Lis.) 126 B
Mudá E (Pa.) 20 D
Mudamiento, El E (Ali.) 156 C
Mudapelos E (Sev.) 164 A
Mudarra, La E (Vall.) 59 D
Mudrián E (Seg.) 80 D
Muduex E (Gua.) 83 A
Muel E (Zar.) 65 D
Muela E (Các.) 97 C
Muela, La E (Cád.) 178 D
Muela, La E (Cád.) 186 A
Muela, La E (J.) 153 D
Muela, La E (So.) 63 B
Muela, La E (Zar.) 65 D
Muelas
de los Caballeros E (Zam.) 37 C
Muelas del Pan E (Zam.) 58 A
Muelle María-Isabel E (C. R.) 135 A
Muergas E (Bur.) 23 A
Mués E (Na.) 44 A
Muez (Guesálaz) E (Na.) 24 C
Muga de Alba E (Zam.) 58 A
Muga de Sayago E (Zam.) 57 D
Mugardos E (A Co.) 2 D
Mugares E (Our.) 35 A
Muge P (San.) 111 C
Mugiro (Larraun) E (Na.) 24 C
Mugueimes E (Our.) 35 A
Muimenta E (Lu.) 4 A
Muimenta E (Po.) 15 A
Muíña E (A Co.) 14 C
Muíño E (A Co.) 13 C
Muíños E (A Co.) 13 B
Muíños E (Our.) 35 A
Muixacre E (Cas.) 107 C
Mula E (Mu.) 155 B
Mulería, La E (Alm.) 171 A
Mullidar E (Alb.) 138 D
Muna P (Vis.) 74 C
Muncó E (Ast.) 6 D
Mundaka E (Viz.) 11 B
Mundão P (Vis.) 75 A
Mundilla E (Bur.) 21 B
Mundín E (A Co.) 3 B
Munébrega E (Zar.) 84 D
Munera E (Alb.) 137 D
Mungia E (Viz.) 11 A
Múnia, la E (Bar.) 70 B
Muniain de la Solana E (Na.) 24 B
Muniesa E (Te.) 86 B
Muniferral E (A Co.) 3 A
Munilla E (La R.) 44 A
Munitibar E (Viz.) 11 C
Muntanyola E (Bar.) 51 A
Muntells, els E (Ta.) 88 D
Muntsaratz E (Viz.) 23 C
Muñana E (Áv.) 79 C
Muñás E (Ast.) 5 C
Muñeca E (Pa.) 20 A
Muñecas E (So.) 62 C
Muñera E (Ast.) 7 A
Múñez E (Áv.) 79 C
Muñico E (Áv.) 79 C
Muñique E (Las P.) 192 C
Muñó E (Ast.) 6 D
Muñochas E (Áv.) 79 D
Muñogalindo E (Áv.) 79 D
Muñogrande E (Áv.) 79 D
Muñomer del Peco E (Áv.) 79 D
Muñón Cimero E (Ast.) 18 C
Muñón Fondero E (Ast.) 18 C
Muñopedro E (Seg.) 80 C
Muñopepe E (Áv.) 80 A
Muñosancho E (Áv.) 79 C
Muñotello E (Áv.) 99 C
Muñoveros E (Seg.) 81 B
Muñoyerro E (Áv.) 79 D
Muñoz E (Sa.) 77 D
Mura E (Bar.) 70 D
Murada, La E (Ali.) 156 B
Muradás E (Our.) 34 C
Muradelle E (Lu.) 15 B
Muras E (Lu.) 3 C
Murça P (Guar.) 76 A
Murça P (V. R.) 55 D
Murcia E (Mu.) 156 A
Murçós P (Bra.) 56 C
Murchante E (Na.) 45 A
Murchas E (Gr.) 182 A
Murches P (Lis.) 126 B
Murero E (Zar.) 85 B
Mures E (J.) 167 C
Murganheira P (Co.) 94 C
Murgeira P (Lis.) 126 C
Murgia → Murguía E (Ál.) 23 A

Murguía/Murgia E (Ál.) 23 A3
Murias E (Ast.) 6 A4
Murias E (Ast.) 18 D1
Murias E (Zam.) 37 A4
Múrias P (Bra.) 56 B3
Murias de Paredes E (Le.) 17 D3
Murias de Pedredo E (Le.) 37 D2
Murias de Ponjos E (Le.) 18 A4
Murias de Rechivaldo E (Le.) 38 A1
Murias, Las E (Le.) 18 A3
Muriedas E (Can.) 9 C4
Muriel E (Gua.) 82 C3
Muriel E (Vall.) 79 D1
Muriel de la Fuente E (So.) 63 A2
Muriel Viejo E (So.) 63 A2
Murieta E (Na.) 24 B5
Murillo de Gállego E (Zar.) 46 B2
Murillo de Río Leza E (La R.) 43 D2
Murillo el Cuende E (Na.) 45 A2
Murillo el Fruto E (Na.) 45 B2
Murita E (Bur.) 22 D3
Murla E (Ali.) 141 D4
Muro E (Bal.) 92 B2
Muro P (Port.) 54 A4
Muro de Ágreda E (So.) 64 C1
Muro de Aguas E (La R.) 44 B4
Muro de Alcoy/
Muro del Comtat E (Ali.) 141 A4
Muro del Comtat →
Muro de Alcoy E (Ali.) 141 A4
Muro en Cameros E (La R.) 43 C3
Muros E (A Co.) 13 B3
Muros de Nalón E (Ast.) 6 A3
Murta P (San.) 111 D4
Murta P (Set.) 143 B1
Murtal P (Lei.) 94 A5
Murtal P (Lis.) 126 B3
Murtal P (San.) 111 C1
Murtas E (Gr.) 182 D3
Murtas, Las E (Mu.) 154 D3
Murtede P (Co.) 94 A1
Murteira P (Ave.) 74 A2
Murteira P (C. B.) 112 D1
Murteira P (Lis.) 126 C2
Murteira P (Lis.) 110 D4
Murteira P (San.) 111 B3
Murteirinha P (C. B.) 113 A1
Murtinheira P (Co.) 93 B2
Murtosa P (Ave.) 73 D3
Murua E (Ál.) 23 B3
Murual P (San.) 111 B3
Murueta E (Viz.) 11 B5
Muruzábal E (Na.) 24 D5
Museros E (Val.) 125 B3
Musitu E (Ál.) 23 D4
Mustio, El E (Huel.) 146 A5
Mutiloa E (Gui.) 24 A2
Mutriku E (Gui.) 11 D5
Mutxamel E (Ali.) 157 C1
Muxa E (Lu.) 15 D2
Muxagata P (Guar.) 75 D4
Muxagata P (Guar.) 76 B2
Muxía E (A Co.) 1 B5
Muxika E (Viz.) 11 B5
Muxueira, A E (Lu.) 4 B4
Muyo, El E (Seg.) 62 B5

N

Nabainhos P (Guar.) 75 C5
Nabais P (Guar.) 75 C5
Nabais P (San.) 111 C4
Nabaridas →
Navaridas E (Ál.) 43 C1
Nabarniz E (Viz.) 11 C5
Nabaskoze →
Navascués E (Na.) 25 D5
Nabaz E (Na.) 12 D5
Nabo P (Bra.) 56 B5
Nacimiento E (Alm.) 183 C1
Nacimiento, El E (Cór.) 166 C4
Nachá E (Hues.) 48 B5
Nadadouro P (Lei.) 110 D3
Nadrupe P (Lis.) 110 C4
Nafarros P (Lis.) 126 B2
Nafría de Ucero E (So.) 62 D2
Nafría la Llana E (So.) 63 B3
Nagore (Artze) E (Na.) 25 B4
Nagosa P (Vis.) 75 C2
Nagozelo do Douro P (Vis.) 55 D5
Naharros E (Cu.) 103 C4
Naharros E (Gua.) 83 A1
Nájara E (Cád.) 186 B3
Nájera E (La R.) 43 B2
Nalda E (La R.) 43 C3
Nalec E (Ll.) 69 B3
Nambroca E (To.) 119 B1
Namorados P (Be.) 161 A2
Namorados P (Be.) 160 C1
Nanclares de la Oca/
Langraiz Oka E (Ál.) 23 A4
Nandufe P (Vis.) 74 D5
Nantes E (Po.) 33 D1
Nantes P (V. R.) 55 D1
Nantón E (A Co.) 14 A2
Nantón E (A Co.) 1 D5
Nàquera E (Val.) 125 A2
Narahio E (A Co.) 3 A3
Naranjeros, Los E (S.Cruz T.) 196 B2
Naraval E (Ast.) 5 B4
Narayola E (Le.) 17 A5
Narbarte E (Na.) 25 A2
Narboneta E (Cu.) 123 B2
Naredo de Fenar E (Le.) 19 A4
Narejos, Los E (Mu.) 172 C1
Narganes E (Ast.) 8 C5
Narila E (Gr.) 182 C2
Nariz P (Ave.) 73 D5
Narla E (Lu.) 15 C1
Narón E (A Co.) 2 D3
Narrillos
de San Leonardo E (Áv.) 80 A5
Narrillos del Álamo E (Áv.) 78 D5
Narrillos del Rebollar E (Áv.) 79 D5
Narros E (So.) 64 A1
Narros de Cuéllar E (Seg.) 60 C5
Narros de Matalayegua E (Sa.) 78 A4
Narros de Saldueña E (Áv.) 79 D3
Narros del Castillo E (Áv.) 79 C3
Narros del Puerto E (Áv.) 99 C1
Narros, Los E (Áv.) 98 C2
Narzana E (Ast.) 6 D4
Nates E (Can.) 10 A4
Natxitua E (Viz.) 11 C4
Nava E (Ast.) 7 A4
Nava E (Cór.) 150 C4
Nava Campaña E (Alb.) 155 A1
Nava de Abajo E (Alb.) 138 D5
Nava de Arévalo E (Áv.) 80 A3
Nava de Arriba E (Alb.) 138 C5
Nava de Béjar E (Sa.) 98 C1
Nava de Francia E (Sa.) 97 D1
Nava de Jadraque, La E (Gua.) 82 C2
Nava de la Asunción E (Seg.) 80 C1
Nava de los Caballeros E (Le.) 19 B5
Nava de Mena E (Bur.) 22 C2
Nava de Ricomalillo, La E (To.) 117 C2
Nava de Roa E (Bur.) 61 B3
Nava de San Pedro E (J.) 169 A1
Nava de Santiago, La E (Bad.) 131 A1
Nava de Santullán E (Pa.) 20 D4
Nava de Sotrobal E (Sa.) 79 B3
Nava del Barco E (Áv.) 98 D2
Nava del Rey E (Vall.) 59 C5
Nava y Lapa, La E (Cád.) 178 D3
Nava, La E (Ast.) 6 D5
Nava, La E (Bad.) 132 D4
Nava, La E (Huel.) 146 C4
Nava, La E (J.) 167 A1
Nava, La, lugar E (Sev.) 148 C4
Navabellida E (So.) 44 A5
Navabuena E (Vall.) 59 D2
Navacarros E (Sa.) 98 C2
Navacepeda de Tormes E (Áv.) 99 B2
Navacepedilla
de Corneja E (Áv.) 99 B1
Navacerrada E (C. R.) 134 C4
Navacerrada E (Mad.) 81 B4
Navaconcejo E (Các.) 98 B3
Navadijos E (Áv.) 99 C2
Navaescurial E (Áv.) 99 B1
Navafría E (Le.) 19 A5
Navafría E (Seg.) 81 C2
Navagallega E (Sa.) 78 B4
Navahermosa E (Huel.) 162 C3
Navahermosa E (Huel.) 146 D5
Navahermosa E (Mál.) 179 D1
Navahermosa E (To.) 118 C3
Navahombela E (Sa.) 78 D5
Navahonda E (Sa.) 78 C3
Navahondilla E (Áv.) 100 C2
Navais P (Port.) 53 D3
Navajas E (Cas.) 124 D1
Navajeda E (Can.) 9 D5
Navajún E (La R.) 44 B5
Naval E (Hues.) 47 D3
Navalacruz E (Áv.) 99 D2
Navalafuente E (Mad.) 81 D4
Navalagamella E (Mad.) 101 A1
Navalagrulla E (Sev.) 165 C2
Navalajarra E (C. R.) 118 C5
Navalcaballo E (So.) 63 C2
Navalcán E (To.) 99 C4
Navalcarnero E (Mad.) 101 B3
Navalcuervo E (Cór.) 149 A3
Navalengua E (Alb.) 138 B4
Navaleno E (So.) 62 D1
Navales E (Sa.) 78 D4
Navalespino E (Mad.) 80 D5
Navalguijo E (Áv.) 98 D3
Navalho P (Bra.) 56 A4
Navalilla E (Seg.) 61 B5
Navalmahillo E (Áv.) 99 A2
Navalmanzano E (Seg.) 80 D1
Navalmedio de Morales E (C. R.) 134 B3
Navalmoral E (Áv.) 100 A1
Navalmoral de Béjar E (Sa.) 98 B2
Navalmoral de la Mata E (Các.) 98 D5
Navalmoralejo E (To.) 117 B2
Navalmorales, Los E (To.) 118 B2
Navalón E (Cu.) 104 A4
Navalón E (Val.) 140 B3
Navalonguilla E (Áv.) 98 D3
Navalosa E (Áv.) 99 D2
Navalperal de Pinares E (Áv.) 80 C5
Navalperal de Tormes E (Áv.) 99 A2
Navalpino E (C. R.) 134 B1
Navalpotro E (Gua.) 83 C3
Navalrincón E (C. R.) 134 C1
Navalsauz E (Áv.) 99 C2
Navaltoril E (To.) 117 D3
Navalucillos, Los E (To.) 118 B2
Navaluenga E (Áv.) 100 A2
Navalvillar de Ibor E (Các.) 116 D3
Navalvillar de Pela E (Bad.) 132 D1
Navallera E (Mad.) 81 C5
Navamediana E (Áv.) 99 A2
Navamojada E (Áv.) 98 D2
Navamorales E (Sa.) 98 D1
Navamorcuende E (To.) 100 A4
Navamorisca E (Áv.) 98 D2
Navamuñana E (Áv.) 99 A2
Navamures E (Áv.) 98 D2
Navandrinal E (Áv.) 99 D1
Navapalos, lugar E (So.) 62 D4
Navaquesera E (Áv.) 99 D2
Navarcles E (Bar.) 70 C1
Navardún E (Zar.) 45 D1
Navares E (Mu.) 154 C4
Navares de Ayuso E (Seg.) 61 D5
Navares de Enmedio E (Seg.) 61 D5
Navares de las Cuevas E (Seg.) 61 C4
Navares y Tejares E (Mál.) 179 B4
Navaridas/Nabaridas E (Ál.) 43 C1
Navarredonda E (Mad.) 101 B1
Navarredonda E (Mad.) 81 D3
Navarredonda E (Sev.) 179 C2
Navarredonda
de Gredos E (Áv.) 99 B2
Navarredonda
de la Rinconada E (Sa.) 78 A5
Navarredonda
de Salvatierra E (Sa.) 78 C5
Navarredondilla E (Áv.) 100 A1
Navarrés E (Val.) 140 C1
Navarrete E (La R.) 43 C2
Navarrete del Río E (Te.) 85 C3
Navarrevisca E (Áv.) 99 D2
Navarro E (Ast.) 6 B3
Navarros, Los E (Alm.) 183 C1
Navàs E (Bar.) 50 C5
Navás E (Po.) 33 D3
Navas de Bureba E (Bur.) 22 B5
Navas de Estena E (C. R.) 118 B4
Navas de Jadraque, Las E (Gua.) 82 D2
Navas de Jorquera E (Alb.) 123 A5
Navas de
la Concepción, Las E (Sev.) 148 D5
Navas de Oro E (Seg.) 80 C1
Navas de Riofrío E (Seg.) 81 A3
Navas de San Antonio E (Seg.) 80 D4
Navas de San Juan E (J.) 152 B3
Navas de Selpillar E (Cór.) 166 B4
Navas de Tolosa E (J.) 151 D3
Navas del Madroño E (Các.) 114 D2
Navas del Marqués, Las E (Áv.) 80 D5
Navas del Pinar E (Bur.) 62 C1
Navas del Rey E (Mad.) 100 D2
Navas, Las E (Cór.) 167 A4
Navascués/Nabaskoze E (Na.) 25 D5
Navasequilla E (Áv.) 99 A2
Navasequilla E (Cór.) 166 D4
Navasfrías E (Sa.) 96 D2
Navata E (Gi.) 52 A2
Navatalgordo E (Áv.) 99 D2
Navatejares E (Áv.) 98 D2
Navatejera E (Le.) 18 D5
Navatrasierra E (Các.) 117 B3
Navayuncosa E (Mad.) 101 A3
Navazuela, La E (Alb.) 138 B5
Nave P (Fa.) 159 C4
Nave P (Guar.) 96 C1
Nave de Haver P (Guar.) 96 D1
Nave do Barão P (Fa.) 174 B2
Nave Fria P (Por.) 113 D5
Nave Redonda P (Be.) 159 D3
Nave Redonda P (Guar.) 76 C3
Navelgas E (Ast.) 5 B4
Naveros de Pisuerga E (Pa.) 40 D1
Naveros, Los E (Cád.) 186 A3
Navès E (Ll.) 50 A4
Naves P (Guar.) 76 C5
Navezuelas E (Các.) 116 D3
Navia E (Ast.) 5 A3
Navia E (Po.) 33 D2
Navia de Suarna E (Lu.) 16 C2
Navianos de Alba E (Zam.) 58 B2
Navianos de la Vega E (Le.) 38 B3
Navianos de Valverde E (Zam.) 38 B5
Naviego E (Ast.) 17 B2
Navillas, Las E (To.) 118 C3
Navió P (V. C.) 54 A1
Nazar E (Na.) 24 A5
Nazaré P (Lei.) 111 A2
Nazaret E (Las P.) 192 C4
Nebra E (A Co.) 13 C4
Nebreda E (Bur.) 41 D5
Nechite E (Gr.) 182 D2
Neda E (A Co.) 2 D3
Negales E (Ast.) 6 D4
Negradas E (Lu.) 3 D1
Negrais P (Lis.) 126 C2
Negrales, Los E (Mad.) 81 B5
Negras, Las E (Alm.) 184 C3
Negreda P (Bra.) 56 C2
Negredo E (Gua.) 83 A2
Negreira E (A Co.) 14 A2
Negreiros E (Po.) 14 C4
Negrelos (São Mamede) P (Port.) 54 B4
Negrilla de Palencia E (Sa.) 78 D2
Negrillos E (Sa.) 78 A4
Negrões P (V. R.) 55 B1
Negros E (Po.) 34 A2
Negrote P (Co.) 93 C3
Negueira de Muñiz E (Lu.) 16 D1
Neguillas E (So.) 63 D4
Neila E (Bur.) 42 D5
Neila de San Miguel E (Áv.) 98 C2
Neiro E (Lu.) 16 C1
Neiva P (V. C.) 53 D2
Nelas P (Vis.) 75 A5
Nelas P (Vis.) 75 A4
Nembra E (Ast.) 18 D1
Nembro E (Ast.) 6 C2
Nemenzo E (A Co.) 14 B2
Nemeño E (A Co.) 1 D4
Nepas E (So.) 63 D4
Nerga E (Po.) 33 D2
Nerín E (Hues.) 47 C1
Nerja E (Mál.) 181 C4
Nerpio E (Alb.) 154 A4
Nerva E (Huel.) 163 A2
Nesperal P (C. B.) 94 C5
Nespereira E (Po.) 34 A2
Nespereira P (Br.) 54 B3
Nespereira P (Guar.) 75 C5
Nespereira P (Port.) 54 B5
Nespereira P (Vis.) 74 C2
Nespereira P (Vis.) 75 A4
Nespereira P (Vis.) 74 C4
Nesperido P (Vis.) 75 A4
Nestar E (Pa.) 21 A4
Nestares E (Can.) 21 A3
Nestares E (La R.) 43 C3
Nete E (Lu.) 3 C5
Nétoma E (A Co.) 2 A4
Netos P (Lei.) 93 D4
Neves, As E (A Co.) 3 A3
Neves, As E (A Co.) 3 C2
Neves, As E (Po.) 34 B3
Nevogilde P (Br.) 54 B2
Nevogilde P (Port.) 54 B5
Nidáguila E (Bur.) 21 C5
Niebla E (Huel.) 162 D4
Nieles E (Gr.) 182 C3
Niembro E (Ast.) 8 A4
Nietos Viejos, Los E (Mu.) 172 D2
Nietos, Los E (Alm.) 184 B3
Nietos, Los E (Mu.) 172 D2
Nieva E (Ast.) 6 B3
Nieva E (Our.) 34 C2
Nieva E (Seg.) 80 C2
Nieva de Cameros E (La R.) 43 B3
Nieves, Las E (Cád.) 177 C5
Nieves, Las E (S. Cruz T.) 193 C3
Nieves, Las E (To.) 119 B1
Nigoi E (Po.) 14 B4
Nigrán E (Po.) 33 D3
Nigueiroá E (Our.) 35 A4
Nigueiroá E (Our.) 35 B3
Nigüelas E (Gr.) 182 A2
Nigüella E (Zar.) 65 B3
Niharra E (Áv.) 79 D5
Níjar E (Alm.) 184 B2
Nine P (Br.) 54 A3
Ninho do Açor P (C. B.) 95 C4
Niño, El E (Mu.) 155 B4
Niñodaguia E (Our.) 35 C5
Niñodaguia E (Our.) 35 C2
Niñóns E (A Co.) 1 D4
Nisa P (Por.) 113 B3
Nistal E (Le.) 38 A2
Nívar E (Gr.) 168 A5
Niveiro E (A Co.) 14 A1
Noain (Elorz) E (Na.) 25 A4
Noal E (A Co.) 13 C4
Noalejo E (J.) 167 D3
Noales E (Hues.) 48 C1
Noalla E (Our.) 35 B2
Noalla E (Po.) 33 D1
Noblejas E (To.) 102 A5
Nobrijo P (Ave.) 74 A3
Noceco E (Bur.) 22 A2
Noceda E (Ast.) 6 A5
Noceda E (Le.) 17 C4
Noceda E (Lu.) 16 D4
Noceda E (Lu.) 16 B5
Noceda E (Lu.) 16 C4
Noceda E (Po.) 14 D4
Noceda de Rengos E (Ast.) 17 B2
Nocedo E (Bur.) 21 D5
Nocedo de Curueño E (Le.) 19 A3
Nocedo do Val E (Our.) 35 D4
Nocelo da Pena E (Our.) 35 C4
Nocina E (Can.) 10 B4
Nocito E (Hues.) 47 A2
Noche E (Lu.) 3 C5
Nódalo E (So.) 63 B2
Nodar E (Lu.) 15 B1
Nodeirinho P (Lei.) 94 B5
Noez E (To.) 119 A2
Nofuentes E (Bur.) 22 B4
Nogais, As E (Lu.) 16 C4
Nogal E (Áv.) 99 A2
Nogal de las Huertas E (Pa.) 40 B2
Nogales E (Bad.) 130 C5
Nogales de Pisuerga E (Pa.) 20 D5
Nogales, Los E (Mál.) 180 B3
Nogalte E (Alm.) 170 D3
Nogarejas E (Le.) 38 A3
Nograles E (So.) 62 D5
Nograro E (Ál.) 22 D4
Nogueira E (A Co.) 15 A2
Nogueira E (Po.) 14 A5
Nogueira E (Po.) 34 A3
Nogueira P (Bra.) 56 D1
Nogueira P (Co.) 94 D3
Nogueira P (Port.) 54 A5
Nogueira P (V. C.) 33 D4
Nogueira P (V. C.) 53 D1
Nogueira P (V. R.) 55 B5
Nogueira P (V. R.) 55 C1
Nogueira P (Vis.) 74 C4
Nogueira P (Vis.) 75 A3
Nogueira da Montanha P (V. R.) 55 D2
Nogueira
da Regedoura P (Ave.) 73 D1
Nogueira de Miño E (Lu.) 15 C5
Nogueira do Cravo P (Ave.) 74 A2
Nogueira do Cravo P (Co.) 95 A2
Nogueira, A E (Po.) 34 A2
Nogueiras P (Co.) 93 D1
Nogueirido E (A Co.) 3 B2
Nogueirido E (Po.) 13 D4
Nogueiro E (Our.) 35 A3
Nogueirón E (Ast.) 16 D1
Nogueiros P (Lei.) 94 A5
Noguera
de Albarracín E (Te.) 105 A1
Noguera, La E (Alb.) 138 C5
Nogueras E (Te.) 86 A1
Nogueras, Las E (Mu.) 154 B3
Nogueras, Las E (Val.) 124 A3

Noguericas	E	(Mu.)	154	C 4
Noguerón, El	E	(Alb.)	153	D 1
Noguerones	E	(J.)	167	A 2
Nogueruelas	E	(Te.)	106	D 3
Nohales	E	(Cu.)	104	B 4
Noharre	E	(Áv.)	80	A 2
Noheda	E	(Cu.)	104	A 4
Noia	E	(A Co.)	13	D 3
Noicela	E	(A Co.)	2	A 4
Nois	E	(Lu.)	4	B 2
Noitinhas Novas	P	(Por.)	112	B 5
Noja	E	(Can.)	10	A 4
Nolay	E	(So.)	63	D 4
Nombela	E	(To.)	100	C 4
Nombrevilla	E	(Zar.)	85	C 2
Nomparedes	E	(So.)	64	A 3
Nonaspe	E	(Zar.)	88	A 1
Nonduermas	E	(Mu.)	155	D 5
Nonihay	E	(Mu.)	171	B 1
Nora	E	(Ast.)	6	C 4
Nora	P	(Fa.)	175	B 2
Nora del Río, La	E	(Le.)	38	B 4
Nordeste	P	(Aç.)	109	D 4
Nordestinho	P	(Aç.)	109	D 4
Noreña	E	(Ast.)	6	D 4
Noria, La	E	(Alm.)	170	A 4
Noria, La	E	(Gr.)	182	D 3
Norias de Daza, Las	E	(Alm.)	183	B 4
Norias, Las	E	(Ali.)	156	B 4
Norias, Las	E	(Alm.)	170	D 4
Noriega	E	(Ast.)	8	C 4
Norte Grande	P	(Aç.)	109	C 3
Norte Pequeno	P	(Aç.)	109	C 3
Nosa	E	(Bar.)	50	C 5
Nossa Senhora da Boa Fé	P	(Év.)	128	B 5
Nossa Senhora da Graça de Divor	P	(Év.)	128	C 4
Nossa Senhora da Torega	P	(Év.)	128	C 5
Nossa Senhora das Neves	P	(Be.)	144	D 4
Nossa Senhora de Guadalupe	P	(Év.)	128	C 5
Nossa Senhora de Machede	P	(Év.)	129	A 5
Nossa Senhora Graça dos Degolados	P	(Por.)	130	A 1
Notáez	E	(Gr.)	182	C 3
Nou de Berguedà, la	E	(Bar.)	50	C 3
Nou de Gaià, la	E	(Ta.)	89	D 1
Noura	P	(V. R.)	55	D 4
Novais	P	(Vis.)	74	C 4
Noval	P	(V. R.)	55	C 1
Novales	E	(Can.)	9	A 4
Novales	E	(Hues.)	47	A 5
Novaliches	E	(Cas.)	106	D 5
Novallas	E	(Zar.)	44	D 5
Novefontes	E	(A Co.)	14	C 3
Novelda	E	(Ali.)	156	C 2
Novelda del Guadiana	E	(Bad.)	130	C 2
Novele/Novetlè	E	(Val.)	140	D 2
Novellana	E	(Ast.)	5	D 3
Novés	E	(To.)	100	D 4
Noves de Segre	E	(Ll.)	49	C 2
Novetlè → Novele	E	(Val.)	140	D 2
Noviales	E	(So.)	62	C 5
Noviercas	E	(So.)	64	B 2
Novillas	E	(Zar.)	45	B 5
Nozelos	P	(Bra.)	56	B 5
Nozelos	P	(V. R.)	55	D 2
Nubledo	E	(Ast.)	6	C 3
Nucia, la	E	(Ali.)	141	C 5
Nudos, Los	E	(Alm.)	184	A 1
Nueno	E	(Hues.)	46	D 3
Nuestra Señora de Linares	E	(Cór.)	150	A 5
Nuestra Señora Asunción	E	(Mu.)	155	D 4
Nuestra Señora de Jesús	E	(Bal.)	89	D 4
Nuestra Señora del Rosario	E	(Cór.)	165	C 1
Nuestra Señora del Rosario de Ugarte	E	(Gui.)	24	B 2
Nueva	E	(Ast.)	7	D 4
Nueva Andalucía	E	(Mál.)	187	D 2
Nueva Jarilla	E	(Cád.)	177	D 4
Nueva Sierra de Madrid	E	(Gua.)	103	A 3
Nueva Villa de las Torres	E	(Vall.)	59	C 5
Nueva, La	E	(Ast.)	6	D 5
Nueva-Carteya	E	(Cór.)	166	C 3
Nuévalos	E	(Zar.)	84	D 1
Nuevitas, Las	E	(S.Cruz T.)	194	C 1
Nuevo Baztán	E	(Mad.)	102	C 2
Nuevo Chinchón	E	(Mad.)	102	A 4
Nuevo Francos	E	(Sa.)	78	D 3
Nuevo Naharros	E	(Sa.)	78	D 3
Nuevo Poblado	E	(Sa.)	76	D 5
Nuevo Versalles	E	(Mad.)	101	C 3
Nuez	E	(Zam.)	57	B 1
Nuez de Abajo, La	E	(Bur.)	41	C 2
Nuez de Arriba, La	E	(Bur.)	41	C 1
Nuez de Ebro	E	(Zar.)	66	C 3
Nules	E	(Cas.)	125	C 1
Nullán	E	(Lu.)	16	B 4
Nulles	E	(Ta.)	69	D 5
Numancia de la Sagra	E	(To.)	101	C 4
Numão	P	(Guar.)	76	A 1
Numide	E	(A Co.)	14	B 1
Nunes	P	(Bra.)	56	C 1
Nuño Gómez	E	(To.)	100	B 4
Nuñomoral	E	(Các.)	97	C 2
Ñora, La	E	(Mu.)	155	D 5
Ñorica, La	E	(Mu.)	171	C 1

O

Obando	E	(Bad.)	132	D 1
Obanos	E	(Na.)	24	D 5
Obarenes	E	(Bur.)	22	C 5
Obécuri	E	(Bur.)	23	C 5
Obeilar	E	(Gr.)	167	C 5
Obejo	E	(Cór.)	149	D 4
Óbidos	P	(Lei.)	110	D 3
Óbidos	P	(San.)	111	D 1
Obiols	E	(Bar.)	50	C 4
Obón	E	(Te.)	86	C 3
Obona	E	(Ast.)	5	C 4
Obre	E	(A Co.)	13	C 3
Obregón	E	(Can.)	9	C 5
Oca	E	(A Co.)	14	A 2
Oca	E	(A Co.)	2	A 5
Oca	E	(Po.)	14	C 4
Ocaña	E	(Alm.)	183	C 1
Ocaña	E	(To.)	102	A 5
Oceja de Valdellorma	E	(Le.)	19	C 4
Ocejo de la Peña	E	(Le.)	19	C 4
Ocenilla	E	(So.)	63	C 2
Ocentejo	E	(Gua.)	83	D 4
Ocero	E	(Le.)	17	B 4
Ocilla y Ladrera	E	(Bur.)	23	B 4
Oco	E	(Áv.)	79	D 5
Oco	E	(Na.)	24	A 5
Ocón	E	(La R.)	44	A 3
Ochagavía/Otsagi	E	(Na.)	25	D 3
Ochando	E	(Sa.)	78	B 4
Ochando	E	(Seg.)	80	C 2
Ochandos, Los	E	(Val.)	123	D 3
Ochánduri	E	(La R.)	42	D 1
Ochavillo del Río	E	(Cór.)	165	B 1
Odeceixe	P	(Fa.)	159	B 3
Odeleite	P	(Fa.)	161	B 4
Odelouca	P	(Fa.)	173	D 2
Odemira	P	(Be.)	159	C 2
Odèn	E	(Ll.)	49	D 3
Ódena	E	(Bar.)	70	B 2
Odiáxere	P	(Fa.)	173	B 2
Odieta	E	(Na.)	25	A 3
Odina	E	(Hues.)	47	C 5
Odivelas	P	(Be.)	144	B 3
Odivelas	P	(Lis.)	126	C 3
Odollo	E	(Le.)	37	B 2
Odón	E	(Te.)	85	A 3
Odrinhas	P	(Lis.)	126	B 2
Oeiras	P	(Lis.)	126	C 3
Oeitosinho	P	(Vis.)	74	C 3
Oencia	E	(Le.)	36	C 1
Ofelhudo	P	(Co.)	94	A 3
Ofir	P	(Br.)	53	C 3
Ogarrio	E	(Can.)	10	A 5
Ogas	E	(A Co.)	13	C 1
Ogassa	E	(Gi.)	51	A 2
Ogern	E	(Ll.)	49	D 4
Ogíjares	E	(Gr.)	182	A 1
Ogueta	E	(Bur.)	23	B 5
Ohanes	E	(Alm.)	183	B 2
Oia	E	(Po.)	33	C 4
Oiã	P	(Ave.)	74	A 5
Oiardo	E	(Ál.)	23	A 3
Oiartzun	E	(Gui.)	12	C 5
Oieregi	E	(Na.)	25	A 2
Oikia	E	(Gui.)	12	A 5
Oímbra	E	(Our.)	35	D 5
Oíns	E	(A Co.)	14	D 2
Oion → Oyón	E	(Ál.)	43	D 1
Oirán	E	(Lu.)	4	B 3
Ois	E	(A Co.)	3	A 5
Óis da Ribeira	P	(Ave.)	74	A 5
Óis do Bairro	P	(Ave.)	94	A 1
Oitura	E	(Zar.)	65	D 2
Oitz	E	(Na.)	24	D 2
Oix	E	(Gi.)	51	C 2
Ojacastro	E	(La R.)	42	D 2
Ojailén-Brazatortas	E	(C. R.)	135	A 5
Ojebar	E	(Can.)	10	B 5
Ojeda	E	(Can.)	20	B 1
Ojén	E	(Mál.)	188	A 1
Ojós	E	(Mu.)	155	C 4
Ojos de Garza	E	(Las P.)	191	D 3
Ojos Negros	E	(Te.)	85	B 4
Ojos, Los	E	(Mu.)	155	C 5
Ojos-Albos	E	(Áv.)	80	B 5
Ojuel	E	(So.)	64	A 2
Ojuelo, El	E	(J.)	153	B 3
Ojuelo, El, lugar	E	(Alb.)	153	C 1
Ojuelos Altos	E	(Cór.)	149	A 3
Ojuelos Bajos	E	(Cór.)	148	D 3
Ojuelos, Los, lugar	E	(Sev.)	165	A 5
Okia	E	(Ál.)	23	C 4
Okondo	E	(Ál.)	22	D 2
Okondogeiena	E	(Ál.)	24	A 4
Ola	E	(Hues.)	47	A 4
Olabarrieta	E	(Gui.)	23	D 2
Olaberria	E	(Gui.)	24	A 2
Olagüe (Anue)	E	(Na.)	25	A 3
Olaia	P	(San.)	111	D 2
Oláibar	E	(Na.)	25	A 4
Olalhas	P	(San.)	112	B 2
Olalla	E	(Te.)	85	D 3
Olas	E	(A Co.)	14	C 1
Olas	P	(San.)	112	A 2
Olas	P	(Vis.)	76	A 1
Olás de Vilariño	E	(Our.)	35	A 3
Olaskoegia-Arrutiegia	E	(Gui.)	24	B 1
Olazagutia → Olazti	E	(Na.)	24	A 4
Olazti/Olazagutia	E	(Na.)	24	A 4
Olba	E	(Te.)	106	D 4
Oldrões	P	(Port.)	54	B 5
Olea de Boedo	E	(Pa.)	40	C 1
Oledo	P	(C. B.)	95	D 5
Oleiros	E	(A Co.)	2	C 4
Oleiros	E	(A Co.)	13	C 4
Oleiros	E	(Lu.)	35	C 1
Oleiros	E	(Lu.)	3	D 5
Oleiros	E	(Po.)	34	B 3
Oleiros	P	(Br.)	54	B 3
Oleiros	P	(Br.)	54	A 2
Oleiros	P	(Bra.)	56	D 1
Oleiros	P	(C. B.)	94	D 5
Oleiros	P	(V. C.)	54	B 1
Olejua	E	(Na.)	24	B 5
Olelas	E	(Our.)	34	C 5
Olèrdola	E	(Bar.)	70	B 4
Oles	E	(Ast.)	7	A 3
Olesa de Bonesvalls	E	(Bar.)	70	C 4
Olesa de Montserrat	E	(Bar.)	70	C 3
Olhalvo	P	(Lis.)	110	D 5
Olhão	P	(Fa.)	174	D 3
Olhas	P	(Be.)	144	A 4
Olho Marinho	P	(Ave.)	73	D 2
Olho Marinho	P	(Lei.)	110	C 4
Olhos de Água	P	(Set.)	127	A 4
Oliana	E	(Ll.)	49	C 4
Olías	E	(Mál.)	180	D 4
Olías del Rey	E	(To.)	101	B 5
Olías, lugar	E	(Gr.)	182	B 3
Oliete	E	(Te.)	86	C 2
Oliola	E	(Ll.)	49	C 5
Olite	E	(Na.)	45	A 1
Olius	E	(Ll.)	50	A 4
Oliva	E	(Val.)	141	C 3
Oliva de la Frontera	E	(Bad.)	146	B 2
Oliva de Mérida	E	(Bad.)	131	D 4
Oliva de Plasencia	E	(Các.)	97	D 4
Oliva, l'	E	(Ta.)	89	C 1
Oliva, La	E	(Las P.)	190	B 1
Olival	P	(Port.)	74	A 1
Olival	P	(San.)	111	D 1
Oliván	E	(Hues.)	47	A 1
Olivar, El	E	(Alm.)	170	B 4
Olivar, El	E	(Gr.)	169	C 2
Olivar, El	E	(Gua.)	83	B 5
Olivares	E	(Gr.)	167	D 5
Olivares	E	(Sev.)	163	C 4
Olivares de Duero	E	(Vall.)	60	D 3
Olivares de Júcar	E	(Cu.)	121	D 2
Oliveira	E	(Po.)	34	B 3
Oliveira	P	(Br.)	54	A 2
Oliveira	P	(Br.)	54	C 2
Oliveira	P	(Port.)	54	C 5
Oliveira	P	(V. R.)	55	A 5
Oliveira	P	(Vis.)	74	D 3
Oliveira	P	(Vis.)	75	B 4
Oliveira (São Mateus)	P	(Br.)	54	B 4
Oliveira de Azeméis	P	(Ave.)	74	A 3
Oliveira de Baixo	P	(Vis.)	74	D 4
Oliveira de Barreiros	P	(Vis.)	75	A 5
Oliveira de Cima	P	(Vis.)	74	D 4
Oliveira de Fazemão	P	(Co.)	94	D 2
Oliveira de Frades	P	(Vis.)	74	C 4
Oliveira do Arda	P	(Ave.)	74	B 1
Oliveira do Bairro	P	(Ave.)	74	A 5
Oliveira do Conde	P	(Vis.)	94	D 1
Oliveira do Douro	P	(Port.)	74	A 1
Oliveira do Douro	P	(Vis.)	74	D 1
Oliveira do Hospital	P	(Co.)	95	A 1
Oliveira do Mondego	P	(Co.)	94	B 2
Oliveirinha	P	(Ave.)	73	D 4
Olivella	E	(Bar.)	70	C 4
Olivenza	E	(Bad.)	130	A 4
Olives	E	(Po.)	14	C 4
Olives, les	E	(Gi.)	52	A 3
Olives, les	E	(Gi.)	52	B 3
Olivillas, Las, lugar	E	(Alm.)	183	B 1
Olivos, Los, lugar	E	(Sev.)	164	D 4
Olivos-La Postura, Los	E	(S.Cruz T.)	195	C 4
Olmeda de Cobeta	E	(Gua.)	84	A 4
Olmeda de Jadraque, La	E	(Gua.)	83	B 2
Olmeda de la Cuesta	E	(Cu.)	103	D 3
Olmeda de las Fuentes	E	(Mad.)	102	C 2
Olmeda del Extremo	E	(Gua.)	83	B 4
Olmeda del Rey	E	(Cu.)	122	B 1
Olmeda, La	E	(Cu.)	105	D 5
Olmedilla de Alarcón	E	(Cu.)	122	B 3
Olmedilla de Arcas, lugar	E	(Cu.)	104	B 5
Olmedilla de Éliz	E	(Cu.)	103	D 3
Olmedilla del Campo	E	(Cu.)	103	B 4
Olmedillas	E	(Gua.)	83	C 1
Olmedillo de Roa	E	(Bur.)	61	B 2
Olmedo	E	(Vall.)	60	A 5
Olmedo de Camaces	E	(Sa.)	77	A 3
Olmillos	E	(So.)	62	C 4
Olmillos de Castro	E	(Zam.)	58	A 2
Olmillos de Muñó	E	(Bur.)	41	B 4
Olmillos de Sasamón	E	(Bur.)	41	B 2
Olmillos de Valverde	E	(Zam.)	58	C 1
Olmillos, Los	E	(Pa.)	40	C 5
Olmo de la Guareña	E	(Zam.)	79	A 1
Olmo, El	E	(Seg.)	61	D 5
Olmos	P	(Bra.)	56	C 3
Olmos de Atapuerca	E	(Bur.)	42	A 2
Olmos de Esgueva	E	(Vall.)	60	C 2
Olmos de la Picaza	E	(Bur.)	41	B 1
Olmos de Ojeda	E	(Pa.)	20	C 5
Olmos de Peñafiel	E	(Vall.)	61	B 3
Olmos de Pisuerga	E	(Pa.)	40	D 1
Olmos, Los	E	(Alb.)	154	D 2
Olmos, Los	E	(Gr.)	169	B 5
Olmos, Los	E	(Te.)	86	D 3
Olmos, Los	E	(Te.)	106	B 4
Olmosalbos	E	(Bur.)	41	D 3
Olo	P	(Port.)	54	D 4
Olocau	E	(Val.)	124	D 2
Olocau del Rey	E	(Cas.)	87	A 5
Olombrada	E	(Seg.)	61	A 4
Olopte	E	(Gi.)	50	B 1
Olóriz	E	(Na.)	25	A 5
Olost	E	(Bar.)	50	D 4
Olot	E	(Gi.)	51	C 3
Olsón	E	(Hues.)	47	D 3
Oluges, les	E	(Ll.)	69	D 2
Olula de Castro	E	(Alm.)	183	D 1
Olula del Río	E	(Alm.)	170	A 4
Olvan	E	(Bar.)	50	C 4
Ólvega	E	(So.)	64	C 2
Olveira	E	(A Co.)	13	B 5
Olveira	E	(A Co.)	13	C 2
Olveiroa	E	(A Co.)	13	C 2
Olvena	E	(Hues.)	48	A 4
Olvera	E	(Cád.)	179	A 2
Olvés	E	(Zar.)	85	A 1
Olza	E	(Na.)	24	D 4
Olla, l' → Olla, La	E	(Ali.)	141	D 5
Olla, La/Olla, l'	E	(Ali.)	141	D 5
Ollauri	E	(La R.)	43	A 1
Olleria, l'	E	(Val.)	140	D 3
Olleros de Alba	E	(Le.)	18	C 4
Olleros de Pisuerga	E	(Pa.)	20	D 5
Olleros de Sabero	E	(Le.)	19	C 4
Olleros de Tera	E	(Zam.)	38	A 5
Olleta	E	(Na.)	45	A 1
Ollo	E	(Na.)	24	C 4
Olloniego	E	(Ast.)	6	C 5
Omañas, Las	E	(Le.)	18	B 5
Omañón	E	(Le.)	18	A 4
Ombre	E	(A Co.)	3	A 3
Ombreiro	E	(Lu.)	15	D 2
Omedines	E	(Ast.)	6	D 5
Omellons, els	E	(Ll.)	69	A 3
Omells de na Gaia, els	E	(Ll.)	69	B 3
Omeñaca	E	(So.)	64	A 2
Omet	E	(Val.)	125	A 4
Omoño	E	(Can.)	9	D 4
Onamio y Poblado	E	(Le.)	37	B 1
Oncala	E	(So.)	44	A 5
Oncebreros	E	(Alb.)	139	B 2
Onda	E	(Cas.)	107	B 5
Ondara	E	(Ali.)	141	D 3
Ondarroa	E	(Viz.)	11	D 5
Ongayo	E	(Can.)	9	B 4
Onguera	E	(Can.)	8	C 4
Onil	E	(Ali.)	140	D 5
Onítar	E	(Gr.)	168	A 4
Onsares	E	(J.)	153	C 1
Ontalbilla de Almazán	E	(So.)	63	C 5
Ontalvilla de Valcorba	E	(So.)	63	D 2
Ontaneda	E	(Can.)	21	B 1
Ontígola	E	(To.)	102	A
Ontinar del Salz	E	(Zar.)	46	B
Ontinyent	E	(Val.)	140	D
Ontiñena	E	(Hues.)	67	D
Ontón	E	(Can.)	10	C
Ontoria	E	(Can.)	9	A
Ontur	E	(Alb.)	139	B
Onzonilla	E	(Le.)	38	D
Oña	E	(Bur.)	22	B
Oñati	E	(Gui.)	23	D
Opayar	E	(Mál.)	179	A
Opio	E	(Bur.)	22	C
Oqueales, Los	E	(Gr.)	168	C
Oquillas	E	(Bur.)	61	D
Orada	P	(Be.)	145	B
Orada	P	(Év.)	129	C
Orallo	E	(Le.)	17	C
Orán, lugar	E	(Alb.)	138	D
Orazo	E	(Po.)	14	C
Orba	E	(Ali.)	141	D
Orbacém	P	(V. C.)	33	D
Orbada, La	E	(Sa.)	78	D
Orbaitzeta	E	(Na.)	25	C
Orbán	E	(Our.)	35	B
Orbaneja del Castillo	E	(Bur.)	21	C
Orbaneja Riopico	E	(Bur.)	42	A
Orbañanos	E	(Bur.)	22	C
Orbara	E	(Na.)	25	C
Orbenlle	E	(Po.)	34	A
Orbita	E	(Áv.)	80	B
Orbó	E	(Pa.)	20	D
Orca	P	(C. B.)	95	D
Orcajo	E	(Zar.)	85	B
Orcau	E	(Ll.)	49	A
Orce	E	(Gr.)	169	D
Orcera	E	(J.)	153	B
Orcoyen	E	(Na.)	24	D
Ordal	E	(Bar.)	70	C
Ordasqueira	P	(Lis.)	110	C
Ordejón de Abajo o Santa María	E	(Bur.)	21	B
Ordejón de Arriba o San Juan	E	(Bur.)	21	B
Ordelles	E	(Our.)	35	C
Ordem	P	(Co.)	94	A
Ordem	P	(Port.)	55	A
Ordem	P	(Port.)	54	B
Ordes	E	(A Co.)	15	A
Ordes	E	(A Co.)	14	C
Ordes	E	(Our.)	35	B
Ordial, El	E	(Gua.)	82	D
Ordina	E	(Gi.)	51	A
Ordino	A		30	A
Ordis	E	(Gi.)	52	A
Ordizia	E	(Gui.)	24	A
Ordoeste	E	(A Co.)	13	D
Ordoves	E	(Hues.)	47	A
Orduña → Urduña	E	(Viz.)	22	B
Orea	E	(Gua.)	104	D
Oreja → Orexa	E	(Gui.)	24	B
Oreja, lugar	E	(To.)	102	A
Orejanilla	E	(Seg.)	81	C
Orejudos	E	(Sa.)	78	C
Orellán	E	(A Co.)	13	C
Orellán	E	(Le.)	37	A
Orellana de la Sierra	E	(Bad.)	132	D
Orellana la Vieja	E	(Bad.)	132	D
Orendain	E	(Gui.)	24	B
Orense → Ourense	E	(Our.)	35	B
Oreña	E	(Can.)	9	A

Orera E (Zar.) 65 B 5
Orés E (Zar.) 46 A 3
Orexa/Oreja E (Gui.) 24 B 2
Orgal P (Guar.) 76 B 2
Organyà E (Ll.) 49 C 3
Orgaz E (To.) 119 C 2
Orgens P (Vis.) 75 A 4
Órgiva E (Gr.) 182 B 3
Oria E (Alm.) 170 A 3
Oria E (Gui.) 24 B 1
Oricáin/Orikain E (Na.) 25 A 4
Orient E (Bal.) 91 D 2
Orihuela E (Ali.) 156 B 4
Orihuela del Tremedal E (Te.) 105 A 1
Orihuelo E (Mu.) 154 B 3
Orikain → Oricáin E (Na.) 25 A 4
Orilla y Piñero E (Mu.) 171 B 3
Orillares E (So.) 62 C 2
Orille E (Our.) 35 A 4
Orillena E (Hues.) 67 A 1
Orio E (Gui.) 12 B 5
Oriola E (Ta.) 88 C 5
Oriola P (Év.) 144 D 2
Orís E (Bar.) 51 A 4
Orísoain E (Na.) 45 A 1
Oristà E (Bar.) 50 D 5
Orito E (Ali.) 156 D 2
Oriz (Santa Marinha) P (Br.) 54 B 1
Oriz (São Miguel) P (Br.) 54 B 1
Orjais P (C. B.) 95 D 2
Orjais P (V. R.) 56 A 1
Ormaiztegi E (Gui.) 24 A 2
Ormaola/Mendi E (Gui.) 23 D 1
Ormeche P (V. R.) 55 A 1
Oro, El E (Val.) 124 B 5
Oromiño E (Viz.) 23 B 1
Orón E (Bur.) 22 D 5
Oronhe P (Ave.) 74 A 5
Oronoz E (Na.) 25 A 2
Orontze → Oronz E (Na.) 25 D 4
Oronz/Orontze E (Na.) 25 D 4
Oropesa E (To.) 99 B 5
Oropesa del Mar/ Orpesa E (Cas.) 108 A 4
Orosa E (A Co.) 3 A 5
Orosa E (Lu.) 15 B 3
Oroso E (Our.) 34 C 1
Orotava E (S. Cruz T.) 193 C 2
Orotava, La E (S. Cruz T.) 196 A 2
Oroz-Betelu E (Na.) 25 C 3
Orozko E (Viz.) 23 A 2
Orpesa → Oropesa del Mar E (Cas.) 108 A 4
Orpí E (Bar.) 70 A 3
Orraca E (Our.) 35 B 3
Orreaga/Roncesvalles E (Na.) 25 C 3
Orriols E (Gi.) 52 A 3
Orrios E (Te.) 86 A 5
Orrius E (Bar.) 71 B 2
Orro E (A Co.) 2 C 4
Ortells E (Cas.) 87 B 5
Ortiga P (San.) 112 C 3
Ortigal, El E (S. Cruz T.) 196 B 2
Ortigosa P (Lei.) 93 B 5
Ortigosa de Cameros E (La R.) 43 B 4
Ortigosa de Pestaño E (Seg.) 80 C 2
Ortigosa de Tormes E (Áv.) 99 A 2
Ortigosa del Monte E (Seg.) 81 A 4
Ortigueira E (A Co.) 3 B 1
Ortigueira P (Guar.) 75 B 5
Ortiguera E (Ast.) 5 A 3
Ortiguero E (Ast.) 7 D 5
Ortilla E (Hues.) 46 C 4
Ortoño E (A Co.) 14 A 3
Ortuella E (Viz.) 10 D 5
Oruña E (Can.) 9 B 4
Orusco de Tajuña E (Mad.) 102 C 3
Orvalho P (C. B.) 95 A 4
Orvalhos P (Év.) 129 C 5
Orxa, l' → Lorcha E (Ali.) 141 B 3
Orxeta E (Ali.) 141 B 5
Orzola E (Las P.) 192 D 2
Orzónaga E (Le.) 18 D 4
Os de Balaguer E (Ll.) 68 D 1
Os de Civís E (Ll.) 49 D 1
Osa de la Vega E (Cu.) 121 B 2
Osán E (Hues.) 47 A 1
Oscos E (Ast.) 4 D 5
Oseira E (Our.) 15 A 5
Oseiro E (A Co.) 2 B 4
Oseja E (Zar.) 64 D 3
Oseja de Sajambre E (Le.) 19 D 2
Osera de Ebro E (Zar.) 66 D 3
Osia E (Hues.) 46 C 2
Osintxu E (Gui.) 23 D 2
Osma E (So.) 62 D 3
Osma E (Viz.) 23 C 1
Oso, El E (Áv.) 80 A 4
Osona E (So.) 63 B 3
Osonilla E (So.) 63 B 3
Osoño E (Our.) 36 A 5
Osor E (Gi.) 51 C 5
Osornillo E (Pa.) 40 D 2
Osorno la Mayor E (Pa.) 40 D 2
Ossa de Montiel E (Alb.) 137 B 3
Osseira P (Lei.) 111 A 3
Ossela P (Ave.) 74 A 3
Ossera E (Ll.) 49 D 3
Osso de Cinca E (Hues.) 67 D 2
Ossó de Sió E (Ll.) 69 C 1
Osuna E (Sev.) 165 B 5
Osunillas-Peña Blanquilla E (Mál.) 188 C 1
Ota P (Lis.) 111 A 5
Otañes E (Can.) 10 C 5
Oteiza E (Na.) 24 C 5
Oteo E (Bur.) 22 B 3
Oter E (Gua.) 83 D 4
Otero E (Ast.) 6 D 4
Otero E (Le.) 17 A 5
Otero E (To.) 100 B 5
Otero de Bodas E (Zam.) 37 D 5
Otero de Curueño E (Le.) 19 A 4
Otero de Escarpizo E (Le.) 38 A 1
Otero de Guardo E (Pa.) 20 A 3
Otero de Herreros E (Seg.) 81 A 4
Otero de las Dueñas E (Le.) 18 C 4
Otero de Naraguantes E (Le.) 17 B 4
Otero de Sanabria E (Zam.) 37 B 4
Otero de Sariegos E (Zam.) 58 D 1
Otero de Valdetuéjar, El E (Le.) 19 D 4
Oteros de Boedo E (Pa.) 20 C 5
Oteruelo de la Valdoncina E (Le.) 38 D 1
Oteruelo de la Vega E (Le.) 38 B 2
Otilla E (Gua.) 84 D 4
Otiñar o Santa Cristina E (J.) 167 D 2
Otívar E (Gr.) 181 D 3
Oto E (Hues.) 27 B 5
Oto Goien E (Ál.) 23 A 3
Otones de Benjumea E (Seg.) 81 B 1
Otos E (Mu.) 154 C 3
Otos E (Val.) 141 A 3
Otsagi → Ochagavía E (Na.) 25 D 3
Otur E (Ast.) 5 B 3
Otura E (Gr.) 181 D 1
Otxandio E (Viz.) 23 B 2
Otxaran E (Viz.) 22 C 1
Oubiña E (Po.) 13 D 5
Ouca P (Ave.) 73 D 5
Oucavelos P (Ave.) 74 A 4
Oucidres P (V. R.) 56 A 1
Ouguela P (Por.) 130 B 1
Oulego E (Our.) 36 D 1
Oura P (Fa.) 174 A 3
Oura P (V. R.) 55 C 2
Oural E (Lu.) 16 A 4
Ourém P (San.) 111 D 1
Ourense/Orense E (Our.) 35 B 2
Ourentã P (Co.) 93 D 1
Ourilhe P (Br.) 54 D 4
Ourique P (Be.) 160 B 1
Ourol E (Lu.) 3 D 2
Ourondo P (C. B.) 95 B 3
Ourozinho P (Vis.) 75 D 2
Ousá E (Lu.) 15 C 1
Ousende E (Lu.) 15 D 5
Ousilhão P (Bra.) 56 C 1
Outeiro E (A Co.) 14 B 3
Outeiro E (A Co.) 2 D 2
Outeiro E (Lu.) 36 B 1
Outeiro E (Our.) 35 B 4
Outeiro E (Po.) 33 D 3
Outeiro E (Po.) 14 C 4
Outeiro P (Ave.) 74 A 3
Outeiro P (Br.) 54 D 3
Outeiro P (Br.) 53 D 2
Outeiro P (Bra.) 57 A 2
Outeiro P (Co.) 93 C 3
Outeiro P (Év.) 145 C 1
Outeiro P (Lei.) 111 C 1
Outeiro P (Lei.) 93 C 4
Outeiro P (Lis.) 111 B 5
Outeiro P (V. C.) 53 D 1
Outeiro P (V. R.) 55 A 1
Outeiro P (Vis.) 74 D 3
Outeiro Cimeiro P (Por.) 112 D 3
Outeiro da Cabeça P (Lis.) 110 D 5
Outeiro da Cortiçada P (San.) 111 B 4
Outeiro das Matas P (San.) 111 D 2
Outeiro de Espinho P (Vis.) 75 A 5
Outeiro de Rei E (Lu.) 15 D 1
Outeiro dos Gatos P (Guar.) 76 A 2
Outeiro Fundeiro P (Por.) 112 D 3
Outeiro Grande P (San.) 111 D 2
Outeiro Seco P (V. R.) 55 D 1
Outes E (A Co.) 13 C 3
Outil P (Co.) 93 D 2
Outiz P (Br.) 54 A 3
Outorela P (Lis.) 126 C 3
Ouviaño E (Lu.) 16 D 1
Ouzande E (Po.) 14 B 4
Ouzenda P (Lei.) 94 C 4
Ovadas P (Vis.) 74 D 1
Ovar P (Ave.) 73 D 2
Ove E (Lu.) 4 C 3
Oveiro P (Vis.) 94 C 2
Oveix E (Ll.) 49 A 2
Ovejuela E (Các.) 97 B 2
Ovelhas P (San.) 127 D 1
Ovelheiras P (San.) 112 A 1
Overuela, La E (Vall.) 60 A 2
Oviedo E (Ast.) 6 C 4
Oville E (Le.) 19 B 3
Oviñana E (Ast.) 5 D 3
Óvoa P (Vis.) 94 C 1
Oyanco E (Ast.) 18 C 1
Oyón/Oion E (Ál.) 43 D 1
Oza E (A Co.) 2 A 4
Oza E (A Co.) 14 B 3
Oza dos Ríos E (A Co.) 2 D 5
Ozaeta/Ozeta E (Ál.) 23 C 3
Ozendo P (Guar.) 96 B 2
Ozeta → Ozaeta E (Ál.) 23 C 3
Ozón E (A Co.) 13 B 1

P

Paca, La E (Mu.) 170 D 1
Pacil P (Fa.) 159 B 4
Pacio E (Lu.) 15 B 2
Pacios E (Lu.) 16 A 3
Pacios E (Lu.) 15 D 4
Pacios E (Lu.) 16 A 4
Pacios E (Lu.) 3 C 5
Pacios E (Lu.) 4 A 5
Pacios E (Lu.) 16 C 1
Pacios da Veiga E (Lu.) 16 A 5
Pacios de Mondelo E (Lu.) 36 B 1
Paço P (Ave.) 74 B 4
Paço P (Bra.) 56 C 1
Paço P (Lei.) 93 B 4
Paço P (Lei.) 93 C 4
Paço P (Lis.) 126 D 1
Paço P (San.) 111 D 2
Paço P (V. C.) 34 B 5
Paço P (V. C.) 53 C 1
Paço de Arcos P (Lis.) 126 C 3
Paço de Sousa P (Port.) 54 B 5
Paço dos Negros P (San.) 111 D 5
Paço Vedro de Magalhães P (V. C.) 54 B 1
Paços P (V. C.) 34 A 4
Paços P (V. C.) 34 C 3
Paços da Serra P (Guar.) 95 B 1
Paços de Brandão P (Ave.) 74 A 2
Paços de Ferreira P (Port.) 54 B 4
Paços de Gaiolo P (Port.) 74 D 1
Paços de Vilharigues P (Vis.) 74 C 4
Pacs del Penedès E (Bar.) 70 B 4
Paderne E (A Co.) 2 D 4
Paderne P (Fa.) 174 B 2
Paderne P (V. C.) 34 C 4
Paderne de Allariz E (Our.) 35 B 2
Padierno E (Sa.) 78 A 3
Padiernos E (Áv.) 79 D 5
Padilla de Abajo E (Bur.) 41 A 2
Padilla de Arriba E (Bur.) 41 A 2
Padilla de Duero E (Vall.) 61 A 3
Padilla de Hita E (Gua.) 82 D 3
Padilla del Ducado E (Gua.) 83 D 3
Padim da Graça P (Br.) 54 A 2
Padornelo E (Lu.) 16 C 4
Padornelo E (Zam.) 36 D 4
Padornelo P (V. C.) 34 A 5
Padornelos P (V. R.) 35 B 5
Padrão P (C. B.) 113 A 2
Padreiro E (A Co.) 13 D 1
Padreiro (Santa Cristina) P (V. C.) 34 B 5
Padrela e Tazém P (V. R.) 55 D 3
Padrenda E (Our.) 34 D 3
Padrenda E (Po.) 13 D 5
Padriñán E (Po.) 33 D 1
Padrões P (V. R.) 55 A 2
Padrón E (A Co.) 14 A 4
Padrón, El E (Mál.) 187 C 2
Padrón, O E (Lu.) 16 C 1
Padronelo P (Port.) 54 D 5
Padrones de Bureba E (Bur.) 22 A 5
Padróns E (Po.) 34 A 2
Padroso E (Our.) 35 C 4
Padroso P (V. C.) 34 B 5
Padroso P (V. R.) 35 B 5
Padul E (Gr.) 181 D 2
Padules E (Alm.) 183 B 2
Pafarrão P (San.) 111 D 2
Pagán, Lo E (Mu.) 172 D 1
Pago Aguilar E (Alm.) 184 A 1
Pago de Escuchagranos E (Alm.) 183 B 1
Pago del Humo, lugar E (Cád.) 185 D 2
Pago y Benisalte E (Gr.) 182 B 3
Paiã P (Lei.) 111 C 3
Paiã P (Lis.) 126 C 3
Paiágua P (C. B.) 95 B 4
Paialvo P (San.) 112 A 2
Paião P (Co.) 93 C 3
Painceiros E (Po.) 14 B 5
Painho P (C. B.) 94 C 5
Paínho P (Lis.) 111 A 4
Painzela P (Br.) 54 D 3
Paio Mendes P (San.) 112 B 1
Paiol P (Lis.) 110 D 5
Paiol P (Set.) 143 B 4
Paiosaco E (A Co.) 2 B 4
Paipenela P (Guar.) 76 A 3
Paiporta E (Val.) 125 A 4
Paixón E (Our.) 34 D 2
Pajanosas, Las E (Sev.) 163 D 2
Pajar, El E (Las P.) 191 B 4
Pájara E (Las P.) 189 D 3
Pájara E (S. Cruz T.) 196 B 3
Pajarejos E (Áv.) 99 B 1
Pajarejos E (Seg.) 61 D 5
Pajares E (Bur.) 22 C 4
Pajares E (Cu.) 104 A 3
Pajares E (Gua.) 83 A 4
Pajares de Adaja E (Áv.) 80 B 3
Pajares de Fresno E (Seg.) 62 A 5
Pajares de la Laguna E (Sa.) 78 D 2
Pajares de la Lampreana E (Zam.) 58 C 2
Pajares de los Oteros E (Le.) 39 A 2
Pajares de Pedraza E (Seg.) 81 C 1
Pajares, Los E (Sev.) 164 B 2
Pajarón E (Cu.) 104 D 5
Pajaroncillo E (Cu.) 104 D 5
Pala P (Guar.) 76 B 4
Pala P (Vis.) 94 B 1
Palà de Torroella, El E (Bar.) 50 B 5
Palacés, El E (Alm.) 170 C 4
Palacinos E (Sa.) 78 B 1
Palacio E (Ast.) 7 A 4
Palacio E (Áv.) 99 D 1
Palacio de San Pedro E (So.) 44 A 5
Palacio de Torío E (Le.) 19 A 5
Palacio de Valdellorma E (Le.) 19 B 4
Palacio Quemado E (Bad.) 131 B 4
Palaciós E (Ast.) 18 C 1
Palácios P (Bra.) 57 A 1
Palacios de Becedas E (Áv.) 98 C 2
Palacios de Benaver E (Bur.) 41 C 2
Palacios de Campos E (Vall.) 59 D 1
Palacios de Corneja E (Áv.) 99 A 1
Palacios de Fontecha E (Le.) 38 D 2
Palacios de Goda E (Áv.) 80 A 2
Palacios de Jamuz E (Le.) 38 A 3
Palacios de la Sierra E (Bur.) 42 C 5
Palacios de la Valduerna E (Le.) 38 B 2
Palacios de Riopisuerga E (Bur.) 40 D 3
Palacios de Salvatierra E (Sa.) 78 C 5
Palacios de Sanabria E (Zam.) 37 B 4
Palacios del Alcor E (Pa.) 40 D 4
Palacios del Arzobispo E (Sa.) 78 B 1
Palacios del Pan E (Zam.) 58 B 3
Palacios del Sil E (Le.) 17 C 3
Palacios Rubios E (Áv.) 80 A 2
Palacios y Villafranca, Los E (Sev.) 178 A 1
Palacios, Los E (Ali.) 156 C 4
Palaciosmil E (Le.) 18 A 5
Palaciosrubios E (Sa.) 79 B 2
Palaçoulo P (Bra.) 57 B 4
Paladín E (Le.) 18 B 4
Palafolls E (Bar.) 72 A 1
Palafrugell E (Gi.) 52 C 4
Palamós E (Gi.) 52 C 5
Palancar E (Gr.) 167 A 5
Palancar, El E (Mad.) 101 B 2
Palancares E (Gua.) 82 C 2
Palanques E (Cas.) 87 B 4
Palanquinos E (Le.) 39 A 2
Palão P (Lei.) 93 C 5
Palas de Rei E (Lu.) 15 B 3
Palas, Las E (Mu.) 172 A 2
Palau d'Anglesola, el E (Ll.) 69 A 2
Palau de Noguera E (Ll.) 49 A 4
Palau-Solità i Plegamans E (Bar.) 71 A 2
Palau de Santa Eulàlia E (Gi.) 52 B 3
Palau-sacosta E (Gi.) 52 A 4
Palau-sator E (Gi.) 52 C 4
Palau-saverdera E (Gi.) 52 C 2
Palau-surroca E (Gi.) 52 A 2
Palavea E (A Co.) 2 C 4
Palazuelo E (Bad.) 132 B 1
Palazuelo de Boñar E (Le.) 19 B 4
Palazuelo de Eslonza E (Le.) 39 A 1
Palazuelo de las Cuevas E (Zam.) 57 D 1
Palazuelo de Órbigo E (Le.) 38 B 1
Palazuelo de Sayago E (Zam.) 57 C 4
Palazuelo de Torío E (Le.) 18 D 5
Palazuelo de Vedija E (Vall.) 39 C 5
Palazuelo-Empalme E (Các.) 97 D 5
Palazuelos de Cuesta Urría E (Bur.) 22 B 4
Palazuelos de Eresma E (Seg.) 81 A 3
Palazuelos de la Sierra E (Bur.) 42 A 4
Palazuelos de Muñó E (Bur.) 41 B 4
Palazuelos de Villadiego E (Bur.) 41 B 1
Paldieiros P (Co.) 94 D 2
Paleão P (Co.) 93 D 4
Palencia E (Pa.) 40 C 5
Palencia de Negrilla E (Sa.) 78 D 2
Palenciana E (Cór.) 166 B 5
Palenzuela E (Pa.) 41 A 4
Paleo E (A Co.) 2 C 5
Palhaça P (Ave.) 73 D 5
Palhais P (C. B.) 112 B 1
Palhais P (Guar.) 75 D 3
Palhais P (Lis.) 110 D 5
Palhais P (Set.) 126 D 4
Palheirinhos P (Fa.) 175 A 2
Palheiros P (Lei.) 94 A 5
Palheiros P (V. R.) 55 D 4
Palheiros de Baixo P (Vis.) 94 B 1
Palhota P (C. B.) 113 A 2
Palhota P (Set.) 127 A 4
Palma de Gandía E (Val.) 141 C 3
Palma de Mallorca E (Bal.) 91 C 4
Palma d'Ebre, la E (Ta.) 68 D 5
Palma del Condado, La E (Huel.) 163 A 4
Palma del Río E (Cór.) 165 A 2
Palma Nova E (Bal.) 91 B 4
Palma, La E (Gr.) 180 D 1
Palma, La E (Mu.) 172 B 2
Pálmaces de Jadraque E (Gua.) 83 A 2
Palmanyola E (Bal.) 91 C 3
Palmar de la Victoria E (Cád.) 177 C 5
Palmar de Troya, El E (Sev.) 178 B 1
Palmar, El E (Cád.) 186 A 3
Palmar, El E (Las P.) 191 C 2
Palmar, El E (S. Cruz T.) 195 B 3
Palmar, El E (S. Cruz T.) 193 B 1
Palmar, El E (Val.) 125 B 5
Palmar, El o Lugar de Don Juan E (Mu.) 156 A 5
Palmas E (Po.) 34 A 2
Palmás E (Po.) 14 D 4
Palmas de Gran Canaria, Las E (Las P.) 191 D 2
Palmaz P (Ave.) 74 A 3
Palme P (Br.) 53 D 2
Palmeira E (A Co.) 13 C 5
Palmeira P (Br.) 54 B 2
Palmeira P (Fa.) 161 B 3
Palmeira P (Port.) 54 A 4
Palmeira de Faro P (Br.) 53 D 2
Palmeiros P (Fa.) 174 C 2
Palmela P (Set.) 127 A 4
Palmela Gare P (Set.) 127 A 4
Palmer, El E (Alm.) 183 D 3
Palmer, Es E (Bal.) 92 B 5
Palmera E (Val.) 141 C 2
Palmeral E (Ali.) 156 B 4
Palmeres, les E (Bal.) 91 D 4
Palmés E (Our.) 35 A 2
Palmital, El E (Las P.) 191 C 2
Palm-Mar E (S. Cruz T.) 195 C 5
Palmones E (Cád.) 187 A 4

Palmou E (Po.) 14 D 4
Palo E (Hues.) 48 A 2
Palo Blanco-Llanadas E (S.Cruz T.) 195 D 2
Palol de Revardit E (Gi.) 52 A 4
Palol d'Onyar E (Gi.) 52 A 4
Palomar E (Cór.) 166 A 4
Palomar E (Val.) 141 A 3
Palomar de Arroyos E (Te.) 86 C 4
Palomar, El E (Cád.) 177 C 5
Palomar, El E (Sev.) 164 C 4
Palomar, El, lugar E (J.) 152 D 5
Palomares E (Alm.) 171 A 5
Palomares E (Sa.) 98 C 2
Palomares de Alba E (Sa.) 78 D 3
Palomares del Campo E (Cu.) 103 C 5
Palomares del Río E (Sev.) 163 D 4
Palomas E (Bad.) 131 C 4
Palomeque E (To.) 101 B 4
Palomera E (Cu.) 104 B 4
Palomeras, Las, lugar E (J.) 151 C 5
Palomero E (Các.) 97 C 3
Palos de la Frontera E (Huel.) 176 B 2
Palouet E (Ll.) 69 D 1
Pals E (Gi.) 52 C 4
Palvarinho P (C. B.) 95 C 5
Pallarés E (Bad.) 147 C 4
Pallaresos, els E (Ta.) 89 D 1
Pallargues, les E (Ll.) 69 C 1
Pallaruelo de Monegros E (Hues.) 67 B 2
Pallejà E (Bar.) 70 D 4
Pallerols E (Ll.) 49 C 4
Pallide E (Le.) 19 C 3
Pampaneira E (Gr.) 182 B 3
Pampanico E (Alm.) 183 B 4
Pampilhosa P (Ave.) 94 A 1
Pampilhosa da Serra P (Co.) 94 D 4
Pampliega E (Bur.) 41 B 4
Pamplona/Iruña E (Na.) 25 A 4
Panadella, La E (Bar.) 69 D 2
Panaverde E (Our.) 35 C 4
Pancar E (Ast.) 8 A 4
Panças P (San.) 127 A 3
Pancenteo E (Po.) 33 C 5
Pancorbo E (Bur.) 22 D 5
Pancrudo E (Te.) 86 A 4
Panches E (A Co.) 13 B 3
Panchorra P (Vis.) 74 D 2
Pandillo E (Can.) 21 D 2
Pando E (Can.) 9 C 5
Pando E (Viz.) 10 C 5
Pandorado E (Le.) 18 B 4
Panes E (Ast.) 8 B 5
Paniza E (Zar.) 65 D 5
Panóias P (Be.) 160 A 1
Panoias P (Br.) 54 B 2
Panoias de Baixo P (Guar.) 96 A 1
Panoias de Cima P (Guar.) 96 A 1
Panque P (Br.) 54 A 2
Pantano de Buendía E (Cu.) 103 B 2
Pantano de Cíjara E (Các.) 117 C 4
Pantano de Gabriel y Galán E (Các.) 97 D 3
Pantano de los Bermejales E (Gr.) 181 C 2
Pantano de Navabuena E (Các.) 98 A 5
Pantano del Rumblar, lugar E (J.) 151 C 4
Pantano Peñarroya, lugar E (C. R.) 136 D 2
Panticosa E (Hues.) 27 A 5
Pantín E (A Co.) 3 A 2
Pantiñobre E (A Co.) 14 D 3
Pantoja E (To.) 101 C 5
Pantón E (Lu.) 35 C 1
Panxón E (Po.) 33 D 3
Panzano E (Hues.) 47 B 3
Pañeda Nueva E (Ast.) 6 D 4
Pão Duro P (Fa.) 161 A 3
Pao, O E (Our.) 34 D 3
Paones E (So.) 63 A 4
Papagovas P (Lis.) 110 C 4
Papalús E (Gi.) 72 A 1
Papatrigo E (Áv.) 79 D 3
Papel, El E (J.) 167 C 3
Papiol, el E (Bar.) 70 D 3
Papizios P (Vis.) 94 D 1
Papucín E (A Co.) 14 D 1
Para E (Bur.) 22 A 2
Paracuellos E (Cu.) 122 D 2
Paracuellos de Jarama E (Mad.) 102 A 1
Paracuellos de Jiloca E (Zar.) 65 A 5
Paracuellos de la Ribera E (Zar.) 65 A 4
Parada E (A Co.) 13 C 4
Parada E (A Co.) 2 D 5
Parada E (A Co.) 14 B 1
Parada E (Lu.) 15 D 2
Parada E (Our.) 35 A 1
Parada E (Our.) 35 B 2
Parada E (Po.) 33 D 3
Parada E (Po.) 14 D 5
Parada E (Po.) 15 A 4
Parada E (Po.) 34 B 3
Parada E (Po.) 34 A 1
Parada P (Ave.) 74 B 3
Parada P (Bra.) 56 C 5
Parada P (Bra.) 57 A 2
Parada P (Co.) 94 C 2
Parada P (Guar.) 76 B 5
Parada P (Port.) 53 D 4
Parada P (V. C.) 34 C 5
Parada P (V. C.) 34 B 4
Parada P (V. C.) 34 A 5
Parada P (V. C.) 34 B 5
Parada P (Vis.) 94 D 1
Parada P (Vis.) 74 B 4
Parada da Serra E (Our.) 36 A 4
Parada de Achas E (Po.) 34 C 3
Parada de Arriba E (Sa.) 78 B 2
Parada de Atei P (V. R.) 55 A 3
Parada de Baixo P (Ave.) 73 D 5
Parada de Bouro P (Br.) 54 C 2
Parada de Cima P (Co.) 93 D 1
Parada de Cunhos P (V. R.) 55 B 5
Parada de Ester P (Vis.) 74 D 2
Parada de Gatim P (Br.) 54 A 2
Parada de Gonta P (Vis.) 74 D 5
Parada de Labiote E (Our.) 34 D 1
Parada de Monteiros P (V. R.) 55 B 3
Parada de Pinhão P (V. R.) 55 C 4
Parada de Ribeira E (Our.) 35 B 4
Parada de Rubiales E (Sa.) 79 A 1
Parada de Sil E (Our.) 35 D 2
Parada de Soto E (Le.) 16 D 5
Parada do Bispo P (Vis.) 75 B 1
Parada do Monte P (V. C.) 34 C 4
Paradança P (V. R.) 55 A 4
Paradas E (Sev.) 164 D 5
Paradaseca E (Le.) 17 A 5
Paradaseca E (Our.) 36 A 2
Paradavella E (Lu.) 16 B 2
Paradela E (A Co.) 15 A 2
Paradela E (Lu.) 16 C 2
Paradela E (Lu.) 15 D 3
Paradela E (Lu.) 15 D 4
Paradela E (Our.) 36 B 2
Paradela E (Our.) 36 C 3
Paradela E (Po.) 13 D 5
Paradela E (Po.) 14 B 4
Paradela E (Po.) 14 A 4
Paradela P (Ave.) 74 A 5
Paradela P (Br.) 53 D 3
Paradela P (Bra.) 55 D 5
Paradela P (Bra.) 57 D 3
Paradela P (Bra.) 56 D 5
Paradela P (Bra.) 56 B 3
Paradela P (Co.) 94 C 2
Paradela P (V. C.) 34 C 5
Paradela P (V. R.) 55 D 2
Paradela P (V. R.) 56 A 1
Paradela P (V. R.) 55 A 1
Paradela P (Vis.) 75 C 1
Paradela P (Vis.) 74 C 2
Paradela de Lorvão P (Co.) 94 B 2
Paradela del Río E (Le.) 36 D 1
Paradela do Monte P (V. R.) 55 A 5
Paradelha de Guiães P (V. R.) 55 C 5
Paradelhas do Vouga P (Ave.) 74 B 4
Paradilla de Gordón E (Le.) 18 C 3
Paradilla de la Sobarriba E (Le.) 39 A 1
Paradinas E (Seg.) 80 C 2
Paradinas de Abajo E (Sa.) 77 B 4
Paradinas de San Juan E (Sa.) 79 B 2
Paradinha P (Vis.) 75 A 4
Paradinha P (Vis.) 75 C 2
Paradinha de Besteiros P (Bra.) 56 D 3
Paradinha Nova P (Bra.) 57 A 3
Paradinha Velha P (Bra.) 57 A 2
Parador de las Hortichuelas, El E (Alm.) 183 C 3
Paraduca P (Ave.) 74 B 3
Paraduça P (Vis.) 75 A 3
Paraduça P (Vis.) 75 B 2
Parafita P (V. R.) 55 C 4
Parafita P (V. R.) 55 B 1
Paraisal P (Guar.) 76 C 5
Paraíso P (Ave.) 74 B 1
Paralacuesta E (Bur.) 22 A 3
Parambos P (Bra.) 55 D 5
Paramio P (Bra.) 36 D 5
Paramios E (Ast.) 4 C 4
Páramo de Boedo E (Pa.) 40 C 1
Páramo del Arroyo E (Bur.) 41 C 2
Páramo del Sil E (Le.) 17 C 4
Páramo, O E (Lu.) 15 D 3
Páramos E (A Co.) 14 A 2
Páramos E (Po.) 34 A 4
Paramos P (Ave.) 73 D 2
Parandones E (Le.) 17 A 5
Paranhos P (Br.) 54 B 2
Paranhos P (V. R.) 55 D 2
Paranhos da Beira P (Guar.) 95 A 1
Paranza, La E (Ast.) 6 C 4
Paraños E (Po.) 34 B 3
Parata, La E (Alm.) 170 C 4
Parauta E (Mál.) 179 B 5
Paraya, La E (Ast.) 18 D 2
Parbayón E (Can.) 9 C 4
Parceiros P (Lei.) 111 B 1
Parceiros da Igreja P (San.) 111 C 3
Parcelas de Porsiver E (Sev.) 163 D 4
Parcelas, Las E (Sa.) 78 C 3
Parcent E (Ali.) 141 D 4
Parchal P (Fa.) 173 C 2
Parchite E (Mál.) 179 B 3
Pardais P (Év.) 129 C 4
Pardal, El E (Alb.) 154 A 1
Pardales, Los, lugar E (Alb.) 138 A 3
Pardamaza E (Le.) 17 C 4
Pardavé E (Le.) 19 A 4
Pardeconde E (Our.) 35 C 2
Pardelhas P (Ave.) 73 D 3
Pardelhas P (V. R.) 55 A 4
Pardellas E (Lu.) 15 C 2
Pardemarín E (Po.) 14 B 4
Parderrubias E (Our.) 35 A 3
Parderrubias E (Po.) 34 A 3
Pardieiros P (Vis.) 74 D 5
Pardilhó P (Ave.) 73 D 3
Pardilla E (Bur.) 61 D 3
Pardilla, La E (Las P.) 191 D 3
Pardinella E (Hues.) 48 C 2
Pardines E (Gi.) 51 A 2
Pardiñas E (Lu.) 3 B 5
Pardo P (Por.) 113 B 2
Pardo, El E (Alm.) 183 A 4
Pardos E (Gua.) 84 C 3
Pared, La E (Alb.) 139 D 1
Paredazos, Los, lugar E (Alb.) 138 A 2
Parede P (Lis.) 126 B 3
Paredes E (Ast.) 5 C 3
Paredes E (Cu.) 103 A 4
Paredes E (Our.) 34 D 1
Paredes E (Our.) 35 D 2
Paredes E (Our.) 35 C 4
Paredes E (Po.) 34 B 4
Paredes E (Po.) 34 A 1
Paredes P (Bra.) 57 A 2
Paredes P (Port.) 54 B 5
Paredes P (Port.) 74 B 1
Paredes P (V. R.) 55 A 1
Paredes P (Vis.) 74 C 3
Paredes P (Vis.) 74 B 5
Paredes da Beira P (Vis.) 75 D 1
Paredes de Coura P (V. C.) 34 A 5
Paredes de Escalona E (To.) 100 C 3
Paredes de Gravo P (Vis.) 74 B 4
Paredes de Monte E (Pa.) 40 B 5
Paredes de Nava E (Pa.) 40 B 4
Paredes de Sigüenza E (Gua.) 83 B 1
Paredes de Viadores P (Port.) 74 C 1
Paredes Secas P (Br.) 54 B 2
Paredes Velhas P (Vis.) 74 C 4
Paredes, Las E (S.Cruz T.) 193 C 2
Paredesroyas E (So.) 64 A 3
Pareisas E (Our.) 36 A 2
Pareizo E (Po.) 14 D 4
Pareja E (Gua.) 103 C 1
Paresotas E (Bur.) 22 B 3
Paretdelgada E (Ta.) 69 C 5
Paretón E (Mu.) 171 C 2
Parets del Vallès E (Bar.) 71 A 2
Parizes P (Fa.) 174 D 2
Parla E (Mad.) 101 C 3
Parlavà E (Gi.) 52 B 4
Parlero E (Ast.) 5 B 4
Parque Alcosa E (Sev.) 164 A 4
Parque Coímbra E (Mad.) 101 B 3
Parque del Cubillas E (Gr.) 167 D 5
Parque Robledo E (Seg.) 81 A 3
Parra de las Vegas, La E (Cu.) 122 A 1
Parra, La E (Alm.) 182 D 4
Parra, La E (Áv.) 99 C 3
Parra, La E (Bad.) 130 D 5
Parra, La E (Mu.) 155 B 3
Parracheira P (Lei.) 111 C 1
Parral, El E (Áv.) 79 C 4
Parralejo, El E (J.) 153 C 3
Parralejos, Los E (Cád.) 186 A 3
Parras de Castellote, Las E (Te.) 87 B 4
Parras de Martín, Las E (Te.) 86 B 4
Parreira P (San.) 112 A 5
Parres E (Ast.) 8 A 4
Parrilla, La E (Vall.) 60 B 3
Parrillas E (To.) 99 C 4
Parrilla-Zamarra E (Mál.) 180 C 1
Parrizoso, El E (J.) 167 D 2
Parroquia de la Matanza E (Ali.) 156 A 4
Partaloa E (Alm.) 170 B 4
Parte E (Lu.) 15 D 5
Parte de Bureba, La E (Bur.) 22 B 5
Parte de Sotoscueva, La E (Bur.) 21 D 2
Parteira P (Fa.) 175 A 3
Partida P (C. B.) 95 B 4
Partidor, El E (Mu.) 156 A 3
Partidores, Los, lugar E (Alb.) 138 B 3
Partovia E (Our.) 34 D 1
Parzán E (Hues.) 27 D 5
Pas de la Casa A 30 B 5
Pas de Vallgornera E (Bal.) 92 A 5
Pasada de Granadillo E (Mál.) 181 A 3
Pasai Antxo E (Gui.) 12 C 5
Pasai San Pedro E (Gui.) 12 C 5
Pasaia E (Gui.) 12 C 5
Pasarela E (A Co.) 1 C 5
Pasarelos E (A Co.) 14 C 2
Pasariegos E (Zam.) 57 D 5
Pasarilla del Rebollar E (Áv.) 79 C 5
Pasarón de la Vera E (Các.) 98 B 4
Pasaxe E (Po.) 33 C 5
Pascoal P (Vis.) 75 A 4
Pascualarina E (Sa.) 77 A 5
Pascualcobo E (Áv.) 79 B 5
Pascuales E (Seg.) 80 C 2
Pascuales, Los E (J.) 153 A 2
Pascualgrande E (Áv.) 79 D 3
Paso de Abajo E (S.Cruz T.) 193 B 3
Paso, El E (S.Cruz T.) 193 B 3
Pasos P (Br.) 54 D 3
Passanant E (Ta.) 69 C 3
Passarela P (Guar.) 75 B 5
Passó P (Br.) 54 B 1
Passo P (Vis.) 75 B 2
Passos P (Br.) 54 C 3
Passos P (Bra.) 56 A 3
Passos P (Bra.) 36 B 5
Passos P (V. R.) 55 C 5
Passos P (Vis.) 74 C 3
Passos P (Vis.) 74 D 5
Pasteral, El E (Gi.) 51 D 4
Pastor E (A Co.) 14 D 2
Pastor, El, lugar E (Alb.) 122 B 5
Pastores E (Sa.) 97 B 1
Pastoria P (V. R.) 55 C 1
Pastoriza E (A Co.) 2 B 4
Pastoriza, A E (Lu.) 4 A 4
Pastrana E (Cád.) 177 B 4
Pastrana E (Gua.) 103 A 2
Pastriz E (Zar.) 66 B 3
Patacão P (Fa.) 174 C 3
Pataias P (Lei.) 111 A 1
Patalavaca E (Las P.) 191 B 4
Paterna E (Val.) 125 A 3
Paterna de Rivera E (Cád.) 186 B 1
Paterna del Campo E (Huel.) 163 B 4
Paterna del Madera E (Alb.) 138 A 5
Paterna del Río E (Alm.) 183 A 2
Paterna, lugar E (Cór.) 165 B 1
Pátio do Azinhal P (Év.) 128 C 4
Patio, El E (Alm.) 182 D 4
Patojos, Los E (Mu.) 172 B 2
Patones de Abajo E (Mad.) 82 A 4
Patones de Arriba E (Mad.) 82 A 3
Patrás E (Huel.) 162 D 1
Patria E (Cád.) 186 A 3
Patrite, lugar E (Cád.) 186 C 2
Patruena E (Mu.) 155 C 4
Pau E (Gi.) 52 C 2
Paul E (Bur.) 21 A 5
Paul P (C. B.) 95 B 3
Paúl P (Lis.) 110 C 5
Paúl P (San.) 112 B 3
Paúl P (San.) 127 D 1
Paúl do Mar P (Ma.) 109 D 1
Paúl, La E (Hues.) 46 B 5
Paula P (Lis.) 110 D 5
Paulenca E (Alm.) 183 D 2
Paulenca E (Gr.) 168 D
Paúles E (Alb.) 153 D
Paúles de Lara E (Bur.) 42 A
Paúles de Sarsa E (Hues.) 47 C
Paúles del Agua E (Bur.) 41 C
Paulo E (Cas.) 107 C
Paüls E (Ta.) 88 B
Paus P (Ave.) 74 A
Paus P (Vis.) 75 A
Pavia P (Év.) 128 C
Pavías E (Cas.) 107 A
Pavos, Los E (Mu.) 171 C
Pavos, Los, lugar E (Cu.) 122 A
Paxumal E (Ast.) 6 D
Paymogo E (Huel.) 161 D
Payo de Ojeda E (Pa.) 20 C
Payo, El E (Sa.) 96 D
Payueta E (Ál.) 23 B
Paz E (Lu.) 15 D
Paz, La E (Cór.) 165 D
Paz, La E (Gr.) 167 C
Pazos E (A Co.) 1 D
Pazos E (A Co.) 1 D
Pazos E (Our.) 35 D
Pazos E (Our.) 35 C
Pazos E (Po.) 34 B
Pazos de Abeleda E (Our.) 35 C
Pazos de Arenteiro E (Our.) 34 D
Pazos de Borbén E (Po.) 34 A
Pazos de Reis E (Po.) 34 A
Pazuengos E (La R.) 43 A
Pé da Pedreira P (San.) 111 B
Pé da Serra P (Lei.) 94 A
Pe da Serra P (San.) 127 D
Pé da Serra P (San.) 111 A
Pé de Cão P (San.) 111 D
Peal de Becerro E (J.) 152 C
Peces, les E (Ta.) 70 A
Pechão P (Fa.) 174 D
Pechina E (Alm.) 169 D
Pechina E (Alm.) 183 D
Pechins P (Lei.) 94 A
Pechos, Los E (Cór.) 166 D
Pedações P (Ave.) 74 A
Pederneira P (San.) 111 D
Pedernoso, El E (Cu.) 121 B
Pedintal P (C. B.) 94 D
Pedome P (Br.) 54 B
Pedornes E (Po.) 33 C
Pedra E (A Co.) 3 B
Pedra E (A Co.) 1 D
Pedra Furada P (Br.) 53 D
Pedra Furada P (Por.) 128 B
Pedraça P (Br.) 55 A
Pedrafigueira E (A Co.) 13 B
Pedrafita E (Lu.) 15 C
Pedrafita de Camporredondo E (Lu.) 16 B
Pedrafita do Cebreiro E (Lu.) 16 C
Pedraído P (Br.) 54 D
Pedraires P (Vis.) 94 C
Pedraja de Portillo, La E (Vall.) 60 B
Pedraja de San Esteban E (So.) 62 C
Pedrajas de San Esteban E (Vall.) 60 B
Pedralba E (Val.) 124 C
Pedralba de la Pradería E (Zam.) 37 A
Pedralhos P (Lei.) 111 A
Pedralva P (Ave.) 94 A
Pedralva P (Br.) 54 B
Pedralva P (Fa.) 173 A
Pedrario P (V. R.) 55 C
Pedras Ásperas P (Co.) 93 C
Pedras d'el-Rei P (Fa.) 175 A
Pedraza E (Lu.) 15 B
Pedraza E (Seg.) 81 C
Pedraza E (So.) 63 D
Pedraza de Alba E (Sa.) 79 A
Pedraza de Campos E (Pa.) 40 A
Pedrazo E (Las P.) 191 B
Pedre E (A Co.) 3 A
Pedre E (Po.) 14 B
Pedreda E (Lu.) 15 D
Pedredo E (Can.) 21 B
Pedregais P (Br.) 54 B
Pedregal E (Le.) 18 C
Pedregal, El E (Ast.) 5 C
Pedregal, El E (Gua.) 85 A
Pedreguer E (Ali.) 141 D
Pedreira E (A Co.) 2 D
Pedreira P (Aç.) 109 D
Pedreira P (Ave.) 73 D
Pedreira P (Co.) 94 B

Pedreira P (Co.) 93 D1
Pedreira P (Port.) 54 C4
Pedreira P (Port.) 53 D3
Pedreira P (San.) 112 A2
Pedreiras P (Lei.) 111 B2
Pedreiras P (Set.) 126 D5
Pedreles P (Vis.) 75 A5
Pedreña E (Can.) 9 D4
Pedrera E (Sev.) 165 D5
Pedrera, La E (Ast.) 6 C4
Pedrera, La E (Ast.) 6 C3
Pedreres, les E (Ta.) 70 A5
Pedrezuela E (Mad.) 81 D4
Pedrezuela de San Bricio E (Sa.) 79 A2
Pedricosa P (Ave.) 73 D5
Pedrinyà E (Gi.) 52 B4
Pedriza, La E (J.) 167 B4
Pedro E (So.) 62 C5
Pedro Abad E (Cór.) 150 B5
Pedro Álvarez E (S.Cruz T.) 196 B1
Pedro Andrés E (Alb.) 153 D4
Pedro Bernardo E (Áv.) 99 D3
Pedro Díaz E (Cór.) 165 B2
Pedro Izquierdo E (Cu.) 105 C5
Pedro Llen E (Sa.) 78 B4
Pedro Martín E (Sa.) 78 D4
Pedro Martín E (Sa.) 78 A4
Pedro Martínez E (Gr.) 168 C3
Pedro Muñoz E (C. R.) 121 A4
Pedro Ruiz E (Gr.) 167 D5
Pedro Valiente E (Cád.) 186 D5
Pedroche E (Cór.) 149 D1
Pedrógão P (Be.) 145 A3
Pedrogão P (Co.) 93 C3
Pedrogão P (Lei.) 93 B4
Pedrógão P (San.) 111 D2
Pedrógão de São Pedro P (C. B.) 96 A4
Pedrógão Grande P (Lei.) 94 C5
Pedrógão Pequeno P (C. B.) 94 C5
Pedrola E (Zar.) 65 D2
Pedrones, Los E (Val.) 124 A5
Pedroñeras, Las E (Cu.) 121 B4
Pedro-Rodríguez E (Áv.) 80 A3
Pedrosa E (Ast.) 7 A4
Pedrosa E (Le.) 19 A3
Pedrosa E (Our.) 35 C5
Pedrosa P (Vis.) 75 B4
Pedrosa de Duero E (Bur.) 61 B2
Pedrosa de la Vega E (Pa.) 40 A1
Pedrosa de Muñó E (Bur.) 41 C3
Pedrosa de Río Úrbel E (Bur.) 41 C2
Pedrosa de Tobalina E (Bur.) 22 B4
Pedrosa de Valdelucio E (Bur.) 21 B5
Pedrosa de Valdeporres E (Bur.) 21 D3
Pedrosa del Páramo E (Bur.) 41 B2
Pedrosa del Príncipe E (Bur.) 41 A3
Pedrosa del Rey E (Vall.) 59 B3
Pedrosas, Las E (Zar.) 46 B5
Pedrosillo de Alba E (Sa.) 79 A4
Pedrosillo de los Aires E (Sa.) 78 C4
Pedrosillo el Ralo E (Sa.) 78 D2
Pedrosillo, El E (Sev.) 163 B2
Pedrosillo, El, lugar E (Bad.) 148 A2
Pedroso E (A Co.) 3 A2
Pedroso E (Can.) 21 C1
Pedroso E (La R.) 43 B3
Pedroso P (Port.) 74 A1
Pedroso de Acim E (Các.) 115 B1
Pedroso de la Armuña, El E (Sa.) 79 A2
Pedroso, El E (Cád.) 186 A1
Pedroso, El E (Sev.) 164 B1
Pedrousa-Tremoa E (A Co.) 2 A4
Pedrouzo, O (Pino, O) E (A Co.) 14 C2
Pedrouzos E (A Co.) 15 A2
Pedrouzos (Brión) E (A Co.) 14 A3
Pedrún de Torío E (Le.) 19 A4
Pega P (Guar.) 96 B1
Pegalajar E (J.) 167 D2
Pegarinhos P (V. R.) 55 D4
Pegas E (Our.) 35 B3
Pego E (Ali.) 141 C3
Pego P (San.) 112 C3
Pego do Altar P (Set.) 143 D1
Pego, El E (Zam.) 59 A5
Pegões P (Set.) 127 C4
Pegos P (Co.) 94 B3
Peguera E (Bal.) 91 B4
Peguera del Madroño E (J.) 153 D3
Peguerinos E (Áv.) 80 D5
Peibás E (Lu.) 15 B4
Peiro de Arriba E (A Co.) 2 C4
Peitieiros E (Po.) 33 D3
Pekotxeta E (Na.) 25 C2
Pelabravo E (Sa.) 78 D3
Pelahustán E (To.) 100 B4
Pelai E (Ta.) 89 B1
Pelariga P (Lei.) 93 D4
Pelarrodríguez E (Sa.) 77 D3
Pelayo, El E (Cád.) 186 D5
Pelayos E (Sa.) 78 D5
Pelayos de la Presa E (Mad.) 100 D2
Pelayos del Arroyo E (Seg.) 81 B2
Peleagonzalo E (Zam.) 58 D4
Peleas de Abajo E (Zam.) 58 C4
Peleas de Arriba E (Zam.) 58 C5
Pelechaneta, La/ Pelejaneta E (Cas.) 107 C3
Pelegrina E (Gua.) 83 C2
Pelejaneta → Pelechaneta, La E (Cas.) 107 C3
Pelicanos P (Co.) 93 C2
Peligros E (Gr.) 167 D5
Pelile y el Jurado E (Mu.) 171 A3
Pelilla E (Sa.) 78 A1
Pelmá P (Lei.) 112 A1
Peloche E (Bad.) 133 B1
Pelliceira E (Ast.) 16 D3
Pena E (Lu.) 16 A2
Pena E (Lu.) 15 C1
Pena E (Lu.) 4 B5
Pena E (Lu.) 15 D2
Pena E (Our.) 34 D2
Pena P (Co.) 94 C3
Pena P (Co.) 93 D2
Pena P (Fa.) 174 B2
Pena P (V. R.) 55 B5
Pena Branca P (Bra.) 57 C3
Pena Lobo P (Guar.) 96 A1
Pena Seca P (Lis.) 110 C4
Pena Verde P (Guar.) 75 C4
Pena, A E (A Co.) 13 D2
Pena, A E (Our.) 35 C4
Penabeice P (V. R.) 55 D3
Penacova P (Co.) 94 B2
Penafiel P (Port.) 54 C5
Penafirme P (Lis.) 110 D5
Penafirme da Mata P (Lis.) 110 D5
Penagos E (Can.) 9 C5
Penàguila E (Ali.) 141 B4
Penajóia P (Vis.) 75 A1
Penalonga P (V. R.) 55 B2
Penalva P (Set.) 126 D4
Penalva de Alva P (Co.) 95 A2
Penalva do Castelo P (Vis.) 75 B4
Penamacor P (C. B.) 96 A3
Penamaior E (Lu.) 16 B3
Penamaior P (Port.) 54 B4
Penarrubia E (Lu.) 16 B3
Penas E (Lu.) 15 B3
Penas Roias P (Bra.) 57 A4
Penascais P (Br.) 54 B1
Penavaqueira E (Our.) 34 D2
Penches E (Bur.) 22 B5
Pendilhe P (Vis.) 75 A2
Pendilla de Arbas E (Le.) 18 C2
Pendones E (Ast.) 19 B1
Pendueles E (Ast.) 8 B4
Pendurada P (Co.) 94 B1
Peneda da Sé P (Guar.) 96 B1
Penedes E (Gi.) 52 B5
Penedo P (C. B.) 112 C1
Penedo P (Vis.) 74 D5
Penedo Gordo P (Be.) 144 C4
Penedono P (Vis.) 75 D2
Penedos P (Be.) 160 D3
Penedos P (Lei.) 93 C4
Penedos P (Lis.) 110 D5
Penela E (Our.) 35 A3
Penela P (Co.) 94 A4
Penela da Beira P (Vis.) 75 D2
Penelas E (Lu.) 15 D1
Penelles E (Ll.) 69 A1
Penha de Águia P (Guar.) 76 B3
Penha Garcia P (C. B.) 96 B4
Penha Longa P (Port.) 74 C1
Penhaforte P (Guar.) 76 B5
Penhas Juntas P (Bra.) 56 C1
Penhascoso P (San.) 112 C2
Peniche P (Lei.) 110 B3
Penilhos P (Be.) 160 D2
Penilla E (Can.) 9 B5
Penilla, La E (Can.) 9 C5
Penina P (Fa.) 160 B4
Peníscola → Peñíscola E (Cas.) 108 B2
Penode de Baixo P (Vis.) 75 A1
Penoselo E (Le.) 17 A4
Penosiños E (Our.) 34 D3
Penouta E (Our.) 36 C3
Pensalvos P (V. R.) 55 C3
Penso P (Bra.) 36 B5
Penso P (V. C.) 34 C4
Penso P (Vis.) 75 C2
Penteado P (Set.) 127 A4
Pentes E (Our.) 36 B4
Penude P (Vis.) 75 A1
Peña de Arias Montano, La E (Huel.) 146 D5
Peña de Cabra E (Sa.) 78 A4
Peña Estación, La E (Hues.) 46 B2
Peña, La E (Ast.) 6 C5
Peña, La E (Cád.) 186 C5
Peña, La E (Sa.) 77 B1
Peña, La E (Viz.) 23 A1
Peñacaballera E (Sa.) 98 B2
Peñacastillo E (Can.) 9 C4
Peñacerrada E (Mál.) 179 A3
Peñacerrada/Urizaharra E (Ál.) 23 B5
Peñacoba E (Bur.) 62 B1
Peñafiel E (Vall.) 61 A3
Peñaflor E (Ast.) 6 A4
Peñaflor E (Sev.) 165 A2
Peñaflor E (Zar.) 66 B2
Peñaflor de Hornija E (Vall.) 59 D2
Peñahorada E (Bur.) 41 D1
Peñalba E (Hues.) 67 C4
Peñalba de Ávila E (Áv.) 80 A4
Peñalba de Castro E (Bur.) 62 B2
Peñalba de Cilleros E (Le.) 18 A3
Peñalba de San Esteban E (So.) 62 C3
Peñalba de Santiago E (Le.) 37 B2
Peñalén E (Gua.) 84 B5
Peñalosa E (Cór.) 165 C2
Peñalsordo E (Bad.) 133 B3
Peñalva E (Cas.) 125 A1
Peñalver E (Gua.) 103 A1
Peñaparda E (Sa.) 96 D2
Peñaranda de Bracamonte E (Sa.) 79 B3
Peñaranda de Duero E (Bur.) 62 A2
Peñarandilla E (Sa.) 79 A3
Peñarrodada, La E (Alm.) 183 A3
Peñarroya de Tastavins E (Te.) 87 D4
Peñarroya-Pueblonuevo E (Cór.) 149 A2
Peñarroyas E (Te.) 86 C3
Peñarrubia E (Alb.) 154 B2
Peñarrubia E (Alb.) 138 A4
Peñas de San Pedro E (Alb.) 138 C4
Peñas Negras E (Alm.) 184 C2
Peñascales, Los E (Mad.) 101 B1
Peñascos, Los E (Mu.) 172 D1
Peñascosa E (Alb.) 137 D5
Peñasolana E (Sa.) 78 C3
Peñasrubias de Pirón E (Seg.) 81 A2
Peñaullán E (Ast.) 6 A3
Peñausende E (Zam.) 58 B5
Peñerudes E (Ast.) 6 B5
Peñíscola/Peníscola E (Cas.) 108 B2
Peñolite E (J.) 153 B2
Peñón, El E (Gr.) 182 B1
Peñón, El E (Gr.) 168 C3
Peñón-Zapata-Molina E (Mál.) 180 B4
Peñuela, La E (Huel.) 162 D4
Peñuelas E (Gr.) 181 C1
Peón E (Ast.) 7 A3
Peones E (Bur.) 21 A5
Pêpe P (V. R.) 55 A4
Pepim P (Vis.) 74 D3
Pepino E (To.) 100 A5
Peque E (Zam.) 37 D4
Pêra P (Fa.) 174 A2
Pera P (Lei.) 94 C4
Pera do Moço P (Guar.) 76 A5
Pêra Velha P (Vis.) 75 C2
Pera, la E (Gi.) 52 B4
Perabeles de Abajo E (Ast.) 6 D5
Peraboa P (C. B.) 95 D2
Peracalç E (Ll.) 49 A2
Peracamps E (Ll.) 49 D5
Peracense E (Te.) 85 B5
Perafita E (Bar.) 50 D4
Perafita P (Port.) 53 D5
Perafort E (Ta.) 89 C1
Perais P (C. B.) 113 B2
Peral E (Mál.) 180 B4
Peral P (C. B.) 113 A1
Peral P (Fa.) 174 D2
Peral P (Lis.) 110 D4
Peral de Arlanza E (Bur.) 41 A4
Peral, El E (Cu.) 122 C4
Peral, La E (Ast.) 6 B3
Perala, La E (Các.) 115 B2
Peraleda de la Mata E (Các.) 116 D1
Peraleda de San Román E (Các.) 117 A2
Peraleda del Zaucejo E (Bad.) 148 C1
Peraleja, La E (Cu.) 103 C3
Peralejo de los Escuderos E (So.) 62 D5
Peralejo, El E (Sev.) 163 B1
Peralejos E (Te.) 106 A1
Peralejos de Abajo E (Sa.) 77 C2
Peralejos de Arriba E (Sa.) 77 C2
Peralejos de las Truchas E (Gua.) 84 C5
Peralejos, Los E (J.) 152 D5
Perales E (Pa.) 40 B4
Perales de Milla E (Mad.) 101 A2
Perales de Tajuña E (Mad.) 102 B3
Perales del Alfambra E (Te.) 86 A5
Perales del Puerto E (Các.) 96 D3
Perales del Río E (Mad.) 101 D3
Perales, Los E (Alm.) 184 C1
Peralosas, Las E (C. R.) 135 A1
Peralta E (Na.) 44 D3
Peralta de Alcofea E (Hues.) 47 C5
Peralta de la Sal E (Hues.) 48 B5
Peraltilla E (Hues.) 47 C4
Peralveche E (Gua.) 83 D5
Peralvillo E (C. R.) 135 B2
Peramato E (Sa.) 77 D3
Peramola E (Ll.) 49 C4
Peranzanes E (Le.) 17 B3
Perapertú E (Pa.) 20 D3
Perarrúa E (Hues.) 48 A3
Peratallada E (Gi.) 52 C4
Perazancas E (Pa.) 20 C4
Perbes E (A Co.) 2 D4
Percelada P (Co.) 94 D2
Perdecanai E (Po.) 14 A5
Perdigão P (C. B.) 113 A1
Perdigón, El E (Zam.) 58 C4
Perdiguera E (Zar.) 66 C2
Perdoma, La E (S.Cruz T.) 196 A2
Perdones E (Ast.) 6 C3
Pereda E (Ast.) 6 A4
Pereda E (Ast.) 6 C5
Pereda E (Bur.) 22 A3
Pereda de Ancares E (Le.) 17 A4
Pereda, La E (Ast.) 6 C5
Pereda, La E (Ast.) 5 D4
Peredilla E (Le.) 18 D4
Peredo P (Bra.) 56 D4
Peredo da Bemposta P (Bra.) 57 B5
Peredo dos Castelhanos P (Bra.) 76 B1
Pereira E (A Co.) 14 A1
Pereira E (A Co.) 14 C1
Pereira E (A Co.) 14 C3
Pereira E (A Co.) 13 D2
Pereira E (Our.) 34 D5
Pereira E (Po.) 14 C5
Pereira P (Br.) 53 D3
Pereira P (Bra.) 56 A4
Pereira P (Co.) 94 B3
Pereira P (V. R.) 55 A2
Pereira P (Vis.) 74 D2
Pereiras E (Our.) 35 B2
Pereiras E (Po.) 34 A3
Pereiras P (Fa.) 174 B3
Pereiras P (Vis.) 74 D4
Pereiras-Gare P (Be.) 159 D3
Pereiriña E (A Co.) 13 B1
Pereiro E (Lu.) 4 A3
Pereiro E (Our.) 36 C4
Pereiro E (Po.) 15 A5
Pereiro P (Ave.) 74 A5
Pereiro P (Fa.) 161 B3
Pereiro P (Guar.) 95 A1
Pereiro P (Guar.) 76 B4
Pereiro P (Lis.) 110 D5
Pereiro P (Por.) 113 D3
Pereiro P (San.) 112 A1
Pereiro P (San.) 112 C2
Pereiro P (San.) 112 D2
Pereiro P (Vis.) 75 D1
Pereiro P (Vis.) 75 B3
Pereiro de Aguiar, O E (Our.) 35 B2
Pereiro de Palhacana P (Lis.) 126 D1
Pereiros P (Bra.) 56 A5
Pereiros P (C. B.) 95 B4
Pereiros P (San.) 112 A1
Pereiros P (Vis.) 75 D1
Peralada E (Gir.) 52 B2
Perelhal P (Br.) 53 D2
Perelló E (Val.) 125 B5
Perelló, El E (Gi.) 52 A4
Perelló, el E (Ta.) 88 D3
Perellonet, el E (Val.) 125 B5
Peremos, Los E (Sev.) 166 A5
Pereña de la Ribera E (Sa.) 57 B5
Perera, La E (So.) 62 D4
Pereruela E (Zam.) 58 B4
Perex E (Bur.) 22 B3
Pérez, Los E (Alm.) 182 D3
Pérez, Los E (Sev.) 166 A5
Periana E (Mál.) 181 A3
Peribáñez E (Alb.) 137 D3
Perilla de Castro E (Zam.) 58 B2
Perillo E (A Co.) 2 C4
Perín E (Mu.) 172 A2
Perio P (San.) 111 D2
Perleta, La E (Ali.) 156 D3
Perlío E (A Co.) 2 D3
Perlora E (Ast.) 6 C3
Permisán E (Hues.) 47 D5
Pernelhas P (Lei.) 111 B1
Pernes P (San.) 111 C3
Pernigem P (Lis.) 126 B2
Pero Calvo P (San.) 112 A2
Pero Fuertes E (Sa.) 78 D5
Pêro Gonçalves P (San.) 112 C2
Pero Moniz P (Lis.) 110 D4
Pêro Neto P (Lei.) 111 B1
Pero Pinheiro P (Lis.) 126 B2
Pêro Ponto P (Fa.) 160 C4
Pero Soares P (Guar.) 75 D5
Pêro Viseu P (C. B.) 95 C3
Peroamigo E (Sev.) 163 B1
Peroferreiro P (Guar.) 75 D3
Peroficôs P (Guar.) 96 B1
Perofilho P (San.) 111 C4
Peroguarda P (Be.) 144 C3
Peroledo P (C. B.) 113 A2
Peroleite P (Lis.) 126 B2
Perolet E (Ll.) 49 B4
Perolivas P (Év.) 145 B1
Peromingo E (Sa.) 98 B1
Perona, lugar E (Cu.) 122 A4
Perondo P (Ave.) 74 B1
Peroniel del Campo E (So.) 64 A2
Perorrubio E (Seg.) 81 D1
Perosillo E (Seg.) 61 A5
Peroxa E (Our.) 35 B1
Peroxa, A E (Our.) 35 B1
Perozelo P (Port.) 54 C5
Perozinho P (Port.) 73 D1
Perre P (V. C.) 53 D1
Perrelos E (Our.) 35 C4
Perrunal E (Huel.) 162 C1
Persegueiro P (Ave.) 74 A2
Pertegaces, Los E (Te.) 106 D4
Pertegàs E (Bar.) 71 C1
Pertusa E (Hues.) 47 B5
Perulaca, La E (Alm.) 184 D1
Perulera, La E (Alm.) 170 C4
Perulheira P (Lei.) 111 C1
Pesadas de Burgos E (Bur.) 21 D4
Pesadoira E (A Co.) 13 D2
Pesaguero E (Can.) 20 C2
Pescoso E (Po.) 15 A4
Pescueza E (Các.) 97 A5
Pesebre E (Alb.) 137 D5
Pesegueiro E (Po.) 33 D4
Pesga, La E (Các.) 97 D2
Pesinho P (C. B.) 95 C3
Peso P (C. B.) 95 C3
Peso P (Fa.) 159 C4
Peso P (Lei.) 111 A3
Peso da Régua P (V. R.) 75 B1
Pesos P (Vis.) 74 D3
Pesoz E (Ast.) 4 D5
Pesqueira E (A Co.) 13 C4
Pesqueiras E (Po.) 34 B3
Pesquera E (Áv.) 99 A1
Pesquera E (Can.) 21 B2
Pesquera de Duero E (Vall.) 61 A3
Pesquera de Ebro E (Bur.) 21 D4
Pesquera, La E (Cu.) 123 A3
Pessegueiro P (Co.) 94 D4
Pessegueiro P (Fa.) 160 D3
Pessegueiro do Vouga P (Ave.) 74 B4
Pestana P (Guar.) 76 A2
Pesués E (Can.) 8 C4
Petán E (Po.) 34 C2
Petelos E (Po.) 34 A3
Petilla de Aragón E (Na.) 45 D2
Petimão P (Br.) 54 D3
Petín E (Our.) 36 B2
Petisqueira P (Bra.) 57 B1
Petra E (Bal.) 92 B3
Petrer E (Ali.) 156 C1
Petrés E (Val.) 125 B2
Pétrola E (Alb.) 139 B4

Peuso P (Ave.) 74 C2
Peva P (Guar.) 76 C4
Peva P (Vis.) 75 B3
Pexeirós E (Our.) 35 B5
Peza, La E (Gr.) 168 C5
Pezuela de las Torres E (Mad.) 102 C2
Pi E (Ll.) 50 B2
Pi de Sant Just, El E (Ll.) 50 A5
Pia Furada P (Lei.) 93 D4
Piantón E (Ast.) 4 C3
Pías E (Lu.) 15 D2
Pías E (Po.) 34 B3
Pías E (Zam.) 36 C4
Pias P (Be.) 145 B4
Pias P (Év.) 129 B5
Pias P (San.) 112 A1
Pias P (V. C.) 34 B4
Piasca E (Can.) 20 B2
Pica P (Lei.) 94 C4
Pica, La E (Huel.) 146 C5
Picadas, Las, lugar E (Mad.) 100 D2
Picadoiro P (Co.) 94 C2
Picamilho P (Lei.) 111 B1
Picamoixons E (Ta.) 69 C5
Picanceira P (Lis.) 126 B1
Picanya E (Val.) 125 A4
Picão P (Vis.) 75 A2
Piçarras P (Be.) 160 B1
Piçarras P (Év.) 127 C4
Picassent E (Val.) 125 A4
Picazo E (Gua.) 83 B5
Picazo, El E (Cu.) 122 B4
Picena E (Gr.) 183 A2
Pico P (Br.) 54 B1
Pico da Pedra P (Aç.) 109 B4
Pico de Regalados P (Br.) 54 B1
Picões P (Bra.) 56 C5
Picoitos P (Be.) 161 B2
Picón E (C. R.) 135 A2
Piconcillo E (Cór.) 148 D3
Picones E (Sa.) 77 B2
Picoña E (Po.) 34 A3
Picota E (A Co.) 13 C2
Picota P (Fa.) 174 B2
Picote P (Bra.) 57 C4
Picoteira Monte P (C. B.) 113 A2
Picoto P (Ave.) 73 D5
Picoto P (Lei.) 93 B5
Picotos E (A Co.) 13 D1
Picouto E (Our.) 35 A3
Pido E (Can.) 20 A2
Pidre E (Po.) 34 A1
Piedade P (Aç.) 109 C3
Piedade P (Ave.) 74 A5
Piedeloro E (Ast.) 6 C3
Piedra Amarilla, La E (Alm.) 170 B4
Piedra de la Sal, lugar E (Sev.) 164 C2
Piedra, La E (Bur.) 21 C5
Piedrabuena E (C. R.) 134 D2
Piedraceda E (Ast.) 18 C1
Piedraescrita E (To.) 118 A3
Piedrafita E (Le.) 18 D2
Piedrafita de Babia E (Le.) 17 D3
Piedrafita de Jaca E (Hues.) 27 A5
Piedrahíta E (Áv.) 99 A1
Piedrahita E (Can.) 10 A4
Piedrahita E (Te.) 85 D2
Piedrahíta de Castro E (Zam.) 58 C2
Piedralá E (C. R.) 119 A5
Piedralaves E (Áv.) 100 A2
Piedralba E (Le.) 38 A2
Piedramillera E (Na.) 24 A5
Piedras Albas E (Các.) 114 C1
Piedras Albas E (Le.) 37 C2
Piedras Blancas E (Ast.) 6 B3
Piedras
Blancas, Las, lugar E (Alm.) 183 C1
Piedrasluengas E (Pa.) 20 C2
Piedratajada E (Zar.) 46 B4
Piedros, Los E (Cór.) 166 B4
Piera E (Bar.) 70 B3
Piérnigas E (Bur.) 42 B1
Pieros E (Le.) 17 A5
Pigara E (Lu.) 3 C5
Pigeiros P (Ave.) 74 A2
Pil·larí, Es E (Bal.) 91 D4
Pilado P (Lei.) 93 B5
Pilancón E (Alm.) 169 C4
Pilar de Jaravia E (Alm.) 171 B4
Pilar de la Horadada E (Ali.) 172 C1
Pilar de la Mola E (Bal.) 90 D5
Pilar, El E (Alm.) 184 C1
Pilarejo E (Mál.) 181 A3
Pilas E (Sev.) 163 B4
Pilas de Algaida E (Gr.) 181 A2
Pilas Dedil E (Gr.) 181 A2
Piles E (Val.) 141 C2
Piles, les E (Ta.) 69 D3
Piloñeta E (Ast.) 7 A4
Piloño E (Po.) 14 C3
Pilzán E (Hues.) 48 B4
Pillarno E (Ast.) 6 B3
Pimiango E (Ast.) 8 C4
Pina E (Bal.) 92 A3
Pina de Ebro E (Zar.) 66 D4
Pina de Montalgrao E (Cas.) 106 C5
Pinar de Antequera E (Vall.) 60 A3
Pinar de
Campoverde, El E (Ali.) 156 C5
Pinar de la
Vidriera, lugar E (Gr.) 153 C4
Pinar de Simancas E (Vall.) 60 A3
Pinar, El E (S. Cruz T.) 194 C5
Pinar, El E (S. Cruz T.) 193 B2
Pinar, El E (Ta.) 89 B1
Pinar, El E (Vall.) 60 A3
Pinarejo E (Cu.) 121 D3
Pinarejos E (Seg.) 80 D1
Pinarnegrillo E (Seg.) 81 A1
Pindelo P (Ave.) 74 A2
Pindelo P (Vis.) 74 C2
Pindelo P (Vis.) 74 D5
Pindelo dos Milagres P (Vis.) 74 D3
Pindo P (Vis.) 75 B4
Pindo, O E (A Co.) 13 B2
Pineda de Bages E (Bar.) 70 C1
Pineda de Gigüela E (Cu.) 103 C4
Pineda de la Sierra E (Bur.) 42 B3
Pineda de Mar E (Bar.) 71 D2
Pineda, La E (Bar.) 70 A1
Pineda, La E (Ta.) 89 C1
Pinedas E (Sa.) 98 A1
Pinedas, Las E (Cór.) 165 D2
Pineda-Trasmonte E (Bur.) 61 D1
Pinedillo E (Bur.) 41 C5
Pinedo E (Val.) 125 B4
Pinela P (Bra.) 56 D2
Pinelo P (Bra.) 57 B2
Pinell de Brai, el E (Ta.) 88 C2
Pinell de Solsonès E (Ll.) 49 D5
Pinet E (Val.) 141 B2
Pinhal P (Lei.) 110 D3
Pinhal P (San.) 111 D1
Pinhal do Douro P (Bra.) 76 A1
Pinhal do Norte P (Bra.) 56 A5
Pinhal Novo P (Set.) 127 A4
Pinhanços P (Guar.) 95 B1
Pinhão P (V. R.) 55 C5
Pinhão Cele P (V. R.) 55 C4
Pinheirinho P (Vis.) 94 C1
Pinheirinhos P (Set.) 126 C5
Pinheiro P (Ave.) 74 A4
Pinheiro P (Br.) 54 D2
Pinheiro P (Co.) 93 D3
Pinheiro P (Fa.) 175 A3
Pinheiro P (Guar.) 75 C3
Pinheiro P (Port.) 74 B1
Pinheiro P (Set.) 127 B5
Pinheiro P (Vis.) 94 B1
Pinheiro P (Vis.) 74 D2
Pinheiro da Bemposta P (Ave.) 74 A3
Pinheiro da Cõja P (Co.) 94 D2
Pinheiro da Cruz P (Set.) 143 B2
Pinheiro de Ázere P (Vis.) 94 C1
Pinheiro de Lafões P (Vis.) 74 C4
Pinheiro de Loures P (Lis.) 126 C2
Pinheiro Grande P (San.) 112 A3
Pinheiro Novo P (Bra.) 36 B5
Pinheiros P (Lei.) 93 C5
Pinheiros P (Lei.) 111 B1
Pinheiros P (San.) 112 A1
Pinheiros P (Set.) 126 D4
Pinheiros P (V. C.) 34 B4
Pinheiros P (Vis.) 75 C1
Pinhel P (Guar.) 76 B4
Pinho P (V. R.) 55 C2
Pinho P (Vis.) 74 D3
Pinhovelo P (Bra.) 56 C3
Pinilla E (Alb.) 154 A1
Pinilla E (Alb.) 139 B4
Pinilla E (Mu.) 154 C5
Pinilla Ambroz E (Seg.) 80 D2
Pinilla de Fermoselle E (Zam.) 57 C4
Pinilla de Jadraque E (Gua.) 83 A2
Pinilla de la Valdería E (Le.) 38 A3
Pinilla de
los Barruecos E (Bur.) 62 B1
Pinilla de los Moros E (Bur.) 42 B5
Pinilla de Molina E (Gua.) 84 C5
Pinilla de Toro E (Zam.) 59 A3
Pinilla del Campo E (So.) 64 B2
Pinilla del Olmo E (So.) 63 C5
Pinilla del Valle E (Mad.) 81 C3
Pinilla, La E (Mu.) 171 D2
Pinilla, lugar E (Alb.) 137 C4
Pinilla-Trasmonte E (Bur.) 61 D1
Pinillo, El E (Las P.) 191 A3
Pinillos E (La R.) 43 C4
Pinillos de Esgueva E (Bur.) 61 C1
Pinillos de Polendos E (Seg.) 81 A2
Pino E (Lu.) 3 D5
Pino E (Zam.) 57 D3
Pino Alto E (S. Cruz T.) 196 A3
Pino de Bureba E (Bur.) 22 B5
Pino de Tormes, El E (Sa.) 78 B2
Pino de Viduerna E (Pa.) 20 B4
Pino del Río E (Pa.) 20 A5
Pino do Val E (A Co.) 13 C2
Pino Santo E (Las P.) 191 C2
Pino, El E (Ast.) 19 A2
Pino, El E (Các.) 113 D4
Pino, O E (A Co.) 14 C2
Pinofranqueado E (Các.) 97 C2
Pinos E (Le.) 18 B3
Pinós E (Ll.) 70 A1
Pinos del Valle E (Gr.) 182 A3
Pinos Genil E (Gr.) 182 A1
Pinos Puente E (Gr.) 167 D5
Pinós, el → Pinoso E (Ali.) 156 A2
Pinoso/Pinós, el E (Ali.) 156 A2
Pinseque E (Zar.) 65 D2
Pinsoro E (Zar.) 45 C4
Pintado P (San.) 112 A1
Pintainhos P (San.) 111 D3
Pintano E (Zar.) 46 A1
Pintás E (Our.) 35 B5
Pinténs E (Po.) 33 D2
Pinto E (Mad.) 101 D3
Pintueles E (Ast.) 7 B4
Pinya, La E (Gi.) 51 B3
Pinzio P (Guar.) 76 B5
Pinzón E (Sev.) 177 D1
Piña de Campos E (Pa.) 40 C3
Piña de Esgueva E (Vall.) 60 C2
Piñar E (Gr.) 168 B4
Piñas, Las E (Cád.) 186 C4
Piñeira E (Lu.) 35 D1
Piñeira E (Lu.) 15 D4
Piñeira E (Lu.) 4 C3
Piñeira E (Lu.) 16 B1
Piñeira de Arcos E (Our.) 35 B3
Piñeiro E (A Co.) 3 A1
Piñeiro E (A Co.) 1 D5
Piñeiro E (A Co.) 14 A2
Piñeiro E (A Co.) 14 B1
Piñeiro E (A Co.) 2 D3
Piñeiro E (A Co.) 14 B3
Piñeiro E (Lu.) 15 C5
Piñeiro E (Lu.) 16 A2
Piñeiro E (Po.) 33 D2
Piñeiro E (Po.) 33 D4
Piñeiro E (Po.) 33 D1
Piñeiro E (Po.) 14 C4
Piñeiro E (Po.) 14 A4
Piñeiros E (A Co.) 2 D3
Piñel de Abajo E (Vall.) 61 A2
Piñel de Arriba E (Vall.) 61 A2
Piñera E (Ast.) 5 B3
Piñera E (Ast.) 6 C3
Piñera E (Ast.) 4 D3
Piñera, La E (Ast.) 6 B5
Piñera, La E (Ast.) 6 C3
Piñeres E (Ast.) 18 D1
Piñero, El E (Zam.) 58 D5
Piñor E (Our.) 35 A1
Piñuécar E (Mad.) 81 D2
Piñuel E (Zam.) 58 A5
Piñuelas, Los E (Mu.) 172 B2
Pio de Sajambre E (Le.) 19 D2
Piódão P (Co.) 95 A2
Piornal E (Các.) 98 B4
Piornedo E (Le.) 18 D2
Piornedo E (Our.) 36 A4
Pioz E (Gua.) 102 C1
Pipa P (Lis.) 126 D1
Pipaón E (Ál.) 43 B1
Pipaona E (La R.) 44 A3
Piquera de
San Esteban E (So.) 62 C4
Piqueras E (Gua.) 84 D5
Piqueras del Castillo E (Cu.) 122 B2
Piquillo, El, lugar E (Mad.) 100 C3
Piquín E (Lu.) 4 B5
Pira E (Ta.) 69 C4
Piracés E (Hues.) 47 A5
Pisão P (Co.) 94 D2
Pisão P (Co.) 94 A2
Pisão P (Por.) 113 B5
Pisão P (Por.) 128 D1
Pisão P (Vis.) 74 C3
Pisão P (Vis.) 75 A5
Piscifactoría E (Gua.) 83 C3
Pisões P (Be.) 145 A4
Pisões P (C. B.) 112 D1
Pisões P (Lei.) 94 C4
Pisões P (Lei.) 111 A1
Pisões P (V. R.) 55 A1
Pisón de Castrejón E (Pa.) 20 B4
Pisoria P (C. B.) 95 A4
Pisueña E (Can.) 21 D1
Pita P (San.) 128 A1
Pitarque E (Te.) 86 D5
Piteira E (Our.) 35 A1
Pitiegua E (Sa.) 78 D2
Pitillas E (Na.) 45 A2
Pitões das Júnias P (V. R.) 35 A5
Pitres E (Gr.) 182 B3
Piúgos E (Lu.) 15 D2
Pixeiros E (Our.) 36 B4
Pizarra E (Mál.) 180 A4
Pizarral E (Sa.) 78 C5
Pizarrera, La E (Mad.) 101 A1
Pizarro E (Các.) 132 B1
Pla d'Amunt E (Gi.) 51 D4
Pla d'Avall E (Gi.) 51 D4
Pla de Baix E (Gi.) 52 A4
Pla de la Font, el E (Ll.) 68 B2
Pla de la Vallonga E (Ali.) 156 D2
Pla de Manlleu, el E (Ta.) 70 A4
Pla de na Tesa, Es E (Bal.) 91 C3
Pla de Sant Josep E (Ali.) 156 C3
Pla de Sant Tirs, el E (Ll.) 49 D2
Pla de Santa Maria, el E (Ta.) 69 D4
Pla del Castell, el E (Bar.) 70 C3
Pla del Penedès, el E (Bar.) 70 B4
Pla del Remei, El E (Bar.) 71 C1
Pla del Temple E (Bar.) 71 C1
Pla, El E (Bar.) 71 C2
Pla, El E (Bar.) 71 B2
Pla, El E (Bar.) 70 A2
Pla, el E (Cas.) 107 C3
Placa, La E (Le.) 37 B1
Placencia de las
Armas → Soraluze E (Gui.) 23 D1
Plademont E (Gi.) 51 D4
Pladevall E (Gi.) 51 C3
Pladevall E (Gi.) 51 D4
Plan E (Hues.) 28 A5
Plan, El E (Mu.) 172 B2
Plana del Pont Nou, La E (Bar.) 70 C1
Plana, la E (Ta.) 89 C1
Planas, Las E (Te.) 87 B4
Planassa, La E (Bar.) 70 D3
Planes E (Ali.) 141 B4
Planes d'Hostoles, les E (Gi.) 51 C4
Planes, les E (Bar.) 71 A4
Planoles E (Gi.) 50 D2
Plans, els E (Ali.) 157 D1
Plasencia E (Các.) 97 D4
Plasencia de Jalón E (Zar.) 65 C2
Plasencia del Monte E (Hues.) 46 C3
Plasenzuela E (Các.) 115 D4
Platera, La E (J.) 153 B3
Platja → Playa E (Val.) 141 C3
Platja d'Alcúdia E (Bal.) 92 B1
Platja d'Aro E (Gi.) 52 C5
Platja de Calafell, La E (Ta.) 70 A5
Platja del Francàs, La E (Ta.) 90 A1
Platja, la → Playa, La E (Cas.) 108 A4
Platosa, La, lugar E (Sev.) 165 A4
Playa Blanca E (Las P.) 192 A5
Playa de Arinaga E (Las P.) 191 D4
Playa
de las Américas E (S. Cruz T.) 195 C5
Playa de Melenara E (Las P.) 191 D3
Playa de Mogán, La E (Las P.) 191 A4
Playa de San Juan E (S. Cruz T.) 195 C4
Playa de San Nicolás E (Las P.) 191 A3
Playa de Santiago E (S. Cruz T.) 194 C2
Playa del Inglés E (Las P.) 191 C4
Playa del Matorral E (Las P.) 189 C5
Playa del Sol-Villacana E (Mál.) 187 D2
Playa Honda E (Las P.) 192 C4
Playa Muchavista E (Ali.) 157 D1
Playa, La/Platja, la E (Cas.) 108 A4
Playa/Platja E (Val.) 141 C3
Playas de Chacón E (Zar.) 67 C5
Playitas, Las E (Las P.) 190 A4
Plaza, La (Teverga) E (Ast.) 18 A1
Pleitas E (Zar.) 65 D2
Plenas E (Zar.) 86 A2
Plentzia E (Viz.) 11 A4
Pliego E (Mu.) 155 B5
Plines E (Gr.) 181 A1
Plou E (Te.) 86 B2
Pó P (Lei.) 110 C4
Poago E (Ast.) 6 C3
Poal, El E (Bar.) 70 C1
Poal, el E (Ll.) 69 A2
Pobar E (So.) 64 A1
Pobeña E (Viz.) 10 C5
Pobes E (Ál.) 23 A4
Pobla de
Benifassà, la →
Puebla de Benifasar E (Cas.) 88 A5
Pobla de Cérvoles, la E (Ll.) 69 A4
Pobla de Claramunt, la E (Bar.) 70 B3
Pobla de Farnals, la E (Val.) 125 B3
Pobla de Lillet, la E (Bar.) 50 C2
Pobla de Mafumet, la E (Ta.) 89 C1
Pobla de Massaluca, la E (Ta.) 88 B1
Pobla de Montornès, la E (Ta.) 89 D1
Pobla de Segur, la E (Ll.) 49 A3
Pobla de Vallbona, la E (Val.) 124 D3
Pobla del Duc, la E (Val.) 141 A3
Pobla Llarga, la E (Val.) 141 A1
Pobla Tornesa, la E (Cas.) 107 D4
Pobla, Sa E (Bal.) 92 A2
Población de Arreba E (Bur.) 21 C3
Población de Arroyo E (Pa.) 39 D2
Población de Campos E (Pa.) 40 C3
Población de Cerrato E (Pa.) 60 C2
Población de Soto E (Pa.) 40 B2
Poblachuela, La, lugar E (C. R.) 135 B3
Poblado C.N.V E (Bad.) 117 B5
Poblado de Alfonso XIII E (Sev.) 177 D1
Poblado de Potasas E (Na.) 25 A5
Poblado del Iara E (J.) 151 C5
Poblado Permanente
de Hidroeléctrica
Española E (Các.) 114 C1
Poblado San Julián E (J.) 150 D5
Poblados Marítimos/
Port de Borriana, el E (Cas.) 125 C1
Pobladura de Aliste E (Zam.) 57 C1
Pobladura de Fontecha E (Le.) 38 C2
Pobladura de la Sierra E (Le.) 37 C2
Pobladura de la Tercia E (Le.) 18 C3
Pobladura
de las Regueras E (Le.) 17 D5
Pobladura de Luna E (Le.) 18 B3
Pobladura
de Pelayo García E (Le.) 38 C3
Pobladura de Somoza E (Le.) 17 A5
Pobladura de Sotiedra E (Vall.) 59 B2
Pobladura
de Valderaduey E (Zam.) 58 D2
Pobladura de Yuso E (Le.) 38 A3
Pobladura
del Bernesga E (Le.) 18 D5
Pobladura del Valle E (Zam.) 38 C4
Poblenou →
Pueblo Nuevo E (Val.) 125 A3
Poblenou
de Benitatxell, el →
Benitachell E (Ali.) 142 A4
Poblenou del Delta, El E (Ta.) 88 D5
Poblenou, El E (Gi.) 52 A2
Pobles, les E (Ta.) 89 B2
Pobles, les E (Ta.) 69 D4
Poble-sec, El E (Bar.) 51 A4
Poble-sec, El E (Ll.) 49 D2
Poblet E (Ta.) 69 B4
Poblete E (C. R.) 135 B3
Poblets, els E (Ali.) 141 D3
Pobo de Dueñas, El E (Gua.) 85 A4
Pobo, El E (Te.) 106 B1
Poboleda E (Ta.) 69 A5
Pobra de Brollón, A/
Puebla del Brollón E (Lu.) 16 A5
Pobra de Burón, A E (Lu.) 16 C1
Pobra de San Xulián
(Láncara) E (Lu.) 16 A3
Pobra de Trives, A E (Our.) 36 B2
Pobra do Caramiñal/
Puebla del Caramiñal E (A Co.) 13 C4
Pocariça P (Co.) 93 D1
Pocariça P (Lis.) 110 D5
Poceirão P (Set.) 127 B4
Pocicas-Galeras, Las E (Alm.) 170 B4
Pocico, El E (Alm.) 170 C5
Pocico, El E (Gr.) 169 A5
Pocicos, Los E (Alb.) 138 C4
Pocinho P (Fa.) 175 B2
Pocinho P (Guar.) 76 B1

Poço P (Ave.) 94 A1
Poço da Chainça P (Lei.) 111 B2
Poço do Canto P (Guar.) 76 A2
Poço Longo P (Fa.) 174 D3
Poço Velho P (Guar.) 76 D5
Podame P (V. C.) 34 B4
Podence P (Bra.) 56 C3
Podentes E (Our.) 35 A3
Podentes P (Co.) 94 A3
Podes E (Ast.) 6 B2
Poiares P (Bra.) 76 D2
Poiares P (V. C.) 54 A2
Poiares P (V. R.) 55 B5
Poio E (Po.) 34 A1
Poios P (Lei.) 93 D4
Pol E (Lu.) 16 A1
Pol E (Our.) 35 A1
Pola de Allande E (Ast.) 5 B5
Pola de Gordón, La E (Le.) 18 D4
Pola de Laviana E (Ast.) 6 D5
Pola de Lena E (Ast.) 18 C1
Pola de Siero E (Ast.) 6 D4
Pola de Somiedo E (Ast.) 17 D2
Pola del Pino E (Ast.) 19 A2
Polaciones E (Can.) 20 C2
Polán E (To.) 119 A1
Polanco E (Can.) 9 B4
Polavieja E (Ast.) 5 B3
Polentinos E (Pa.) 20 C3
Poleñino E (Hues.) 67 A1
Polícar E (Gr.) 168 C5
Polientes E (Can.) 21 B4
Polígono de Santa María de Benquerencia E (To.) 119 B1
Polígono Residencial de Arinaga E (Las P.) 191 D4
Polinyà E (Bar.) 71 A3
Polinyà de Xúquer E (Val.) 141 B1
Polop E (Ali.) 141 C5
Polopos E (Alm.) 184 C2
Polopos E (Gr.) 182 C4
Poloria E (Gr.) 168 A1
Polvacera, La E (S. Cruz T.) 193 C3
Polvoredo E (Le.) 19 C2
Polvorosa P (Por.) 113 A4
Pollença E (Bal.) 92 A1
Pollos E (Vall.) 59 C4
Pomaluengo E (Can.) 9 B5
Pomar de Cinca E (Hues.) 67 D1
Pomar de Valdivia E (Pa.) 21 A4
Pomarão P (Be.) 161 B2
Pomares P (Co.) 95 A2
Pomares P (Guar.) 76 B5
Pombal P (Bra.) 55 D5
Pombal P (Bra.) 56 C4
Pombal P (Lei.) 93 D4
Pombalinho P (Co.) 94 A4
Pombalinho P (San.) 111 D4
Pombar E (Our.) 35 D2
Pombaria P (Lei.) 94 A5
Pombas P (C. B.) 94 C5
Pombeira P (San.) 112 B1
Pombeiras P (Co.) 94 C2
Pombeiro E (Lu.) 35 C1
Pombeiro da Beira P (Co.) 94 C2
Pombeiro de Ribavizela P (Port.) 54 C4
Pombeiros P (Be.) 144 C5
Pombriego E (Le.) 37 A1
Pomer E (Zar.) 64 D3
Pompajuela, lugar E (To.) 117 D1
Poncebos E (Ast.) 8 A5
Pondras P (V. R.) 55 A2
Ponferrada E (Le.) 37 B1
Ponjos E (Le.) 18 A4
Pont d'Armentera, el E (Ta.) 69 D4
Pont de Bar, el E (Ll.) 50 A2
Pont de Claverol, el E (Ll.) 49 A3
Pont de Molins E (Gi.) 52 A2
Pont de Suert, el E (Ll.) 48 D2
Pont de Vilomara, el E (Bar.) 70 C2
Pont del Príncep, El E (Gi.) 52 B2
Pont Major, El E (Gi.) 52 A4
Ponta P (Ma.) 109 B1
Ponta Delgada P (Aç.) 109 B5
Ponta Delgada P (Aç.) 109 A2
Ponta Delgada P (Ma.) 110 B1
Ponta do Pargo P (Ma.) 109 D1
Ponta do Sol P (Ma.) 110 A2
Ponta Garça P (Aç.) 109 C5
Ponte E (Ast.) 5 C4
Ponte E (Lu.) 4 A5
Ponte E (Po.) 14 D4
Ponte P (Br.) 54 B3
Ponte P (Br.) 54 B1
Ponte Beluso E (A Co.) 13 D4
Ponte da Barca P (V. C.) 54 B1
Ponte da Bica P (San.) 111 A3
Ponte da Mucela P (Co.) 94 C2
Ponte de Fajão P (Co.) 94 D3
Ponte de Fora P (Vis.) 74 C4
Ponte de Lima P (V. C.) 54 A1
Ponte de Olo P (V. R.) 55 A4
Ponte de Sôr P (Por.) 112 C5
Ponte de Sótão P (Co.) 94 C3
Ponte de Telhe P (Ave.) 74 C2
Ponte de Vagos P (Ave.) 73 D5
Ponte do Abade P (Vis.) 75 C3
Ponte do Ave P (Port.) 53 D4
Ponte do Celeiro P (San.) 111 C4
Ponte do Porto E (A Co.) 1 B5
Ponte do Reguengo P (San.) 111 B5
Ponte do Rol P (Lis.) 110 C5
Ponte Nafonso, A E (A Co.) 13 D3
Ponte Nefonso E (A Co.) 13 D3
Ponte Noalla E (Our.) 35 B2
Ponte Sampaio E (Po.) 34 A1
Ponte Ulla E (A Co.) 14 C3
Ponte Valga E (Po.) 14 A4
Ponte Veiga E (Our.) 34 D1
Ponte Velha P (Co.) 94 B3
Ponte, A E (Our.) 36 D3
Ponteareas E (Po.) 34 B3
Ponte-Caldelas E (Po.) 34 B1
Ponteceso E (A Co.) 1 D4
Pontecesures E (Po.) 14 A4
Pontedeume E (A Co.) 2 D3
Pontedeva E (Our.) 34 D3
Pontedo E (Le.) 18 D3
Ponteira P (V. R.) 55 A1
Pontejos E (Can.) 9 C4
Pontejos E (Zam.) 58 C4
Pontellas E (A Co.) 2 D4
Pontellas E (Po.) 34 A3
Pontenova, A E (Lu.) 4 B4
Pontepedra, A E (A Co.) 14 B1
Pontes P (Set.) 127 B5
Pontes de García Rodríguez, As/ Puentes de García Rodríguez E (A Co.) 3 B3
Pontevedra E (Po.) 34 A1
Pontevel P (San.) 111 B5
Pontica E (Ast.) 6 D3
Ponticella E (Ast.) 5 A4
Pontido P (V. R.) 55 B3
Pontils E (Ta.) 69 D3
Pontón Alto E (J.) 153 B4
Pontón, El E (Val.) 124 A4
Pontón, El E (Viz.) 22 D1
Pontones E (Can.) 9 D4
Pontones E (J.) 153 B4
Pontons E (Bar.) 70 A4
Pontós E (Gi.) 52 A3
Ponts E (Ll.) 49 C5
Ponzano E (Hues.) 47 C4
Poo E (Ast.) 8 A4
Pópulo P (V. R.) 55 D4
Porciones E (Sa.) 77 C4
Porcuna E (J.) 167 A1
Porches P (Fa.) 173 D2
Poreño E (Ast.) 7 A4
Porís de Abona E (S. Cruz T.) 196 A4
Porley E (Ast.) 17 C1
Porqueira E (Our.) 35 B4
Porquera de los Infantes E (Pa.) 21 A4
Porquera de Santullán E (Pa.) 20 D3
Porquera del Butrón E (Bur.) 21 D4
Porqueres E (Gi.) 51 D3
Porqueriza E (Sa.) 78 A2
Porquerizas, lugar E (Cád.) 186 B2
Porqueros E (Le.) 18 A5
Porrais P (Bra.) 56 D4
Porrais P (V. R.) 55 D4
Porreiras P (V. C.) 34 A4
Porrera E (Ta.) 89 A1
Porreres E (Bal.) 92 B4
Porrinheiro P (Vis.) 74 D5
Porriño, O E (Po.) 34 A3
Porrosa, La E (J.) 152 D2
Porrosillo, El E (J.) 152 A3
Porrúa E (Ast.) 8 A4
Port E (Ali.) 142 A4
Port d'Alcúdia, Es E (Bal.) 92 B1
Port de Borriana, el → Poblados Marítimos E (Cas.) 125 C1
Port de la Selva, el E (Gi.) 52 C1
Port de Pollença E (Bal.) 92 B1
Port de Sagunt, el → Puerto, El E (Val.) 125 B2
Port, El E (Bal.) 91 C2
Port, El E (Gi.) 52 C1
Port, Es E (Bal.) 91 C2
Port, Es E (Bal.) 91 A4
Porta E (A Co.) 15 A2
Porta E (Val.) 125 A4
Porta Coeli E (Val.) 125 A2
Portagem P (Por.) 113 D4
Portaje E (Các.) 97 A5
Portal, El E (Cád.) 177 C5
Portalegre P (Por.) 113 C4
Portales, Los E (Las P.) 191 C2
Portalrubio E (Te.) 86 A4
Portalrubio de Guadamajud E (Cu.) 103 C3
Portals Nous E (Bal.) 91 C4
Portazgo, El E (Cór.) 166 D4
Portbou E (Gi.) 52 C1
Portel P (Év.) 145 A2
Portela E (A Co.) 14 A3
Portela E (A Co.) 14 D2
Portela E (Po.) 34 A2
Portela E (Po.) 15 B4
Portela E (Po.) 34 A3
Portela E (Po.) 33 D2
Portela E (Po.) 14 A5
Portela E (Po.) 14 B4
Portela P (Ave.) 74 A2
Portela P (Br.) 54 B3
Portela P (Bra.) 56 D1
Portela P (C. B.) 94 C5
Portela P (Co.) 93 D2
Portela P (Lei.) 94 B5
Portela P (Lei.) 110 D4
Portela P (Lis.) 110 D5
Portela P (San.) 112 A3
Portela P (San.) 112 B2
Portela P (V. C.) 34 B5
Portela P (V. C.) 34 B4
Portela P (V. R.) 55 B5
Portela da Teira P (San.) 111 B3
Portela das Cabras P (Br.) 54 A2
Portela de Aguiar E (Le.) 36 D1
Portela de Portomourisco E (Our.) 36 B2
Portela de São Caetano P (Lei.) 94 A5
Portela de Valcarce, La E (Le.) 16 D5
Portela de Vila Verde P (San.) 112 A1
Portela do Fojo P (Co.) 94 C4
Portela Susã P (V. C.) 53 D1
Portela, A E (Our.) 36 C1
Portelárbol E (So.) 63 D1
Portelas P (Fa.) 173 B2
Portelas P (Lei.) 93 C4
Portelas P (San.) 112 C3
Portelas, Las E (S. Cruz T.) 195 B3
Portelinha P (Set.) 143 C5
Portelinha P (V. C.) 34 D4
Portelo P (Bra.) 37 A5
Portelrubio E (So.) 63 D1
Portell de Morella E (Cas.) 107 B1
Portella, la E (Ll.) 68 C2
Portellada, La E (Te.) 87 D3
Portera, La E (Val.) 124 A4
Portezuelo E (Các.) 115 B1
Portezuelo, El E (S. Cruz T.) 196 B1
Portilla E (Ál.) 23 A5
Portilla E (Cu.) 104 B3
Portilla de la Reina E (Le.) 20 A2
Portilla, La E (Alm.) 170 D5
Portillejo E (Pa.) 40 B1
Portillo E (Sa.) 78 D4
Portillo E (Vall.) 60 B4
Portillo de Soria E (So.) 64 B3
Portillo de Toledo E (To.) 100 D4
Portimão P (Fa.) 173 C2
Portinatx E (Bal.) 89 D3
Portinha P (San.) 112 B1
Portinho da Arrábida P (Set.) 127 A5
Portlligat, lugar E (Gi.) 52 D2
Portman E (Mu.) 172 C3
Porto E (A Co.) 2 D3
Porto E (Our.) 35 C3
Porto E (Zam.) 36 D3
Porto P (Port.) 53 D5
Porto Alto P (San.) 127 A2
Porto Brandão P (Set.) 126 C3
Porto Carreiro P (Co.) 94 D3
Porto Carvalhoso P (Fa.) 174 D2
Porto Colom E (Bal.) 92 C4
Porto Covo P (Set.) 143 A5
Porto Cristo E (Bal.) 92 D3
Porto da Carne P (Guar.) 76 A5
Porto da Cruz P (Ma.) 110 C1
Porto da Espada P (Por.) 113 D4
Porto da Luz P (Lis.) 127 A1
Porto de Bares E (A Co.) 3 D1
Porto de Espasante E (A Co.) 3 C1
Porto de Lagos P (Fa.) 173 C2
Porto de Mendo P (San.) 112 A2
Porto de Mós P (Lei.) 111 B2
Porto de Muge P (San.) 111 B5
Porto de Ovelha P (Guar.) 76 C5
Porto de Santa Cruz E (A Co.) 2 C4
Porto do Barqueiro E (A Co.) 3 C1
Porto do Carro P (Co.) 94 A2
Porto do Carro P (Lei.) 111 B1
Porto do Son E (A Co.) 13 C4
Porto Formoso P (Aç.) 109 C4
Porto Liceia P (Co.) 93 C2
Porto Moniz P (Ma.) 109 D1
Porto Novo P (Ave.) 74 B2
Porto Novo P (Lis.) 110 C5
Porto Petro E (Bal.) 92 C5
Porto Salvo P (Lis.) 126 C3
Porto Santo P (Ma.) 109 C1
Porto Velho P (San.) 112 A1
Portobravo (Lousame) E (A Co.) 13 D3
Portocarrero E (Alm.) 183 D1
Pòrtol E (Bal.) 91 D3
Portomar P (Co.) 73 C5
Portomarín E (Lu.) 15 C3
Portomeiro E (A Co.) 14 A2
Portomouro E (A Co.) 14 A2
Portonovo E (Po.) 33 D1
Portos dos Fusos P (C. B.) 94 B5
Portosín E (A Co.) 13 C3
Portua E (Gui.) 12 D4
Portugalete E (A Co.) 13 B3
Portugalete E (Viz.) 10 D5
Pórtugos E (Gr.) 182 C2
Portunhos P (Co.) 93 D2
Portús, El E (Mu.) 172 B3
Portuzelo P (V. C.) 53 D1
Porvenir de la Industria E (Cór.) 149 A2
Porvorais P (Co.) 94 C3
Porzomillos E (A Co.) 2 D4
Porzuna E (C. R.) 135 A1
Posada E (Ast.) 5 C5
Posada E (Ast.) 8 A4
Posada de la Valduerna E (Le.) 38 A2
Posada de Llanera E (Ast.) 6 C4
Posada de Valdeón E (Le.) 19 D1
Posada del Bierzo E (Le.) 37 A1
Posadas E (Cór.) 165 C1
Posadas Ricas E (J.) 151 D5
Posadilla E (Cór.) 149 A3
Posadilla de la Vega E (Le.) 38 B2
Posmarcos E (A Co.) 13 C4
Possacos P (V. R.) 56 A2
Possanco P (Set.) 143 B1
Posto Fiscal do Caia P (Por.) 130 B3
Potes E (Can.) 20 B1
Potiche E (Alb.) 138 B5
Potries E (Val.) 141 C3
Pouca Pena P (Co.) 93 D3
Poulo E (A Co.) 14 C1
Poulo E (Our.) 34 D3
Pousa E (Our.) 35 D5
Pousa P (Br.) 54 A2
Pousa Foles P (Co.) 94 A3
Pousada E (Lu.) 16 B3
Pousada E (Lu.) 4 A5
Pousada E (Lu.) 16 B2
Pousada E (Lu.) 4 B3
Pousada E (Po.) 14 C5
Pousada E (Po.) 34 A2
Pousada P (Br.) 54 B2
Pousada P (Port.) 74 D1
Pousada de Saramagos P (Br.) 54 B3
Pousadas P (Co.) 94 A3
Pousadas P (V. R.) 55 A5
Pousadas P (Vis.) 74 C5
Pousadas P (Vis.) 75 B4
Pousade P (Guar.) 76 B5
Pousadela P (Vis.) 75 B3
Pousadouros P (Co.) 94 D2
Pousaflores P (C. B.) 95 B5
Pousaflores P (Lei.) 94 A5
Pousafoles do Bispo P (Guar.) 96 A1
Pousos P (Lei.) 111 C1
Pousos P (San.) 111 D2
Poutena P (Ave.) 93 D1
Poutomillos E (Lu.) 15 C2
Poveda E (Áv.) 99 C1
Poveda de la Obispalía E (Cu.) 103 D5
Poveda de la Sierra E (Gua.) 84 B5
Poveda de las Cintas E (Sa.) 79 B2
Póveda de Soria, La E (So.) 43 C5
Poveda, La, lugar E (Mad.) 100 D3
Povedilla E (Alb.) 137 C4
Póvoa P (Bra.) 57 C3
Póvoa P (Bra.) 56 B5
Póvoa P (C. B.) 112 C1
Póvoa P (Co.) 94 A4
Póvoa P (Co.) 94 B3
Póvoa P (Co.) 94 C3
Póvoa P (Lei.) 111 A2
Póvoa P (Port.) 73 D1
Póvoa P (San.) 111 C3
Póvoa P (San.) 112 A1
Póvoa P (Vis.) 75 A1
Póvoa P (Vis.) 75 A3
Póvoa P (Vis.) 75 B3
Póvoa da Catarina P (Vis.) 74 D5
Póvoa da Galega P (Lis.) 126 C2
Póvoa da Isenta P (San.) 111 B5
Póvoa da Palhaça P (C. B.) 95 D3
Póvoa da Pégada P (Vis.) 74 D5
Póvoa da Rainha P (Guar.) 75 B5
Póvoa da Ribeira Sardeira P (C. B.) 94 C5
Póvoa das Chãs P (Ave.) 74 B3
Póvoa das Leiras P (Vis.) 74 C3
Póvoa de Abraveia P (Co.) 94 B3
Póvoa de Agrações P (V. R.) 55 D2
Póvoa de Atalaia P (C. B.) 95 C4
Póvoa de Cebeçais P (Vis.) 74 D4
Póvoa de Cervães P (Vis.) 75 B5
Póvoa de Lanhoso P (Br.) 54 C2
Póvoa de Lila P (V. R.) 56 A3
Póvoa de Luzianes P (Vis.) 75 A5
Póvoa de Midões P (Co.) 94 D1
Póvoa de Mós P (San.) 111 C3
Póvoa de Pegas P (Co.) 94 A3
Póvoa de Penafirma P (Lis.) 110 C5
Póvoa de Penela P (Vis.) 75 D1
Póvoa de Rio de Moinhos P (C. B.) 95 C5
Póvoa de Santa Cristina P (Co.) 93 D2
Póvoa de Santa Iria P (Lis.) 126 D2
Póvoa de Santarém P (San.) 111 C4
Póvoa de Santo Adrião P (Lis.) 126 D2
Póvoa de Santo António P (Vis.) 74 D5
Póvoa de São Cosme P (Co.) 95 A1
Póvoa de São Miguel P (Be.) 145 C2
Póvoa de Tres P (San.) 111 B4
Póvoa de Varzim P (Port.) 53 D4
Póvoa d'El-Rei P (Guar.) 76 A4
Póvoa do Arcediago P (Vis.) 74 D5
Póvoa do Concelho P (Guar.) 76 A4
Póvoa do Conde P (San.) 111 B4
Póvoa do Forno P (Ave.) 73 D5
Póvoa do Manique P (Lis.) 111 B5
Póvoa do Pereiro P (Ave.) 94 A1
Póvoa do Valado P (Ave.) 73 D5
Póvoa dos Mosqueiros P (Vis.) 94 C1
Póvoa dos Sobrinhos P (Vis.) 75 A4
Póvoa e Meadas P (Por.) 113 C3
Póvoa Nova P (Guar.) 95 B1
Póvoa Velha P (Guar.) 95 B1
Povoação P (Aç.) 109 D5
Póvoada Alagoa P (Vis.) 74 D5
Póvoas P (San.) 111 B3
Povolide P (Vis.) 75 A4
Poyales del Hoyo E (Áv.) 99 B3
Poyata, La E (Cór.) 167 A4
Poyatos E (Cu.) 104 B2
Poyo del Cid, El E (Te.) 85 C3
Poyo, El E (Zam.) 57 C1
Poyos, Los, lugar E (Alb.) 153 D4
Poza de la Sal E (Bur.) 22 A5
Poza de la Vega E (Pa.) 40 A1
Pozal de Gallinas E (Vall.) 60 A5
Pozáldez E (Vall.) 59 D5
Pozalmuro E (So.) 64 B2
Pozán de Vero E (Hues.) 47 C4
Pozanco E (Áv.) 80 B4
Pozancos E (Gua.) 83 B2
Pozo Alcón E (J.) 169 A2
Pozo Aledo E (Mu.) 172 C1
Pozo Bueno E (Alb.) 139 A4
Pozo Cano, lugar E (Alb.) 154 D1
Pozo de Abajo, lugar E (Alb.) 153 C1
Pozo de Almoguera E (Gua.) 102 D2
Pozo de Guadalajara E (Gua.) 102 C1
Pozo de la Higuera E (Mu.) 171 A4
Pozo de la Peña E (Alb.) 139 A3
Pozo de la Rueda, lugar E (Gr.) 170 A2
Pozo de la Serna E (C. R.) 136 C4
Pozo de los Frailes E (Alm.) 184 C4

Pozo de Urama	E	(Pa.)	39	D3
Pozo del Camino	E	(Huel.)	175	D2
Pozo del Capitán, lugar	E	(Alm.)	184	C3
Pozo del Esparto, El	E	(Alm.)	171	B5
Pozo del Lobo	E	(Alm.)	169	D4
Pozo Estrecho	E	(Mu.)	172	B2
Pozo Iglesias	E	(Gr.)	169	D3
Pozo Izquierdo	E	(Las P.)	191	D4
Pozoamargo	E	(Cu.)	122	B5
Pozoantiguo	E	(Zam.)	59	A3
Pozoblanco	E	(Cór.)	149	D2
Pozo-Cañada	E	(Alb.)	139	A4
Pozohondo	E	(Alb.)	138	C4
Pozo-Lorente	E	(Alb.)	139	B2
Pozondón	E	(Te.)	105	B1
Pozorrubio	E	(Cu.)	121	A1
Pozos	E	(Le.)	37	C3
Pozos de Hinojo	E	(Sa.)	77	B3
Pozos de Mondar	E	(Sa.)	78	A2
Pozoseco	E	(Cu.)	122	C4
Pozuel de Ariza	E	(Zar.)	64	B5
Pozuel del Campo	E	(Te.)	85	B4
Pozuelo	E	(Alb.)	138	B4
Pozuelo de Alarcón	E	(Mad.)	101	C2
Pozuelo de Aragón	E	(Zar.)	65	B2
Pozuelo de Calatrava	E	(C. R.)	135	C3
Pozuelo de la Orden	E	(Vall.)	59	B1
Pozuelo de Tábara	E	(Zam.)	58	B1
Pozuelo de Vidriales	E	(Zam.)	38	B5
Pozuelo de Zarzón	E	(Các.)	97	B3
Pozuelo del Páramo	E	(Le.)	38	C4
Pozuelo del Rey	E	(Mad.)	102	B2
Pozuelo, El	E	(Alb.)	154	B1
Pozuelo, El	E	(Cu.)	84	A5
Pozuelo, El	E	(Gr.)	182	D4
Pozuelo, El	E	(Huel.)	162	D2
Pozuelos de Calatrava, Los	E	(C. R.)	135	A3
Pozuelos del Rey	E	(Pa.)	39	D3
Pracais	P	(Co.)	94	D3
Prada	E	(Ast.)	5	B5
Prada	E	(Our.)	36	C2
Prada	P	(Bra.)	56	C1
Prada de la Sierra	E	(Le.)	37	C1
Prada de Valdeón	E	(Le.)	19	D1
Prada, La	E	(Bur.)	22	C4
Pradales	E	(Seg.)	61	D4
Prádanos de Bureba	E	(Bur.)	42	B1
Prádanos de Ojeda	E	(Pa.)	20	D5
Prádanos del Tozo	E	(Bur.)	21	B5
Pradeda	E	(Lu.)	15	C3
Pradejón	E	(La R.)	44	B3
Pradela	E	(Le.)	16	D5
Pradell	E	(Ll.)	69	B1
Pradell	E	(Ta.)	89	A1
Prádena	E	(Seg.)	81	D1
Prádena de Atienza	E	(Gua.)	82	D1
Prádena del Rincón	E	(Mad.)	82	A2
Pradera de Navalhorno, La	E	(Seg.)	81	B3
Prades	E	(Ta.)	69	B5
Pradilla	E	(Gua.)	84	D4
Pradilla	E	(Le.)	17	B5
Pradilla de Ebro	E	(Zar.)	65	C1
Pradillo	E	(La R.)	43	B4
Prado	E	(Ast.)	7	C4
Prado	E	(Our.)	35	A2
Prado	E	(Our.)	35	A5
Prado	E	(Our.)	35	D3
Prado	E	(Po.)	14	D4
Prado	E	(Zam.)	39	A5
Prado	P	(Guar.)	75	C4
Prado	P	(San.)	111	B3
Prado	P	(V. C.)	34	C3
Prado de la Guzpeña	E	(Le.)	19	D4
Prado de Somosaguas	E	(Mad.)	101	C2
Prado del Rey	E	(Cád.)	178	C4
Prado Negro	E	(Gr.)	168	B5
Prado, El	E	(Alm.)	170	C4
Pradoalvar	E	(Our.)	36	A3
Pradocabalos	E	(Our.)	36	B4
Pradochano	E	(Các.)	97	C5
Prado-Gatão	P	(Bra.)	57	B4
Pradolongo	E	(Our.)	36	C3
Pradoluengo	E	(Bur.)	42	C3
Pradomao	E	(Our.)	35	D2
Pradorramisquedo	E	(Our.)	36	C3
Pradorredondo, lugar	E	(Alb.)	138	A3
Pradorrey	E	(Le.)	38	A1
Prados	E	(Seg.)	80	D4
Prados	P	(Guar.)	75	D5
Prados	P	(Guar.)	76	A4
Prados Redondos	E	(Gua.)	84	D4
Prados, Los	E	(Cór.)	167	A4
Prados, Los	E	(Mu.)	154	D4
Pradosegar	E	(Áv.)	99	C1
Pragal	P	(Set.)	126	C3
Prágdena	E	(Cór.)	166	C1
Prahua	E	(Ast.)	6	A3
Praia	P	(Aç.)	109	A1
Praia da Barra	P	(Ave.)	73	C4
Praia da Vieira	P	(Lei.)	93	A5
Praia da Vitoria	P	(Aç.)	109	A5
Praia das Maçãs	P	(Lis.)	126	B2
Praia de Faro	P	(Fa.)	174	C3
Praia de Mira	P	(Co.)	73	C5
Praia do Norte	P	(Aç.)	109	A3
Praia do Ribatejo	P	(San.)	112	A3
Praia Grande	P	(Lis.)	126	A2
Praias do Sado	P	(Set.)	127	B5
Prainha	P	(Aç.)	109	C3
Prat de Comte	E	(Ta.)	88	B2
Prat de Llobregat, el	E	(Bar.)	71	A4
Pratdip	E	(Ta.)	89	A2
Prats de Cerdanya	E	(Ll.)	50	C2
Prats de Lluçanès	E	(Bar.)	50	D4
Prats de Rei, els	E	(Bar.)	70	A2
Pravia	E	(Ast.)	6	A3
Prazeres	P	(Ma.)	109	D1
Prazeres	P	(Por.)	129	C2
Prazins	P	(Br.)	54	B3
Preguiças	P	(Fa.)	161	A4
Preixana	E	(Ll.)	69	B2
Preixens	E	(Ll.)	69	B1
Préjano	E	(La R.)	44	A4
Prelo	E	(Ast.)	5	A4
Premià de Dalt	E	(Bar.)	71	B3
Premià de Mar	E	(Bar.)	71	B3
Prendones	E	(Ast.)	4	D3
Presa	P	(Co.)	93	C1
Presa	P	(Co.)	93	D3
Presa	P	(Port.)	73	D1
Presa	P	(San.)	112	C2
Presa, La	E	(Huel.)	146	C5
Presaras	E	(A Co.)	15	A1
Presas	P	(Ave.)	74	B3
Presencio	E	(Bur.)	41	C4
Preses, les	E	(Gi.)	51	C3
Presillas	E	(Bur.)	21	C4
Presillas, Las	E	(Can.)	9	B5
Presno	E	(Ast.)	4	D3
Presqueira	E	(Po.)	14	C5
Préstimo	P	(Ave.)	74	B4
Pretarouca	P	(Vis.)	75	A1
Prevediños	E	(A Co.)	14	C3
Prexigueiros	E	(Our.)	34	D2
Pría	E	(Ast.)	7	D4
Priandi	E	(Ast.)	7	A4
Priaranza de la Valduerna	E	(Le.)	37	D2
Priaranza del Bierzo	E	(Le.)	37	A1
Priego	E	(Cu.)	104	A2
Priego de Córdoba	E	(Cór.)	167	A4
Primajas	E	(Le.)	19	C3
Primera del Río/ Fàbrica de Giner, la	E	(Cas.)	87	C5
Príncipe Alfonso	E	(Ce.)	188	B5
Priorat de la Bisbal, El	E	(Ta.)	70	A5
Priorato, El	E	(Sev.)	164	D2
Priorio	E	(Ast.)	6	B4
Prioro	E	(Le.)	19	D3
Proaza	E	(Ast.)	6	B5
Probaos	E	(A Co.)	2	D5
Proença-a-Nova	P	(C. B.)	112	D1
Proença-a-Velha	P	(C. B.)	96	A4
Proendos	E	(Lu.)	35	D1
Proente	E	(Our.)	35	B3
Progo	E	(Our.)	36	A5
Progreso	E	(Po.)	14	A4
Promediano	E	(Bur.)	22	C4
Prova	P	(Guar.)	75	D3
Provença	P	(Set.)	143	B4
Provencio, El	E	(Cu.)	121	C4
Provesende	P	(Ave.)	74	B2
Provesende	P	(V. R.)	55	C5
Providência, La	E	(Val.)	125	A3
Prozelo	P	(V. C.)	34	B5
Pruit	E	(Bar.)	51	C4
Prullans	E	(Ll.)	50	B2
Pruna	E	(Sev.)	179	B2
Pruneda	E	(Ast.)	7	A4
Pruvia	E	(Ast.)	6	C4
Púbol	E	(Gi.)	52	B4
Pucariça	P	(San.)	112	B3
Puçol	E	(Val.)	125	B2
Pudenza	E	(A Co.)	13	C1
Puebla	E	(A Co.)	14	D1
Puebla de Albortón	E	(Zar.)	66	B5
Puebla de Alcocer	E	(Bad.)	133	A2
Puebla de Alcollarín	E	(Bad.)	132	B1
Puebla de Alfindén, La	E	(Zar.)	66	B3
Puebla de Almenara	E	(Cu.)	121	A1
Puebla de Almoradiel, La	E	(To.)	120	C3
Puebla de Arenoso	E	(Cas.)	106	D4
Puebla de Arganzón, La	E	(Bur.)	23	A4
Puebla de Argeme	E	(Các.)	97	B5
Puebla de Azaba	E	(Sa.)	96	D1
Puebla de Beleña	E	(Gua.)	82	C3
Puebla de Benifasar/ Pobla de Benifassà, la	E	(Cas.)	88	A5
Puebla de Castro, La	E	(Hues.)	48	A4
Puebla de Cazalla, La	E	(Sev.)	165	A5
Puebla de Don Fadrique	E	(Gr.)	153	D5
Puebla de Don Rodrigo	E	(C. R.)	134	B2
Puebla de Eca	E	(So.)	63	D5
Puebla de Fantova, La	E	(Hues.)	48	B3
Puebla de Guzmán	E	(Huel.)	161	D2
Puebla de Híjar, La	E	(Te.)	87	A1
Puebla de la Calzada	E	(Bad.)	130	D3
Puebla de la Parrilla	E	(Cór.)	165	B1
Puebla de la Reina	E	(Bad.)	131	D4
Puebla de la Sierra	E	(Mad.)	82	A2
Puebla de Lillo	E	(Le.)	19	B2
Puebla de los Infantes, La	E	(Sev.)	165	A1
Puebla de Montalbán, La	E	(To.)	118	C1
Puebla de Mula, La	E	(Mu.)	155	C4
Puebla de Obando	E	(Bad.)	130	D1
Puebla de Parga	E	(Lu.)	3	B5
Puebla de Pedraza	E	(Seg.)	81	B1
Puebla de Roda, La	E	(Hues.)	48	B2
Puebla de San Medel	E	(Sa.)	98	C1
Puebla de San Miguel	E	(Val.)	105	D4
Puebla de Sanabria	E	(Zam.)	37	A4
Puebla de Sancho Pérez	E	(Bad.)	147	B1
Puebla de Soto	E	(Mu.)	155	D5
Puebla de Valdavia, La	E	(Pa.)	20	B5
Puebla de Valverde, La	E	(Te.)	106	B3
Puebla de Vallés	E	(Gua.)	82	B3
Puebla de Vícar	E	(Alm.)	183	C4
Puebla de Yeltes	E	(Sa.)	77	D5
Puebla del Brollón → Pobra de Brollón, A	E	(Lu.)	16	A5
Puebla del Caramiñal → Pobra do Caramiñal	E	(A Co.)	13	C4
Puebla del Maestre	E	(Bad.)	147	D4
Puebla del Mon, La	E	(Hues.)	48	A4
Puebla del Príncipe	E	(C. R.)	137	A5
Puebla del Prior	E	(Bad.)	131	C5
Puebla del Río, La	E	(Sev.)	163	D5
Puebla del Salvador	E	(Cu.)	123	A3
Puebla, La	E	(Mu.)	172	C2
Pueblanueva, La	E	(To.)	100	A5
Pueblica de Campeán	E	(Zam.)	58	B4
Pueblica de Valverde	E	(Zam.)	38	B5
Pueblo Blanco	E	(Alm.)	184	C3
Pueblo Nuevo/ Poblenou	E	(Val.)	125	A3
Pueblo, El	E	(Ast.)	6	C2
Pueblonuevo de Miramontes	E	(Các.)	99	A4
Pueblonuevo del Bullaque	E	(C. R.)	118	D5
Pueblonuevo del Guadiana	E	(Bad.)	130	C2
Puelles	E	(Ast.)	7	A4
Puelles, les	E	(Ll.)	69	B1
Puendeluna	E	(Zar.)	46	B4
Puente Abajo, lugar	E	(Gr.)	169	B3
Puente Almuhey	E	(Le.)	19	D4
Puente Arriba	E	(Gr.)	169	C2
Puente Botero	E	(Mu.)	171	A2
Puente Carrera	E	(Huel.)	175	C2
Puente de Alba	E	(Le.)	18	D4
Puente de Domingo Flórez	E	(Le.)	36	D2
Puente de Don Juan	E	(Cu.)	122	B5
Puente de Génave	E	(J.)	153	B2
Puente de la Sierra	E	(J.)	167	D2
Puente de Montañana	E	(Hues.)	48	C4
Puente de Órbigo	E	(Le.)	38	B1
Puente de Sabiñánigo, El	E	(Hues.)	47	A1
Puente de Salia	E	(Mál.)	181	A3
Puente de San Miguel	E	(Can.)	9	B4
Puente de Vadillos	E	(Cu.)	104	B1
Puente del Arzobispo, El	E	(To.)	117	B1
Puente del Congosto	E	(Sa.)	98	D1
Puente del Obispo	E	(J.)	152	A5
Puente del Rey	E	(Le.)	17	A5
Puente del Río	E	(Alm.)	183	A4
Puente Duero-Esparragal	E	(Vall.)	60	A3
Puente Genil	E	(Cór.)	166	A4
Puente la Reina de Jaca	E	(Hues.)	46	B1
Puente la Reina/Gares	E	(Na.)	24	D5
Puente Madre	E	(La R.)	43	D2
Puente Mayorga	E	(Cád.)	187	A4
Puente Nuevo	E	(J.)	167	D1
Puente Pasico	E	(Mu.)	171	A2
Puente Romano	E	(Cád.)	187	A4
Puente Tocinos	E	(Mu.)	156	A5
Puente Viesgo	E	(Can.)	9	B5
Puente, El	E	(Can.)	10	B5
Puente, El	E	(Zam.)	37	A4
Puente-Arenas	E	(Bur.)	22	A4
Puentedey	E	(Bur.)	21	D3
Puentedura	E	(Bur.)	42	A5
Puentelarra	E	(Ál.)	22	D5
Puentenansa	E	(Can.)	20	D1
Puentes de García Rodríguez → Pontes de García Rodríguez, As	E	(A Co.)	3	B3
Puenticiella	E	(Ast.)	17	B1
Puercas	E	(Zam.)	57	D2
Puerta de Segura, La	E	(J.)	153	B2
Puerta, La	E	(Gua.)	83	C5
Puertas	E	(Ast.)	8	B4
Puertas	E	(Sa.)	77	C1
Puertas, Las, lugar	E	(Gr.)	167	C4
Puertecico, El	E	(Alm.)	170	D3
Puertillo, El	E	(Las P.)	191	C2
Puertito de Güímar	E	(S.Cruz T.)	196	B3
Puerto	E	(Ast.)	6	B5
Puerto	E	(S.Cruz T.)	193	B3
Puerto Adentro	E	(Mu.)	171	A3
Puerto Alegre	E	(Cór.)	166	A4
Puerto Alto	E	(J.)	167	D2
Puerto Castilla	E	(Áv.)	98	C3
Puerto de Béjar	E	(Sa.)	98	B2
Puerto de la Cruz	E	(S.Cruz T.)	196	A2
Puerto de la Encina	E	(Sev.)	179	B1
Puerto de la Estaca	E	(S.Cruz T.)	194	C4
Puerto de la Laja	E	(Huel.)	161	B3
Puerto de la Madera	E	(S.Cruz T.)	196	B1
Puerto de las Nieves	E	(Las P.)	191	B2
Puerto de Mazarrón	E	(Mu.)	171	D3
Puerto de San Vicente	E	(To.)	117	B3
Puerto de Santa Cruz	E	(Các.)	116	A5
Puerto de Santa María, El	E	(Cád.)	177	C5
Puerto de Santiago	E	(S.Cruz T.)	195	B3
Puerto de Sardina	E	(Las P.)	191	B2
Puerto de Vega	E	(Ast.)	5	B3
Puerto del Carmen	E	(Las P.)	192	B5
Puerto del Rosario	E	(Las P.)	190	B2
Puerto Gil	E	(Huel.)	147	A5
Puerto Hondo	E	(Mu.)	154	A4
Puerto Hurraco	E	(Bad.)	132	C5
Puerto Lajas	E	(Las P.)	190	B2
Puerto Lápice	E	(C. R.)	120	A5
Puerto Lope	E	(Gr.)	167	C5
Puerto Lumbreras	E	(Mu.)	171	A3
Puerto Moral	E	(Huel.)	147	A5
Puerto Naos	E	(S.Cruz T.)	193	B3
Puerto Real	E	(Cád.)	185	D1
Puerto Rey	E	(Alm.)	184	D4
Puerto Rico	E	(Las P.)	191	B4
Puerto Seguro	E	(Sa.)	76	D3
Puerto Serrano	E	(Cád.)	178	C3
Puerto, El	E	(Alm.)	183	C4
Puerto, El	E	(Huel.)	146	B4
Puerto, El/ Port de Sagunt, el	E	(Val.)	125	B2
Puértolas	E	(Hues.)	47	D1
Puertollano	E	(C. R.)	135	A5
Puertomingalvo	E	(Te.)	107	A3
Puertos, Los, lugar	E	(Alb.)	139	A5
Pueyo	E	(Na.)	45	A1
Pueyo de Araguás, El	E	(Hues.)	47	D2
Pueyo de Fañanás	E	(Hues.)	47	A4
Pueyo de Jaca, El	E	(Hues.)	27	A5
Pueyo de Morcat, El	E	(Hues.)	47	C2
Pueyo de Santa Cruz	E	(Hues.)	67	D1
Puga	E	(Our.)	35	A2
Puibolea	E	(Hues.)	46	D3
Puig	E	(Val.)	125	B3
Puig d'en Valls	E	(Bal.)	89	D4
Puig des Dofi, lugar	E	(Bal.)	89	C4
Puigcerdà	E	(Gi.)	50	C1
Puigdàlber	E	(Bar.)	70	B4
Puiggròs	E	(Ll.)	69	A3
Puigmoltó	E	(Bar.)	70	C5
Puigmoreno	E	(Te.)	87	B1
Puigpardines	E	(Gi.)	51	B3
Puigpelat	E	(Ta.)	69	D5
Puigpunyent	E	(Bal.)	91	B3
Puig-reig	E	(Bar.)	50	C5
Puigventós	E	(Gi.)	52	B4
Puigverd d'Agramunt	E	(Ll.)	69	B1
Puigverd de Lleida	E	(Ll.)	68	D3
Puilatos, lugar	E	(Zar.)	66	C1
Pujaire	E	(Alm.)	184	B3
Pujalt	E	(Bar.)	69	D2
Pujayo	E	(Can.)	21	B2
Pujerra	E	(Mál.)	179	B5
Pujols, Es	E	(Bal.)	90	C5
Pulgar	E	(To.)	119	A2
Pulgara	E	(Mu.)	171	B2
Pulgosa, La	E	(Alb.)	138	D2
Pulianas	E	(Gr.)	168	A5
Pulianillas	E	(Gr.)	168	A5
Pulido, El	E	(Cád.)	186	C4
Pulpí	E	(Alm.)	171	A4
Pulpillo, El, lugar	E	(Mu.)	139	D4
Pulpite	E	(Gr.)	169	D3
Pullas, Las	E	(Mu.)	155	D4
Pumalverde	E	(Can.)	9	A5
Pumarabule	E	(Ast.)	6	D4
Pumarejo de Tera	E	(Zam.)	38	A5
Pumares, Los	E	(Can.)	9	D5
Pumarín	E	(Ast.)	6	D5
Pungalvaz	P	(San.)	111	D2
Punta Blanca	E	(Bal.)	90	A4
Punta Brava	E	(S.Cruz T.)	195	D2
Punta Caimán	E	(Huel.)	175	C2
Punta Calera	E	(Mu.)	172	C1
Punta del Hidalgo	E	(S.Cruz T.)	196	B1
Punta Jandía	E	(Las P.)	189	B5
Punta Mujeres	E	(Las P.)	192	D3
Punta Prima	E	(Ali.)	156	D5
Punta Umbría	E	(Huel.)	176	B2
Punta, La	E	(S.Cruz T.)	193	B3
Puntagorda	E	(S.Cruz T.)	193	B2
Puntal	E	(Alm.)	184	C1
Puntal, El	E	(Alm.)	170	A4
Puntal, El	E	(Mu.)	156	A4
Puntalón	E	(Gr.)	182	A4
Puntallana	E	(S.Cruz T.)	193	C2
Puntarrón	E	(Mu.)	171	C2
Puntas, Las	E	(S.Cruz T.)	194	C4
Punxín	E	(Our.)	35	A2
Puol	E	(Ali.)	156	C3
Puras	E	(Vall.)	80	B1
Puras de Villafranca	E	(Bur.)	42	C2
Purchena	E	(Alm.)	170	A4
Purchil	E	(Gr.)	181	D1
Purroy	E	(Zar.)	65	A4
Purroy de la Solana	E	(Hues.)	48	B4
Purujosa	E	(Zar.)	64	D2
Purullena	E	(Gr.)	168	C5
Pusmazán	E	(Our.)	36	D2
Pussos	P	(Lei.)	94	A5
Puyarruego	E	(Hues.)	47	D1

Q

Quadra	P	(Bra.)	36	C5
Quadra, La	E	(Viz.)	22	D1
Quadrazais	P	(Guar.)	96	B2
Quar, la	E	(Bar.)	50	D4
Quart	E	(Gi.)	52	A4
Quart de les Valls	E	(Val.)	125	B2
Quart de Poblet	E	(Val.)	125	A4
Quarta-Feira	P	(Guar.)	96	A2
Quarteira	P	(Fa.)	174	B3
Quartell	E	(Val.)	125	B2
Quartos de Áquem	P	(C. B.)	94	D4
Quatretonda	E	(Val.)	141	A2
Quatretondeta	E	(Ali.)	141	B4
Quatrim	P	(Fa.)	174	D3
Quatrim do Sul	P	(Fa.)	174	D3
Quatro Lagoas	P	(Co.)	94	A4
Quebrada	P	(San.)	112	D2
Quebradas	P	(Lis.)	111	A4
Quebradas, Las, lugar	E	(Alb.)	153	D3
Quecedo de Valdivieso	E	(Bur.)	22	A4
Queguas	E	(Our.)	34	D4
Queijada	P	(V. C.)	54	A1
Queijas	P	(Lis.)	126	C3
Queimada	P	(Vis.)	75	B1
Queimadela	P	(Br.)	54	C3
Queimadela	P	(Vis.)	75	B1
Queirã	P	(Vis.)	74	D4
Queirela	P	(Vis.)	74	D4
Queiriga	P	(Vis.)	75	B3

Queiriz P (Guar.) 75 D4
Queiroás E (Our.) 35 B3
Queiruga E (A Co.) 13 C4
Queitide P (Lei.) 93 C4
Queixa E (Our.) 35 D3
Queixans E (Gi.) 50 C1
Queixas E (A Co.) 2 B5
Queixeiro E (A Co.) 3 A4
Queizán E (Lu.) 16 C2
Queizás E (Our.) 35 D5
Quejigal E (Alb.) 154 A1
Quejigal E (Sa.) 78 A3
Quejigo, El E (Huel.) 146 C5
Quel E (La R.) 44 B3
Quelfes P (Fa.) 174 D3
Queluz P (Lis.) 126 C3
Quemada E (Bur.) 62 A2
Quemadas, Las E (Cór.) 150 A5
Quemados, Los E (S. Cruz T.) 193 B4
Quembre E (A Co.) 2 C5
Quende E (Lu.) 4 A4
Quéntar E (Gr.) 182 B1
Quentes P (Lis.) 110 D5
Quer E (Gua.) 82 B5
Queralbs E (Gi.) 51 A2
Quereledo P (Port.) 54 A4
Querença P (Fa.) 174 C2
Quereño E (Our.) 36 D1
Quero E (To.) 120 C3
Querol E (Ta.) 69 D4
Querúas E (Ast.) 5 C3
Quesa E (Val.) 140 C1
Quesada E (J.) 168 D1
Quexigal, El E (Áv.) 100 D1
Quiaios P (Co.) 93 B2
Quicena E (Hues.) 47 A4
Quijano E (Can.) 9 B4
Quijas E (Can.) 9 A5
Quijorna E (Mad.) 101 A2
Quiles, Los E (C. R.) 119 B5
Quilmas E (A Co.) 13 B2
Quilós E (Le.) 17 A5
Quincoces de Suso, lugar E (Bur.) 22 C3
Quincoces de Yuso E (Bur.) 22 C3
Quindóus E (Lu.) 16 C3
Quines E (Our.) 34 D2
Quinta E (Lu.) 16 C3
Quintã P (Be.) 160 D3
Quinta P (C. B.) 112 B1
Quintã P (V. R.) 55 A5
Quinta Cimeira P (C. B.) 96 A1
Quinta da Estrada P (Guar.) 75 C3
Quinta de Gonçalo Martins P (Guar.) 96 B1
Quinta de Lor E (Lu.) 36 A1
Quinta de Miranda P (San.) 111 D4
Quinta de Pero Martins P (Guar.) 76 B3
Quinta de Santo António P (Lis.) 111 A4
Quinta de Santo António P (Set.) 126 C4
Quinta do Anjo P (Set.) 127 A4
Quinta do Lago P (Fa.) 174 C3
Quintã do Loureiro P (Ave.) 73 D4
Quinta do Monte Leal P (C. B.) 95 D3
Quinta do Salgueiro P (Guar.) 75 D4
Quinta dos Bernardos P (Guar.) 76 B4
Quinta dos Vigários P (Co.) 93 C2
Quinta Grande P (San.) 127 D2
Quinta Nova P (Guar.) 76 B3
Quinta Nova P (San.) 111 D4
Quinta Zoca E (S. Cruz T.) 193 C2
Quintana E (Ast.) 5 D5
Quintana E (Ast.) 7 A4
Quintana E (Ast.) 8 A4
Quintana E (Can.) 22 A1
Quintana E (Cór.) 165 D2
Quintana E (Po.) 34 A2
Quintana das Centieras P (Bra.) 76 C1
Quintana de Fon E (Le.) 38 A1
Quintana de Fuseros E (Le.) 17 C4
Quintana de la Serena E (Bad.) 132 C4
Quintana de los Prados E (Bur.) 22 A2
Quintana de Raneros E (Le.) 38 D1
Quintana de Rueda E (Le.) 39 B1
Quintana de Sanabria E (Zam.) 37 A4
Quintana del Castillo E (Le.) 18 A5
Quintana del Marco E (Le.) 38 B3
Quintana del Monte E (Le.) 39 C1
Quintana del Pidio E (Bur.) 61 C2
Quintana del Pino E (Bur.) 21 C5
Quintana del Puente E (Pa.) 41 A4
Quintana Redonda E (So.) 63 C3
Quintana y Congosto E (Le.) 38 A3
Quintanabaldo E (Bur.) 21 D3
Quintanabureba E (Bur.) 42 B1
Quintanadiez de la Vega E (Pa.) 40 A1
Quintanadueñas E (Bur.) 41 D2
Quintanaélez E (Bur.) 22 B5
Quintanaentello E (Bur.) 21 C3
Quintana-Entrepeñas E (Bur.) 22 B4
Quintanalacuesta E (Bur.) 22 A4
Quintanalara E (Bur.) 42 A4
Quintanaloma E (Bur.) 21 D5
Quintanaloranco E (Bur.) 42 C1
Quintanaluengos E (Pa.) 20 C4
Quintanamace E (Bur.) 22 B3
Quintanamanvirgo E (Bur.) 61 B2
Quintana-María E (Bur.) 22 B4
Quintana-Martín Galíndez E (Bur.) 22 C4
Quintanaopio E (Bur.) 22 A5
Quintanaortuño E (Bur.) 41 D2
Quintanapalla E (Bur.) 42 A2
Quintanar de la Orden E (To.) 120 D3
Quintanar de la Sierra E (Bur.) 42 D5
Quintanar del Rey E (Cu.) 122 C5
Quintanarejo, El E (So.) 43 B5
Quintanarraya E (Bur.) 62 B2
Quintanarruz E (Bur.) 42 A1
Quintanas E (Ast.) 18 D1
Quintanas de Gormaz E (So.) 62 D4
Quintanas de Valdelucio E (Bur.) 21 A5
Quintanas Rubias de Abajo E (So.) 62 C4
Quintanas Rubias de Arriba E (So.) 62 C4
Quintanas y Piso Firme, Los E (Las P.) 191 B2
Quintanaseca E (Bur.) 22 B4
Quintanatello de Ojeda E (Pa.) 20 C5
Quintana-Urría E (Bur.) 42 A1
Quintanavides E (Bur.) 42 B2
Quintanilha P (Bra.) 57 B2
Quintanilla E (Can.) 20 C1
Quintanilla E (Le.) 18 C4
Quintanilla de Arriba E (Vall.) 60 D3
Quintanilla de Babia E (Le.) 18 A3
Quintanilla de Flórez E (Le.) 38 A3
Quintanilla de la Berzosa, lugar E (Pa.) 20 D4
Quintanilla de la Cueza E (Pa.) 40 A3
Quintanilla de la Mata E (Bur.) 41 C5
Quintanilla de la Presa E (Bur.) 41 B1
Quintanilla de las Torres E (Pa.) 21 A4
Quintanilla de las Viñas E (Bur.) 42 A4
Quintanilla de los Oteros E (Le.) 39 A3
Quintanilla de Losada E (Le.) 37 B3
Quintanilla de Nuño Pedro E (So.) 62 C2
Quintanilla de Onésimo E (Vall.) 60 D3
Quintanilla de Onsoña E (Pa.) 40 B2
Quintanilla de Pienza E (Bur.) 22 A3
Quintanilla de Riofresno E (Bur.) 41 A1
Quintanilla de Rueda E (Le.) 19 C5
Quintanilla de San Román E (Bur.) 21 C3
Quintanilla de Santa Gadea E (Bur.) 21 B3
Quintanilla de Sollamas E (Le.) 18 C5
Quintanilla de Somoza E (Le.) 37 D2
Quintanilla de Tres Barrios E (So.) 62 C3
Quintanilla de Trigueros E (Vall.) 60 B1
Quintanilla de Urz E (Zam.) 38 B5
Quintanilla de Yuso E (Le.) 37 C3
Quintanilla del Agua E (Bur.) 41 D5
Quintanilla del Coco E (Bur.) 42 A5
Quintanilla del Molar E (Vall.) 39 A5
Quintanilla del Monte E (Bur.) 42 C2
Quintanilla del Monte E (Le.) 38 B1
Quintanilla del Monte E (Zam.) 59 A1
Quintanilla del Olmo E (Zam.) 59 A1
Quintanilla del Rebollar E (Bur.) 21 D2
Quintanilla del Valle E (Le.) 38 B1
Quintanilla San García E (Bur.) 42 C1
Quintanilla Sopeña E (Bur.) 22 A2
Quintanilla, La, lugar E (Alb.) 138 B2
Quintanillabón E (Bur.) 42 B1
Quintanilla-Cabrera E (Bur.) 42 B4
Quintanilla-Colina E (Bur.) 21 D4
Quintanilla-Morocisla → Quintanilla-Vivar E (Bur.) 41 D2
Quintanilla-Motecabezas E (Bur.) 22 B4
Quintanilla-Pedro Abarca E (Bur.) 41 C1
Quintanillas, Las E (Bur.) 41 C2
Quintanilla-Sobresierra E (Bur.) 41 D1
Quintanilla-Somuñó E (Bur.) 41 C3
Quintanilla-Sotoscueva E (Bur.) 21 D2
Quintanilla-Valdebodres E (Bur.) 21 D3
Quintanilla-Vivar o Quintanilla-Morocisla E (Bur.) 41 D2
Quintáns E (A Co.) 14 A2
Quintáns E (A Co.) 13 B1
Quintáns E (A Co.) 13 D4
Quintáns E (A Co.) 13 C1
Quintáns E (Po.) 13 D5
Quintas E (A Co.) 14 C3
Quintas P (Ave.) 73 D5
Quintas P (C. B.) 95 D2
Quintas P (Guar.) 75 D5
Quintas P (Lis.) 126 C2
Quintas P (San.) 111 B4
Quintas P (V. R.) 55 C3
Quintas P (V. R.) 55 C2
Quintas P (Vis.) 75 A1
Quintas de São Bartolomeu P (Guar.) 96 B2
Quintas do Norte P (Ave.) 73 D3
Quinta-Taucho, La E (S. Cruz T.) 195 C4
Quintela E (Po.) 34 A2
Quintela P (Bra.) 56 C1
Quintela P (V. R.) 55 D2
Quintela P (Vis.) 74 B4
Quintela P (Vis.) 74 D4
Quintela P (Vis.) 75 C3
Quintela de Azurara P (Vis.) 75 B4
Quintela de Leirado E (Our.) 34 D3
Quintelas P (Ave.) 74 B2
Quintería, La E (J.) 151 B5
Quintes E (Ast.) 7 A3
Quintiães P (Br.) 53 D2
Quinto E (Sev.) 164 A4
Quinto E (Zar.) 66 D4
Quinto da Gala P (Ave.) 73 D5
Quintos P (Be.) 145 A4
Quintueles E (Ast.) 6 D3
Quinzano E (Hues.) 46 C3
Quiñonería E (So.) 64 B3
Quión E (A Co.) 14 C3
Quirás P (Bra.) 36 B5
Quiroga E (Lu.) 36 B1
Quirós E (Ast.) 18 B1
Quiruelas de Vidriales E (Zam.) 38 B5
Quisicedo E (Bur.) 21 D2
Quismondo E (To.) 100 D4
Quitapesares E (Seg.) 81 A3
Quizande P (Vis.) 74 C1

R

R.A.D., La E (Sa.) 78 B3
Rabaça P (Por.) 113 D5
Rabaçal P (Co.) 94 A4
Rabaçal P (Guar.) 76 A3
Rabaceira P (Lei.) 111 A4
Rabacinas P (C. B.) 113 A1
Rábade E (Lu.) 15 D1
Rabadeira E (A Co.) 2 A5
Rabal E (Our.) 35 C4
Rabal E (Our.) 36 A2
Rabal P (Bra.) 57 A1
Rabanal de Abajo E (Le.) 17 D3
Rabanal de Fenar E (Le.) 18 D4
Rabanal de Luna E (Le.) 18 B3
Rabanal del Camino E (Le.) 37 D1
Rabanal, El E (Cór.) 166 A4
Rabanales E (Zam.) 57 C2
Rabanera E (La R.) 43 C4
Rabanera del Campo E (So.) 63 D3
Rabanera del Pinar E (Bur.) 62 C1
Rabanillo-Gamo E (Sev.) 177 D3
Rábano E (Vall.) 61 A4
Rábano de Aliste E (Zam.) 57 C2
Rábano de Sanabria E (Zam.) 37 B4
Rábanos E (Bur.) 42 C3
Rábanos, Los E (So.) 63 D2
Rabassa, La E (Ll.) 69 D2
Rabaza, La E (Bad.) 113 D5
Rabé de las Calzadas E (Bur.) 41 C3
Rabé de los Escuderos E (Bur.) 41 D5
Rábida, La E (Huel.) 176 B2
Rabilero, El, lugar E (Bad.) 147 B2
Rabiño E (Our.) 34 D3
Rábita, La E (Gr.) 182 D4
Rábita, La E (J.) 167 B3
Rabo de Peixe P (Aç.) 109 B4
Raboconejo E (Huel.) 162 D3
Rabós E (Gi.) 52 B1
Racholar de Matilda E (Cas.) 107 B5
Rada E (Can.) 10 A5
Rada E (Na.) 45 A3
Rada de Haro E (Cu.) 121 C3
Rada Moraira E (Ali.) 142 A4
Rada, La, lugar E (Alb.) 154 C2
Radazul E (S. Cruz T.) 196 B2
Rades de Arriba, lugar E (Seg.) 81 C2
Radiquero E (Hues.) 47 C4
Radona E (So.) 63 D5
Rafal E (Ali.) 156 C4
Ráfales E (Hues.) 68 A2
Ráfales E (Te.) 87 D3
Rafelbunyol → Rafelbuñol E (Val.) 125 B3
Rafelbuñol/Rafelbunyol E (Val.) 125 B3
Rafelcofer E (Val.) 141 C3
Rafelguaraf E (Val.) 141 A2
Ráfol d'Almúnia, el → Ráfol de Almunia E (Ali.) 141 D3
Ráfol de Almunia/ Ráfol d'Almúnia, el E (Ali.) 141 D3
Ráfol de Salem E (Val.) 141 A3
Rágama E (Sa.) 79 C2
Rágol E (Alm.) 183 C2
Raíces Nuevo E (Ast.) 6 B3
Raiguero E (Mu.) 171 C2
Raiguero de Bonanza E (Ali.) 156 B4
Raiguero, El E (Mu.) 156 B4
Raïmat E (Ll.) 68 B2
Raimonda P (Port.) 54 B4
Rairiz de Veiga E (Our.) 35 B4
Raiva P (Ave.) 74 B1
Raiz do Monte P (V. R.) 55 C3
Raja, La E (Mu.) 156 A2
Rajadell E (Bar.) 70 B1
Ral P (Lei.) 112 B1
Ral P (Lis.) 126 B2
Ral, El E (Mu.) 171 C1
Rala E (Alb.) 154 A2
Rales E (Ast.) 7 B4
Ramacastañas E (Áv.) 99 C3
Ramadas P (V. R.) 55 A5
Ramalde P (Port.) 74 A1
Ramales de la Victoria E (Can.) 22 A1
Ramalhal P (Lei.) 112 A1
Ramalhal P (Lis.) 110 C5
Ramalheiro P (Co.) 93 C1
Ramalhosa P (Lei.) 111 A3
Ramallosa E (Po.) 33 D3
Ramallosa, A (Teo) E (A Co.) 14 B3
Rambla Aljibe, La E (Alm.) 170 C5
Rambla Carlonca, lugar E (Gr.) 182 D2
Rambla de Abajo, La E (Alm.) 170 B3
Rambla de Arriba, La E (Alm.) 170 B3
Rambla de la Higuera, La E (Alm.) 170 C4
Rambla de los Lobos E (Gr.) 168 C2
Rambla de Valdiquín E (Gr.) 169 A4
Rambla del Agua E (Gr.) 182 B4
Rambla del Agua, lugar E (Gr.) 169 A5
Rambla del Banco, La E (Gr.) 182 D3
Rambla Grande E (Alm.) 170 D4
Rambla Salada E (Mu.) 156 A4
Rambla, La E (Cór.) 166 A2
Rambla, La, lugar E (Alb.) 138 B4
Ramela P (Guar.) 96 A1
Ramil Bajo E (Alm.) 169 C4
Ramilo E (Our.) 36 C3
Raminho P (Aç.) 109 A5
Ramira, Las E (Sev.) 178 C1
Ramiráns E (Po.) 14 B4
Ramirão P (Guar.) 75 C5
Ramirás E (Our.) 35 A2
Ramiro E (Vall.) 80 A1
Ramiro P (Lis.) 126 C2
Ramos P (Lei.) 93 C4
Ramos, Los E (Mu.) 156 A5
Rancas P (Lis.) 127 A1
Randa E (Bal.) 92 A4
Rande E (Po.) 34 A2
Rande P (Port.) 54 C4
Randín E (Our.) 35 A5
Ranera E (Bur.) 22 B5
Ranginha P (Por.) 113 D4
Ranha de São João P (Lei.) 93 C5
Ranhados P (Guar.) 76 A2
Ranhados P (Vis.) 75 A4
Ranholas P (Lis.) 126 B3
Ranón E (Ast.) 5 C3
Rante E (Our.) 35 B2
Rañín E (Hues.) 48 A2
Rañobre E (A Co.) 2 B4
Rao E (Lu.) 16 D2
Rapa P (Guar.) 75 D5
Rapariegos E (Seg.) 80 B2
Ràpita, La E (Bar.) 70 B5
Ràpita, La E (Ll.) 69 A1
Ràpita, Sa E (Bal.) 92 A5
Raposa P (San.) 111 D5
Raposeira P (Fa.) 173 A2
Raposeira P (Por.) 130 A3
Raposeira P (San.) 111 C3
Raposo, El E (Bad.) 147 B2
Raposo, El, lugar E (Gr.) 169 B5
Raposos P (Lei.) 111 A2
Rapoula P (Guar.) 76 A5
Rapoula P (Lei.) 94 A4
Rapoula do Côa P (Guar.) 96 B1
Rãs P (Port.) 54 B5
Ras P (Vis.) 75 B4
Rasa, La E (Ast.) 6 D4
Rasa, La E (So.) 62 D4
Rasa, La, lugar E (Bur.) 21 D2
Rasal E (Hues.) 46 C2
Rascafría E (Mad.) 81 C3
Rascoia P (Lei.) 94 A5
Raset E (Gi.) 52 B3
Rasillo E (Can.) 21 C1
Rasillo de Cameros, El E (La R.) 43 B4
Rasines E (Can.) 10 B5
Raso, El E (Áv.) 99 A3
Raspay E (Mu.) 156 A1
Raspeig, El E (Ali.) 157 C1
Raspilla E (Alb.) 153 D2
Rasquera E (Ta.) 88 C2
Rasueros E (Áv.) 79 C2
Rates E (A Co.) 13 C3
Rates P (Port.) 53 D3
Rato E (Lu.) 4 C3
Ratoeira P (Guar.) 75 D5
Raval E (Val.) 141 A1
Raval de Calldetenes E (Bar.) 51 B5
Raval de Crist, El E (Ta.) 88 C4
Raval de Jesús, El E (Ta.) 88 C3
Raval d'Olost, El E (Bar.) 50 D4
Ravelo E (S. Cruz T.) 196 B2
Raxó E (Po.) 33 D1
Raxoi E (Po.) 14 A4
Raxón E (A Co.) 2 D2
Raya, La E (Mu.) 155 D5
Razamonde E (Our.) 35 A2
Razbona E (Gua.) 82 C4
Razo E (A Co.) 2 A4
Reádegos E (Our.) 35 B1
Real P (Ave.) 74 C1
Real P (Br.) 54 B2
Real P (Port.) 54 C5
Real P (Vis.) 75 B4
Real Cortijo de San Isidro E (Mad.) 102 A4
Real de Gandia E (Val.) 141 C2
Real de la Jara, El E (Sev.) 147 C5
Real de Montroi E (Val.) 124 D5
Real de San Vicente, El E (To.) 100 A4
Real, El E (Alm.) 170 D5
Real, O E (Our.) 36 D1
Realejos, Los E (S. Cruz T.) 195 D2
Realenc, el → Realengo, El E (Ali.) 156 C3
Realengo, El E (Alm.) 170 D5
Realengo, El/ Realenc, el E (Ali.) 156 C3
Reascos E (Lu.) 15 D3
Rebaixaria dos Tomés P (C. B.) 112 C1
Rebanal de las Llantas E (Pa.) 20 B3
Rebanque P (Lis.) 126 B2
Rebelhos P (Guar.) 96 A2
Rebelo P (Lei.) 111 A2
Reboledo P (Port.) 54 D4
Reboleiro P (Guar.) 75 D3
Rebolia P (Co.) 93 D3
Rebolia P (Lei.) 94 A5
Rebolosa P (Guar.) 96 C1
Rebollada E (Ast.) 6 C5
Rebollada E (Ast.) 6 C3
Rebollar E (Ast.) 17 B3
Rebollar E (Các.) 98 A3
Rebollar E (So.) 63 C1
Rebollar de los Oteros E (Le.) 39 A2
Rebollar, El E (Val.) 124 A4
Rebolledas, Las E (Bur.) 41 C2

Rebolledillo
de la Orden E (Bur.) 20 D5
Rebolledo E (Ali.) 156 D2
Rebolledo de la Inera E (Pa.) 21 A4
Rebolledo de la Torre E (Bur.) 21 A5
Rebolledo
de Traspeña E (Bur.) 21 A5
Rebollo E (Seg.) 81 C1
Rebollo de Duero E (So.) 63 B4
Rebollo, El E (Ast.) 5 A4
Rebollosa E (Sa.) 97 D2
Rebollosa de Jadraque E (Gua.) 83 A2
Rebollosa de Pedro E (So.) 62 C5
Rebón E (Po.) 14 A5
Rebordãos P (Bra.) 56 D1
Rebordechá E (Our.) 35 C4
Rebordechán E (Po.) 34 D3
Rebordechao E (Our.) 35 D3
Rebordelo E (Po.) 34 B1
Rebordelo P (V. R.) 55 B1
Rebordelos E (A Co.) 2 A4
Rebordelos E (A Co.) 14 A1
Rebordinho P (Vis.) 74 C4
Rebordinho P (Vis.) 75 A5
Rebordões P (Port.) 54 B4
Rebordões
(Santa Maria) P (V. C.) 54 A1
Rebordões (Souto) P (V. C.) 54 A1
Rebordondo E (Our.) 35 D4
Rebordondo P (V. R.) 55 C2
Rebordosa P (Port.) 54 B5
Reboreda P (V. C.) 33 D4
Reboredo E (Lu.) 15 B3
Reboredo E (Our.) 35 B2
Reboredo E (Po.) 13 C5
Reboredo de Jades P (V. R.) 55 D3
Recadieira E (Lu.) 4 A3
Recardães P (Ave.) 74 A5
Recarei P (Port.) 54 B5
Recas E (To.) 101 B4
Rececende E (Lu.) 4 B4
Recemel E (A Co.) 3 B3
Recesende E (A Co.) 14 B3
Recesende E (Lu.) 16 A2
Recezinhos P (Port.) 54 C5
Reconco, El E (Alm.) 169 D5
Recueja, La E (Alb.) 139 B1
Recuenco, El E (Gua.) 84 A5
Recuerda E (So.) 62 D4
Redal, El E (La R.) 44 A3
Redecilla del Camino E (Bur.) 42 D2
Redecilla del Campo E (Bur.) 42 D2
Redes E (A Co.) 2 D3
Redes, Las E (Cád.) 177 C5
Redilluera E (Le.) 19 A3
Redinha P (Lei.) 93 D4
Redipollos E (Le.) 19 B3
Redipuertas E (Le.) 19 A2
Redón y Venta
de Ceferino E (Mu.) 171 A3
Redonda E (A Co.) 13 B2
Redonda P (Ave.) 74 B5
Redonda, La E (Sa.) 76 D3
Redonde E (Po.) 14 A5
Redondela E (Po.) 34 A2
Redondela, La E (Huel.) 175 D2
Redondelo P (V. R.) 55 C2
Redondinha P (Guar.) 96 B1
Redondo E (Bur.) 21 D2
Redondo P (Év.) 129 B4
Redondo Alto y Bajo E (Cór.) 165 D1
Redován E (Ali.) 156 B4
Redueña E (Mad.) 81 D4
Redundo P (Port.) 54 B4
Réfega P (Bra.) 57 B1
Refóios do Lima P (V. C.) 54 A1
Refojos de Riba de Ave P (Port.) 54 B4
Refontoura P (Port.) 54 C4
Refoxos E (Po.) 14 C4
Refugidos P (Lis.) 127 A1
Regadas P (Br.) 54 D4
Regais P (San.) 111 D3
Regaleiros P (Co.) 93 C2
Regañada, La E (Sa.) 78 C4
Regatol, El/
Mespelerreka E (Viz.) 10 D5
Regedoura P (Ave.) 73 D3
Regencós E (Gi.) 52 C4
Regilde P (Br.) 54 C4
Regla
de Perandones, La E (Ast.) 17 B1
Rego P (Br.) 54 D3
Rego da Murta P (San.) 112 B1
Rego de Vide P (Bra.) 56 A4
Régoa E (A Co.) 3 A1
Regoda P (Ave.) 74 B2
Regoelle E (A Co.) 13 C1
Regoufe P (Ave.) 74 C2
Regueira E (A Co.) 2 D5
Regueira de Pontes P (Lei.) 93 B5
Regueira, A E (Lu.) 4 A4
Regueiro E (Our.) 14 C5
Regüelo, El E (J.) 167 C2
Reguenga P (Port.) 54 A4
Reguengo P (Ave.) 74 A3
Reguengo P (Por.) 113 C4
Reguengo P (San.) 127 B1
Reguengo do Fetal P (Lei.) 111 C1
Reguengo Grande P (Lis.) 110 C4
Reguengo Pequeno P (Lis.) 110 C4
Reguengo/Rejenjo E (Po.) 34 A3
Reguengodo Alviela P (San.) 111 D4
Reguengos de Monsaraz P (Év.) 145 B1
Regueras de Abajo E (Le.) 38 B3
Regueras de Arriba E (Le.) 38 B3
Reguers, els E (Ta.) 88 B3
Regumiel de la Sierra E (Bur.) 42 D5
Reguntille E (Lu.) 16 A1
Reigada P (Guar.) 76 C3
Reigadinha P (Guar.) 76 A4
Reigosa E (Lu.) 4 A4
Reigosa E (Po.) 34 A1
Reigoso P (V. R.) 55 A1
Reigoso P (Vis.) 74 B4
Reillo E (Cu.) 122 D1
Reina E (Bad.) 148 A3
Reinaldos P (Lei.) 110 C4
Reinante E (Lu.) 4 B3
Reinosa E (Can.) 21 A3
Reinoso E (Bur.) 42 B1
Reinoso E (Mál.) 187 C2
Reinoso de Cerrato E (Pa.) 40 D5
Reiris E (Po.) 14 A5
Reiris E (Po.) 14 A4
Reiriz E (Lu.) 15 C4
Reis E (A Co.) 14 B3
Reis P (Lei.) 93 D4
Rejano E (Gr.) 169 C4
Rejano, El E (Sev.) 179 D1
Rejas de San Esteban E (So.) 62 C3
Rejas de Ucero E (So.) 62 D2
Rejenjo → Reguengo E (Po.) 34 A3
Relamiego E (Ast.) 5 C5
Relea de la Loma E (Pa.) 40 B1
Reliegos E (Le.) 39 B1
Relíquias P (Be.) 159 D1
Relumbrar, lugar E (Alb.) 137 B5
Relva P (Aç.) 109 A5
Relva P (Ave.) 74 A2
Relva P (C. B.) 96 B4
Relva P (Guar.) 76 A2
Relva P (Vis.) 75 A2
Relva da Louça P (C. B.) 112 D1
Relva Velha P (Co.) 94 D2
Relvas P (C. B.) 95 B3
Relvas P (C. B.) 94 D5
Relvas P (Co.) 94 D3
Relvas P (Lei.) 94 A5
Relvas P (Lei.) 111 A3
Rellano, El E (Mu.) 155 D3
Rellanos E (Ast.) 5 B4
Relleu E (Ali.) 141 B5
Rellinars E (Bar.) 70 C2
Rello E (So.) 63 B5
Relloso E (Bur.) 22 C2
Remedio, El E (Ast.) 7 A4
Remédios P (Aç.) 109 A4
Remei E (Bar.) 71 B3
Remelhe P (Br.) 54 A3
Remesal E (Zam.) 37 B4
Remo, El E (S.Cruz T.) 193 B4
Remoães P (V. C.) 34 C3
Remolina E (Le.) 19 C3
Remolinos E (Zar.) 65 D1
Remondes P (Bra.) 56 D4
Remondo E (Seg.) 60 C5
Remudas, Las E (Las P.) 191 D3
Remuíño E (Our.) 34 D2
Rena E (Bad.) 132 B2
Renales E (Gua.) 83 C3
Renau E (Ta.) 69 D5
Rendal E (A Co.) 14 D2
Rendo P (Ave.) 74 A4
Rendo P (Guar.) 96 B2
Rendufe P (Br.) 54 C3
Rendufe P (Br.) 54 B2
Rendufe P (V. C.) 34 A5
Rendufe P (V. R.) 55 D3
Rendufinho P (Br.) 54 C2
Renedo E (Can.) 9 B5
Renedo de Esgueva E (Vall.) 60 B3
Renedo de la Vega E (Pa.) 40 B2
Renedo de Valdavia E (Pa.) 40 B1
Renedo de Valderaduey E (Le.) 39 D1
Renedo de Zalima E (Pa.) 20 D4
Renera E (Gua.) 102 D1
Rengos E (Ast.) 17 B2
Renieblas E (So.) 63 D1
Rentería/Errenteria E (Gui.) 12 C5
Reolid E (Alb.) 137 C5
Repastaderos, Los E (Cád.) 177 D4
Repeses P (Vis.) 75 A4
Repilado, El E (Huel.) 146 C5
Requeixo E (Lu.) 16 A4
Requeixo E (Lu.) 15 B5
Requeixo E (Our.) 36 B3
Requeixo E (Our.) 35 A2
Requeixo P (Ave.) 74 A4
Requejada E (Can.) 9 B4
Requejado E (Ast.) 6 C5
Requejo E (Zam.) 37 A4
Requejo de la Vega E (Le.) 38 B3
Requejo y Corús E (Le.) 18 A5
Requena E (Val.) 124 A4
Requena de Campos E (Pa.) 40 D3
Requián E (A Co.) 2 D4
Requião P (Br.) 54 A3
Requiás E (Our.) 35 A5
Reriz P (Vis.) 74 D2
Rescate, El E (Gr.) 181 D4
Resende P (Vis.) 75 A1
Resgatados P (Co.) 93 C2
Residencia de Ancianos E (Mad.) 102 B1
Resinera-Voladilla E (Mál.) 187 C2
Resoba E (Pa.) 20 C3
Respaldiza/
Arespalditza E (Ál.) 22 D2
Respenda de Aguilar E (Pa.) 21 A5
Respenda de la Peña E (Pa.) 20 B4
Restábal E (Gr.) 182 A3
Restande E (A Co.) 14 B1
Restinga, La E (S.Cruz T.) 194 C5
Retacos, Los E (Alm.) 184 B2
Retamal E (Bad.) 130 D4
Retamal de Llerena E (Bad.) 132 A5
Retamar E (Alm.) 184 A3
Retamar E (C. R.) 134 D5
Retamar E (S.Cruz T.) 193 B3
Retamosa E (Các.) 116 D3
Retamoso E (To.) 118 A2
Retascón E (Zar.) 85 C1
Retaxo P (C. B.) 113 B1
Retiendas E (Gua.) 82 C3
Retorta E (Our.) 35 D4
Retorta P (Port.) 53 D4
Retortillo E (Can.) 21 A3
Retortillo E (Sa.) 77 C4
Retortillo de Soria E (So.) 62 D5
Retuerta E (Bur.) 42 A5
Retuerta del Bullaque E (C. R.) 118 C4
Retuerto E (Le.) 19 D2
Reus E (Ta.) 89 B1
Revalvos E (Sa.) 79 A5
Revelhe P (Br.) 54 C3
Revellinos E (Zam.) 58 D1
Revenga E (Bur.) 41 C4
Revenga E (Seg.) 81 A3
Revenga de Campos E (Pa.) 40 C3
Revenga, La E (Ast.) 6 D5
Reventón E (Bad.) 147 D1
Revezes P (Fa.) 160 C3
Revilla E (Can.) 9 C4
Revilla E (Hues.) 27 D5
Revilla
de Calatañazor, La E (So.) 63 B3
Revilla de Campos E (Pa.) 40 A5
Revilla de Collazos E (Pa.) 20 C5
Revilla de Herrán, La E (Bur.) 22 C4
Revilla de Pienza E (Bur.) 22 A3
Revilla de Pomar E (Pa.) 21 A4
Revilla de Santullán E (Pa.) 20 D3
Revilla del Campo E (Bur.) 42 A4
Revilla, La E (Bur.) 42 B5
Revilla-Cabriada E (Bur.) 41 D5
Revillagodos E (Bur.) 42 B1
Revillalcón E (Bur.) 42 B1
Revillarruz E (Bur.) 41 D3
Revilla-Vallegera E (Bur.) 41 A4
Revinhade P (Port.) 54 C4
Revolta E (Po.) 33 D1
Rexaldia P (San.) 111 D2
Rey Aurelio E (Ast.) 6 D5
Reyero E (Le.) 19 C3
Reza E (Our.) 34 D2
Reza E (Our.) 35 B2
Rezmondo E (Bur.) 40 D1
Reznos E (So.) 64 B3
Rezouro P (San.) 111 D1
Ría de Abres E (Lu.) 4 C3
Riachos P (San.) 111 D3
Riaguas de San
Bartolomé E (Seg.) 62 A4
Rial E (A Co.) 13 D4
Rial E (A Co.) 14 A1
Rial E (Lu.) 15 B4
Rial, O (Soutomaior) E (Po.) 34 A2
Rialp E (Ll.) 49 B1
Rianxo E (A Co.) 13 D4
Riaño E (Ast.) 6 C5
Riaño E (Bur.) 21 C3
Riaño E (Can.) 10 A5
Riaño E (Le.) 19 D3
Riaño de Ibio E (Can.) 9 A5
Riaza E (Seg.) 62 A5
Riba E (Can.) 10 A5
Riba, A E (A Co.) 13 D2
Riba, la E (Ta.) 69 C5
Riba de Âncora P (V. C.) 33 C5
Riba de Aves P (Lei.) 93 B5
Riba de Baixo P (Co.) 94 B2
Riba de Cima P (Co.) 94 C2
Riba de Escalote, La E (So.) 63 B5
Riba de Mouro P (V. C.) 34 C4
Riba de Saelices E (Gua.) 84 A3
Riba de Santiuste E (Gua.) 83 B1
Riba Fria P (Lei.) 110 C4
Ribabellosa E (Ál.) 23 A5
Ribadavia E (Our.) 34 D2
Ribadelago E (Zam.) 37 A4
Ribadelago de Franco E (Zam.) 37 A4
Ribadelouro E (Po.) 34 A3
Ribadeo E (Lu.) 4 C3
Ribadesella E (Ast.) 7 D4
Ribadetea E (Po.) 34 B3
Ribadeume E (A Co.) 3 B3
Ribadiso do Baixo E (A Co.) 14 D2
Ribadouro P (Port.) 74 D1
Ribadulla E (A Co.) 14 B3
Ribadumia E (Po.) 13 D5
Ribafeita P (Vis.) 74 D3
Ribaforada E (Na.) 45 B5
Ribafrecha E (La R.) 43 D2
Ribafria P (Lis.) 126 D1
Ribagorda E (Cu.) 104 A2
Ribaldeira P (Lis.) 126 C1
Ribalonga P (Bra.) 55 D5
Ribalonga P (V. R.) 55 D4
Ribamar P (Lis.) 126 B1
Ribamar P (Lis.) 110 C4
Ribamondego P (Guar.) 75 C5
Riba-roja de Túria E (Val.) 124 D3
Riba-roja d'Ebre E (Ta.) 68 B5
Ribarredonda E (Gua.) 84 A3
Ribarroya E (So.) 63 D3
Ribarteme E (Po.) 34 B3
Ribas E (Zam.) 57 C1
Ribas P (Br.) 54 D3
Ribas P (Co.) 93 C2
Ribas P (Co.) 94 B3
Ribas de Campos E (Pa.) 40 C4
Ribas de la Valduerna E (Le.) 38 B3
Ribasaltas E (Lu.) 15 D5
Ribaseca E (Le.) 38 D1
Ribasieira E (A Co.) 13 C4
Ribatajada E (Cu.) 104 B2
Ribatajadilla E (Cu.) 104 B2
Ribatejada E (Mad.) 82 B5
Ribeira E (A Co.) 2 D3
Ribeira E (Lu.) 16 C3
Ribeira E (Lu.) 16 D2
Ribeira E (Po.) 33 D2
Ribeira E (Po.) 34 C3
Ribeira P (Ave.) 74 B2
Ribeira P (Br.) 54 B1
Ribeira P (Co.) 94 C2
Ribeira P (V. C.) 54 A1
Ribeira P (Vis.) 74 C5
Ribeira P (Vis.) 94 B1
Ribeira Branca P (San.) 111 D3
Ribeira Brava P (Ma.) 110 A2
Ribeira Cha P (Aç.) 109 B5
Ribeira da Janela P (Ma.) 109 D1
Ribeira da Mata P (Co.) 93 D3
Ribeira de Alte P (Fa.) 174 A2
Ribeira de Arade P (Fa.) 160 A4
Ribeira de Bõas Eiras P (San.) 112 C3
Ribeira de Frades P (Co.) 93 D2
Ribeira de Fráguas P (Ave.) 74 A3
Ribeira de Fráguas P (San.) 111 B3
Ribeira de Freixo P (Guar.) 76 A3
Ribeira de Isna P (C. B.) 94 D
Ribeira de Nisa P (Por.) 113 C
Ribeira de Pedrulhos P (Lis.) 110 C
Ribeira de Pena P (V. R.) 55 B
Ribeira de Pereiro P (Lei.) 111 A
Ribeira de Piquín E (Lu.) 4 B
Ribeira de São João P (San.) 111 B
Ribeira de Sintra P (Lis.) 126 B
Ribeira do Fernando P (San.) 112 C
Ribeira do Salto P (Be.) 159 D
Ribeira do Seissal
de Cima P (Be.) 143 C
Ribeira dos Ameais P (Lei.) 111 A
Ribeira dos Carinhos P (Guar.) 76 B
Ribeira dos Palheiros P (Lis.) 110 C
Ribeira Grande P (Aç.) 109 B
Ribeira Quente P (Aç.) 109 C
Ribeira Ruiva P (San.) 111 D
Ribeira Seca P (Aç.) 109 C
Ribeira Seca P (Aç.) 109 B
Ribeira Velha P (Lei.) 94 B
Ribeira Velha P (Lei.) 94 B
Ribeiradio P (Vis.) 74 B
Ribeirão P (Br.) 54 A
Ribeiras P (Aç.) 109 C
Ribeiras de Lea E (Lu.) 15 D
Ribeiras do Sor E (A Co.) 3 C
Ribeirinha P (Aç.) 109 A
Ribeirinha P (Aç.) 109 A
Ribeirinha P (Aç.) 109 B
Ribeirinho P (V. C.) 33 D
Ribeiro P (C. B.) 94 D
Ribeiro P (Vis.) 74 D
Ribeiro
do Soutelinho P (Co.) 94 C
Ribeiro, O E (Po.) 13 D
Ribeiros P (Br.) 54 D
Ribela E (Our.) 35 B
Ribela E (Po.) 14 B
Ribera E (Hues.) 48 C
Ribera Alta E (Cór.) 166 A
Ribera Alta E (J.) 167 C
Ribera Baja E (Cór.) 166 A
Ribera Baja E (J.) 167 C
Ribera de Cardós E (Ll.) 29 C
Ribera de Folgoso, La E (Le.) 17 C
Ribera de Grajal
o Ribera
de la Polvorosa E (Le.) 38 D
Ribera de la Algaida,
La, lugar E (Alm.) 183 D
Ribera
de la Polvorosa →
Ribera de Grajal E (Le.) 38 D
Ribera de Molina E (Mu.) 155 D
Ribera de San Benito E (Cu.) 122 B
Ribera de Vall E (Hues.) 48 C
Ribera del Fresno E (Bad.) 131 C
Ribera, La E (Viz.) 11 D
Riberas E (Ast.) 6 A
Riberinha P (V. R.) 55 D
Ribero, El, lugar E (Bur.) 22 A
Riberos de la Cueza E (Pa.) 40 A
Ribes de Freser E (Gi.) 51 A
Ribesalbes E (Cas.) 107 B
Ribolhos P (Vis.) 75 A
Ribono E (Ast.) 6 C
Ribota E (Ast.) 19 A
Ribota E (Seg.) 62 B
Ribota de Sajambre E (Le.) 19 D
Ricasa E (S.Cruz T.) 195 C
Ricla E (Zar.) 65 B
Riclones E (Can.) 8 C
Ricobayo E (Zam.) 58 A
Ricote E (Mu.) 155 C
Riego E (Ast.) 8 B
Riego Abajo E (Ast.) 5 D
Riego de Ambrós E (Le.) 37 B
Riego de la Vega E (Le.) 38 B
Riego del Camino E (Zam.) 58 C
Rielves E (To.) 100 D
Riello E (Le.) 18 B
Riells E (Gi.) 71 C
Riells del Fai E (Bar.) 71 A
Riells i Viabrea E (Gi.) 71 C
Rienda E (Gua.) 83 B
Riera de Gaià, la E (Ta.) 89 D
Riera, La E (Ast.) 6 B
Riera, Sa E (Gi.) 52 C
Rieral, El E (Bar.) 71 A
Rieral, El E (Gi.) 71 C
Riezu/Errezu E (Na.) 24 C
Rigada, La E (Viz.) 10 C
Riglos E (Hues.) 46 B
Rigoitia → Errigoiti E (Viz.) 11 B

Rigueira E (Lu.) 4 A 2
Rigüelo, El E (Sev.) 166 A 5
Rihonor de Castilla E (Zam.) 37 A 5
Rilvas P (Set.) 127 A 3
Rilleira E (Lu.) 4 B 3
Rillo E (Te.) 86 A 4
Rillo de Gallo E (Gua.) 84 C 3
Rimor E (Le.) 37 A 1
Rincón de Ballesteros E (Các.) 115 B 5
Rincón
de la Casa Grande E (Mu.) 171 C 3
Rincón de la Victoria E (Mál.) 180 D 4
Rincón de las Coles E (Mu.) 171 A 2
Rincón de Los Reinas E (Gr.) 181 A 2
Rincón de Olivedo
o Casas, Las E (La R.) 44 C 5
Rincón
de San Ildefonso E (J.) 151 B 4
Rincón de Soto E (La R.) 44 C 3
Rincón de Turca E (Gr.) 167 A 4
Rincón del Moro E (Alb.) 138 D 5
Rincón del Obispo E (Các.) 97 A 5
Rincón del Sastre E (Mu.) 154 B 3
Rincón, El E (Các.) 97 C 5
Rincón, El E (Las P.) 191 B 3
Rincón, El E (Las P.) 191 C 3
Rincón, El, lugar E (Alb.) 137 B 2
Rincón, El, lugar E (Alm.) 171 A 4
Rinconada
de la Sierra, La E (Sa.) 78 A 5
Rinconada, La E (Áv.) 100 B 2
Rinconada, La E (Sev.) 164 A 3
Rinconada, La E (To.) 118 C 1
Rinconadas, Las E (Cu.) 105 D 5
Rinconcillo, El E (Cór.) 165 D 2
Rinconeda E (Can.) 9 B 4
Rincones E (Cád.) 177 B 4
Rinchoa P (Lis.) 126 C 3
Riner E (Ll.) 50 A 5
Rinlo E (Lu.) 4 C 3
Río E (Mál.) 180 D 3
Río, O E (Our.) 35 B 1
Río E (Po.) 15 A 4
Río, El E (S.Cruz T.) 196 A 4
Río Bermuza E (Mál.) 181 A 3
Rio Bom P (V. R.) 55 D 3
Rio Cabrão P (V. C.) 34 A 5
Rio Caldo P (Br.) 54 C 2
Río Claro, El E (Alm.) 170 C 2
Río Chico, El E (Alm.) 183 A 3
Río de Baza E (Gr.) 169 C 3
Rio de Couros P (San.) 111 D 1
Rio de Fornos P (Bra.) 56 C 1
Rio de Frades P (Ave.) 74 C 3
Rio de Galinhas P (Co.) 94 A 3
Rio de Galinhas P (Port.) 54 D 5
Río de la Sía E (Bur.) 22 A 2
Rio de Loba P (Vis.) 75 A 4
Río de Losa E (Bur.) 22 C 3
Rio de Mel P (Co.) 95 A 2
Rio de Mel P (Guar.) 75 D 3
Rio de Mel P (Vis.) 75 A 3
Rio de Moinhos P (Be.) 144 A 5
Rio de Moinhos P (Év.) 129 B 3
Rio de Moinhos P (Guar.) 75 D 3
Rio de Moinhos P (Port.) 74 C 1
Rio de Moinhos P (San.) 112 B 3
Rio de Moinhos P (Set.) 144 A 2
Rio de Moinhos P (V. C.) 34 B 5
Rio de Moinhos P (Vis.) 75 B 4
Rio de Mouro P (Lis.) 126 B 3
Rio de Onor P (Bra.) 37 A 5
Rio Douro P (Br.) 55 A 3
Rio Frio P (Bra.) 57 A 2
Rio Frio P (Set.) 127 A 4
Rio Frio P (V. C.) 34 B 5
Río Grande, El E (Alm.) 183 A 3
Río Guadarrama E (Mad.) 101 B 3
Río Madera E (Alb.) 138 A 5
Rio Maior P (San.) 111 A 4
Rio Mau P (Br.) 54 A 1
Rio Meão P (Ave.) 73 D 2
Río Mencal, lugar E (Alb.) 138 A 5
Río Real E (Mál.) 188 A 2
Río San Pedro E (Cád.) 185 C 1
Río Seco E (Gr.) 181 D 4
Rio Seco P (Fa.) 175 B 2
Rio Tinto P (Ave.) 73 D 5
Rio Tinto P (Br.) 53 D 3
Rio Tinto P (Port.) 54 A 5
Rio Torto P (Guar.) 75 B 5
Rio Torto P (V. R.) 56 A 3
Río Trueba E (Bur.) 21 D 2
Rio Vide P (Co.) 94 B 3
Rioaveso E (Lu.) 3 D 5
Riobarba E (Lu.) 3 D 2
Riobó E (A Co.) 1 D 5
Riobó E (Our.) 35 D 3
Riobó E (Po.) 14 C 4
Riocabado E (Áv.) 80 A 4
Riocaldo E (Our.) 34 D 5
Riocaliente E (Ast.) 7 D 4
Riocavado
de la Sierra E (Bur.) 42 C 4
Riocerezo E (Bur.) 42 A 2
Rioconejos E (Zam.) 37 B 4
Riocorvo E (Can.) 9 B 5
Riodades P (Vis.) 75 C 2
Riodeva E (Te.) 105 D 4
Riofrío E (Áv.) 100 A 1
Riofrío E (Cór.) 166 B 3
Riofrío E (Gr.) 181 A 1
Riofrío E (Le.) 18 B 5
Riofrío E (Seg.) 81 A 3
Riofrío de Aliste E (Zam.) 57 D 1
Riofrío de Riaza E (Seg.) 82 A 1
Riofrío del Llano E (Gua.) 83 A 1
Riogordo E (Mál.) 180 D 3
Rioja E (Alm.) 183 D 2
Riola E (Val.) 141 B 1
Riolago E (Le.) 18 A 3
Riolobos E (Các.) 97 C 5
Riomalo de Arriba E (Các.) 97 C 1
Riomanzanas E (Zam.) 37 B 5
Riomao E (Our.) 36 C 2
Riomuíños E (Our.) 34 D 3
Rionegro del Puente E (Zam.) 37 D 5
Riópar E (Alb.) 153 D 1
Riópar Viejo E (Alb.) 153 D 1
Rioparaíso E (Bur.) 41 B 1
Río-Quintanilla E (Bur.) 22 A 5
Riós E (Our.) 36 A 5
Rios Frios P (Co.) 94 A 2
Ríos, Los E (J.) 151 D 3
Riosa E (Ast.) 6 B 5
Riosalido E (Gua.) 83 B 1
Riosapero E (Can.) 9 C 5
Rioscuro E (Le.) 17 D 3
Rioseco E (Ast.) 19 A 1
Rioseco E (Bur.) 21 D 3
Rioseco E (Our.) 35 B 5
Rioseco de Soria E (So.) 63 A 3
Rioseco de Tapia E (Le.) 18 C 4
Riosequillo E (Le.) 39 D 2
Riosequino de Torío E (Le.) 18 D 5
Rioseras E (Bur.) 41 D 2
Riosmenudos
de la Peña E (Pa.) 20 B 4
Riotorto E (Lu.) 4 B 4
Rioturbio E (Ast.) 6 C 5
Ripa (Odieta) E (Na.) 25 A 3
Ripoll E (Gi.) 51 A 3
Ripollet E (Bar.) 71 A 3
Risco E (Bad.) 133 B 3
Risco Blanco E (Las P.) 191 C 3
Risco, El E (Las P.) 191 B 2
Riu de Cerdanya E (Ll.) 50 C 2
Riudarenes E (Gi.) 51 D 5
Riudaura E (Gi.) 51 B 3
Riudecanyes E (Ta.) 89 B 1
Riudecols E (Ta.) 89 B 1
Riudellots de la Creu E (Gi.) 52 A 4
Riudellots de la Selva E (Gi.) 52 A 5
Riudoms E (Ta.) 89 B 1
Riumors E (Gi.) 52 B 2
Riu-rau E (Val.) 141 A 2
Rivas E (Zar.) 45 D 4
Rivas-Vaciamadrid E (Mad.) 102 A 2
Rivera E (Mál.) 180 A 4
Rivera de Corneja E (Áv.) 99 B 1
Rivera de la Oliva E (Cád.) 186 A 4
Rivera del Alberche E (To.) 100 C 3
Rivera Oveja E (Các.) 97 C 2
Rivero E (Can.) 9 B 5
Rivero de Posadas E (Cór.) 165 B 1
Rivilla de Barajas E (Áv.) 79 C 3
Rixoán E (Lu.) 16 B 1
Roa E (Bur.) 61 B 2
Roales E (Zam.) 58 C 3
Roales de Campos E (Vall.) 39 A 5
Roás E (Lu.) 3 D 5
Robla, La E (Le.) 18 D 4
Robladillo E (Vall.) 59 D 3
Robladillo de Ucieza E (Pa.) 40 B 2
Robleda E (Sa.) 97 A 2
Robleda E (Zam.) 37 B 4
Robledal, El E (Mad.) 102 B 2
Robledillo E (Áv.) 99 D 1
Robledillo E (To.) 117 D 3
Robledillo de Gata E (Các.) 97 B 2
Robledillo de la Jara E (Mad.) 82 A 3
Robledillo de la Vera E (Các.) 98 C 4
Robledillo
de Mohernando E (Gua.) 82 C 4
Robledillo de Trujillo E (Các.) 116 A 5
Robledino
de la Valduerna E (Le.) 38 A 2
Robledo E (Alb.) 137 D 4
Robledo E (Ast.) 6 C 4
Robledo E (Các.) 97 C 2
Robledo E (Các.) 97 C 1
Robledo E (Our.) 36 D 2
Robledo E (Zam.) 37 B 5
Robledo de Babia E (Le.) 18 A 3
Robledo de Caldas E (Le.) 18 B 3
Robledo de Corpes E (Gua.) 83 A 2
Robledo de Chavela E (Mad.) 100 D 1
Robledo de Fenar E (Le.) 19 A 4
Robledo de la Valcueva E (Le.) 19 A 4
Robledo
de la Valdoncina E (Le.) 38 C 1
Robledo
de la Valduerna E (Le.) 38 A 2
Robledo
de las Traviesas E (Le.) 17 C 4
Robledo de Omaña E (Le.) 18 B 4
Robledo de Torío E (Le.) 18 D 5
Robledo del Buey E (To.) 118 A 3
Robledo del Mazo E (To.) 117 D 3
Robledo Hermoso E (Sa.) 77 B 1
Robledo, El E (C. R.) 134 D 1
Robledo, El E (J.) 153 B 3
Robledollano E (Các.) 116 D 3
Robledondo E (Mad.) 100 D 1
Robles de Laciana E (Le.) 17 D 3
Robles, Los E (Mad.) 101 B 1
Robliza E (Sa.) 97 A 1
Robliza de Cojos E (Sa.) 78 A 3
Robra E (Lu.) 15 D 1
Robredo
de las Pueblas E (Bur.) 21 C 3
Robredo de Losa, lugar E (Bur.) 22 C 3
Robredo-Sobresierra E (Bur.) 41 D 1
Robredo-Temiño E (Bur.) 42 A 2
Robregordo E (Mad.) 81 D 2
Robres E (Hues.) 66 D 1
Robres del Castillo E (La R.) 44 A 3
Robriguero E (Ast.) 8 B 5
Roca de la Sierra, La E (Bad.) 130 D 1
Roca del Vallès, la E (Bar.) 71 B 2
Rocabruna E (Gi.) 51 B 2
Rocafiguera E (Gi.) 51 A 3
Rocafort E (Bar.) 70 D 1
Rocafort E (Val.) 125 A 3
Rocafort de Queralt E (Ta.) 69 C 3
Rocafort de Vallbona E (Ll.) 69 B 3
Rocallaura E (Ll.) 69 C 3
Rocamondo P (Guar.) 76 A 5
Rocamora E (Bar.) 69 D 2
Rocas E (Our.) 35 C 2
Rocas
del Jimenado, Los E (Mu.) 172 B 1
Rocas do Vouga P (Ave.) 74 B 3
Rociana E (Las P.) 191 C 3
Rociana del Condado E (Huel.) 162 D 4
Rocío, El E (Huel.) 177 A 1
Rocha E (Po.) 34 A 3
Rocha P (Fa.) 160 B 4
Rocha P (V. C.) 53 D 1
Rocha Nova P (Co.) 94 B 2
Rochaforte P (Lis.) 111 A 4
Rochas E (Po.) 33 D 3
Rochas de Baixo P (C. B.) 95 B 4
Rochas de Cima P (C. B.) 95 B 4
Roche E (Cád.) 185 D 3
Roche E (Mu.) 172 C 2
Rochel P (Co.) 94 C 3
Rochoso P (Guar.) 96 B 1
Roda E (Mu.) 172 C 1
Roda P (Vis.) 74 D 4
Roda P (Vis.) 75 A 5
Roda Cimeira P (Co.) 94 C 4
Roda de Andalucía, La E (Sev.) 166 A 5
Roda de Barà E (Ta.) 70 A 5
Roda de Eresma E (Seg.) 81 A 2
Roda de Isábena E (Hues.) 48 B 3
Roda de Ter E (Bar.) 51 B 4
Roda Fundeira P (Co.) 94 C 4
Roda Grande P (San.) 112 A 3
Roda Pequena P (San.) 112 A 3
Roda, La E (Alb.) 138 B 1
Roda, La E (Ast.) 4 D 3
Rodalquilar E (Alm.) 184 C 3
Rodanillo E (Le.) 17 C 5
Rodasviejas E (Sa.) 77 D 3
Rodeios P (C. B.) 113 B 1
Rodeiro E (A Co.) 3 A 5
Rodeiro E (Po.) 15 A 4
Rodellar E (Hues.) 47 C 3
Rodén E (Zar.) 66 C 4
Ródenas E (Te.) 85 B 5
Rodeos, Los E (S.Cruz T.) 196 B 2
Roderos E (Le.) 39 A 1
Rodezno E (La R.) 43 A 1
Rodicol E (Le.) 18 A 4
Rodiezmo de la Tercia E (Le.) 18 D 3
Rodilana E (Vall.) 59 D 5
Rodillazo E (Le.) 19 A 3
Rodís E (A Co.) 2 B 5
Rodís E (Po.) 15 A 4
Rodo E (A Co.) 2 A 4
Rodo E (Po.) 14 A 5
Rodonella, La E (Bar.) 50 C 3
Rodonyà E (Ta.) 69 D 5
Rodrigas E (Lu.) 4 B 4
Rodrigatos
de la Obispalía E (Le.) 37 D 1
Rodriguillo E (Ali.) 156 A 2
Roelos de Sayago E (Zam.) 57 D 5
Roge P (Ave.) 74 B 3
Rogil P (Fa.) 159 B 3
Roimil E (Lu.) 15 B 1
Roios P (Bra.) 56 B 5
Rois E (A Co.) 14 A 3
Roiz E (Can.) 8 D 5
Rojadillo-Boluaga E (Viz.) 10 C 5
Rojales E (Ali.) 156 C 4
Rojão Grande P (Vis.) 94 C 1
Rojas E (Bur.) 42 A 1
Rojas, Los E (Alm.) 183 C 1
Rola P (C. B.) 112 C 1
Roldán E (Mu.) 172 B 1
Roliça P (Lei.) 110 D 4
Rollamienta E (So.) 63 C 1
Rollán E (Sa.) 78 B 2
Roma E (Our.) 35 B 2
Román E (Lu.) 3 D 4
Romana, la E (Ali.) 156 B 2
Romancos E (Gua.) 83 A 5
Romanes, Los E (Mál.) 181 A 3
Romangordo E (Các.) 116 C 2
Romaní, El E (Val.) 125 A 5
Romanillos de Atienza E (Gua.) 63 A 5
Romanillos
de Medinaceli E (So.) 83 C 1
Romanones E (Gua.) 102 D 1
Romanos E (Zar.) 85 C 1
Romanzado E (Na.) 25 C 5
Romão P (Lei.) 94 C 5
Romarigães P (V. C.) 34 A 5
Romariz E (Lu.) 4 A 4
Romariz E (Our.) 36 A 5
Romariz P (Ave.) 74 A 2
Romãs P (Vis.) 75 B 4
Romeán E (Lu.) 16 A 2
Romeira P (San.) 111 C 4
Romeiras P (Fa.) 159 B 4
Romelle E (A Co.) 13 C 1
Romeral E (Mu.) 155 D 4
Romeral, El E (Mál.) 180 B 4
Romeral, El E (To.) 120 A 2
Romeralejo, El E (Mu.) 154 A 4
Romero, El E (Cád.) 178 B 5
Romeros, Los E (Huel.) 146 C 5
Romeu P (Bra.) 56 B 3
Romezal P (Ave.) 74 B 3
Romilla E (Gr.) 181 C 1
Romilla la Nueva E (Gr.) 181 C 1
Rompecilha P (Vis.) 74 D 3
Rompido, El E (Huel.) 176 A 2
Roncal/Erronkari E (Na.) 26 A 4
Roncão P (Set.) 143 C 3
Roncesvalles →
Orreaga E (Na.) 25 C 3
Ronda E (Mál.) 179 B 4
Ronda, La E (Ast.) 4 D 4
Rondiella E (Ast.) 6 C 4
Ronfe P (Br.) 54 B 3
Roní E (Ll.) 49 B 1
Ronquillo, El E (Sev.) 163 C 1
Roo E (A Co.) 13 D 3
Ropera, La E (J.) 151 A 4
Roperuelos del Páramo E (Le.) 38 C 3
Roque P (Guar.) 76 B 4
Roque del Faro E (S.Cruz T.) 193 B 2
Roque Negro E (S.Cruz T.) 196 C 1
Roque, El E (S.Cruz T.) 193 B 2
Roque, El E (S.Cruz T.) 195 D 4
Roqueiro P (C. B.) 95 A 4
Roques de Lleó E (Cas.) 107 C 2
Roques, les E (Ta.) 69 D 3
Roqueta, La E (Gi.) 52 C 4
Roquetas de Mar E (Alm.) 183 C 4
Roquetes E (Ta.) 88 C 3
Roquetes, les E (Bar.) 70 C 5
Róquez, El E (Alm.) 170 B 3
Roriz P (Br.) 54 A 2
Roriz P (Port.) 54 B 4
Roriz P (V. R.) 56 A 1
Roriz P (Vis.) 75 B 4
Rorrao do Lameiro P (Ave.) 73 D 3
Ros E (Bur.) 41 C 1
Rosa de las Piedras E (S.Cruz T.) 194 B 1
Rosa, La E (S.Cruz T.) 193 C 3
Rosa, La E (S.Cruz T.) 193 B 3
Rosais P (Aç.) 109 C 2
Rosal de la Frontera E (Huel.) 145 D 4
Rosal, O E (Our.) 35 D 5
Rosalejo E (Các.) 98 D 5
Rosalejo E (Mál.) 179 B 4
Rosales E (Bur.) 22 B 3
Rosales, Los E (J.) 167 C 3
Rosales, Los E (J.) 168 D 1
Rosales, Los E (Mad.) 81 B 5
Rosales, Los E (Sev.) 164 B 2
Rosário P (Be.) 160 C 2
Rosário P (Év.) 129 C 4
Rosário P (Set.) 126 D 3
Rosario, El E (S.Cruz T.) 196 B 2
Rosas, Las E (Las P.) 191 D 3
Rosas, Las E (S.Cruz T.) 196 B 2
Rosas, Las E (S.Cruz T.) 194 B 1
Rosas, Las E (Sev.) 179 A 1
Roscales de la Peña E (Pa.) 20 B 4
Rosell E (Gi.) 72 A 1
Rosem P (Port.) 54 C 5
Roses E (Gi.) 52 C 2
Rosildos, els E (Cas.) 107 C 2
Rosinos
de la Requejada E (Zam.) 37 B 4
Rosinos de Vidriales E (Zam.) 38 A 4
Rosío E (Bur.) 22 B 3
Rosmaninhal P (C. B.) 114 B 1
Rosmaninhal P (San.) 112 D 3
Rosmarinhal P (Por.) 112 C 4
Rossão P (Vis.) 75 A 2
Rossas P (Ave.) 74 B 2
Rossas P (Br.) 54 D 2
Rossas P (Vis.) 75 A 1
Rossas P (Vis.) 75 B 1
Rossell E (Cas.) 88 A 5
Rosselló E (Ll.) 68 C 2
Rossio ao Sul do Tejo P (San.) 112 B 3
Rota E (Cád.) 177 B 5
Rotglà i Corbera →
Rotglà i Corbera E (Val.) 140 D 2
Rotglà i Corbera/
Rotglà i Corbera E (Val.) 140 D 2
Ròtova E (Val.) 141 B 3
Rotura E (Các.) 116 D 3
Roturas E (Vall.) 61 A 3
Rouças P (V. C.) 34 C 5
Roupar E (Lu.) 3 C 3
Rourell, el E (Ta.) 69 C 5
Roussa P (Lei.) 93 C 4
Roussada P (Lis.) 126 C 1
Roussas P (V. C.) 34 C 3
Routar P (Vis.) 74 D 4
Rouzós E (Our.) 35 A 1
Rovés E (Ast.) 6 C 3
Roxal, O E (A Co.) 3 A 3
Roxo P (Co.) 94 B 2
Royo del Serval E (Gr.) 169 A 4
Royo, El E (So.) 63 B 1
Royo, El, lugar E (Alb.) 138 C 5
Royo-Odrea E (Alb.) 154 B 1
Royos, Los E (Mu.) 154 C 5
Royuela E (Te.) 105 B 2
Royuela de Río Franco E (Bur.) 41 B 5
Rozabales E (Lu.) 36 A 1
Rozadas E (Ast.) 6 D 5
Rozadas E (Ast.) 4 D 3
Rozadas E (Ast.) 7 A 4
Rozadío E (Can.) 20 D 1
Rozados E (Po.) 14 C 4
Rozalén del Monte E (Cu.) 103 B 5
Rozas E (Bur.) 21 D 2
Rozas E (Can.) 22 A 1
Rozas, Las E (Ast.) 7 C 4
Rozas, Las E (Mál.) 180 D 3
Rozas de Madrid, Las E (Mad.) 101 C 1
Rozas de Puerto Real E (Mad.) 100 C 3
Rozas de
Valdearroyo, Las E (Can.) 21 B 3
Rozuelas, Las E (Gr.) 181 A 1

Rozuelas, Las	E	(Gr.)	181	B1
Rozuelo	E	(Le.)	17	C5
Rúa	E	(Lu.)	4	A2
Rua	P	(Vis.)	75	C2
Rúa, A	E	(A Co.)	14	C2
Rúa, A	E	(Our.)	36	C2
Ruanes	E	(Các.)	116	A5
Rubalcaba	E	(Can.)	9	D5
Rubayo	E	(Can.)	9	D4
Rubena	E	(Bur.)	42	A2
Rubí	E	(Bar.)	70	D3
Rubí de Bracamonte	E	(Vall.)	79	D1
Rubiá	E	(Our.)	36	C1
Rubia, La	E	(So.)	63	D1
Rubiaco	E	(Các.)	97	C2
Rubiães	P	(V. C.)	34	A5
Rubiais	E	(Our.)	36	C3
Rubiales	E	(Bad.)	148	A2
Rubiales	E	(Te.)	105	C3
Rubián	E	(Lu.)	15	D5
Rubiano	E	(Ast.)	6	A5
Rubiáns	E	(Po.)	13	D5
Rubiás dos Mistos	E	(Our.)	35	B5
Rubielos Altos	E	(Cu.)	122	C4
Rubielos Bajos	E	(Cu.)	122	C4
Rubielos de la Cérida	E	(Te.)	85	D4
Rubielos de Mora	E	(Te.)	106	C3
Rubillón	E	(Our.)	34	C1
Rubín	E	(Po.)	14	B4
Rubió	E	(Bar.)	70	A2
Rubió	E	(Ll.)	49	A5
Rubio, El	E	(Sev.)	165	C4
Rubios, Los	E	(Bad.)	148	C3
Rubite	E	(Gr.)	182	B3
Rubite	E	(Mál.)	181	A3
Rublacedo de Abajo	E	(Bur.)	42	A1
Rublacedo de Arriba	E	(Bur.)	42	A1
Rucandio	E	(Bur.)	22	A5
Rucandio	E	(Can.)	9	D5
Rucayo	E	(Le.)	19	B3
Rudilla	E	(Te.)	86	A2
Ruecas	E	(Bad.)	132	A2
Rueda	E	(Vall.)	59	D4
Rueda de Jalón	E	(Zar.)	65	C3
Rueda de la Sierra	E	(Gua.)	84	D3
Rueda de Pisuerga	E	(Pa.)	20	C4
Rueda del Almirante	E	(Le.)	39	B1
Ruente	E	(Can.)	8	D5
Ruesca	E	(Zar.)	65	B5
Ruescas	E	(Alm.)	184	B3
Ruesga	E	(Pa.)	20	C4
Rufrancos	E	(Bur.)	22	C4
Rugat	E	(Val.)	141	B3
Ruge Água	P	(Lei.)	93	D5
Ruguilla	E	(Gua.)	83	C4
Ruices, Los	E	(Val.)	123	D4
Ruidera	E	(C. R.)	137	A2
Ruiforco de Torío	E	(Le.)	19	A4
Ruigómez	E	(S. Cruz T.)	195	C3
Ruilhe	P	(Br.)	54	A3
Ruiloba	E	(Can.)	9	A4
Ruini, El	E	(Alm.)	183	D3
Ruiseñada	E	(Can.)	8	D4
Ruivães	P	(Br.)	54	D3
Ruivães	P	(Br.)	54	B4
Ruivães	P	(Br.)	54	D2
Ruivais	P	(Vis.)	74	D1
Ruivaqueira	P	(Lei.)	93	B5
Ruivos	P	(Guar.)	96	B1
Ruivos	P	(V. C.)	54	B1
Runa	P	(Lis.)	126	C1
Runes	E	(Mu.)	155	C3
Rupelo	E	(Bur.)	42	B4
Rupià	E	(Gi.)	52	B4
Rupit	E	(Bar.)	51	C4
Rus	E	(A Co.)	2	A5
Rus	E	(J.)	152	A4
Rute	E	(Cór.)	166	C5
Ruvina	P	(Guar.)	96	B1
Ruyales del Agua	E	(Bur.)	41	C5
Ruyales del Páramo	E	(Bur.)	41	C1

S

Sa	E	(Lu.)	16	A5
Sa	E	(Po.)	15	A4
Sa	E	(Po.)	15	A5
Sa	E	(Po.)	33	D3
Sá	P	(V. C.)	34	C4
Sá	P	(V. C.)	34	B5
Sa de Arriba	E	(A Co.)	3	B3
Saa	E	(Lu.)	15	D2
Saa	E	(Lu.)	15	D3
Saavedra	E	(Lu.)	15	D1
Sabaceda	E	(A Co.)	14	A1
Sabacheira	P	(San.)	111	D1
Sabadell	E	(Bar.)	71	A3
Sabadelle	E	(Lu.)	15	C4
Sabadelle	E	(Lu.)	15	C5
Sabadelle	E	(Our.)	35	B2
Sabadim	P	(V. C.)	34	B5
Sabardes	E	(A Co.)	13	C3
Sabariego	E	(J.)	167	B3
Sabarigo	E	(Po.)	33	D2
Sabaris	P	(Ave.)	74	B1
Sabariz	E	(Our.)	34	D4
Sabariz	P	(Br.)	54	B2
Sabaxáns	E	(A Co.)	14	A3
Sabaxáns	E	(Po.)	34	B2
Sabayés	E	(Hues.)	46	D3
Sabero	E	(Le.)	19	C4
Sabina Alta	E	(S. Cruz T.)	196	A3
Sabina, La	E	(S. Cruz T.)	193	C3
Sabinal	E	(Mál.)	180	A3
Sabinar, El	E	(Mu.)	154	B3
Sabinar, El	E	(Zar.)	45	C4
Sabinar, El, lugar	E	(Alm.)	170	B1
Sabinares, lugar	E	(Alb.)	137	B3
Sabinita, La	E	(S. Cruz T.)	195	C4
Sabinita, La	E	(S. Cruz T.)	196	A4
Sabinosa	E	(S. Cruz T.)	194	B4
Sabiñán	E	(Zar.)	65	A4
Sabiñánigo	E	(Hues.)	47	A1
Sabiote	E	(J.)	152	B4
Sabóia	P	(Be.)	159	D2
Sabouga	P	(Co.)	94	C2
Sabrexo	E	(Po.)	14	D3
Sabrosa	P	(V. R.)	55	C5
Sabroso	P	(V. R.)	55	B5
Sabroso	P	(V. R.)	55	C2
Sabucedo	E	(Our.)	35	B4
Sabucedo de Montes	E	(Our.)	35	A2
Sabugal	P	(Guar.)	96	B2
Sabugo	P	(Lis.)	126	C2
Sabugosa	P	(Vis.)	74	D5
Sabugueira	E	(A Co.)	14	B2
Sabugueiro	P	(Co.)	93	D4
Sabugueiro	P	(Év.)	128	B3
Sabugueiro	P	(Guar.)	95	B1
Sabuzedo	P	(V. R.)	35	B5
Sacañet	E	(Cas.)	124	C1
Sacavém	P	(Lis.)	126	D2
Sacecorbo	E	(Gua.)	83	D4
Saceda	E	(Le.)	37	B2
Saceda	E	(Our.)	35	C5
Saceda del Río	E	(Cu.)	103	C3
Saceda-Trasierra	E	(Cu.)	103	A4
Sacedón	E	(Gua.)	103	B1
Sacedoncillo	E	(Cu.)	104	A3
Saceruela	E	(C. R.)	134	B3
Sacões	P	(Co.)	94	C3
Sacorelhe	P	(Vis.)	74	D4
Sacramenia	E	(Seg.)	61	B4
Sacramento	E	(Sev.)	178	A2
Sada	E	(A Co.)	2	D4
Sada de Sangüesa	E	(Na.)	45	B1
Sádaba	E	(Zar.)	45	C3
Sadernes	E	(Gi.)	51	C2
Sado	P	(Set.)	127	B5
Saelices	E	(Cu.)	103	B5
Saelices de la Sal	E	(Gua.)	84	A3
Saelices de Mayorga	E	(Vall.)	39	B3
Saelices de Sabero	E	(Le.)	19	C4
Saelices del Payuelo	E	(Le.)	39	B1
Saelices del Río	E	(Le.)	39	D1
Saelices el Chico	E	(Sa.)	77	A5
Safara	P	(Be.)	145	D3
Safres	P	(V. R.)	55	D5
Safurdão	P	(Guar.)	76	B5
Sagallos	E	(Zam.)	37	C5
Saganta	E	(Hues.)	48	B5
Sagarras Bajas	E	(Hues.)	48	C4
Sagàs	E	(Bar.)	50	C4
Sagides	E	(So.)	84	A1
Sago	P	(V. C.)	34	B4
Sagos	E	(Sa.)	78	A3
Sagra	E	(Ali.)	141	D3
Sagrada, La	E	(Sa.)	77	D4
Sagrajas	E	(Bad.)	130	B2
Sagres	P	(Fa.)	173	A5
Sagunt → Sagunto	E	(Val.)	125	B2
Sagunto/Sagunt	E	(Val.)	125	B2
Sahagún	E	(Le.)	39	C2
Sahechores de Rueda	E	(Le.)	19	B5
Sahelicejos	E	(Sa.)	77	D2
Sahúco, El, lugar	E	(Alb.)	138	B4
Sahugo, El	E	(Sa.)	97	A1
Sahún	E	(Hues.)	28	B5
Saiar	E	(Po.)	14	A5
Saide	P	(Ave.)	94	B1
Saidres	E	(Po.)	14	D4
Saigos	E	(Na.)	25	B3
Sail	P	(Co.)	94	C2
Saimes	P	(Vis.)	74	C1
Saínza de Abaixo	E	(Our.)	35	B4
Sairo	P	(San.)	127	D1
Saja	E	(Can.)	20	D2
Sajazarra	E	(La R.)	42	D1
Sala, La	E	(Gi.)	52	B4
Salada, La	E	(Sev.)	165	D5
Saladar y Leche	E	(Alm.)	184	C2
Saladar, El	E	(Ali.)	156	C4
Saladavieja	E	(Mál.)	187	C2
Saladillo	E	(Mu.)	171	D2
Saladillo-Benamara	E	(Mál.)	187	D2
Salado	E	(Mu.)	156	A3
Salado, El	E	(Cór.)	167	A4
Salamanca	E	(Sa.)	78	C2
Salamir	E	(Ast.)	5	D3
Salamón	E	(Le.)	19	C3
Salamonde	E	(Our.)	35	A1
Salamonde	P	(Br.)	54	D2
Salão Frio	P	(Por.)	113	C4
Salar	E	(Gr.)	181	A1
Salar, El	E	(Mu.)	156	A4
Salardú	E	(Ll.)	29	A4
Salares	E	(Mál.)	181	B3
Salas	E	(Ast.)	5	D4
Salas Altas	E	(Hues.)	47	D4
Salas Bajas	E	(Hues.)	47	D4
Salas de Bureba	E	(Bur.)	22	A5
Salas de la Ribera	E	(Le.)	36	D1
Salas de los Barrios	E	(Le.)	37	B1
Salas de los Infantes	E	(Bur.)	42	B5
Salàs de Pallars	E	(Ll.)	49	A3
Salas, Las	E	(Le.)	19	C3
Salas-Contraviesa	E	(Gr.)	182	C3
Salavessa	P	(Por.)	113	B2
Salazar	E	(Bur.)	21	D3
Salazar de Amaya	E	(Bur.)	21	A5
Salazares, Los	E	(Mu.)	172	B2
Salce	E	(Le.)	18	A4
Salcé	E	(Zam.)	57	D5
Salceda	E	(A Co.)	14	C2
Salceda	E	(Po.)	34	A3
Salceda de Caselas	E	(Po.)	34	A3
Salceda, La	E	(Seg.)	81	B2
Salcedilla, lugar	E	(Bur.)	21	D2
Salcedillo	E	(Pa.)	20	D3
Salcedillo	E	(Te.)	86	A3
Salcedo	E	(Ál.)	22	D5
Salcedo	E	(Ast.)	5	A3
Salcedo	E	(Can.)	21	B4
Salcedo	E	(Lu.)	16	A5
Salcedo	E	(Po.)	34	A1
Salces	E	(Can.)	21	A3
Salcidos	E	(Po.)	33	C5
Saldanha	P	(Bra.)	57	B4
Saldaña	E	(Pa.)	40	A1
Saldaña de Ayllón	E	(Seg.)	62	B5
Saldaña de Burgos	E	(Bur.)	41	D3
Saldeana	E	(Sa.)	77	A2
Saldes	E	(Bar.)	50	B3
Saldias	E	(Na.)	24	D2
Saldón	E	(Te.)	105	B2
Saldonha	P	(Bra.)	56	D4
Salduero	E	(So.)	63	B1
Salelles	E	(Bar.)	70	C2
Salem	E	(Val.)	141	B3
Salema	P	(Fa.)	173	A3
Saler, El	E	(Val.)	125	B4
Saleres	E	(Gr.)	182	A3
Sales de Llierca	E	(Gi.)	51	D2
Salgueira	E	(Our.)	35	D5
Salgueira	E	(Po.)	33	D1
Salgueira	P	(Ave.)	74	B3
Salgueira de Baixo	P	(San.)	111	D1
Salgueira de Cima	P	(Lei.)	93	D5
Salgueira do Meio	P	(San.)	111	D1
Salgueirais	P	(Guar.)	75	D5
Salgueiral	P	(Ave.)	73	D2
Salgueiral	P	(Ave.)	74	A4
Salgueiral	P	(Guar.)	76	B5
Salgueiral	P	(San.)	111	D5
Salgueiro	E	(Po.)	33	D3
Salgueiro	P	(Ave.)	74	B4
Salgueiro	P	(Ave.)	73	D5
Salgueiro	P	(C. B.)	95	D3
Salgueiro	P	(Lei.)	110	D4
Salgueiro do Campo	P	(C. B.)	95	B5
Salgueiros	E	(A Co.)	13	B1
Salgueiros	E	(Po.)	14	C3
Salgueiros	P	(Ave.)	74	B3
Salgueiros	P	(Bra.)	36	C5
Salguerinha	P	(San.)	127	D2
Salicos	P	(Fa.)	173	D2
Saliente Alto	E	(Alm.)	170	B3
Salientes	E	(Le.)	17	D3
Salillas	E	(Hues.)	47	B5
Salillas de Jalón	E	(Zar.)	65	C3
Salina, La	E	(J.)	167	B3
Salinas	E	(Ali.)	156	B1
Salinas	E	(Ast.)	6	B3
Salinas (Tella-Sin)	E	(Hues.)	27	D5
Salinas de Añana → Añana-Gesaltza	E	(Ál.)	22	D4
Salinas de Hoz	E	(Hues.)	47	D4
Salinas de Jaca	E	(Hues.)	46	B2
Salinas de Léniz → Leintz-Gatzaga	E	(Gui.)	23	C3
Salinas de Medinaceli	E	(So.)	83	D1
Salinas de Oro/Jaitz	E	(Na.)	24	C4
Salinas de Pinilla, lugar	E	(Alb.)	137	C3
Salinas de Pisuerga	E	(Pa.)	20	D4
Salinas de Rosío	E	(Bur.)	22	B3
Salinas de Trillo	E	(Hues.)	48	A3
Salinas del Manzano	E	(Cu.)	105	B4
Salinas, Las	E	(Vall.)	59	D5
Salines, Ses	E	(Bal.)	90	C1
Salines, Ses	E	(Bal.)	92	B5
Salines, Ses, lugar	E	(Bal.)	90	C2
Salinillas de Buradon	E	(Ál.)	23	A5
Salinillas de Bureba	E	(Bur.)	42	B1
Salionç	E	(Gi.)	72	B1
Salir	P	(Fa.)	174	C2
Salir de Matos	P	(Lei.)	110	D3
Salir do Porto	P	(Lei.)	110	D2
Salitja	E	(Gi.)	52	A5
Salmerón	E	(Gua.)	103	D1
Salmeroncillos de Abajo	E	(Cu.)	103	C1
Salmoral	E	(Sa.)	79	B4
Salo	E	(Bar.)	70	B1
Salobral	E	(Áv.)	80	A5
Salobral, El	E	(Alb.)	138	C3
Salobralejo	E	(Áv.)	79	D5
Salobrales, Los	E	(Mu.)	171	A3
Salobre	E	(Alb.)	137	C5
Salobreña	E	(Gr.)	182	A4
Salom	E	(Gi.)	52	B5
Salomó	E	(Ta.)	69	D5
Salorino	E	(Các.)	114	B3
Salou	E	(Ta.)	89	C1
Salreu	P	(Ave.)	74	A3
Salsas	P	(Bra.)	56	D2
Salselas	P	(Bra.)	56	D3
Salt	E	(Gi.)	52	A4
Saltador Bajo, El	E	(Alm.)	184	D2
Saltador, El	E	(Alm.)	170	D4
Saltadouro	P	(Ave.)	73	D3
Salteras	E	(Sev.)	163	D4
Salto	E	(A Co.)	1	C5
Salto	E	(Po.)	15	B4
Salto	P	(V. R.)	55	A2
Salto de Aldeadávila	E	(Sa.)	77	A1
Salto de Bolarque	E	(Gua.)	103	A2
Salto de Castro	E	(Zam.)	57	D3
Salto de Saucelle	E	(Sa.)	76	D2
Salto de Villalba	E	(Cu.)	104	B3
Salto del Negro	E	(Mál.)	181	A3
Salto del Negro, El	E	(Las P.)	191	D2
Salto, El	E	(S. Cruz T.)	195	D4
Saludes de Castroponce	E	(Le.)	38	C4
Salut, La	E	(Bar.)	71	A3
Salvacañete	E	(Cu.)	105	B4
Salvada	P	(Be.)	144	D4
Salvadiós	E	(Áv.)	79	C3
Salvador	P	(C. B.)	96	B4
Salvador	P	(San.)	112	A5
Salvador de Zapardiel	E	(Vall.)	79	D1
Salvador do Monte	P	(Port.)	54	D5
Salvadorinho	P	(San.)	112	B3
Salvadoríquez	E	(Sa.)	78	C3
Salvaleón	E	(Bad.)	130	C5
Salvariz	P	(Vis.)	75	A2
Salvaterra de Magos	P	(San.)	127	B1
Salvaterra de Miño	E	(Po.)	34	B3
Salvaterra do Extremo	P	(C. B.)	96	C5
Salvatierra → Agurain	E	(Ál.)	23	D4
Salvatierra de Esca	E	(Zar.)	26	A5
Salvatierra de los Barros	E	(Bad.)	146	D1
Salvatierra de Santiago	E	(Các.)	115	D5
Salvatierra de Tormes	E	(Sa.)	78	C5
Salzadella, la	E	(Cas.)	108	A1
Salzedas	P	(Vis.)	75	B1
Sallent	E	(Bar.)	70	C1
Sallent de Gállego	E	(Hues.)	27	A4
Sama	E	(Ast.)	6	D5
Samaiões	P	(V. R.)	55	D2
Samaniego	E	(Ál.)	43	B1
Sámano	E	(Can.)	10	C5
Samão	P	(Br.)	55	A2
Samardã	P	(V. R.)	55	B4
Samarugo	E	(Lu.)	3	D4
Sambade	P	(Bra.)	56	C4
Sambado	P	(C. B.)	94	B5
Sambellín	E	(Sa.)	78	D4
Samboal	E	(Seg.)	80	C1
Sameice	P	(Guar.)	95	A1
Sameiro	P	(Guar.)	95	C1
Samel	P	(Ave.)	93	D1
Sames	E	(Ast.)	7	C5
Samiano	E	(Bur.)	23	B5
Samieira	E	(Po.)	33	D1
Samil	P	(Bra.)	56	D1
Samir de los Caños	E	(Zam.)	57	D2
Samitier	E	(Hues.)	47	D3
Samodães	P	(Vis.)	75	A1
Samoedo	E	(A Co.)	2	D4
Samões	P	(Bra.)	56	B5
Samora Correia	P	(San.)	127	B2
Samorinha	P	(Bra.)	56	A5
Samos	E	(Lu.)	16	A4
Samouco	P	(Set.)	127	A3
Sampaio	P	(Bra.)	56	B5
Sampaio	P	(Bra.)	57	A4
Sampaio	P	(Co.)	93	B3
Sampaio	P	(Set.)	126	D5
Samper	E	(Hues.)	48	A2
Samper de Calanda	E	(Te.)	87	A1
Samper del Salz	E	(Zar.)	86	B1
Samuel	P	(Co.)	93	C3
San Adrián	E	(Na.)	44	C3
San Adrián de Juarros	E	(Bur.)	42	A3
San Adrián del Valle	E	(Le.)	38	C4
San Agustín	E	(Alm.)	183	C4
San Agustín	E	(Las P.)	191	C4
San Agustín	E	(S. Cruz T.)	195	D2
San Agustín	E	(Te.)	106	C4
San Agustín de Guadalix	E	(Mad.)	81	D5
San Agustín del Pozo	E	(Zam.)	58	D1
San Amaro	E	(Our.)	34	D1
San Ambrosio	E	(Cád.)	186	A4
San Andrés	E	(Ast.)	6	B5
San Andrés	E	(Can.)	21	B1
San Andrés	E	(Las P.)	191	C2
San Andrés	E	(S. Cruz T.)	196	C1
San Andrés	E	(S. Cruz T.)	194	C4
San Andrés	E	(S. Cruz T.)	193	C2
San Andrés de Agues	E	(Ast.)	19	A1
San Andrés de la Regla	E	(Pa.)	39	D1
San Andrés de las Puentes	E	(Le.)	37	C1
San Andrés de Montejos	E	(Le.)	17	B5
San Andrés de San Pedro	E	(So.)	44	A5
San Andrés de Soria	E	(So.)	43	D5
San Andrés de Teixido	E	(A Co.)	3	B1
San Andrés del Congosto	E	(Gua.)	82	D3
San Andrés del Rabanedo	E	(Le.)	18	D5
San Andrés del Rey	E	(Gua.)	83	A5
San Antolín (Ibias)	E	(Ast.)	16	D2
San Antón	E	(Sev.)	165	C3
San Antoniño (Barro)	E	(Po.)	14	A5
San Antonio	E	(Ast.)	7	B4
San Antonio	E	(Cór.)	150	B5
San Antonio	E	(Gr.)	182	D1
San Antonio	E	(Our.)	35	B5
San Antonio	E	(S. Cruz T.)	193	C3
San Antonio	E	(S. Cruz T.)	196	A2
San Antonio	E	(Val.)	123	D3
San Antonio Abad	E	(Mu.)	172	B2
San Antonio de Benagéber	E	(Val.)	125	A3
San Antonio del Fontanar, lugar	E	(Sev.)	179	A1
San Asensio	E	(La R.)	43	B1
San Bartolomé	E	(Ali.)	156	B4
San Bartolomé	E	(Ast.)	6	A4
San Bartolomé	E	(Las P.)	192	C4
San Bartolomé de Béjar	E	(Áv.)	98	C2
San Bartolomé de Corneja	E	(Áv.)	99	A1
San Bartolomé de la Torre	E	(Huel.)	162	A3
San Bartolomé de las Abiertas	E	(To.)	118	A1

San Bartolomé de Pinares E (Áv.) 100 B 1
San Bartolomé de Rueda E (Le.) 19 B 5
San Bartolomé de Tirajana E (Las P.) 191 C 3
San Bartolomé de Tormes E (Áv.) 99 A 2
San Benito E (C. R.) 134 A 5
San Benito E (Mad.) 102 A 2
San Benito E (Our.) 35 B 2
San Benito E (Val.) 140 A 3
San Benito de la Contienda E (Bad.) 130 A 4
San Bernardo E (S. Cruz T.) 195 B 2
San Bernardo E (Vall.) 60 D 3
San Blas E (Gui.) 24 B 2
San Blas E (Te.) 105 D 2
San Blas E (Zam.) 57 B 1
San Blas, lugar E (Alb.) 153 B 1
San Borondón E (S. Cruz T.) 193 B 3
San Calixto E (Cór.) 149 A 5
San Carlos E (Ali.) 156 B 4
San Carlos del Valle E (C. R.) 136 C 3
San Cayetano E (Mu.) 172 C 1
San Cebrián de Buena Madre E (Pa.) 41 A 4
San Cebrián de Campos E (Pa.) 40 C 4
San Cebrián de Castro E (Zam.) 58 C 2
San Cebrián de Mazote E (Vall.) 59 C 2
San Cebrián de Mudá E (Pa.) 20 D 3
San Cibrán E (Po.) 33 D 3
San Cibrao E (Our.) 36 C 3
San Cibrao das Viñas E (Our.) 35 B 2
San Cibrián E (Le.) 38 D 1
San Ciprián E (Lu.) 4 A 1
San Ciprián E (Zam.) 36 D 5
San Ciprián E (Zam.) 37 A 3
San Cipriano de Rueda E (Le.) 19 C 5
San Cipriano del Condado E (Le.) 19 A 5
San Claudio E (A Co.) 3 B 2
San Claudio E (Ast.) 6 B 4
San Clemente E (Cu.) 121 D 4
San Clemente E (Gr.) 169 C 1
San Clodio E (Lu.) 36 A 1
San Cosme E (Ast.) 5 D 3
San Cristóbal E (Ast.) 4 D 4
San Cristóbal E (Ast.) 5 C 3
San Cristóbal E (Viz.) 11 A 5
San Cristóbal de Aliste E (Zam.) 57 C 1
San Cristóbal de Almendres E (Bur.) 22 B 3
San Cristóbal de Boedo E (Pa.) 40 D 1
San Cristóbal de Cuéllar E (Seg.) 60 C 4
San Cristóbal de Entreviñas E (Zam.) 38 D 5
San Cristóbal de la Cuesta E (Sa.) 78 C 2
San Cristóbal de la Polantera E (Le.) 38 B 2
San Cristóbal de la Vega E (Seg.) 80 B 2
San Cristóbal de los Mochuelos E (Sa.) 77 C 2
San Cristóbal de Segovia E (Seg.) 81 A 3
San Cristóbal de Trabancos E (Áv.) 79 C 2
San Cristóbal de Valdueza E (Le.) 37 B 1
San Cristóbal de Zalamea E (Bad.) 132 B 4
San Cristovo E (Our.) 35 C 5
San Cristovo E (Our.) 36 A 5
San Cristovo de Cea E (Our.) 35 A 1
San Cucufate de Llanera E (Ast.) 6 B 4
San Emiliano E (Ast.) 5 A 5
San Emiliano E (Le.) 18 B 3
San Enrique E (Cád.) 187 B 3
San Esteban E (Ast.) 6 A 3
San Esteban E (Ast.) 17 D 1
San Esteban E (Gui.) 12 B 5
San Esteban E (Viz.) 23 A 1
San Esteban → Goiburu E (Gui.) 24 B 1
San Esteban de Gormaz E (So.) 62 C 3
San Esteban de la Sierra E (Sa.) 98 A 1
San Esteban de Litera E (Hues.) 48 A 5
San Esteban de los Patos E (Áv.) 80 B 4
San Esteban de Nogales E (Le.) 38 B 4
San Esteban de Treviño E (Bur.) 23 A 5
San Esteban de Zapardiel E (Áv.) 79 D 2
San Esteban del Molar E (Zam.) 38 D 5
San Esteban del Valle E (Áv.) 99 C 3
San Estevo de Ribas de Sil E (Our.) 35 C 1
San Facundo E (Ast.) 5 B 5
San Felices E (Bur.) 21 C 5
San Felices E (So.) 64 B 1
San Felices de Ara E (Hues.) 47 C 1
San Felices de los Gallegos E (Sa.) 76 D 3
San Felipe E (Las P.) 191 B2
San Felipe E (S. Cruz T.) 195 C 2
San Felipe Neri/Sant Felip Neri E (Ali.) 156 C 3
San Feliu de Veri E (Hues.) 48 B 1
San Félix E (Ast.) 5 B 5
San Félix de Arce E (Le.) 18 A 3
San Félix de la Valdería E (Le.) 38 A 3
San Félix de la Vega E (Le.) 38 B 2
San Feliz E (Ast.) 5 C 3
San Feliz de las Lavanderas E (Le.) 18 B 5
San Feliz de Órbigo E (Le.) 38 B 1
San Feliz de Torío E (Le.) 18 D 5
San Fernando E (Cád.) 185 D 2
San Fernando E (Las P.) 191 C 2
San Fernando E (Las P.) 191 C 4
San Fernando de Henares E (Mad.) 102 A 2
San Fiz E (Our.) 36 C 2
San Francisco E (Alm.) 170 D 4
San Francisco Cavero E (To.) 101 B 5
San Francisco de Olivenza E (Bad.) 130 A 4
San Francisco/Sant Francesc E (Val.) 125 A 3
San Fructuoso E (Ast.) 5 C 4
San Fulgencio E (Ali.) 156 C 4
San García de Ingelmos E (Áv.) 79 C 4
San Gil E (Các.) 97 C 5
San Ginés E (Mu.) 155 D 5
San Gregorio E (Gui.) 24 A 3
San Gregorio E (Zar.) 66 B 2
San Ignacio E (Cád.) 177 C 5
San Ignacio del Viar E (Sev.) 164 A 3
San Ildefonso E (Seg.) 81 B 3
San Isidro E (Ali.) 156 C 3
San Isidro E (Las P.) 191 B 2
San Isidro E (Mu.) 172 B 2
San Isidro E (S. Cruz T.) 195 D 5
San Isidro E (S. Cruz T.) 196 B 2
San Isidro de Benagéber E (Val.) 125 A 3
San Isidro de Dueñas E (Pa.) 60 C 1
San Isidro de Níjar E (Alm.) 184 B 3
San Isidro del Guadalete E (Cád.) 177 D 5
San Isidro, lugar E (Bad.) 131 B 5
San Javier E (Mu.) 172 C 1
San Jorge E (Hues.) 46 C 5
San Jorge de Alor E (Bad.) 130 A 4
San Jorge/Sant Jordi del Maestrat E (Cas.) 108 B 1
San José E (Alm.) 184 C 4
San José E (Mu.) 156 A 5
San José E (S. Cruz T.) 195 D 2
San José E (S. Cruz T.) 195 C 2
San José de la Rinconada E (Sev.) 164 A 3
San José de las Longueras E (Las P.) 191 D 3
San José de los Llanos E (S. Cruz T.) 195 C 3
San José del Valle E (Cád.) 178 B 5
San Juan E (Can.) 22 A 1
San Juan E (Hues.) 48 A 1
San Juan E (Las P.) 191 B 2
San Juan E (Val.) 123 D 3
San Juan → Ordejón de Arriba E (Bur.) 21 B 5
San Juan de Alicante/Sant Joan d'Alacant E (Ali.) 157 C 1
San Juan de Aznalfarache E (Sev.) 163 D 4
San Juan de Enova/Sant Joan de l'Énova E (Val.) 141 A 2
San Juan de la Arena E (Ast.) 6 A 3
San Juan de la Cuesta E (Zam.) 37 B 4
San Juan de la Encinilla E (Áv.) 79 D 4
San Juan de la Mata E (Le.) 17 A 5
San Juan de la Nava E (Áv.) 100 A 1
San Juan de la Rambla E (S. Cruz T.) 195 D 2
San Juan de Moró/Sant Joan de Moró E (Cas.) 107 C 4
San Juan de Mozarrifar E (Zar.) 66 B 2
San Juan de Muskiz E (Viz.) 10 C 5
San Juan de Nieva E (Ast.) 6 B 3
San Juan de Ortega E (Bur.) 42 A 2
San Juan de Paluezas E (Le.) 37 A 1
San Juan de Parres E (Ast.) 7 C 4
San Juan de Piñera E (Ast.) 6 A 3
San Juan de Plan E (Hues.) 28 A 5
San Juan de Redondo E (Pa.) 20 C 3
San Juan de Terreros E (Alm.) 171 B 4
San Juan de Torres E (Le.) 38 B 3
San Juan del Flumen E (Hues.) 67 B 2
San Juan del Molinillo E (Áv.) 100 A 1
San Juan del Monte E (Bur.) 62 A 2
San Juan del Olmo E (Áv.) 79 C 5
San Juan del Puerto E (Huel.) 162 C 4
San Juan del Rebollar E (Zam.) 57 C 2
San Juan del Reparo E (S. Cruz T.) 195 C 2
San Juan/Sant Joan de Missa E (Bal.) 90 A 2
San Juanico el Nuevo E (Zam.) 38 A 5
San Julián E (Ast.) 6 D 4
San Julián de Banzo E (Hues.) 47 A 3
San Justo E (Ast.) 7 A 3
San Justo E (Zam.) 37 A 4
San Justo de Cabanillas E (Le.) 17 C 5
San Justo de la Vega E (Le.) 38 A 1
San Justo de los Oteros E (Le.) 39 A 2
San Leandro E (Sev.) 177 D 2
San Leonardo de Yagüe E (So.) 62 D 1
San Lorentzo E (Viz.) 23 C 1
San Lorenzo E (Gui.) 23 D 1
San Lorenzo E (Hues.) 48 C 3
San Lorenzo E (Las P.) 191 C 2
San Lorenzo E (Le.) 37 B 1
San Lorenzo de Calatrava E (C. R.) 151 C 1
San Lorenzo de El Escorial E (Mad.) 81 A 5
San Lorenzo de Flumen E (Hues.) 67 B 1
San Lorenzo de la Parrilla E (Cu.) 121 D 1
San Lorenzo de Tormes E (Áv.) 98 D 2
San Lourenzo de Pentes E (Our.) 36 B 5
San Luis de Sabinillas E (Mál.) 187 B 3
San Llorente E (Bur.) 22 C 3
San Llorente E (Vall.) 61 A 2
San Llorente de la Vega E (Bur.) 40 D 2
San Llorente del Páramo E (Pa.) 40 A 2
San Mamed E (Zam.) 57 B 2
San Mamés de Abar E (Bur.) 21 B 5
San Mamés de Aras E (Can.) 10 A 5
San Mamés de Burgos E (Bur.) 41 C 3
San Mamés de Campos E (Pa.) 40 B 2
San Mamés de la Vega E (Le.) 38 B 2
San Mamés de Meruelo E (Can.) 10 A 4
San Marcial E (Zam.) 58 B 4
San Marco (Abegondo) E (A Co.) 2 D 5
San Marcos E (Gr.) 169 C 2
San Marcos E (S. Cruz T.) 195 C 2
San Martí de Llémana E (Gi.) 51 D 4
San Martín E (Ast.) 6 D 5
San Martín E (Ast.) 18 A 1
San Martín E (Can.) 21 B 1
San Martín E (Na.) 24 A 4
San Martín E (Sa.) 76 C 2
San Martín E (Seg.) 80 D 1
San Martín de Boniches E (Cu.) 123 B 1
San Martín de Carral E (Viz.) 22 C 1
San Martín de Castañeda E (Zam.) 37 A 4
San Martín de Don E (Bur.) 22 C 4
San Martín de Elines E (Can.) 21 C 4
San Martín de Galvarín E (Bur.) 23 B 5
San Martín de la Cueza E (Le.) 39 D 2
San Martín de la Falamosa E (Le.) 18 B 5
San Martín de la Tercia E (Le.) 18 C 3
San Martín de la Vega E (Mad.) 102 A 3
San Martín de la Vega del Alberche E (Áv.) 99 B 2
San Martín de la Virgen de Moncayo E (Zar.) 64 D 1
San Martín de las Ollas E (Bur.) 21 D 3
San Martín de Lodón E (Ast.) 5 D 4
San Martín de Losa E (Bur.) 22 C 3
San Martín de Luiña E (Ast.) 5 D 3
San Martín de Montalbán E (To.) 118 C 2
San Martín de Moreda E (Le.) 17 A 4
San Martín de Oscos E (Ast.) 4 D 5
San Martín de Porres E (Bur.) 21 D 3
San Martín de Pusa E (To.) 118 B 1
San Martín de Rubiales E (Bur.) 61 B 3
San Martín de Semproniana E (Ast.) 5 C 4
San Martín de Tábara E (Zam.) 58 A 2
San Martín de Torres E (Le.) 38 B 3
San Martín de Tous E (Bar.) 70 A 3
San Martín de Trevejo E (Các.) 96 D 3
San Martín de Ubierna E (Bur.) 41 D 1
San Martín de Unx E (Na.) 45 A 1
San Martín de Valdeiglesias E (Mad.) 100 C 2
San Martín de Valderaduey E (Zam.) 59 A 1
San Martín de Valdetuéjar E (Le.) 19 D 4
San Martín de Valvení E (Vall.) 60 B 2
San Martín del Camino E (Le.) 38 C 1
San Martín del Castañar E (Sa.) 97 D 1
San Martín del Monte E (Pa.) 40 C 1
San Martín del Obispo E (Pa.) 40 A 1
San Martín del Pedroso E (Zam.) 57 B 2
San Martín del Pimpollar E (Áv.) 99 C 2
San Martín del Rey Aurelio E (Ast.) 6 D 5
San Martín del Río E (Te.) 85 C 2
San Martín del Terroso E (Zam.) 37 A 4
San Martín del Tesorillo E (Cád.) 187 B 3
San Martín del Valledor E (Ast.) 17 A 1
San Martiño E (Lu.) 16 B 3
San Martiño E (Our.) 36 A 2
San Martiño E (Our.) 35 C 5
San Martiño de Pazo E (Our.) 35 B 3
San Mateo de Gállego E (Zar.) 66 B 1
San Mauro E (Po.) 34 A 1
San Mauro (Frades) E (A Co.) 14 D 1
San Medel E (Bur.) 42 A 3
San Medel E (Sa.) 98 B 1
San Miguel E (Ast.) 7 A 3
San Miguel E (Bur.) 22 D 5
San Miguel E (Can.) 9 A 5
San Miguel E (Gui.) 23 D 1
San Miguel E (Hues.) 68 A 2
San Miguel E (J.) 152 C 5
San Miguel E (Lu.) 16 B 3
San Miguel E (Our.) 36 B 3
San Miguel E (S. Cruz T.) 195 D 4
San Miguel E (Viz.) 23 B 1
San Miguel de Aguayo E (Can.) 21 B 2
San Miguel de Aras E (Can.) 10 A 5
San Miguel de Arganza E (Le.) 17 A 5
San Miguel de Bernúy E (Seg.) 61 B 5
San Miguel de Corneja E (Áv.) 99 B 1
San Miguel de Escalada E (Le.) 39 B 1
San Miguel de la Ribera E (Zam.) 58 D 5
San Miguel de Laciana, lugar E (Le.) 17 D 3
San Miguel de Langre E (Le.) 17 B 4
San Miguel de las Dueñas E (Le.) 17 B 5
San Miguel de Luena E (Can.) 21 C 2
San Miguel de Meruelo E (Can.) 10 A 4
San Miguel de Montañán E (Le.) 39 B 3
San Miguel de Pedroso E (Bur.) 42 C 2
San Miguel de Relloso, lugar E (Bur.) 22 C 2
San Miguel de Salinas E (Ali.) 156 C 5
San Miguel de Serrezuela E (Áv.) 79 B 5
San Miguel de Tajao E (S. Cruz T.) 196 A 4
San Miguel de Valero E (Sa.) 98 A 1
San Miguel del Arroyo E (Vall.) 60 C 4
San Miguel del Camino E (Le.) 38 C 1
San Miguel del Pino E (Vall.) 59 D 4
San Miguel del Robledo E (Sa.) 98 A 1
San Miguel del Valle E (Zam.) 38 D 5
San Millán/Domeniliaga E (Ál.) 23 D 4
San Millán de Juarros E (Bur.) 42 A 3
San Millán de la Cogolla E (La R.) 43 A 3
San Millán de Lara E (Bur.) 42 B 4
San Millán de los Caballeros E (Le.) 38 D 3
San Millán de Yécora E (La R.) 42 D 1
San Morales E (Sa.) 78 D 2
San Muñoz E (Sa.) 77 D 4
San Nicolás de Tolentino E (Las P.) 191 A 3
San Nicolás del Puerto E (Sev.) 148 B 4
San Nicolás del Real Camino E (Pa.) 39 D 2
San Pablo de Buceite E (Cád.) 187 A 2
San Pablo de la Moraleja E (Vall.) 80 A 1
San Pablo de los Montes E (To.) 118 C 3
San Paio E (Our.) 35 B 5
San Paio E (Po.) 34 A 2
San Pantaleón E (J.) 166 D 1
San Pantaleón de Aras E (Can.) 10 A 5
San Pantaleón de Losa E (Bur.) 22 B 3
San Pantaleón del Páramo E (Bur.) 41 C 1
San Pascual E (Áv.) 80 A 3
San Pascual E (Gr.) 167 C 5
San Pedro E (Alb.) 138 B 4
San Pedro E (Ast.) 7 C 4
San Pedro E (Các.) 113 D 4
San Pedro E (Can.) 22 A 1
San Pedro E (Our.) 35 C 4
San Pedro E (Po.) 33 D 2
San Pedro E (Seg.) 80 D 2
San Pedro Bercianos E (Le.) 38 C 2
San Pedro Castañero E (Le.) 17 C 5
San Pedro de Alcántara E (Mál.) 187 D 2
San Pedro de Ceque E (Zam.) 38 A 4
San Pedro de Coliema E (Ast.) 5 C 5
San Pedro de Foncollada E (Le.) 19 C 4
San Pedro de Gaillos E (Seg.) 81 C 1
San Pedro de la Viña E (Zam.) 38 A 4
San Pedro de las Cuevas E (Zam.) 58 B 2
San Pedro de las Dueñas E (Le.) 39 C 2
San Pedro de las Dueñas E (Le.) 38 C 3
San Pedro de las Herrerías E (Zam.) 37 C 5
San Pedro de Latarce E (Vall.) 59 B 2
San Pedro de Mérida E (Bad.) 131 C 2
San Pedro de Ojeda E (Pa.) 20 C 5
San Pedro de Olleros E (Le.) 17 A 4
San Pedro de Paradela E (Le.) 17 B 4
San Pedro de Pegas E (Le.) 38 B 1
San Pedro de Rozados E (Sa.) 78 C 4
San Pedro de Trones E (Le.) 36 D 2
San Pedro de Valderaduey E (Le.) 39 D 2
San Pedro de Zamudia E (Zam.) 38 B 5
San Pedro del Arroyo E (Áv.) 79 D 4
San Pedro del Pinatar E (Mu.) 172 C 1
San Pedro del Romeral E (Can.) 21 C 2
San Pedro del Valle E (Sa.) 78 B 2
San Pedro Manrique E (So.) 44 A 5
San Pedro Palmiches E (Cu.) 103 D 2
San Pedro Samuel E (Bur.) 41 C 2
San Pedro/Idotorre E (Gui.) 23 D 1
San Pelaio-Alde E (Viz.) 11 B 4
San Pelayo E (Bur.) 22 B 2
San Pelayo E (Bur.) 22 C 2
San Pelayo E (Vall.) 59 C 2
San Pelayo E (Zam.) 58 D 4
San Pelayo de Guareña E (Sa.) 78 B 1
San Quirce del Río Pisuerga E (Pa.) 20 D 5
San Rafael E (Seg.) 81 A 5
San Rafael de Olivenza E (Bad.) 130 A 4
San Rafael del Río/Sant Rafel del Riu E (Cas.) 88 B 5
San Román E (A Co.) 14 D 3
San Román E (A Co.) 14 A 2
San Román E (Ast.) 6 A 4
San Román E (Ast.) 7 A 4
San Román E (Can.) 9 C 4
San Román E (Sa.) 78 A 3
San Román de Bembibre E (Le.) 17 C 5
San Román de Cameros E (La R.) 43 D 3
San Román de Hornija E (Vall.) 59 B 4

San Román de la Cuba E (Pa.) 40 A 3
San Román de la Vega E (Le.) 38 A 1
San Román de los Caballeros E (Le.) 18 B 5
San Román de los Infantes E (Zam.) 58 B 4
San Román de los Montes E (To.) 100 A 4
San Román de los Oteros E (Le.) 39 A 2
San Román de Vale E (Lu.) 3 D 1
San Román de Villa E (Ast.) 7 B 4
San Román del Valle E (Zam.) 38 C 4
San Roque E (Alm.) 183 A 3
San Roque E (Alm.) 170 B 4
San Roque E (Cád.) 187 A 4
San Roque E (Po.) 13 D 5
San Roque (Coristanco) E (A Co.) 2 A 5
San Roque de Crespos (Padrenda) E (Our.) 34 D 3
San Roque de Riomiera E (Can.) 21 D 1
San Roque del Acebal E (Ast.) 8 B 4
San Roque/Azkue E (Gui.) 23 D 1
San Sadurniño E (A Co.) 3 A 2
San Salvador E (Vall.) 59 C 3
San Salvador de Cantamuda E (Pa.) 20 C 3
San Salvador de Palazuelo E (Zam.) 37 C 5
San Sebastián E (Ast.) 6 B 5
San Sebastián → Donostia E (Gui.) 12 C 5
San Sebastián de Garabandal E (Can.) 20 C 1
San Sebastián de la Gomera E (S.Cruz T.) 194 C 2
San Sebastián de los Ballesteros E (Cór.) 165 D 2
San Sebastián de los Reyes E (Mad.) 101 D 1
San Silvestre de Guzmán E (Huel.) 161 C 4
San Simón E (S.Cruz T.) 193 C 3
San Telmo E (Huel.) 162 B 1
San Tirso E (Ast.) 6 A 4
San Tirso-Lamas E (Le.) 16 C 5
San Torcuato E (La R.) 43 A 1
San Vicente E (Ast.) 5 D 4
San Vicente E (Cas.) 106 D 4
San Vicente E (Hues.) 46 D 2
San Vicente E (Po.) 34 B 2
San Vicente (Urraul Bajo) E (Na.) 25 C 5
San Vicente de Alcántara E (Bad.) 114 A 4
San Vicente de Arévalo E (Áv.) 80 A 3
San Vicente de Curtis E (A Co.) 15 A 1
San Vicente de la Barquera E (Can.) 8 D 4
San Vicente de la Cabeza E (Zam.) 57 D 1
San Vicente de la Sonsierra E (La R.) 43 B 1
San Vicente de Toranzo E (Can.) 21 B 1
San Vicente de Villamezán E (Bur.) 21 B 3
San Vicente del Condado E (Le.) 19 A 5
San Vicente del Monte E (Can.) 8 D 5
San Vicente del Palacio E (Vall.) 79 D 1
San Vicente del Raspeig/Sant Vicent del Raspeig E (Ali.) 157 C 2
San Vicente del Valle E (Bur.) 42 C 3
San Vitero E (Zam.) 57 C 1
San Vitores E (Can.) 9 D 4
San Vitorio E (Our.) 35 B 4
San Xoán de Río E (Our.) 36 A 2
San Zadornil E (Bur.) 22 C 4
Sanata E (Bar.) 71 C 2
Sanaüja E (Ll.) 49 C 5
Sancedo E (Le.) 17 B 5
Sancibrao E (A Co.) 15 A 2
Sancibrián E (Can.) 9 C 4
Sancobade E (Lu.) 3 C 4
Sancti-Petri-la Barrosa E (Cád.) 185 D 2
Sancti-Spíritus E (Bad.) 133 B 3
Sancti-Spíritus E (Sa.) 77 B 4
Sanche P (Port.) 54 D 5
Sancheira Grande P (Lei.) 110 D 4
Sancheira Pequena P (Lei.) 110 D 4
Sanchequias P (Ave.) 73 D 5
Sanchicorto E (Áv.) 79 D 5
Sanchidrián E (Áv.) 80 B 3
Sancho Abarca E (Zar.) 45 C 5
Sanchogómez E (Sa.) 78 B 5
Sanchón de la Ribera E (Sa.) 77 B 1
Sanchón de la Sagrada E (Sa.) 78 A 4
Sanchonuño E (Seg.) 60 D 5
Sanchopedro E (Seg.) 81 D 1
Sanchorreja E (Áv.) 79 D 5
Sanchotello E (Sa.) 98 B 1
Sanchoviejo E (Sa.) 78 C 3
Sande E (Our.) 34 D 2
Sande P (Port.) 74 C 1
Sande P (Vis.) 75 B 1
Sandiães P (Ave.) 74 B 3
Sandiães P (V. C.) 54 A 2
Sandiães P (Vis.) 75 B 4
Sandiás E (Our.) 35 B 4
Sandim P (Bra.) 56 B 1
Sandín E (Our.) 35 C 5
Sandín E (Zam.) 37 B 5
Sandiniés E (Hues.) 27 A 4
Sando E (Sa.) 77 D 2
Sandoeira P (San.) 112 A 1
Sandomil P (Guar.) 95 A 1
Sandoval de la Reina E (Bur.) 41 A 1
Sanet i els Negrals → Sanet y Negrals E (Ali.) 141 D 3
Sanet y Negrals/Sanet i els Negrals E (Ali.) 141 D 3
Sanfelismo E (Le.) 39 A 1
Sanfins P (Ave.) 74 A 2
Sanfins P (Co.) 93 C 3
Sanfins P (V. R.) 56 A 3
Sanfins P (V. R.) 56 A 1
Sanfins P (Vis.) 74 C 4
Sanfins P (Vis.) 74 C 1
Sanfins P (Vis.) 75 B 2
Sanfins de Ferreira P (Port.) 54 B 4
Sanfins do Douro P (V. R.) 55 C 5
Sanfuentes E (Viz.) 10 D 5
Sangalhos P (Ave.) 74 A 5
Sangarcía E (Seg.) 80 C 3
Sangarrén E (Hues.) 46 D 5
Sangonera la Seca E (Mu.) 155 D 5
Sangonera la Verde o Ermita Nueva E (Mu.) 155 D 5
Sangoñedo E (Ast.) 5 B 4
Sangrices E (Viz.) 22 B 1
Sanguedo P (Ave.) 74 A 1
Sangüesa/Zangoza E (Na.) 45 C 1
Sanguijuela E (Mál.) 179 B 4
Sanguinhal P (Lei.) 110 D 4
Sanguinhedo P (Co.) 94 C 2
Sanguinhedo P (V. R.) 55 B 4
Sanguiñeda E (Po.) 34 A 3
Sangüñedo E (Our.) 35 C 2
Sanhoane P (Bra.) 57 B 4
Sanhoane P (V. R.) 55 B 5
Sanjuanejo E (Sa.) 77 B 5
Sanjurge P (V. R.) 55 D 1
Sanlúcar de Barrameda E (Cád.) 177 B 3
Sanlúcar de Guadiana E (Huel.) 161 C 3
Sanlúcar la Mayor E (Sev.) 163 C 4
Sansoáin E (Na.) 45 A 1
Sansol E (Na.) 44 A 1
Sant Adrià de Besòs E (Bar.) 71 A 3
Sant Agustí E (Bal.) 89 C 4
Sant Agustí E (Bal.) 91 C 4
Sant Agustí de Lluçanès E (Bar.) 51 A 4
Sant Andreu de Castellbó E (Ll.) 49 C 2
Sant Andreu de la Barca E (Bar.) 70 D 3
Sant Andreu de Llavaneres E (Bar.) 71 C 2
Sant Andreu de Terri E (Gi.) 52 A 4
Sant Andreu Salou E (Gi.) 52 A 5
Sant Aniol de Finestres E (Gi.) 51 C 3
Sant Antolí i Vilanova E (Ll.) 69 D 2
Sant Antoni E (Ll.) 49 D 2
Sant Antoni de Calonge E (Gi.) 52 C 5
Sant Antoni de Portmany E (Bal.) 89 C 4
Sant Antoni de Vilamajor E (Bar.) 71 B 2
Sant Bartomeu E (Bar.) 50 C 4
Sant Bartomeu del Grau E (Bar.) 51 A 4
Sant Boi de Llobregat E (Bar.) 70 D 4
Sant Boi de Lluçanès E (Bar.) 51 A 4
Sant Carles E (Bal.) 90 A 4
Sant Carles de la Ràpita E (Ta.) 88 C 5
Sant Cebrià de Lledó E (Gi.) 52 B 5
Sant Cebrià de Vallalta E (Bar.) 71 D 2
Sant Cebrià dels Alls E (Gi.) 52 B 5
Sant Celoni E (Bar.) 71 C 1
Sant Climenç E (Ll.) 49 D 5
Sant Climent E (Bal.) 90 C 3
Sant Climent de Llobregat E (Bar.) 70 D 4
Sant Climent de Peralta E (Gi.) 52 C 4
Sant Climent Sescebes E (Gi.) 52 B 1
Sant Corneli E (Bar.) 50 C 3
Sant Cristòfol E (Bar.) 71 A 2
Sant Cristòfol E (Gi.) 52 A 5
Sant Cristòfol de les Fonts E (Gi.) 51 C 3
Sant Cugat del Vallès E (Bar.) 71 A 3
Sant Cugat Sesgarrigues E (Bar.) 70 C 4
Sant Dalmai E (Gi.) 51 D 5
Sant Daniel E (Gi.) 52 A 4
Sant Esteve de la Sarga E (Ll.) 48 D 4
Sant Esteve de Palautordera E (Bar.) 71 C 1
Sant Esteve Sesrovires E (Bar.) 70 C 3
Sant Felip Neri → San Felipe Neri E (Ali.) 156 C 3
Sant Feliu de Boada E (Gi.) 52 C 4
Sant Feliu de Buixalleu E (Gi.) 71 D 1
Sant Feliu de Codines E (Bar.) 71 A 2
Sant Feliu de Guíxols E (Gi.) 72 B 1
Sant Feliu de Llobregat E (Bar.) 70 D 4
Sant Feliu de Pallerols E (Gi.) 51 C 4
Sant Feliu del Racó E (Bar.) 70 D 2
Sant Feliu Sasserra E (Bar.) 50 D 5
Sant Ferran de Ses Roquetes E (Bal.) 90 C 5
Sant Ferriol E (Gi.) 51 D 3
Sant Fost de Campsentelles E (Bar.) 71 A 3
Sant Francesc → San Francisco E (Val.) 125 A 3
Sant Francesc de Formentera E (Bal.) 90 C 5
Sant Francesc de ses Salines E (Bal.) 89 D 5
Sant Fruitós de Bages E (Bar.) 70 C 1
Sant Genís E (Bar.) 70 A 2
Sant Genís de Palafolls E (Bar.) 72 A 2
Sant Gregori E (Gi.) 51 D 4
Sant Guim de Freixenet E (Ll.) 69 D 2
Sant Guim de la Plana E (Ll.) 69 D 1
Sant Hilari Sacalm E (Gi.) 51 C 5
Sant Hipòlit de Voltregà E (Bar.) 51 A 4
Sant Iscle de Vallalta E (Bar.) 71 D 2
Sant Jaume de Frontanyà E (Bar.) 50 D 3
Sant Jaume de Llierca E (Gi.) 51 C 3
Sant Jaume dels Domenys E (Ta.) 70 A 5
Sant Jaume d'Enveja E (Ta.) 88 D 4
Sant Joan E (Bal.) 92 B 3
Sant Joan E (Ta.) 89 C 1
Sant Joan d'Alacant → San Juan de Alicante E (Ali.) 157 C 1
Sant Joan de l'Énova → San Juan de Enova E (Val.) 141 A 2
Sant Joan de les Abadesses E (Gi.) 51 A 2
Sant Joan de Llabritja E (Bal.) 89 D 3
Sant Joan de Missa → San Juan E (Bal.) 90 A 2
Sant Joan de Mollet E (Gi.) 52 B 4
Sant Joan de Moró → San Juan de Moro E (Cas.) 107 C 4
Sant Joan de Palamós E (Gi.) 52 C 5
Sant Joan de Vilatorrada E (Bar.) 70 C 1
Sant Joan del Pas E (Ta.) 88 B 5
Sant Joan dels Arcs E (Ta.) 89 B 1
Sant Joan Despí E (Bar.) 70 D 4
Sant Joan les Fonts E (Gi.) 51 C 3
Sant Jordi E (Bal.) 89 D 5
Sant Jordi E (Bal.) 91 D 4
Sant Jordi de Cercs E (Bar.) 50 C 3
Sant Jordi del Maestrat → San Jorge E (Cas.) 108 B 1
Sant Jordi Desvalls E (Gi.) 52 B 3
Sant Jordi, lugar E (Bal.) 90 B 1
Sant Josep E (Bar.) 71 B 2
Sant Josep de sa Talaia E (Bal.) 89 C 4
Sant Julià de Cerdanyola E (Bar.) 50 C 3
Sant Julià de Lòria A 49 D 1
Sant Julià de Ramis E (Gi.) 52 A 4
Sant Julià de Vilatorta E (Bar.) 51 B 5
Sant Julià del Fou E (Bar.) 71 B 2
Sant Julià del Llor E (Gi.) 51 D 4
Sant Just Desvern E (Bar.) 71 A 4
Sant Llorenç E (Gi.) 52 B 5
Sant Llorenç de Balàfia E (Bal.) 89 D 4
Sant Llorenç de la Muga E (Gi.) 52 A 2
Sant Llorenç de Montgai E (Ll.) 68 D 1
Sant Llorenç de Morunys E (Ll.) 50 A 3
Sant Llorenç des Cardassar E (Bal.) 92 C 3
Sant Llorenç d'Hortons E (Bar.) 70 C 3
Sant Llorenç Savall E (Bar.) 70 D 2
Sant Lluís E (Bal.) 90 D 3
Sant Marc E (Gi.) 50 C 1
Sant Marçal E (Bar.) 70 B 5
Sant Martí E (Gi.) 51 C 3
Sant Martí d'Albars E (Bar.) 50 D 4
Sant Martí de Riucorb E (Ll.) 69 B 3
Sant Martí de Surroca E (Gi.) 51 A 2
Sant Martí de Torroella E (Bar.) 70 C 1
Sant Martí i Fucimanya E (Bar.) 70 C 1
Sant Martí Sacalm E (Gi.) 51 C 4
Sant Martí Sarroca E (Bar.) 70 B 4
Sant Martí Sescorts E (Bar.) 51 B 4
Sant Martí Sesgueioles E (Bar.) 70 A 2
Sant Martí Sesserres E (Gi.) 51 D 2
Sant Martí Vell E (Gi.) 52 B 4
Sant Mateu E (Cas.) 108 A 1
Sant Mateu de Bages E (Bar.) 70 B 1
Sant Mateu de Montnegre E (Gi.) 52 B 4
Sant Mateu d'Eubarca E (Bal.) 89 D 4
Sant Miquel E (Bal.) 89 D 3
Sant Miquel E (Bar.) 51 B 5
Sant Miquel de Balansat E (Bal.) 89 D 3
Sant Miquel de Campmajor E (Gi.) 51 D 3
Sant Miquel de Fluvià E (Gi.) 52 B 3
Sant Miquel de la Vall E (Ll.) 49 A 4
Sant Miquel Sacot E (Gi.) 51 C 3
Sant Mori E (Gi.) 52 B 3
Sant Pau E (Bar.) 70 C 1
Sant Pau de Segúries E (Gi.) 51 B 2
Sant Pau d'Ordal E (Bar.) 70 C 4
Sant Pere de Ribes E (Bar.) 70 C 5
Sant Pere de Riudebitlles E (Bar.) 70 B 3
Sant Pere de Torelló E (Bar.) 51 B 4
Sant Pere de Vilamajor E (Bar.) 71 B 2
Sant Pere del Bosc E (Gi.) 72 A 1
Sant Pere i Sant Pau E (Ta.) 89 C 1
Sant Pere Molanta E (Bar.) 70 B 4
Sant Pere Pescador E (Gi.) 52 B 3
Sant Pere Sacarrera E (Bar.) 70 B 3
Sant Pere Sallavinera E (Bar.) 70 A 1
Sant Pere, lugar E (Bal.) 90 B 2
Sant Pol E (Gi.) 52 C 5
Sant Pol de Mar E (Bar.) 71 D 2
Sant Ponç E (Gi.) 52 A 4
Sant Privat d'en Bas E (Gi.) 51 B 3
Sant Quintí de Mediona E (Bar.) 70 B 3
Sant Quirze E (Bar.) 51 B 5
Sant Quirze de Besora E (Bar.) 51 A 3
Sant Quirze del Vallès E (Bar.) 71 A 3
Sant Quirze Safaja E (Bar.) 71 A 1
Sant Rafel E (Bal.) 89 D 4
Sant Rafel del Riu → San Rafael del Río E (Cas.) 88 B 5
Sant Ramon E (Ll.) 69 D 2
Sant Romà d'Abella E (Ll.) 49 B 4
Sant Sadurní d'Anoia E (Bar.) 70 C 4
Sant Sadurní de l'Heura E (Gi.) 52 B 4
Sant Sadurní d'Osormort E (Bar.) 51 B 5
Sant Salvador E (Ta.) 70 A 5
Sant Salvador E (Ta.) 89 C 1
Sant Salvador de Guardiola E (Bar.) 70 B 2
Sant Sebastià dels Gorgs E (Bar.) 70 C 4
Sant Telm E (Bal.) 91 A 4
Sant Tomàs E (Bal.) 90 B 2
Sant Trémol, lugar E (Bal.) 90 C 2
Sant Vicenç de Calders E (Ta.) 70 A 5
Sant Vicenç de Castellet E (Bar.) 70 C 2
Sant Vicenç de Montalt E (Bar.) 71 C 2
Sant Vicenç de Torelló E (Bar.) 51 A 4
Sant Vicenç dels Horts E (Bar.) 70 D 4
Sant Vicent de sa Cala E (Bal.) 90 A 3
Sant Vicent del Raspeig → San Vicente del Raspeig E (Ali.) 157 C 2
Santa Agnès de Corona E (Bal.) 89 C 4
Santa Amalia E (Bad.) 131 D 2
Santa Amalia E (Mál.) 180 B 5
Santa Ana E (Alb.) 138 C 3
Santa Ana E (Alb.) 138 B 5
Santa Ana E (Các.) 116 A 5
Santa Ana E (J.) 167 C 4
Santa Ana E (Mu.) 172 B
Santa Ana E (Zam.) 57 C 2
Santa Ana de Pusa E (To.) 118 A 2
Santa Ana la Real E (Huel.) 146 C 5
Santa Anastasia E (Zar.) 45 C 4
Santa Bárbara E (Alm.) 170 D 4
Santa Bárbara E (Ast.) 6 D 5
Santa Bárbara E (S.Cruz T.) 195 D 2
Santa Bàrbara E (Ta.) 88 C 4
Santa Bárbara E (Te.) 86 C 5
Santa Bárbara P (Aç.) 109 A 5
Santa Bárbara P (Aç.) 109 B 4
Santa Bárbara P (Aç.) 109 D 5
Santa Bárbara P (Be.) 159 C 3
Santa Bárbara P (Lis.) 110 C 4
Santa Bárbara de Casa E (Huel.) 162 A
Santa Bárbara de Nexe P (Fa.) 174 C 3
Santa Bárbara de Padrões P (Be.) 160 C 2
Santa Brígida E (Cór.) 150 C 4
Santa Brígida E (Las P.) 191 C 2
Santa Catalina E (S.Cruz T.) 194 C
Santa Catalina E (S.Cruz T.) 195 D 2
Santa Catarina P (Lei.) 111 A 3
Santa Catarina P (Set.) 143 D
Santa Catarina da Fonte do Bispo P (Fa.) 174 D 2
Santa Catarina da Serra P (Lei.) 111 C
Santa Caterina E (Bar.) 70 C
Santa Cecilia E (Bur.) 41 C 5
Santa Cecília de Voltregà E (Bar.) 51 A 4
Santa Cecilia del Alcor E (Pa.) 40 B 5
Santa Cilia E (Hues.) 46 C
Santa Cita P (San.) 112 A 2
Santa Clara E (Cór.) 133 B 5
Santa Clara P (San.) 112 C 2
Santa Clara de Avedillo E (Zam.) 58 C 5
Santa Clara de Louredo P (Be.) 144 D 4
Santa Clara, lugar E (Sev.) 165 A 5
Santa Clara-a-Nova P (Be.) 160 B 3
Santa Clara-a-Velha P (Be.) 159 D 2
Santa Clara-Sabóia P (Be.) 159 D 2
Santa Coloma A 49 D 1
Santa Coloma E (La R.) 43 B 2
Santa Coloma de Cervelló E (Bar.) 70 D 4
Santa Coloma de Farners E (Gi.) 51 D 5
Santa Coloma de Gramenet E (Bar.) 71 A 3
Santa Coloma de Queralt E (Ta.) 69 D 3
Santa Coloma del Rudrón E (Bur.) 21 C 5
Santa Coloma Residencial E (Gi.) 51 D 5
Santa Colomba de Curueño E (Le.) 19 A 4
Santa Colomba de la Vega E (Le.) 38 B 2
Santa Colomba de las Carabias E (Zam.) 38 D 4
Santa Colomba de las Monjas E (Zam.) 38 C 5
Santa Colomba de Sanabria E (Zam.) 37 A 4
Santa Colomba de Somoza E (Le.) 37 D 1
Santa Comba E (A Co.) 13 D 1
Santa Comba E (Lu.) 15 D 2
Santa Comba E (Our.) 35 A 4
Santa Comba P (Guar.) 95 B 1
Santa Comba P (Guar.) 76 B 2
Santa Comba P (V. C.) 54 A 1
Santa Comba P (Vis.) 74 C 4
Santa Comba Dão P (Vis.) 94 C 1

Santa Comba de Rossas P (Bra.) 56 D2
Santa Comba de Vilariça P (Bra.) 56 B4
Santa Combinha P (Bra.) 56 D3
Santa Creu de Jotglar E (Bar.) 50 D4
Santa Cristina E (Gi.) 52 B4
Santa Cristina P (Ave.) 94 B1
Santa Cristina → Otiñar E (J.) 167 D2
Santa Cristina d'Aro E (Gi.) 52 B5
Santa Cristina de la Polvorosa E (Zam.) 38 C5
Santa Cristina de Valmadrigal E (Le.) 39 B2
Santa Cristina del Páramo E (Le.) 38 C3
Santa Croya de Tera E (Zam.) 38 A5
Santa Cruz E (Ast.) 18 C1
Santa Cruz E (Can.) 21 B1
Santa Cruz E (Cór.) 166 B2
Santa Cruz E (Lu.) 3 C5
Santa Cruz E (Lu.) 15 C2
Santa Cruz E (Lu.) 4 A3
Santa Cruz P (Be.) 160 D3
Santa Cruz P (Bra.) 36 C5
Santa Cruz P (Lei.) 94 A5
Santa Cruz P (Lis.) 110 B5
Santa Cruz P (Ma.) 110 C2
Santa Cruz P (Set.) 143 B3
Santa Cruz da Graciosa P (Aç.) 109 A1
Santa Cruz da Trapa P (Vis.) 74 C3
Santa Cruz das Flores P (Aç.) 109 A2
Santa Cruz de Abranes E (Zam.) 37 A5
Santa Cruz de Bezana E (Can.) 9 C4
Santa Cruz de Boedo E (Pa.) 40 D1
Santa Cruz de Campezo/Santi Kurutze Kanpezu E (Ál.) 23 D5
Santa Cruz de Grío E (Zar.) 65 B5
Santa Cruz de Juarros E (Bur.) 42 A3
Santa Cruz de la Palma E (S.Cruz T.) 193 C3
Santa Cruz de la Salceda E (Bur.) 61 D3
Santa Cruz de la Serós E (Hues.) 46 C1
Santa Cruz de la Sierra E (Các.) 116 B5
Santa Cruz de la Zarza E (To.) 102 C5
Santa Cruz de los Cáñamos E (C. R.) 137 A5
Santa Cruz de los Cuérragos E (Zam.) 37 B5
Santa Cruz de Lumiares P (Vis.) 75 B1
Santa Cruz de Llanera E (Ast.) 6 B4
Santa Cruz de Marchena E (Alm.) 183 C2
Santa Cruz de Mena E (Bur.) 22 C2
Santa Cruz de Moncayo E (Zar.) 64 D1
Santa Cruz de Montes E (Le.) 17 D5
Santa Cruz de Moya E (Cu.) 105 D5
Santa Cruz de Mudela E (C. R.) 136 A5
Santa Cruz de Nogueras E (Te.) 85 D2
Santa Cruz de Paniagua E (Các.) 97 C3
Santa Cruz de Pinares E (Áv.) 100 B1
Santa Cruz de Tenerife E (S.Cruz T.) 196 C2
Santa Cruz de Yanguas E (So.) 43 D5
Santa Cruz del Comercio E (Gr.) 181 B2
Santa Cruz del Monte E (Pa.) 40 C1
Santa Cruz del Retamar E (To.) 100 D4
Santa Cruz del Sil E (Le.) 17 B4
Santa Cruz del Valle E (Áv.) 99 C3
Santa Cruz del Valle Urbión E (Bur.) 42 C3
Santa Cruz do Bispo P (Port.) 53 D5
Santa Cruz do Douro P (Port.) 74 D1
Santa Cruz do Lima P (V. C.) 54 B1
Santa Elena E (J.) 152 A2
Santa Elena de Jamuz E (Le.) 38 B3
Santa Elena, lugar E (Bad.) 147 D2
Santa Engracia E (Bad.) 130 B2
Santa Engracia E (Zar.) 45 C5
Santa Engracia de Jaca E (Hues.) 46 B1
Santa Engracia del Jubera E (La R.) 44 A3
Santa Espina, La E (Vall.) 59 C2
Santa Eufemia E (Cór.) 133 D5
Santa Eufemia E (Lu.) 16 B5
Santa Eufemia E (Our.) 35 C3
Santa Eufémia P (Guar.) 76 A3
Santa Eufémia P (Lei.) 111 C1
Santa Eufemia del Arroyo E (Vall.) 59 B1
Santa Eufemia del Barco E (Zam.) 58 B2
Santa Eugènia E (Bal.) 91 D3
Santa Eugènia E (Gi.) 52 A4
Santa Eugènia P (V. R.) 55 D4
Santa Eugènia de Berga E (Bar.) 51 B5
Santa Eulalia E (Ast.) 6 C4
Santa Eulalia E (Ast.) 5 C4
Santa Eulalia E (J.) 152 B4
Santa Eulalia E (Te.) 105 C1
Santa Eulália P (Ave.) 74 B2
Santa Eulália P (Guar.) 95 A1
Santa Eulália P (Lis.) 126 C2
Santa Eulália P (Por.) 129 D2
Santa Eulalia (Cabranes) E (Ast.) 7 A4
Santa Eulalia (Morcín) E (Ast.) 6 B5
Santa Eulalia Bajera E (La R.) 44 A3
Santa Eulalia de Cabrera E (Le.) 37 B3
Santa Eulalia de Gállego E (Zar.) 46 B3
Santa Eulalia de las Dorigas E (Ast.) 6 A4
Santa Eulalia de Oscos E (Ast.) 4 C5
Santa Eulàlia de Puig-oriol E (Bar.) 50 D4
Santa Eulàlia de Riuprimer E (Bar.) 51 A5
Santa Eulàlia de Ronçana E (Bar.) 71 A2
Santa Eulalia de Tábara E (Zam.) 58 B1
Santa Eulalia del Río Negro E (Zam.) 37 D5
Santa Eulalia del Río/Santa Eulària des Riu E (Bal.) 90 A4
Santa Eulalia la Mayor E (Hues.) 47 A3
Santa Eulalia Somera E (La R.) 44 A3
Santa Eulària des Riu → Santa Eulalia del Río E (Bal.) 90 A4
Santa Fé E (Gr.) 181 D1
Santa Fe E (Zar.) 66 A3
Santa Fe de Mondújar E (Alm.) 183 D2
Santa Fe del Montseny E (Bar.) 71 C1
Santa Fe del Penedès E (Bar.) 70 B4
Santa Gadea de Alfoz E (Bur.) 21 B3
Santa Gadea del Cid E (Bur.) 22 D5
Santa Gertrudis E (Bal.) 89 D4
Santa Gertrudis E (Mu.) 171 B2
Santa Iglesia, lugar E (Sev.) 164 D4
Santa Inés E (Bur.) 41 D5
Santa Inés E (Sa.) 78 D4
Santa Iria P (Be.) 145 B5
Santa Iria da Ribeira de Santarém P (San.) 111 C4
Santa Iria de Azóia P (Lis.) 126 D2
Santa Isabel, lugar E (Zar.) 66 B2
Santa Juliana E (Gr.) 182 A1
Santa Juliana, lugar E (Sev.) 164 D3
Santa Justa P (Bra.) 56 C5
Santa Justa P (Év.) 128 D3
Santa Justa P (Fa.) 161 A3
Santa Justa P (San.) 128 A1
Santa Leocadia E (Lu.) 4 A5
Santa Leocádia P (V. R.) 55 D2
Santa Leocádia P (Vis.) 75 C1
Santa Liestra y San Quílez E (Hues.) 48 A2
Santa Locaia E (Our.) 35 B2
Santa Lucía E (Cád.) 186 A3
Santa Lucía E (Las P.) 191 C3
Santa Lucía E (Le.) 18 D3
Santa Lucía E (Mu.) 172 B3
Santa Lucía de Tirajana E (S.Cruz T.) 193 C2
Santa Lucía Moraña E (Po.) 14 A5
Santa Lucrécia de Alegriz P (Br.) 54 B2
Santa Luzi E (Gui.) 24 B2
Santa Luzia P (Aç.) 109 B3
Santa Luzia P (Be.) 159 D1
Santa Llogaia d'Àlguema E (Gi.) 52 B2
Santa Llogaia del Terri E (Gi.) 52 A3
Santa Magdalena de Polpís → Santa Magdalena de Pulpís E (Cas.) 108 B2
Santa Magdalena de Pulpís/Santa Magdalena de Polpís E (Cas.) 108 B2
Santa Margalida E (Bal.) 92 B2
Santa Margarida E (Gi.) 52 C2
Santa Margarida P (Fa.) 160 B4
Santa Margarida P (Fa.) 175 A2
Santa Margarida da Coutada P (San.) 112 A3
Santa Margarida da Serra P (Set.) 143 C3
Santa Margarida de Montbui E (Bar.) 70 A3
Santa Margarida do Sado P (Be.) 144 A3
Santa Margarida i els Monjos E (Bar.) 70 B4
Santa Margarita E (A Co.) 2 D2
Santa María E (Hues.) 46 B2
Santa Maria (Airão) P (Br.) 54 B3
Santa María → Ordejón de Abajo E (Bur.) 21 B5
Santa María Ananúñez E (Bur.) 41 A1
Santa Maria de Besora E (Bar.) 51 A3
Santa María de Cayón E (Can.) 9 C5
Santa Maria de Corcó E (Bar.) 51 B4
Santa Maria de Emeres P (V. R.) 55 D3
Santa María de Guía E (Las P.) 191 B2
Santa María de Huerta E (So.) 84 B1
Santa María de la Alameda E (Mad.) 80 D5
Santa María de la Isla E (Le.) 38 B2
Santa María de la Vega E (Zam.) 38 C4
Santa Maria de Lamas P (Ave.) 74 A2
Santa María de las Hoyas E (So.) 62 C2
Santa María de las Lomas E (Các.) 98 D5
Santa María de los Caballeros E (Áv.) 98 D2
Santa María de los Llanos E (Cu.) 121 A4
Santa María de los Llanos E (Sa.) 98 A1
Santa Maria de Llorell E (Gi.) 72 B1
Santa Maria de Martorelles E (Bar.) 71 B3
Santa María de Mave E (Pa.) 20 D5
Santa Maria de Meià E (Ll.) 49 A5
Santa Maria de Merlès E (Bar.) 50 D4
Santa Maria de Miralles E (Bar.) 70 A3
Santa María de Nava E (Bad.) 147 D4
Santa María de Nieva E (Alm.) 170 D4
Santa María de Ordás E (Le.) 18 C4
Santa Maria de Palautordera E (Bar.) 71 C1
Santa María de Redondo E (Pa.) 20 C3
Santa María de Riaza E (Seg.) 62 B4
Santa María de Sando E (Sa.) 77 D2
Santa Maria de Sardoura P (Ave.) 74 B1
Santa María de Trasierra E (Cór.) 149 D5
Santa María de Valverde E (Zam.) 38 B5
Santa María de Villandás E (Ast.) 6 A5
Santa María del Águila E (Alm.) 183 B4
Santa María del Arroyo E (Áv.) 79 D5
Santa María del Berrocal E (Áv.) 99 A1
Santa Maria del Camí E (Bal.) 91 D3
Santa Maria del Camí E (Bar.) 70 A2
Santa María del Campo E (Bur.) 41 B4
Santa María del Campo Rus E (Cu.) 121 D3
Santa María del Espino E (Gua.) 84 A3
Santa María del Invierno E (Bur.) 42 A2
Santa María del Mar E (Ast.) 6 B3
Santa María del Mar E (S.Cruz T.) 196 B2
Santa María del Mercadillo E (Bur.) 62 A1
Santa María del Monte de Cea E (Le.) 39 C1
Santa María del Monte del Condado E (Le.) 19 A5
Santa María del Páramo E (Le.) 38 C2
Santa María del Pilar E (Hues.) 68 A2
Santa María del Prado E (So.) 63 B4
Santa María del Río E (Le.) 39 C1
Santa María del Tiétar E (Áv.) 100 B3
Santa María del Val E (Cu.) 104 B1
Santa Maria d'Oló E (Bar.) 50 D5
Santa María la Real de Nieva E (Seg.) 80 C2
Santa María Ribarredonda E (Bur.) 22 C5
Santa María Tajadura E (Bur.) 41 C2
Santa Marina E (Ast.) 5 D3
Santa Marina E (Bur.) 42 A2
Santa Marina E (La R.) 43 D3
Santa Marina E (Sa.) 78 A1
Santa Marina de Obanca E (Ast.) 17 B1
Santa Marina de Torre E (Le.) 17 C5
Santa Marina de Valdeón E (Le.) 20 A2
Santa Marina del Rey E (Le.) 38 B1
Santa Marina del Sil E (Le.) 17 B5
Santa Marinha P (Guar.) 95 B1
Santa Marinha P (V. C.) 34 B4
Santa Marinha P (V. R.) 55 B3
Santa Marinha do Zêzere P (Port.) 75 A1
Santa Mariña E (Lu.) 16 B4
Santa Mariña E (Lu.) 15 C5
Santa Mariña da Ponte E (Our.) 36 B3
Santa Marta E (Alb.) 138 A1
Santa Marta E (Bad.) 130 D5
Santa Marta P (Fa.) 161 B3
Santa Marta P (Port.) 54 C5
Santa Marta da Montanha P (V. R.) 55 B3
Santa Marta de Magasca E (Các.) 115 D3
Santa Marta de Penaguião P (V. R.) 55 B5
Santa Marta de Tera E (Zam.) 38 B5
Santa Marta de Tormes E (Sa.) 78 C3
Santa Marta del Cerro E (Seg.) 81 D1
Santa Mónica E (Mad.) 102 A2
Santa Olaja E (Bur.) 22 C2
Santa Olaja de Eslonza E (Le.) 39 B1
Santa Olaja de la Ribera E (Le.) 38 D1
Santa Olaja de la Varga E (Le.) 19 C4
Santa Olaja de la Vega E (Pa.) 40 A1
Santa Olaja de Porma E (Le.) 39 A1
Santa Olalla E (Can.) 21 B2
Santa Olalla E (To.) 100 C5
Santa Olalla de Bureba E (Bur.) 42 A2
Santa Olalla de Valdivielso E (Bur.) 22 A4
Santa Olalla de Yeltes E (Sa.) 77 D4
Santa Olalla del Cala E (Huel.) 147 C5
Santa Oliva E (Ta.) 70 A5
Santa Ovaia P (Co.) 95 A2
Santa Pau E (Gi.) 51 C3
Santa Pellaia E (Gi.) 52 B5
Santa Perpètua de Mogoda E (Bar.) 71 A3
Santa Pola E (Ali.) 157 C3
Santa Ponça E (Bal.) 91 B4
Santa Quiteria E (C. R.) 118 C5
Santa Rita P (Fa.) 175 B2
Santa Rosa E (Ast.) 6 C5
Santa Rosa E (Cór.) 165 D1
Santa Rosalía E (Mu.) 172 C1
Santa Seclina E (Gi.) 72 A1
Santa Sofia P (Év.) 128 C4
Santa Susana P (Lei.) 111 A4
Santa Susana P (Set.) 127 D5
Santa Susanna E (Bar.) 71 D2
Santa Suzana P (Év.) 129 A5
Santa Tecla P (Br.) 54 D4
Santa Teresa E (Sa.) 78 D4
Santa Úrsula E (S.Cruz T.) 196 A2
Santa Uxía de Ribeira E (A Co.) 13 C5
Santa Valha P (V. R.) 56 A2
Santa Vitória P (Be.) 144 C4
Santa Vitória do Ameixial P (Év.) 129 A2
Santa, La E (Las P.) 192 B3
Santabaia E (Our.) 35 B4
Santaballa E (Lu.) 3 C4
Santacara E (Na.) 45 A2
Santadría E (Bal.) 90 A2
Santaella E (Cór.) 165 D3
Santalavilla E (Le.) 37 A2
Santalecina E (Hues.) 67 D1
Santalha P (Bra.) 36 B5
Santalla E (Lu.) 16 B1
Santalla del Bierzo E (Le.) 37 A1
Santana P (Co.) 93 C2
Santana P (Év.) 144 D2
Santana P (Ma.) 110 B1
Santana P (Por.) 113 B2
Santana P (San.) 111 B5
Santana P (Set.) 126 D5
Santana da Serra P (Be.) 160 A2
Santana d'Azinha P (Guar.) 96 A1
Santana de Cambas P (Be.) 161 B2
Santana do Campo P (Év.) 128 C3
Santana do Mato P (San.) 128 A2
Santander E (Can.) 9 C4
Santanyí E (Bal.) 92 B5
Santar P (Vis.) 75 A5
Santarém P (San.) 111 C4
Santas Martas E (Le.) 39 A2
Sante E (Ast.) 5 A3
Sante E (Lu.) 4 C3
Santecilla E (Bur.) 22 C2
Santed E (Zar.) 85 B2
Santeles E (Po.) 14 B4
Santelices E (Bur.) 21 D3
Santelices E (Viz.) 10 D5
Santervás de Campos E (Vall.) 39 C3
Santervás de la Sierra E (So.) 63 C1
Santervás de la Vega E (Pa.) 40 A1
Santervás del Burgo E (So.) 62 C2
Santes Creus E (Ta.) 69 D4
Santesteban → Doneztebe E (Na.) 24 D2
Santi Kurutze Kanpezu → Santa Cruz de Campezo E (Ál.) 23 D5
Santiago E (A Co.) 14 B2
Santiago P (Bra.) 57 A5
Santiago P (Guar.) 95 B1
Santiago P (Vis.) 75 B1
Santiago da Guarda P (Lei.) 94 A4
Santiago de Alcántara E (Các.) 114 A2
Santiago de Aravalle E (Áv.) 98 C2
Santiago de Besteiros P (Vis.) 74 C5
Santiago de Calatrava E (J.) 167 A1
Santiago de Cassurrães P (Vis.) 75 B5
Santiago de Compostela E (A Co.) 14 B3
Santiago de la Espada E (J.) 153 C4
Santiago de la Puebla E (Sa.) 79 B4
Santiago de la Requejada E (Zam.) 37 B4
Santiago de la Ribera E (Mu.) 172 C1
Santiago de la Torre E (Cu.) 121 C4
Santiago de la Valduerna E (Le.) 38 B3
Santiago de las Villas E (Le.) 18 C4
Santiago de Litém P (Lei.) 93 D5
Santiago de Montalegre P (San.) 112 B2
Santiago de Mora E (Alb.) 139 B5
Santiago de Piães P (Vis.) 74 C1
Santiago de Riba-Ul P (Ave.) 74 A3
Santiago de Ribeira de Alhariz P (V. R.) 55 D2
Santiago de Tudela E (Bur.) 22 C2
Santiago del Arroyo E (Vall.) 60 C4
Santiago del Campo E (Các.) 115 B2
Santiago del Collado E (Áv.) 99 A2
Santiago del Molinillo E (Le.) 18 C5
Santiago del Monte E (Ast.) 6 B3
Santiago del Teide E (S.Cruz T.) 195 C3
Santiago do Cacém P (Set.) 143 B3
Santiago do Escoural P (Év.) 128 B5
Santiago dos Velhos P (Lis.) 126 D2
Santiago Maior P (Év.) 129 C5
Santiago Millas E (Le.) 38 A2
Santiais P (Lei.) 93 D5
Santianes E (Ast.) 6 A3
Santianes E (Ast.) 18 A1
Santianes E (Ast.) 5 C5
Santianes E (Ast.) 6 A5
Santibáñez E (Can.) 9 A5
Santibáñez E (Can.) 21 C1
Santibáñez de Arienza E (Le.) 18 A4
Santibáñez de Ayllón E (Seg.) 62 B5
Santibáñez de Béjar E (Sa.) 98 C1
Santibáñez de Ecla E (Pa.) 20 D5
Santibáñez de Esgueva E (Bur.) 61 C1
Santibáñez de la Fuente E (Ast.) 18 D2
Santibáñez de la Isla E (Le.) 38 B2
Santibáñez de la Lomba E (Le.) 18 B4
Santibáñez de la Peña E (Pa.) 20 A4
Santibáñez de la Sierra E (Sa.) 98 A1
Santibáñez de Murias E (Ast.) 18 D2
Santibáñez de Ordás E (Le.) 18 C4
Santibáñez de Porma E (Le.) 39 A1
Santibáñez de Resoba E (Pa.) 20 B3
Santibáñez de Rueda E (Le.) 19 C5
Santibáñez de Tera E (Zam.) 38 B5
Santibáñez de Valcorba E (Vall.) 60 C3
Santibáñez de Valdeiglesias E (Le.) 38 B1
Santibáñez de Vidriales E (Zam.) 38 A4

Santibáñez del Toral E (Le.) 17 C5
Santibáñez del Val E (Bur.) 42 A5
Santibáñez el Alto E (Các.) 97 A3
Santibáñez el Bajo E (Các.) 97 C3
Santibáñez-Zarzaguda E (Bur.) 41 C1
Santigoso E (Our.) 36 C2
Santillán de la Vega E (Pa.) 40 B2
Santillana E (Alm.) 183 C1
Santillana de Campos E (Pa.) 40 D2
Santillana del Mar E (Can.) 9 A4
Santinha P (C. B.) 94 D5
Santiorxo E (Lu.) 35 D1
Santiponce E (Sev.) 163 D4
Santiso E (A Co.) 15 A3
Santiso E (Po.) 14 D4
Santisteban del Puerto E (J.) 152 C3
Santiurde de Reinosa E (Can.) 21 A2
Santiurde de Toranzo E (Can.) 21 B1
Santiuste E (Gua.) 83 A2
Santiuste de San Juan
Bautista E (Seg.) 80 B1
Santiz E (Sa.) 78 B1
Santo Adrião P (Vis.) 75 C1
Santo Aleixo P (Por.) 129 C2
Santo Aleixo P (Vis.) 75 B1
Santo Aleixo
da Restauração P (Be.) 146 A4
Santo Aleixo
de Além-Tâmega P (V. R.) 55 B3
Santo Amador P (Be.) 145 D3
Santo Amaro P (Ave.) 74 A3
Santo Amaro P (Guar.) 76 B1
Santo Amaro P (Por.) 129 B2
Santo André P (Ave.) 73 D5
Santo André P (Ave.) 74 A3
Santo André P (Bra.) 56 D5
Santo André P (Set.) 126 D4
Santo André P (Set.) 143 B3
Santo André P (V. C.) 34 B4
Santo André P (V. R.) 35 C5
Santo André
das Tojeiras P (C. B.) 113 B1
Santo Ángel E (Mu.) 156 A5
Santo Antão P (Aç.) 109 D3
Santo Antão do Tojal P (Lis.) 126 D2
Santo António P (Aç.) 109 B3
Santo António P (Aç.) 109 A4
Santo António P (Ma.) 110 B2
Santo António
da Charneca P (Set.) 126 D4
Santo António da Serra P (Ma.) 110 C2
Santo António
das Areias P (Por.) 113 D4
Santo António
de Monforte P (V. R.) 55 D1
Santo António
dos Cavaleiros P (Lis.) 126 D2
Santo Domingo E (Alm.) 183 B4
Santo Domingo E (Bad.) 130 A5
Santo Domingo E (Cór.) 149 D5
Santo Domingo E (Mad.) 82 A5
Santo Domingo E (S.Cruz T.) 195 D2
Santo Domingo
de Herguijuela E (Sa.) 78 B5
Santo Domingo
de la Calzada E (La R.) 43 A2
Santo Domingo
de las Posadas E (Áv.) 80 B4
Santo Domingo
de Moya E (Cu.) 105 C5
Santo Domingo
de Pirón E (Seg.) 81 B2
Santo Domingo
de Silos E (Bur.) 42 B5
Santo Domingo-
Caudilla E (To.) 100 D5
Santo Emilião P (Br.) 54 C3
Santo Espírito P (Aç.) 109 D5
Santo Estévão P (Év.) 129 B2
Santo Estévão P (Fa.) 175 A3
Santo Estévão P (Guar.) 96 A2
Santo Estévão P (San.) 127 B2
Santo Estévão P (V. R.) 55 D1
Santo Estévão
das Gales P (Lis.) 126 C2
Santo Estevo E (Lu.) 3 D5
Santo Isidoro P (Lis.) 126 B1
Santo Isidoro P (Port.) 54 C5
Santo Isidro P (Co.) 93 C3
Santo Isidro de Pegões P (Set.) 127 C4
Santo Pitar, lugar E (Mál.) 180 D4
Santo Quintino P (Lis.) 126 D1
Santo Tirso P (Port.) 54 A4
Santo Tomás
de las Ollas E (Le.) 37 B1
Santo Tomé E (J.) 152 D4
Santo Tomé E (Our.) 35 A2
Santo Tomé
de Rozados E (Sa.) 78 C3
Santo Tomé
de Zabarcos E (Áv.) 79 D4
Santo Tomé del Puerto E (Seg.) 82 A1
Santo Varão P (Co.) 93 D2
Santocildes E (Bur.) 22 B4
Santolea, lugar E (Te.) 87 A4
Santomera E (Mu.) 156 A4
Santonge, lugar E (Alm.) 170 B1
Santoña E (Can.) 10 A4
Santopétar E (Alm.) 170 C4
Santorcaz E (Mad.) 102 C1
Santorens E (Hues.) 48 D2
Santos P (San.) 111 C3
Santos de la
Humosa, Los E (Mad.) 102 C1
Santos
de Maimona, Los E (Bad.) 147 B1
Santos Evos P (Vis.) 75 A4
Santos, Los E (Alm.) 169 C5
Santos, Los E (Cór.) 166 C4
Santos, Los E (Sa.) 98 B1
Santos, Los E (Val.) 105 C4
Santoseso E (Ast.) 6 A3
Santotís E (Bur.) 22 B4
Santotis E (Can.) 20 D1
Santovenia E (Le.) 18 B4
Santovenia E (Zam.) 58 C1
Santovenia
de la Valdoncina E (Le.) 38 D1
Santovenia de Oca E (Bur.) 42 A2
Santovenia de Pisuerga E (Vall.) 60 B2
Santovenia del Monte E (Le.) 19 A5
Santoyo E (Pa.) 40 D3
Santpedor E (Bar.) 70 C1
Santulhão P (Bra.) 57 A3
Santullán E (Can.) 10 C5
Santullano E (Ast.) 6 B4
Santurce → Santurtzi E (Viz.) 10 D5
Santurde E (Ál.) 23 B5
Santurde E (Bur.) 22 A3
Santurde de Rioja E (La R.) 42 D2
Santurdejo E (La R.) 43 A2
Santurtzi/Santurce E (Viz.) 10 D5
Sanxenxo E (Po.) 33 D1
Sanxián E (Po.) 33 C4
Sanzadornín E (Ast.) 6 B3
Sanzoles E (Zam.) 58 D4
São António
dos Olivais P (Co.) 94 A2
São Amaro da Bouça P (Co.) 93 C2
São Barnabé P (Be.) 160 B4
São Bartolomeu P (Ave.) 74 B2
São Bartolomeu P (Fa.) 175 B2
São Bartolomeu P (Por.) 112 D4
São Bartolomeu
da Serra P (Set.) 143 C4
São Bartolomeu
de Galegos P (Lis.) 110 C4
São Bartolomeu
de Messines P (Fa.) 160 A4
São Bartolomeu
de Via Glória P (Be.) 161 A2
São Bartolomeu
do Outeiro P (Év.) 144 D1
São Benardino P (Lei.) 110 C4
São Bento P (Lei.) 111 B2
São Bento
de Ana Loura P (Év.) 129 C2
São Bento do Ameixial P (Év.) 129 B3
São Bento do Cortiço P (Év.) 129 B2
São Bento do Mato P (Év.) 129 A4
São Brás de Alportel P (Fa.) 174 D2
São Brás dos Matos P (Év.) 129 D4
São Brás e
São Lourenço P (Por.) 129 D3
São Brissos P (Be.) 144 C3
São Brissos P (Év.) 128 B5
São Caetano P (Co.) 93 C1
São Catarina P (San.) 112 A2
São Cibrão P (V. R.) 55 C5
São Cipriano P (Vis.) 74 D4
São Cipriano P (Vis.) 74 D1
São Clemente P (Lei.) 111 A3
São Cosmado P (Guar.) 95 C1
São Cosmado P (Vis.) 75 C1
São Cosmado P (Vis.) 74 D4
São Cosme e
São Damião P (V. C.) 34 B5
São Cristóvão P (Év.) 128 A5
São Cristóvão
de Lafões P (Vis.) 74 C3
São Cristóvão
de Nogueira P (Vis.) 74 C1
São Cristóvão
do Douro P (V. R.) 55 C5
São Domingos P (C. B.) 95 B5
São Domingos P (San.) 111 C4
São Domingos P (Set.) 143 C4
São Domingos
de Ana Loura P (Év.) 129 C3
São Domingos
de Rana P (Lis.) 126 B3
São Facundo P (San.) 112 C4
São Félix P (Vis.) 74 D3
São Félix da Marinha P (Port.) 73 D1
São Fernando P (San.) 111 C4
São Francisco P (Set.) 127 A3
São Francisco da Serra P (Set.) 143 B3
São Gemil P (Vis.) 74 D5
São Gens P (Br.) 54 D3
São Gens P (Co.) 94 B4
São Geraldo P (Év.) 128 B3
São Gião P (Co.) 95 A2
São Gonçalo P (Ma.) 110 B2
São Gregório P (Év.) 128 D3
São Gregório P (Lei.) 110 D3
São Jacinto P (Ave.) 73 C4
São Joanico P (Bra.) 57 B3
São Joaninho P (Vis.) 75 A2
São Joaninho P (Vis.) 94 C1
São João P (Aç.) 109 B3
São João da Boavista P (Co.) 94 D2
São João da Corveira P (V. R.) 55 D2
São João da Fresta P (Vis.) 75 C4
São João da Madeira P (Ave.) 74 A2
São João da Pesqueira P (Vis.) 75 D1
São João da Ribeira P (Lei.) 93 C4
São João da Ribeira P (San.) 111 B4
São João da Serra P (Vis.) 74 C3
São João da Talha P (Lis.) 126 D2
São João das Lampas P (Lis.) 126 B2
São João de Areias P (Vis.) 94 D1
São João de Fontoura P (Vis.) 75 A1
São João de Loure P (Ave.) 74 A4
São João de Lourosa P (Vis.) 75 A5
São João de Negrilhos P (Be.) 144 B4
São João de Rei P (Br.) 54 C2
São João de Tarouca P (Vis.) 75 B2
São João de Ver P (Ave.) 74 A2
São João do Campo P (Co.) 94 A2
São João do Deserto P (Be.) 144 B5
São João do Estoril P (Lis.) 126 B3
São João do Monte P (Vis.) 74 C5
São João do Peso P (C. B.) 112 C1
São João
dos Caldeireiros P (Be.) 161 A2
São João dos Montes P (Lis.) 126 D2
São Jomil P (Bra.) 56 B1
São Jorge P (Ave.) 74 A2
São Jorge P (Co.) 93 C2
São Jorge P (Lei.) 111 B2
São Jorge P (Ma.) 64 C4
São Jorge P (V. C.) 34 B5
São Jorge da Beira P (C. B.) 95 A3
São José da Lamarosa P (San.) 127 D1
São José das Matas P (San.) 113 A3
São Julião P (Lis.) 126 B1
São Julião P (Por.) 113 D4
São Julião P (Port.) 74 B1
São Julião P (V. C.) 34 A4
São Julião
de Montenegro P (V. R.) 55 D1
São Julião de Palácios P (Bra.) 57 A1
São Julião do Tojal P (Lis.) 126 D2
São Lourenço P (San.) 111 D2
São Lourenço P (Set.) 126 D5
São Lourenço P (V. R.) 55 D1
São Lourenço
de Mamporcão P (Év.) 129 B2
São Lourenço
de Ribapinhão P (V. R.) 55 C4
São Lourenço
do Bairro P (Ave.) 94 A1
São Lourenço
do Douro P (Port.) 74 C1
São Luís P (Be.) 159 C1
São Macário P (San.) 112 B3
São Mamede P (Co.) 94 B2
São Mamede P (Lei.) 110 D4
São Mamede P (Lei.) 111 C2
São Mamede de Infesta P (Port.) 53 D5
São Mamede
de Ribatua P (V. R.) 55 D5
São Mamede do Sádão P (Set.) 144 A3
São Manços P (Év.) 145 A1
São Marcos P (Ave.) 74 A4
São Marcos P (Fa.) 175 A2
São Marcos
da Ataboeira P (Be.) 160 D1
São Marcos da Serra P (Fa.) 159 D3
São Martinho P (Ave.) 74 A5
São Martinho P (C. B.) 95 B3
São Martinho P (Guar.) 95 B1
São Martinho P (Ma.) 110 B2
São Martinho P (Vis.) 75 B3
São Martinho P (Vis.) 74 D4
São Martinho
(Bougado) P (Port.) 54 A4
São Martinho
da Cortiça P (Co.) 94 C2
São Martinho
da Gândara P (Ave.) 73 D3
São Martinho
das Amoreiras P (Be.) 159 D1
São Martinho das Chãs P (Vis.) 75 B1
São Martinho
das Moitas P (Vis.) 74 D3
São Martinho
de Angueira P (Bra.) 57 C2
São Martinho de Antas P (V. R.) 55 C5
São Martinho
de Árvore P (Co.) 93 D2
São Martinho
de Mouros P (Vis.) 75 A1
São Martinho
de Sardoura P (Ave.) 74 B1
São Martinho do Peso P (Bra.) 57 A4
São Martinho do Porto P (Lei.) 110 D2
São Mateus P (Aç.) 109 B3
São Mateus P (Aç.) 109 A5
São Matias P (Be.) 144 D3
São Matias P (Por.) 113 B2
São Miguel P (Vis.) 94 C1
São Miguel (Prado) P (Br.) 54 B2
São Miguel de Acha P (C. B.) 95 D4
São Miguel
de Machede P (Év.) 129 A4
São Miguel de Poiares P (Co.) 94 C2
São Miguel de Vila Boa P (Vis.) 75 B4
São Miguel do Jarmelo P (Guar.) 76 A5
São Miguel do Mato P (Ave.) 74 B2
São Miguel do Mato P (Vis.) 74 D4
São Miguel do Outeiro P (Vis.) 74 D5
São Miguel
do Pinheiro P (Be.) 160 D2
São Miguel
do Rio Torto P (San.) 112 B3
São Paio P (Co.) 94 C2
São Paio P (Guar.) 75 C5
São Paio P (V. C.) 34 C4
São Paio (Jolda) P (V. C.) 54 A1
São Paio de Gramaços P (Co.) 95 A2
São Paio de Oleiros P (Ave.) 74 A2
São Pedro P (V. R.) 55 A1
São Pedro da Cadeira P (Lis.) 110 B5
São Pedro da Cova P (Port.) 54 A5
São Pedro da Torre P (V. C.) 34 A4
São Pedro de Agostém P (V. R.) 55 D2
São Pedro de Alva P (Co.) 94 C2
São Pedro de France P (Vis.) 75 B4
São Pedro de Muel P (Lei.) 111 A1
São Pedro de Pomares P (Be.) 145 A3
São Pedro de Rio Seco P (Guar.) 76 D4
São Pedro
de Sarracenos P (Bra.) 57 A1
São Pedro de Solis P (Be.) 160 D3
São Pedro de Tomar P (San.) 112 A2
São Pedro
de Vale do Conde P (Bra.) 56 A4
São Pedro
de Veiga de Lila P (V. R.) 56 A3
São Pedro do Corval P (Év.) 145 C1
São Pedro do Esteval P (C. B.) 113 A2
São Pedro do Jarmelo P (Guar.) 76 B5
São Pedro do Sul P (Vis.) 74 D3
São Pedro Fins P (Port.) 54 A5
São Pedro Velho P (Bra.) 56 B2
São Romão P (Év.) 129 D3
São Romão P (Fa.) 174 C2
São Romão P (Guar.) 95 B1
São Romão P (Set.) 144 A2
São Romão P (Vis.) 75 B1
São Romão de Aregos P (Vis.) 74 D1
São Roque P (Aç.) 109 B5
São Roque P (Ave.) 74 B2
São Roque P (Ma.) 110 B1
São Roque do Pico P (Aç.) 109 B3
São Salvador P (Bra.) 56 B4
São Salvador P (Vis.) 75 A4
São Salvador
da Aramenha P (Por.) 113 D4
São Saturnino P (Por.) 129 B1
São Sebastião P (Aç.) 109 A5
São Sebastiao P (Co.) 94 A4
São Sebastião P (San.) 111 D2
São Sebastião da Feira P (Co.) 95 A2
São Sebastião
da Giesteira P (Év.) 128 B5
São Sebastião
dos Carros P (Be.) 161 A2
São Silvestre P (Co.) 93 D2
São Simão P (Por.) 113 B2
São Simão P (San.) 112 B2
São Simão P (San.) 112 A2
São Simão P (Set.) 127 A5
São Simão de Litém P (Lei.) 93 D5
São Teotónio P (Be.) 159 B2
São Tiaguinho P (Vis.) 74 C4
São Tomé do Castelo P (V. R.) 55 C4
São Torcato P (Br.) 54 C3
São Torcato P (San.) 127 D2
São Vicente P (Be.) 144 B3
São Vicente P (Ma.) 110 A1
São Vicente P (V. R.) 56 A1
São Vicente da Beira P (C. B.) 95 C4
São Vicente de Ferreira P (Aç.) 109 B4
São Vicente de Lafões P (Vis.) 74 C4
São Vicente
de Pereira Juzã P (Ave.) 74 A2
São Vicente do Paúl P (San.) 111 C4
São Vicente do Pigeiro P (Év.) 145 A1
São Vicente e Ventosa P (Por.) 129 D2
Saornil de Voltoya E (Áv.) 80 B4
Sapardos P (V. C.) 33 D5
Sapataria P (Lis.) 126 C1
Sapateira P (Lei.) 94 C4
Sapeira P (C. B.) 94 C5
Sapeira P (Fa.) 159 D4
Sapelos P (V. R.) 55 C1
Sapiãos P (V. R.) 55 C2
Sapos P (Be.) 161 B2
Sapos P (Be.) 161 A2
Sapos, Los E (Alm.) 169 D5
Sar E (Lu.) 3 D4
Sar E (Po.) 33 D2
Sarandón E (A Co.) 14 B3
Sarandóns E (A Co.) 2 C5
Sarasa E (Na.) 24 D4
Saraso E (Bur.) 23 B5
Saravillo E (Hues.) 48 A1
Sardás E (Hues.) 47 A1
Sardeiras de Baixo P (C. B.) 94 D5
Sardeiras de Cima P (C. B.) 94 D5
Sardina E (Las P.) 191 C4
Sardinero, El, lugar E (Sev.) 164 C2
Sardiñeiro de Abaixo E (A Co.) 13 A2
Sardoal P (San.) 112 B2
Sardoma E (Po.) 33 D2
Sardón de Duero E (Vall.) 60 C3
Sardón de los Frailes E (Sa.) 77 C1
Sardonedo E (Le.) 38 B1
Sargaçais P (Guar.) 75 C3
Sargaçal P (Fa.) 173 B2
Sargadelos E (Lu.) 4 A2
Sarge P (Lis.) 110 C5
Sargentes de la Lora E (Bur.) 21 C4
Sarguilla, La E (Alb.) 138 C5
Sariego E (Ast.) 6 D4
Sariegos del Bernesga E (Le.) 18 D5
Sarilhos Grandes P (Set.) 127 A4
Sarilhos Pequenos P (Set.) 127 A3
Sariñena E (Hues.) 67 B1
Sarnadas P (Fa.) 160 B4
Sarnadas P (Lei.) 94 C4
Sarnadas de Ródão P (C. B.) 113 B1
Sarnadas
de São Simão P (C. B.) 95 A5
Sarnadela P (Co.) 94 C2
Sarnadinha P (C. B.) 113 B1
Sarnadinha P (Vis.) 74 C3
Saro E (Can.) 21 C1
Sarón E (Can.) 9 C5
Sarracín E (Bur.) 41 D3
Sarracín de Aliste E (Zam.) 57 D1
Sarral E (Ta.) 69 C4
Sarraquinhos P (V. R.) 55 C1
Sarratella E (Cas.) 107 D2
Sarrazola P (Ave.) 73 D4
Sarreaus E (Our.) 35 C4
Sarria E (Ál.) 23 A3
Sarria E (Lu.) 16 A4
Sarrià de Ter E (Gi.) 52 A4
Sarriés/Sarzo E (Na.) 25 D4
Sarrión E (Te.) 106 B4
Sarroca de Bellera E (Ll.) 49 A2
Sarroca de Lleida E (Ll.) 68 C4

samarcuello	E	(Hues.)	46	C 3
taguda	E	(Na.)	44	B 2
tajada	E	(To.)	100	A 3
talejo	E	(Các.)	97	C 4
tenilla	E	(Alm.)	184	A 2
visé	E	(Hues.)	47	B 1
zeda	P	(Bra.)	56	D 2
zeda	P	(Lei.)	94	A 5
zeda	P	(Vis.)	75	D 3
zedas	P	(C. B.)	95	B 5
zedas de São Pedro	P	(Lei.)	94	B 4
zedas do Vasco	P	(Lei.)	94	B 4
zedela	P	(Lei.)	94	A 4
zedinha	P	(C. B.)	112	D 1
zedo	P	(C. B.)	95	D 2
zedo	P	(Co.)	94	C 2
zedo	P	(Port.)	73	D 1
zedo	P	(Vis.)	75	B 2
zo → Sarriés	E	(Na.)	25	D 4
de Penelas	E	(Our.)	36	A 2
do Monte	E	(Our.)	35	D 2
a del Abadiado	E	(Hues.)	47	A 4
amón	E	(Bur.)	41	B 2
dónigas	E	(Lu.)	4	A 4
eta	E	(Bur.)	23	C 5
stago	E	(Zar.)	67	A 5
ão	P	(Vis.)	75	B 4
ica	E	(Gua.)	83	C 2
uceda	E	(Các.)	97	C 2
uceda, La	E	(Mál.)	186	D 1
ucedilla	E	(Các.)	116	C 1
ucedilla	E	(Mál.)	180	B 4
ucedilla, La	E	(Gr.)	167	A 5
ucejo, El	E	(Sev.)	179	B 2
ucelle	E	(Sa.)	76	D 2
uces, Los	E	(Áv.)	98	D 2
uces, Los	E	(S.Cruz T.)	193	C 2
ucillo	E	(Las P.)	191	B 2
ico, El	E	(Gr.)	169	D 3
udim	P	(Port.)	74	A 1
llons d'en Déu, els	E	(Bar.)	71	A 2
llons-Finca Ribó, els	E	(Bar.)	71	A 2
uquillo de Alcázar	E	(So.)	64	B 3
uquillo de Boñices	E	(So.)	63	D 3
uquillo de Cabezas	E	(Seg.)	81	A 1
uquillo de Paredes	E	(So.)	62	D 5
us	E	(Gi.)	52	B 3
uzal	E	(S.Cruz T.)	196	A 2
vallà del Comtat	E	(Ta.)	69	D 3
ina, Sa	E	(Bal.)	90	C 5
	E	(Ali.)	156	C 1
valonga	E	(Mál.)	181	B 4
vatón	E	(Gua.)	103	A 2
es da Beira	P	(Guar.)	95	B 2
es do Lorvão	P	(Co.)	94	B 2
la-Dei	E	(Ta.)	69	A 5
adur	E	(Our.)	36	B 2
ia	E	(A Co.)	1	D 4
ana	E	(Ast.)	6	C 5
ana	E	(Ll.)	69	B 2
ara	E	(Lu.)	16	C 5
ara	E	(Lu.)	4	B 3
ara	E	(Po.)	34	A 1
ara	P	(Br.)	54	C 1
ara	P	(V. C.)	54	A 1
ara	P	(V. R.)	55	A 2
ara Velha	P	(V. R.)	55	C 1
ara, A	E	(Our.)	35	A 2
ares	E	(Ast.)	4	C 3
via	E	(A Co.)	2	A 5
badelhe	P	(Guar.)	76	A 2
badelhe da Serra	P	(Guar.)	75	D 3
bal Grande	P	(Co.)	94	A 3
barga	E	(Ast.)	7	C 5
bolido	P	(Port.)	74	B 1
búlcor	E	(Seg.)	61	C 5
ca, La	E	(Le.)	18	D 4
ca, La	E	(So.)	63	B 3
ca, La	E	(Vall.)	59	D 4
cadero	E	(Mál.)	187	B 3
cadura	E	(Can.)	10	A 5
car de la Real, Es	E	(Bal.)	91	C 3
carejo	E	(Le.)	18	C 5
carias	P	(Co.)	94	D 2
castilla	E	(Hues.)	48	A 3
eda	E	(Lu.)	16	B 5
erigo	P	(V. R.)	55	B 2
corio	P	(San.)	111	B 4
cos de Porma	E	(Le.)	19	A 5
uita, la	E	(Ta.)	69	D 5
la	P	(Por.)	113	A 5
lano	E	(Bur.)	21	D 5
las	P	(Be.)	161	B 2
lavi	E	(Val.)	125	A 4
lella	E	(Mál.)	181	B 3
Sedes	E	(A Co.)	3	A 2
Sedielos	P	(V. R.)	55	A 5
Sediles	E	(Zar.)	65	B 5
Sedó	E	(Ll.)	69	C 1
Segadães	P	(Ave.)	74	A 4
Segade	P	(Co.)	94	B 3
Segán	E	(Lu.)	15	C 4
Segart	E	(Val.)	125	A 2
Sege	E	(Alb.)	154	A 2
Segodim	P	(Lei.)	93	B 5
Segões	P	(Vis.)	75	B 3
Segorbe	E	(Cas.)	125	A 1
Segovia	E	(Seg.)	81	A 3
Segoviela	E	(So.)	63	D 1
Segoyuela de los Cornejos	E	(Sa.)	78	A 5
Segude	P	(V. C.)	34	B 4
Segueró	E	(Gi.)	51	D 2
Segunda del Río/ Hostalnou, l'	E	(Cas.)	87	C 5
Segur de Calafell	E	(Ta.)	70	B 5
Segura	E	(Gui.)	24	A 3
Segura	P	(C. B.)	114	B 1
Segura de la Sierra	E	(J.)	153	C 2
Segura de León	E	(Bad.)	147	A 3
Segura de los Baños	E	(Te.)	86	A 3
Segura de Toro	E	(Các.)	98	A 3
Segurilla	E	(To.)	99	D 5
Seia	P	(Guar.)	95	B 1
Seiça	P	(San.)	111	D 1
Seidões	P	(Br.)	54	D 4
Seira	E	(A Co.)	14	A 3
Seira	E	(Hues.)	48	B 1
Seiró	E	(Our.)	35	C 3
Seirós	P	(V. R.)	55	B 2
Seixadas	E	(Our.)	35	A 2
Seixal	P	(Lis.)	126	B 1
Seixal	P	(Lis.)	110	C 4
Seixal	P	(Lis.)	126	B 2
Seixal	P	(Ma.)	110	A 1
Seixal	P	(Set.)	126	D 4
Seixas	E	(A Co.)	3	B 2
Seixas	E	(A Co.)	1	D 4
Seixas	P	(Bra.)	36	B 5
Seixas	P	(Co.)	95	A 1
Seixas	P	(Guar.)	76	A 1
Seixas	P	(V. C.)	33	D 5
Seixezelo	P	(Ave.)	74	A 1
Seixido	E	(Po.)	34	C 1
Seixo	P	(Ave.)	74	A 3
Seixo	P	(C. B.)	94	C 5
Seixo	P	(Co.)	73	C 5
Seixo	P	(Co.)	94	B 1
Seixo	P	(Lei.)	93	C 4
Seixo	P	(V. R.)	55	D 2
Seixo	P	(Vis.)	75	D 2
Seixo, O	E	(Po.)	33	D 1
Seixo Amarelo	P	(Guar.)	95	D 1
Seixo da Beira	P	(Co.)	95	A 1
Seixo de Ansiães	P	(Bra.)	56	A 5
Seixo de Gatões	P	(Co.)	93	C 2
Seixo de Manhoses	P	(Bra.)	56	B 5
Seixo do Côa	P	(Guar.)	96	B 1
Seixo, O (Tomiño)	E	(Po.)	33	D 4
Seixos Alvos	P	(Co.)	94	D 1
Seixosmil	E	(Lu.)	4	B 5
Sejães	P	(Vis.)	74	C 3
Sejas de Aliste	E	(Zam.)	57	B 2
Sel de la Carrera	E	(Can.)	21	C 2
Sela	E	(Po.)	34	C 3
Sela de Nunyes → Cela de Núñez	E	(Ali.)	141	A 4
Selas	E	(Gua.)	84	B 3
Selaya	E	(Can.)	21	C 1
Selgua	E	(Hues.)	47	D 5
Selim	P	(V. C.)	34	B 5
Selmes	P	(Be.)	145	A 3
Selores	P	(Bra.)	56	A 5
Selorio	E	(Ast.)	7	B 3
Selva	E	(Bal.)	92	A 2
Selva de Mar, la	E	(Gi.)	52	C 1
Selva del Camp, la	E	(Ta.)	69	C 5
Selva, La	E	(Gi.)	52	A 5
Selva, La	E	(Ll.)	50	B 4
Sella	E	(Ali.)	141	B 5
Sellaño	E	(Ast.)	7	C 5
Sellent	E	(Val.)	140	D 2
Sello	E	(Po.)	14	D 4
Sellón	E	(Ast.)	7	A 5
Semblana	P	(Be.)	160	C 2
Semideiro	P	(San.)	112	B 4
Semillas	E	(Gua.)	82	C 2
Semineira	P	(Lis.)	126	C 2
Semitela	P	(Vis.)	75	C 2
Sempere	E	(Val.)	141	A 3
Sena	E	(Hues.)	67	C 2
Sena de Luna	E	(Le.)	18	B 3
Senan	E	(Ta.)	69	B 3
Senande	E	(A Co.)	13	B 1
Sencelles	E	(Bal.)	92	A 3
Sendadiano	E	(Ál.)	23	A 3
Sendas	P	(Bra.)	56	D 3
Sendelle	E	(A Co.)	14	D 2
Sendim	P	(Bra.)	57	B 4
Sendim	P	(Port.)	54	C 4
Sendim	P	(V. R.)	35	B 5
Sendim	P	(Vis.)	75	C 1
Sendim da Ribeira	P	(Bra.)	56	C 5
Sendim da Serra	P	(Bra.)	56	C 5
Sendín	E	(Ast.)	6	B 4
Senegüé	E	(Hues.)	47	A 1
Senés	E	(Alm.)	184	A 1
Senés de Alcubierre	E	(Hues.)	66	D 1
Senhora da Graça de Padrões	P	(Be.)	160	C 2
Senhora da Hora	P	(Port.)	53	D 5
Senhorim	P	(Vis.)	75	A 5
Sénia, la	E	(Ta.)	88	A 5
Senija	E	(Ali.)	141	D 4
Senín	E	(Po.)	14	A 4
Seno	E	(Te.)	87	A 4
Senouras	P	(Guar.)	76	C 5
Senra	E	(A Co.)	14	C 2
Senterada	E	(Ll.)	49	A 2
Sentieiras	P	(San.)	112	B 3
Sentinela	P	(Fa.)	161	B 4
Sentiu de Sió, la	E	(Ll.)	69	A 1
Sentmenat	E	(Bar.)	71	A 2
Senyera	E	(Val.)	141	A 2
Senz	E	(Hues.)	48	A 2
Seña	E	(Can.)	10	B 4
Señoráns	E	(A Co.)	1	C 5
Señuela	E	(So.)	63	D 5
Seoane	E	(Lu.)	15	D 5
Seoane	E	(Lu.)	16	B 5
Seoane	E	(Our.)	35	A 1
Seoane Vello	E	(Our.)	35	D 2
Sepins	P	(Co.)	94	A 1
Sepulcro Hilario	E	(Sa.)	77	D 4
Sepúlveda	E	(Sa.)	77	C 4
Sepúlveda	E	(Seg.)	61	C 5
Sequeade	P	(Br.)	54	A 3
Sequeira	P	(Br.)	54	A 3
Sequeiro	E	(A Co.)	2	D 2
Sequeiro	P	(Br.)	54	B 1
Sequeiró	P	(Port.)	54	B 4
Sequeiros	E	(Lu.)	36	B 1
Sequeiros	E	(Po.)	34	A 2
Sequeiros	E	(Po.)	14	A 5
Sequeiros	P	(Bra.)	76	B 1
Sequeiros	P	(Guar.)	75	C 3
Sequeiros	P	(Guar.)	76	A 2
Sequeiros	P	(Vis.)	74	D 2
Sequera de Fresno	E	(Seg.)	62	A 5
Sequera de Haza, La	E	(Bur.)	61	C 3
Sequeros	E	(Sa.)	98	A 1
Ser	E	(A Co.)	13	D 2
Serandinas	E	(Ast.)	5	A 3
Serantellos	E	(A Co.)	2	D 3
Serantes	E	(A Co.)	13	C 3
Serantes	E	(A Co.)	2	C 3
Serantes	E	(A Co.)	2	D 3
Serantes	E	(Ast.)	4	D 3
Serantes	E	(Our.)	34	D 1
Serantes	E	(Po.)	13	D 5
Serapicos	P	(Bra.)	57	B 2
Serapicos	P	(Bra.)	56	D 2
Serapicos	P	(V. R.)	55	D 3
Serapicos	P	(V. R.)	55	D 2
Serdedelo	P	(V. C.)	54	A 1
Serena, La	E	(Alm.)	184	D 1
Serés	E	(Lu.)	16	A 2
Sergude	E	(A Co.)	14	B 3
Sergudo	P	(Co.)	94	D 2
Serín	E	(Ast.)	6	C 3
Serinyà	E	(Gi.)	51	D 3
Serinyà	E	(Gi.)	52	A 5
Sermonde	P	(Port.)	74	A 1
Serna del Monte, La	E	(Mad.)	81	D 2
Serna, La	E	(Can.)	21	B 4
Serna, La	E	(Pa.)	40	B 2
Sernada	P	(Bra.)	36	B 5
Sernada	P	(Vis.)	75	A 4
Sernadinha	P	(Co.)	94	B 3
Sernancelhe	P	(Vis.)	75	C 3
Sernande	P	(Port.)	74	A 1
Sernande	P	(Port.)	54	C 4
Seró	E	(Ll.)	49	B 5
Seroa	P	(Port.)	54	B 5
Seroiro	E	(Ast.)	17	A 2
Serois	E	(Our.)	35	B 5
Serón	E	(Alm.)	169	D 5
Serón de Nágima	E	(So.)	64	A 4
Seròs	E	(Ll.)	68	B 4
Serpa	P	(Be.)	145	A 4
Serpins	P	(Co.)	94	C 3
Serra	E	(Val.)	125	A 2
Serra	P	(San.)	112	C 2
Serra	P	(San.)	112	B 2
Serra da Boa Viagem	P	(Co.)	93	B 2
Serra da Pescaria	P	(Lei.)	110	D 2
Serra da Vila	P	(Lis.)	126	C 1
Serra d'Almos, la	E	(Ta.)	88	D 1
Serra de Água	P	(Ma.)	110	A 2
Serra de Daró	E	(Gi.)	52	C 4
Serra de Dentro	P	(Ma.)	109	C 1
Serra de Jancanes	P	(Co.)	94	A 3
Serra de Outes, A (Outes)	E	(A Co.)	13	C 3
Serra de Santo António	P	(San.)	111	C 2
Serra de São Bento	P	(Co.)	93	C 3
Serra de São Domingos	P	(C. B.)	94	C 5
Serra d'El-Rei	P	(Lei.)	110	C 4
Serra d'en Galceran, la → Sierra Engarcerán	E	(Cas.)	107	D 3
Serra do Bouro	P	(Lei.)	110	D 3
Serra dos Mangues	P	(Lei.)	110	D 2
Serra Morena	E	(Bal.)	90	D 2
Serracines	E	(Mad.)	82	B 5
Serrada	E	(Vall.)	59	D 4
Serrada de la Fuente	E	(Mad.)	82	A 3
Serrada, La	E	(Áv.)	80	A 5
Serradelo	P	(Ave.)	74	B 1
Serradell	E	(Ll.)	49	A 3
Serradilla	E	(Các.)	115	D 1
Serradilla del Arroyo	E	(Sa.)	97	C 1
Serradilla del Llano	E	(Sa.)	97	C 1
Serraduy	E	(Hues.)	48	C 2
Serralva	P	(Ave.)	74	A 2
Serramo	E	(A Co.)	13	C 1
Serranillo	E	(Sa.)	77	A 4
Serranillos	E	(Áv.)	99	D 2
Serranillos del Valle	E	(Mad.)	101	B 3
Serranillos Playa	E	(To.)	100	A 5
Serrano	E	(Cád.)	177	C 5
Serranos	P	(Lei.)	110	D 4
Serrapio	E	(Ast.)	18	D 1
Serrasqueira	P	(C. B.)	113	B 1
Serrat de Castellnou, El	E	(Bar.)	70	C 1
Serrate	E	(Hues.)	48	B 2
Serrateix	E	(Bar.)	50	B 5
Serrato	E	(Mál.)	179	C 3
Serrazes	P	(Vis.)	74	C 3
Serrazina	P	(Co.)	93	D 3
Serrejón	E	(Các.)	116	B 1
Serreleis	P	(V. C.)	53	D 1
Serres	E	(Gi.)	72	A 1
Serreta	P	(Aç.)	109	A 5
Serro Ventoso	P	(Co.)	93	C 3
Serro Ventoso	P	(Lei.)	111	B 2
Sertã	P	(C. B.)	94	C 5
Serval, El	E	(Gr.)	167	A 4
Servoi	E	(Our.)	36	A 4
Serzedelo	P	(Br.)	54	C 2
Sesa	E	(Hues.)	47	B 5
Sésamo	E	(Le.)	17	A 4
Seseña	E	(To.)	101	D 4
Seseña Nuevo	E	(To.)	101	D 4
Sesimbra	P	(Set.)	126	D 5
Sesma	E	(Na.)	44	B 2
Sesmarias	P	(C. B.)	112	C 1
Sesmarias	P	(Fa.)	174	A 3
Sesmarias	P	(San.)	112	B 2
Sesmarias do Pato	P	(Set.)	127	A 4
Sesmo	P	(C. B.)	95	A 5
Sesnández de Tábara	E	(Zam.)	58	A 1
Sestao	E	(Viz.)	10	D 5
Sestrica	E	(Zar.)	65	A 4
Sesué	E	(Hues.)	48	B 1
Setados	E	(Po.)	34	B 4
Setcases	E	(Gi.)	51	A 1
Sete	P	(Be.)	160	C 2
Sete Casas	P	(Lis.)	126	C 2
Sete Cidades	P	(Aç.)	109	A 4
Sete Sobreiras	P	(Por.)	112	C 4
Setecoros	E	(Po.)	14	A 4
Setefilla	E	(Sev.)	164	D 2
Setenil de las Bodegas	E	(Cád.)	179	B 3
Setién	E	(Can.)	9	D 4
Setienes	E	(Ast.)	5	B 3
Setil	P	(San.)	111	B 5
Setiles	E	(Gua.)	85	A 4
Setúbal	P	(Set.)	127	A 5
Seu d'Urgell, la	E	(Ll.)	49	D 2
Seva	E	(Bar.)	51	B 5
Sevares	E	(Ast.)	7	B 4
Sever	E	(Our.)	36	C 4
Sever	P	(V. R.)	55	B 5
Sever	P	(Vis.)	75	B 2
Sever do Vouga	P	(Ave.)	74	B 3
Sevilha	P	(Co.)	94	D 1
Sevilla	E	(Sev.)	164	A 4
Sevilla la Nueva	E	(Mad.)	101	B 2
Sevillana, La	E	(Cór.)	149	A 5
Sevillanos, Los, lugar	E	(Gr.)	182	C 3
Sevilleja de la Jara	E	(To.)	117	C 3
Sexmiro	E	(Sa.)	76	D 4
Sexmo	E	(Mál.)	180	B 4
Sezelhe	P	(V. R.)	55	A 1
Sezulfe	P	(Bra.)	56	C 3
Sezures	P	(Br.)	54	A 3
Sezures	P	(Vis.)	75	B 4
Siabal	E	(Our.)	35	B 2
Siador	E	(Po.)	14	C 4
Sidamon	E	(Ll.)	69	A 2
Sidrós	P	(V. R.)	54	D 1
Sienes	E	(Gua.)	83	B 1
Sieres	E	(Ast.)	7	B 4
Siero de la Reina	E	(Le.)	19	D 3
Sierpe, La	E	(Cád.)	178	B 4
Sierpe, La	E	(Sa.)	78	B 5
Sierra	E	(Alb.)	139	A 5
Sierra	E	(Ast.)	5	C 5
Sierra	E	(Mál.)	179	A 5
Sierra	E	(Viz.)	22	B 1
Sierra de Fuentes	E	(Các.)	115	C 4
Sierra de Ibio	E	(Can.)	9	A 5
Sierra de Luna	E	(Zar.)	46	A 5
Sierra de María Ángela	E	(J.)	153	A 4
Sierra de Ojete	E	(Gr.)	167	A 5
Sierra de San Cristóbal	E	(Cád.)	177	C 5
Sierra de Yeguas	E	(Mál.)	179	D 1
Sierra Elvira	E	(Gr.)	167	D 5
Sierra Engarcerán/ Serra d'en Galceran, la	E	(Cas.)	107	D 3
Sierra Menera	E	(Te.)	85	B 5
Sierra Nevada	E	(Gr.)	182	B 1
Sierra, La	E	(Alb.)	154	B 3
Sierra, La	E	(Ast.)	6	C 4
Sierra, La	E	(Mál.)	179	A 5
Sierra, La o Buenavista	E	(Cór.)	166	B 3
Sierrapando	E	(Can.)	9	B 5
Sierro	E	(Alm.)	170	A 5
Sieso de Huesca	E	(Hues.)	47	B 4
Siesta	E	(Bal.)	89	D 4
Siétamo	E	(Hues.)	47	A 4
Siete Aguas	E	(Val.)	124	B 4
Siete Iglesias de Trabancos	E	(Vall.)	59	B 5
Siete Puertas	E	(Las P.)	191	C 2
Sieteiglesias de Tormes	E	(Sa.)	78	D 4
Sietes	E	(Ast.)	7	B 4
Sigarrosa	P	(V. R.)	55	B 4
Sigeres	E	(Áv.)	79	D 4
Sigrás	E	(A Co.)	2	C 4
Sigüeiro	E	(A Co.)	14	B 2
Sigüenza	E	(Gua.)	83	C 2
Siguero	E	(Seg.)	81	D 1
Sigueruelo	E	(Seg.)	81	D 1
Sigüés	E	(Zar.)	26	A 5
Sigüeya	E	(Le.)	37	A 2
Sileras	E	(Cór.)	167	B 4
Siles	E	(J.)	153	C 2
Silillos	E	(Cór.)	165	B 2
Silió	E	(Can.)	21	B 2
Silos, Los	E	(Alm.)	170	D 5
Silos, Los	E	(S.Cruz T.)	195	C 2
Sils	E	(Gi.)	52	A 5
Silva	E	(A Co.)	13	C 3
Silva	E	(A Co.)	2	B 5
Silva	E	(Lu.)	16	A 1
Silva	P	(Br.)	54	A 2
Silva	P	(Bra.)	57	B 3
Silva	P	(V. C.)	33	D 4
Silva	P	(V. R.)	55	D 3
Silvã de Cima	P	(Vis.)	75	B 4
Silva Escura	P	(Ave.)	74	B 3
Silva Escura	P	(Port.)	54	A 5
Silva, La	E	(Le.)	17	D 5
Silvalde	P	(Ave.)	73	D 1
Silván	E	(Le.)	37	A 2
Silvares	P	(C. B.)	95	B 3
Silvares	P	(Vis.)	75	A 3

Silvares P (Vis.) 74 B 4
Silvares P (Vis.) 74 C 4
Silvarrei E (Lu.) 15 D 1
Silveira P (Ave.) 74 A 5
Silveira P (Ave.) 74 B 4
Silveira P (C. B.) 113 A 2
Silveira P (Fa.) 160 A 4
Silveira P (Lis.) 110 B 5
Silveiras P (Év.) 128 A 4
Silveirinho P (Co.) 94 C 2
Silveiros P (Br.) 54 A 3
Silvela E (Lu.) 15 B 2
Silves P (Fa.) 173 D 2
Silvosa P (C. B.) 95 B 4
Silvoso E (Po.) 34 A 1
Silla E (Val.) 125 A 4
Sillar Baja E (Gr.) 168 B 5
Silleda E (Po.) 14 C 4
Sillero, lugar E (J.) 152 D 4
Sillobre E (A Co.) 3 A 3
Simancas E (Vall.) 60 A 3
Simarro, El E (Cu.) 122 A 5
Simat de la Valldigna E (Val.) 141 B 2
Simões P (Be.) 161 A 2
Simões P (Co.) 93 D 4
Sin E (Hues.) 28 A 5
Sinarcas E (Val.) 123 D 2
Sinde P (Co.) 94 D 2
Sindrán E (Lu.) 36 A 1
Sines P (Set.) 143 A 4
Sineu E (Bal.) 92 A 3
Singla E (Mu.) 154 C 4
Singra E (Te.) 85 C 5
Sinlabajos E (Áv.) 80 A 2
Sinovas E (Bur.) 61 D 2
Sinterra P (San.) 111 B 4
Sintra P (Lis.) 126 B 3
Sintrão P (Guar.) 75 D 3
Sinués E (Hues.) 26 C 5
Siñeriz E (Ast.) 5 B 3
Sionlla de Abaixo E (A Co.) 14 B 2
Sipán E (Hues.) 47 A 4
Sipote P (C. B.) 112 D 1
Siresa E (Hues.) 26 B 4
Siruela E (Bad.) 133 C 2
Sirves E (A Co.) 13 C 5
Sísamo E (A Co.) 2 A 5
Sisamón E (Zar.) 84 C 1
Sisante E (Cu.) 122 A 4
Siscar, El E (Mu.) 156 A 4
Sismaria P (Lei.) 93 B 5
Sisoi E (Lu.) 15 D 1
Sispony A 49 D 1
Sisquer E (Ll.) 49 D 3
Sistallo E (Lu.) 3 D 5
Sistelo P (V. C.) 34 B 4
Sisto E (A Co.) 1 D 5
Sisto E (A Co.) 14 A 3
Sitges E (Bar.) 70 C 5
Sitrama de Tera E (Zam.) 38 B 5
Siurana E (Gi.) 52 B 2
Siurana E (Ta.) 69 A 5
Soajo P (V. C.) 34 C 5
Soalhães P (Port.) 54 D 5
Soalheira P (C. B.) 114 A 2
Soalheira P (C. B.) 95 C 4
Soalheira P (Fa.) 174 B 2
Soandres E (A Co.) 2 B 5
Soaserra E (A Co.) 3 A 3
Sobarzo E (Can.) 9 C 5
Sober E (Lu.) 35 D 1
Sobrada E (Lu.) 15 D 1
Sobrada E (Po.) 33 D 4
Sobradelo E (Our.) 36 D 2
Sobradelo E (Our.) 35 C 3
Sobradelo P (Ave.) 74 A 3
Sobradelo P (V. R.) 55 C 2
Sobradelo da Goma P (Br.) 54 C 2
Sobradiel E (Zar.) 66 A 2
Sobradillo E (Sa.) 76 D 3
Sobradillo
de Palomares E (Zam.) 58 B 4
Sobradillo, El E (S. Cruz T.) 196 B 2
Sobradinho P (Fa.) 160 B 4
Sobrado E (A Co.) 15 A 2
Sobrado E (Ast.) 5 B 4
Sobrado E (Le.) 36 D 1
Sobrado E (Lu.) 16 A 3
Sobrado P (Port.) 54 A 5
Sobrado (Gomesende) E (Our.) 34 D 3
Sobrados P (V. R.) 55 C 5
Sobrainho dos Baios P (C. B.) 95 A 5
Sobral E (Our.) 35 B 1
Sobral E (Po.) 34 A 2
Sobral E (Po.) 34 A 1
Sobral P (Ave.) 73 D 2
Sobral P (C. B.) 94 D 4
Sobral P (Co.) 94 C 2
Sobral P (Co.) 94 D 4
Sobral P (Lei.) 110 D 4
Sobral P (Lis.) 110 C 4
Sobral P (San.) 111 D 2
Sobral P (San.) 111 C 4
Sobral P (Vis.) 74 D 3
Sobral P (Vis.) 94 C 1
Sobral Basto P (San.) 112 B 2
Sobral da Abelheira P (Lis.) 126 C 1
Sobral da Adiça P (Be.) 145 D 4
Sobral da Lagoa P (Lei.) 110 D 3
Sobral da Serra P (Guar.) 76 A 5
Sobral de Baixo P (Co.) 93 D 4
Sobral
de Monte Agraço P (Lis.) 126 D 1
Sobral de Papízios P (Vis.) 94 D 1
Sobral de São Miguel P (C. B.) 95 B 3
Sobral do Campo P (C. B.) 95 C 4
Sobral Gordo P (Co.) 95 A 2
Sobral Magro P (Co.) 95 A 2
Sobral Pichorro P (Guar.) 75 D 4
Sobral Volado P (Co.) 94 D 4
Sobralinho P (Lis.) 127 A 2
Sobrão P (Port.) 54 B 4
Sobrecastiello E (Ast.) 19 B 1
Sobreda P (Ave.) 74 A 1
Sobreda P (Bra.) 56 D 3
Sobreda P (Co.) 95 A 1
Sobreda P (Set.) 126 C 4
Sobreda P (Vis.) 74 D 2
Sobredo E (Po.) 34 A 3
Sobredo P (V. R.) 55 D 4
Sobrefoz E (Ast.) 19 C 1
Sobreganade E (Our.) 35 B 4
Sobreira P (Ave.) 74 B 5
Sobreira P (Co.) 94 C 2
Sobreira P (Guar.) 96 A 1
Sobreira P (Lei.) 111 B 2
Sobreira P (Lis.) 126 D 2
Sobreira P (Port.) 54 B 5
Sobreira P (V. R.) 56 A 4
Sobreira P (Vis.) 74 B 4
Sobreira Formosa P (C. B.) 113 A 1
Sobreiro P (Lei.) 94 C 5
Sobreiro P (Lis.) 126 B 1
Sobreiro Curvo P (Lis.) 110 C 5
Sobreiro de Baixo P (Bra.) 56 C 1
Sobreiro de Cima P (Bra.) 56 B 1
Sobreiros P (Ave.) 74 A 4
Sobreiros P (Lis.) 126 D 1
Sobrelapeña E (Can.) 20 C 1
Sobremunt E (Bar.) 51 A 4
Sobrena P (Lis.) 111 A 4
Sobreposta P (Br.) 54 B 2
Sobretâmega P (Port.) 54 C 5
Sobrón E (Ál.) 22 D 4
Sobrosa P (Port.) 54 B 5
Socorro, El E (S. Cruz T.) 196 B 3
Socorro, El E (S. Cruz T.) 196 B 1
Socovos E (Alb.) 154 C 2
Socuéllamos E (C. R.) 121 B 5
Sodeto E (Hues.) 67 B 1
Sodupe E (Viz.) 22 D 1
Soeima P (Bra.) 56 C 4
Soeira P (Bra.) 56 C 1
Soeirinho P (Co.) 94 D 3
Soengas P (Br.) 54 C 2
Soesto E (A Co.) 1 C 5
Sofán E (A Co.) 2 A 5
Sofuentes E (Zar.) 45 C 2
Sogo E (Zam.) 58 A 4
Sogueire P (Vis.) 74 C 1
Soguillo del Páramo E (Le.) 38 C 3
Soianda P (San.) 112 A 1
Soito P (Guar.) 96 C 2
Sojuela E (La R.) 43 C 2
Sol i Vista E (Ta.) 89 B 1
Solán de Cabras E (Cu.) 104 B 1
Solana E (Các.) 116 D 4
Solana de Ávila E (Áv.) 98 C 2
Solana de Fenar E (Le.) 18 D 4
Solana de los Barros E (Bad.) 131 A 4
Solana de Padilla E (J.) 153 B 4
Solana de
Pontes, La, lugar E (Alm.) 170 C 1
Solana de Rioalmar E (Áv.) 79 C 4
Solana de Torralba E (J.) 152 C 5
Solana del Pino E (C. R.) 151 A 1
Solana, La E (Alb.) 138 C 4
Solana, La E (Alm.) 170 B 3
Solana, La E (C. R.) 136 C 3
Solana, La E (Las P.) 191 C 3
Solanas de Valdelucio E (Bur.) 21 B 5
Solanas del Valle E (Sev.) 148 A 5
Solanell E (Ll.) 49 C 1
Solanilla E (Alb.) 137 C 5
Solanilla del Tamaral E (C. R.) 151 B 1
Solanillo, El E (Alm.) 183 C 4
Solanillos del Extremo E (Gua.) 83 B 4
Solano E (Mál.) 180 D 3
Solarana E (Bur.) 41 D 5
Solares E (Can.) 9 D 4
Solarte-Gallete E (Viz.) 11 C 5
Soldeu A 30 A 5
Soledad, La E (Sev.) 164 B 4
Soler, El E (Hues.) 48 B 3
Solera E (J.) 168 B 2
Solera de Gabaldón E (Cu.) 122 C 2
Soleràs, el E (Ll.) 68 D 4
Solerche E (Cór.) 166 D 5
Soleres, Los E (Alm.) 171 A 4
Solete Alto E (Cád.) 177 C 4
Soliedra E (So.) 63 D 4
Solís E (Ast.) 6 C 3
Solius E (Gi.) 52 B 5
Solivella E (Ta.) 69 C 4
Solivent E (Gi.) 51 D 4
Solórzano E (Can.) 10 A 4
Solosancho E (Áv.) 99 D 1
Solposta P (Ave.) 73 D 4
Solsona E (Ll.) 50 A 4
Soltaria P (Lis.) 110 B 5
Solvay E (Ast.) 6 D 4
Solveira E (Our.) 35 C 4
Solveira E (Our.) 35 A 3
Solveira E (Our.) 35 B 2
Solveira P (V. R.) 55 C 1
Solymar E (Ta.) 88 C 5
Sollana E (Val.) 125 A 5
Sollano-Llantada E (Viz.) 22 C 1
Solle E (Le.) 19 B 3
Sóller E (Bal.) 91 C 2
Somado E (Ast.) 6 A 3
Somaén E (So.) 84 A 1
Somahoz E (Can.) 21 B 1
Somanes E (Hues.) 46 C 1
Somarriba E (Can.) 9 C 5
Sombrera, La E (S. Cruz T.) 196 A 4
Somo E (Can.) 9 D 4
Somolinos E (Gua.) 82 D 1
Somontín E (Alm.) 170 A 4
Somosierra E (Mad.) 82 A 1
Somoza E (Po.) 14 B 4
Somozas, As E (A Co.) 3 B 2
Son E (Ll.) 29 B 5
Son Bou E (Bal.) 90 C 2
Son Carrió E (Bal.) 92 C 3
Son de Abaixo E (A Co.) 14 B 2
Son Fe E (Bal.) 92 B 1
Son Ferrer E (Bal.) 91 B 4
Son Ferriol E (Bal.) 91 C 3
Son Macià E (Bal.) 92 C 4
Son Mesquida E (Bal.) 92 B 4
Son Morell E (Bal.) 90 A 2
Son Moro E (Bal.) 92 D 3
Son Morro, lugar E (Bal.) 90 A 2
Son Negre E (Bal.) 92 B 4
Son Prohens E (Bal.) 92 C 4
Son Roca-Son Ximelis E (Bal.) 91 C 3
Son Sardina E (Bal.) 91 C 3
Son Serra de Marina E (Bal.) 92 C 2
Son Servera E (Bal.) 92 D 3
Son Valls E (Bal.) 92 B 4
Son Xoriguer E (Bal.) 90 A 2
Soncillo E (Bur.) 21 C 3
Sondica E (Viz.) 11 A 5
Sonega P (Set.) 143 B 5
Soneja E (Cas.) 125 A 1
Sonim P (V. R.) 56 A 2
Sonneland E (Las P.) 191 B 4
Sonseca E (To.) 119 B 2
Soñar E (Lu.) 15 D 2
Soñeiro E (A Co.) 2 D 4
Sóo E (Las P.) 192 C 3
Sopeira E (Hues.) 48 D 2
Sopelana E (Viz.) 10 D 4
Sopenilla E (Can.) 9 B 5
Sopeña E (Can.) 20 D 1
Sopeña de Curueño E (Le.) 19 A 4
Sopeñano E (Bur.) 22 B 2
Sopo P (V. C.) 33 D 5
Soportújar E (Gr.) 182 B 3
Sopuerta E (Viz.) 10 C 5
Sora E (Bar.) 51 A 3
Sorabilla E (Gui.) 24 B 1
Soraluze/Placencia
de las Armas E (Gui.) 23 D 1
Sorauren E (Na.) 25 A 4
Sorbas E (Alm.) 184 C 1
Sorbeda del Sil E (Le.) 17 B 4
Sorda, Sa E (Bal.) 92 A 5
Sordillos E (Bur.) 41 A 2
Sorgaçosa P (Co.) 95 A 2
Soria E (So.) 63 D 2
Soriguera E (Ll.) 49 B 2
Sorihuela E (Sa.) 98 C 1
Sorihuela
del Guadalimar E (J.) 152 D 3
Sorita → Zorita
del Maestrazgo E (Cas.) 87 B 4
Sorlada/Suruslada E (Na.) 44 A 1
Sorna E (A Co.) 13 B 1
Sorpe E (Ll.) 29 B 5
Sorriba E (Le.) 19 C 4
Sorribas E (A Co.) 14 A 3
Sorribas E (Le.) 17 A 5
Sorribes E (Ll.) 49 D 3
Sorribos de Alba E (Le.) 18 D 4
Sorrizo E (A Co.) 2 B 4
Sort E (Ll.) 49 B 1
Sortelha P (Guar.) 96 A 2
Sortelhão P (Guar.) 96 A 1
Sortes P (Bra.) 56 D 2
Sorval P (Guar.) 76 A 3
Sorvilán E (Gr.) 182 C 4
Sorzano E (La R.) 43 C 2
Sos E (Hues.) 48 B 1
Sos del Rey Católico E (Zar.) 45 C 1
Sosa P (Ave.) 73 D 5
Sosas de Laciana E (Le.) 17 D 3
Sosas del Cumbral E (Le.) 18 A 4
Soscaño E (Viz.) 22 B 1
Soses E (Ll.) 68 B 3
Sot de Chera E (Val.) 124 B 3
Sot de Ferrer E (Cas.) 125 A 1
Sota
de Valderrueda, La E (Le.) 19 D 4
Sota, La E (Can.) 21 C 2
Sotalvo E (Áv.) 99 D 1
Sotelo E (Le.) 16 D5
Sotés E (La R.) 43 C 2
Sotiel Coronada E (Huel.) 162 C 2
Sotiello E (Ast.) 6 C 3
Sotillo E (Seg.) 81 D 1
Sotillo de Boedo E (Pa.) 40 C 1
Sotillo de la Adrada E (Áv.) 100 B 3
Sotillo de la Ribera E (Bur.) 61 C 2
Sotillo de las Palomas E (To.) 99 D 4
Sotillo del Rincón E (So.) 63 C 1
Sotillo, El E (C. R.) 135 B 1
Sotillo, El E (Gua.) 83 C 3
Sotillos de Sabero E (Le.) 19 C 4
Soto E (Ast.) 6 B 4
Soto E (Ast.) 18 D 1
Soto E (Ast.) 19 B 1
Soto E (Can.) 21 A 2
Soto de Aldovea E (Mad.) 102 A 2
Soto de Cangas E (Ast.) 7 C 5
Soto de Cerrato E (Pa.) 40 C 5
Soto de la Barca E (Ast.) 5 C 5
Soto de la Marina E (Can.) 9 C 4
Soto de la Vega E (Le.) 38 B 2
Soto de los Infantes E (Ast.) 5 D 4
Soto de Luiña E (Ast.) 5 D 3
Soto de Ribera E (Ast.) 6 C 5
Soto de Sajambre E (Le.) 19 D 1
Soto de San Esteban E (So.) 62 B 3
Soto de Valdeón E (Le.) 19 D 2
Soto del Barco E (Ast.) 6 A 3
Soto del Real E (Mad.) 81 C 4
Soto del Rey E (Ast.) 6 C 5
Soto en Cameros E (La R.) 43 D 3
Soto y Amío E (Le.) 18 B 4
Soto, El E (Áv.) 99 A 1
Soto, El E (Cád.) 186 B 3
Soto, El E (Hues.) 47 D 2
Soto, El E (Mad.) 101 D 1
Sotobañado y Priorato E (Pa.) 40 C 1
Sotoca E (Cu.) 104 A 4
Sotoca de Tajo E (Gua.) 83 C 4
Sotodosos E (Gua.) 83 D 3
Sotogordo E (Cór.) 166 A 4
Sotogordo E (J.) 151 D 5
Sotopalacios E (Bur.) 41 D 2
Sotoparada E (Le.) 16 D 5
Sotos E (Cu.) 104 B 3
Sotos del Burgo E (So.) 62 D 3
Sotosalbos E (Seg.) 81 B 2
Sotoserrano E (Sa.) 98 A 1
Sotovellanos E (Bur.) 40 D 1
Sotragero E (Bur.) 41 D 2
Sotres E (Ast.) 20 A 1
Sotresgudo E (Bur.) 41
Sotrondio (San Martín
del Rey Aurelio) E (Ast.) 6
Sotuélamos E (Alb.) 137
Soudes P (Fa.) 161
Soudos P (San.) 111
Soure P (Co.) 93
Sourões P (San.) 111
Souropires P (Guar.) 76
Sousa P (Port.) 54
Sousel P (Por.) 129
Sousela P (Port.) 54
Souselas P (Co.) 94
Souselo P (Vis.) 74
Soutadoiro E (Our.) 36
Soutaria P (San.) 111
Soutelinho P (V. R.) 55
Soutelinho P (V. R.) 55
Soutelinho da Raia P (V. R.) 55
Soutelinho
do Amésio P (V. R.) 55
Souteliño E (Our.) 35
Soutelo E (A Co.) 14
Soutelo E (Po.) 14
Soutelo P (Ave.) 74
Soutelo P (Ave.) 74
Soutelo P (Ave.) 74
Soutelo P (Br.) 54
Soutelo P (Br.) 54
Soutelo P (Bra.) 56
Soutelo P (Bra.) 36
Soutelo P (Co.) 94
Soutelo P (V. R.) 55
Soutelo P (V. R.) 55
Soutelo P (Vis.) 74
Soutelo P (Vis.) 75
Soutelo de Aguiar P (V. R.) 55
Soutelo do Douro P (Vis.) 55
Soutelo Mourisco P (Bra.) 56
Soutelo Verde E (Our.) 35
Soutilha P (Bra.) 56
Souto E (Our.) 34
Souto E (Po.) 14
Souto E (Po.) 14
Souto P (Ave.) 74
Souto P (Br.) 54
Souto P (San.) 112
Souto P (V. C.) 34
Souto P (V. C.) 54
Souto P (Vis.) 75
Souto P (Vis.) 74
Souto (São Salvador) P (Br.) 54
Souto (Toques) E (A Co.) 15
Souto Bom P (Vis.) 74
Souto Cico P (Lei.) 111
Souto da Carpalhosa P (Lei.) 93
Souto da Casa P (C. B.) 95
Souto da Ruiva P (Co.) 95
Souto da Velha P (Bra.) 56
Souto de Aguiar
da Beira P (Guar.) 75
Souto de Lafões P (Vis.) 74
Souto do Brejo P (Co.) 95
Souto Maior P (Guar.) 75
Souto Maior P (V. R.) 55
Souto Mau P (Ave.) 74
Soutochao E (Our.) 36
Soutolongo E (Po.) 14
Soutomaior E (Our.) 35
Soutomaior E (Po.) 34
Soutomel E (Our.) 35
Soutopenedo E (Our.) 35
Soutordei E (Lu.) 36
Soutos P (Lei.) 111
Soutosa P (Vis.) 75
Soutullo E (A Co.) 2
Suances E (Can.) 9
Suares E (Ast.) 6
Suarna E (Lu.) 16
Subilana Gasteiz E (Ál.) 23
Subportela P (V. C.) 53
Subserra P (Lis.) 126
Suçães P (Bra.) 56
Sucastro E (Lu.) 15
Sucina E (Mu.) 156
Sucs E (Ll.) 68
Sudanell E (Ll.) 68
Sueca E (Val.) 141
Sueiros E (A Co.) 2
Suellacabras E (So.) 64
Suera → Sueras E (Cas.) 107
Sueras/Suera E (Cas.) 107
Sueros de Cepeda E (Le.) 18
Suertes E (Le.) 17
Suesa E (Can.) 9

uevos E (A Co.) 2 B4
uevos E (A Co.) 13 D2
uevos E (A Co.) 13 C2
uflí E (Alm.) 170 A5
uimo P (San.) 112 A1
ujayal, lugar E (Alb.) 154 A2
ukarrieta E (Viz.) 11 B4
ul P (Vis.) 74 D3
ula P (Co.) 94 B1
umacàrcer E (Val.) 140 D1
ume P (Por.) 112 D4
umio E (A Co.) 2 C5
umoas E (Lu.) 4 A1
Sunbilla E (Na.) 24 D1
Sunyer E (Ll.) 68 C3
Súria E (Bar.) 70 B1
Suruslada → Sorlada E (Na.) 44 A1
Susana E (A Co.) 14 B3
Susañe del Sil E (Le.) 17 B3
Susinos del Páramo E (Bur.) 41 B2
Suspeltiki E (Na.) 12 D5
Suxo E (A Co.) 13 B1
Suzana E (Bur.) 22 D5

T

Tabaçó P (Ave.) 74 B3
Tabaçô P (V. C.) 34 B5
Tabagón E (Po.) 33 D5
Tabaiba E (S.Cruz T.) 196 B2
Tabanera de Cerrato E (Pa.) 41 A5
Tabanera de Valdavia E (Pa.) 20 B5
Tabanera del Monte E (Seg.) 81 A3
Tabanera la Luenga E (Seg.) 80 D2
Tábara E (Zam.) 58 B1
Tabeaio E (A Co.) 2 C4
Tabeirós E (Po.) 14 B4
Tabera de Abajo E (Sa.) 78 A3
Tabera de Arriba E (Sa.) 78 A3
Taberna Seca P (C. B.) 95 B5
Tabernas E (Alm.) 184 A2
Tabernas de Isuela E (Hues.) 47 A4
Taberno E (Alm.) 170 C4
Tablada de Villadiego E (Bur.) 41 B1
Tablada del Rudrón E (Bur.) 21 C5
Tabladillo E (Gua.) 103 B1
Tablante E (Sev.) 163 C4
Tablas, Las E (Cád.) 177 C4
Tablate E (Gr.) 182 A3
Tablero, El E (Las P.) 191 B2
Tablero, El E (Las P.) 191 B4
Tablero, El E (S.Cruz T.) 196 B2
Tabliega E (Bur.) 22 A3
Tablillas, Las E (C. R.) 118 C5
Tablones, Los E (Gr.) 182 B4
Tablones, Los E (Gr.) 182 B3
Taboada E (Lu.) 15 C4
Taboada E (Po.) 14 D4
Taboada dos Freires E (Lu.) 15 B4
Taboadela E (Our.) 35 B3
Taboadelo E (Po.) 34 A1
Taboeira P (Co.) 93 D1
Taboexa E (Po.) 34 B3
Taborda E (Po.) 33 D4
Taborno E (S.Cruz T.) 196 C1
Tabosa P (Vis.) 75 A5
Tabosa P (Vis.) 75 C2
Tábua P (Co.) 94 D1
Tabuaças P (Br.) 54 C2
Tabuaco P (Ave.) 73 D5
Tabuaço P (Vis.) 75 C1
Tabuadela P (V. R.) 55 A2
Tabuadelo P (Br.) 54 C4
Tabuado P (Port.) 54 D5
Tábuas P (Co.) 94 B3
Tabuenca E (Zar.) 65 A2
Tabuyo del Monte E (Le.) 37 D2
Tabuyuelo de Jamuz E (Le.) 38 A3
Tacande E (S.Cruz T.) 193 B3
Taco E (S.Cruz T.) 196 B2
Tacões P (Be.) 160 D2
Tacões P (Fa.) 161 B3
Tacoronte E (S.Cruz T.) 196 B2
Tadim P (Br.) 54 A3
Tafalla E (Na.) 45 A1
Tafira Alta E (Las P.) 191 C2
Tafira Baja E (Las P.) 191 D2
Tagamanent E (Bar.) 71 B1
Taganana E (S.Cruz T.) 196 C1
Tagarabuena E (Zam.) 59 A3
Tagarro P (Lis.) 111 A4
Tagarrosa E (Bur.) 41 A1
Tagilde P (Br.) 54 C4
Tagle E (Can.) 9 B4
Tagoro E (S.Cruz T.) 196 B1
Taguluche E (S.Cruz T.) 194 B2
Tahal E (Alm.) 170 B5
Tahiche E (Las P.) 192 C4
Tahivilla E (Cád.) 186 C4
Taião P (V. C.) 34 A4
Taíde P (Br.) 54 C2
Taidía E (Las P.) 191 C3
Tainas E (Ast.) 17 C1
Taiò, El E (Bar.) 70 C3
Taipadas P (Set.) 127 C3
Taipas P (Fa.) 161 A4
Tajahuerce E (So.) 64 B2
Tajueco E (So.) 63 A4
Tajurmientos E (Sa.) 78 A2
Tajuya E (S.Cruz T.) 193 B3
Tal E (A Co.) 13 C3
Tal de Abaixo E (A Co.) 13 C3
Tal de Arriba E (A Co.) 13 C3
Tala, La E (Sa.) 78 D5
Talaide P (Lis.) 126 B3
Talamanca E (Bar.) 70 D1
Talamanca de Jarama E (Mad.) 82 A4
Talamantes E (Zar.) 65 A2
Talamillo del Tozo E (Bur.) 21 B5
Talarén E (Ast.) 5 A3
Talarn E (Ll.) 49 A3
Talarrubias E (Bad.) 133 B2
Talaván E (Các.) 115 C2
Talave E (Alb.) 154 D1
Talavera E (Ll.) 69 D3
Talavera de la Reina E (To.) 99 D5
Talavera la Nueva E (To.) 99 D5
Talavera la Real E (Bad.) 130 C3
Talaveruela
de la Vera E (Các.) 98 D4
Talayuela E (Các.) 98 C5
Talayuelas E (Cu.) 123 C1
Tales E (Cas.) 107 B5
Talha P (Vis.) 75 A1
Talhadas P (Ave.) 74 B4
Talhas P (Bra.) 57 A3
Talhinhas P (Bra.) 57 A3
Táliga E (Bad.) 130 B5
Taliscas P (Co.) 94 A4
Talveila E (So.) 62 D2
Tallada d'Empordà, la E (Gi.) 52 B3
Talladell, El E (Ll.) 69 C2
Tállara E (A Co.) 13 D3
Tallo E (A Co.) 1 D4
Talltendre E (Ll.) 50 B1
Tama E (Can.) 20 B1
Tamaduste E (S.Cruz T.) 194 C4
Tamagos E (Our.) 35 D5
Tamaguelos E (Our.) 35 D5
Tamaide E (S.Cruz T.) 195 D4
Tamaimo E (S.Cruz T.) 195 C3
Tamajón E (Gua.) 82 C2
Tamallancos E (Our.) 35 B1
Tamame E (Zam.) 58 B5
Tamames E (Sa.) 77 D5
Tamanhos P (Guar.) 76 A4
Támara de Campos E (Pa.) 40 C4
Tamaraceite E (Las P.) 191 C2
Tamarit E (Ta.) 89 D1
Tamarite de Litera E (Hues.) 68 B1
Tamariu E (Gi.) 52 C4
Tamariz de Campos E (Vall.) 39 C5
Tamarón E (Bur.) 41 B3
Tamayo E (Alb.) 123 B4
Tameiga E (Po.) 34 A3
Tameirón E (Our.) 36 B4
Tamengos P (Ave.) 94 A1
Tamojares, lugar E (Gr.) 169 A3
Tamurejo E (Bad.) 133 C2
Tancos P (San.) 112 A3
Tanes E (Ast.) 19 A1
Tangil P (V. C.) 34 B4
Taniñe, lugar E (So.) 44 A5
Tanos E (Can.) 9 B5
Tanque E (S.Cruz T.) 195 C2
Tanque, El E (S.Cruz T.) 193 C2
Tañabueyes E (Bur.) 42 B4
Tao E (Las P.) 192 C4
Tapada P (Co.) 94 A3
Tapada P (Port.) 54 D5
Tapada P (San.) 111 C5
Tapeus P (Co.) 93 D4
Tapia E (Bur.) 41 B1
Tapia de Casariego E (Ast.) 4 D2
Tapia de la Ribera E (Le.) 18 C4
Tapiela E (So.) 64 A3
Tapioles E (Zam.) 58 D1
Tapis E (Gi.) 51 D1
Taracena E (Gua.) 82 C5
Taradell E (Bar.) 51 B5
Taragoña E (A Co.) 13 D4
Taragudo E (Gua.) 82 D4
Taraguilla E (Cád.) 187 A4
Tarajal, El E (Cór.) 167 A3
Tarajalejo E (Las P.) 189 D5
Tarambana, lugar E (Alm.) 183 B4
Taramundi E (Ast.) 4 C4
Tarancón E (Cu.) 102 D5
Tarancueña E (So.) 62 D5
Taranes E (Ast.) 19 C1
Taranilla E (Le.) 19 D4
Taravilla E (Gua.) 84 C5
Taraza E (A Co.) 2 D2
Tarazona E (Zar.) 64 D1
Tarazona de Guareña E (Sa.) 79 B1
Tarazona
de la Mancha E (Alb.) 122 C5
Tàrbena E (Ali.) 141 C4
Tardáguila E (Sa.) 78 D1
Tardajos E (Bur.) 41 C2
Tardajos de Duero E (So.) 63 D3
Tardelcuende E (So.) 63 C3
Tardemezar E (Zam.) 38 A4
Tardienta E (Hues.) 46 D5
Tardobispo E (Zam.) 58 B4
Tareja P (Fa.) 174 D2
Tariego de Cerrato E (Pa.) 60 C1
Tarifa E (Cád.) 186 D5
Tariquejos E (Huel.) 162 A4
Taroda E (So.) 63 D5
Tarouca P (Vis.) 75 B2
Tarouquela P (Vis.) 74 C1
Tarquinales E (Mu.) 172 C1
Tarragona E (Ta.) 89 C1
Tarragoya E (Mu.) 154 C5
Tàrrega E (Ll.) 69 B2
Tarrés E (Ll.) 69 B4
Tarrio E (A Co.) 13 C4
Tarrio E (Lu.) 15 B3
Tarrio (Culleredo) E (A Co.) 2 C4
Tarroeira E (A Co.) 14 B1
Tarroja de Segarra E (Ll.) 69 C2
Tarròs, el E (Ll.) 69 B2
Tarrueza E (Can.) 10 B4
Tartamudo E (Mu.) 154 B4
Tartanedo E (Gua.) 84 C3
Tartareu E (Ll.) 48 D5
Tasarte E (Las P.) 191 A3
Taüll E (Ll.) 48 D1
Tauste E (Zar.) 65 C1
Tavarde P (Co.) 93 B3
Tavascan E (Ll.) 29 C5
Tavernes Blanques E (Val.) 125 A3
Tavernes
de la Valldigna E (Val.) 141 B1
Tavèrnoles E (Bar.) 51 B5
Tavertet E (Bar.) 51 B4
Tavila P (C. B.) 113 B1
Tavilhão P (Fa.) 160 C3
Tavira P (Fa.) 175 A3
Távora P (Vis.) 75 C1
Tazacorte E (S.Cruz T.) 193 B3
Tazem P (Guar.) 75 B5
Tazona E (Alb.) 154 D2
Tazones E (Ast.) 7 A3
Teaio E (A Co.) 13 D4
Teatinos, Los E (J.) 153 C4
Teba E (Mál.) 179 D2
Tébar E (Cu.) 122 B4
Tebilhao P (Ave.) 74 C3
Tebongo E (Ast.) 5 C5
Tebosa P (Br.) 54 A3
Tebra E (Po.) 33 D4
Tefía E (Las P.) 190 A2
Tegueste E (S.Cruz T.) 196 B1
Teguise E (Las P.) 192 C3
Teguitar E (Las P.) 190 A4
Teià E (Bar.) 71 B3
Teilán E (Lu.) 15 D5
Teire P (San.) 111 A3
Teis E (Po.) 34 A2
Teivas P (Vis.) 75 A5
Teixeira E (Lu.) 16 B4
Teixeira P (Bra.) 57 B4
Teixeira P (Co.) 94 D3
Teixeira P (Guar.) 95 B2
Teixeira P (Port.) 55 A5
Teixeira, A E (Our.) 35 D2
Teixeiro E (Lu.) 15 D1
Teixeiró P (Port.) 55 A5
Teixeiro (Curtis) E (A Co.) 15 A1
Teixido E (Our.) 36 C2
Teixo P (Vis.) 74 C5
Teixoso P (C. B.) 95 C2
Teja, La E (Gr.) 169 B2
Tejada E (Bur.) 42 A5
Tejadillo E (Sa.) 77 D3
Tejadillos E (Cu.) 105 A4
Tejado E (So.) 64 A3
Tejado, El E (Sa.) 98 D1
Tejado, El E (Sa.) 78 B3
Tejar, El E (Cór.) 166 B5
Tejeda E (Las P.) 191 B3
Tejeda de Tiétar E (Các.) 98 B4
Tejeda y Segoyuela E (Sa.) 78 A5
Tejedo de Ancares E (Le.) 17 A3
Tejedo del Sil E (Le.) 17 C3
Tejeira E (Le.) 16 D4
Tejera, La E (Zam.) 36 D5
Tejerina E (Le.) 19 D3
Tejina E (S.Cruz T.) 195 C4
Tejina E (S.Cruz T.) 196 B1
Tejo, El E (Can.) 8 D4
Telde E (Las P.) 191 D3
Telha P (Br.) 54 C4
Telha P (Port.) 53 D4
Telha P (Port.) 54 A4
Telha dos Grandes P (Lei.) 111 C2
Telhada P (Co.) 93 C3
Telhada P (Co.) 94 C3
Telhadas P (San.) 112 A1
Telhadela P (Ave.) 74 A3
Telhadela P (Co.) 94 A3
Telhado P (Br.) 54 A3
Telhado P (C. B.) 95 C3
Telhado P (San.) 112 C4
Telhal P (Vis.) 75 D2
Telheiro P (Év.) 145 C1
Telões P (Port.) 54 D4
Telões P (V. R.) 55 B3
Tella E (A Co.) 1 D4
Tella E (Hues.) 47 D1
Tella-Sin E (Hues.) 27 D5
Telledo E (Ast.) 18 C2
Tellego E (Ast.) 6 C5
Telleriarte E (Gui.) 23 D2
Tembleque E (To.) 120 A2
Temiño E (Bur.) 42 A2
Temisas E (Las P.) 191 C3
Temocodá E (S.Cruz T.) 194 B2
Temple, El E (Hues.) 46 B5
Temple, El, lugar E (Cór.) 165 D1
Tempul E (Cád.) 178 B5
Tenagua E (S.Cruz T.) 193 C2
Tendais P (Vis.) 74 D2
Tendilla E (Gua.) 103 A1
Tenebrón E (Sa.) 77 C5
Tenência P (Fa.) 161 B4
Teno E (S.Cruz T.) 195 B3
Tenorio E (Po.) 34 A1
Tenoya E (Las P.) 191 C2
Tentegorra E (Mu.) 172 B2
Tentellatge E (Ll.) 50 B4
Tenteniguada E (Las P.) 191 C3
Tentúgal P (Co.) 93 D2
Teo E (A Co.) 14 B3
Teomil P (Vis.) 74 D5
Tera E (So.) 63 D1
Terán E (Can.) 20 D1
Tercena P (Lis.) 126 C3
Terceras, Las, lugar E (C. R.) 136 C5
Tercia, La E (Mu.) 154 C3
Tercia, La E (Mu.) 156 B5
Terena P (Év.) 129 C4
Tereñes E (Ast.) 7 C4
Teresa E (Cas.) 106 C5
Teresa de Cofrentes E (Val.) 140 A1
Termas de Monfortinho P (C. B.) 96 C4
Térmens E (Ll.) 68 D2
Terminón E (Bur.) 22 A5
Ternero E (Bur.) 43 A1
Teroleja E (Gua.) 84 C4
Teror E (Las P.) 191 C2
Terque E (Alm.) 183 C2
Terra da Senhora P (C. B.) 95 B2
Terra Fria P (San.) 111 D3
Terrachá, A (Entrimo) E (Our.) 34 D5
Terrades E (Gi.) 52 A2
Terradillos E (Sa.) 78 D3
Terradillos de Esgueva E (Bur.) 61 C1
Terradillos
de los Templarios E (Pa.) 39 D2
Terradillos de Sedano E (Bur.) 21 C5
Terras de Bouro P (Br.) 54 C1
Terrassa E (Bar.) 70 D2
Terrateig E (Val.) 141 B3
Terraza E (Gua.) 84 C4
Terrazas E (Bur.) 42 C5
Terrazos E (Bur.) 22 B5
Terre E (Gr.) 168 A4
Terreiro das Bruxas P (Guar.) 96 A2
Terreiros de Além P (Co.) 94 B2
Terrenho P (Guar.) 75 D3
Terrer E (Zar.) 64 D5
Terreras, Las E (Mu.) 171 A1
Terreros, Los E (Alm.) 170 C5
Terriente E (Te.) 105 B3
Terrinches E (C. R.) 137 A5
Terroba E (La R.) 43 D3
Terrones E (Sa.) 78 B5
Terroso E (Our.) 36 A5
Terroso P (Port.) 53 D3
Terrugem P (Lis.) 126 B2
Terrugem P (Por.) 129 D3
Tertanga E (Ál.) 22 D3
Teruel E (Te.) 105 D2
Terzaga E (Gua.) 84 C5
Teseguite E (Las P.) 192 C3
Tesejerague E (Las P.) 189 D4
Tesjuates E (Las P.) 190 B2
Teso P (Port.) 53 D3
Teso Moreno E (Các.) 96 C4
Tesoureira P (Lis.) 126 D2
Tetir E (Las P.) 190 B2
Teulada E (Ali.) 142 A4
Teverga E (Ast.) 18 A1
Teza E (Bur.) 22 C3
Teza de Losa E (Bur.) 22 C3
Tezanos E (Can.) 21 C1
Tharsis E (Huel.) 162 A2
Tiagua E (Las P.) 192 C4
Tiana E (Bar.) 71 B3
Tías E (Las P.) 192 C4
Tibalde P (Vis.) 75 A5
Tibaldinho P (Vis.) 75 A5
Tibi E (Ali.) 156 D1
Tibidabo E (Bar.) 71 A4
Tiebas E (Na.) 25 A5
Tiedra E (Vall.) 59 B2
Tielmes E (Mad.) 102 B3
Tiemblo, El E (Áv.) 100 C2
Tiena E (Gr.) 167 C5
Tiendas, Las E (Bad.) 131 A2
Tierga E (Zar.) 65 A3
Tiermas E (Zar.) 25 D5
Tierra del Trigo, La E (S.Cruz T.) 195 C3
Tierrantona E (Hues.) 48 A2
Tierritas, Las E (S.Cruz T.) 193 C3
Tierz E (Hues.) 47 A4
Tierzo E (Gua.) 84 C4
Tiétar del Caudillo E (Các.) 98 D4
Tigaday E (S.Cruz T.) 194 B4
Tigalate E (S.Cruz T.) 193 C4
Tiguerorte E (S.Cruz T.) 193 C4
Tijarafe E (S.Cruz T.) 193 B2
Tijimaraque E (S.Cruz T.) 194 C4
Tijoco Bajo E (S.Cruz T.) 195 C4
Tíjola E (Alm.) 169 D5
Timagada E (Las P.) 191 B3
Tímar E (Gr.) 182 C2
Timoneda E (Ll.) 49 D4
Tinadas, Las E (Alm.) 184 A2
Tinajas E (Cu.) 103 C2
Tinajeros E (Alb.) 139 A2
Tinajo E (Las P.) 192 B3
Tinalhas P (C. B.) 95 C5
Tincer E (S.Cruz T.) 196 B2
Tindavar E (Alb.) 154 A2
Tindaya E (Las P.) 190 A2
Tineo E (Ast.) 5 C4
Tines E (A Co.) 1 C5
Tinguatón E (Las P.) 192 B4
Tinhela P (V. R.) 56 A1
Tinhelade Cima P (V. R.) 55 C3
Tinieblas de la Sierra E (Bur.) 42 B4
Tinizara E (S.Cruz T.) 193 B2
Tintores E (Our.) 35 D5
Tiñor E (S.Cruz T.) 194 C4
Tiñosillas, Las E (C. R.) 134 D1
Tiñosillos E (Áv.) 80 A3
Tiobre E (A Co.) 2 D4
Tioira E (Our.) 35 C2
Tirados de la Vega E (Sa.) 78 B2
Tiraña E (Ast.) 6 D5
Tirapu E (Na.) 24 D5
Tires P (Lis.) 126 B3
Tirgo E (La R.) 43 A1
Tiriez E (Alb.) 138 A3
Tirieza y el Gigante E (Mu.) 170 C2
Tírig E (Cas.) 107 D1
Tirimol E (Lu.) 15 D2
Tiroco E (Ast.) 6 D4
Tirteafuera E (C. R.) 134 D4

Tírvia E (Ll.) 49 C1
Tiscamanita E (Las P.) 190 A3
Tiscar-Don Pedro E (J.) 169 A1
Titaguas E (Val.) 124 A1
Titulcia E (Mad.) 102 A4
Tiurana E (Ll.) 49 C5
Tivenys E (Ta.) 88 C3
Tivissa E (Ta.) 88 D2
Tó P (Bra.) 57 B5
Toba E (A Co.) 13 B2
Toba de Valdivielso E (Bur.) 22 A4
Toba, La E (Gua.) 82 D2
Toba, La E (J.) 153 C3
Tobalinilla E (Bur.) 22 C4
Tobar E (Bur.) 41 B1
Tobar, El E (Cu.) 104 B1
Tobarra E (Alb.) 139 A5
Tobaruela-La Tortilla E (J.) 151 D4
Tobed E (Zar.) 65 B5
Tobera E (Bur.) 22 B5
Tobes E (Bur.) 42 A1
Tobía E (La R.) 43 A3
Tobillos E (Gua.) 84 B3
Toboso, El E (To.) 120 D3
Tocina E (Sev.) 164 B2
Tocón E (Gr.) 167 B5
Tocón E (Gr.) 168 B5
Tocha P (Co.) 93 C1
Todolella E (Cas.) 87 B5
Todoque E (S. Cruz T.) 193 B3
Todosaires E (Cór.) 167 A3
Toedo E (Po.) 14 B4
Toén E (Our.) 35 A2
Tões P (Vis.) 75 B1
Toga E (Cas.) 107 A4
Togilde P (Ave.) 74 A3
Toirán E (Lu.) 16 A3
Toiriz E (Lu.) 15 D5
Toiriz E (Po.) 14 D3
Toito P (Guar.) 76 B5
Tojeira P (Lis.) 126 B2
Tojeira P (San.) 112 C2
Tojeiras P (C. B.) 113 B1
Tojeiras de Baixo P (San.) 112 B4
Tojeiro P (Co.) 93 C2
Tojera, La E (Bad.) 113 D5
Tôjo P (Co.) 95 A3
Tojos, Los E (Can.) 20 D2
Tol E (Ast.) 4 D3
Tola E (Zam.) 57 C2
Tola P (Co.) 94 A4
Tolbaños E (Áv.) 80 B4
Tolbaños de Abajo E (Bur.) 42 C4
Tolbaños de Arriba E (Bur.) 42 D4
Toldanos E (Le.) 39 A1
Toledillo E (So.) 63 C2
Toledo E (To.) 119 B1
Toledo P (Lis.) 110 C5
Tolibia de Arriba E (Le.) 19 A3
Tolilla E (Zam.) 57 D2
Tolinas E (Ast.) 6 A5
Tolivia E (Ast.) 18 D1
Tolocirio E (Seg.) 80 B1
Tolosa E (Alb.) 139 C1
Tolosa E (Gui.) 24 B2
Tolosa P (Por.) 113 A3
Tolox E (Mál.) 179 D4
Tolva E (Hues.) 48 C4
Tollos E (Ali.) 141 B4
Tom P (Por.) 112 D4
Tomadias P (Guar.) 76 B2
Tomar P (San.) 112 A2
Tomareis P (San.) 111 D1
Tomares E (Sev.) 163 D4
Tombrio de Abajo E (Le.) 17 B4
Tombrio de Arriba E (Le.) 17 B4
Tomellosa E (Gua.) 83 A5
Tomelloso E (C. R.) 136 D1
Tomeza E (Po.) 34 A1
Tomillares, Los E (Mál.) 180 B5
Tomiño E (Po.) 33 D4
Tona E (Bar.) 51 A5
Tonda P (Vis.) 74 D5
Tondela P (Vis.) 74 D5
Tondos E (Cu.) 104 A4
Tonín de Arbás E (Le.) 18 D2
Tonosa E (Alm.) 170 C3
Toñanes E (Can.) 9 A4
Topares E (Alm.) 170 B1
Topas E (Sa.) 78 C1
Topo P (Aç.) 109 D3
Toques E (A Co.) 15 A2
Tor E (Gi.) 52 B3
Tor E (Lu.) 15 D5
Tor E (Ll.) 29 D5
Torà E (Ll.) 69 D1
Toral de Fondo E (Le.) 38 B2
Toral de los Guzmanes E (Le.) 38 D3
Toral de los Vados E (Le.) 37 A1
Toral de Merayo E (Le.) 37 B1
Torás E (Cas.) 106 C5
Torazo E (Ast.) 7 A4
Torbeo E (Lu.) 36 A1
Torbiscal, El E (Sev.) 178 A1
Torcela E (Our.) 15 A5
Tordea E (Lu.) 16 A2
Tordehúmos E (Vall.) 59 C1
Tordelalosa E (Sa.) 78 B3
Tordelpalo E (Gua.) 84 D4
Tordelrábano E (Gua.) 83 B1
Tordellego E (Gua.) 85 A5
Tordelloso E (Gua.) 83 A1
Tordera E (Bar.) 71 D1
Tordesalas E (So.) 64 B3
Tordesilos E (Gua.) 85 A5
Tordesillas E (Vall.) 59 D4
Tordillos E (Sa.) 79 A3
Tordoia E (A Co.) 14 B1
Tordómar E (Bur.) 41 C5
Tordueles E (Bur.) 41 D5
Torea E (A Co.) 13 C3
Torelló E (Bar.) 51 A4
Toreno E (Le.) 17 B4
Torerera, lugar E (Huel.) 162 B2
Torés E (Lu.) 16 B4
Torete E (Gua.) 84 B4
Torgal P (Lei.) 94 C4
Torgueda P (V. R.) 55 B5
Torija E (Gua.) 82 D4
Toril E (Các.) 98 B5
Toril E (Mál.) 181 A3
Toril E (Te.) 105 B3
Torilonte de la Peña E (Pa.) 20 B4
Torís → Turís E (Val.) 124 C4
Torla E (Hues.) 27 B5
Torlengua E (So.) 64 B4
Tormaleo E (Ast.) 17 A3
Tormantos E (La R.) 42 D1
Torme E (Bur.) 22 A3
Tormellas E (Áv.) 98 D2
Tormillo, El E (Hues.) 67 C1
Tormo, El E (Cas.) 107 A4
Tormón E (Te.) 105 C3
Tormos E (Ali.) 141 D3
Torms, els E (Ll.) 68 D4
Tornabous E (Ll.) 69 B2
Tornada P (Lei.) 110 D3
Tornadijo E (Bur.) 41 D4
Tornadizo, El E (Sa.) 98 B1
Tornadizos E (Sa.) 78 B4
Tornadizos de Arévalo E (Áv.) 80 A2
Tornadizos de Ávila E (Áv.) 80 B5
Tornafort E (Ll.) 49 B2
Tornavacas E (Các.) 98 C3
Torneira Vilarinho P (Lei.) 93 C4
Torneiro P (Fa.) 161 B3
Torneiros E (Lu.) 4 A5
Torneiros E (Our.) 34 D4
Torneiros E (Our.) 35 B3
Torneiros E (Po.) 34 A3
Torneros de Jamuz E (Le.) 37 D3
Torneros de la Valdería E (Le.) 37 D3
Torneros del Bernesca E (Le.) 18 D1
Torno E (Our.) 34 D5
Torno P (Co.) 94 B4
Torno P (Port.) 54 C4
Torno, El E (C. R.) 118 D5
Torno, El E (Các.) 98 A4
Torno, El E (Cád.) 177 D5
Tornón E (Ast.) 7 A3
Tornos E (Te.) 85 B3
Toro E (Zam.) 59 A3
Toro, El E (Bal.) 91 B4
Toro, El E (Cas.) 106 C5
Toronjil E (Cád.) 178 B3
Toroyes E (Ast.) 7 B3
Torquemada E (Pa.) 40 D5
Torrados P (Port.) 54 C4
Torralba E (Cu.) 104 A3
Torralba de Aragón E (Hues.) 46 D5
Torralba de Calatrava E (C. R.) 135 C2
Torralba de los Frailes E (Zar.) 85 A2
Torralba
de los Sisones E (Te.) 85 B3
Torralba de Oropesa E (To.) 99 B5
Torralba de Ribota E (Zar.) 65 A4
Torralba del Burgo E (So.) 63 A3
Torralba del Moral E (So.) 83 C1
Torralba del Pinar E (Cas.) 107 A5
Torralba del Río E (Na.) 43 D1
Torralba, lugar E (Gr.) 169 C1
Torralbilla E (Zar.) 85 C1
Torrano → Dorrao E (Na.) 24 B4
Torraño E (So.) 62 B4
Torrão P (Set.) 144 A2
Torraos, Los E (Mu.) 155 D4
Torre E (Lu.) 3 C5
Torre E (Lu.) 15 D3
Torre P (C. B.) 95 C4
Torre P (C. B.) 96 B5
Torre P (Co.) 94 D1
Torre P (Fa.) 173 B2
Torre P (Fa.) 173 C2
Torre P (Guar.) 96 B2
Torre P (Lei.) 111 C1
Torre P (Lis.) 126 B3
Torre P (San.) 112 A1
Torre P (Set.) 143 B1
Torre P (V. C.) 53 D1
Torre P (Vis.) 74 C1
Torre Baixa, la E (Bar.) 70 B3
Torre Cimeira P (Por.) 112 D3
Torre
Clemente de Abajo E (Sa.) 78 D5
Torre da Marinha P (Set.) 126 D4
Torre das Vargens P (Por.) 112 D4
Torre de Arcas E (Te.) 87 C4
Torre de Babia E (Le.) 18 A3
Torre de Benagalbón E (Mál.) 180 D4
Torre de Besoeira P (Lis.) 126 C2
Torre de Cabdella, la E (Ll.) 49 A1
Torre de Claramunt, la E (Bar.) 70 B3
Torre de Coelheiros P (Év.) 144 D1
Torre de Don Miguel E (Các.) 97 A3
Torre de Dona Chama P (Bra.) 56 B2
Torre de Esgueva E (Vall.) 61 A2
Torre de Esteban
Hambrán, La E (To.) 100 D4
Torre de
Fontaubella, la E (Ta.) 89 A1
Torre de Juan Abad E (C. R.) 136 D5
Torre de la Higuera
o Matalascañas E (Huel.) 177 A2
Torre de la Horadada E (Ali.) 156 C5
Torre de la Reina E (Sev.) 163 D3
Torre de las Arcas E (Te.) 86 C3
Torre de Les
Maçanes, la →
Torremanzanas E (Ali.) 141 A5
Torre de l'Espanyol, la E (Ta.) 88 C1
Torre de los Molinos E (Pa.) 40 B3
Torre de Matella, la E (Cas.) 107 C3
Torre
de Miguel Sesmero E (Bad.) 130 C5
Torre de Moncorvo P (Bra.) 76 B1
Torre de Natal P (Fa.) 174 D3
Torre de Obato E (Hues.) 48 A3
Torre de Peñafiel E (Vall.) 61 A3
Torre de Santa María E (Các.) 115 D5
Torre de
Valdealmendras E (Gua.) 83 B1
Torre de Vale de Todos P (Lei.) 94 A4
Torre de Vilela P (Co.) 94 A2
Torre del Bierzo E (Le.) 17 D5
Torre del Burgo E (Gua.) 82 D4
Torre del Compte E (Te.) 87 D3
Torre del Mar E (Mál.) 181 A4
Torre del Puerto E (Cór.) 166 C3
Torre del Rico E (Mu.) 156 A2
Torre del Valle, La E (Zam.) 38 C4
Torre dels
Domenges, la →
Torre Endomenech E (Cas.) 107 D3
Torre d'En Besora, la E (Cas.) 107 C2
Torre d'en Lloris, la →
Torre Lloris E (Val.) 141 A2
Torre do Bispo P (San.) 111 C4
Torre do Pinhão P (V. R.) 55 C4
Torre do Terranho P (Guar.) 75 D3
Torre d'Oristà, La E (Bar.) 50 D5
Torre en Cameros E (La R.) 43 C3
Torre Endomenech/
Torre
dels Domenges, la E (Cas.) 107 D3
Torre Fundeira P (Por.) 112 D3
Torre la Ribera E (Hues.) 48 B2
Torre los Negros E (Te.) 85 D3
Torre Lloris/Torre
d'en Lloris, la E (Val.) 141 A2
Torre Melgarejo E (Cád.) 177 D4
Torre Molina E (Mu.) 156 A5
Torre Portela P (Br.) 54 B2
Torre Saura E (Bal.) 90 A2
Torre Trencada E (Bal.) 90 A2
Torre Uchea E (Alb.) 155 A1
Torre Vã P (Be.) 143 D5
Torre Val de San Pedro E (Seg.) 81 C2
Torre y El Charco, La E (Mu.) 171 B2
Torre Zapata E (Sa.) 78 C4
Torre, A E (Our.) 34 D3
Torre, La E (Áv.) 79 D5
Torre, La E (Val.) 123 D2
Torre, Sa E (Bal.) 91 D4
Torreadrada E (Seg.) 61 C4
Torreagüera E (Mu.) 156 A5
Torre-Alháquime E (Cád.) 179 B3
Torrealta E (Mu.) 155 D4
Torrealvilla E (Mu.) 171 A1
Torreandaluz E (So.) 63 A3
Torrearévalo E (So.) 43 D5
Torrebaja E (Val.) 105 D4
Torrebarrio E (Le.) 18 B2
Torrebeleña E (Gua.) 82 C3
Torrebesses E (Ll.) 68 C4
Torreblacos E (So.) 63 A3
Torreblanca E (Bar.) 70 C2
Torreblanca E (Cas.) 108 A3
Torreblanca
de los Caños E (Sev.) 164 A4
Torreblascopedro E (J.) 151 D5
Torrebonica E (Bar.) 70 D3
Torrecaballeros E (Seg.) 81 B3
Torrecampo E (Cór.) 150 A1
Torre-Cardela E (Gr.) 168 B3
Torrecera E (Cád.) 178 A5
Torrecica, La E (Alb.) 138 D2
Torrecilla E (Cór.) 150 C4
Torrecilla E (Cu.) 104 A3
Torrecilla de Alcañiz E (Te.) 87 C3
Torrecilla
de la Abadesa E (Vall.) 59 C4
Torrecilla de la Jara E (To.) 118 A2
Torrecilla de la Orden E (Vall.) 79 B1
Torrecilla de la Torre E (Vall.) 59 C2
Torrecilla
de los Ángeles E (Các.) 97 B3
Torrecilla de Valmadrid E (Zar.) 66 B4
Torrecilla del Ducado E (Gua.) 83 C1
Torrecilla del Monte E (Bur.) 41 D4
Torrecilla del Pinar E (Seg.) 61 B5
Torrecilla
del Pinar, lugar E (Gua.) 84 B4
Torrecilla del Rebollar E (Te.) 86 A3
Torrecilla del Valle E (Vall.) 59 C5
Torrecilla en Cameros E (La R.) 43 C3
Torrecilla
sobre Alesanco E (La R.) 43 A2
Torrecillas de la Tiesa E (Các.) 116 B3
Torrecillas, lugar E (Cór.) 166 A4
Torrecitores E (Bur.) 41 C5
Torreciudad E (Hues.) 48 A3
Torrecuadrada
de los Valles E (Gua.) 83 C3
Torrecuadrada
de Molina E (Gua.) 84 D4
Torrecuadradilla E (Gua.) 83 C4
Torrecuevas E (Gr.) 181 D4
Torrechiva E (Cas.) 107 A4
Torredeita P (Vis.) 74 D4
Torredelcampo E (J.) 167 C1
Torredembarra E (Ta.) 89 D1
Torredondo E (Seg.) 81 A3
Torredonjimeno E (J.) 167 B1
Torrefarrera E (Ll.) 68 C2
Torrefeta E (Ll.) 69 C1
Torreforta E (Ta.) 89 C1
Torrefrades E (Zam.) 58 A5
Torrefresneda E (Bad.) 131 D2
Torregalindo E (Bur.) 61 C3
Torregamones E (Zam.) 57 D4
Torregrossa E (Ll.) 69 A3
Torreguadiaro E (Cád.) 187 B3
Torregutiérrez E (Seg.) 60 D4
Torrehermosa E (Zar.) 84 B1
Torreiglesias E (Seg.) 81 B2
Torreira P (Ave.) 73 D3
Torrejón de Alba E (Sa.) 78 D4
Torrejón de Ardoz E (Mad.) 102 A1
Torrejón de la Calzada E (Mad.) 101 C3
Torrejón de Velasco E (Mad.) 101 C3
Torrejón del Rey E (Gua.) 82 B5
Torrejón el Rubio E (Các.) 116 A1
Torrejoncillo E (Các.) 97 B5
Torrejoncillo del Rey E (Cu.) 103 C5
Torrelacárcel E (Te.) 85 C5
Torrelaguna E (Mad.) 82 A4
Torrelameu E (Ll.) 68 D2
Torrelapaja E (Zar.) 64 C3
Torrelara E (Bur.) 42 A4
Torrelavega E (Can.) 9 B5
Torrelavit E (Bar.) 70 B
Torrelengua E (Cu.) 121 A
Torrelobatón E (Vall.) 59 C
Torrelodones E (Mad.) 101 B
Torrella E (Val.) 140 D
Torrellano E (Ali.) 156 D
Torrellas E (Zar.) 64 D
Torrelles de Foix E (Bar.) 70 A
Torrelles de Llobregat E (Bar.) 70 D
Torremanzanas/
Torre de
Les Maçanes, la E (Ali.) 141 A
Torremayor E (Bad.) 131 A
Torremejía E (Bad.) 131 B
Torremendo E (Ali.) 156 C
Torremenga E (Các.) 98 B
Torremocha E (Các.) 115 C
Torremocha de Ayllón E (So.) 62 C
Torremocha
de Jadraque E (Gua.) 83 A
Torremocha de Jarama E (Mad.) 82 A
Torremocha de Jiloca E (Te.) 85 C
Torremocha del Campo E (Gua.) 83 C
Torremocha del Pinar E (Gua.) 84 B
Torremochuela E (Gua.) 84 D
Torremolinos E (Mál.) 180 B
Torremontalbo E (La R.) 43 B
Torremormojón E (Pa.) 40 A5
Torrent E (Gi.) 52 C4
Torrent E (Val.) 125 A4
Torrentbò E (Bar.) 71 C
Torrente de Cinca E (Hues.) 68 A4
Torrentes, Los E (Alm.) 170 C3
Torrenueva E (C. R.) 136 B5
Torrenueva E (Gr.) 182 A4
Torreón
de Fique, lugar E (J.) 152 A5
Torreorgaz E (Các.) 115 C4
Torre-Pacheco E (Mu.) 172 B
Torrepadierne E (Bur.) 41 B3
Torrepadre E (Bur.) 41 B5
Torre-Pedro E (Alb.) 154 A
Torreperogil E (J.) 152 B4
Torrequebradilla E (J.) 151 D5
Torrequemada E (Các.) 115 C4
Torres E (A Co.) 3 A4
Torres E (Ali.) 158 A1
Torres E (Can.) 9 B5
Torres E (J.) 168 A1
Torres E (Zar.) 65 A5
Torres P (Ave.) 93 D1
Torres P (Guar.) 76 A4
Torres Cabrera E (Cór.) 166 A1
Torres de Abajo E (Bur.) 21 C3
Torres de Albánchez E (J.) 153 B2
Torres de Albarracín E (Te.) 105 B2
Torres de Alcanadre E (Hues.) 47 B5
Torres de Aliste, Las E (Zam.) 57 C1
Torres de Arriba, lugar E (Bur.) 21 C3
Torres de Barbués E (Hues.) 46 D5
Torres de Berrellén E (Zar.) 65 D2
Torres de Cotillas, Las E (Mu.) 155 D4
Torres de la Alameda E (Mad.) 102 B2
Torres de Montes E (Hues.) 47 B4
Torres de Sanui, les E (Ll.) 68 C2
Torres de Segre E (Ll.) 68 C3
Torres del Carrizal E (Zam.) 58 C3
Torres del Obispo E (Hues.) 48 B4
Torres del Río E (Na.) 44 A1
Torres Novas P (San.) 111 D3
Torres Torres E (Val.) 125 A2
Torres Vedras P (Lis.) 110 C5
Torres, Las E (Las P.) 191 D2
Torres, Las E (Sa.) 78 C3
Torres, Las, lugar E (Gr.) 167 D5
Torres, Los, lugar E (Cu.) 121 D5
Torresandino E (Bur.) 61 B1
Torresaviñán, La E (Gua.) 83 C3
Torrescárcela E (Vall.) 60 D4
Torre-serona E (Ll.) 68 C2
Torresmenudas E (Sa.) 78 B1
Torrestío E (Le.) 18 A2
Torresuso E (So.) 62 C5
Torret E (Bal.) 90 D3
Torreta, La E (Alm.) 170 C4
Torreta, la E (Bar.) 71 B2
Torretartajo E (So.) 63 D1
Torrevelilla E (Te.) 87 C3
Torrevicente E (So.) 63 A5
Torrevieja E (Ali.) 156 D5
Torrico E (To.) 117 B1
Torrijas E (Te.) 106 A5
Torrijo de la Cañada E (Zar.) 64 C4
Torrijo del Campo E (Te.) 85 C4
Torrijos E (To.) 100 D5

'oella de Baix E (Bar.) 70 C1
oella de Fluvià E (Gi.) 52 B3
'oella de Montgrí E (Gi.) 52 C4
'oja del Priorat E (Ta.) 69 A5
oña E (Po.) 33 C4
oso E (Po.) 34 A3
'ox E (Mál.) 181 B4
'ox-Costa E (Mál.) 181 B4
ozelo P (Guar.) 95 A1
'ubia E (Gua.) 84 C3
'ubia de Soria E (So.) 64 B3
'ubia del Campo E (Cu.) 120 D1
ubia del Castillo E (Cu.) 122 A2
ubia-Valenzuela E (J.) 151 D4
ajada E (Te.) 106 A2
ellà E (Gi.) 51 D2
illa, La, lugar E (J.) 151 D4
ola E (Cu.) 104 B5
ola de Henares E (Gua.) 82 C5
oles E (Áv.) 99 B1
oles E (Zar.) 64 D1
oles de Esgueva E (Bur.) 61 B1
onda E (Gua.) 83 C3
oreos E (Po.) 34 B3
osa E (Ta.) 88 C3
ozendo P (C. B.) 95 C2
uera E (Gua.) 84 D3
uero E (Gua.) 82 B3
iscal, El E (Bad.) 132 B1
izcón E (Gr.) 182 C3
let, El E (Cas.) 107 B5
lnou/Tossalnou E (Val.) 141 A2
ntos E (Bur.) 42 C2
ana Nueva E (Gr.) 170 A1
ón, El E (Las P.) 191 C2
nde E (Our.) 35 B5
s E (Gi.) 50 D2
s E (Zar.) 66 A5
a de Mar E (Gi.) 72 B1
alnou → Tosalnou E (Val.) 141 A2
a E (Ál.) 22 D4
ão P (C. B.) 113 B1
lán E (Mál.) 180 D4
na E (Mu.) 171 C1
nés E (To.) 118 D2
nique P (Be.) 159 D2
ro E (Can.) 9 C5
E (Las P.) 190 A3
ores P (V. R.) 55 D3
ça P (Guar.) 76 A2
cinhos P (San.) 111 D2
gues P (Port.) 53 D4
guinha P (Port.) 53 D4
guinhó P (Port.) 53 D4
ões P (C. B.) 96 B5
ais P (Guar.) 95 B1
al, O (Vilalboa) E (Po.) 34 A1
rém P (V. R.) 35 A5
encinho P (V. R.) 55 B4
ia P (Lei.) 111 C1
igo P (Vis.) 74 C5
iñán E (A Co.) 13 A1
ro E (A Co.) 14 C3
ro P (Vis.) 75 B3
rón E (Po.) 34 B1
s E (Val.) 140 D1
tón E (Po.) 34 B2
tosa P (Port.) 54 C5
ille E (Lu.) 16 A3
za E (Lu.) 3 C3
za E (Our.) 35 B2
za E (Our.) 35 A1
E (Ast.) 5 B3
al E (Our.) 35 B4
bo E (Lu.) 15 C3
ofal de Baixo P (Lis.) 110 C4
ofal de Cima P (Lis.) 110 C4
osoutos E (A Co.) 13 D3
a E (J.) 168 D1
lmoro E (So.) 64 A2
ar E (Gr.) 167 C4
o E (Ast.) 7 A5
oa E (A Co.) 1 C5
oada E (Lu.) 4 B3
oadelo E (Le.) 16 D5
oalhia P (Lei.) 110 D3
oalhias P (Lei.) 110 D3
oanca E (Sa.) 57 C5
oancas E (Po.) 15 A4
oanca-Sardiñeira E (Po.) 13 D4
oazos E (Zam.) 57 B2
oe E (A Co.) 1 D4
lo E (Our.) 34 D3
aria P (Set.) 126 C3
gacete E (Cu.) 104 D2
Tragove E (Po.) 13 D5
Traguntía E (Sa.) 77 C2
Traíd E (Gua.) 84 D5
Traiguera E (Cas.) 108 A1
Trajano E (Sev.) 178 A1
Trajouce P (Lis.) 126 B3
Tralhariz P (Bra.) 55 D5
Tramacastiel E (Te.) 105 D3
Tramacastilla E (Te.) 105 A2
Tramacastilla de Tena E (Hues.) 27 A5
Tramaced E (Hues.) 47 A5
Tramaga P (Por.) 112 C5
Tramagal P (San.) 112 B3
Tranancas P (V. R.) 56 A1
Tranco E (J.) 153 B3
Trancoso P (Guar.) 75 D4
Trancoso de Baixo P (Lis.) 126 D1
Trancoso de Cima P (Lis.) 126 D1
Trancozelos P (Vis.) 75 B4
Trandeiras P (Br.) 54 B3
Tranquera, La E (Zar.) 84 D1
Traña-Matiena E (Viz.) 23 C1
Trapa E (Ast.) 6 C5
Trápaga E (Viz.) 10 D5
Trapiche E (Las P.) 191 C2
Trapiche E (Mál.) 181 A3
Trás de Figueiró P (Lei.) 94 A4
Trás do Outeiro P (Lei.) 110 D3
Trasalba E (Our.) 35 A2
Trasancos E (A Co.) 2 D2
Trasanquelos E (A Co.) 2 D5
Trascastro E (Ast.) 17 C2
Trascastro E (Le.) 17 B3
Trasestrada E (Our.) 36 A5
Trashaedo E (Bur.) 21 B5
Trasierra E (Bad.) 147 D3
Trasierra E (Can.) 9 A4
Traslasierra E (Huel.) 162 D1
Traslaviña E (Viz.) 22 C1
Trasmañó E (Po.) 34 A2
Trasmiras E (Our.) 35 C4
Trasmontaña E (Las P.) 191 C2
Trasmonte E (A Co.) 14 B2
Trasmonte E (Ast.) 6 B4
Trasmoz E (Zar.) 64 D1
Trasmulas E (Gr.) 181 C1
Trasobares E (Zar.) 65 A3
Trasona E (Ast.) 6 C3
Tras-os-Matas P (Lei.) 93 D5
Traspando E (Ast.) 6 D4
Trasparga E (Lu.) 3 B5
Traspielas E (Po.) 34 B2
Traspinedo E (Vall.) 60 C3
Trasponte E (Ál.) 23 B4
Trasvassos P (Br.) 54 C2
Trasvía E (Can.) 8 D4
Travanca P (Ave.) 74 A3
Travanca P (Ave.) 74 A2
Travanca P (Bra.) 56 C3
Travanca P (Bra.) 57 B4
Travanca P (Co.) 94 C2
Travanca P (Port.) 54 C5
Travanca P (Vis.) 75 B1
Travanca P (Vis.) 74 C1
Travanca de Lagos P (Co.) 95 A1
Travanca de Tavares P (Vis.) 75 B4
Travanca do Mondego P (Co.) 94 C2
Travanca do Monte P (Port.) 54 D5
Travancinha P (Guar.) 95 A1
Travanco P (Bra.) 36 C5
Travasso P (Ave.) 94 A1
Travassô P (Ave.) 74 A4
Travasso P (Br.) 55 A2
Travassos P (Br.) 54 B2
Travassos P (Br.) 54 C3
Travassos P (Port.) 74 C1
Travassos P (V. R.) 55 A4
Travassos P (V. R.) 55 A1
Travassos P (Vis.) 74 D1
Travassos P (Vis.) 74 C4
Travassos P (Vis.) 75 A4
Travassós de Baixo P (Vis.) 75 A4
Travassós de Cima P (Vis.) 75 A4
Travassos de Chã P (V. R.) 55 B1
Traveira P (Co.) 94 A3
Travesas E (A Co.) 13 D1
Trazo E (A Co.) 14 B2
Trebuesto E (Can.) 10 B5
Trebujena E (Cád.) 177 C3
Treceño E (Can.) 8 D5
Tredòs E (Ll.) 29 A4
Trefacio E (Zam.) 37 A4
Tregosa P (Br.) 53 D2
Tregurà de Dalt E (Gi.) 51 A2
Treinta, Los, lugar E (Alm.) 170 B2
Treixedo P (Vis.) 94 C1
Trelle E (Our.) 35 A2
Trelles E (Ast.) 5 A3
Tremaya E (Pa.) 20 C3
Tremedal E (Áv.) 98 C2
Tremedal de Tormes E (Sa.) 77 D2
Tremellos, Los E (Bur.) 41 C1
Tremês P (San.) 111 B4
Tremoa P (Co.) 94 A3
Tremoceira P (Lei.) 111 B2
Tremor de Abajo E (Le.) 17 D5
Tremor de Arriba E (Le.) 17 D4
Tremp E (Ll.) 49 A3
Treos E (A Co.) 13 C1
Tres Alquerías E (Bal.) 90 A2
Tres Barrios E (Las P.) 191 C2
Tres Cales, les E (Ta.) 89 A3
Tres Cantos E (Mad.) 81 D5
Três Figos P (Fa.) 159 B4
Tresaldeas E (Po.) 14 B5
Tresali E (Ast.) 7 A4
Trescasas E (Seg.) 81 B3
Tresjuncos E (Cu.) 121 B2
Tresmundes P (V. R.) 55 D2
Tresouras P (Port.) 75 A1
Trespaderne E (Bur.) 22 B4
Tresviso E (Can.) 8 B5
Treto E (Can.) 10 A4
Treumal E (Gi.) 52 C5
Trévago E (So.) 64 B1
Trevejo E (Các.) 96 D3
Trevélez E (Gr.) 182 C2
Treviana E (La R.) 42 D1
Trevías E (Ast.) 5 C3
Treviño E (Bur.) 23 B5
Trevões P (Vis.) 75 D1
Trez E (Our.) 35 D4
Trezoi P (Vis.) 94 B1
Triabá E (Lu.) 3 D5
Triacastela E (Lu.) 16 B4
Triana E (Mál.) 181 A3
Triana E (S.Cruz T.) 193 B3
Tribaldos E (Cu.) 103 A5
Tricias, Las E (S.Cruz T.) 193 B2
Tricio E (La R.) 43 B2
Trigaches P (Be.) 144 C3
Trigais P (C. B.) 95 B2
Trigais P (Guar.) 96 A2
Trigueros E (Huel.) 162 C4
Trigueros del Valle E (Vall.) 60 B1
Trijueque E (Gua.) 82 D4
Trillo E (Gua.) 83 C5
Trincheto, El E (C. R.) 135 A1
Trindade P (Be.) 144 C5
Trindade P (Bra.) 56 B4
Trinidad, La, lugar E (Gr.) 169 A5
Trinta P (Guar.) 95 D1
Triñanes E (A Co.) 13 D4
Triollo E (Pa.) 20 B3
Triongo E (Ast.) 7 C4
Triós E (Our.) 35 C2
Triquivijate E (Las P.) 190 A3
Triste E (Hues.) 46 C2
Triufé E (Zam.) 37 B4
Trobajo del Camino E (Le.) 18 D5
Trobajo del Cerecedo E (Le.) 38 D1
Trobal, El E (Sev.) 178 A1
Trobika E (Viz.) 11 A5
Trobo E (Lu.) 3 D5
Trobo, O E (Lu.) 4 C5
Trofa P (Ave.) 74 A4
Trofa P (Port.) 54 A4
Trogal P (V. C.) 53 D1
Tróia P (Set.) 127 A5
Tronceda E (Our.) 36 A1
Troncedo E (Hues.) 48 A2
Tronco P (V. R.) 56 A1
Tronchón E (Te.) 87 A5
Trones E (Ast.) 17 B1
Tropeço P (Ave.) 74 B2
Troporiz P (V. C.) 34 A4
Trouxemil P (Co.) 94 A2
Troviscais P (Be.) 159 C1
Troviscal P (Ave.) 73 D5
Troviscal P (C. B.) 94 D5
Troviscal P (Lei.) 94 B4
Troviscoso P (V. C.) 53 C1
Troyanas E (Las P.) 191 C2
Trubia E (Ast.) 6 B4
Trucios E (Viz.) 10 C5
Truchas E (Le.) 37 C3
Truchillas E (Le.) 37 B3
Truébano E (Le.) 18 B3
Trujillanos E (Bad.) 131 C2
Trujillo E (Các.) 116 A4
Trujillo-Cabeza Sordo E (Sev.) 164 B5
Trujillos E (Gr.) 167 C4
Truta de Baixo P (Vis.) 74 B5
Trutas P (C. B.) 112 B1
Trutas P (Lei.) 93 B5
Trute P (V. C.) 34 B4
Tubaral P (San.) 112 C3
Tubilla del Agua E (Bur.) 21 C5
Tubilla del Lago E (Bur.) 62 A2
Tuda, La E (Zam.) 58 B4
Tudanca E (Can.) 20 D2
Tudela E (Na.) 45 A5
Tudela de Agueria E (Ast.) 6 C5
Tudela de Duero E (Vall.) 60 B3
Tudela de Segre E (Ll.) 69 B1
Tudela Veguín E (Ast.) 6 C4
Tudelilla E (La R.) 44 B3
Tudera E (Zam.) 57 D4
Tudons, Es E (Bal.) 90 A2
Tuéjar E (Val.) 124 A2
Tuelas, Los E (Mu.) 171 C2
Tuernes el Pequeño E (Ast.) 6 B4
Tuero E (Ast.) 7 A3
Tufiones E (A Co.) 1 B5
Tui E (Po.) 34 A4
Tuias P (Port.) 54 C5
Tuilla E (Ast.) 6 D5
Tuineje E (Las P.) 190 A4
Tuixén E (Ll.) 50 A3
Tuizelo P (Bra.) 36 C5
Tujena E (Huel.) 163 B3
Tulebras E (Na.) 45 A5
Tulha Nova P (Vis.) 74 D2
Tulha Velha P (Vis.) 74 D2
Tumbalejo, El E (Huel.) 162 D3
Tuna, Sa E (Gi.) 52 D4
Tunes P (Fa.) 174 A2
Tuña E (Ast.) 5 C5
Turces E (A Co.) 14 D3
Turcia E (Le.) 38 B1
Turcifal P (Lis.) 126 C1
Turégano E (Seg.) 81 B1
Turieno E (Can.) 20 B1
Turienzo Castañero E (Le.) 17 C5
Turís/Toris E (Val.) 124 C4
Turiso E (Ál.) 23 A4
Turiz P (Br.) 54 B2
Turleque E (To.) 119 D3
Turmiel E (Gua.) 84 B2
Turó, el E (Bar.) 71 A2
Turón E (Ast.) 18 C1
Turón E (Gr.) 182 D3
Turquel P (Lei.) 111 A3
Turquía E (Val.) 123 D3
Turra de Alba E (Sa.) 79 A4
Turre E (Alm.) 184 D1
Turrilla E (Alb.) 154 A3
Turrillas E (Alm.) 184 B2
Turro, El E (Gr.) 181 B1
Tus E (Alb.) 153 D2
Tuta E (Sa.) 78 A2
Txabarri E (Viz.) 22 D1
Txarama E (Gui.) 24 B2
Txipio E (Viz.) 11 A4

U

Úbeda E (J.) 152 B5
Ubeda E (Lu.) 4 A4
Ubera E (Gui.) 23 D2
Ubiarco E (Can.) 9 A4
Ubidea E (Viz.) 23 B2
Ubiergo E (Hues.) 48 A4
Ubierna E (Bur.) 41 D1
Ubrique E (Cád.) 178 D4
Ucanha P (Vis.) 75 B1
Ucar/Ukar E (Na.) 24 D5
Uceda E (Gua.) 82 A4
Ucenda E (Mu.) 155 A5
Ucero E (So.) 62 D2
Uces, Las E (Sa.) 77 B1
Ucieda E (Can.) 21 A1
Ucio E (Ast.) 7 C4
Uclés E (Cu.) 103 A5
Uclías E (Gr.) 169 C5
Ucha P (Br.) 54 A2
Udalla E (Can.) 10 A5
Uestra, S' E (Bal.) 90 D3
Ufones E (Zam.) 57 C2
Uga E (Las P.) 192 B4
Ugaldetxo E (Gui.) 12 C5
Ugao-Miraballes E (Viz.) 23 A1
Ugarana (Dima) E (Viz.) 23 B2
Ugarte E (Viz.) 23 B2
Ugarte E (Viz.) 11 A4
Ugarte (Muxika) E (Viz.) 11 B5
Ugejar E (Mu.) 171 C3
Ugena E (To.) 101 C4
Ugeraga E (Viz.) 10 D4
Ugíjar E (Gr.) 182 D2
Uharte → Huarte E (Na.) 25 A4
Uharte-Arakil E (Na.) 24 C3
Uitzi E (Na.) 24 C2
Ujados E (Gua.) 82 D1
Ujo E (Ast.) 18 C1
Ujué E (Na.) 45 B1
Ukar → Ucar E (Na.) 24 D5
Ulea E (Mu.) 155 C4
Uleila del Campo E (Alm.) 184 B1
Ulibarri E (Na.) 24 A5
Ulme P (San.) 112 A4
Ulmeiro P (Lei.) 111 C1
Ulqueira P (Lis.) 126 A3
Ultramort E (Gi.) 52 B4
Ullà E (Gi.) 52 C4
Ullastrell E (Bar.) 70 D3
Ullastret E (Gi.) 52 C4
Ulldecona E (Ta.) 88 B5
Ulldemolins E (Ta.) 69 A5
Uma E (Po.) 34 B3
Umbrete E (Sev.) 163 C4
Umbria P (Fa.) 175 A2
Umbría de Arriba, La E (Alm.) 170 A3
Umbría de Fresnedas E (C. R.) 135 D5
Umbría, La E (Huel.) 147 A5
Umbrías E (Áv.) 98 C2
Unanu E (Na.) 24 B4
Uncastillo E (Zar.) 45 D2
Unciti/Untziti E (Na.) 25 B4
Undués de Lerda E (Zar.) 45 D1
Undués-Pintano E (Zar.) 45 D1
Undurraga E (Viz.) 23 B2
Ungilde E (Zam.) 37 A4
Unhais da Serra P (C. B.) 95 B2
Unhais-o-Velho P (Co.) 95 A3
Unhão P (Port.) 54 C4
Unhos P (Lis.) 126 D2
Unión de Campos, La E (Vall.) 39 B4
Unión de los Tres Ejércitos, La E (La R.) 43 D2
Unión, La E (Mu.) 172 C2
Untes E (Our.) 35 A2
Untziti → Unciti E (Na.) 25 B4
Unzué E (Na.) 25 A5
Uña E (Cu.) 104 C3
Uña de Quintana E (Zam.) 37 D4
Uña, La E (Le.) 19 C2
Ura E (Bur.) 42 A5
Urarte E (Ál.) 23 C5
Urbanización El Dique E (Zar.) 67 C5
Urbanización El Peña El Zorongo E (Zar.) 66 B2
urbanización La Veleta E (Ali.) 156 D5
Urbanización Playa de las Américas E (S.Cruz T.) 195 C5
Urbanización Roquetas de Mar E (Alm.) 183 C4
Urbanizaciones Noroeste E (Mad.) 101 B2
Urbasako benta → Venta de Urbasa E (Na.) 24 A4
Úrbel del Castillo E (Bur.) 21 C5
Urbi E (Viz.) 23 A1
Urbiés E (Ast.) 18 D1
Urbilla-Urberuaga E (Viz.) 11 C5
Urbina E (Ál.) 23 B3
Urbiola E (Na.) 44 B1
Urbiso E (Ál.) 23 D5
Úrcal E (Alm.) 170 D4
Urda E (To.) 119 D4
Urdax → Urdazubi E (Na.) 25 A1
Urdazubi/Urdax E (Na.) 25 A1
Urdiain E (Na.) 24 B4
Urdiales del Páramo E (Le.) 38 C2
Urdilde E (A Co.) 14 A3
Urdimalas E (Các.) 116 A1
Urdués E (Hues.) 26 B5
Urduliz E (Viz.) 10 D4
Urduña-Orduña E (Viz.) 22 D3
Uresarantze Auzoa E (Viz.) 11 A4
Urgeiriça P (Vis.) 75 A5
Urgueira P (Co.) 94 C2
Urgueira P (Guar.) 96 B2
Uribarri-Dibina E (Ál.) 23 B4
Uribarri-Harana E (Ál.) 23 D4
Uribe E (Viz.) 23 B2
Uriona/Villabuena de Álava E (Ál.) 43 B1

Urizaharra → Peñacerrada E (Ál.) 23 B 5
Urjariça P (Lei.) 94 A 4
Urkillaga E (Gui.) 24 A 3
Urkizaur-Alde E (Viz.) 11 A 4
Urkizu E (Viz.) 23 B 1
Urnieta E (Gui.) 24 B 1
Urones de Castroponce E (Vall.) 39 B 4
Urqueira P (San.) 111 D 1
Urra P (Por.) 113 C 5
Urrácal E (Alm.) 170 A 4
Urraca-Miguel E (Áv.) 80 B 5
Urraul Alto E (Na.) 25 C 4
Urraul Bajo E (Na.) 25 C 5
Urrea de Gaén E (Te.) 86 D 1
Urrea de Jalón E (Zar.) 65 C 2
Urrestilla E (Gui.) 24 A 2
Urretxu E (Gui.) 23 D 2
Urrez E (Bur.) 42 B 3
Urriés E (Zar.) 45 D 1
Urrô P (Ave.) 74 B 2
Urrô P (Port.) 54 B 5
Urrós E (Our.) 35 B 3
Urros P (Bra.) 76 C 1
Urrós P (Bra.) 57 B 5
Urrotz E (Na.) 24 D 2
Urrotz → Urroz E (Na.) 25 B 4
Urroz/Urrotz E (Na.) 25 B 4
Urrutias, Los E (Mu.) 172 C 2
Urteta E (Gui.) 12 A 5
Urturi E (Ál.) 23 C 5
Urueña E (Vall.) 59 B 2
Urueñas E (Seg.) 61 C 5
Uruñuela E (La R.) 43 B 2
Urús E (Gi.) 50 C 2
Urxal E (Po.) 33 D 3
Urz, La E (Le.) 18 B 4
Urzainki → Urzainqui E (Na.) 26 A 4
Urzainqui/Urzainki E (Na.) 26 A 4
Urzelina P (Aç.) 109 C 3
Usagre E (Bad.) 147 C 2
Usall E (Gi.) 51 D 3
Usanos E (Gua.) 82 B 5
Usansolo E (Viz.) 23 A 1
Uscarrés E (Na.) 25 D 4
Used E (Zar.) 85 A 2
Useras/Useres, les E (Cas.) 107 C 3
Useres, les → Useras E (Cas.) 107 C 3
Usón E (Hues.) 47 B 5
Usseira P (Lei.) 110 D 4
Ustés E (Na.) 25 D 4
Usurbil E (Gui.) 12 B 5
Utande E (Gua.) 83 A 4
Utebo E (Zar.) 66 A 2
Uterga E (Na.) 24 D 5
Utiaca E (Las P.) 191 C 3
Utiel E (Val.) 123 D 3
Utrera E (Sev.) 164 B 5
Utrera, La E (Le.) 18 B 5
Utrilla E (So.) 64 A 5
Utrillas E (Te.) 86 B 4
Uva P (Bra.) 57 B 3
Uxanuri → Genevilla E (Na.) 23 D 5
Uxes E (A Co.) 2 C 4
Uznayo E (Can.) 20 D 2
Uzquiza, lugar E (Bur.) 42 B 3
Uztarroz E (Na.) 26 A 3

V

Vacalar P (Vis.) 75 B 1
Vacar, El E (Cór.) 149 D 4
Vacaría E (Po.) 34 A 3
Vacarisses E (Bar.) 70 C 2
Vacariza E (A Co.) 13 D 4
Vade (São Tomé) P (V. C.) 54 B 1
Vadillo E (So.) 62 D 2
Vadillo Castril E (J.) 153 A 5
Vadillo de la Guareña E (Zam.) 59 A 5
Vadillo de la Sierra E (Áv.) 79 C 5
Vadillo, El E (Cór.) 166 D 5
Vadima, La E (Sa.) 78 A 1
Vado E (Pa.) 20 C 4
Vado, El E (Bur.) 22 A 3
Vadocondes E (Bur.) 62 A 3
Vadofresno E (Cór.) 166 C 5
Vadohornillo E (J.) 167 B 2
Vados de Torralba E (J.) 151 D 5
Vage Fresca P (San.) 127 C 1
Vagos P (Ave.) 73 D 5
Vaiamonte P (Por.) 129 C 1
Vainazo, El E (Mu.) 171 A 2
Vairão P (Port.) 53 D 4
Vais P (Co.) 93 B 2
Vajol, la E (Gi.) 52 A 1
Val E (A Co.) 2 D 2
Val E (A Co.) 2 D 3
Val E (Po.) 15 A 3
Val de Algoso P (Bra.) 57 B 3
Val de San García E (Gua.) 83 C 4
Val de San Lorenzo E (Le.) 38 A 2
Val de San Martín E (Zar.) 85 B 2
Val de San Román E (Le.) 38 A 2
Val de Santa María E (Zam.) 37 D 5
Val do Dubra E (A Co.) 14 A 1
Val, O E (Our.) 36 C 1
Vala do Carregado P (Lis.) 127 A 1
Valacloche E (Te.) 106 A 3
Valada P (San.) 127 B 1
Valadares E (A Co.) 13 C 2
Valadares E (Po.) 33 D 3
Valadares P (Port.) 73 D 1
Valadares P (Port.) 74 D 1
Valadares P (V. C.) 53 D 1
Valadares P (V. C.) 34 B 4
Valadares P (Vis.) 74 C 3
Valadas P (C. B.) 112 B 1
Valado de Frades P (Lei.) 111 A 2
Valados P (Fa.) 174 C 3
Valadouro E (Lu.) 4 A 2
Valareña E (Zar.) 45 C 4
Valas P (Be.) 159 B 2
Valboa E (Po.) 33 D 1
Valbom P (Guar.) 76 B 4
Valbom P (Port.) 54 A 5
Valbom P (Vis.) 74 C 1
Valbom (São Pedro) P (Br.) 54 B 1
Valbom dos Figos P (Bra.) 56 B 3
Valbona E (Te.) 106 B 3
Valbonilla E (Bur.) 41 A 4
Valbuena E (Sa.) 98 B 2
Valbuena de Duero E (Vall.) 60 D 3
Valbuena de la Encomienda E (Le.) 18 A 5
Valbuena de Pisuerga E (Pa.) 40 D 4
Valcabado E (Zam.) 58 C 3
Valcarca E (Hues.) 68 A 1
Valcárceres, Los E (Bur.) 21 B 5
Valcarlos → Luzaide E (Na.) 25 C 2
Valcarria E (Lu.) 3 D 2
Valcavado de Roa E (Bur.) 61 B 2
Valcavado del Páramo E (Le.) 38 C 3
Valcerto P (Bra.) 57 A 4
Valcova P (Ave.) 74 A 1
Valcueva-Palazuelo, La E (Le.) 19 A 4
Valchillón E (Cór.) 165 D 1
Valdanzo E (So.) 62 B 3
Valdanzuelo E (So.) 62 B 4
Valdaracete E (Mad.) 102 C 3
Valdarachas E (Gua.) 102 C 1
Valdastillas E (Các.) 98 B 4
Valdavida E (Le.) 39 D 1
Valdeajos E (Bur.) 21 C 5
Valdealbín E (So.) 62 C 2
Valdealcón E (Le.) 19 B 5
Valdealgorfa E (Te.) 87 C 2
Valdealiso E (Le.) 19 B 5
Valdealvillo E (So.) 63 A 3
Valdeancheta, lugar E (Gua.) 82 D 3
Valdeande E (Bur.) 62 A 1
Valdearcos E (Le.) 39 A 1
Valdearcos de la Vega E (Vall.) 61 B 3
Valdearenas E (Gua.) 82 D 4
Valdearnedo E (Bur.) 42 A 1
Valdeavellano E (Gua.) 82 D 5
Valdeavellano de Tera E (So.) 63 C 1
Valdeavellano de Ucero E (So.) 62 D 2
Valdeavero E (Mad.) 82 B 5
Valdeaveruelo E (Gua.) 82 B 5
Valdeazogues E (C. R.) 134 C 4
Valdeazores E (To.) 118 A 4
Valdebárzana E (Ast.) 7 A 4
Valdebótoa E (Bad.) 130 B 2
Valdecaballeros E (Bad.) 117 B 5
Valdecabras E (Cu.) 104 C 4
Valdecabrillas E (Cu.) 103 D 4
Valdecañas E (Cu.) 104 A 3
Valdecañas de Cerrato E (Pa.) 41 A 5
Valdecañas de Tajo E (Các.) 116 C 1
Valdecarros E (Sa.) 79 A 4
Valdecasa E (Áv.) 79 C 5
Valdecastillo E (Le.) 19 B 3
Valdecazorla E (J.) 152 C 5
Valdecebro E (Te.) 106 A 2
Valdecilla E (Can.) 9 D 4
Valdecolmenas de Abajo E (Cu.) 103 D 4
Valdecolmenas de Arriba E (Cu.) 103 D 4
Valdeconcha E (Gua.) 103 A 2
Valdeconejos E (Te.) 86 B 4
Valdecuenca E (Te.) 105 C 3
Valdecuna E (Ast.) 18 C 1
Valdefinjas E (Zam.) 59 A 4
Valdeflores E (Sev.) 163 B 1
Valdefrancos E (Le.) 37 B 1
Valdefresno E (Le.) 19 A 5
Valdefuentes E (Các.) 115 D 5
Valdefuentes de Sangusín E (Sa.) 98 B 1
Valdefuentes del Páramo E (Le.) 38 B 2
Valdeganga E (Alb.) 139 A 1
Valdeganga de Cuenca E (Cu.) 104 B 5
Valdegas P (V. R.) 55 C 2
Valdegeña E (So.) 64 A 1
Valdegovía E (Ál.) 22 D 4
Valdegrudas E (Gua.) 82 D 5
Valdehierro E (C. R.) 119 B 5
Valdehijaderos E (Sa.) 98 B 2
Valdehorna E (Zar.) 85 B 2
Valdehornillos E (Bad.) 132 A 2
Valdehuesa E (Le.) 19 B 3
Valdehúncar E (Các.) 116 D 1
Valdeiglesias E (Gr.) 181 A 2
Valdeinfierno E (Cór.) 148 C 3
Valdeíñigos E (Các.) 98 B 5
Valdelacalzada E (Bad.) 130 D 3
Valdelacasa E (Sa.) 98 B 1
Valdelacasa de Tajo E (Các.) 117 A 2
Valdelafuente E (Le.) 39 A 1
Valdelageve E (Sa.) 98 A 2
Valdelagrana E (Cád.) 177 C 5
Valdelagua E (Gua.) 83 B 5
Valdelagua E (Mad.) 81 D 5
Valdelagua E (Sa.) 78 C 3
Valdelagua del Cerro E (So.) 64 B 1
Valdelaguna E (Mad.) 102 B 4
Valdelaloba E (Le.) 17 B 5
Valdelama E (Sa.) 77 D 3
Valdelamatanza E (Sa.) 98 A 2
Valdelamusa E (Huel.) 162 C 1
Valdelaras de Abajo E (Alb.) 138 B 3
Valdelaras de Arriba E (Alb.) 138 A 3
Valdelarco E (Huel.) 146 D 5
Valdelateja E (Bur.) 21 C 4
Valdelcubo E (Gua.) 83 B 1
Valdelinares E (So.) 62 D 2
Valdelinares E (Te.) 106 D 2
Valdelosa E (Sa.) 78 B 1
Valdeltormo E (Te.) 87 D 2
Valdemadera E (La R.) 44 B 5
Valdemaluque E (So.) 62 D 3
Valdemanco E (Mad.) 81 D 3
Valdemanco del Esteras E (C. R.) 133 D 3
Valdemanzanos, lugar E (Gr.) 168 D 3
Valdemaqueda E (Mad.) 100 D 1
Valdemarín E (J.) 153 B 2
Valdemeca E (Cu.) 104 D 3
Valdemierque E (Sa.) 78 D 4
Valdemora E (Ast.) 6 A 3
Valdemora E (Le.) 39 A 3
Valdemorales E (Các.) 115 D 5
Valdemorilla E (Le.) 39 B 3
Valdemorillo E (Mad.) 101 A 1
Valdemorillo de la Sierra E (Cu.) 104 D 5
Valdemoro E (Mad.) 101 D 3
Valdemoro del Rey E (Cu.) 103 C 3
Valdemoro-Sierra E (Cu.) 104 D 4
Valdenarros E (So.) 62 D 3
Valdencín E (Các.) 97 B 5
Valdenebro E (So.) 62 D 3
Valdenebro de los Valles E (Vall.) 59 D 1
Valdenoceda E (Bur.) 21 D 4
Valdenoches E (Gua.) 82 D 5
Valdenuño Fernández E (Gua.) 82 B 4
Valdeobispo E (Các.) 97 C 4
Valdeolivas E (Cu.) 103 D 1
Valdeolmillos E (Pa.) 40 C 5
Valdeolmos E (Mad.) 82 A 5
Valdepares E (Ast.) 4 D 3
Valdepeñas E (C. R.) 136 B 4
Valdepeñas de Jaén E (J.) 167 C 3
Valdepeñas de la Sierra E (Gua.) 82 B 3
Valdeperdices E (Zam.) 58 B 3
Valdepiélago E (Le.) 19 A 3
Valdepiélagos E (Mad.) 82 A 4
Valdepinillos E (Gua.) 82 C 1
Valdepolo E (Le.) 39 B 1
Valdeprado E (So.) 64 B 1
Valdeprados E (Seg.) 80 D 4
Valderas E (Le.) 39 A 4
Valderas E (Sa.) 78 A 2
Valderías E (Bur.) 21 C 4
Valderrábano E (Pa.) 40 B 1
Valderrama E (Bur.) 22 C 5
Valderrebollo E (Gua.) 83 B 4
Valderrey E (Le.) 38 A 2
Valderrey E (Mad.) 82 A 5
Valderrobres E (Te.) 87 D 3
Valderrodilla E (So.) 63 A 3
Valderrodrigo E (Sa.) 77 B 2
Valderromán E (So.) 62 C 5
Valderrubio E (Gr.) 167 C 5
Valderrueda E (Le.) 19 D 4
Valderrueda E (So.) 63 B 3
Valdés E (Mál.) 180 D 4
Valdesalor E (Các.) 115 B 4
Valdesamario E (Le.) 18 B 4
Valdesandinas E (Le.) 38 B 2
Valdesangil E (Sa.) 98 B 2
Valdesaz E (Gua.) 83 A 4
Valdesaz de los Oteros E (Le.) 39 A 3
Valdescapa de Cea E (Le.) 39 D 1
Valdescobela E (Sa.) 78 D 3
Valdescorriel E (Zam.) 38 D 5
Valdesimonte E (Seg.) 81 C 1
Valdesogo de Arriba E (Le.) 39 A 1
Valdesoto E (Ast.) 6 D 4
Valdesotos E (Gua.) 82 B 3
Valdespina E (Pa.) 40 C 4
Valdespino E (Le.) 38 A 2
Valdespino E (Zam.) 37 A 4
Valdespino Cerón E (Le.) 39 A 3
Valdespino de Vaca E (Le.) 39 C 3
Valdestillas E (Vall.) 60 A 4
Valdetablas E (Mad.) 101 A 2
Valdetorres E (Bad.) 131 D 3
Valdetorres de Jarama E (Mad.) 82 A 5
Valdevacas E (Seg.) 81 B 1
Valdevacas de Montejo E (Seg.) 61 D 4
Valdevarnés E (Seg.) 62 A 4
Valdeverdeja E (To.) 117 B 1
Valdevez P (Vis.) 75 B 1
Valdeviejas E (Le.) 38 A 1
Valdevimbre E (Le.) 38 D 2
Valdezate E (Bur.) 61 B 3
Valdezorras E (Sev.) 164 A 4
Valdezufre E (Huel.) 147 A 5
Valdició E (Can.) 21 D 1
Valdigem P (Vis.) 75 B 1
Valdilecha E (Mad.) 102 B 3
Valdín E (Our.) 36 C 3
Valdío E (Mu.) 171 A 3
Valdivia E (Bad.) 132 B 2
Valdoré E (Le.) 19 C 4
Valdorros E (Bur.) 41 D 4
Valdosende P (Br.) 54 C 2
Valdoviño E (A Co.) 3 A 2
Valdreu P (Br.) 54 B 1
Valdujo P (Guar.) 76 A 3
Valdunciel E (Sa.) 78 C 2
Valdunquillo E (Vall.) 39 B 5
Valduvieco E (Le.) 19 B 5
Vale P (Ave.) 74 A 2
Vale P (Lei.) 93 D 5
Vale P (V. C.) 34 B 5
Vale P (Vis.) 74 C 5
Vale (São Cosme) P (Br.) 54 A 3
Vale (São Martinho) P (Br.) 54 A 3
Vale Abrigoso P (Vis.) 75 A 2
Vale Alto P (San.) 111 C 2
Vale Beijinha P (Be.) 159 B 1
Vale Benfeito P (Bra.) 56 C 3
Vale Benfeito P (Lis.) 110 D 5
Vale Covo P (Fa.) 174 B 2
Vale Covo P (Lei.) 110 D 4
Vale da Amoreira P (Guar.) 95 D 1
Vale da Bezerra P (C. B.) 113 A 2
Vale da Cerdeira P (C. B.) 95 A 3
Vale da Feiteira P (Por.) 113 A 4
Vale da Galega P (C. B.) 94 C 5
Vale da Madeira P (Por.) 112 D 4
Vale da Madre P (Bra.) 57 A 4
Vale da Mua P (San.) 112 D 2
Vale da Mula P (Guar.) 76 D 4
Vale da Parra P (Fa.) 174 A 3
Vale da Pedra P (San.) 111 B 5
Vale da Pena P (Bra.) 57 B 2
Vale da Pinta P (San.) 111 B 5
Vale da Porca P (Bra.) 56
Vale da Rasca P (Set.) 127
Vale da Rosa P (Fa.) 160
Vale da Rosa P (San.) 111
Vale da Senhora da Póvoa P (C. B.) 96
Vale da Silva P (Co.) 94
Vale da Telha P (Fa.) 159
Vale da Torre P (C. B.) 95
Vale da Trave P (San.) 111
Vale da Urra P (San.) 112
Vale da Ursa P (C. B.) 113
Vale da Ursa P (Fa.) 174
Vale da Vila P (Fa.) 173
Vale da Vila P (Set.) 127
Vale da Vila P (Vis.) 75
Vale das Custas P (Év.) 128
Vale das Éguas P (Guar.) 96
Vale das Fontes P (Bra.) 56
Vale das Moitas P (Lei.) 93
Vale de Açor P (Be.) 144
Vale de Açor P (Por.) 112
Vale de Açor P (San.) 112
Vale de Afonsinho P (Guar.) 76
Vale de Água P (Co.) 94
Vale de Água P (Set.) 143
Vale de Anta P (V. R.) 55
Vale de Arco P (Por.) 112
Vale de Asnes P (Bra.) 56
Vale de Avim P (Ave.) 94
Vale de Azares P (Guar.) 75
Vale de Barreiras P (Lei.) 111
Vale de Boi P (Ave.) 94
Vale de Boi P (Fa.) 173
Vale de Bordalo P (Por.) 112
Vale de Bouro P (Br.) 54
Vale de Cambra P (Ave.) 74
Vale de Casas P (V. R.) 56
Vale de Cavalos P (Por.) 113
Vale de Cavalos P (San.) 111
Vale de Coelha P (Guar.) 76
Vale de Colmeias P (Co.) 94
Vale de Cortiças P (San.) 112
Vale de Cunho P (V. R.) 55
Vale de Ebros P (Fa.) 175
Vale de Égua P (V. R.) 55
Vale de Éguas P (Fa.) 174
Vale de Espinho P (Guar.) 96
Vale de Estrela P (Guar.) 96
Vale de Ferro P (Be.) 159
Vale de Figueira P (Be.) 159
Vale de Figueira P (Lis.) 126
Vale de Figueira P (San.) 111
Vale de Figueira P (Vis.) 75
Vale de Figueira P (Vis.) 75
Vale de Gaviões P (Por.) 112
Vale de Gouvinhas P (Bra.) 56
Vale de Guizo P (Set.) 143
Vale de Janeiro P (Bra.) 56
Vale de Judeus P (Set.) 127
Vale de Junco P (Por.) 112
Vale de Lagoa P (Bra.) 56
Vale de Lama P (San.) 111
Vale de Lobos P (Lis.) 126
Vale de Lousas P (Fa.) 173
Vale de Maceira P (Lei.) 110
Vale de Madeira P (Guar.) 76
Vale de Madeiros P (Vis.) 95
Vale de Marinhas P (San.) 111
Vale de Mendiz P (V. R.) 55
Vale de Milhaços P (Set.) 126
Vale de Mira P (Bra.) 57
Vale de Moura P (Év.) 128
Vale de Nogeira P (Bra.) 56
Vale de Nogueira P (Co.) 94
Vale de Nogueiras P (V. R.) 55
Vale de Óbidos P (San.) 111
Vale de Odre P (Fa.) 160
Vale de Pedras P (Co.) 93
Vale de Pedro Dias P (San.) 112
Vale de Pereiras P (Co.) 94
Vale de Pinheiro P (Fa.) 161
Vale de Porco P (Bra.) 57
Vale de Pradinhos P (Bra.) 56
Vale de Prados P (Bra.) 56
Vale de Prados P (Bra.) 56
Vale de Prazeres P (C. B.) 95
Vale de Reis P (Set.) 143
Vale de Remígio P (Vis.) 94
Vale de Rocins P (Be.) 144
Vale de Sancha P (Bra.) 56
Vale de Santarém P (San.) 111
Vale de Santiago P (Be.) 159
Vale de São Domingos P (San.) 112
Vale de São Joao P (Por.) 112

de Soutos P (C. B.) 94 D5
de Tábuas P (Lei.) 94 B5
de Telhas P (Bra.) 56 A2
de Todos P (Lei.) 94 A4
de Torno P (Bra.) 56 A5
de Vaíde P (Co.) 94 B3
de Vargo P (Be.) 145 C4
de Zebrinho P (San.) 112 C3
Direito P (Port.) 54 A5
do Barco P (San.) 111 B4
do Calvo P (San.) 111 D2
do Carro P (San.) 111 B3
do Carvão P (San.) 111 D3
do Coelheiro P (C. B.) 113 A1
do Couço P (Vis.) 94 C1
do Grou P (San.) 112 D2
do Homem P (C. B.) 113 B1
do Mouro P (Guar.) 76 A4
do Paraíso P (Lei.) 110 D2
do Paraíso P (Lis.) 111 B5
do Pereiro P (Év.) 128 D3
do Peso P (Por.) 113 B4
do Poço P (Be.) 161 B1
do Poço P (San.) 112 A1
do Porco P (Vis.) 74 C5
do Porvo P (Guar.) 76 A2
do Rio P (Lei.) 94 B5
do Seixo P (Guar.) 76 A3
do Vilão P (Por.) 112 C5
d'Urso P (C. B.) 95 C4
e Feitoso P (C. B.) 96 B4
e Figueira P (Fa.) 160 A4
e Flor P (Guar.) 76 A3
e Flores P (Set.) 126 C4
e Florido P (Lei.) 94 A4
e Florido P (San.) 111 B3
e Fontes de Cima P (Fa.) 160 A4
e Formoso P (C. B.) 95 D1
e Formoso P (Fa.) 174 C3
e Formoso P (San.) 112 C2
e Francos P (Lis.) 110 D4
e Frechoso P (Bra.) 56 B4
e Fuzeiros P (Fa.) 160 A4
e Godinho P (C. B.) 112 C1
e Grande P (Ave.) 74 A5
e Grande P (Co.) 95 A3
e Judeu P (Fa.) 174 B3
e Longo P (Guar.) 96 B1
e Maior P (Ave.) 74 A4
e Mansos P (San.) 127 D1
e Mourisco P (Guar.) 96 B1
e Pereiro P (Bra.) 56 C4
e Perneto P (Lei.) 94 A5
e Porco P (C. B.) 94 C5
e Salgueiro P (Bra.) 56 A2
e Salgueiro P (Lei.) 111 B1
e Santiago P (San.) 112 D2
e Serrão P (Co.) 94 D4
e Torrado P (Por.) 128 B1
e Travesso P (San.) 111 D1
e Verde P (C. B.) 95 C3
e Verde P (Guar.) 76 C4
e Zebro P (San.) 127 C1
ega P (Ave.) 73 D3
eixe E (Po.) 34 C3
ença P (V. C.) 34 A4
ença do Douro P (Vis.) 75 C1
encia E (A Co.) 1 D5
encia E (Val.) 125 A4
ència d'Àneu E (Ll.) 29 B5
lencia de Alcántara E (Các.) 113 D4
encia de Don Juan E (Le.) 38 D3
lencia
de la Encomienda E (Sa.) 78 C1
encia de las Torres E (Bad.) 147 D1
encia del Mombuey E (Bad.) 146 A2
lencia del Ventoso E (Bad.) 147 A2
encina
de la Concepción E (Sev.) 163 D4
lenoso E (Pa.) 40 B1
lentín E (Mu.) 155 A3
lentins, els E (Ta.) 88 B5
lenzuela E (Cór.) 166 D1
lenzuela E (Gr.) 181 B1
lenzuela
de Calatrava E (C. R.) 135 C3
lenzuela y Llanadas E (Cór.) 166 D5
lenzuela, lugar E (J.) 151 D4
ler E (Zam.) 57 D2
lera de Abajo E (Cu.) 122 B2
lera, lugar E (Bad.) 146 D3
leria E (Cu.) 122 B1
lero E (Sa.) 98 A1
lero, El, lugar E (Alb.) 138 B4
les E (Lu.) 15 D5
Vales E (Our.) 15 A5
Vales P (Bra.) 56 C4
Vales P (C. B.) 113 A1
Vales P (Fa.) 159 A4
Vales P (V. R.) 56 A3
Vales P (V. R.) 55 D3
Vales de Cardigos P (San.) 112 D1
Vales de Pero Viseu P (C. B.) 95 D3
Vales Mortos P (Be.) 145 B5
Valezim P (Guar.) 95 B2
Valfarta E (Hues.) 67 B3
Valfermoso de Tajuña E (Gua.) 83 A5
Valfonda de Santa Ana E (Hues.) 46 D5
Valgañón E (La R.) 42 D3
Valgoma, La E (Le.) 17 A5
Valhascos P (San.) 112 C3
Valhelhas P (Guar.) 95 D1
Valhelhas P (San.) 111 D2
Valhermoso E (Gua.) 84 C4
Valhermoso
de la Fuente E (Cu.) 122 C3
Valinho P (V. C.) 33 D5
Valiñas E (Po.) 14 A5
Valiño E (Lu.) 4 A3
Valjunquera E (Te.) 87 D3
Valmadrid E (Zar.) 66 B4
Valmala E (Bur.) 42 C3
Valmartino E (Le.) 19 C4
Valmojado E (To.) 101 A3
Valmuel E (Te.) 87 B1
Valões P (Br.) 54 B1
Valonga E (Hues.) 68 A2
Valonga E (Lu.) 16 B1
Valongo E (Our.) 34 D3
Valongo P (C. B.) 112 C1
Valongo P (Fa.) 175 B2
Valongo P (Lei.) 93 C5
Valongo P (Lei.) 94 C4
Valongo P (Lis.) 110 C5
Valongo P (Por.) 112 D5
Valongo P (Port.) 54 A5
Valongo das Meadas P (Bra.) 56 A3
Valongo de Milhais P (V. R.) 55 D4
Valongo do Vouga P (Ave.) 74 A4
Valongo dos Azeites P (Vis.) 75 D1
Válor E (Gr.) 182 D2
Valoria de Aguilar E (Pa.) 20 D4
Valoria del Alcor E (Pa.) 60 A1
Valoria la Buena E (Vall.) 60 C1
Valoura P (V. R.) 55 C3
Valpaços P (Bra.) 56 B1
Valpaços P (V. R.) 56 A2
Valpalmas E (Zar.) 46 B4
Valparaíso E (Zam.) 37 C5
Valparaíso de Abajo E (Cu.) 103 C4
Valparaíso de Arriba E (Cu.) 103 C4
Valpedre P (Port.) 74 B1
Valporquero de Rueda E (Le.) 19 B4
Valporquero de Torío E (Le.) 18 D3
Valpuesta E (Bur.) 22 C4
Valrío E (Các.) 97 B4
Valsaín E (Seg.) 81 B3
Valsalabroso E (Sa.) 77 B1
Valsalada E (Hues.) 46 C5
Valsalobre E (Cu.) 84 B5
Valsalobre E (Gua.) 84 C4
Valseca E (Seg.) 81 A2
Valseco E (Le.) 17 C4
Valsemana E (Le.) 18 C4
Valsendero E (Las P.) 191 C2
Valsequillo E (Cór.) 149 A1
Valsequillo E (Las P.) 191 C3
Valsera E (Ast.) 6 B4
Valsurbio, lugar E (Pa.) 20 B4
Valtablado del Río E (Gua.) 83 D5
Valtajeros E (So.) 64 A1
Valtiendas E (Seg.) 61 B4
Valtierra E (Na.) 45 A4
Valtierra
de Albacastro E (Bur.) 21 A5
Valtierra
de Riopisuerga E (Bur.) 40 D2
Valtocado-Alquería E (Mál.) 180 A5
Valtorres E (Zar.) 64 D5
Valtueña E (So.) 64 A4
Valtuille de Abajo E (Le.) 17 A5
Valtuille de Arriba E (Le.) 17 A5
Valuengo E (Bad.) 146 C2
Valujera E (Bur.) 22 B4
Valvenedizo E (So.) 62 D5
Valverda E (Ali.) 156 D3
Valverde E (C. R.) 135 A3
Valverde E (La R.) 44 C5
Valverde E (S. Cruz T.) 194 C4
Valverde E (So.) 64 C1
Valverde E (Te.) 85 D3
Valverde P (Bra.) 56 C4
Valverde P (Bra.) 56 D5
Valverde P (C. B.) 95 C3
Valverde P (Év.) 128 C5
Valverde P (Fa.) 173 B2
Valverde P (Guar.) 75 C3
Valverde P (Lis.) 126 B2
Valverde P (San.) 127 D1
Valverde P (San.) 111 B3
Valverde P (V. R.) 56 A2
Valverde P (Vis.) 75 B2
Valverde de Alcalá E (Mad.) 102 B2
Valverde de Burguillos E (Bad.) 147 A2
Valverde de Campos E (Vall.) 59 C1
Valverde de Curueño E (Le.) 19 A3
Valverde
de Gonzaliáñez E (Sa.) 78 D5
Valverde de Júcar E (Cu.) 122 A2
Valverde de la Sierra E (Le.) 20 A3
Valverde de la Vera E (Các.) 98 D4
Valverde de la Virgen E (Le.) 38 C1
Valverde de Leganés E (Bad.) 130 B4
Valverde de los Ajos E (So.) 63 A3
Valverde
de los Arroyos E (Gua.) 82 C2
Valverde de Llerena E (Bad.) 148 A3
Valverde de Mérida E (Bad.) 131 C3
Valverde
de Valdelacasa E (Sa.) 98 B1
Valverde del Camino E (Huel.) 162 C2
Valverde del Fresno E (Các.) 96 C3
Valverde del Majano E (Seg.) 80 D3
Valverde-Enrique E (Le.) 39 B3
Valverdejo E (Cu.) 122 C3
Valverdes E (Mál.) 181 A3
Valverde-Villarmarín E (Le.) 16 D4
Valverdón E (Sa.) 78 C2
Valverzoso E (Pa.) 20 D3
Valvieja E (Seg.) 62 B5
Vall d'Alba E (Cas.) 107 C3
Vall d'Alcalà, La E (Ali.) 141 B4
Vall de Almonacid E (Cas.) 107 A5
Vall de Bianya, la E (Gi.) 51 C3
Vall de Ebo/
Vall d'Ebo, la E (Ali.) 141 C3
Vall de Gallinera E (Ali.) 141 C3
Vall de Laguar, la E (Ali.) 141 C4
Vall de Santa Creu, La E (Gi.) 52 C1
Vall d'Ebo, la →
Vall de Ebo E (Ali.) 141 C3
Vall del Sol E (Bar.) 70 D4
Vall d'Uixó, la E (Cas.) 125 B1
Vall Suau-Can Feliu E (Bar.) 70 D3
Vall, la E (Bar.) 71 D2
Vallada E (Val.) 140 C3
Valladolid E (Vall.) 60 A2
Valladolises E (Mu.) 172 A1
Vallanca E (Val.) 105 C4
Vallarta de Bureba E (Bur.) 42 C1
Vallat E (Cas.) 107 B4
Vallbona d'Anoia E (Bar.) 70 B3
Vallbona
de les Monges E (Ll.) 69 B3
Vallcanera E (Gi.) 51 D5
Vallcarca E (Bar.) 70 C5
Vallcebre E (Bar.) 50 C3
Vallclara E (Ta.) 69 B4
Valldavià E (Gi.) 52 B3
Valldemossa E (Bal.) 91 C2
Valldoreix E (Bar.) 70 D3
Valle E (Ast.) 7 B5
Valle E (Can.) 10 A5
Valle Abajo E (S. Cruz T.) 194 B1
Valle de Abdalajís E (Mál.) 180 A3
Valle de Agaete E (Las P.) 191 B2
Valle de Cabuérniga E (Can.) 20 D1
Valle de Cerrato E (Pa.) 60 D1
Valle de Escombreras E (Mu.) 172 C3
Valle de Finolledo E (Le.) 17 A4
Valle de Guerra E (S. Cruz T.) 196 B1
Valle de Jinámar E (Las P.) 191 D2
Valle de la Serena E (Bad.) 132 B4
Valle de la Valduerna E (Le.) 38 A2
Valle de las Casas E (Le.) 19 C4
Valle de las Nueve E (Las P.) 191 D3
Valle de Mansilla E (Le.) 39 B1
Valle de Matamoros E (Bad.) 146 C1
Valle de San
Agustín, El E (Ast.) 4 D3
Valle de San Lorenzo E (S. Cruz T.) 195 D4
Valle de San Roque
de Valsequillo E (Las P.) 191 C3
Valle de Santa Ana E (Bad.) 146 C1
Valle de Santa Inés E (Las P.) 190 A3
Valle de Tabladillo E (Seg.) 61 C5
Valle de Vegacervera E (Le.) 18 D3
Valle Hermoso
Bajo, lugar E (Cád.) 179 B2
Valle Tahodio E (S. Cruz T.) 196 C2
Valle, El E (Alm.) 169 D5
Valle, El E (Ast.) 6 C3
Valle, El E (Huel.) 163 B4
Valle, El E (Le.) 17 C5
Vallebrón E (Las P.) 190 B2
Vallecillo E (Le.) 39 B2
Vallecillo, El E (Te.) 105 A3
Vallegera E (Bur.) 41 A4
Vallehermoso E (S. Cruz T.) 194 B1
Vallehondo E (Áv.) 98 D2
Vallejas E (Cád.) 178 B4
Vallejera de Riofrío E (Sa.) 98 C2
Vallejimeno E (Bur.) 42 C4
Vallejo E (Bur.) 21 D4
Vallejo de Mena E (Bur.) 22 B2
Vallejo de Orbó E (Pa.) 20 D4
Vallelado E (Seg.) 60 C4
Vallequemado E (Gr.) 167 C4
Valleruela de Pedraza E (Seg.) 81 C1
Valleruela
de Sepúlveda E (Seg.) 81 C1
Valles E (Ast.) 7 B4
Vallés E (Val.) 140 D2
Valles de Ortega E (Las P.) 190 A3
Valles de Palenzuela E (Bur.) 41 A4
Valles de Valdavia E (Pa.) 40 B1
Valles, Los E (Las P.) 192 D3
Valles, Los E (S. Cruz T.) 196 B2
Vallesa de la Guareña E (Zam.) 79 A1
Valleseco E (Las P.) 191 C2
Valleta, La E (Gi.) 52 C1
Vallfogona de Balaguer E (Ll.) 68 D1
Vallfogona de Ripollès E (Gi.) 51 B3
Vallfogona de Riucorb E (Ta.) 69 C3
Vallgorguina E (Bar.) 71 C2
Vallibona E (Cas.) 87 D5
Vallín, El E (Ast.) 5 B3
Vallina, La E (Ast.) 6 C4
Vallirana E (Bar.) 70 D4
Vallivana E (Cas.) 107 D1
Vall-llobrega E (Gi.) 52 C5
Vallmanya E (Ll.) 70 A1
Vallmoll E (Ta.) 69 C5
Valloria E (So.) 43 D5
Vallpineda E (Bar.) 70 C5
Vallromanes E (Bar.) 71 B3
Valls E (Ta.) 69 C5
Vallserrat E (Bar.) 70 C3
Valluerca E (Ál.) 22 C3
Valluércanes E (Bur.) 42 C1
Vallunquera E (Bur.) 41 A3
Vallverd E (Ll.) 69 A2
Vallvidrera E (Bar.) 71 A4
Vandellòs E (Ta.) 89 A2
Vandoma P (Port.) 54 B5
Vanidodes E (Le.) 38 A1
Vañes E (Pa.) 20 C3
Vaqueira E (Ll.) 29 A4
Vaqueiros P (Fa.) 161 A3
Vaqueiros P (San.) 111 C3
Vara de Rey E (Cu.) 122 A4
Varadero, El E (Gr.) 182 A4
Varadouro P (Aç.) 109 A3
Varatojo P (Lis.) 110 C5
Varche P (Por.) 129 D3
Vardemilho P (Ave.) 73 D4
Varea E (La R.) 43 D2
Varela P (San.) 112 B1
Varelas E (A Co.) 15 A3
Vargas E (Can.) 9 B5
Vargas E (Las P.) 191 D3
Vargas, Los, lugar E (Gr.) 182 C3
Varge P (Bra.) 57 A1
Vargem P (Por.) 113 C4
Vargens P (Be.) 161 A3
Varges P (V. R.) 55 D4
Vargos P (San.) 111 D2
Variaça P (Ave.) 94 A1
Variz P (Bra.) 57 A4
Várzea P (Ave.) 74 B2
Várzea P (Br.) 54 A3
Várzea P (Lei.) 94 B5
Várzea P (Port.) 54 D5
Várzea P (Port.) 54 C4
Várzea P (San.) 111 C4
Várzea P (Vis.) 74 D3
Várzea P (Vis.) 74 D4
Várzea P (Vis.) 74 C5
Várzea P (Vis.) 75 A3
Várzea Cova P (Br.) 54 D3
Várzea da Ovelha
e Aliviada P (Port.) 54 D5
Várzea da Serra P (Vis.) 75 A2
Várzea de Abrunhais P (Vis.) 75 B1
Várzea de Meruge P (Guar.) 95 A1
Várzea de Tavares P (Vis.) 75 C5
Várzea de Trevões P (Vis.) 75 D1
Várzea do Douro P (Ave.) 74 B1
Várzea dos Cavaleiros P (C. B.) 112 D1
Várzeas P (Lei.) 93 B5
Varziela P (Co.) 93 D1
Varziela P (Port.) 54 C4
Varzielas P (Vis.) 74 C5
Vascão P (Fa.) 161 B3
Vasco Esteves de Baixo P (Guar.) 95 B2
Vasco Esteves de Cima P (Guar.) 95 B2
Vasco Rodrigues P (Be.) 161 A2
Vascões P (V. C.) 34 A5
Vasconha P (Vis.) 74 D4
Vascoveiro P (Guar.) 76 B4
Vassal P (V. R.) 56 A2
Vau P (Fa.) 173 C2
Vau P (Lei.) 110 C3
Veade P (Br.) 55 A4
Veciana E (Bar.) 70 A2
Vecilla, La E (Le.) 19 A4
Vecilla de la Polvorosa E (Zam.) 38 C4
Vecilla de la Vega E (Le.) 38 B2
Vecilla de Trasmonte E (Zam.) 38 C5
Vecindad de Enfrente E (Las P.) 191 B2
Vecindario E (Las P.) 191 D4
Vecinos E (Sa.) 78 B4
Vedat de Torrent, el →
Monte Vedat E (Val.) 125 A4
Vedor P (Por.) 130 A2
Vedra E (A Co.) 14 B3
Vedra E (A Co.) 14 B3
Vega E (Ast.) 5 B3
Vega E (Ast.) 6 D3
Vega E (Ast.) 18 D1
Vega E (Ast.) 7 C4
Vega E (Can.) 21 C1
Vega E (Mál.) 179 A5
Vega de Almanza, La E (Le.) 19 D5
Vega de Antoñán E (Le.) 38 B1
Vega de Bur E (Pa.) 20 C4
Vega de Caballeros E (Le.) 18 C4
Vega de Doña Olimpa E (Pa.) 40 B1
Vega de Enmedio E (Las P.) 191 C2
Vega de Espinareda E (Le.) 17 A4
Vega de Gordón E (Le.) 18 D3
Vega de Infanzones E (Le.) 38 D1
Vega de las Mercedes E (S. Cruz T.) 196 B1
Vega de los Árboles E (Le.) 39 B1
Vega de Magaz E (Le.) 38 A1
Vega de Mesillas E (Các.) 98 C5
Vega de Nuez E (Zam.) 57 B1
Vega de Pas E (Can.) 21 C2
Vega de Poja E (Ast.) 6 D4
Vega de Rengos E (Ast.) 17 B2
Vega de Río Palmas E (Las P.) 190 A3
Vega de Robledo, La E (Le.) 18 B3
Vega de Ruiponce E (Vall.) 39 C4
Vega de San Mateo E (Las P.) 191 C3
Vega de Santa Lucía E (Cór.) 165 A2
Vega de Santa María E (Áv.) 80 B4
Vega
de Santa María, La E (J.) 152 A5
Vega de Tera E (Zam.) 38 A5
Vega de Tirados E (Sa.) 78 B2
Vega de Valcarce E (Le.) 16 D5
Vega de Valdetronco E (Vall.) 59 C3
Vega de Viejos E (Le.) 17 D3
Vega de Villalobos E (Zam.) 39 A5
Vega de Yeres E (Le.) 37 A2
Vega del Castillo E (Zam.) 37 C4
Vega del Ciego E (Ast.) 18 C1
Vega del Codorno E (Cu.) 104 C2
Vega del Rey E (Ast.) 18 C2
Vega Malilla, lugar E (Mál.) 180 A3
Vega Santa María E (Mál.) 180 A4
Vega Sicilia E (Vall.) 60 D3
Vega, La E (Ast.) 18 C1
Vega, La E (Ast.) 6 B5
Vega, La E (Bad.) 114 A5
Vega, La E (Can.) 20 B2
Vega, La E (Gr.) 169 B4
Vega, La E (S. Cruz T.) 195 C3
Vega, La E (Sev.) 163 D5
Vega, La E (Val.) 140 A2
Vega, La (Riosa) E (Ast.) 6 B5
Vega, La (Sariego) E (Ast.) 6 D4
Vegacebrón E (Ast.) 5 D3
Vegacerneja E (Le.) 19 D2
Vegacervera E (Le.) 18 D3

Vegadeo E (Ast.) 4 C3
Vegafría E (Seg.) 61 A4
Vegalatrave E (Zam.) 58 A2
Vegallera E (Alb.) 154 A1
Veganzones E (Seg.) 81 B1
Vegaquemada E (Le.) 19 B4
Vegas Altas E (Bad.) 132 C1
Vegas de Almenara E (Sev.) 165 A2
Vegas de Coria E (Các.) 97 D2
Vegas de Domingo Rey E (Sa.) 97 B1
Vegas de Matute E (Seg.) 80 D4
Vegas de Triana E (J.) 151 A4
Vegas del Condado E (Le.) 19 A5
Vegas y San Antonio, Las E (To.) 100 A5
Vegas, Las E (Ast.) 18 C1
Vegas, Las E (Ast.) 6 B3
Vegas, Las, lugar E (Bur.) 22 A2
Vegaviana E (Các.) 96 D4
Vegia P (Ave.) 73 D5
Veguellina E (Le.) 17 A4
Veguellina de Fondo E (Le.) 38 B2
Veguellina de Órbigo E (Le.) 38 B2
Veguellina, La E (Le.) 18 A5
Vegueta, La E (Las P.) 192 C4
Veguilla E (Can.) 22 A1
Veguillas de la Sierra E (Te.) 105 C4
Veguillas, Las E (Sa.) 78 B4
Veguina, La E (Ast.) 18 C1
Veguiña, La E (Ast.) 4 D3
Veiga E (A Co.) 2 C4
Veiga E (Lu.) 16 A3
Veiga das Meás E (Our.) 36 A5
Veiga de Brañas E (Lu.) 16 C5
Veiga de Lila P (V. R.) 56 A3
Veiga de Logares, A E (Lu.) 4 C5
Veiga de Nostre E (Our.) 36 A4
Veiga, A E (Lu.) 4 A2
Veiga, A E (Our.) 35 A3
Veiga, A E (Our.) 36 C3
Veigamuiños E (Our.) 36 C1
Veigas E (Ast.) 4 C4
Veigas P (Bra.) 57 B1
Veïnat d'Avall, El E (Gi.) 51 D5
Veïnat de Baix, El E (Gi.) 52 A5
Veïnat de Melianta E (Gi.) 52 A3
Veiros P (Ave.) 73 D3
Veiros P (Év.) 129 C2
Vejer de la Frontera E (Cád.) 186 A3
Vejorís E (Can.) 21 C1
Vela P (Guar.) 95 D1
Velada E (To.) 99 C5
Velamazán E (So.) 63 B4
Velas P (Aç.) 109 C3
Velascálvaro E (Vall.) 79 D1
Velayos E (Áv.) 80 B4
Veldedo E (Le.) 37 D1
Velefique E (Alm.) 184 A1
Velerín, El E (Mál.) 187 C2
Vélez de Benaudalla E (Gr.) 182 A3
Vélez-Blanco E (Alm.) 170 C2
Vélez-Málaga E (Mál.) 181 A4
Vélez-Rubio E (Alm.) 170 C2
Velhas P (Fa.) 161 A3
Velhoco E (S.Cruz T.) 193 C3
Velilla E (Vall.) 59 C3
Velilla de Cinca E (Hues.) 68 A3
Velilla de Ebro E (Zar.) 67 A5
Velilla de Jiloca E (Zar.) 65 A5
Velilla de la Reina E (Le.) 38 C1
Velilla de la Sierra E (So.) 63 D1
Velilla de los Ajos E (So.) 64 A4
Velilla de Medinaceli E (So.) 83 D1
Velilla de San Antonio E (Mad.) 102 A2
Velilla de San Esteban E (So.) 62 B3
Velilla de Tarilonte E (Pa.) 20 B4
Velilla de Valderaduey E (Le.) 39 D1
Velilla del Río Carrión E (Pa.) 20 A4
Velilla, La E (Seg.) 81 C1
Velillas E (Hues.) 47 B4
Velillas del Duque E (Pa.) 40 B1
Velilla-Taramay E (Gr.) 181 D4
Velosa P (Guar.) 76 A4
Velouzás E (A Co.) 2 D4
Velle E (Our.) 35 B2
Vellés, La E (Sa.) 78 D2
Vellisca E (Cu.) 103 A4
Velliza E (Vall.) 59 D3
Vellón, El E (Mad.) 82 A4
Vellosillo E (Seg.) 81 D1
Venade P (V. C.) 33 C5
Venade P (V. C.) 34 A4
Vences E (Our.) 35 D5
Vencillón E (Hues.) 68 A2
Venda P (Év.) 129 C5
Venda da Costa P (Lei.) 111 A3
Venda da Lamarosa P (San.) 127 D1
Venda da Luísa P (Co.) 93 D3
Venda da Serra P (Co.) 94 C2
Venda da Serra P (San.) 112 B1
Venda do Cepo P (Guar.) 75 D4
Venda do Freixo P (Lis.) 111 A4
Venda do Pinheiro P (Lis.) 126 C2
Venda do Preto P (Lei.) 94 A5
Venda Nova P (Co.) 94 B2
Venda Nova P (Co.) 94 A1
Venda Nova P (Co.) 93 D4
Venda Nova P (Fa.) 173 D2
Venda Nova P (San.) 112 A2
Venda Nova P (San.) 112 D2
Venda Nova P (V. R.) 55 A2
Venda Seca P (Lis.) 126 C3
Vendada P (Guar.) 76 B4
Vendas de Galizes P (Co.) 95 A2
Vendas Novas P (Év.) 127 D4
Vendinha P (Év.) 145 A1
Vendo de Azeitão P (Set.) 127 A5
Vendón E (Ast.) 6 B3
Vendrell, el E (Ta.) 70 A5
Venialbo E (Zam.) 58 D4
Venta Baja E (Mál.) 181 A3
Venta de Agramaderos E (J.) 167 B4
Venta de Ballerías E (Hues.) 67 B1
Venta de Baños E (Pa.) 60 C1
Venta de Curro Fal E (Sev.) 163 C1
Venta de la Leche E (Gr.) 180 D2
Venta de los Santos E (J.) 152 D2
Venta de Pollos E (Vall.) 59 C4
Venta de San Antonio-Estación E (Cas.) 108 A3
Venta de Urbasa/Urbasako benta E (Na.) 24 A4
Venta del Aire E (Te.) 106 C4
Venta del Coronel E (Mu.) 171 A2
Venta del Charco E (Cór.) 150 D3
Venta del Fraile E (Gr.) 181 D2
Venta del Moro E (Val.) 123 C4
Venta del Peral E (Gr.) 169 C3
Venta del Rayo E (Gr.) 181 A1
Venta del Rey, lugar E (Hues.) 68 A3
Venta del Viso, La E (Alm.) 183 C4
Venta Gaspar E (Alm.) 184 A3
Venta la Vega, lugar E (Alb.) 139 D3
Venta las Ranas E (Ast.) 7 A3
Venta Micena E (Gr.) 170 A2
Venta Nueva E (Alm.) 183 A4
Venta Nueva E (Ast.) 17 B2
Venta Nueva E (Gr.) 181 B1
Venta Quemada E (Gr.) 169 D3
Venta Ratonera E (Alm.) 183 B1
Venta Santa Bárbara E (Gr.) 181 A1
Venta Valero E (Cór.) 167 B4
Venta Vieja, lugar E (Alb.) 138 A1
Ventalló E (Gi.) 52 B3
Ventanas, Las E (Mu.) 155 B3
Ventanilla E (Pa.) 20 C4
Ventarique E (Mu.) 171 B2
Ventas Blancas E (La R.) 44 A2
Ventas con Peña Aguilera, Las E (To.) 118 D3
Ventas da Barreira E (Our.) 36 A5
Ventas de Albares, Las E (Le.) 17 C5
Ventas de Alcolea E (Alb.) 121 D5
Ventas de Arriba E (Huel.) 162 D1
Ventas de Garriel E (Sa.) 78 A5
Ventas de Geria E (Vall.) 59 D3
Ventas de Huelma E (Gr.) 181 C2
Ventas de Muniesa E (Te.) 86 C1
Ventas de Retamosa, Las E (To.) 101 A4
Ventas de San Julián, Las E (To.) 99 A5
Ventas de Zafarraya E (Gr.) 181 A2
Ventas del Carrizal E (J.) 167 B3
Ventas del Poyo E (Val.) 124 D4
Ventas Nuevas E (Cád.) 179 A3
Ventas, Las E (J.) 167 B2
Ventilla, La E (Cór.) 165 C2
Ventilla, La → Villayuda E (Bur.) 41 D3
Ventillas E (C. R.) 150 D1
Ventín E (Po.) 34 B2
Ventorrillo, El E (Gr.) 181 D1
Ventorro de la Paloma E (Sa.) 78 C3
Ventorros de Balerma E (Cór.) 166 D5
Ventorros de La Laguna E (Gr.) 180 D1
Ventorros de San José E (Gr.) 167 A5
Ventosa E (Ast.) 6 B3
Ventosa E (Gua.) 84 C4
Ventosa E (La R.) 43 C2
Ventosa E (Po.) 15 A4
Ventosa P (Br.) 54 C2
Ventosa P (Co.) 94 B2
Ventosa P (Lis.) 126 C1
Ventosa P (Lis.) 110 D5
Ventosa P (San.) 112 C2
Ventosa P (Vis.) 74 C4
Ventosa de Fuentepinilla E (So.) 63 B3
Ventosa de la Cuesta E (Vall.) 60 A4
Ventosa de la Sierra E (So.) 63 D1
Ventosa de Pisuerga E (Pa.) 40 D1
Ventosa de San Pedro E (So.) 44 A5
Ventosa del Río Almar E (Sa.) 79 A3
Ventosa do Bairro P (Ave.) 94 A1
Ventosa, La E (Cu.) 103 D3
Ventosela E (Our.) 34 D2
Ventosela E (Po.) 34 A2
Ventoses, les E (Ll.) 69 B1
Ventosilla E (Bur.) 61 C2
Ventosilla E (J.) 151 C5
Ventosilla E (Seg.) 81 D1
Ventosilla de la Tercia E (Le.) 18 D3
Ventosilla de San Juan E (So.) 63 D2
Ventozelo P (Bra.) 57 A5
Ventrosa E (La R.) 43 A4
Venturada E (Mad.) 81 D4
Ver P (Ave.) 74 B2
Vera E (Alm.) 170 D5
Vera Cruz P (Év.) 145 A2
Vera de Bidasoa → Bera E (Na.) 12 D5
Vera de Erque E (S.Cruz T.) 195 C4
Vera de Moncayo E (Zar.) 65 A1
Vera, La E (S.Cruz T.) 195 D2
Vera-Carril, La E (S.Cruz T.) 196 A2
Veracruz E (J.) 152 C4
Verada Bajamar E (S.Cruz T.) 193 C2
Verada de las Lomadas E (S.Cruz T.) 193 C2
Veral E (Lu.) 15 D2
Verba P (Ave.) 73 D5
Verdegàs E (Ali.) 156 D1
Verdejo E (Las P.) 191 B2
Verdelhos P (C. B.) 95 C1
Verdelhos P (San.) 111 C4
Verdelpino de Huete E (Cu.) 103 C4
Verdeña E (Pa.) 20 C3
Verdera E (Ast.) 7 A4
Verdiago E (Le.) 19 C4
Verdiales E (Mál.) 180 C4
Verdicio E (Ast.) 6 C2
Verdoejo P (V. C.) 34 A4
Verdú E (Ll.) 69 C2
Verducido E (Po.) 34 A1
Verdugal P (Guar.) 76 A5
Verea E (Our.) 35 A4
Vereda, La E (Mu.) 155 D5
Veredas E (C. R.) 134 C5
Veredas E (Huel.) 146 C5
Veredo E (Our.) 35 B2
Vergaño E (Pa.) 20 C3
Vergara E (Las P.) 191 B2
Verge de Gràcia, la → Virgen de Gracia E (Cas.) 107 C5
Verger, el E (Ali.) 141 D3
Verges E (Gi.) 52 B3
Vergílios P (Fa.) 174 D3
Verguizas E (So.) 43 D5
Verim P (Br.) 54 C2
Verín E (Our.) 35 D5
Veriña E (Ast.) 6 C3
Verís E (A Co.) 3 A4
Vermelha P (Lis.) 110 D4
Vermelho P (Lei.) 94 B4
Vermelhos P (Fa.) 160 C4
Vermil P (Br.) 54 B3
Vermilhas P (Vis.) 74 C4
Vermiosa P (Guar.) 76 C3
Vermoil P (Lei.) 93 C5
Vermoim P (Br.) 54 B3
Verride P (Co.) 93 C3
Vertavillo E (Pa.) 60 D1
Vertientes, Las E (Gr.) 170 A3
Vesgas, Las E (Bur.) 22 B5
Vespella E (Bar.) 51 A4
Vessadas P (Ave.) 73 D3
Vestiaria P (Lei.) 111 A2
Vetaherrado E (Sev.) 178 A2
Vezdemarbán E (Zam.) 59 A2
Via Rara P (Lis.) 126 D2
Viabaño E (Ast.) 7 C4
Viabrea E (Gi.) 71 C1
Viacamp E (Hues.) 48 C4
Viade de Baixo P (V. R.) 55 A1
Vialonga P (Lis.) 126 D2
Vialonga P (San.) 112 B2
Viana E (Lu.) 15 B5
Viana E (Na.) 43 D1
Viana de Cega E (Vall.) 60 A3
Viana de Duero E (So.) 63 D4
Viana de Jadraque E (Gua.) 83 B2
Viana de Mondéjar E (Gua.) 83 C5
Viana do Alentejo P (Év.) 144 C1
Viana do Bolo E (Our.) 36 B3
Viana do Castelo P (V. C.) 53 C1
Viandar de la Vera E (Các.) 98 D4
Vianos E (Alb.) 137 D5
Viaño Pequeno E (A Co.) 14 B1
Viar, El E (Sev.) 164 A3
Viariz P (Port.) 55 A5
Viascón E (Po.) 14 B5
Viatodos P (Br.) 54 A3
Viator E (Alm.) 184 A3
Vibaño E (Ast.) 8 A4
Viboli E (Ast.) 19 C1
Vic E (Bar.) 51 A5
Vicácaro E (S.Cruz T.) 195 D4
Vícar E (Alm.) 183 C3
Vicedo, O E (Lu.) 3 D1
Vicentes P (Be.) 161 B2
Vicentes P (Fa.) 161 B3
Vicentes P (Lei.) 93 D5
Vicentinhos P (San.) 127 D1
Viceso E (A Co.) 13 D3
Vicién E (Hues.) 46 D4
Vicinte E (Lu.) 15 C1
Vicolozano, lugar E (Áv.) 80 B5
Vicorto E (Alb.) 154 C1
Victoria de Acentejo, La E (S.Cruz T.) 196 A2
Victoria, La E (Cór.) 165 D2
Vid de Bureba, La E (Bur.) 22 B5
Vid de Ojeda, La E (Pa.) 20 D5
Vid, La E (Bur.) 62 A3
Vid, La E (Le.) 18 D3
Vidago P (V. R.) 55 C2
Vidais P (Lei.) 111 A3
Vidal E (Lu.) 4 C3
Vidal, El E (Gi.) 71 C1
Vidanes E (Le.) 19 C4
Vidángoz/Bidankoze E (Na.) 26 A4
Vidaurreta/Bidaurreta E (Na.) 24 C4
Vidayanes E (Zam.) 58 D1
Vide E (Our.) 35 C3
Vide E (Po.) 34 B3
Vide P (Ave.) 74 B4
Vide P (Guar.) 95 A2
Vide de Alba E (Zam.) 58 A2
Vide Entre Vinhas P (Guar.) 75 D5
Videferre E (Our.) 55 C1
Videmala E (Zam.) 58 A3
Videmonte P (Guar.) 75 D5
Vidiagal P (Vis.) 75 D1
Vidiago E (Ast.) 8 B4
Vidigal P (Lei.) 111 C1
Vidigueira P (Be.) 144 D2
Vidiola, La E (Sa.) 77 B1
Vidrà E (Gi.) 51 B3
Vidreres E (Gi.) 72 A1
Vidrieros E (Pa.) 20 B3
Vidual P (Co.) 94 B3
Vidual P (Co.) 95 A3
Vidueiros E (Po.) 15 A5
Viduerna de la Peña E (Pa.) 20 A4
Vidural, El E (Ast.) 5 B3
Viegas P (San.) 111 B3
Viego E (Le.) 19 C3
Vieira de Leiria P (Lei.) 93 B5
Vieira do Minho P (Br.) 54 D2
Vieirinhos P (Lei.) 93 C4
Vieiro E (Lu.) 3 D2
Vieiro P (Bra.) 56 A4
Viejos, Los E (Huel.) 146 B5
Vielha E (Ll.) 28 D4
Viella E (Ast.) 6 C4
Vierlas E (Zar.) 65 A1
Viérnoles E (Can.) 9 B5
Viescas E (Ast.) 6 B3
Viforcos E (Le.) 37 D1
Vigaña E (Ast.) 5 D5
Vigo E (A Co.) 3 A4
Vigo E (Lu.) 3 D2
Vigo E (Po.) 33 D2
Vigo E (Zam.) 37 A4
Vigo, El E (Bur.) 22 B2
Viguera E (La R.) 43 C3
Vil de Matos P (Co.) 94
Vil de Moinhos P (Vis.) 74
Vil de Souto P (Vis.) 74
Vilá E (Our.) 35
Vila (Lobeira) E (Our.) 34
Vila Alva P (Be.) 144
Vila Azeda P (Be.) 144
Vila Boa P (Br.) 54
Vila Boa P (Bra.) 56
Vila Boa P (Guar.) 96
Vila Boa P (V. C.) 34
Vila Boa P (Vis.) 75
Vila Boa P (Vis.) 75
Vila Boa P (Vis.) 75
Vila Boa de Baixo P (Vis.) 74
Vila Boa de Cima P (Vis.) 74
Vila Boa de Ousilhão P (Bra.) 56
Vila Boa de Quires P (Port.) 54
Vila Boa do Bispo P (Port.) 74
Vila Boa do Mondego P (Guar.) 75
Vila Boim P (Por.) 129
Vila Caiz P (Port.) 54
Vila Corça P (Vis.) 75
Vila Cortês da Serra P (Guar.) 75
Vila Cortês do Mondego P (Guar.) 76
Vila Cova P (Ave.) 74
Vila Cova P (Ave.) 74
Vila Cova P (Br.) 53
Vila Cova P (Br.) 54
Vila Cova P (Port.) 74
Vila Cova P (Port.) 54
Vila Cova P (V. R.) 55
Vila Cova à Coelheira P (Vis.) 75
Vila Cova à Colheira P (Guar.) 95
Vila Cova da Lixa P (Port.) 54
Vila Cova de Alva P (Co.) 94
Vila Cova de Perrinho P (Ave.) 74
Vila Cova do Covelo P (Vis.) 75
Vila Chã P (Ave.) 74
Vila Chã P (Br.) 53
Vila Chã P (Co.) 94
Vila Chã P (Guar.) 95
Vila Chã P (Guar.) 95
Vila Chã P (Lis.) 110
Vila Chã P (Port.) 53
Vila Chã P (Set.) 126
Vila Chã P (V. C.) 54
Vila Chã P (V. R.) 55
Vila Chã P (V. R.) 55
Vila Chã P (Vis.) 74
Vila Chã P (Vis.) 74
Vila Chã (Santiago) P (V. C.) 54
Vila Chã (São João Baptista) P (V. C.) 54
Vila Chã da Beira P (Vis.) 75
Vila Chã de Braciosa P (Bra.) 57
Vila Chã de Ourique P (San.) 111
Vila Chã de Sá P (Vis.) 74
Vila Chã de São Roque P (Ave.) 74
Vila Chã do Monte P (Vis.) 75
Vila Chão do Marão P (Port.) 54
Vila da Ponte P (V. R.) 55
Vila da Ponte P (Vis.) 75
Vila de Ala P (Bra.) 57
Vila de Area E (A Co.) 2
Vila de Baixo E (Po.) 14
Vila de Barba P (Vis.) 94
Vila de Bares E (A Co.) 3
Vila de Cruces E (Po.) 14
Vila de Frades P (Be.) 144
Vila de Frades P (Bra.) 57
Vila de Mouros E (Lu.) 15
Vila de Punhe P (V. C.) 53
Vila de Rei P (C. B.) 112
Vila de Rei P (Lis.) 126
Vila de Riba E (Po.) 14
Vila de Um Santo P (Vis.) 75
Vila Dianteira P (Vis.) 94
Vila do Abade E (A Co.) 14
Vila do Bispo P (Fa.) 173
Vila do Conde P (Port.) 53
Vila do Conde P (V. R.) 55
Vila do Mato P (Co.) 94
Vila do Paço P (San.) 111
Vila do Porto P (Aç.) 109
Vila do Touro P (Guar.) 96
Vila dos Sinos P (Bra.) 57
Vila Facaia P (Lei.) 94
Vila Facaia P (Lis.) 110
Vila Fernando P (Guar.) 96
Vila Fernando P (Por.) 129
Vila Flor P (Bra.) 56
Vila Fonche P (V. C.) 34

a Franca P (V.C.) 53 D1
a Franca da Beira P (Co.) 95 A1
a Franca da Serra P (Guar.) 75 C5
a Franca das Naves P (Guar.) 76 A4
a Franca de Xira P (Lis.) 127 A1
a Franca do Campo P (Aç.) 109 C5
a Franca do Deão P (Guar.) 76 A4
a Franca do Rosário P (Lis.) 126 C1
a Fria P (Ave.) 74 B3
a Fria P (Br.) 54 C4
a Fria P (V.C.) 53 D1
a Garcia P (Guar.) 96 A1
a Garcia P (Guar.) 76 A3
a Garcia P (Port.) 54 D4
a Gosendo P (Vis.) 94 C1
a Guia P (Lu.) 15 D1
a Joiosa, la → Villajoyosa E (Ali.) 158 A1
a Jusã P (Vis.) 74 D5
a Longa P (Vis.) 75 C4
a Maior P (Ave.) 74 A1
a Maior P (Vis.) 74 D3
a Marim P (V.R.) 55 B4
a Marim P (V.R.) 55 A5
a Meã P (Bra.) 57 B4
a Meã P (V.C.) 33 D4
a Mea P (V.R.) 55 C3
a Mea P (Vis.) 94 C1
a Mea P (Vis.) 75 B1
a Mendo de Tavares P (Vis.) 75 C5
a Moinhos P (Vis.) 94 C1
a Moreira P (San.) 111 C3
a Mou P (V.C.) 53 D1
a Nogueira de Azeitão P (Set.) 126 D5
a Nova P (Bra.) 56 C4
a Nova P (Bra.) 56 D1
a Nova P (Co.) 94 B2
a Nova P (Co.) 93 D2
a Nova P (Co.) 94 B4
a Nova P (Co.) 94 A3
a Nova P (Lei.) 94 A4
a Nova P (Lei.) 111 A3
a Nova P (Port.) 53 D4
a Nova P (Set.) 126 C4
a Nova P (V.R.) 55 D2
a Nova P (Vis.) 74 D4
a Nova P (Vis.) 94 C1
a Nova da Barca P (Co.) 93 D3
a Nova da Baronia P (Be.) 144 C2
a Nova da Barquinha P (San.) 112 A3
a Nova da Rainha P (Lis.) 127 A1
a Nova da Rainha P (Vis.) 94 C1
a Nova de Anços P (Co.) 93 D3
a Nova de Anha P (V.C.) 53 D1
a Nova de Cacela P (Fa.) 175 B2
a Nova de Cerveira P (V.C.) 33 D4
a Nova de Corvo P (Aç.) 109 A2
a Nova de Famalicão P (Br.) 54 A3
a Nova de Foz Côa P (Guar.) 76 B1
a Nova de Fusos P (Ave.) 74 A4
a Nova de Gaia P (Port.) 53 D5
a Nova de Milfontes P (Be.) 159 B1
a Nova de Monsarros P (Ave.) 94 A1
a Nova de Muia P (V.C.) 54 B1
a Nova de Oliveirinha P (Co.) 95 A1
a Nova de Ourém P (San.) 111 D1
a Nova de Paiva P (Vis.) 75 B3
a Nova de Poiares P (Co.) 94 B2
a Nova de São Bento P (Be.) 145 C5
a Nova de Souto d'El Rei P (Vis.) 75 B1
a Nova de Tazem P (Guar.) 75 B5
a Nova do Ceira P (Co.) 94 C3
a Nova do Coito P (San.) 111 B4
a Nova do São Pedro P (Lis.) 111 B1
a Novinha P (Guar.) 75 D3
a Nune P (Br.) 55 A3
a Pequena P (V.R.) 55 B2
a Pouca P (Co.) 94 A3
a Pouca P (Lis.) 126 C1
a Pouca P (Vis.) 75 B1
a Pouca P (Vis.) 94 B1
a Pouca P (Vis.) 94 C1
a Pouca da Beira P (Co.) 94 D2
a Pouca de Aguiar P (V.R.) 55 C3
a Praia de Âncora P (V.C.) 33 C5

Vila Real P (V.R.) 55 B4
Vila Real de Santo António P (Fa.) 175 C2
Vila Ruiva P (Be.) 144 C2
Vila Ruiva P (Guar.) 75 C5
Vila Ruiva P (Vis.) 75 B5
Vila Seca P (Br.) 53 D3
Vila Seca P (Co.) 94 A3
Vila Seca P (Co.) 94 D1
Vila Seca P (Lis.) 110 D5
Vila Seca P (V.R.) 55 B5
Vila Seca P (Vis.) 75 B1
Vila Soeiro P (Guar.) 75 D5
Vila Soeiro do Chão P (Guar.) 75 C5
Vila Velha de Ródão P (C.B.) 113 B2
Vila Vella, la → Villavieja E (Cas.) 125 C1
Vila Verde P (Br.) 54 B2
Vila Verde P (Bra.) 56 B4
Vila Verde P (Bra.) 56 C1
Vila Verde P (Co.) 93 D2
Vila Verde P (Co.) 93 C3
Vila Verde P (Guar.) 95 A1
Vila Verde P (Lis.) 126 B2
Vila Verde P (Port.) 54 C4
Vila Verde P (V.C.) 33 D5
Vila Verde P (V.R.) 55 C4
Vila Verde P (V.R.) 55 C2
Vila Verde da Raia P (V.R.) 55 D1
Vila Verde de Ficalho P (Be.) 145 C4
Vila Verde de Mato P (Lei.) 110 D4
Vila Verde dos Francos P (Lis.) 110 D5
Vila Viçosa P (Ave.) 74 C2
Vila Viçosa P (Év.) 129 C3
Vila Viçosa P (Vis.) 74 D1
Vilabella E (Ta.) 69 D5
Vilabertran E (Gi.) 52 B2
Vilablareix E (Gi.) 52 A4
Vilaboa E (A Co.) 3 A2
Vilaboa E (A Co.) 2 C4
Vilaboa E (Lu.) 4 B4
Vilabol E (Lu.) 16 C2
Vilac E (Ll.) 28 D4
Vilaça P (Br.) 54 A3
Vilacaiz E (Lu.) 15 C4
Vilacoba E (A Co.) 2 D5
Vilacoba E (A Co.) 13 D3
Vilachá E (A Co.) 3 A4
Vilachá E (Lu.) 16 A2
Vilachá E (Lu.) 36 A1
Vilachá E (Lu.) 3 D1
Vilachá E (Our.) 34 D1
Vilachán E (Po.) 33 D4
Vilada E (Bar.) 50 C3
Viladamat E (Gi.) 52 B3
Viladasens E (Gi.) 52 B3
Viladavil E (A Co.) 14 D2
Viladecans E (Bar.) 70 D4
Viladecavalls E (Bar.) 70 D3
Vilademuls E (Gi.) 52 A4
Viladesuso E (Po.) 33 C4
Vilademiu E (Bar.) 50 C5
Viladomiu Nou E (Bar.) 50 C4
Viladomiu Vell E (Bar.) 50 C4
Viladordis E (Bar.) 70 C1
Viladrau E (Gi.) 51 B5
Vilaesteva E (Lu.) 15 C4
Vilaestrofe E (Lu.) 4 A2
Vilafamés E (Cas.) 107 C4
Vilafant E (Gi.) 52 B2
Vilafifz E (Lu.) 15 C2
Vilafiz E (Lu.) 16 A3
Vilaflor E (S.Cruz T.) 195 D4
Vilaformán E (Lu.) 4 B4
Vilafortuny E (Ta.) 89 B1
Vilafranca de Bonany E (Bal.) 92 B3
Vilafranca del Maestrat → Villafranca del Cid E (Cas.) 107 B1
Vilafranca del Penedès E (Bar.) 70 B4
Vilafreser E (Gi.) 52 A3
Vilafruns E (Bar.) 50 C5
Vilagarcía de Arousa E (Po.) 13 D5
Vilagrassa E (Ll.) 69 B2
Vilagromar E (Lu.) 4 A5
Vilaimil E (Lu.) 4 B4
Vilajoan E (Gi.) 52 B3
Vilajuïga E (Gi.) 52 B2
Vilalba E (Lu.) 3 C4
Vilalba dels Arcs E (Ta.) 88 B1
Vilalba Sasserra E (Bar.) 71 C2
Vilalbo E (Po.) 34 A1
Vilalén E (Po.) 14 B5
Vilalonga E (Po.) 33 D1

Vilalvite E (Lu.) 15 C2
Vilalle E (Lu.) 16 B2
Vilalleons E (Bar.) 51 B5
Vilaller E (Ll.) 48 D1
Vilallonga E (Gi.) 51 C3
Vilallonga de Ter E (Gi.) 51 B2
Vilallonga del Camp E (Ta.) 69 C5
Vilamacolum E (Gi.) 52 B2
Vilamaior E (A Co.) 14 A1
Vilamaior E (A Co.) 14 C1
Vilamaior E (Lu.) 16 C1
Vilamaior da Boullosa E (Our.) 35 B5
Vilamaior de Negral E (Lu.) 15 C2
Vilamaior do Val E (Our.) 35 D5
Vilamalla E (Gi.) 52 B2
Vilamane E (Lu.) 16 C3
Vilamaniscle E (Gi.) 52 B1
Vilamar E (Lu.) 4 B3
Vilamar P (Co.) 93 D1
Vilamarí E (Gi.) 52 A3
Vilamarín E (Our.) 35 B1
Vilamarxant E (Val.) 124 D3
Vilameán E (Po.) 33 D4
Vilameán (Nigrán) E (Po.) 33 D3
Vilameñe E (Lu.) 15 C4
Vilamolat de Mur E (Ll.) 48 D1
Vilamor E (Lu.) 16 B5
Vilamor E (Lu.) 4 B3
Vilamòs E (Ll.) 28 C4
Vilamoura P (Fa.) 174 B3
Vilamoure E (Our.) 35 A1
Vilanant E (Gi.) 52 A2
Vilandriz E (Lu.) 4 C3
Vilanova E (A Co.) 2 D4
Vilanova E (A Co.) 1 D4
Vilanova E (Lu.) 15 A3
Vilanova E (Lu.) 4 B3
Vilanova E (Our.) 35 A3
Vilanova E (Our.) 36 D3
Vilanova E (Our.) 36 C1
Vilanova E (Our.) 35 B2
Vilanova E (Po.) 14 D5
Vilanova E (Po.) 33 D2
Vilanova d'Alcolea E (Cas.) 107 D3
Vilanova de Arousa E (Po.) 13 D5
Vilanova de Bellpuig E (Ll.) 69 A2
Vilanova de la Barca E (Ll.) 68 D2
Vilanova de la Muga E (Gi.) 52 B2
Vilanova de la Sal E (Ll.) 68 D1
Vilanova de l'Aguda E (Ll.) 49 C5
Vilanova de Meià E (Ll.) 49 B5
Vilanova de Prades E (Ta.) 69 A4
Vilanova de Sau E (Bar.) 51 B5
Vilanova de Segrià E (Ll.) 68 C2
Vilanova del Camí E (Bar.) 70 B3
Vilanova del Vallès E (Bar.) 71 B2
Vilanova d'Escornalbou E (Ta.) 89 A1
Vilanova d'Espoia E (Bar.) 70 B3
Vilanova i la Geltrú E (Bar.) 70 B5
Vilanustre E (A Co.) 13 D4
Vilaosende E (Lu.) 4 C3
Vilapedre E (Lu.) 3 D4
Vilapedre E (Lu.) 16 A3
Vilaperdius E (Ta.) 69 D3
Vilaplana E (Ta.) 69 B5
Vilapol E (Lu.) 4 A1
Vilaquinte E (Lu.) 16 D3
Vilaquinte E (Lu.) 35 B1
Vilar E (A Co.) 1 C5
Vilar E (A Co.) 14 A3
Vilar E (A Co.) 14 C3
Vilar E (A Co.) 2 D3
Vilar E (Our.) 34 D3
Vilar E (Our.) 36 A3
Vilar E (Our.) 36 A4
Vilar E (Our.) 35 A4
Vilar E (Our.) 35 B4
Vilar E (Po.) 34 B2
Vilar E (Po.) 34 A2
Vilar E (Po.) 34 C3
Vilar E (Po.) 14 B5
Vilar P (Ave.) 74 B4
Vilar P (Br.) 54 B3
Vilar P (Br.) 54 C3
Vilar P (Br.) 54 C1
Vilar P (Co.) 94 B2
Vilar P (Lei.) 94 C4
Vilar P (Lis.) 110 D5
Vilar P (Port.) 54 A4
Vilar P (V.R.) 55 B2
Vilar P (Vis.) 75 C2

Vilar Barroco P (C.B.) 95 A4
Vilar Chão P (Br.) 54 D2
Vilar Chão P (Bra.) 56 D5
Vilar Chão P (C.B.) 112 C2
Vilar da Lapa P (San.) 112 D2
Vilar da Luz P (Port.) 54 A4
Vilar da Mó P (Port.) 112 D2
Vilar da Veiga P (Br.) 54 C1
Vilar das Almas P (V.C.) 54 A2
Vilar de Amargo P (Guar.) 76 C2
Vilar de Andorinho P (Port.) 74 A1
Vilar de Barrio E (Our.) 35 C3
Vilar de Besteiros P (Vis.) 74 D5
Vilar de Boi P (C.B.) 113 B2
Vilar de Canes E (Cas.) 107 C2
Vilar de Cas E (Lu.) 16 A2
Vilar de Céltigos E (A Co.) 13 D1
Vilar de Cerreda E (Our.) 35 C1
Vilar de Cervos E (Our.) 36 A5
Vilar de Condes E (Our.) 34 D2
Vilar de Cunhas P (Br.) 55 A3
Vilar de Donas E (Lu.) 15 B3
Vilar de Ferreiros E (V.R.) 55 A4
Vilar de Figos P (Br.) 53 D3
Vilar de Flores E (Our.) 35 B3
Vilar de Lebres E (Lu.) 15 C4
Vilar de Lomba E (Bra.) 56 B1
Vilar de Lor E (Lu.) 36 A1
Vilar de Maçada P (V.R.) 55 C4
Vilar de Mouros E (Lu.) 4 B5
Vilar de Mouros P (V.C.) 33 D5
Vilar de Murteda P (V.C.) 53 D1
Vilar de Nantes P (V.R.) 55 D2
Vilar de Ordem P (Vis.) 75 A4
Vilar de Ossos P (Bra.) 36 C5
Vilar de Perdizes P (V.R.) 55 C5
Vilar de Peregrinos P (Bra.) 56 C1
Vilar de Rei E (Our.) 35 C4
Vilar de Rei P (Bra.) 57 A5
Vilar de Santiago E (Lu.) 4 B4
Vilar de Santos E (Our.) 35 B4
Vilar de Sarria E (Lu.) 16 A4
Vilar de Suento P (V.C.) 34 C5
Vilar de Vacas E (Our.) 35 A3
Vilar do Monte P (Br.) 54 D2
Vilar do Monte P (Bra.) 56 C3
Vilar do Monte P (V.C.) 34 A5
Vilar do Monte P (Vis.) 75 A3
Vilar do Paraíso P (Port.) 73 D1
Vilar do Peso P (Vis.) 74 D1
Vilar do Torno e Alentém P (Port.) 54 C4
Vilar Formoso P (Guar.) 76 D5
Vilar Maior P (Guar.) 76 C1
Vilar Ruivo P (C.B.) 112 B1
Vilar Seco P (Bra.) 57 C3
Vilar Seco P (Bra.) 56 D4
Vilar Seco P (Vis.) 75 A5
Vilar Seco de Lomba P (Bra.) 36 B5
Vilar Torpim P (Guar.) 76 C3
Vilar, el E (Gi.) 50 C1
Vilaranda P (V.R.) 55 D1
Vilarandelo P (V.R.) 56 A2
Vilarbacu E (Lu.) 16 B5
Vilarbuxán E (Lu.) 15 D4
Vilarchán E (Po.) 34 A1
Vilarchao E (Our.) 34 D3
Vilardevós E (Our.) 36 A5
Vila-Real → Villarreal E (Cas.) 107 C5
Vilarelho P (V.R.) 55 D1
Vilarelho da Raia P (V.R.) 55 D1
Vilarelhos P (Bra.) 56 C4
Vilarello E (Lu.) 16 C4
Vilarello E (Our.) 56 A1
Vilarente E (Lu.) 4 A4
Vilares E (Lu.) 3 B5
Vilares P (Bra.) 56 B2
Vilares P (Guar.) 76 A4
Vilares P (V.R.) 55 C4
Vilares de Vilariça P (Bra.) 57 A4
Vilariça P (Bra.) 57 A4
Vilarig E (Gi.) 52 A2
Vilarinha P (Fa.) 173 A2
Vilarinho P (Ave.) 74 B4
Vilarinho P (Ave.) 74 B3
Vilarinho P (Br.) 54 B5
Vilarinho P (C.B.) 95 A4
Vilarinho P (Co.) 94 B3
Vilarinho P (Port.) 74 B1
Vilarinho P (Port.) 53 D4
Vilarinho P (V.C.) 33 C5
Vilarinho P (V.R.) 55 A4
Vilarinho P (Vis.) 75 B2

Vilarinho P (Vis.) 74 C3
Vilarinho P (Vis.) 74 C1
Vilarinho da Castanheira P (Bra.) 56 A5
Vilarinho das Azenhas P (Bra.) 56 A4
Vilarinho das Cambas P (Br.) 54 A4
Vilarinho das Paranheiras P (V.R.) 55 C2
Vilarinho de Agrochão P (Bra.) 56 C2
Vilarinho de Cotas P (V.R.) 55 C5
Vilarinho de Samardã P (V.R.) 55 B4
Vilarinho de São Luís P (Ave.) 74 A3
Vilarinho de São Romão P (V.R.) 55 C5
Vilarinho dos Freires P (V.R.) 55 B5
Vilarinho dos Galegos P (Bra.) 57 A5
Vilarinho Seco P (V.R.) 55 B2
Vilarinhodo Souto P (V.C.) 34 C5
Vilariño E (A Co.) 15 A1
Vilariño E (Lu.) 16 A2
Vilariño E (Our.) 34 D4
Vilariño E (Our.) 35 B2
Vilariño E (Po.) 14 C5
Vilariño E (Po.) 15 A4
Vilariño E (Po.) 33 D2
Vilariño E (Po.) 34 A1
Vilariño E (Po.) 13 D5
Vilariño das Poldras E (Our.) 35 B4
Vilariño das Touzas E (Our.) 36 A5
Vilariño de Conso E (Our.) 36 B3
Vilarmaior E (A Co.) 3 A4
Vilarmosteiro E (Lu.) 15 D3
Vilarnadal E (Gi.) 52 B1
Vilarnaz E (Our.) 35 B1
Vila-rodona E (Ta.) 69 D5
Vila-roja E (Gi.) 52 A4
Vilaronte E (Lu.) 4 B3
Vilarouco P (Vis.) 75 D1
Vilarraso E (A Co.) 3 A5
Vilarreme E (Lu.) 15 C5
Vilarrodis E (A Co.) 2 B4
Vilarromà E (Gi.) 52 C5
Vilarromariz E (A Co.) 14 C2
Vilarrube E (A Co.) 3 A2
Vilarrubín E (Our.) 35 B1
Vilartolí E (Gi.) 52 B1
Vilas E (Po.) 33 D3
Vilas Boas P (Bra.) 56 B4
Vilas del Turbón E (Hues.) 48 B2
Vila-sacra E (Gi.) 52 B2
Vila-sana E (Ll.) 69 A2
Vilasantar E (A Co.) 14 D1
Vilasante E (Lu.) 15 C5
Vilaseca E (Our.) 35 C4
Vila-seca E (Ta.) 89 C1
Vilaseco E (Our.) 36 C4
Vilasinde E (Lu.) 4 A2
Vilasobroso E (Po.) 34 B3
Vilasouto E (Lu.) 16 A5
Vilaspasantes E (Lu.) 16 C4
Vilassar de Dalt E (Bar.) 71 B3
Vilassar de Mar E (Bar.) 71 B3
Vilastose E (A Co.) 13 B1
Vilatenim E (Gi.) 52 B2
Vilatuxe E (Po.) 35 C2
Vilatuxe E (Po.) 14 D5
Vilaür E (Gi.) 52 B3
Vilaúxe E (Lu.) 15 C5
Vilavedelle E (Ast.) 4 C3
Vilavella E (A Co.) 3 B3
Vilavella E (Our.) 36 C4
Vilavenut E (Gi.) 52 A3
Vilaverd E (Ta.) 69 C4
Vilaverde E (A Co.) 1 D4
Vilavidal E (Our.) 34 D3
Vilaxoán E (Po.) 13 D5
Vilaza E (Our.) 35 D3
Vilaza E (Po.) 33 D3
Vilches E (J.) 152 A3
Vildé E (So.) 62 D4
Vile P (V.C.) 33 C5
Vilecha E (Le.) 38 D1
Vileiriz E (Lu.) 15 D3
Vilela E (A Co.) 2 A4
Vilela E (Le.) 17 A5
Vilela E (Lu.) 15 C4
Vilela P (Br.) 55 A3
Vilela P (Br.) 54 C2
Vilela P (Co.) 95 A2
Vilela P (Port.) 54 B5

Vilela P (V. C.) 34 B 5
Vilela P (V. R.) 55 D 2
Vilelos E (Lu.) 15 C 5
Vilella Alta, la E (Ta.) 68 D 5
Vilella Baixa, la E (Ta.) 68 D 5
Vileña E (Bur.) 22 B 5
Vileta, Sa E (Bal.) 91 C 3
Vilgateira P (San.) 111 B 4
Vilharinho do Bairro P (Ave.) 94 A 1
Viliella E (Ll.) 50 B 1
Vilobí del Penedès E (Bar.) 70 B 4
Vilobí d'Onyar E (Gi.) 52 A 5
Vilopriu E (Gi.) 52 B 3
Viloria E (Le.) 17 C 5
Viloria E (Vall.) 60 C 4
Viloria de la Jurisdicción E (Le.) 38 D 1
Viloria de Rioja E (Bur.) 42 D 2
Viloria/Biloria E (Na.) 24 A 5
Vilosell, el E (Ll.) 69 A 4
Vilueña, La E (Zar.) 64 D 5
Vilvestre E (Sa.) 76 D 1
Vilviestre de los Nabos E (So.) 63 B 1
Vilviestre de Muñó E (Bur.) 41 B 3
Vilviestre del Pinar E (Bur.) 42 D 5
Villa Adelfa E (Sa.) 77 D 4
Villa Antonia E (Huel.) 175 D 2
Villa de Don Fadrique, La E (To.) 120 C 3
Villa de Mazo E (S. Cruz T.) 193 C 3
Villa de Ves E (Alb.) 139 D 1
Villa del Campo E (Các.) 97 B 3
Villa del Prado E (Mad.) 100 D 3
Villa del Rey E (Các.) 114 C 2
Villa del Río E (Cór.) 150 D 5
Villabajo E (Ast.) 7 A 4
Villabalter E (Le.) 18 D 5
Villabandín E (Le.) 18 A 3
Villabáñez E (Can.) 9 B 5
Villabáñez E (Vall.) 60 C 3
Villabaruz de Campos E (Vall.) 39 D 5
Villabáscones de Bezana E (Bur.) 21 D 3
Villabasta de Valdavia E (Pa.) 40 B 1
Villabellaco E (Pa.) 20 D 3
Villabermudo E (Pa.) 20 D 5
Villablanca E (Huel.) 161 C 4
Villablino E (Le.) 17 D 3
Villabona E (Ast.) 6 C 4
Villabona/Billabona E (Gui.) 24 B 1
Villabrágima E (Vall.) 59 C 1
Villabraz E (Le.) 39 A 3
Villabrázaro E (Zam.) 38 C 4
Villabre E (Ast.) 6 A 5
Villabuena E (So.) 63 C 2
Villabuena de Álava → Uriona E (Ál.) 43 B 1
Villabuena del Puente E (Zam.) 59 A 4
Villabuena-San Clemente E (Le.) 17 A 5
Villaburbula E (Le.) 39 A 1
Villacadima E (Gua.) 62 C 5
Villacalabuey E (Le.) 39 C 1
Villacalviel-San Esteban E (Le.) 38 D 2
Villacantid E (Can.) 21 A 3
Villacañas E (To.) 120 B 3
Villacarlí E (Hues.) 48 B 2
Villacarralón E (Vall.) 39 C 4
Villacarriedo E (Can.) 21 C 1
Villacarrillo E (J.) 152 D 4
Villacastín E (Seg.) 80 C 4
Villacé E (Le.) 38 D 2
Villacedre E (Le.) 38 D 1
Villaceid E (Le.) 18 B 4
Villacelama E (Le.) 39 A 1
Villacibio E (Pa.) 21 A 5
Villacid de Campos E (Vall.) 39 C 4
Villacidaler E (Pa.) 39 D 3
Villacidayo E (Le.) 19 B 5
Villaciervitos E (So.) 63 C 2
Villaciervos E (So.) 63 C 2
Villacintor E (Le.) 39 C 1
Villaco E (Vall.) 60 D 2
Villaconancio E (Pa.) 61 A 1
Villacondide E (Ast.) 5 A 3
Villaconejos E (Mad.) 102 A 4
Villaconejos de Trabaque E (Cu.) 104 A 2
Villacontilde E (Le.) 39 A 1
Villacorta E (Le.) 19 D 4
Villacorta E (Seg.) 62 B 5
Villacreces E (Vall.) 39 D 3
Villacuende E (Pa.) 40 B 2
Villada E (Pa.) 39 D 3
Villadangos del Páramo E (Le.) 38 C 1
Villadecanes E (Le.) 17 A 5
Villademor de la Vega E (Le.) 38 D 3
Villadepalos E (Le.) 37 A 1
Villadepera E (Zam.) 57 D 3
Villadesoto E (Le.) 38 D 1
Villadiego E (Bur.) 41 B 1
Villadiego de Cea E (Le.) 39 D 1
Villadiezma E (Pa.) 40 C 2
Villadoz E (Zar.) 85 C 1
Villaeles de Valdavia E (Pa.) 40 B 1
Villaescobedo E (Bur.) 21 A 5
Villaescusa E (Zam.) 79 A 1
Villaescusa de Ecla E (Pa.) 20 D 5
Villaescusa de Haro E (Cu.) 121 B 3
Villaescusa de las Torres E (Pa.) 20 D 4
Villaescusa de Palositos, lugar E (Gua.) 83 C 5
Villaescusa de Roa E (Bur.) 61 B 2
Villaescusa del Butrón E (Bur.) 21 D 4
Villaescusa la Sombría E (Bur.) 42 B 2
Villaespasa E (Bur.) 42 B 4
Villaesper E (Vall.) 59 C 1
Villaespesa E (Mu.) 171 B 2
Villaespesa E (Te.) 105 D 3
Villaesteres, Los E (Vall.) 59 B 4
Villaestrigo del Páramo E (Le.) 38 C 3
Villafáfila E (Zam.) 58 D 1
Villafalé E (Le.) 39 A 1
Villafañe E (Le.) 39 A 1
Villafeile-Lamagrande-Quintela E (Le.) 16 D 5
Villafeliche E (Zar.) 85 B 1
Villafeliz de Babia E (Le.) 18 B 3
Villafer E (Le.) 38 D 4
Villaferrueña E (Zam.) 38 B 4
Villaflor E (Áv.) 79 D 4
Villaflores E (Sa.) 79 B 2
Villafrades de Campos E (Vall.) 39 D 4
Villafranca E (Mad.) 101 B 1
Villafranca E (Na.) 44 D 3
Villafranca (Condado de Castilnovo) E (Seg.) 81 D 1
Villafranca de Córdoba E (Cór.) 150 B 5
Villafranca de Duero E (Vall.) 59 B 4
Villafranca de Ebro E (Zar.) 66 C 3
Villafranca de la Sierra E (Áv.) 99 B 1
Villafranca de los Barros E (Bad.) 131 B 5
Villafranca de los Caballeros E (To.) 120 B 4
Villafranca del Bierzo E (Le.) 16 D 5
Villafranca del Campo E (Te.) 85 C 5
Villafranca del Cid/Vilafranca del Maestrat E (Cas.) 107 B 1
Villafranca Montes de Oca E (Bur.) 42 B 2
Villafranco del Guadiana E (Bad.) 130 C 3
Villafrea de la Reina E (Le.) 19 D 3
Villafrechós E (Vall.) 59 B 1
Villafría E (Bur.) 41 D 2
Villafruela E (Bur.) 61 B 1
Villafruela de Porma E (Le.) 19 A 5
Villafuerte E (Sa.) 79 A 2
Villafuerte E (Vall.) 60 D 2
Villafuertes E (Bur.) 41 C 4
Villafufre E (Can.) 9 C 5
Villagalijo E (Bur.) 42 C 3
Villagallegos E (Le.) 38 D 2
Villagarcía de Campos E (Vall.) 59 B 2
Villagarcía de la Torre E (Bad.) 147 D 2
Villagarcía de la Vega E (Le.) 38 B 2
Villagarcía del Llano E (Cu.) 122 D 5
Villager de Laciana E (Le.) 17 C 3
Villageriz E (Zam.) 38 B 4
Villagómez la Nueva E (Vall.) 39 C 4
Villagonzalo E (Bad.) 131 C 3
Villagonzalo de Coca E (Seg.) 80 B 1
Villagonzalo de Tormes E (Sa.) 78 D 3
Villagonzalo Pedernales E (Bur.) 41 D 3
Villagordo, lugar E (Alb.) 138 A 4
Villagrufe E (Ast.) 5 B 5
Villagutiérrez E (Bur.) 41 C 3
Villahán E (Pa.) 41 A 5
Villaharta E (Cór.) 149 D 4
Villahermosa E (C. R.) 137 A 4
Villahermosa del Campo E (Te.) 85 C 2
Villahermosa del Río E (Cas.) 107 A 3
Villahernando E (Bur.) 41 B 1
Villaherreros E (Pa.) 40 C 2
Villahibiera E (Le.) 19 B 5
Villahizán E (Bur.) 41 C 4
Villahizán de Treviño E (Bur.) 41 A 1
Villahoz E (Bur.) 41 B 5
Villajimena E (Pa.) 40 C 4
Villajoyosa/Vila Joiosa, la E (Ali.) 158 A 1
Villalaco E (Pa.) 40 D 4
Villalacre E (Bur.) 22 B 3
Villalafuente E (Pa.) 40 A 1
Villalaín E (Bur.) 22 A 3
Villalambrús E (Bur.) 22 C 3
Villalán de Campos E (Vall.) 39 B 5
Villalangua E (Hues.) 46 B 2
Villalar de los Comuneros E (Vall.) 59 C 3
Villalazán E (Zam.) 58 D 4
Villalázara E (Bur.) 22 A 2
Villalba Alta E (Te.) 86 A 5
Villalba Baja E (Te.) 106 A 2
Villalba de Adaja E (Vall.) 60 A 5
Villalba de Calatrava E (C. R.) 135 D 5
Villalba de Duero E (Bur.) 61 D 2
Villalba de Guardo E (Pa.) 20 A 5
Villalba de la Lampreana E (Zam.) 58 D 2
Villalba de la Loma E (Vall.) 39 B 4
Villalba de la Sierra E (Cu.) 104 B 3
Villalba de los Alcores E (Vall.) 59 D 1
Villalba de los Barros E (Bad.) 131 A 5
Villalba de los Llanos E (Sa.) 78 A 4
Villalba de los Morales E (Te.) 85 B 3
Villalba de Losa E (Bur.) 22 D 3
Villalba de Perejil E (Zar.) 65 A 5
Villalba de Rioja E (La R.) 43 A 1
Villalba del Alcor E (Huel.) 163 A 4
Villalba del Rey E (Cu.) 103 C 2
Villalbarba E (Vall.) 59 B 3
Villalbeto de la Peña E (Pa.) 20 B 4
Villalbilla E (Cu.) 104 A 3
Villalbilla E (Mad.) 102 B 2
Villalbilla de Burgos E (Bur.) 41 C 3
Villalbilla de Gumiel E (Bur.) 61 D 2
Villalbilla de Villadiego E (Bur.) 41 B 1
Villalbilla-Sobresierra E (Bur.) 41 D 1
Villalboñe E (Le.) 19 A 5
Villalcampo E (Zam.) 58 A 3
Villalcázar de Sirga E (Pa.) 40 C 3
Villalcón E (Pa.) 40 A 3
Villaldavín E (Pa.) 40 B 4
Villaldemiro E (Bur.) 41 B 3
Villalebrín E (Le.) 39 D 2
Villalengua E (Zar.) 64 D 4
Villalfeide E (Le.) 19 A 3
Villalgordo del Júcar E (Alb.) 122 B 5
Villalgordo del Marquesado E (Cu.) 121 C 2
Villalibre de la Jurisdicción E (Le.) 37 A 1
Villalibre de Somoza E (Le.) 37 D 2
Villalís de la Valduerna E (Le.) 38 A 2
Villalmán E (Le.) 39 D 2
Villalmanzo E (Bur.) 41 D 5
Villalmarzo E (Ast.) 5 A 3
Villalmóndar E (Bur.) 42 B 2
Villalobar E (Le.) 38 D 2
Villalobar de Rioja E (La R.) 42 D 1
Villalobón E (Pa.) 40 C 5
Villalobos E (J.) 167 C 4
Villalobos E (Zam.) 39 A 5
Villalómez E (Bur.) 42 B 2
Villalón E (Cór.) 165 B 2
Villalón de Campos E (Vall.) 39 C 4
Villalones, Los E (Mál.) 179 A 3
Villalonga → Villallonga E (Val.) 141 C 3
Villalonquejar E (Bur.) 41 C 2
Villalonso E (Zam.) 59 B 3
Villalpando E (Zam.) 59 A 1
Villalpardo E (Cu.) 123 A 4
Villalquite E (Le.) 39 B 1
Villalube E (Zam.) 58 D 3
Villaluenga de la Sagra E (To.) 101 B 5
Villaluenga de la Vega E (Pa.) 40 A 1
Villaluenga del Rosario E (Cád.) 178 D 4
Villalumbroso E (Pa.) 40 A 4
Villálvaro E (So.) 62 C 3
Villalverde E (Zam.) 37 D 4
Villalvilla de Montejo E (Seg.) 61 D 4
Villallana E (Ast.) 18 C 1
Villallano E (Pa.) 21 A 4
Villallonga/Villalonga E (Val.) 141 C 3
Villamalea E (Alb.) 123 A 5
Villamalur E (Cas.) 107 A 5
Villamandos E (Le.) 38 D 4
Villamanín de la Tercia E (Le.) 18 D 3
Villamanrique E (C. R.) 152 D 1
Villamanrique de la Condesa E (Sev.) 163 B 5
Villamanrique de Tajo E (Mad.) 102 C 4
Villamanta E (Mad.) 101 A 3
Villamantilla E (Mad.) 101 A 2
Villamañán E (Le.) 38 D 2
Villamar E (Ast.) 6 B 4
Villamarciel E (Vall.) 59 D 3
Villamarco E (Le.) 39 B 2
Villamarín E (Ast.) 6 A 5
Villamartín E (Cád.) 178 C 3
Villamartín de Campos E (Pa.) 40 B 5
Villamartín de Don Sancho E (Le.) 39 C 1
Villamartín de la Abadía E (Le.) 17 A 5
Villamartín de Sotoscueva E (Bur.) 21 D 2
Villamartín de Valdeorras E (Our.) 36 C 1
Villamartín de Villadiego E (Bur.) 21 A 5
Villamartín del Sil E (Le.) 17 B 4
Villamayor E (Ast.) 18 A 1
Villamayor E (Ast.) 7 B 4
Villamayor E (Sa.) 78 C 2
Villamayor E (Zar.) 66 B 2
Villamayor de Calatrava E (C. R.) 135 A 4
Villamayor de Campos E (Zam.) 59 A 1
Villamayor de los Montes E (Bur.) 41 C 4
Villamayor de Monjardín E (Na.) 24 B 5
Villamayor de Santiago E (Cu.) 121 A 2
Villamayor de Treviño E (Bur.) 41 A 2
Villambistia E (Bur.) 42 C 2
Villambrán de Cea E (Pa.) 39 D 2
Villambrosa E (Ál.) 22 D 4
Villambroz E (Pa.) 40 A 2
Villameca E (Le.) 18 A 5
Villamediana E (Pa.) 40 D 5
Villamediana de Iregua E (La R.) 43 D 2
Villamediana de Lomas E (Bur.) 21 C 4
Villamediana de San Román E (Bur.) 21 C 3
Villamedianilla E (Bur.) 41 A 4
Villamejil E (Le.) 38 A 1
Villameriel E (Pa.) 40 C 1
Villamesías E (Các.) 116 A 5
Villamezán E (Bur.) 22 A 3
Villamiel E (Các.) 96 D 3
Villamiel de la Sierra E (Bur.) 42 B 4
Villamiel de Muñó E (Bur.) 41 C 3
Villamiel de Toledo E (To.) 101 A 5
Villaminaya E (To.) 119 C 2
Villamizar E (Le.) 39 C 1
Villamol E (Le.) 39 C 2
Villamondrín de Rueda E (Le.) 39 B 1
Villamontán de la Valduerna E (Le.) 38 A 3
Villamor E (A Co.) 15 A 2
Villamor E (Bur.) 22 B 3
Villamor de Cadozos E (Zam.) 57 D 5
Villamor de la Ladre E (Zam.) 57 D 4
Villamor de los Escuderos E (Zam.) 58 D 5
Villamor de Órbigo E (Le.) 38 B 1
Villamoratiel de las Matas E (Le.) 39 B 2
Villamorco E (Pa.) 40 B 2
Villamorey E (Ast.) 19 A 1
Villamorico E (Bur.) 42 A 3
Villamorico E (Le.) 38 C 3
Villamorisca E (Le.) 19 D 4
Villamoronta E (Pa.) 40 B 2
Villamoros de las Regueras E (Le.) 18 D 5
Villamoros de Mansilla E (Le.) 39 A 1
Villamuelas E (To.) 119 D 1
Villamuera de la Cueza E (Pa.) 40 B 3
Villamuñío E (Le.) 39 B 1
Villamuriel de Campos E (Vall.) 39 B 5
Villamuriel de Cerrato E (Pa.) 40 C 5
Villán de Tordesillas E (Vall.) 59 D 3
Villanañe E (Ál.) 22 D 4
Villanasur-Río de Oca E (Bur.) 42 B
Villanázar E (Zam.) 38 C
Villandiego E (Bur.) 41 B
Villandio E (Ast.) 18 D
Villaneceriel E (Pa.) 40 C
Villangómez E (Bur.) 41 C
Villanófar E (Le.) 19 B
Villanoño E (Bur.) 41 B
Villanova E (Hues.) 48 B
Villanúa E (Hues.) 26 D
Villanubla E (Vall.) 60 A
Villanueva E (Ast.) 18 A
Villanueva E (Ast.) 5 A
Villanueva E (Ast.) 4 C
Villanueva E (Ast.) 5 C
Villanueva E (Ast.) 6 C
Villanueva E (Ast.) 18 C
Villanueva E (Ast.) 7 D
Villanueva E (Ast.) 8 C
Villanueva E (Ast.) 6 B
Villanueva E (Can.) 9 C
Villanueva Mesía E (Gr.) 167 B
Villanueva de Abajo E (Pa.) 20 B
Villanueva de Aezkoa → Hiriberri E (Na.) 25 C
Villanueva de Alcardete E (To.) 120 D
Villanueva de Alcorón E (Gua.) 84 A
Villanueva de Algaidas E (Mál.) 180 C
Villanueva de Argaño E (Bur.) 41 B
Villanueva de Argecilla E (Gua.) 83 A
Villanueva de Arriba E (Pa.) 20 A
Villanueva de Ávila E (Áv.) 99 D
Villanueva de Azoague E (Zam.) 38 C
Villanueva de Bogas E (To.) 119 D
Villanueva de Cameros E (La R.) 43 B
Villanueva de Campeán E (Zam.) 58 C
Villanueva de Cañedo E (Sa.) 78 C
Villanueva de Carazo E (Bur.) 42 B
Villanueva de Carrizo E (Le.) 38 C
Villanueva de Cauche E (Mál.) 180 C
Villanueva de Córdoba E (Cór.) 150 A
Villanueva de Duero E (Vall.) 59 D
Villanueva de Gállego E (Zar.) 66 B
Villanueva de Gómez E (Áv.) 80 A
Villanueva de Gormaz E (So.) 62 D
Villanueva de Guadamajud E (Cu.) 103 C
Villanueva de Gumiel E (Bur.) 61 D
Villanueva de Henares E (Pa.) 21 A
Villanueva de Huerva E (Zar.) 66 A
Villanueva de Jamuz E (Le.) 38 B
Villanueva de Jiloca E (Zar.) 85 B
Villanueva de la Cañada E (Mad.) 101 B
Villanueva de la Concepción E (Mál.) 180 B
Villanueva de la Condesa E (Vall.) 39 C
Villanueva de la Fuente E (C. R.) 137 B
Villanueva de la Jara E (Cu.) 122 C
Villanueva de la Oca E (Bur.) 23 A
Villanueva de la Peña E (Can.) 9 A
Villanueva de la Peña E (Pa.) 20 B
Villanueva de la Reina E (J.) 151 B
Villanueva de la Serena E (Bad.) 132 B
Villanueva de la Sierra E (Các.) 97 B
Villanueva de la Sierra E (Zam.) 36 C
Villanueva de la Tercia E (Le.) 18 D
Villanueva de la Torre E (Gua.) 102 B
Villanueva de la Torre E (Pa.) 20 D
Villanueva de la Vera E (Các.) 98 D
Villanueva de las Cruces E (Huel.) 162 B
Villanueva de las Manzanas E (Le.) 39 A
Villanueva de las Peras E (Zam.) 38 A
Villanueva de las Torres E (Gr.) 168 D
Villanueva de los Caballeros E (Vall.) 59 B
Villanueva de los Castillejos E (Huel.) 161 D
Villanueva de los Escuderos E (Cu.) 104 A
Villanueva de los Infantes E (C. R.) 136 D
Villanueva de los Infantes E (Vall.) 60 C

nueva
e los Montes E (Bur.) 22 B5
nueva
e los Nabos E (Pa.) 40 B2
nueva
e los Pavones E (Sa.) 79 A2
nueva de Odra E (Bur.) 41 A1
nueva de Omaña E (Le.) 18 A4
nueva de Oscos E (Ast.) 4 D4
nueva de Perales E (Mad.) 101 A2
nueva de Pontedo E (Le.) 18 D3
nueva de Puerta E (Bur.) 41 B1
nueva
e San Carlos E (C. R.) 135 B5
nueva
e San Juan E (Sev.) 179 B2
nueva
e San Mancio E (Vall.) 59 D1
nueva de Sigena E (Hues.) 67 C2
nueva de Tapia E (Mál.) 180 D1
nueva de Teba E (Bur.) 22 C5
nueva de Valdueza E (Le.) 37 B1
nueva de Valrojo E (Zam.) 37 D5
nueva de Viver E (Cas.) 106 D4
nueva de Zamajón E (So.) 64 A3
nueva del Aceral E (Áv.) 79 D2
nueva del Árbol E (Le.) 18 D5
nueva del Ariscal E (Sev.) 163 C4
nueva
el Arzobispo E (J.) 152 D3
nueva
el Campillo E (Áv.) 79 B5
nueva del Campo E (Zam.) 39 A5
nueva del Carnero E (Le.) 38 D1
nueva
el Condado E (Le.) 19 A5
anueva del Conde E (Sa.) 98 A1
anueva del Duque E (Cór.) 149 C2
anueva del Fresno E (Bad.) 146 A1
anueva del Monte E (Pa.) 40 B1
anueva del Pardillo E (Mad.) 101 B1
anueva del Rebollar E (Pa.) 40 A3
anueva del Rebollar
de la Sierra E (Te.) 86 A3
anueva del Rey E (Cór.) 149 B3
anueva del Rey E (Sev.) 165 B3
anueva del Río E (Sev.) 164 C2
anueva
del Río Segura E (Mu.) 155 C4
anueva
del Río y Minas E (Sev.) 164 B2
anueva del Rosario E (Mál.) 180 C2
anueva del Trabuco E (Mál.) 180 D2
anueva la Blanca E (Bur.) 22 A3
anueva Río Ubierna E (Bur.) 41 D2
anueva Tobera E (Bur.) 23 B5
anueva-Carrales E (Bur.) 21 C3
anueva-Matamala E (Bur.) 41 C3
anueva-Soportilla E (Bur.) 22 D5
anuño de Valdavia E (Pa.) 40 C1
año E (Bur.) 22 C3
aobispo E (Zam.) 38 B4
aobispo
de las Regueras E (Le.) 18 D5
aobispo de Otero E (Le.) 38 A1
laoril E (Ast.) 5 B3
laornate E (Le.) 38 D4
lapadierna E (Le.) 19 C5
lapalacios E (Alb.) 137 C5
lapañada E (Ast.) 6 A4
lapardillo E (J.) 152 A5
lapeceñil E (Le.) 39 D2
lapedre E (Ast.) 5 B3
lapendi E (Ast.) 18 C1
lapérez E (Ast.) 6 C4
lapodambre E (Le.) 18 C4
lapresente E (Can.) 9 A4
laprovedo E (Pa.) 40 C1
laproviano E (Pa.) 40 B2
lapún E (Pa.) 40 A1
laquejida E (Le.) 38 D4
laquilambre E (Le.) 18 D5
laquirán
de la Puebla E (Bur.) 41 A3
laquirán
de los Infantes E (Bur.) 41 B3
lar E (Can.) 22 A1
lar E (Cór.) 165 C2
lar E (Vall.) 60 A3
lar de Acero E (Le.) 17 A4
lar de Argañán E (Sa.) 76 D4
lar de Arnedo, El E (La R.) 44 B3
lar de Cantos E (Cu.) 122 A4
lar de Cañas E (Cu.) 121 C2
lar de Ciervo E (Sa.) 76 D4
Villar de Ciervos E (Le.) 37 D1
Villar de Cobeta E (Gua.) 84 A4
Villar de Corneja E (Áv.) 99 A1
Villar de Cuevas E (J.) 167 C1
Villar de Chinchilla E (Alb.) 139 B3
Villar de Domingo
García E (Cu.) 104 A3
Villar de Fallaves E (Zam.) 39 A5
Villar de Farfón E (Zam.) 37 D5
Villar de Gallimazo E (Sa.) 79 B3
Villar de Golfer E (Le.) 37 D2
Villar de Huergo E (Ast.) 7 B4
Villar de la Cuesta E (Ast.) 7 B4
Villar de la Encina E (Cu.) 121 C3
Villar de la Yegua E (Sa.) 76 D4
Villar de las
Traviesas E (Le.) 17 C4
Villar de los Álamos E (Sa.) 78 A3
Villar de los Barrios E (Le.) 37 B1
Villar de los Navarros E (Zar.) 86 A1
Villar de los Pisones E (Zam.) 37 B4
Villar de Maya E (So.) 43 D4
Villar de Mazarife E (Le.) 38 C1
Villar de Olalla E (Cu.) 104 A5
Villar de Otero E (Le.) 17 A4
Villar de Peralonso E (Sa.) 77 D2
Villar de Plasencia E (Các.) 98 A4
Villar de Rena E (Bad.) 132 B1
Villar de Samaniego E (Sa.) 77 B1
Villar de Santiago, El E (Le.) 17 D3
Villar de Sobrepeña E (Seg.) 61 C5
Villar de Torre E (La R.) 43 A2
Villar del Águila E (Cu.) 103 C5
Villar del Ala E (So.) 63 C1
Villar del Arzobispo E (Val.) 124 B2
Villar del Buey E (Zam.) 57 D5
Villar del Campo E (So.) 64 B2
Villar del Cobo E (Te.) 105 A2
Villar del Horno E (Cu.) 103 D4
Villar del Humo E (Cu.) 123 A1
Villar del Infantado E (Cu.) 103 D1
Villar del Maestre E (Cu.) 103 D4
Villar del Monte E (Le.) 37 C3
Villar del Olmo E (Mad.) 102 C2
Villar del Pedroso E (Các.) 117 B2
Villar del Pozo E (C. R.) 135 B3
Villar del Rey E (Bad.) 130 C1
Villar del Río E (So.) 43 D5
Villar del Salz E (Te.) 85 B5
Villar del Saz
de Arcas E (Cu.) 104 B5
Villar del Saz
de Navalón E (Cu.) 103 D4
Villar del Yermo E (Le.) 38 C2
Villar, El E (C. R.) 135 A5
Villar, El E (Huel.) 162 D1
Villaralbo E (Zam.) 58 C4
Villaralto E (Cór.) 149 C1
Villarcayo E (Bur.) 22 A3
Villardeciervos E (Zam.) 37 C5
Villardefrades E (Vall.) 59 B2
Villardeveyo E (Ast.) 6 C3
Villardiegua
de la Ribera E (Zam.) 57 D3
Villárdiga E (Zam.) 59 A1
Villardompardo E (J.) 167 B1
Villardondiego E (Zam.) 59 A3
Villarejo E (Alb.) 138 C5
Villarejo E (Áv.) 99 D1
Villarejo E (La R.) 43 A2
Villarejo E (Sa.) 97 B1
Villarejo (Santo Tomé
del Puerto) E (Seg.) 82 A1
Villarejo de Fuentes E (Cu.) 121 B1
Villarejo de la Peñuela E (Cu.) 103 D4
Villarejo de la Sierra E (Zam.) 37 B4
Villarejo
de los Olmos, El E (Te.) 85 D3
Villarejo de Medina E (Gua.) 84 A3
Villarejo de Montalbán E (To.) 118 B2
Villarejo de Órbigo E (Le.) 38 B2
Villarejo de Salvanés E (Mad.) 102 B4
Villarejo del Espartal E (Cu.) 103 D3
Villarejo del Valle E (Áv.) 99 C3
Villarejo Seco E (Cu.) 103 D5
Villarejo, El E (Te.) 105 B3
Villarejo-Periesteban E (Cu.) 121 D1
Villarejo-Sobrehuerta E (Cu.) 103 D5
Villarén de Valdivia E (Pa.) 21 A4
Villarente E (Le.) 39 A1
Villares E (Alb.) 154 C1
Villares de Jadraque E (Gua.) 82 D2
Villares de la Reina E (Sa.) 78 C2
Villares de Órbigo E (Le.) 38 B1
Villares de Soria, Los E (So.) 63 D1
Villares de Yeltes E (Sa.) 77 B3
Villares del Saz E (Cu.) 121 C1
Villares, Los E (Cór.) 166 D4
Villares, Los E (Gr.) 168 B4
Villares, Los E (J.) 167 C2
Villares, Los E (J.) 151 B4
Villares, Los E (J.) 167 B1
Villares, Los E (Mad.) 102 A3
Villargordo E (J.) 151 C5
Villargordo E (Sa.) 77 C2
Villargordo E (Sev.) 163 B2
Villargordo del Cabriel E (Val.) 123 B3
Villargusán E (Le.) 18 B2
Villaricos E (Alm.) 171 A5
Villariezo E (Bur.) 41 D3
Villarín E (Ast.) 4 D4
Villarín de Riello E (Le.) 18 B4
Villarino E (Le.) 37 B3
Villarino de Cebal E (Zam.) 57 C1
Villarino de los Aires E (Sa.) 57 B5
Villarino de Manzanas E (Zam.) 57 B1
Villarino
Tras la Sierra E (Zam.) 57 B2
Villariño del Sil E (Le.) 17 C3
Villariños-Castañoso E (Le.) 16 D4
Villarluengo E (Te.) 86 D5
Villarmayor E (Sa.) 78 A2
Villarmentero
de Campos E (Pa.) 40 C3
Villarmentero
de Esgueva E (Vall.) 60 B2
Villarmeriel E (Le.) 18 A5
Villarmero E (Bur.) 41 D2
Villarmuerto E (Sa.) 77 C2
Villarnera de la Vega E (Le.) 38 B2
Villarpedre E (Ast.) 16 D1
Villarquemado E (Te.) 105 C1
Villarquille E (Ast.) 4 D5
Villarrabé E (Pa.) 40 A2
Villarrabines E (Le.) 38 D4
Villarramiel E (Pa.) 39 D5
Villarrapa E (Zar.) 65 D2
Villarrasa E (Huel.) 162 D4
Villarraso E (So.) 64 A1
Villarreal E (Bad.) 129 D4
Villarreal de Huerva E (Zar.) 85 C1
Villarreal de la Canal E (Hues.) 26 A5
Villarreal
de San Carlos E (Các.) 116 A1
Villarreal/Vila-Real E (Cas.) 107 C5
Villarriba E (Ast.) 7 A4
Villarrín de Campos E (Zam.) 58 D1
Villarrín del Páramo E (Le.) 38 C2
Villarroañe E (Le.) 39 A1
Villarrobejo E (Pa.) 40 A1
Villarrobledo E (Alb.) 121 C5
Villarrodrigo E (J.) 153 C1
Villarrodrigo
de la Vega E (Pa.) 40 A1
Villarrodrigo
de las Regueras E (Le.) 18 D5
Villarrodrigo de Ordás E (Le.) 18 C5
Villarroya E (La R.) 44 B4
Villarroya de la Sierra E (Zar.) 64 D4
Villarroya
de los Pinares E (Te.) 106 C1
Villarroya del Campo E (Zar.) 85 C1
Villarrubia E (Cór.) 165 D1
Villarrubia de los Ojos E (C. R.) 135 D1
Villarrubia de Santiago E (To.) 102 B5
Villarrubín E (Le.) 16 C5
Villarrubio E (Cu.) 103 A5
Villarrué E (Hues.) 48 C1
Villarta E (Cu.) 123 A4
Villarta de los Montes E (Bad.) 133 D1
Villarta de San Juan E (C. R.) 120 A5
Villarta-Quintana E (La R.) 42 D2
Villartoso E (So.) 43 D5
Villas Nuevas,
Las, lugar E (Alb.) 138 B2
Villas, Las/Villes, les E (Cas.) 107 D4
Villasabariego E (Le.) 39 A1
Villasabariego de
Ucieza E (Pa.) 40 B2
Villasana de Mena E (Bur.) 22 C2
Villasandino E (Bur.) 41 A2
Villasante de Montija E (Bur.) 22 A2
Villasarracino E (Pa.) 40 C2
Villasayas E (So.) 63 C5
Villasbuenas E (Sa.) 77 A2
Villasbuenas de Gata E (Các.) 97 A3
Villasdardo E (Sa.) 77 D2
Villaseca E (Cu.) 104 A2
Villaseca E (Seg.) 61 C5
Villaseca de Arciel E (So.) 64 B3
Villaseca de Henares E (Gua.) 83 B3
Villaseca de la Sagra E (To.) 101 B5
Villaseca de
la Sobarriba E (Le.) 39 A1
Villaseca de Laciana E (Le.) 17 D3
Villaseca de Uceda E (Gua.) 82 B4
Villaseca, lugar E (Cór.) 165 C1
Villasecino E (Le.) 18 A3
Villaseco de
los Gamitos E (Sa.) 77 D2
Villaseco de los Reyes E (Sa.) 77 D1
Villaseco del Pan E (Zam.) 58 A4
Villaselán E (Le.) 39 C1
Villaselva E (Sa.) 78 B2
Villasequilla E (To.) 119 D1
Villasevil E (Can.) 21 B1
Villasexmir E (Vall.) 59 C3
Villasidro E (Bur.) 41 A2
Villasila de Valdavia E (Pa.) 40 B1
Villasilos E (Bur.) 41 A3
Villasimpliz E (Le.) 18 D3
Villasinde E (Le.) 16 D5
Villasinta de Torío E (Le.) 18 D5
Villasopliz E (Bur.) 21 D3
Villasrubias E (Sa.) 97 A2
Villastar E (Te.) 105 D3
Villasumil E (Le.) 17 A4
Villasur E (Pa.) 40 B1
Villasur de Herreros E (Bur.) 42 B3
Villasuso E (Can.) 21 A1
Villasuso E (Can.) 21 B1
Villasuso de Mena E (Bur.) 22 B2
Villate E (Bur.) 22 B3
Villatobas E (To.) 120 B1
Villatomil E (Bur.) 22 A3
Villatoquite E (Pa.) 40 A3
Villatoro E (Áv.) 99 C1
Villatoro E (Bur.) 41 D2
Villatoya E (Alb.) 123 C5
Villatresmil E (Ast.) 5 C4
Villatuelda E (Bur.) 61 C1
Villatuerta E (Na.) 24 C5
Villaturde E (Pa.) 40 B2
Villaturiel E (Le.) 39 A1
Villaumbrales E (Pa.) 40 B4
Villaute E (Bur.) 41 B1
Villava/Atarrabia E (Na.) 25 A4
Villavaliente E (Alb.) 139 B1
Villavante E (Le.) 38 B1
Villavaquerín E (Vall.) 60 C3
Villavedeo E (Bur.) 22 B4
Villavedón E (Bur.) 41 A1
Villavega de Aguilar E (Pa.) 20 D4
Villavega de Ojeda E (Pa.) 20 C5
Villavelasco de
Valderaduey E (Le.) 39 D1
Villavelayo E (La R.) 42 D4
Villavellid E (Vall.) 59 B2
Villavendimio E (Zam.) 59 A3
Villavente E (Le.) 19 A5
Villaventín E (Bur.) 22 B3
Villaverde E (Las P.) 190 B1
Villaverde de Abajo E (Le.) 18 D5
Villaverde de Arcayos E (Le.) 19 C5
Villaverde de Arriba E (Le.) 18 D5
Villaverde de
Guadalimar E (Alb.) 153 C1
Villaverde de Guareña E (Sa.) 78 D2
Villaverde de Íscar E (Seg.) 60 B5
Villaverde
de la Abadía E (Le.) 37 A1
Villaverde de la Peña E (Pa.) 20 B4
Villaverde de los Cestos E (Le.) 17 C5
Villaverde de Medina E (Vall.) 59 C5
Villaverde de Montejo E (Seg.) 61 D4
Villaverde de Pontones E (Can.) 9 D4
Villaverde de Rioja E (La R.) 43 A3
Villaverde
de Sandoval E (Le.) 39 A1
Villaverde de Trucios E (Can.) 22 C1
Villaverde del Ducado E (Gua.) 83 C2
Villaverde del Monte E (Bur.) 41 C4
Villaverde del Monte E (So.) 63 B1
Villaverde del Río E (Sev.) 164 A2
Villaverde la Chiquita E (Le.) 39 C1
Villaverde
y Pasaconsol E (Cu.) 122 A2
Villaverde, lugar E (Alb.) 137 D4
Villaverde-Mogina E (Bur.) 41 B4
Villaverde-Peñahorada E (Bur.) 41 D2
Villavés E (Bur.) 21 D3
Villaveta E (Bur.) 41 A3
Villaveta E (Na.) 25 B4
Villaveza de Valverde E (Zam.) 38 B5
Villaveza del Agua E (Zam.) 38 C5
Villavicencio de
los Caballeros E (Vall.) 39 B4
Villaviciosa E (Ast.) 7 A3
Villaviciosa E (Áv.) 99 D1
Villaviciosa de Córdoba E (Cór.) 149 C4
Villaviciosa de
la Ribera E (Le.) 18 B5
Villaviciosa de Odón E (Mad.) 101 B2
Villaviciosa de Tajuña E (Gua.) 83 A4
Villavidel E (Le.) 38 D2
Villavieja de Muñó E (Bur.) 41 C3
Villavieja de Yeltes E (Sa.) 77 B3
Villavieja del Cerro E (Vall.) 59 C3
Villavieja del Lozoya E (Mad.) 81 D2
Villavieja/Vila Vella, la E (Cas.) 125 C1
Villaviudas E (Pa.) 40 D5
Villayandre E (Le.) 19 C3
Villayerno Morquillas E (Bur.) 41 D2
Villayo E (Ast.) 6 B3
Villayón E (Ast.) 5 A3
Villayuda o Ventilla, La E (Bur.) 41 D3
Villayuso E (Can.) 21 B1
Villayuste E (Le.) 18 B4
Villazala E (Le.) 38 B2
Villazanzo de
Valderaduey E (Le.) 39 D1
Villazón E (Ast.) 5 D4
Villazopeque E (Bur.) 41 B4
Villegas E (Bur.) 41 B2
Villeguillo E (Seg.) 80 B1
Villel E (Te.) 105 D3
Villel de Mesa E (Gua.) 84 C2
Villela E (Bur.) 20 D5
Villemar E (Pa.) 39 D3
Villena E (Ali.) 140 B5
Villerías de Campos E (Pa.) 40 A5
Villes, les →
Villas, Las E (Cas.) 107 D4
Villeza E (Le.) 39 B2
Villibañe E (Le.) 38 D2
Villiguer E (Le.) 39 A1
Villimar E (Bur.) 41 D2
Villimer E (Le.) 39 A1
Villodre E (Pa.) 40 D3
Villodrigo E (Pa.) 41 A4
Villoldo E (Pa.) 40 B3
Villomar E (Le.) 39 A1
Villora E (Cu.) 123 A2
Villorejo E (Bur.) 41 B2
Villores E (Cas.) 87 B5
Villoria E (Ast.) 18 D1
Villoria E (Sa.) 79 A2
Villoria de Órbigo E (Le.) 38 B2
Villorobe, lugar E (Bur.) 42 B3
Villorquite del Páramo E (Pa.) 40 A1
Villoruebo E (Bur.) 42 A4
Villoruela E (Sa.) 79 A2
Villosilla de la Vega E (Pa.) 40 A1
Villoslada E (Seg.) 80 C3
Villoslada de Cameros E (La R.) 43 B4
Villota del Duque E (Pa.) 40 B1
Villota del Páramo E (Pa.) 40 A1
Villotilla E (Pa.) 40 B2
Villovela de Esgueva E (Bur.) 61 B1
Villovela de Pirón E (Seg.) 81 A2
Villoviado E (Bur.) 41 D5
Villovieco E (Pa.) 40 C3
Villusto E (Bur.) 41 B1
Vimbodí E (Ta.) 69 B4
Vime de Sanabria E (Zam.) 37 B4
Vimeiro P (Lei.) 111 A3
Vimeiro P (Lis.) 110 C5
Vimianzo E (A Co.) 1 C5
Vimieira P (Ave.) 94 A1
Vimieiro P (Év.) 128 D3
Vimieiro P (Vis.) 94 C1
Vimioso P (Bra.) 57 B3
Vinaceite E (Te.) 66 D5
Vinaderos E (Áv.) 80 A2
Vinaixa E (Ll.) 69 B4
Vinalesa E (Val.) 125 A3
Vinallop E (Ta.) 88 C4
Vinaròs E (Cas.) 108 C1
Vincios E (Po.) 33 D3
Vindel E (Cu.) 103 D1
Vinebre E (Ta.) 88 C1
Vinha da Rainha P (Co.) 93 C3
Vinha Velha P (San.) 112 C2
Vinhais P (Bra.) 56 C1
Vinhal P (Vis.) 74 D5
Vinhas P (Bra.) 56 D3
Vinheiros P (Port.) 54 D5
Vinhó P (Co.) 94 D2
Vinhó P (Guar.) 95 B1
Vinhós P (Br.) 54 C3

Vinhós P (V. R.) 55 A 5
Viniegra de Abajo E (La R.) 43 A 4
Viniegra de Arriba E (La R.) 43 A 4
Vinseiro E (Po.) 14 B 4
Vinuesa E (So.) 63 B 1
Vinyoles d'Oris E (Bar.) 51 A 4
Vinyols i els Arcs E (Ta.) 89 B 1
Viña E (A Co.) 3 A 4
Viña E (Our.) 35 A 1
Viñales E (Le.) 17 C 5
Viñas E (A Co.) 2 D 4
Viñas E (Zam.) 57 B 1
Viñas, Las E (Gr.) 169 A 4
Viñas-Viejas, lugar E (Cu.) 121 B 1
Viñayo E (Le.) 18 C 4
Viñegra de la Sierra E (Áv.) 79 C 5
Viñegra de Moraña E (Áv.) 79 D 3
Viños E (A Co.) 14 D 3
Viñuela E (C. R.) 134 C 4
Viñuela E (Mál.) 181 A 3
Viñuela de Sayago E (Zam.) 58 A 5
Viñuela, La E (Gr.) 167 B 4
Viñuela, La, lugar E (Alb.) 153 D 4
Viñuela, La, lugar E (Sev.) 148 C 5
Viñuelas E (Gua.) 82 B 4
Vio E (Hues.) 47 C 1
Viobes E (Ast.) 7 A 4
Vioño E (Can.) 9 B 5
Viquejos E (Mu.) 171 C 3
Viradouro P (Be.) 159 D 3
Virela P (Vis.) 74 C 3
Virgen de Begoña E (Gr.) 182 D 1
Virgen de Gracia/
Verge de Gràcia, la E (Cas.) 107 C 5
Virgen de la Cabeza E (J.) 151 A 3
Virgen del Camino, La E (Le.) 38 D 1
Virgen del Carmen E (Mu.) 155 D 4
Virgen del Oro E (Mu.) 155 C 3
Virgen, La E (Can.) 9 A 5
Virreina, La E (Bar.) 71 B 3
Virtelo P (V. C.) 34 C 4
Virtudes P (Lis.) 127 B 1
Virtudes, Las E (Ali.) 140 B 5
Virtus E (Bur.) 21 C 3
Visalibons E (Hues.) 48 C 2
Visantoña E (A Co.) 14 C 1
Visantoña E (A Co.) 14 D 3
Viseu P (Vis.) 75 A 4
Visiedo E (Te.) 85 D 5
Viso E (Po.) 34 A 2
Viso P (V. C.) 33 C 5
Viso de San Juan, El E (To.) 101 B 4
Viso del Alcor, El E (Sev.) 164 B 4
Viso del Marqués E (C. R.) 151 D 1
Viso dos Eidos E (Po.) 33 C 4
Viso, El E (Alb.) 123 D 5
Viso, El E (Alm.) 184 B 3
Viso, El E (Cór.) 149 C 1
Vistabella E (Zar.) 85 D 1
Vistabella del Maestrat
→ Vistabella
del Maestrazgo E (Cas.) 107 B 3
Vistabella del
Maestrazgo/Vistabella
del Maestrat E (Cas.) 107 B 3
Vistahermosa E (Cád.) 177 B 5
Vistahermosa E (Sa.) 78 C 3
Vistasierra E (Mad.) 81 D 4
Visuña E (Lu.) 16 C 5
Visvique E (Las P.) 191 C 2
Vita E (Áv.) 79 C 4
Vite E (Mu.) 155 C 3
Vites E (J.) 153 D 3
Vitigudino E (Sa.) 77 B 2
Vitoria-Gasteiz E (Ál.) 23 B 4
Vitorinha P (Ave.) 73 D 4
Vitorino das Donas P (V. C.) 54 A 1
Vitorino dos Piães P (V. C.) 54 A 1
Vitre E (A Co.) 14 B 3
Viu E (Hues.) 48 A 1
Viu, lugar E (Hues.) 27 B 5
Vivancos, Los E (Mu.) 172 A 2
Vivar de
Fuentidueña E (Seg.) 61 B 4
Vivar del Cid E (Bur.) 41 D 2
Vivares E (Bad.) 132 A 1
Viveda E (Can.) 9 B 4
Viveiro E (Lu.) 3 D 2
Viveiro P (V. R.) 55 B 2
Vivel del Río Martín E (Te.) 86 A 3
Vivenzo P (Our.) 34 C 2
Viver E (Cas.) 106 D 5
Viver de la Sierra E (Zar.) 65 A 4
Vivero E (Le.) 17 D 3
Viveros E (Alb.) 137 C 4

Vivinera E (Zam.) 57 C 2
Vizcable E (Alb.) 154 A 3
Vizcaínos E (Bur.) 42 C 4
Vizela P (Br.) 54 C 4
Vizmanos E (So.) 43 D 5
Viznar E (Gr.) 168 A 5
Vizoño E (A Co.) 2 C 5
Vodra P (Guar.) 95 B 1
Volta do Vale P (San.) 128 A 2
Voltans
de Montornès E (Cas.) 107 D 4
Vouzela P (Vis.) 74 C 4
Vozmediano E (Le.) 19 B 3
Vozmediano E (So.) 64 C 1
Voznuevo E (Le.) 19 B 4
Vreia de Bornes P (V. R.) 55 C 3
Vreia de Jales P (V. R.) 55 C 4
Vueltas E (S.Cruz T.) 194 B 2
Vulpellac E (Gi.) 52 B 4

W

Wamba E (Vall.) 59 D 2

X

Xàbia → Jávea E (Ali.) 142 A 4
Xabier → Javier E (Na.) 45 C 1
Xaló → Jalón E (Ali.) 141 D 4
Xallas E (A Co.) 13 D 2
Xanceda E (A Co.) 14 D 1
Xanza E (Po.) 14 A 4
Xara, la →
Jara, La E (Ali.) 141 D 3
Xares E (Our.) 36 D 3
Xartinho P (San.) 111 B 3
Xàtiva E (Val.) 141 A 2
Xavestre E (A Co.) 14 B 2
Xaviña E (A Co.) 1 B 5
Xendive E (Our.) 34 D 5
Xendive E (Our.) 34 D 1
Xeraco E (Val.) 141 C 2
Xerdiz E (Lu.) 3 D 2
Xeresa E (Val.) 141 C 2
Xermade E (Lu.) 3 C 4
Xermar E (Lu.) 3 D 5
Xert → Chert E (Cas.) 108 A 1
Xerta E (Ta.) 88 C 3
Xesta E (Po.) 34 B 1
Xesta E (Po.) 14 D 5
Xesteda E (A Co.) 14 B 1
Xesteira E (Po.) 34 B 1
Xestosa E (Our.) 35 A 2
Xestoso E (A Co.) 3 A 4
Xestoso E (Po.) 14 C 4
Xeve E (Po.) 34 A 1
Xiá E (Lu.) 15 B 2
Xián E (Lu.) 15 C 4
Xilxes → Chilches E (Cas.) 125 C 1
Ximeno P (Fa.) 160 C 4
Xinorlet, el E (Ali.) 156 B 1
Xinzo E (Po.) 34 A 3
Xinzo E (Po.) 14 B 5
Xinzo da Costa E (Our.) 35 D 3
Xinzo de Limia/
Ginzo de Limia E (Our.) 35 C 4
Xinzo
de Teixugueiras E (Our.) 35 A 2
Xirivella E (Val.) 125 A 4
Xirles → Chirles E (Ali.) 141 C 5
Xironda E (Our.) 35 C 5
Xisto P (V. C.) 53 D 2
Xiva de Morella →
Chiva de Morella E (Cas.) 87 C 5
Xixona →
Jijona E (Ali.) 141 A 5
Xobre E (A Co.) 13 C 5
Xodos → Chodos E (Cas.) 107 B 3
Xoez E (A Co.) 2 C 3
Xornes E (A Co.) 1 D 4
Xove E (Lu.) 4 A 1
Xuances E (Lu.) 3 D 1
Xubia E (A Co.) 3 C 2
Xubín E (Our.) 34 D 2
Xudán E (Our.) 34 D 2
Xunqueira de Ambía E (Our.) 35 B 3
Xunqueira
de Espadanedo E (Our.) 35 C 2
Xuño E (A Co.) 13 C 4
Xustáns E (Po.) 34 A 1
Xustás E (Lu.) 4 A 5

Y

Yaiza E (Las P.) 192 B 4
Yanguas E (So.) 43 D 4
Yanguas de Eresma E (Seg.) 80 D 2
Yáñez, lugar E (C. R.) 137 A 5
Yátor E (Gr.) 182 D 2
Yátova E (Val.) 124 C 4
Yeba E (Hues.) 47 C 1
Yébenes, Los E (To.) 119 C 3
Yebes E (Gua.) 102 D 1
Yebra E (Gua.) 102 D 2
Yebra de Basa E (Hues.) 47 A 1
Yecla E (Mu.) 140 A 5
Yecla de Yeltes E (Sa.) 77 B 2
Yécora/Iekora E (Ál.) 43 D 1
Yéchar E (Mu.) 155 C 4
Yedra, La E (J.) 152 A 4
Yegen E (Gr.) 182 D 2
Yegua Alta, La E (Alm.) 170 B 3
Yegua Baja, La E (Alm.) 170 B 3
Yeguarizas E (Alb.) 154 A 1
Yela E (Gua.) 83 B 4
Yélamos de Abajo E (Gua.) 83 A 5
Yélamos de Arriba E (Gua.) 83 A 5
Yelbes E (Bad.) 131 D 2
Yeles E (To.) 101 C 4
Yelo E (So.) 83 C 1
Yémeda E (Cu.) 123 A 2
Yepes E (To.) 119 D 1
Yéqueda E (Hues.) 46 D 4
Yera E (Can.) 21 D 2
Yernes E (Ast.) 6 A 5
Yesa, La E (Val.) 124 B 1
Yesa/Esa E (Na.) 25 C 5
Yeseras, Las E (Gr.) 169 C 4
Yésero E (Hues.) 27 A 5
Yesos, Los E (Alm.) 184 A 1
Yesos, Los E (Gr.) 182 C 4
Yéspola E (Hues.) 47 A 2
Yeste E (Alb.) 154 A 2
Yetas E (Alb.) 154 A 3
Yudego E (Bur.) 41 B 2
Yugo, El E (Cád.) 178 A 3
Yugueros E (Le.) 19 C 4
Yuncler E (To.) 101 B 5
Yuncillos E (To.) 101 B 5
Yuncos E (To.) 101 C 4
Yunquera E (Mál.) 179 D 4
Yunquera de Henares E (Gua.) 82 C 4
Yunquera, La E (Alb.) 138 A 3
Yunta, La E (Gua.) 85 A 3

Z

Zabal, lugar E (Cád.) 187 A 4
Zabala-Belendiz E (Viz.) 11 B 5
Zabaloetxe E (Viz.) 11 A 5
Zabalza E (Na.) 25 C 4
Zabalza E (Na.) 24 D 4
Zacos E (Le.) 38 A 1
Zael E (Bur.) 41 C 4
Zaén de Abajo E (Mu.) 154 B 3
Zaén de Arriba E (Mu.) 154 B 3
Zafara E (Zam.) 57 D 4
Zafarraya E (Gr.) 181 A 2
Zafra E (Bad.) 147 B 1
Zafra de Záncara E (Cu.) 121 C 1
Zafra-Magón, lugar E (Cád.) 179 A 2
Zafrilla E (Cu.) 105 A 3
Zafrón E (Sa.) 78 A 2
Zafroncino E (Sa.) 78 A 2
Zagra E (Gr.) 167 A 5
Zagrilla E (Cór.) 166 D 3
Zagrilla Alta, lugar E (Cór.) 166 D 3
Zahán, El E (J.) 167 A 1
Zahara E (Cád.) 178 B 3
Zahara de los Atunes E (Cád.) 186 B 4
Zahínos E (Bad.) 146 B 2
Zahora E (Cád.) 186 A 4
Zahora, La E (Gr.) 181 C 1
Zaida, La E (Zar.) 67 A 5
Zaidín E (Hues.) 68 A 3
Zalain Zoko E (Na.) 12 D 5
Zalamea de la Serena E (Bad.) 132 C 5
Zalamea la Real E (Huel.) 162 D 2
Zalamillas E (Le.) 39 A 3
Zalba E (Na.) 25 B 4
Zaldibar E (Viz.) 23 B 4
Zaldibia E (Gui.) 24 B 2
Zalduendo E (Bur.) 42 A 3
Zalduondo E (Ál.) 23 D 4

Zalea E (Mál.) 180 A 4
Zalla E (Viz.) 22 C 1
Zamáns E (Po.) 33 D 3
Zamarra E (Sa.) 97 B 1
Zamarramala E (Seg.) 81 A 3
Zamayón E (Sa.) 78 B 1
Zambra E (Cór.) 166 C 4
Zambrana E (Ál.) 23 A 5
Zambrocinos
del Páramo E (Le.) 38 C 3
Zambujal P (Co.) 93 D 2
Zambujal P (Co.) 94 A 4
Zambujal P (Fa.) 161 A 4
Zambujal P (Lei.) 94 A 5
Zambujal P (Lei.) 111 A 3
Zambujal P (Lis.) 126 B 1
Zambujal P (Lis.) 126 D 2
Zambujal P (San.) 111 D 2
Zambujal P (Set.) 127 B 4
Zambujal de Cima P (Set.) 126 D 5
Zambujeira P (Be.) 159 C 1
Zambujeira P (Lei.) 111 A 3
Zambujeira do Mar P (Be.) 159 B 2
Zambujeiro P (Co.) 93 D 2
Zambujeiro P (Lis.) 110 C 4
Zamora E (Zam.) 58 C 4
Zamora, lugar E (J.) 168 B 3
Zamoranos E (Cór.) 167 A 3
Zamudio E (Viz.) 11 A 5
Zancarrones, Los E (Mu.) 155 C 5
Zanfoga E (Lu.) 16 C 5
Zangandez E (Bur.) 22 C 5
Zangoza → Sangüesa E (Na.) 45 C 1
Zaorejas E (Gua.) 84 A 4
Zapardiel
de la Cañada E (Áv.) 79 A 5
Zapardiel
de la Ribera E (Áv.) 99 A 2
Zapatera, La E (Bad.) 131 C 3
Zapillo, El, lugar E (Huel.) 162 D 3
Zárabes E (So.) 64 A 3
Zaragoza E (Zar.) 66 B 3
Zaramillo E (Viz.) 22 D 1
Zarandona E (Mu.) 156 A 5
Zarapicos E (Sa.) 78 B 2
Zaratamo E (Viz.) 23 A 1
Zaratán E (Vall.) 60 A 3
Zarate E (Ál.) 23 B 4
Zarautz E (Gui.) 12 A 5
Zarcilla de Ramos E (Mu.) 170 D 1
Zarikiegi E (Na.) 24 D 4
Zarra E (Val.) 140 A 1
Zarrantz E (Na.) 24 D 3
Zarratón E (La R.) 43 A 1
Zarza de Granadilla E (Các.) 98 A 3
Zarza de Montánchez E (Các.) 115 D 5
Zarza de Pumareda, La E (Sa.) 77 A 1
Zarza de Tajo E (Cu.) 102 C 5
Zarza la Mayor E (Các.) 96 C 5
Zarza, La E (Alb.) 138 B 4
Zarza, La E (Áv.) 98 C 2
Zarza, La E (Bad.) 131 C 3
Zarza, La E (Huel.) 162 C 1
Zarza, La E (Mu.) 156 A 2
Zarza, La E (Mu.) 155 C 5
Zarza, La E (S.Cruz T.) 196 A 3
Zarza, La E (Vall.) 60 A 5
Zarza-Capilla E (Bad.) 133 B 4
Zarzadilla de Totana E (Mu.) 171 A 1
Zarzalejo E (Mad.) 101 A 1
Zarzalico E (Mu.) 170 D 2
Zarzosa E (La R.) 43 D 4
Zarzosa de Riopisuerga E (Bur.) 40 D 1
Zarzoso, El, lugar E (Cu.) 104 A 5
Zarzuela E (Cu.) 104 B 3
Zarzuela de Jadraque E (Gua.) 82 D 2
Zarzuela del Monte E (Seg.) 80 D 4
Zarzuela del Pinar E (Seg.) 81 A 1
Zarzuela, La E (Cád.) 186 B 4
Zas E (A Co.) 13 D 1
Zas de Rei E (A Co.) 15 A 2
Zava P (Bra.) 57 A 5
Zayas de Báscones E (So.) 62 C 2
Zayas de Torre E (So.) 62 B 3
Zayuelas E (So.) 62 A 2
Zazuar E (Bur.) 62 A 2
Zeanuri E (Viz.) 23 B 2
Zeberio E (Viz.) 23 A 2
Zebral P (V. R.) 55 C 1
Zebras P (C. B.) 95 D 4
Zebras P (V. R.) 55 C 1
Zebreira P (C. B.) 96 B 5
Zebreiros P (Port.) 74 A 1
Zebrinho P (San.) 127 D 1

Zebros P (San.) 127
Zedes P (Bra.) 56
Zeive P (Bra.) 36
Zelaieta E (Gui.) 11
Zeligeta → Celigueta E (Na.) 25
Zeneta E (Mu.) 156
Zerain E (Gui.) 24
Zestafe E (Ál.) 23
Zestoa/Cestona E (Gui.) 24
Zia E (Na.) 25
Zibreira P (Lis.) 126
Zibreira P (San.) 111
Zierbena E (Viz.) 10
Ziga E (Na.) 24
Zimão P (V. R.) 55
Zimbreira P (San.) 113
Ziordia E (Na.) 24
Zirauki → Cirauqui E (Na.) 24
Ziriano E (Ál.) 23
Ziritza → Ciriza E (Na.) 24
Zizur Nagusia →
Cizur Mayor E (Na.) 24
Zizurkil E (Gui.) 24
Zobra E (Po.) 14
Zocas, Las E (S.Cruz T.) 195
Zocueca E (J.) 151
Zoilos, Los E (Alm.) 169
Zóio P (Bra.) 56
Zoma, La E (Te.) 86
Zomas, Las E (Cu.) 104
Zona Costera E (Ta.) 90
Zona de los Príncipes E (Huel.) 176
Zônho P (Vis.) 75
Zorelle E (Our.) 35
Zorio E (Alb.) 137
Zorita E (Các.) 116
Zorita E (Sa.) 78
Zorita E (Sa.) 78
Zorita de la Frontera E (Sa.) 79
Zorita de la Loma E (Vall.) 39
Zorita de los Canes E (Gua.) 103
Zorita del Maestrazgo/
Sorita E (Cas.) 87
Zorita del Páramo E (Pa.) 40
Zorraquín E (La R.) 42
Zorreras, Las E (Mad.) 81
Zorrillos, Los E (Các.) 186
Zotes del Páramo E (Le.) 38
Zouparria P (Co.) 93
Zuares del Páramo E (Le.) 38
Zuazo de Cuartango/
Zuhatzu Koartango E (Ál.) 23
Zuazo de Vitoria E (Ál.) 23
Zubia, La E (Gr.) 182
Zubiaur-Alde E (Viz.) 11
Zubieta E (Na.) 24
Zubiete E (Viz.) 22
Zubillaga E (Ál.) 22
Zubillaga E (Gui.) 23
Zubiri E (Na.) 24
Zucaina E (Cas.) 107
Zudaire (Améscoa Baja) E (Na.) 24
Zuera E (Zar.) 66
Zufre E (Huel.) 163
Zugarramurdi E (Na.) 25
Zugaztieta →
Arboleda, La E (Viz.) 10
Zuhatza E (Ál.) 22
Zuhatzu Koartango →
Zuazo de Cuartango E (Ál.) 23
Zuheros E (Cór.) 166
Zujaira E (Gr.) 167
Zújar E (Gr.) 169
Zulema E (Alb.) 123
Zulema E (Mad.) 102
Zumacal E (Las P.) 191
Zumaia E (Gui.) 12
Zumarraga E (Gui.) 23
Zumel E (Bur.) 41
Zuñeda E (Bur.) 42
Zúñiga y la Juncosa E (Mu.) 171
Zúñiga/Eztuniga E (Na.) 24
Zurbao E (Ál.) 23
Zurbarán E (Bad.) 132
Zureda E (Ast.) 18
Zurgena E (Alm.) 170
Zurita E (Can.) 9
Zurita E (Hues.) 48
Zuzones E (Bur.) 62